Cremer · Heckl

Körperschall

Physikalische Grundlagen
und technische Anwendungen

Berichtigter Reprint

Springer-Verlag Berlin Heidelberg New York 1982

Professor Dr.-Ing. Lothar Cremer
em. ord. Professor der Technischen Universität Berlin

Professor Dr. rer. nat. Manfred Heckl
Institut für Technische Akustik, Technische Universität Berlin

ISBN 3-540-03753-5 Springer-Verlag Berlin Heidelberg New York
ISBN 0-387-03753-5 Springer-Verlag New York Heidelberg Berlin

CIP-Kurztitelaufnahme der Deutschen Bibliothek:

Cremer, Lothar: Körperschall: physikal. Grundlagen u. techn. Anwendungen/
von L. Cremer u. M. Heckl. – Berichtigter Reprint d. Erstaufl. Berlin,
Heidelberg, New York, 1967. – Berlin; Heidelberg; New York: Springer, 1982
NE: Heckl, Manfred:

Reprographischer Nachdruck: Proff GmbH & Co. KG, Bad Honnef
Bindearbeiten: Graphischer Betrieb Konrad Triltsch, Würzburg

2060/3014 – 5 4 3 2 1

Vorwort zur Reprintausgabe

Das Interesse an Körperschall hat wegen der immer noch wachsenden Bedeutung der Lärmbekämpfung im Maschinenbau, Fahrzeugbau, Hochbau in den letzten Jahren mit Sicherheit nicht abgenommen. Es erscheint daher richtig, das vorliegende, schon seit einiger Zeit vergriffene Buch einem interessierten Leserkreis im deutschsprachigen Raum wieder zugänglich zu machen. Es ergab sich dabei natürlich die Frage, inwieweit bei einer neuen Drucklegung Änderungen vorgenommen und Entwicklungen, die zwischenzeitlich stattgefunden haben, berücksichtigt werden sollen. Nach einigen Überlegungen wurde beschlossen, die deutsche Fassung als Reprintausgabe erscheinen zu lassen, in der nur einige Berichtigungen vorgenommen wurden. Für diese Vorgehensweise sprachen zwei Gründe

a) durch die in der Herstellung wesentlich billigere Reprintausgabe konnte der Preis niedriger gehalten werden als bei einer vollkommenen Neuauflage.

b) Es geht den Autoren, wie sie im Vorwort zur Erstauflage schreiben, "mehr um ein Lehrbuch, das durch gründliche Behandlung einfacher Probleme den Leser befähigt, neuartige Aufgaben selbst zu lösen als um ein Handbuch, das alles bis zur Manuskriptabgabe Erschienene zu erfassen sucht". In den Grundlagen, wie sie für ein Lehrbuch wesentlich sind, haben sich aber in den letzten Jahren keine großen Veränderungen ergeben.

Die Autoren hoffen, daß auch diese Reprintausgabe von der Fachwelt akzeptiert wird und daß das Buch einen kleinen Beitrag leistet, Körperschallprobleme zu lösen.

Im Juli 1982 L. Cremer, M. Heckl

Körperschall

Körperschall

Physikalische Grundlagen und Technische Anwendungen

Von

Dr.-Ing. L. Cremer
o. Professor
Direktor des Instituts für Technische
Akustik der Technischen
Universität Berlin

und

Dr. rer. nat. M. Heckl
Müller BBN, GmbH
Schalltechnisches Beratungsbüro
München

Mit 195 Abbildungen

Springer-Verlag
Berlin / Heidelberg / New York
1967

Vorwort

Vor mehr als 15 Jahren hatte der erstgenannte Verfasser, L. Cremer, durch Vermittlung von Professor Dr. E. Meyer Gelegenheit, im Auftrage des Department of Scientific and Industrial Research, London, eine "Propagation of structure-borne sound" betitelte Monographie [Sponsored Research (Germany) No. 1 (Series B)] über die Berechnung von Körperschallausbreitung in Fahrzeugen und Gebäuden zu schreiben.

Da diese nur in 60 Exemplaren vervielfältigte Monographie schnell vergriffen war und oft photokopiert wurde, entstand schon bald nach Erscheinen der Plan, sie — zunächst in deutscher Sprache — einem größeren Kreise zugänglich zu machen.

Der Verfasser mußte sich dann dem Aufbau eines Lehrstuhls mit Institut und anderen Aufgaben zuwenden, so daß er den Plan erst in den letzten Jahren wieder aufnehmen konnte. Da jedoch mittlerweile eine lange Zeit vergangen war, erschien es ratsam, das vorhandene Material beträchtlich zu erweitern und insbesondere Fragen der Meßtechnik und der Anwendung auf neuere Aufgaben der Lärmbekämpfung miteinzubeziehen.

Er trat daher an den ehemaligen Oberingenieur seines Institutes, Dr. M. Heckl, mit der Bitte heran, sich mit ihm in die zu leistende Arbeit zu teilen, d. h. konkret in die Kapitel über

I. Wandler,
II. Wellenarten,
III. Dämpfung,
IV. Impedanzen,
V. Dämmung,
und VI. Abstrahlung.

Wenn dabei die Kapitel I, II und V von L. Cremer, und die Kapitel III, IV und VI von M. Heckl geschrieben wurden, so fühlen sich doch beide Verfasser für das ganze Buch verantwortlich und hoffen, daß es ihnen durch Rückverweisungen, Vermeidung von Wiederholungen und möglichste Angleichung in der Darstellung gelungen ist, ein einheitliches Ganzes zu schaffen.

Beiden ging es mehr um ein Lehrbuch, das durch gründliche Behandlung einfacherer Probleme den Leser befähigt, neuartige Aufgaben selbst zu lösen, als um ein Handbuch, das alles bis zur Manuskriptabgabe Erschienene zu erfassen sucht. Soweit es notwendig erschien, wurde auf die bestehende Literatur hingewiesen, Vollständigkeit in den Literaturangaben jedoch nicht angestrebt. Um den Umfang in Grenzen zu halten, mußte auch auf die Einbeziehung an sich wichtiger Gebilde, wie z. B. der Schalen oder der anisotropen Platten, verzichtet werden.

Die Verfasser möchten den Herren Dr. G. Boerger, M. Hubert, U. Kurze, H. Lazarus, H. A. Müller, J. Nutsch, Dr. L. Schreiber und Frau Anna Heckl für Ihre Mithilfe beim Korrekturlesen, sowie allen sonst an der Abfassung von Text und Zeichnungen Beteiligten herzlich danken.

Ihr besonderer Dank gilt dem Verlag für die vorzügliche Ausstattung des Buches, für Druck und Bildwiedergabe, und für die Sorgfalt und Geduld, mit der er ihren vielfältigen Wünschen nachgekommen ist.

Berlin und München, im Oktober 1966

L. Cremer M. Heckl

Inhaltsverzeichnis

Benutzte Formelzeichen

Allgemeine Bemerkungen:

Bei der Wahl der Formelzeichen wurde grundsätzlich von den Empfehlungen des AEF, insbesondere von den Blättern DIN 1302, DIN 1304, DIN 1332 ausgegangen.

Einige Abweichungen erschienen jedoch mit Rücksicht auf den speziellen Gegenstand unvermeidlich. So mußte für die Winkelgeschwindigkeit oder Winkelschnelle, um Verwechslungen mit der Kreisfrequenz ω zu vermeiden, ein Auswegzeichen eingeführt werden, als welches der dem deutschen Wort angepaßte Buchstabe w gewählt wurde.

Da es bei Körperschallproblemen sehr häufig vorkommt, daß eine Größe einmal durch die Längeneinheit (Stab) und einmal durch die Flächeneinheit (Platte) zu dividieren ist, wurde zur Vermeidung der Einführung neuer Buchstaben und damit sich ergebender Mehrdeutigkeiten das Prinzip angewandt, daß jeder Beistrich die Division durch die Längeneinheit bedeutet.

Beispiel:

$$m = \text{Masse}, \quad m' = \frac{\text{Masse}}{\text{Länge}} \quad m'' = \frac{\text{Masse}}{\text{Fläche}} .$$

Dabei blieb andererseits die physikalische Verwandtschaft zwischen diesen Größen erkennbar.

Dieses Prinzip wurde insbesondere auf die verschiedenen Impedanz-Definitionen angewandt und somit auch dabei die Unterscheidung dimensionsverschiedener Größen durch Indizierung vermieden.

Beispiel:

$$Z = \frac{\text{Kraft}}{\text{Schnelle}}, \quad Z' = \frac{\text{Kraft/Länge}}{\text{Schnelle}}, \quad Z'' = \frac{\text{Druck}}{\text{Schnelle}} .$$

Nun kommen beim Körperschall die physikalisch verwandten Quotienten aus Moment und Winkelschnelle, bzw. Moment je Längeneinheit und Winkelschnelle hinzu. Da der AEF das Setzen von Beistrichen vor den Buchstaben, das sich hier nahelegen würde, nicht empfiehlt, andererseits es unkonsequent gewesen wäre, hier die Indizierung einzuführen, zumal der Index M auch zur Verwechslung mit „mechanische Impedanz“ hätte führen können, wurde für diese Momenten-Impedanz ein eigener Buchstabe und zwar W eingeführt.

Da die Beistriche die Division durch die Länge anzeigen sollen, konnten sie nicht zusätzlich zur Kennzeichnung von Real- und Imaginärteil herangezogen werden. Für diese wurden entweder die Vorsätze Re { } und Im { } verwendet, oder statt $'$ und $''$ die Zeichen $\perp$ und $\perp\!\!\perp$, die, da sie umgedrehte T und Π darstellen, „et“ und „ip“ gesprochen werden.

Beispiel:

$$\underline{k} = k^{\perp} + j\,k^{\perp\!\!\perp} .$$

Komplexe Größen werden durch Unterstreichung gekennzeichnet. Auf diese Kennzeichnung ist aber auch in späteren Teilen des Buches verzichtet. Hier ist von der allgemeinen Regel Gebrauch gemacht, daß spezielle Kennzeichnungen im Interesse einfacherer Schreibweise auch weggelassen werden können, wenn Verwechslungen nicht zu befürchten sind.

Die in V, 6 auftretende doppelte Unterstreichung einer Größe kennzeichnet den Zeiger einer Feldgröße, bei der nicht nur der zeitliche Verlauf durch einen Faktor $e^{j\omega t}$, sondern auch der räumliche Verlauf in einer Richtung (z. B. x-Richtung), durch einen Faktor $e^{j k_x x}$ gekennzeichnet ist, wobei k_x die Spurwellenzahl genannt wird.

Nur bei den elektrischen Größen wurde in I für die Kennzeichnung komplexer Größen der bisher in Deutschland übliche Fraktur-Druck beibehalten. Die — mechanische und elektrische Größen verbindenden — komplexen Wandlerkonstanten sind in Fraktur gesetzt und unterstrichen.

Im übrigen ist der Fraktur-Druck den physikalischen Vektoren vorbehalten.

Nachfolgend sind — nach Buchstabenart und Alphabet geordnet — die gewählten Formelzeichen angegeben. Zeichen, die nur im Verlaufe einer Ableitung aus Gründen der Übersicht oder kürzeren Schreibweise vorübergehend eingeführt sind, wurden nicht aufgenommen. Hinter dem jeweiligen Begriff ist die Gleichung angegeben, in der das Formelzeichen zum ersten Mal auftritt.

Unterscheidungen durch Indizes sind nur ausnahmsweise erwähnt.

Große lateinische Buchstaben:

A Amplitude I (68), äquivalente Absorptionsfläche VI (6);
B Induktion I (77), Biegesteife II (71);
C Kapazität I (69), Gruppengeschwindigkeit II (88), $C(x) = 1/2\,(\cosh x + \cos x)$ III (46), spez. Wärme III (72a), Biegesteife einer elast. Schicht V (158);
D longitudinale Steife II (2), D' Pegeldifferenz je Längeneinheit III (714);
E Energiedichte II (5), Elastizitätsmodul II (23);
F Kraft;
G Schubmodul II (42);
H Höhe, HANKELsche Funktion IV (54);
I Strom I (138), axiales Flächenträgheitsmoment II (75), Impuls IV (3);
J Intensität II (8), BESSELsche Funktion VI (44);
K Kompressionsmodul I (75), Wandlerkonstante I (156), Schubsteife eines Stabes II (104), Schubsteife einer elast. Schicht V (157);
L Länge, Pegel (L_v Schnelle-Pegel) I (38), Induktivität I (69);
M Masse I (39), Absolutwert einer Wandlerkonstante I (120), Moment (einer Kraft) II (55);
N Absolutwert einer Wandlerkonstante I (131), Anzahl der Eigenfrequenzen IV (4);
P Leistung;
Q Ladung I (101), Resonanzgüte Tab. III, 1, Wärmemenge III, 72a;
R Reibungswiderstand I (43), OHMscher Widerstand I (64), Entfernung vom Nullpunkt IV, (65), Schalldämm-Maß V (13);
S Federsteife I (39), Fläche I (71), $S(x) = 1/2\,(\sinh x + \sin x)$ III (46);

T Torsionssteife II (56), Nachhallzeit III (66);
U Elektr. Spannung I (70), Umfang VI, (60);
V Volumen;
W Energie I (110), Momenten-Impedanz IV (79);
Y Mechanische Admittanz $(1/Z)$ I (19);
Z Mechanische Impedanz I (12);

Kleine lateinische Buchstaben:

a Amplitude I (68), Abstand III (78);
Dämpfungsmaß V (258), Radius VI (23);
b Breite, Halbwertsbreite III (50) ff.;
c Ausbreitungsgeschwindigkeit,
c_L longitudinaler Welien II (13),
c_{LI} desgl. in der Platte II (34),
c_{LII} desgl. im Stab II (32),
c_T transversaler Wellen II (47),
c_B Phasengeschwindigkeit der Biegewellen II (85),
$c(x) = 1/2\,(\cosh x - \cos x)$ III (46);
d Abstand, Dicke;
e Basis des natürlichen Logarithmen-Systems,
Hilfslänge I (74),
Energie der Rotation der Biegewellen nach II (92k);
f Frequenz (f_g Grenzfrequenz V (369));
g Erdbeschleunigung I (13);
Komplexes Ausbreitungsmaß V (253);
h Plattenhöhe (-Dicke) II (35);
i Stromstärke I (70);
j $\sqrt{-1}$;
k Wellenzahl,
Konstante für Dehnungsmeßstreifen I (67);
l Länge;
m Masse;
n Ganze Zahl II (118), Brechzahl II (155a),
Zahl der Reflexionen V (314);
p Schalldruck (p_s statischer Druck der Luft (I (75a))
q Ladung I (101), Schallfluß VI (27);
r Mechanischer Reibungswiderstand I (21),
Reflexionsfaktor II (161),
Abstand vom Sendepunkt IV (54);
s Federsteife I (14), reduzierte Spurwellenzahl II (171),
$s(x) = 1/2\,(\sinh x - \sin x)$ III (46);
t Zeit, Transmissionsfaktor V (20);
u Elektrische Spannung;
v Schnelle (Teilchen-Geschwindigkeit) I (10);
w Winkelgeschwindigkeit II (57);
$\left.\begin{matrix} x \\ y \\ z \end{matrix}\right\}$ Ortskoordinaten.

Große Fraktur-Buchstaben:

$\mathfrak{J}$ Zeiger eines Wechselstromes I (77a)
$\mathfrak{M}$ Wandler-Konstante (Spannung/Schnelle bzw. Kraft/Strom) I (114)
$\mathfrak{N}$ Wandler-Konstante (Strom/Schnelle bzw. Kraft/Spannung) I (129)
$\mathfrak{U}$ Zeiger einer Wechselspannung I(80)
$\mathfrak{Z}$ Elektrische Impedanz I (80)

Kleine Fraktur-Buchstaben:

$\mathfrak{i}$ räumlicher Einheitsvektor in x-Richtung II (131)
$\mathfrak{j}$ räumlicher Einheitsvektor in y-Richtung
$\mathfrak{k}$ räumlicher Einheitsvektor in z-Richtung
$\mathfrak{s}$ Verschiebungsvektor II (131)
$\mathfrak{v}$ Schnelle-Vektor II (136e)
$\mathfrak{w}$ Vektor der Winkelgeschwindigkeit II (140a)

Große griechische Buchstaben:

Δ LAPLACEscher Operator II (136a), Zuwachs einer Größe (z. B. $\Delta\omega$ I (35)
Θ Massenträgkeitsmoment II (63), Temperaturänderung III (72)
Λ Logarithmisches Dekrement III (57), Wärmeleitvermögen III (72a), Norm der Eigenfunktion IV (91)
Ξ Ausschlag I (1), längenspezifischer Strömungswiderstand V (388)
Π Funktion des Biegewellenfeldes bei Punkterregung IV (59)
Φ Geschwindigkeitspotential II (148)
Ψ Vektorpotential (Stromfunktion) II (149)
Ω Kreisfrequenz I (68)

Kleine griechische Buchstaben:

α Materialkonstanten III (72), Absorptionsgrad III (108)
β Neigungswinkel eines Stabes bzw. einer Platte II (68), Frequenzparameter V (50)
γ Schiebungswinkel II (41), Phasensprung II (116c)
δ Abklingkonstante I (29), Dilatation II (133)
ε Dehnung I (66), konstruktiver Parameter V (165), Komplexes Amplitudenverhältnis V (403)
ζ Ausschlag in z-Richtung II (129b), Wirkungsgrad VI (13)
η Ausschlag in y-Richtung II (22), Verlustfaktor III (7b)
ϑ Einfallswinkel II (152a), Dämpfungsfaktor III (1), spezielle Zeitkonstante IV (39), konstruktiver Parameter V (200)
$\varkappa$ Verhältnis der spezifischen Wärmen I (75a), Schubverteilungszahl II (100), Verhältnis zweier Wellenzahlen V (26)
λ Wellenlänge
μ Massenverhältnis I (39), POISSONsche Zahl I (67a), Permeabilität I (137), Frequenzparameter V (199)
ν Frequenzparameter II (198), V (163)
ξ Ausschlag, insbesondere in x-Richtung
π 3,14 . . .
ϱ Spezifischer, elektrischer Widerstand I (64), Dichte I (71), Reflexionsgrad II (170a), Polarkoordinate IV, 3, d

σ Zugspannung II (2), Querschnitts- bzw. Höhenverhältnis V (11), Porosität V (387), Abstrahlgrad VI (8)
τ Schubspannung II (42), Relaxationszeit III (5), (72), Transmissionsgrad V (12)
φ Phasenwinkel II (51), Hilfsphasenwinkel II (213), Nachwirkungsfunktion III (4), Eigenfunktion IV (96)
χ Verdrehungswinkel II (51), Anpassungsparameter V (111)
ψ Hilfsphasenwinkel II (213), Krümmung III (73), Verhältnis zweier Impedanzen V (27)
ω Kreisfrequenz

I. Definition, Messung und meßbare Erzeugung von Körperschall

1. Definition

Eine sehr große Anzahl der Schallereignisse, die unser Ohr erreichen — sei es der Klang einer Geige, das Quietschen einer Bremse, oder eine lautstarke Unterhaltung in der nachbarlichen Wohnung — werden durch schwingende Festkörper erzeugt oder fortgeleitet. Man bezeichnet das Gebiet der Physik, das sich mit der Erzeugung, Übertragung und Abstrahlung von — meist sehr kleinen — zeitlich wechselnden Bewegungen und Kräften in festen Körpern beschäftigt als „Körperschall"[1]. Dabei drückt die Bezeichnung „Schall" bereits aus, daß das Hauptaugenmerk bei den hörbaren Frequenzen — also etwa im Bereich von 16 Hz bis 16000 Hz — liegt. Schwingungen und Wellen bei tieferen Frequenzen, fallen meist in das Gebiet der mechanischen Schwingungen oder der Erdbebenwellen, während sich bei höheren Frequenzen das weite Feld des Ultraschalls anschließt. Die angegebenen Frequenzen sind jedoch durchaus nicht als starre Grenzen anzusehen; so ist es beispielsweise ohne weiteres möglich, daß auch Körperschallschwingungen mit 50 oder 100 Hz nicht anders als mechanische Schwingungen mit endlich vielen Freiheitsgraden zu behandeln sind, oder daß die Meßmethoden, mit denen die Körperschalleigenschaften von Materialien im hörbaren Bereich bestimmt werden auch im Ultraschallgebiet angewandt werden.

Trotz der Beschränkung auf die hörbaren Frequenzen handelt es sich beim Körperschall um ein sehr umfangreiches und auch abwechslungsreiches Gebiet. Das gilt sowohl für die auftretenden Phänomene als auch für die Anwendung. Hinsichtlich der Phänomene ist die — im Vergleich zum Luftschall — viel größere Vielfalt der Erscheinungen dadurch bedingt, daß man es nicht nur mit einem Medium, sondern mit der großen Anzahl der verschiedenen Festkörper zu tun hat, wobei noch hinzukommt, daß in Festkörpern zwei Wellentypen und Kombinationen davon

[1] Der Ausdruck „Körperschall" wurde vom Ausschuß für Einheiten und Formelgrößen (AEF) eingeführt. (S. AEF-Entwurf 37: Benennungen in der Akustik ETZ 1932, S. 117.) Eine Verwechslung mit dem Schall, der von Organen des menschlichen Körpers, z. B. Herzen, ausgeht, wofür der Ausdruck ursprünglich auch verwendet wurde, ist im heutigen Sprachgebrauch nicht mehr zu befürchten.

auftreten, während in Gasen und Flüssigkeiten nur Kompressionswellen interessieren.

Hinsichtlich der praktischen Anwendung liegt das Hauptinteresse bei der Lärmbekämpfung also bei der Vermeidung oder Verringerung von Körperschall im Bauwesen und Fahrzeugbau. Daneben interessieren Körperschallprobleme auch bei der Materialuntersuchung — speziell bei Hochpolymeren — und bei einer detaillierten Untersuchung der Vorgänge an vielen Musikinstrumenten. Ferner ist eine Beschäftigung mit Körperschallfragen auch notwendig im Zusammenhang mit der Wasserschallabstrahlung — und damit Ortung — von Schiffen und schließlich bei der Behandlung einer gewissen Klasse von Materialermüdungserscheinungen, wie sie insbesondere bei Flugkörpern auftreten. Diese Erscheinungen, bei denen zwar die einzelnen Schwingungsvorgänge, wenn man sie kurzzeitig betrachtet, noch fast linear sind, bei denen jedoch über längere Zeit gesehen wegen der enorm großen Lastwechselzahlen nicht-umkehrbare Effekte auftreten, werden zwar noch mit den Methoden des Körperschalls betrachtet, stellen aber bereits den Übergang zu dem weiten und äußerst komplizierten Gebiet der nichtlinearen Schwingungen dar. Auch bei Beschränkung auf lineare Vorgänge ist der interessierende Amplitudenbereich des Körperschalls sehr groß. Er reicht von den bei hohen Frequenzen noch leicht meßbaren Bewegungsamplituden von weniger als 10^{-8} mm bis zu den bei tiefen Frequenzen auftretenden Bewegungen von einigen Millimetern.

Neben den erwähnten Grenzen des uns hier interessierenden Gebietes hinsichtlich Frequenz und Amplitude zeigt die Praxis, daß auch noch eine Einschränkung hinsichtlich der Dimensionen vorgenommen werden kann. Die wichtigsten Konstruktionselemente lassen sich nämlich als Stäbe, Platten oder auch Schalen im Sinne der Mechanik betrachten. Das gilt sowohl für die Pfeiler und Mauern im Bauwesen als auch für die Träger und Bleche aus denen Fahrzeuge und Maschinen gebaut werden. Ihr gemeinsames Kennzeichen ist, daß sie nur in eine oder zwei Richtungen so ausgedehnt sind, daß phasenverschobene Bewegungen auftreten, die sich wiederum als Wellen beschreiben lassen, daß dagegen die Abmessungen senkrecht zur Wellenausbreitung wenigstens in einer, beim Stab in zwei Dimensionen klein gegen die Wellenlängen sind. Wir werden daher im folgenden hauptsächlich die Wellen in Stäben und Platten und Kombinationen davon betrachten und auf die dreidimensionalen Wellenfelder nur in Einzelfällen eingehen.

2. Mechanische Meßmethoden und Betrachtungen

Genau wie beim Luftschall stehen kinematische und dynamische Feldgrößen zur Messung zur Verfügung. Dort wird vorzugsweise die zweite Art in Form des allseitig wirkenden Schalldruckes zur Messung herangezogen und auf die Schnelle wird meist aus der Messung des Druckgradienten geschlossen. Nur ganz wenige Sonden, wie die Rayleighsche Scheibe oder das Anemometer, sprechen unmittelbar auf die Schnelle an. Beim Körperschall ist es genau umgekehrt. Die Mehrzahl aller „Körperschall-Aufnehmer" nimmt kinematische Größen, Ausschlag, Schnelle oder Beschleunigung auf. Auf Spannungen und Kräfte wird meist erst aus Differenzen dieser Größen geschlossen. Nur ganz selten werden Spannungen oder Kräfte unmittelbar beobachtet. Der Grund liegt zum Teil darin, daß beim Luftschall der Druck, als Skalar, die einfachere, von der Ausrichtung eines hinreichend kleinen Empfängers unabhängige Größe ist. Beim Körperschall sind dagegen die Vektoren Ausschlag, Schnelle und Beschleunigung trotz ihrer Richtungsabhängigkeit einfacher zu messen, als die nur in Tensoren zusammenfaßbaren Spannungen.

Der Hauptgrund ist aber offensichtlich der, daß man leicht ins Innere eines Luftschallfeldes eindringen kann, ja daß es besonderer und seltener Anordnungen bedarf, um nur am Rande zu bleiben. An die Körperschallfelder kommt man zunächst nur von außen heran, und es bedeutet in jedem Falle einen Eingriff, wenn man ins Innere will, was man bei jeder unmittelbaren Spannungs- oder Kraftmessung muß.

Mit der größeren Zahl der sich anbietenden Feldgrößen ergibt sich auch eine noch größere Zahl von Meßmethoden und Aufnehmern. Dies gilt auch für die rein mechanischen, zu denen alle mechanischen Meßgeräte der Schwingungslehre zu rechnen wären, wenn wir nicht im Sinne der in Kap. I,1 erwähnten Ausrichtung auf den hörbaren Frequenzbereich alle diejenigen auszunehmen hätten, die nicht über 16 Hz zu messen gestatten. In der Praxis wird man sogar von einem Körperschallaufnehmer fordern, daß er wenigstens bis **1000 Hz** verwendbar ist.

Das vom Standpunkt der Anschauung einfachste Verfahren ist die unmittelbare Beobachtung des Ausschlags, d. h. der relativen Verschiebung gegenüber einem ruhenden Objekt, das eine Skala trägt. (Siehe die schematische Skizze in Abb. I/1.) Da die Ausschläge sehr klein sind, benutzt man dazu vorzugsweise ein Mikroskop, wie es bei dem zur Eichung von Luftschall-Mikrofonen entwickelten Pistonphon zur Beobachtung des Kolbens verwendet wird. Schon dieses Anwendungsbeispiel zeigt, daß diese unmittelbare Ausschlagsbeobachtung vorzugsweise auf Eichgeräte im Laboratorium beschränkt ist.

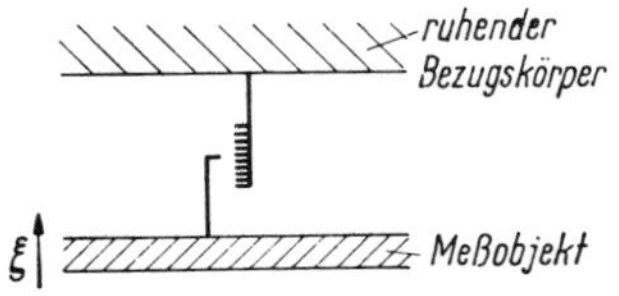

Abb. I/1. Schematische Skizze zur unmittelbaren Beobachtung des Ausschlages eines Meßobjektes

Die optische Ausschlagsübersetzung, die hier durch das Mikroskop vorgenommen wurde, kann noch primitiver durch die Ablenkung eines

Lichtstrahls durch einen Spiegel der Länge l vorgenommen werden, dessen eine Kante vom Meßobjekt gemäß dessen Ausschlag ξ bewegt wird, während die andere Kante drehbar an einem unbewegten Körper befestigt ist (Abb. I/2a). Der Spiegel dreht sich somit um ξ/l, ein auf ihn fallender Lichtstrahl wird um den doppelten Winkel abgelenkt und erzeugt auf einem Schirm in der Entfernung L einen Ausschlag

$$\Xi = \frac{2\,L}{l}\,\xi\,. \qquad (1)^1$$

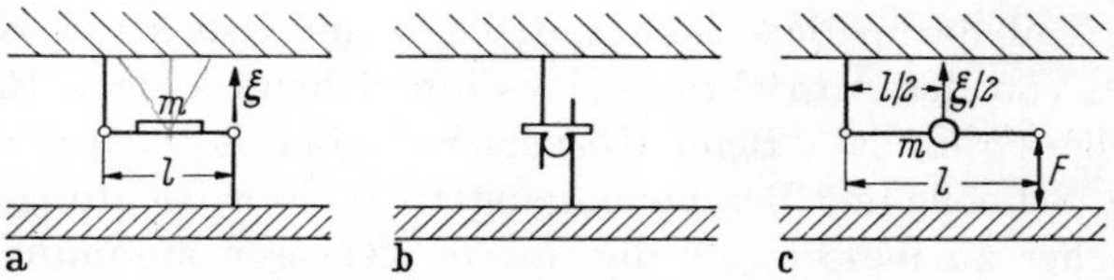

Abb. I/2. Beobachtung des Ausschlages mittels geschwenktem Spiegel a) auf Hebel, b) auf Rolle, c) Ersatz durch „Masse-Hebel"

Da es leicht möglich ist, $2\,L/l = 500$ zu machen, besonders wenn l, wie in Abb. I/2b gezeigt, den Durchmesser einer den Spiegel tragenden, bei der Verschiebung gedrehten Achse bedeutet[2], kann ein Ausschlag von 0,05 mm so vergrößert werden, daß er nicht nur gemessen, sondern sogar in seinem Zeitverlauf registriert werden kann.

Diese Schwenkspiegel-Methode unterscheidet sich aber von der unmittelbaren Betrachtung dadurch, daß die zweite überhaupt keine Rückwirkung auf das Meßobjekt ergibt, die erste aber eine der Trägheitswirkung des Spiegels von der Masse m entsprechende Kraft (siehe das Schema der Abb. I/2c)

$m \cdot a \cdot l = m \cdot \frac{\ddot{\xi}}{2} \cdot \frac{l}{2}$

$$F = \frac{1}{l}\left(m\,\frac{\ddot{\xi}}{2} \cdot \frac{l}{2}\right) = \frac{m}{4}\,\ddot{\xi}\,. \qquad (2)$$

verlangt. Ändert sich der Ausschlag zeitlich sinusförmig

$$\xi = \hat{\xi}\cos(\omega\,t + \varphi_\xi)\,, \qquad (3)$$

so gilt das gleiche für die rückwirkende Kraft:

$$F = \hat{F}\cos(\omega\,t + \varphi_F)\,, \qquad (4)$$

wobei sich

$$\hat{F} = \frac{\omega^2\,m}{4}\,\hat{\xi} \qquad \ddot{\xi} = -\omega^2\,\hat{\xi} \qquad (5)$$

[1] Die Numerierung der Gleichungen beginnt in jedem Kapitel neu. Bei Rückverweisungen, die sich nicht auf das gleiche Kapitel beziehen, wird die Kapitelnummer in römischen Ziffern davor gesetzt.

[2] Schmidt, E.: Gesundheitsingenieur 46 (1923) 61.

und

$$\varphi_F = \varphi_\xi + \pi \tag{6}$$

ergibt.

Da jeder Zeitverlauf sich aus solchen sinusförmigen Vorgängen zusammensetzen läßt, und wir im folgenden nur mit linearen Beziehungen zwischen den Feldgrößen zu tun haben werden, bei denen diese Teilvorgänge getrennt betrachtet und zum Schluß überlagert werden können, bedeutet das Zurückgreifen auf sinusförmige Vorgänge, oder wie man in der Akustik sagt, auf „reine Töne", keine Beschränkung, sondern vielmehr eine große Vereinfachung der Darstellung.

Dabei machen wir auch von der Darstellung sinusförmiger Schwingungen durch die Projektion rotierender Zeiger auf die reelle Achse Gebrauch; mathematisch heißt das, wir ersetzen die Ansätze (3) und (4) durch:

$$\xi = \mathrm{Re}\,\{\hat{\xi}\, e^{j\varphi_\xi}\, e^{j\omega t}\} \tag{7}$$

$$F = \mathrm{Re}\,\{\hat{F}\, e^{j\varphi_F}\, e^{j\omega t}\} \tag{8}$$

$\hat{\xi}$ und $\hat{F}$ kennzeichnen die Länge der Zeiger, φ_ξ und φ_F ihre Lage für den Zeitpunkt $t = 0$, ω die Winkelgeschwindigkeit der Rotation, der Vorsatz Re { } die Projektion auf die reelle Achse. (Hinsichtlich der Bezeichnung von $\sqrt{-1}$ mit j schließen wir uns dem Gebrauch der Elektrotechnik an, der Verwechselungen mit dem auch für uns gelegentlich wichtigen elektrischen Strom i vermeidet.)

Da das Projizieren und Rotieren den Zeigern aller mit gleicher Frequenz schwingenden Feldgrößen gemeinsam ist, ist die Länge und Lage des Zeigers im Zeitpunkt $t = 0$ allein bereits zur Kennzeichnung der betreffenden Schwingung ausreichend, und es ist zweckmäßig, für diese komplexe Größe eine Amplitude und Nullphasenwinkel des Zeigers zusammenfassende Kennzeichnung einzuführen.

In der Elektrotechnik ist es, jedenfalls in Deutschland, üblich, für alle komplexen Größen gotische Buchstaben zu verwenden. In der Akustik stößt das auf Schwierigkeiten, weil vielfach auch Größen als komplex zu kennzeichnen sind, die üblicherweise mit griechischen Buchstaben bezeichnet werden, wie hier der Ausschlag mit ξ, da der Buchstabe x später für die Ortskoordinate im Feld verwendet werden muß.

Wir wollen daher bei den mechanischen Größen die neuerdings auf internationaler Basis vorgeschlagene Unterstreichung einer Größe zur Kennzeichnung ihres komplexen Charakters verwenden, also im Falle der Gln. (7) und (8) schreiben:

$$\hat{\xi}\, e^{j\varphi_\xi} = \underline{\hat{\xi}} \tag{7a}$$

$$\hat{F}\, e^{j\varphi_F} = \underline{\hat{F}}\,. \tag{8a}$$

Die Beibehaltung der Kennzeichnung des Scheitelwertes durch das „Dach" $\wedge$ hat den Vorteil, daß sie den eine Feldgröße kennzeichnenden „Zeiger" sofort von anderen komplexen Größen unterscheidet. Im übrigen gilt von allen solchen Kennzeichnungen, daß man sie auch weglassen kann, wenn von vornherein feststeht, daß komplexe Größen oder gar Zeiger gemeint sind, wovon wir zunächst hinsichtlich des Daches, in späteren Kapiteln auch hinsichtlich der Unterstreichung Gebrauch machen werden.

Ein weiterer großer Vorteil des Rechnens mit — und Denkens in — Zeigern besteht darin, daß jede Differentiation nach der Zeit zu einer Multiplikation mit $j\,\omega$, eine zweifache also zu einer Multiplikation mit $(-\omega^2)$ wird.

Als Zeigergleichung geschrieben nimmt (2) die Form an:

$$\underline{F} = -\frac{\omega^2 m}{4}\,\underline{\xi}\,, \tag{9}$$

womit (5) und (6) zu einer Gleichung zusammengefaßt sind.

Dieselbe Beziehung ergibt sich, wenn der zu messende Ausschlag durch ein Hebelsystem vergrößert wird, wie etwa bei dem Ritz-Schreiber der Firma Askania.

Da die rückwirkende Kraft des Meßgerätes bei gegebenem Ausschlag mit dem Quadrat der Frequenz wächst, wird man schließen können, daß der Kippspiegel oder der Ritz-Schreiber nur für tiefe Frequenzen geeignet sind. Das gilt aber auch deshalb, weil — wie beim Luftschall — nicht das Quadrat des Ausschlages, sondern das Quadrat der Schnelle (Teilchengeschwindigkeit) unabhängig von der Frequenz der Energie proportional ist. Die Ausschläge nehmen also bei gleicher Energie umgekehrt proportional der Frequenz ab. Ebenso sind die dynamischen Größen, Kräfte und Spannungen in fortschreitenden Wellen den Schnellen proportional, was wiederum damit zusammenhängt, daß die Produkte aus Kräften und Schnellen die jeweiligen Leistungen bilden.

Führt man nun in (9) den Zeiger der Schnelle

$$\underline{v} = j\,\omega\,\underline{\xi} \tag{10}$$

ein, so ergibt sich:

$$\underline{F} = j\,\frac{\omega\, m}{4}\,\underline{v}\,. \tag{9a}$$

Man nennt nun den Quotienten des Zeigers einer Kraft $\hat{\underline{F}}$ durch den Zeiger der Schnelle $\hat{\underline{v}}$, den diese an einem Angriffspunkt in ihrer Richtung erzeugt, die „mechanische Impedanz" und bezeichnet diese mit dem Buchstaben $\underline{Z}$[1].

[1] Siehe Vorbemerkung zu den gewählten Formelzeichen S. VII.

Diese Definition tritt heute als Analogie zu dem ebenfalls komplexen Verhältnis des Zeigers einer elektrischen Spannung zwischen zwei Polen zum Zeiger des an ihnen herein- und herausfließenden Stromes in Erscheinung. Eine solche Analogie wäre aber formal auch möglich, wenn man die elektrische Spannung der Schnelle, den elektrischen Strom der Kraft gegenüberstellen würde. Wie wir unten noch sehen werden, hat das sogar Vorteile.

Die gewählte Kraft–Spannung- und Schnelle–Strom-Analogie war aber sicher diejenige, die Ohm vorschwebte, als er den Quotienten aus elektrischer Spannung und elektrischem Strom *Widerstand* nannte, ein Wort, das er damals der Mechanik entnahm. Die heute als eine Angleichung der Mechanik an die Elektrotechnik in Erscheinung tretende Analogie war ursprünglich eine — wenn auch nicht quantitativ präzisierte — Angleichung neuer elektrischer Begriffe an geläufige mechanische.

Man kann nun die Frage, inwieweit man mit der Rückwirkung eines Körperschall-Aufnehmers auf das Objekt der Messung zu rechnen hat, am besten am Vergleich der Impedanz des Aufnehmers $\underline{Z}_a$ zur Impedanz des Objektes $\underline{Z}_0$ am Meßpunkt erkennen, die daher auch Punktimpedanz heißt, und aus der sich ergibt, inwieweit die rückwirkende Kraft dem Meßobjekt eine Schnelle F/Z_0 aufzwingt, die somit die ursprünglich zu messende Schnelle v_0 ändert:

$$\underline{v} = \underline{v}_0 - \underline{F}/\underline{Z}_0 = \underline{v}_0 - (\underline{Z}_a/\underline{Z}_0)\,\underline{v}\,. \tag{11}$$

Die relative Abweichung zwischen der zu messenden und der gemessenen Schnelle, bezogen auf die letzte, ist also durch das Verhältnis:

$$(\underline{v}_0 - \underline{v})/\underline{v} = \underline{Z}_a/\underline{Z}_0 \tag{11a}$$

gegeben.

Im Falle unseres Kippspiegels beträgt die Impedanz des Aufnehmers:

$$\underline{Z}_a = j\,\frac{\omega\, m}{4}\,, \tag{12}$$

sie wächst also mit der Frequenz. Der Faktor j besagt, daß die Kraft der Schnelle um $\pi/2$ vorauseilt.

Wenn die abgetastete Schwingung vertikal gerichtet ist und der Kippspiegel nur aufliegt, kann er Beschleunigungen nach unten, die die Erdbeschleunigung überschreiten, nicht mehr folgen, denn die Kraft, die das Objekt auf die Spiegelkante ausübt, kann nicht negativ werden:

$$F = m\,(g + \ddot{\xi}) \gtrsim 0\,. \tag{13}$$

Man kann diese Beschleunigungsschwelle sogar zur absoluten Eichung von Schwingtischen, d. h. von vertikal mit veränderlicher Frequenz hin- und herbewegten Platten, verwenden, auf die man die Aufnehmer zur

Eichung aufschraubt. Man braucht nur einen Probekörper lose aufzulegen. Im allgemeinen macht sich die Überschreitung der Erdbeschleunigung durch das Geräusch des Wiederaufprallens oder — insbesondere bei Sand — durch ein Wandern der Probekörper bemerkbar. Für genauere Messung kann man Schwingtisch und Probekörper in einen Stromkreis einschalten, dessen Unterbrechung auf verschiedene Weise angezeigt werden kann.

Man kann das Ablösungskriterium auch auf andere Schwellenwerte einstellen, wenn man die der Schwerkraft unterliegende Masse zusätzlich mit einer vorgespannten Feder an das Meßobjekt drückt (Abb. I/3a). In diesem Falle braucht man sogar die Schwerkraft gar nicht, sie wirkt nicht anders als die Kraft der Federvorspannung F_0, d. h. das Ablösungsprinzip ist auch auf horizontale Bewegungen anwendbar. Man hat in diesen Fällen aber zu beachten, daß die resultierende auf das Objekt wirkende Kraft, die wieder nicht negativ werden kann, auch vom Ausschlag abhängt:

$$F = F_0 + m\,(g + \ddot{\xi}) + s\,\xi > 0\,. \tag{14}$$

(s Federsteife)

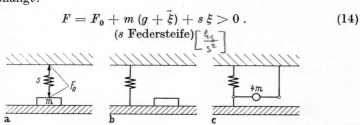

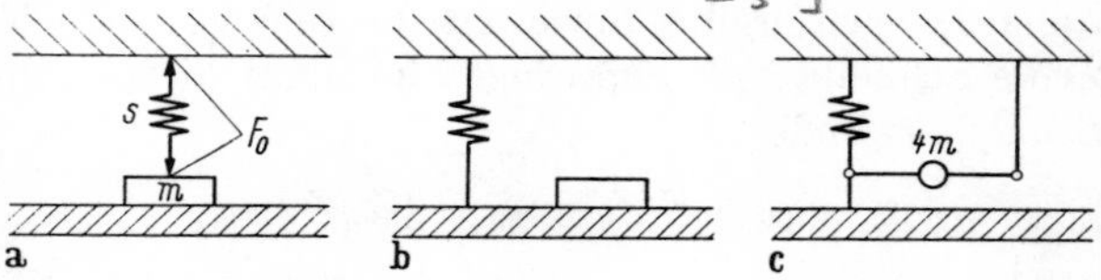

Abb. I/3. Durch Feder angedrückte Masse als Beschleunigungsbegrenzer
a) konstruktive Anordnung, b) äquivalente Belastung,
c) mechanisches Schaltschema mit „Masse-Hebel"

Beschränkt man sich wieder auf reine Töne und führt man noch die Eigenkreisfrequenz des Masse–Feder-Systems mit

$$\omega_0 = \sqrt{\frac{s}{m}} \tag{15}$$

ein, so ergeben sich die Scheitelwerte der Ausschläge aus (14) zu:

$$\hat{\xi} = \frac{F_0/m + g}{\omega^2 - \omega_0^2}\,. \tag{16}$$

Damit der unter Vorspannung ausgedrückte Schwinger als Beschleunigungsanzeiger wirkt, ist offenbar notwendig, daß die Erregerfrequenz wesentlich größer als die Eigenfrequenz des Schwingers ist, oder umgekehrt ausgedrückt, daß dieser tiefer abgestimmt ist als die Erregerfrequenz. Die Masse darf also nicht zu klein, die Federung nicht zu steif sein.

Trotz dieser Einschränkungen wurde das Verfahren mit Erfolg von Bragg[1] zur Messung von Membranschwingungen benutzt.

Bei Annäherung an die Übereinstimmung beider Frequenzen, an die „Resonanz", wächst der Maximal-Ausschlag über jede Grenze.

Das hat übrigens nicht etwa eine besonders hohe Rückwirkung zur Folge. Vielmehr kompensieren sich die zueinander gegenphasigen Wechselkräfte an Masse und Feder, die zur Bildung der auf das Meßgerät wirkenden Wechselkraft $\underline{F}$ zu addieren sind:

$$\underline{F} = j\,\omega\,m\,\underline{v} + \frac{s}{j\,\omega}\,\underline{v}\,, \tag{17}$$

oder anders ausgedrückt, die Impedanz des — hier nur eine Beschleunigungsschwelle anzeigenden — Meßgerätes verschwindet bei der Resonanz.

Man könnte die in (Abb. I/3a) zu sehende Anordnung von Masse und Feder vor starrer Fläche in Einklang mit der „Widerstands-Analogie" als „Hintereinanderschaltung" von Masse und Feder bezeichnen. Man darf aber dann mit diesem Ausdruck nicht konstruktive Vorstellungen verbinden, wie wir sie von elektrischen Schaltungen her gewohnt sind, und meinen, er ergäbe sich daraus, daß vom schwingenden Objekt her in Abb. I/3a Masse und Feder „hintereinander" angeordnet sind. Man braucht nur bedenken, daß sich dieselbe Zusammensetzung der Kraft wie in (17) ergibt, wenn die Masse neben der Feder am schwingenden Objekt angebracht ist, wie das in Abb. I/3b gezeichnet ist. Die untere und obere Seite der Masse in Abb. I/3a hat keineswegs die Bedeutung von „Eingang" und „Ausgang" eines elektrischen Zweipols, vielmehr greifen alle Kräfte am gleichen „Pol" an, der Gegenpol ist der absolute Raum des Inertialsystems, gegen den die Beschleunigung zu messen ist. Man kann die topologischen Verhältnisse elektrischer Netzwerke auf mechanische Systeme recht anschaulich übertragen, wenn man die Masse durch einen Hebel ersetzt, auf dessen Mitte eine Masse punktförmig konzentriert zu denken ist und der „Masse-Hebel" genannt sei[2]. (S. Abb. I/3c.) Von den Betrachtungen am Kippspiegel und dessen Ersatz durch einen solchen Massehebel in Abb. I/2c wissen wir, daß der Hebel in der Mitte die Masse 4 m aufweisen muß, wenn sie am Gelenkpunkt als Trägheitswiderstand $j\,\omega\,m$ wirken soll.

Dem topologischen Bild in Abb. I/3c entspricht also viel besser die Aussage, daß Feder und Masse „parallel" geschaltet sind, die auch dann dem elektrischen Analogon entsprechen würde, wenn man die sich verzweigenden Kräfte mit den sich teilenden Strömen vergleichen würde. (In einer Hinsicht weicht allerdings der „Kraftfluß" im Massehebel von

[1] Bragg, W.: J. Scient. Instr. 6 (1929) 196.

[2] Cremer, L. u. K. Klotter: Ing. Arch. 28 (1959) 27.

dem konstanten Strom in einem elektrischen Zweig ab. Die Querkraft ist vor und hinter der Masse wohl gleich groß, kehrt aber ihr Vorzeichen um. Das kann sich dann bemerkbar machen, wenn der andere Gelenkpunkt nicht an einem ruhenden Körper befestigt ist, sondern ebenfalls an einem bewegten, wenn also der Massehebel als Kopplungselement wirkt. Man kann aber diesen Vorzeichenwechsel wieder rückgängig machen, indem man den Massehebel in zwei topologisch hintereinander geschaltete Massehebel aufteilt.)

Daß ein konstruktives „Hintereinander" nichts über die Topologie der analogen Schaltung aussagt, zeigt ferner, daß sich eine ganz andere Impedanz des Aufnehmers ergibt, wenn, wie in Abb. I/4a, vom Objekt her erst die Feder und dann die Masse kommt, die dann freilich nicht an einen ruhenden Körper angrenzen darf, wenn sie überhaupt schwingen soll. Hier tritt keine Kraftverzweigung ein. Die am „Eingang" des Aufnehmers wirkende Kraft F „fließt" durch die Feder zur Masse, dagegen sind jetzt Massenausschlag ξ_m und Federzusammendrückung $\xi - \xi_m$ verschieden, ihre Summe liefert die Verschiebung am Meßobjekt ξ. Dieser „Schaltungs"-Unterschied kommt wieder besonders gut beim Ersatz der Masse durch einen Massehebel heraus, wie der Vergleich zwischen Abb. I/4b und I/3c zeigt.

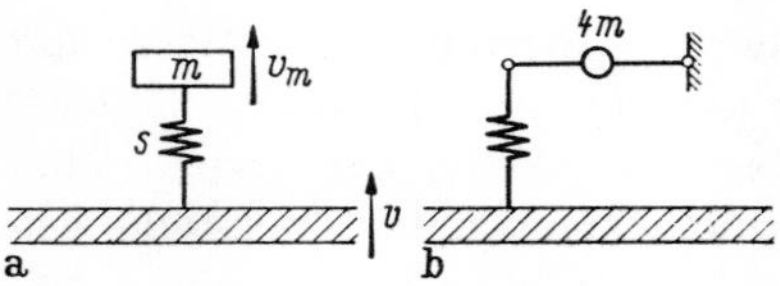

Abb. I/4. Einfacher Schwinger als Frequenz-Anzeiger
a) konstruktive Anordnung, b) Schaltschema

Aus der Summation der komplexen Beziehungen

$$\underline{v}_m = \underline{F}/(j\,\omega\,m) \tag{18a}$$

$$\underline{v} - \underline{v}_m = \frac{j\,\omega}{s}\,\underline{F} \tag{18b}$$

folgt für die Beziehung zwischen Schnelle und Kraft am Berührungspunkt des Aufnehmers mit dem Objekt:

$$\underline{v} = \left(\frac{j\,\omega}{s} + \frac{1}{j\,\omega\,m}\right)\underline{F}\,. \tag{18c}$$

Hier verschwindet im Falle der Resonanz ($\omega = \omega_0$) das Reziproke der Impedanz, das auch hier *Admittanz* genannt und mit Y bezeichnet sei:

$$\underline{Y} = \frac{1}{\underline{Z}} = \left(\frac{j\,\omega}{s} + \frac{1}{j\,\omega\,m}\right). \tag{19}$$

Die Impedanz wird dabei unendlich.

Dasselbe gilt für die Schnelle der Masse v_m bei gegebener Schnelle des Objektes v, deren Zusammenhang sich aus der Zusammenfassung von

(18a) und (18b) in der dynamischen Beziehung:

$$\underline{F} = \frac{s}{j\,\omega}(\underline{v} - \underline{v}_m) = j\,\omega\,m\,\underline{v}_m \tag{20}$$

ergibt zu:

$$\underline{v}_m = \frac{\underline{v}}{1 - \left(\frac{\omega}{\omega_0}\right)^2}\,. \tag{20a}$$

Dies zeigt zunächst prinzipiell, daß man die Vergrößerung der zu beobachtenden, mit dem Auge unwahrnehmbar kleinen Bewegungen außer mittels Mikroskop oder Lichtstrahl auch durch Resonanz herbeiführen kann.

Um diesen Effekt quantitativ ausnutzen zu können, müssen wir allerdings die Verluste in die Rechnung einführen. Wie wir in Kap. III noch sehen werden, sind diese Verluste sehr verschiedener Art und schwer zu erfassen. Nur der Fall der Flüssigkeit- oder Gasreibung, wie sie ein in Flüssigkeit oder Gas mit allerdings wiederum nicht zu großen Geschwindigkeiten v hin- und herbewegter Körper auslöst, läßt einen einfachen Ansatz für die resultierende Reibungskraft zu:

$$F_r = -\,r\,v\,, \tag{21}$$

wobei die Konstante r, der sogenannte mechanische Reibungswiderstand, von der Form des Körpers und vom umgebenden Medium abhängt. Da es uns aber hier mehr um den prinzipiellen Einfluß von Verlusten geht, ist es zweckmäßig, diesen in der mathematischen Behandlung einfachsten Fall zu Grunde zu legen; bei der in Resonanz stark in der Luft hin- und herschwingenden Masse m in Abb. I/4a mag er sogar eine physikalische Berechtigung haben.

Auch für den mechanischen Reibungswiderstand hat sich ein „Schaltungs-"Symbol eingebürgert, nämlich ein in Bewegungsrichtung zeigender Strich, der von einem U-förmigen Strich umgeben ist. Er soll an einen Kolben in einem Zylinder erinnern, der mit einer zähen Flüssigkeit gefüllt ist, die für die Reibungskräfte zwischen Kolben und Zylinderwand sorgt (S. Abb. I/5a). Wieder wirkt dieses Element vom Kraftfluß her „parallel" zur Masse, wie das mit dem Massehebel arbeitende Schaltschema der Abb. I/5b erkennen läßt. Der Ausdruck für den Eingangswiderstand ergibt sich daher zu

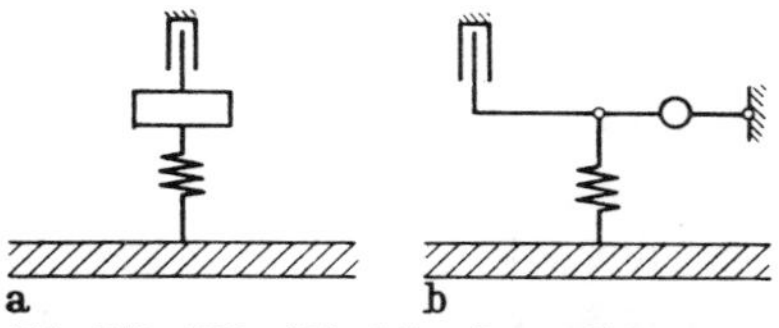

Abb. I/5. Wie Abb. I/4, aber mit linearem Reibungswiderstand
a) konstruktive Anordnung, b) Schaltschema

$$\underline{Z} = \frac{1}{\frac{j\,\omega}{s} + \frac{1}{j\,\omega\,m + r}} = \frac{j\,\omega\,m + r}{1 - \left(\frac{\omega}{\omega_0}\right)^2 + \frac{j\,\omega\,r}{s}}\,. \tag{22}$$

Dieser Widerstand kann wegen des Hinzukommens des imaginären Summanden im Nenner bei keiner Frequenz mehr unendlich werden, er nimmt vielmehr bei $\omega = \omega_0$ und im Falle eines kleinen Reibungswiderstandes gemäß der Ungleichung

$$r \ll \omega_0 m = \sqrt{s\,m} \tag{23}$$

den Wert

$$Z_{\max} = \frac{s\,m}{r} \tag{24}$$

an.

Dieser Maximalwert ist reell und um so höher, je größer Masse und Federsteife sind, die bei gegebener Schnelle die schwingende Energie kennzeichnen, und je kleiner der Reibungswiderstand r ist, der die in Wärme umgesetzte Energie anzeigt. Daß der Reibungswiderstand im Nenner steht, kommt daher, daß die Verlustleistung

$$P_{\text{verl}} = \frac{1}{2} Z_{\max} \hat{v}^2 = \frac{1}{2}\, r\, \hat{v}_m^2 \tag{25}$$

wohl linear mit r, aber quadratisch mit v_m wächst. Für das allgemein als „Übertragungsfaktor" bezeichnete Verhältnis v_m/v gewinnen wir aber aus der um die Reibungskraft erweiterten dynamischen Beziehung (20) für die Masse m:

$$\frac{s}{j\,\omega}(\underline{v} - \underline{v}_m) - r\,\underline{v}_m = j\,\omega\, m\, \underline{v}_m \tag{26}$$

$$\frac{\underline{v}_m}{\underline{v}} = \frac{1}{1 - \dfrac{\omega^2}{\omega_0^2} + \dfrac{j\,\omega\, r}{s}}\,. \tag{26a}$$

Für $\omega = \omega_0$ aber erhalten wir

$$\left(\frac{\xi_m}{\xi}\right)^2 = \left(\frac{v_m}{v}\right)^2 = \left(\frac{s}{\omega_0\, r}\right)^2 = \frac{s\,m}{r^2}\,. \tag{26b}$$

Es wäre also prinzipiell möglich, den zu v_m gehörigen Ausschlag ξ_m unmittelbar, oder auch über ein Mikroskop zu beobachten und daraus auf den interessierenden Ausschlag des Objektes zu schließen. Wenn von dieser Möglichkeit praktisch kaum Gebrauch gemacht wird, so nicht nur, weil die Dämpfung der Schwingung meist nicht nur von einem Reibungswiderstand herrührt und selbst dieser schwer zu bestimmen ist, sondern vor allem, weil der „Resonanzgipfel" sehr schmal ist.

Um diesen in allgemeiner Form zu beschreiben, wollen wir noch die Abklingkonstante δ in (26a) einführen, die das Abklingen der freien Schwingungen des in Abb. I/5 gezeigten Systems bei festgehaltenem Objekt

$$\xi = \hat{\xi}\, e^{-\delta t} \cos(\omega\, t + \varphi_\xi) = \operatorname{Re}\left\{\hat{\underline{\xi}}\, e^{(-\delta + j\,\omega)t}\right\} \tag{27}$$

kennzeichnet, und die sich durch Einsetzen von (27) in die Differentialgleichung des freien Systems

$$m\ddot{\xi} + r\dot{\xi} + s\xi = 0 \tag{28}$$

ergibt zu:

$$\delta = \frac{r}{2m}, \tag{29}$$

wobei ferner die Eigenkreisfrequenz sich von ω_0 auf

$$\omega = \sqrt{\omega_0^2 - \delta^2} \tag{30}$$

erniedrigt.

(26a) nimmt dann die Form:

$$\frac{\mathfrak{v}_m}{\mathfrak{v}} = \frac{1}{1 - \left(\frac{\omega}{\omega_0}\right)^2 + j\,\omega\,\frac{2\,\delta}{\omega_0^2}} \tag{31}$$

an. Der Verlauf dieses „Übertragungsfaktors" ist unter Verwendung der in der Akustik üblichen logarithmischen Skalen in Ordinate und Abszisse in Abb. I/6 für einen „Dämpfungsgrad"[1] $\delta/\omega_0 = 0{,}1$ wiedergegeben. Er zeigt zwar keinen Pol mehr, aber einen ausgesprochenen Gipfel, der ein wenig unter der für das ungedämpfte System geltenden Eigenkreisfrequenz ω_0 liegt, nämlich, wie das Verschwinden des Differentialquotienten des absoluten Nennerquadrates nach ω^2 zeigt:

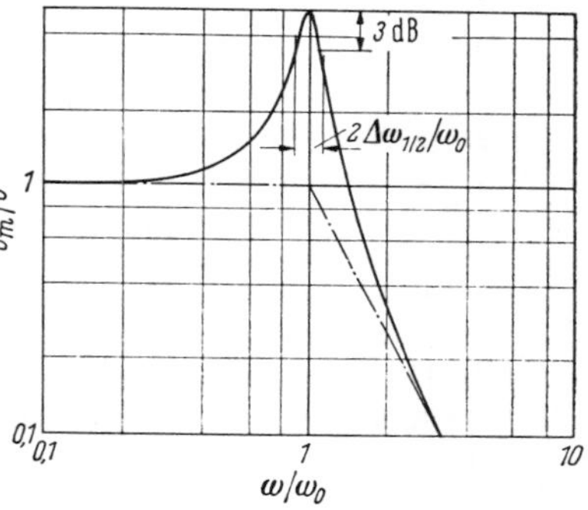

Abb. I/6. Frequenzgang des Übertragungsmaßes eines einfachen Schwingers nach Abb. I/4

$$\frac{d}{d(\omega^2)}\left[\left(1 - \left(\frac{\omega}{\omega_0}\right)^2\right)^2 + \left(\frac{2\,\delta\,\omega}{\omega_0^2}\right)^2\right] = 0 \tag{32}$$

bei der etwas niedrigeren „Gipfelkreisfrequenz":

$$\omega = \sqrt{\omega_0^2 - 2\,\delta^2} \approx \omega_0\left(1 - \frac{\delta^2}{\omega_0^2}\right). \tag{33}$$

Wenn aber der Dämpfungsgrad hinreichend klein ist, kann dieser Unterschied bei der Beschreibung der Gipfellage, Gipfelhöhe und Gipfelform vernachlässigt werden. Die erste ist hinreichend durch

$$\omega = \omega_0, \tag{34a}$$

die zweite durch

$$v_{m,\max} = \frac{\omega_0}{2\,\delta}\,v \tag{34b}$$

bestimmt.

[1] DIN 1311, Blatt 2.

Führt man dabei die Kreisfrequenzabweichung

$$\Delta\omega = \omega - \omega_0 \tag{35}$$

in (31) ein, so erhält man unter Vernachlässigung quadratischer Glieder dieser Größe aus (31)

$$\frac{\underline{v}_m}{\underline{v}_{m,\,\max}} = \frac{1}{1 + j\,\dfrac{\Delta\omega}{\delta}}\,. \tag{36}$$

Man kann diese Abhängigkeit des Verhältnisses einer Feldgröße zu ihrem bei Resonanz erreichten Maximalwert von der Frequenzabweichung geradezu zur Definition einer „Resonanzfunktion" machen. Sie kennzeichnet nicht nur den parabolischen Scheitelbereich

$$\left|\frac{\underline{v}_m}{\underline{v}_{m,\,\max}}\right| \approx 1 - \frac{1}{2}\left(\frac{\Delta\omega}{\delta}\right)^2, \tag{36a}$$

sondern gilt auch noch unterhalb der Wendepunkte bei hinreichend kleinem δ, beschreibt also den für alle Resonanzerscheinungen kennzeichnenden „glockenförmigen" Verlauf der Amplituden, bzw. der Amplitudenquadrate oder deren Logarithmen über der Frequenzabweichung. Bei Auftragung des Logarithmus liegt der Wendepunkt dort, wo das Verhältnis der Amplitudenquadrate, also der Energien, auf den halben Wert herabgesunken ist. Die zugehörige Kreisfrequenz-Abweichung sei daher mit dem Index 1/2 versehen und ergibt sich aus (36) zu:

$$\Delta\omega_{1/2} = \delta\,. \tag{37}$$

Das Doppelte dieses Abstandes, das als anschauliches Maß für die Gipfelbreite anzusehen ist, wird als „Halbwertsbreite" bezeichnet. Sie wird meist nicht als Kreisfrequenzänderung, also in rad s^{-1}, sondern als Frequenzänderung, also in Hz, angegeben:

$$2\,\Delta f_{1/2} = \frac{\delta}{\pi}\,. \tag{37a}$$

(Oft wird auch diese Größe einfach mit Δf bezeichnet.) Sind die Amplituden aufgetragen, so kennzeichnet die Halbwertsbreite die Stellen, wo diese nur $1/\sqrt{2} = 0{,}707$ der Maximalamplitude betragen. Sind die Logarithmen, hier also die Differenzen der durch

$$L_v = K \log\left(\frac{\tilde{v}}{5 \cdot 10^{-8}\ \mathrm{ms}^{-1}}\right) \tag{38}$$ [1]

---

[1] $\tilde{v}$ kennzeichnet den Effektivwert von v nach DIN 5483 im Gegensatz zum Scheitelwert $\hat{v}$. Der Schwellenwert wurde in Deutschland mit $5 \cdot 10^{-8}\ \mathrm{m\,s^{-1}}$ gewählt, weil dieser Wert zusammen mit dem international festgelegten Schwellenwert für den Schalldruck $\tilde{p}_0 = 2 \cdot 10^{-5}\ \mathrm{N\,m^{-2}}$ dem ebenfalls international gleich definierten Schwellenwert der Intensität $I_0 = 10^{-12}\ \mathrm{Watt\,m^{-2}}$ angepaßt ist. Außerdem wird so der Schnellepegel einer großen konphas schwingenden Wand gleich dem Schalldruckpegel der von ihr in Luft abgestrahlten Welle (s. Kap. VI, 1 und 2).

allgemein definierten Schallschnelle-Pegels L_v in dB (Dezibel), d. h. mit $K = 20$ dB und Benutzung der Basis 10, aufgetragen:

$$\Delta L_v = 20 \lg \left(\frac{v}{v_{\max}}\right) \text{dB} = 10 \lg \left(\frac{v}{v_{\max}}\right)^2 \text{dB}\,, \tag{38a}$$

so kennzeichnet die Halbwertsbreite den Abfall um 3 dB.

Hohe Gipfelwerte erfordern kleine Reibungswiderstände, d. h. kleine Abklingkonstanten, bzw. kleine Dämpfungsgrade. Bei ihnen muß man aber kleine Halbwertsbreiten, also schmale Gipfel in Kauf nehmen. Die dadurch gegebene starke Frequenzabhängigkeit macht schwach gedämpfte Systeme im Resonanzbereich als Körperschallaufnehmer ungeeignet. Jedes auch nur etwas breitbandige Signal würde starken Verzerrungen unterliegen.

Dafür sind sie als Frequenzanzeiger sehr geeignet, sogar geeigneter als elektrische Schwingkreise bei gleicher Frequenz, weil sie sich mit viel geringerem Dämpfungsgrad herstellen lassen. Deshalb werden sie in Form des „Zungenfrequenzmessers" bei der Messung der kleinen in Starkstromnetzen interessierenden Frequenzschwankungen um 50 Hz auch heute noch allgemein verwendet. Aus der Tatsache, daß hier bei je 0,5 Hz-Schritten ein anderer Schwinger (Zunge) verwendet wird, leuchtet ein, welchen Aufwand die Anwendung dieser Methode im hörbaren Frequenzbereich bedeuten würde.

Schließlich steht auch die hohe Impedanz und die dadurch leichter mögliche Rückwirkung auf das Meßobjekt der Verwendung eines in Resonanz arbeitenden Aufnehmers nach Abb. I/5 entgegen. Wir hatten schon darauf hingewiesen, daß solche Rückwirkungen dann besonders groß sind, wenn — wiederum infolge einer Resonanz — die Impedanz des Objektes, vom Aufnehmer her gesehen, am Aufsetzpunkt sehr klein ist. Ein quantitativ leicht behandelbares, extremes Beispiel erhalten wir, wenn wir, wie in Abb. I/7a angedeutet, den Aufnehmer nach Abb. I/5 auf einen gleich abgestimmten einfachen Schwinger setzen, dessen Masse und Steife mit M und S bezeichnet seien, um gleich damit anzudeuten, daß das Verhältnis

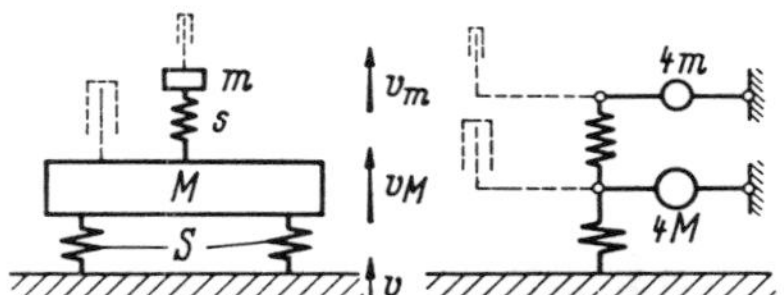

Abb. I/7. Anzeige-System nach Abb. I/4, aufgesetzt auf einen einfachen Schwinger
a) konstruktive Anordnung, b) Schaltschema

$$\frac{m}{M} = \frac{s}{S} = \mu \tag{39}$$

so klein sein soll, daß man nach gefühlsmäßiger, von den Gewichten ausgehender Abschätzung gar keine Rückwirkung erwarten würde.

Mit

$$\omega = \omega_0 = \sqrt{\frac{s}{m}} = \sqrt{\frac{S}{M}} \tag{40}$$

wächst aber nicht nur die Impedanz des Aufnehmers stark an, sondern es fällt zugleich die Impedanz des Objektes, das ja vom Aufnehmer her dem System in Abb. I/3 entspricht. Besonders klar tritt das wieder in dem mit Massehebeln arbeitenden Schaltbild der Abb. I/7b in Erscheinung. Am krassesten zeigt sich die Einwirkung, wenn wir das Problem ohne Dämpfung betrachten, dann wird eine unendliche Aufnehmer-Impedanz mit einer verschwindenden Objektimpedanz kombiniert. In diesem Falle lauten die dynamischen Beziehungen:

$$\frac{S}{j\,\omega}(\underline{v} - \underline{v}_M) - \frac{s}{j\,\omega}(\underline{v}_M - \underline{v}_m) = j\,\omega\,M\,\underline{v}_M \tag{41a}$$

$$\frac{s}{j\,\omega}(\underline{v}_M - \underline{v}_m) = j\,\omega\,m\,\underline{v}_m \tag{41b}$$

oder unter Division der oberen Gleichung durch $S/j\,\omega$, der unteren durch $s/j\,\omega$ und unter Trennung der primär erregenden Schnelle v von den sekundären Schnellen v_M und v_m:

$$\left(1 + \mu - \left(\frac{\omega}{\omega_0}\right)^2\right)\underline{v}_M - \mu\,\underline{v}_m = \underline{v} \tag{41c}$$

$$-\underline{v}_M + \left(1 - \left(\frac{\omega}{\omega_0}\right)^2\right)\underline{v}_m = 0\,. \tag{41d}$$

Der Übertragungsfaktor für die zu messende Schnelle des Objektes ergibt sich somit zu:

$$\frac{\underline{v}_M}{\underline{v}} = \frac{1 - \left(\frac{\omega}{\omega_0}\right)^2}{\left(1 + \mu - \left(\frac{\omega}{\omega_0}\right)^2\right)\left(1 - \left(\frac{\omega}{\omega_0}\right)^2\right) - \mu}\,. \tag{42}$$

Im Nenner steht die Determinante aus den Koeffizienten der Gln. (41c) und (41d); sie verschwindet nicht mehr bei $\omega = \omega_0$, also dort, wo das untere System in Abb. I/7 allein unendlich große Ausschläge ergeben würde; dafür wird bei dieser Frequenz der Zähler zu Null. Wir haben also den größtmöglichen Amplitudenwechsel von ∞ auf 0 beim Aufsetzen des Aufnehmers vor uns.

Bei Berücksichtigung von Verlusten, für die wieder lineare Reibungswiderstände R und r gegenüber der umgebenden Luft herangezogen seien (sie sind in Abb. I/7 gestrichelt eingetragen), und die den Massen, vereinfachend aber auch physikalisch sinnvoll, so angepaßt seien, daß

$$\frac{r}{m} = \frac{R}{M} = 2\,\delta \tag{43}$$

gilt, ist wie oben beim Übergang von (20a) zu (31) nur überall dort, wo $(\omega/\omega_0)^2$ auftritt, $j\,2\,\delta\,\omega/\omega_0^2$ hinzuzufügen. Wir erhalten also:

$$\frac{v_M}{v} = \frac{1-\left(\frac{\omega}{\omega_0}\right)^2 + j\frac{2\,\delta\,\omega}{\omega_0^2}}{\left(1+\mu-\left(\frac{\omega}{\omega_0}\right)^2 + j\frac{2\,\delta\,\omega}{\omega_0^2}\right)\left(1-\left(\frac{\omega}{\omega_0}\right)^2 + j\frac{2\,\delta\,\omega}{\omega_0^2}\right)-\mu}. \tag{44}$$

Genau so wie jetzt der Übertragungsfaktor des Objekt-Systems ohne abgestimmten Aufnehmer bei $\omega = \omega_0$ nur auf $(\omega_0/2\,\delta)$ wächst, fällt dieser nach Aufsetzen des Aufnehmers nur auf einen endlichen Wert, nämlich auf

$$\left(\frac{v_M}{v}\right)_{\omega_0} = \frac{1}{\mu + j\left(\frac{2\,\delta}{\omega_0} + \mu\frac{\omega_0}{2\,\delta}\right)}. \tag{45}$$

Wenn, wie das im Sinne unserer Betrachtung ist, sowohl das Massenverhältnis μ wie der Dämpfungsgrad δ/ω_0 sehr kleine Zahlen von gleicher Größenordnung darstellen, kommt das etwa auf

$$\left|\frac{v_M}{v}\right|_{\omega_0} \approx \frac{1}{\mu}\,\frac{2\,\delta}{\omega_0} \tag{45a}$$

hinaus, die Schnelle des Objektes wird dann durch das Aufsetzen des Aufnehmers gemäß einem Faktor $\frac{1}{\mu}\left(\frac{2\,\delta}{\omega_0}\right)^2$ verringert. Bei dem in Abb. I/8 wiedergegebenen Frequenzgang der Übertragungsfaktoren in logarithmischen Skalen, also der sog. Übertragungsmaße, wurde wieder für den Dämpfungsgrad, aber auch für das Massenverhältnis der Wert 0,1 gewählt. Daraus ergibt sich zwischen der aus Abb. I/6 übernommenen gestrichelt eingezeichneten Kurve für das System aus S und M allein und der für das gekoppelte System geltenden ausgezogenen Kurve bei $\omega = \omega_0$ nach (34b) und (45) eine Pegeldifferenz von 11 dB.

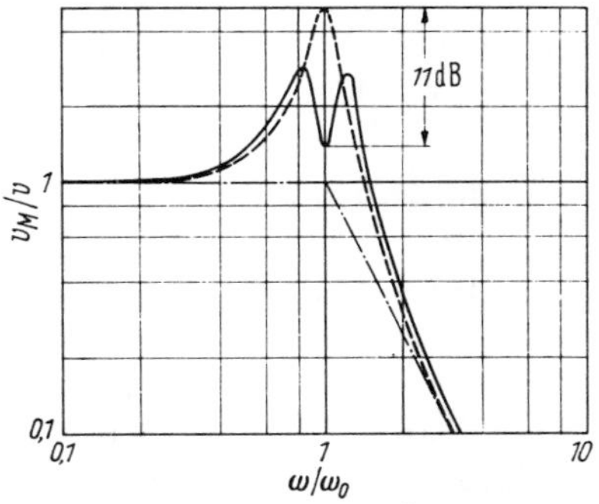

Abb. I/8. Frequenzgang des Übertragungsmaßes des Meßobjektes gestrichelt ohne ausgezogen mit aufgesetztem, gleich abgestimmten Anzeige-System nach Abb. I/4

Da die starke Einwirkung des Aufnehmers auf das Meßobjekt bei dem geringen Dämpfungsgrad auf die unmittelbare Nachbarschaft seiner Eigenfrequenz beschränkt ist, „erholt“ sich der Übertragungsfaktor mit wachsender Frequenzabweichung wieder, was sich in zwei rechts und links auftretenden Gipfeln äußert, die etwas über der gestrichelten Kurve liegen. Bei ungedämpften Systemen werden diese Gipfel sogar unendlich hoch, denn der in (ω^2) quadratische Nenner in (42) hat zwei Nullstellen, die den beiden Eigenfrequenzen des gekoppelten Systemes entsprechen, das — erkennbar an den unabhängigen Schnellen v_M und v_m — zwei kinematische Freiheitsgrade aufweist.

Man könnte alle mit den Resonanzerscheinungen verbundenen Nachteile eines abgestimmten Aufnehmers mildern, indem man den Dämpfungsgrad so groß macht, daß keine oder nur ganz schwache Resonanzüberhöhungen auftreten, oder gar ein über große Frequenzgebiete nur schwach sich ändernder Übertragungsfaktor entsteht, wie man etwa beim Tauchspulenmikrophon die Membran möglichst breitbandig mit Reibungswiderständen belastet. Offenbar bereitet das bei den vergleichsweise größeren Massen der Körperschallaufnehmer Schwierigkeiten, so daß diese nur entweder tief, oder hoch abgestimmt sind.

Zu tiefer Abstimmung

$$\omega \gg \omega_0 \tag{46}$$

benötigt man eine relativ große Masse m und Federn von geringer Gesamtsteife s. Man gewinnt dabei in der Masse m einen „schwingungsisolierten“, d. h. nur noch die kleine Schnelle

$$\underline{v}_m = -\left(\frac{\omega_0}{\omega}\right)^2 \underline{v} \tag{47}$$

aufweisenden, also fast ruhenden Bezugskörper statt des in den Abb. I/1 bis I/3 geforderten vom Meßobjekt unabhängigen Bezugskörpers. Das hat einmal den Vorteil, daß die bei jedem Aufnehmer zur Messung herangezogene, durch

$$\underline{v}_\Delta = \underline{v} - \underline{v}_m \tag{48}$$

beschreibbare Differenzbewegung statt von unbekannten Störbewegungen des Bezugskörpers beeinflußt zu sein, im Bedarfsfalle berechenbar ist, nämlich:

$$\underline{v}_\Delta = \left[1 + \left(\frac{\omega_0}{\omega}\right)^2\right] \underline{v}\,. \tag{49}$$

Vor allem aber kann man den meist die Wirkung des Aufnehmers stark beeinflussenden Abstand mit Hilfe der befestigenden Federn auf einen festen Wert einstellen.

Bei der Frage der mechanischen Rückwirkung eines solchen Aufnehmers hat man zwischen der statischen und der dynamischen zu unterscheiden. Die dynamische ist gering und wird mit wachsender Frequenz immer geringer, denn der in (19), bzw. (22) angegebene Widerstand reduziert sich auf den mit der Frequenz fallenden Widerstand der Federsteife, die vor der praktisch ruhenden Masse sitzt:

$$\underline{Z}_a \approx \frac{s}{j\,\omega}\,. \tag{50}$$

Dagegen kann das Gewicht der Masse das Meßobjekt so belasten, daß es auch seine dynamischen Eigenschaften ändert. Das kann z. B. der Fall sein, wenn wir den schweren Topfmagneten eines elektrodynamischen Aufnehmers über Federn auf ein dünnes horizontal eingespanntes Blech aufsetzen. Die Durchbiegung kann dann so stark sein, daß zusätzliche horizontale Zugspannungen auftreten, die zusätzliche Rückstellkräfte für die Schwingungen ergeben. Drückt man dagegen das gleiche, aber gestützte System über die Federn von unten an das Blech, so spielt die Rückwirkung meist gar keine Rolle.

Vielfach besteht der mechanische Aufbau des Aufnehmers aus einer unmittelbar am Meßobjekt angebrachten Masse, beim erwähnten elektrodynamischen System z. B. aus der Masse der Tauchspule m_1 und aus der über die Feder mit dem Objekt verbundenen Masse des Topfmagneten m_2 (Abb. I/9). Da der Trägheitswiderstand $j\,\omega\, m_1$ wie oben an Hand der Abb. I/3b ausgeführt, additiv zum Federungswiderstand in (50) hinzukommt, aber gegenphasig ist:

$$\underline{Z}_a \approx \frac{s}{j\,\omega} + j\,\omega\, m_1\,, \tag{51}$$

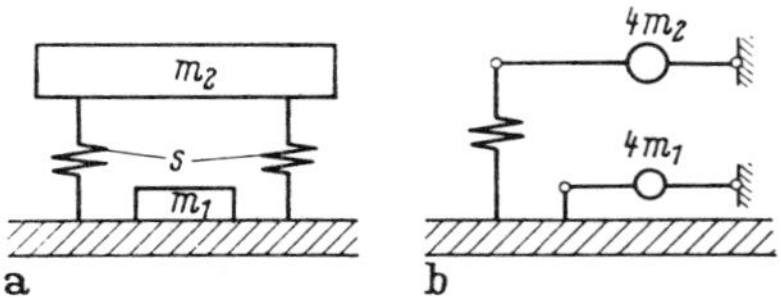

Abb. I/9. Schema eines Aufnehmers mit unmittelbar aufliegender Masse m_1 und elastisch verbundener m_2
a) konstruktive Anordnung,
b) Schaltschema

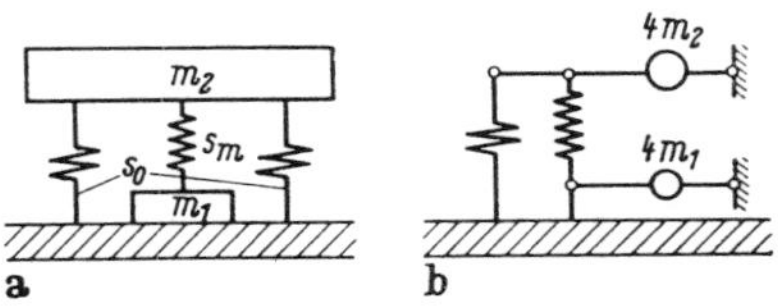

Abb. I/10. Zusätzliche Verbindung der Massen m_1 und m_2 in I/9 mit einer Feder.
a) konstruktive Anordnung,
b) Schaltschema

wird dadurch die Rückwirkung nur verringert. Bei

$$\omega_1 = \sqrt{s/m_1} \tag{52}$$

verschwindet sie, ohne daß in diesem Falle die durch (52) gegebene Frequenz die Bedeutung einer Eigenfrequenz hätte. Für die Schnelle von m_2 und damit für die interessierende Differenzschnelle v_Δ hat diese zusätzliche Masse bei gegebener Schnelle v des Meßobjektes keine Bedeutung.

Auch wenn zur gegenseitigen Führung von m_1 und m_2 zwischen beiden Massen eine weitere Federverbindung besteht (Abb. I/10) ändert das nichts an den kinematischen Beziehungen. Bei der Berechnung der in (49) auftretenden Eigenfrequenz ω_0 ist lediglich die Steife s jetzt aus den Steifen der Federn, die einmal die Masse m_2 und das Meßobjekt verbindet s_0 und die andererseits die Massen untereinander verbindet s_m, additiv zusammenzusetzen:

$$s = s_0 + s_m\,. \tag{53}$$

Dasselbe aber gilt, wie wieder das Schaltschema der Abb. I/10b leicht erkennen läßt, für die Berechnung der Impedanz.

Bei hoch abgestimmten Systemen

$$\omega \ll \omega_0 \tag{54}$$

muß die elastisch an das Meßobjekt angekoppelte Masse m_2 klein sein, während alle gerätetechnisch bedingten Massen, die ebenso gut die Bewegung des Meßobjektes mitmachen können, mit diesem verbunden werden, also zur mit m_1 bezeichneten Masse zugeschlagen werden. Eine zweite federnde Verbindung entfällt; meist umschließt sogar m_1 schützend das empfindliche schwingende System, wie das schematisch in Abb. I/11a gezeigt ist. Die mechanische Schaltung in Abb. I/11b dieses hochabgestimmten Aufnehmers unterscheidet sich im übrigen nicht von der in Abb. I/9b.

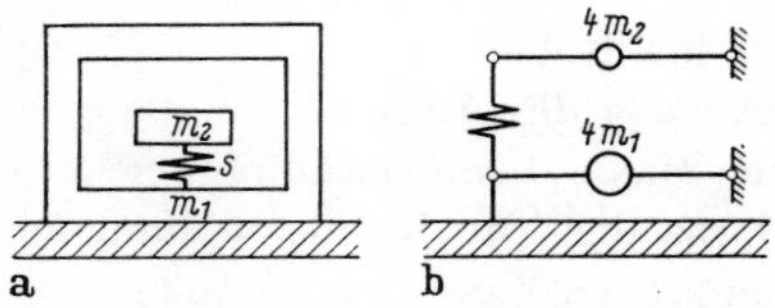

Abb. I/11. Schematische Skizze eines hoch abgestimmten Aufnehmers.
a) konstruktive Anordnung, b) Schaltschema

Die Aufnehmerimpedanz ergibt sich im ganzen Frequenzbereich aus der Addition des Trägheitswiderstandes der großen Masse m_1 und der Impedanz des „parallel" liegenden Schwingers nach (19):

$$\underline{Z}_a = j\,\omega\, m_1 + \frac{1}{\frac{j\,\omega}{s} + \frac{1}{j\,\omega\, m_2}} = \frac{1 + \frac{m_1}{m_2} - \omega^2 \frac{m_1}{s}}{\frac{j\,\omega}{s} + \frac{1}{j\,\omega\, m_2}}\,. \tag{55}$$

Auch diese Impedanz kann verschwinden, nämlich bei

$$\omega_{12} = \sqrt{s\left(\frac{1}{m_1} + \frac{1}{m_2}\right)}\,, \tag{56}$$

d. h. bei der Eigenfrequenz des aus den beiden dann gegeneinander schwingenden Massen m_1 und m_2 und der Steife der sie verbindenden Feder s bestehenden Systems, das von HAHNEMANN und HECHT[1] anschaulich als „Tonpilz" bezeichnet wurde.

Bei der höheren Frequenz

$$\omega_2 = \sqrt{\frac{s}{m_2}} \equiv \omega_0 \tag{57}$$

würde Z_a unendlich werden.

[1] HAHNEMANN, W., u. H. HECHT: Physikalische Zeitschrift 21 (1920) 187.

Indem uns hier ausschließlich interessierenden Bereich niedriger Frequenzen, wird die Aufnehmerimpedanz einfach zum Trägheitswiderstand beider Massen:

$$\underline{Z}_a = j\,\omega\,(m_1 + m_2)\,. \tag{58}$$

Bei der Berechnung von v_m kann man sich nicht mit der Feststellung begnügen, daß bei tiefen Frequenzen $v_m \to v$ geht, denn auch hier kann nur die Differenzbewegung oder eine aus ihr abgeleitete Größe zur Messung von v herangezogen werden.

Vernachlässigen wir zunächst jegliche Verluste, so erhalten wir aus der Kombination von (20a) und (48) allgemein:

$$\frac{\underline{v}_\Delta}{\underline{v}} = \frac{-\left(\dfrac{\omega}{\omega_0}\right)^2}{1-\left(\dfrac{\omega}{\omega_0}\right)^2}\,, \tag{59}$$

also unterhalb der Resonanz

$$\frac{\underline{v}_\Delta}{\underline{v}} = -\left(\frac{\omega}{\omega_0}\right)^2, \tag{59a}$$

d. h. der Differenzausschlag

$$\xi_\Delta = \frac{v_\Delta}{j\,\omega} = \frac{j\,\omega}{\omega_0^2}\,\underline{v} = \frac{j\,\omega\,m_2}{s}\,\underline{v} \tag{60}$$

ist der Beschleunigung proportional. Am besten wird dieser Sachverhalt durch die Aussage beschrieben, daß die auch der Masse m_2 aufgezwungene Beschleunigung zu einer Trägheitskraft $j\,\omega\,m_2\,v$ führt, die die Feder entsprechend ihrer Steife dehnt. Alle hochabgestimmten Aufnehmer, bei denen diese Kraft oder die zugehörige Dehnung gemessen wird, sind also Beschleunigungsempfänger.

An diesem Ergebnis ändert auch die sinngemäße Berücksichtigung einer Reibungskraft nichts, sofern man sie dem Sinne der in Abb. I/12a gezeigten üblichen konstruktiven Anordnung entsprechend nicht mehr der absoluten Schnelle der Masse m_2, sondern der relativen Schnelle v_Δ proportional setzt. Wie aus dem Schaltschema in Abb. I/12b zu ersehen, liegt dann der Reibungswiderstand nicht mehr zum Trägheitswiderstand, sondern zum Federungswiderstand „parallel“. Die dynamische Beziehung für die Masse m_2 lautet dann:

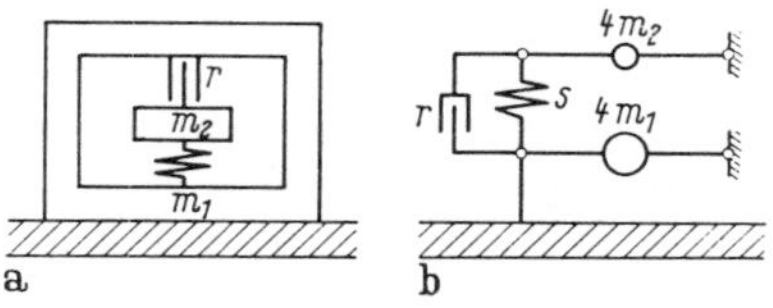

Abb. I/12. Wie Abb. I/11, aber mit einer der Relativ-Bewegung zwischen den Massen proportionalen Reibungskraft.

a) konstruktive Anordnung, b) Schaltschema

$$\frac{s}{j\,\omega}\,(\underline{v} - \underline{v}_m) + r\,(\underline{v} - \underline{v}_m) = j\,\omega\,m_2\,\underline{v}_m \tag{61}$$

und hieraus ergibt sich im Gegensatz zu (26a) bzw. (31)

$$\frac{\underline{v}_m}{\underline{v}} = \frac{\dfrac{s}{j\,\omega} + r}{\dfrac{s}{j\,\omega} + r + j\,\omega\,m_2} = \frac{1 + j\,\dfrac{2\,\delta\,\omega}{\omega_0^2}}{1 + j\,\dfrac{2\,\delta\,\omega}{\omega_0^2} - \left(\dfrac{\omega}{\omega_0}\right)^2}\,, \tag{62}$$

und für die Differenzschnelle folgt daraus:

$$\frac{\underline{v}_\Delta}{\underline{v}} = \frac{-\left(\dfrac{\omega}{\omega_0}\right)^2}{1 - \left(\dfrac{\omega}{\omega_0}\right)^2 + j\,\dfrac{2\,\delta\,\omega}{\omega_0^2}}\,, \tag{63}$$

d. h. für kleine (ω/ω_0)-Werte erhalten wir (59a), wobei sogar, wenn es nur auf die Absolutwerte und nicht auf die Phasengleichheit ankommt, sich bei kleinen Dämpfungsgraden nichts am Gültigkeitsbereich dieser Näherung ändert. Sicher wird man im allgemeinen lieber einen gewissen Phasenfehler in Kauf nehmen als einen hohen Resonanzgipfel, auch wenn er nicht im normaler Weise verwendeten Frequenzbereich liegt. Man hat sonst doch bei jedem Stoß, der eben alle Frequenzen enthält, mit der Auslösung schwach gedämpfter Eigenschwingungen zu rechnen.

So verschiedenartig sich die in den Abb. 1, 2, 3, 4, 9, 10, 11 eingezeichneten konstruktiven Anordnungen zunächst ansehen, alle lassen sich, wie gerade die daneben gezeichneten Schaltbilder deutlich machen, als Grenzfälle eines Tonpilzes beschreiben, dessen eine Masse zwangsbewegt wird.

Für die in jedem Falle zur Messung herangezogene Differenzbewegung kommt es eigentlich nur darauf an, ob das System aus freier Masse und Feder tief oder hoch abgestimmt ist und ob diese Differenzbewegung hinsichtlich ihres Ausschlages oder ihrer Schnelle bewertet wird. Wir erhalten so ein Quadrantenschema aus den Formeln (49), (59a) und (60), das zeigt: Das tief abgestimmte System ist als Ausschlagaufnehmer anzusehen, wenn ξ_Δ, als Schnelleempfänger, wenn v_Δ gemessen wird, das hochabgestimmte — wie oben schon betont — als Beschleunigungs-

tief hoch abgestimmt

	$\omega \gg \omega_0$	$\omega \ll \omega_0$
$\dfrac{\underline{\xi}_\Delta}{\underline{v}}$	$\dfrac{1}{j\,\omega}$	$\dfrac{j\,\omega}{\omega_0^2}$
$\dfrac{\underline{v}_\Delta}{\underline{v}}$	1	$-\dfrac{\omega^2}{\omega_0^2}$

empfänger, wenn ξ_Δ gemessen wird. Die Messung von v_Δ würde in diesem Falle die Differentiation der Beschleunigung erfassen, daher praktisch kaum verwertbar sein.

Allerdings haben wir bisher nur die Einwirkung von einem Punkt und in einer Richtung betrachtet. Wir müssen aber im allgemeinen damit rechnen, daß unseren Aufnehmern auch seitliche Verschiebungen und Drehbewegungen erteilt werden, und daß jeder hier mit seiner Masse m gekennzeichnete starre Teilkörper 6 unabhängiger Bewegungen fähig ist, dreier Translationen in zueinander senkrechten Richtungen und dreier Drehungen um zueinander senkrechte Achsen.

Es würde den Rahmen dieser grundsätzlichen Einführung überschreiten, auf alle daraus sich ergebenden Schwierigkeiten einzugehen. Aber auch die einfacheren behandelten Schemata lassen erkennen, daß solche Schwierigkeiten besonders dann zu erwarten sind, wenn der betreffende Körper in einem seiner Freiheitsgrade in Resonanz schwingen kann, mag die zugeordnete Bewegung auch nur lose mit der interessierenden Bewegung gekoppelt sein.

3. Steuernde Körperschall-Aufnehmer

Bei allen Messungen, vorzugsweise solchen schwingender Größen, ist man heute interessiert, die Meßgröße, wenn sie nicht schon von vornherein elektrischer Natur ist, in eine Strom- oder Spannungsänderung zu verwandeln, weil man dann auf alle die Möglichkeiten zur Umformung und Verarbeitung zurückgreifen kann, die die Elektrotechnik in reichstem Maße bietet. Man kann die gemessenen Werte, bzw. ihren Zeitverlauf, verstärken, filtern, auf die verschiedenste Weise, insbesondere aber auf dem trägheitslosen Elektronenstrahl-Oszillographen wiedergeben, aber auch sie speichern, sie in elektronische Rechenmaschinen eingeben und schließlich jede so erhaltene Sekundärgröße wieder auf das Meßobjekt zurückwirken lassen.

Unter den Körperschall-Aufnehmern, die — evtl. unter Inanspruchnahme von Zusatzgeräten, die aber nicht am Objekt angebracht werden müssen — aus den mechanischen Feldgrößen proportionale, elektrische machen, sind zwei Gruppen zu unterscheiden. Bei der ersten, mit der sich dieser Paragraph beschäftigt, wird eine elektrische Energiequelle, bzw. ein ihm angeschlossenes System von der mechanischen Bewegung gesteuert, ohne daß daraus eine Rückwirkung der elektrischen Kreise auf die mechanischen Teile erfolgt. Die dieser Steuerung zugrunde liegenden Prinzipien können daher auch nicht zur Umwandlung elektrischer Feldgrößen in mechanische, also als Körperschallsender verwendet werden. Dagegen sind Umwandlungsprinzipien der zweiten Gruppe, der sogenannten elektromechanischen Wandler[1] (vom Phasenwinkel abgesehen), reziprok. Sie können für Körperschallaufnehmer und Körperschallsender herangezogen werden. Es tritt daher bei den Aufnehmern auch immer eine Rückwirkung von der elektrischen Seite auf, mag sie auch im Einzelfall vernachlässigbar klein sein.

Bei allen steuernden Aufnehmern wird die Änderung im elektrischen Kreis durch eine relative Verschiebung $\Delta\xi$ bewirkt, und zwar — im Prinzip — unabhängig von der Frequenz, den Grenzfall einer statischen Verschiebung eingeschlossen.

Die meist angewendeten Methoden beruhen darauf, daß eines der drei elektrischen Zweipolelemente, ein Widerstand, eine Induktivität oder eine Kapazität verändert werden.

Die Ausnutzung einer Widerstandsänderung durch Verschiebung einer Membrane gegen ein festes Gehäuse ist von dem in jedem Fernsprecher eingebauten Kohlemikrophon bekannt. Durch stärkeres Gegeneinanderpressen der zwischen Membran und Gehäuse liegenden Kohlekörner werden deren gegenseitige Berührungsflächen vergrößert und der Widerstand erniedrigt. Das Anlegen an eine Batteriespannung von wenigen Volt genügt, um die $\Delta\xi$-Werte in unmittelbar anzeigbare Stromänderungen Δi umzusetzen. Der großen Empfindlichkeit, die im allgemeinen das Nachschalten einer Verstärkerstufe entbehrlich macht, steht deren mangelnde Konstanz und das hohe Eigenrauschen gegenüber, so daß diese Form in der Körperschallmeßtechnik nicht verwendet wird. Dagegen finden gepreßte Schichten aus Kohle oder Graphit gelegentlich Verwendung. Da sie relativ steif sind, eignen sie sich entweder für hochabgestimmte Beschleunigungsaufnehmer, oder sie gestatten sogar den direkten Einbau in ein kraftübertragendes Element, können

---

[1] Diese Definition der elektromechanischen Wandler ist in DIN 1311, Blatt 3 gewählt worden; sie berücksichtigt, daß es auch rein mechanische Wandler (Hebel und Kreisel) und rein elektrische Wandler (Transformator und Gyrator) gibt. In der Literatur werden dagegen vielfach auch die steuernden Aufnehmer zu den elektromechanischen Wandlern gerechnet, aber als Steuer-Wandler von den reziproken unterschieden. Dann muß man den Begriff „Wandler" auf die „elektro-mechanischen" beschränken und könnte dann auch diesen — in seiner Wortfolge auf den Sender zugeschnittenen — Zusatz weglassen, denn rein mechanische oder elektrische steuernde Elemente werden als Servomotoren oder Verstärker, aber nie als Wandler bezeichnet.

Auch auf eine zweite Uneinheitlichkeit in den Bezeichnungen der beiden Gruppen muß hingewiesen werden, die sogar schwerer wiegt, weil hier die gleichen Bezeichnungen im entgegengesetzten Sinn verwendet werden. In der Nachrichtentechnik ist es üblich, Systeme, die wie Verstärker fremde Energiequellen steuern, als aktiv, die anderen als passiv zu bezeichnen. Bei der Klassifikation der Körperschallaufnehmer werden dagegen meist die steuernden als die passiven, die reziproken Wandler als die aktiven bezeichnet. (Siehe z. B. NEUBERT, H.: Instrument Transducers, Oxford 1963).

also bei bekanntem Elastizitätsmodul zur Kraftmessung herangezogen werden.

Ein grundsätzlicher Nachteil dieser Anordnungen liegt darin, daß der elektrische Widerstand

$$R = \varrho \frac{l}{S} \tag{64}$$

(ϱ spezifischer Widerstand) und die reziproke Steife, die auch als Nachgiebigkeit bezeichnet wird,

$$\frac{1}{s} = \frac{l}{E\,S} \tag{65}$$

in gleicher Weise von den konstruktiven Abmessungen, der Länge l und dem Querschnitt S, abhängen. Man würde aber bei einer Kraftmeßdose gern die Nachgiebigkeit klein und den Widerstand groß haben. Es ist daher günstiger, den Widerstand von dem die Dehnung bestimmenden festen Körper zu trennen, und ihm durch Verwendung sehr dünner Drähte eine kleine Querschnittsfläche S und durch mehrfaches Hin- und Herziehen in Dehnungsrichtung eine große Länge zu geben. Die dabei zunächst vorhandene Schwierigkeit der Befestigung des Drahtes bei jeder Umbiegung wird heute umgangen, indem die ganze als „Dehnungsmeßstreifen" bekannte Anordnung, von der Abb. I/13 ein Beispiel[1] mit Anschlußbändern zeigt, aufgeklebt werden kann. Bei den in der Abb. I/13 gezeigten 9 Hin- und Rückwegen wird die in (64) einzusetzende Länge $l = 19\,l_1$. Die Längen l bzw. l_1 fallen im übrigen heraus, wenn uns nicht die absolute Längenänderung, sondern die Dehnung

$$\frac{\Delta\xi}{l_1} = \frac{\Delta l}{l} = \varepsilon \tag{66}$$

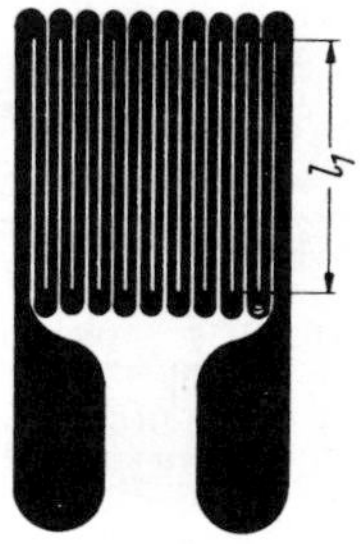

Abb. I/13. Beispiel eines Dehnungsmeßstreifens

interessiert. Die als relative Widerstandsänderung je Dehnung definierte Empfindlichkeit des Dehnungsmeßstreifens[2], setzt sich aus 3 Anteilen zusammen, die sich aus (64) ergeben zu:

$$k = \frac{1}{R}\frac{dR}{d\varepsilon} = \frac{1}{l}\frac{\partial l}{\partial\varepsilon} - \frac{1}{S}\frac{\partial S}{\partial\varepsilon} + \frac{1}{\varrho}\frac{\partial\varrho}{\partial\varepsilon}, \tag{67}$$

Dabei ist der erste Summand definitionsgemäß gleich 1, der zweite ergibt sich auf Grund der Querkontraktion mit der Poissonschen Zahl (s. Kap. II) zu $2\,\mu$:

$$k = 1 + 2\,\mu + \frac{1}{\varrho}\frac{\partial\varrho}{\partial\varepsilon}. \tag{67a}$$

[1] Entnommen einem Prospekt der Firma MT-Meßtechnik, Vertriebs-GMBH, München.

[2] Neubert, H.: Instrument Transducers, Oxford 1963, 125.

Da μ höchstens 0,5 werden kann, meist bei Metallen aber nur 0,3 beträgt, würde damit die Empfindlichkeit eines Dehnungsmeßstreifens durch einen Faktor von 1,6 bis 2 gekennzeichnet sein. Bei manchen Metallen und Metallegierungen wird dieser Faktor durch zusätzliche Änderung des spezifischen Widerstandes wesentlich, bei Platin bis zu Werten von 5, erhöht.

Das Hauptanwendungsgebiet der Dehnungsmeßstreifen liegt nicht in ihrer Benutzung als steuerndes Element in besonderen Kraftmeßdosen, sondern in der unmittelbaren Abtastung von Dehnungen am Meßobjekt. Die zu ihrer eigenen Dehnung benötigten zusätzlichen Kräfte sind meist vernachlässigbar, ebenso muß man auch nur bei der Durchbiegung sehr dünner Platten evtl. darauf achten, daß sie etwas weiter von der neutralen Phase entfernt sind, als die interessierende Oberfläche.

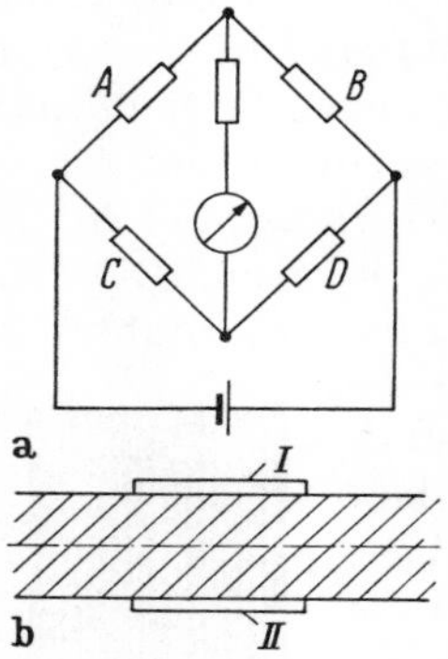

Abb. I/14. Anordnung von 2 Dehnungsmeßstreifen a) in der Brückenschaltung, b) an einer Platte

Es ist allgemein üblich, den Widerstand des Meßstreifens in einen Zweig einer abgeglichenen Wheatstoneschen Brücke zu legen und somit den Brückenstrom als Maß der Dehnung abzulesen (s. Abb. I/14a). Dabei kann man durch geschickte Kombination mehrerer Meßstreifen und Brückenzweige verschiedene Deformationsarten trennen. So zeigen die in Abb. I/14b oben und unten auf einen Stab, bzw. eine Platte aufgeklebten Streifen *I* und *II* eine Längsdehnung an, wenn sie in diagonalen Brückenzweigen, z. B. *A* und *D* eingesetzt werden, dagegen eine Verbiegung, wenn sie benachbarten Brückenzweigen zugeordnet werden, z. B. *A* und *B*.

In den letzten Jahren konnte die Empfindlichkeit der Dehnungsmeßstreifen durch Verwendung von Halbleitern wesentlich (bis auf das 50-fache) erhöht werden, wobei allerdings, wie immer bei Halbleitern, eine noch größere Temperaturempfindlichkeit in Kauf genommen werden mußte, als sie auch bereits gewöhnlichen Widerständen und Dehnungsmeßstreifen eigen ist.

Ein wesentlicherer Nachteil aber liegt darin, daß die Anbringungen der Meßstreifen besonderer Geschicklichkeit und Erfahrung bedarf und daß sie ohne Zerstörung nicht wieder abgenommen werden können. Sie kommen daher mehr für die Überwachung kostspieliger Maschinenteile in Frage, wo es um Leistungskontrolle und Festigkeitsfragen an ausgewählten Stellen geht, als für die Körperschall-Meßaufgaben der Lärmbekämpfung, bei denen immer eine große Zahl von Meßstellen abzutasten ist.

Zur Veränderung von Induktivitäten gehören etwas schwerere Elemente und sei es, daß nur zwei Spulen gegeneinander verschoben werden. Viel wirkungsvollere Änderungen erhält man natürlich unter Verwendung von Eisenteilen. Man muß dann allerdings auch alle Nichtlinearitäten und Verluste in Kauf nehmen, die sich aus den Hysterese-Erscheinungen ergeben.

Ist das Meßobjekt aus Eisen, so kann es selbst als beweglicher, den magnetischen Widerstand verändernder Anker dienen, worauf wir in Abschn. 5 bei der Erwähnung des sogenannten elektromagnetischen Wandlers noch zurückkommen werden. In diesem Falle spielt aber der Abstand zu den Polschuhen, die entweder auf einem ruhenden Bezugskörper angebracht sind, oder zu einer elastisch angekoppelten, tief abgestimmten Masse gehören, eine sehr große Rolle.

Zuverlässiger und ohne weiteres bedienbar sind Anordnungen bei denen ein Stift unter leichter Federvorspannung an das Meßobjekt gedrückt wird, wobei der eisenhaltige Teil des Stiftes im Ruhezustand etwa zur Hälfte in zwei Spulen taucht, die zwei benachbarten Zweigen einer Brücke angehören (s. den Tauchanker in Abb. I/15). Wird der Stift um ξ verschoben, wird die Induktivität der einen erhöht, die der anderen verringert, der Brückenstrom ist wieder dem Ausschlag ξ, bzw. dem praktisch gleich großen Differenzausschlag eines tief abgestimmten Systems ξ_Δ, bei nicht zu großen Ausschlägen proportional.

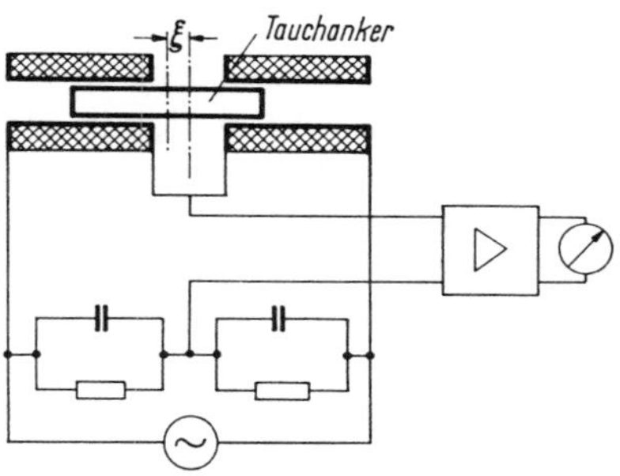

Abb. I/15. Konstruktions- und Schaltschema eines Aufnehmers mit veränderlicher Induktivität

Da es sich um die Änderung von Reaktanzen handelt, muß die Brücke mit einer Wechselspannung erregt werden, deren Frequenz man als Trägerfrequenz bezeichnet. Der Ausschlag ξ erscheint somit als Amplitudenschwankung eines Wechselstromes.

Dieses „Trägerfrequenzverfahren" bietet so große Vorteile, daß man es übrigens auch bei den Dehnungsmeßstreifen anwendet. Durch die Einschaltung entsprechender Frequenzband-Filter kann man die Einwirkung von Störspannungen anderer Frequenzen weitgehend ausschalten. Man muß dabei allerdings beachten, daß der „modulierte" Trägerstrom entsprechend der Umformung

$$(A + a \cos \omega t) \cos \Omega t = A \cos \Omega t + \frac{a}{2}\left(\cos (\Omega - \omega) t + \cos (\Omega + \omega) t\right) \qquad (68)$$

in 3 Teilfrequenzen zerfällt, die verlangen, daß der Frequenzbereich von $\frac{\Omega - \omega}{2\pi}$ bis $\frac{\Omega + \omega}{2\pi}$ durch das Bandfilter durchgelassen wird. Aber auch aus anderen Gründen muß die Trägerfrequenz immer hoch über der höchsten Meßfrequenz liegen. Beträgt sie beispielsweise nur 4000 Hz, so gibt die Anordnung nur Vorgänge bis etwa 1000 Hz verzerrungsfrei wieder.

Statt die variable Induktivität als Element in einer Schaltung zu verwenden, die an eine mit fester Frequenz schwingende Spannung angeschlossen ist, kann sie auch als Element eines elektrischen Schwingkreises, dessen Eigenfrequenz durch die Induktivität L und die Kapazität C gegeben ist

$$\omega_0 = \frac{1}{\sqrt{L C}} \tag{69}$$

und der durch Verwendung einer rückgekoppelten Verstärkerstufe zum Schwingen gebracht wird, die entstehende Schwingung selbst steuern. Wegen der durch die Hysterese gegebenen nichtlinearen Zusammenhänge wird hiervon bei der variablen Induktivität weniger Gebrauch gemacht, wohl aber bei der variablen Kapazität (s. Abb. I/16).

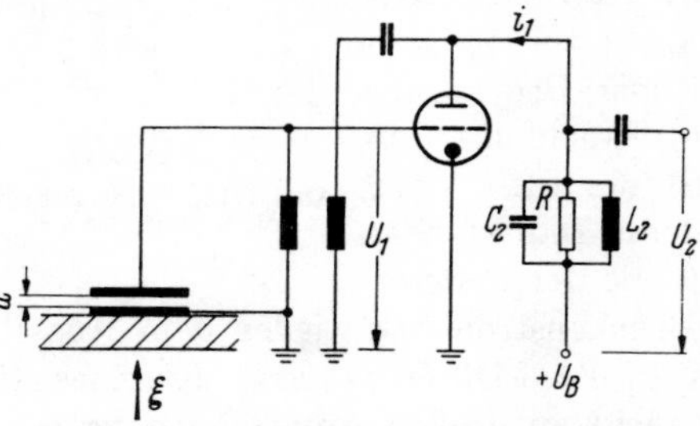

Abb. I/16. Aufnehmer mit veränderlicher Kapazität, die einen Hochfrequenzsender verstimmt

Diese besteht im einfachsten Fall aus zwei einander gegenüberliegenden metallischen Flächen S, von denen die eine dem Meßobjekt unmittelbar angehören kann, oder auch nur einer auf dieses aufgeklebten leitenden Folie. Die Änderungen der Kapazität können für kleine Ausschläge ξ nahezu als linear angesehen werden:

$$C = C_{-} \frac{d}{d - \xi} \approx C_{-}\left(1 + \frac{\xi}{d}\right). \tag{69a}$$

(C_{-} bedeutet dabei den „Gleichwert" der Kapazität.)

Sinusförmige Schwankungen von ξ ändern die Amplitude der Gitterspannung U_1 an der ersten Röhre kaum, wohl aber die Frequenz, wie das in Abb. I/17b — sehr übertrieben — angedeutet ist. Aus dieser „frequenzmodulierten Schwingung" läßt sich aber leicht eine „amplitudenmodulierte" am Eingang der nächsten Röhre U_2 herstellen, z. B. indem man, wie in Abb. I/16 angedeutet, in den Anodenkreis der ersten Röhre eine Impedanz legt, die stark von der Frequenz abhängt. So ist bei der hier gewählten Parallelschaltung einer Induktivität L_2 und einer Kapazität C_2 anzunehmen, daß beide nicht genau auf die obige Resonanzbedingung (69) abgestimmt sind, sondern daß die zur Ruhelage von C_1 gehörige Frequenz bei der zu der Spannungsbildung

$$\frac{\hat{U}_2}{\hat{\imath}_1} = \frac{-1}{|1/R + j\,\omega\, C_2 + 1/j\,\omega\, L_2|} \tag{70}$$

gehörigen Glockenkurve etwa ihrem Wendepunkt entspricht. Die Spannung U_2 ist dann nicht nur frequenz- sondern auch amplitudenmoduliert (I/17c). Nach anschließender Gleichrichtung und Glättung tritt nur noch die letzte in Erscheinung. Dieses ursprünglich für Mikrophone, d. h. also für Luftschall-Aufnehmer, von RIEGGER[1] entwickelte Verfahren, mit dem man Ausschläge von 10^{-6} cm und darunter feststellen kann, findet beim Körperschall freilich meist nur in Laboratoriums-Untersuchungen Anwendung. Einmal deshalb, weil wieder der Gleichabstand d stark eingeht und dieser fallweise nachgestellt oder kompensiert werden muß. Dann aber auch, weil unvermeidliche Kapazitätsänderungen in Zuleitungen oder anderen Geräteteilen ähnliche Schwankungen hervorrufen können.

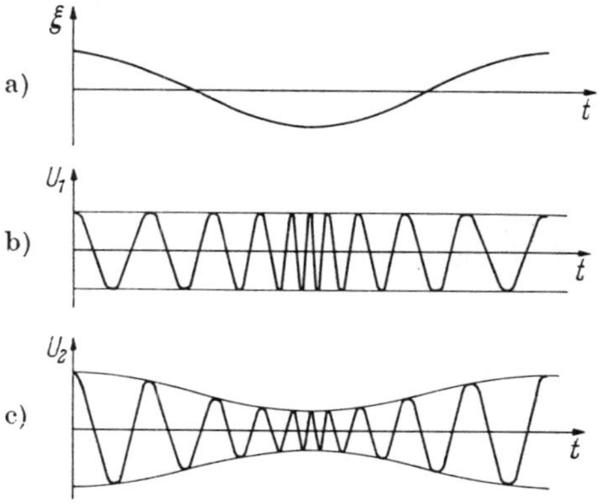

Abb. I/17. Zeitverlauf von Ausschlag ξ, Spannung U_1 und Spannung U_2 in Abb. I/16

Überhaupt muß man bei allen hier systematisch für Aufnehmer ausgenutzten Effekten sich darüber klar sein, daß sie auch als unerwünschte Störungen einer Messung auftreten können. So gesehen ist das Kohlemikrophon nichts als eine statistische Anhäufung von Wackelkontakten.

Ein weiterer Fall für die systematische Ausnützung eines eigentlich unerwünschten Effekts, stellt das bei elektroakustischen Übertragungen sehr gefürchtete „Röhrenklingen" dar. Es beruht darauf, daß bei einer zwangsbewegten Röhre das Gitter — wie die Masse m_2 eines hochabgestimmten Aufnehmers — gegen Kathode und Anode schwingen kann. Die periodischen Änderungen der Gitter-Kathoden-Kapazität, und damit des Durchgriffs, führen zu periodischen Schwankungen des wirk-

[1] TRENDELENBURG, F.: Wiss. Veröff. Siemenswerk 3/2, (1924) 43; 5/2, (1926) 120.

samen inneren Widerstands der Röhre, die wiederum in einer Brückenschaltung herauskompensiert werden können.

Es ist gar nicht möglich, im Rahmen einer kurzen Übersicht, wie sie hier beabsichtigt ist, alle Möglichkeiten der Steuerung elektrischer Größen durch mechanische erschöpfend aufzuzählen. Hier muß auf die einschlägige Literatur verwiesen werden[1]. Als weitere Beispiele seien noch erwähnt, die Steuerung eines Lichtstromes, der seinerseits auf eine Photozelle wirkt, die Ausnutzung der Bewegungen in einem hin- und herschwingenden Elektrolyten und schließlich die Ausnutzung der Interferenzen zwischen monochromatischen Lichtstrahlen, die einmal von einem ruhenden semipermeablen Spiegel, zum anderen von einem auf dem schwingenden Objekt befestigten Spiegel reflektiert werden. Diese Interferenzen führen im allgemeinen zu Schwingungen der Lichtstärke, die mit dem Auge wahrgenommen, aber auch über eine Photozelle angezeigt werden können. Bei gewissen Amplituden des Meßobjektes aber verschwinden diese Schwingungen. Dieses Verfahren ist zur absoluten Eichung von Aufnehmern entwickelt worden[2].

4. Die elektromechanischen Wandler für Aufnahme und Sendung von Luftschall

a) Ihre Verwendung zur Körperschallmessung

Wenn wir bei der Behandlung der elektromechanischen Wandler zunächst diejenigen besprechen, die zur Aufnahme und Sendung von Luftschall entwickelt wurden, so findet das einmal seine Berechtigung darin, daß die Theorie dieser als Mikrophone und Lautsprecher bekannten Wandler heute so weitgehend durchgearbeitet worden ist[3, 4, 5], daß sich an Hand dieser viele grundsätzliche Fragen und Darstellungsarten erläutern lassen, die auch bei den reinen „Körperschall-Wandlern" interessieren. Darüber hinaus aber kann jedes Mikrophon auch zur mittel-

---

[1] Gute Übersichten und sehr viele Literaturangaben bieten: NEUBERT, H.: Instrument Transducers, Oxford 1963. — FINK, K., u. C. ROHRBACH: Spannungs- u. Dehnungsmessung, Düsseldorf 1958. — HARRIS, C.: Handbook of Noise Control, New York 1957 (Kap. 15).

[2] ZIEGLER, C. A.: JASA 25 (1953) 135. — EDELMAN, S., E. JONES, E. R. SMITH: JASA 27 (1955) 728. — SCHMIDT, V. A., S. EDELMAN, E. R. SMITH, E. JONES: JASA 33 (1961) 748. — SCHMIDT, V. A., S. EDELMAN, E. R. SMITH, E. T. PIERCE: JASA 34 (1962) 455.

[3] REICHARDT, W.: Grundlagen der Elektroakustik, Kap. IV, Leipzig 1960.

[4] BRAUN, K.: Nachr. Techn. Z. 17 (1964) 230. (Die in diesem Buch gewählte Darstellung unterscheidet sich von den zitierten im wesentlichen dadurch, daß die mechanischen Elemente und Feldgrößen grundsätzlich nicht in analoge elektrische übersetzt werden.)

[5] FISCHER, F. A.: Nachr. Techn. Z. 17 (1964) 388.

baren Messung, jeder Lautsprecher zur mittelbaren Erregung von Körperschall dienen.

Da die transversale Schnelle einer Platte die gleiche Schnelle in wandnormaler (z. B. in x-)Richtung der angrenzenden Luft aufzwingt, kann sie durch die wandnormale Komponente der Luftschnelle und diese wieder mit Hilfe eines Druckgradientenempfängers gemessen werden. In Abb. I/18 ist dieser durch zwei Mikrophon-Symbole angedeutet, die einen Abstand Δx aufweisen. In Wirklichkeit wirkt das Schallfeld von beiden Seiten auf die gleiche Membran, wobei Δx zu einer „wirksamen Wegdifferenz" wird, die einerseits größer ist als die Membrandicke, andererseits klein gegen die Wellenlänge des Luftschalles sein muß. Die treibende Kraft wird dann bei einer wirksamen Membranfläche S zu:

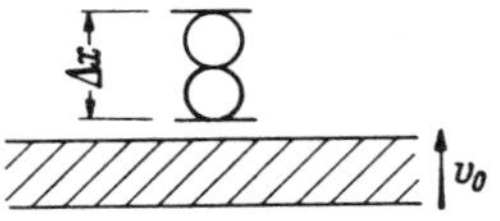

Abb. I/18. Messung der Schnelle durch einen Gradientenempfänger

$$\underline{F} = -S \frac{\partial p}{\partial x} \Delta x = j\,\omega\,\varrho\,S\,\Delta x\,\underline{v}_0 \,. \tag{71}$$

(p Schalldruck, ϱ Dichte der Luft). (Der Index 0 ist berechtigt, weil die Rückwirkung des Mikrophons auf das Meßobjekt sicher vernachlässigbar ist.)

Um die dadurch bewirkte Schnelle der Mikrophonmembrane v_1 mit derjenigen vergleichen zu können, die sich bei unmittelbarer starrer Verbindung zwischen Meßobjekt und Membrane ergeben würde und die praktisch gleich v_0 wäre, müssen wir Annahmen über die Beziehung zwischen F und v_1 machen. An sich stellen auch die Luftschall-Aufnehmer im allgemeinen Tonpilze dar, nur ist die Membranmasse m_1 hier so klein gegen die Gehäusemasse m_2, die evtl. noch durch Stative vergrößert sein kann, daß die gesuchte Beziehung durch eine aus Trägheitswiderstand und Federungswiderstand der Membrane bestehende Impedanz dargestellt werden kann, die man — um alle Arten von Verlusten zu berücksichtigen — meist noch durch einen als linear und frequenzunabhängig angenommenen Reibungswiderstand r ergänzt:

$$\frac{\underline{F}}{\underline{v}_1} = \underline{Z} = j\,\omega\,m + \frac{s}{j\,\omega} + r \,. \tag{72}$$

Für die beabsichtigte Abschätzung wollen wir uns mit den Grenzfällen einer tief abgestimmten Membrane

$$\underline{Z} \approx j\,\omega\,m \tag{72a}$$

und einer hoch abgestimmten

$$\underline{Z} \approx \frac{s}{j\,\omega} \tag{72b}$$

begnügen. Im ersten Falle erhalten wir

$$\frac{\underline{v}_1}{\underline{v}_0} = \frac{S\,\varrho\,\Delta x}{m}\,. \tag{73a}$$

Es leuchtet ein, daß die Masse des zu $S\,\Delta x$ gehörigen Luftvolumens im allgemeinen klein sein wird selbst gegen leichte Membranmassen. Noch ungünstiger aber würden die Verhältnisse bei einer hoch abgestimmten Membrane werden, da dann noch der definitionsgemäß kleine Faktor $(\omega/\omega_0)^2$ hinzutritt, wenn mit ω_0 wieder wie in (15) die Eigenkreisfrequenz des Masse–Feder-Systems bezeichnet wird:

$$\frac{\underline{v}_1}{\underline{v}_0} = -\frac{\omega^2 S\,\varrho\,\Delta x}{s} = -\frac{\omega^2}{\omega_0^2}\,\frac{S\,\varrho\,\Delta x}{m}\,. \tag{73b}$$

Bei der Abtastung von Stäben kann man sogar einen normalen Druckempfänger verwenden, weil in Stabnähe die Bewegungen der Luft durch das zur Stabwegung entgegengesetzte Hin- und Herströmen beherrscht und die Drücke durch die dazu nötigen Beschleunigungen bestimmt werden (Abb. I/19). Für die auf die Mikrophon-Membrane wirkende Kraft kann man dabei ansetzen:

$$\underline{F} = j\,\omega\,\varrho\,S\,e\,\underline{v}_0\,, \tag{74}$$

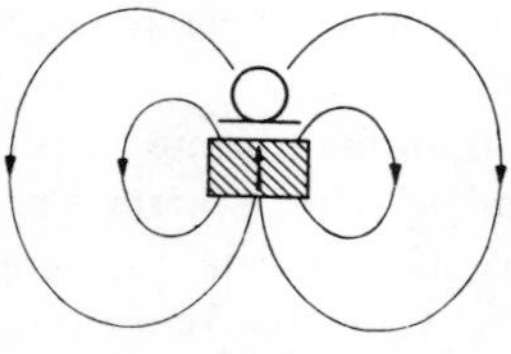

Abb. I/19. Messung der Schnelle eines Balkens durch Druckempfänger im Nahfeld

wobei die Proportionalitätskonstante e die Dimension einer Länge hat. Man hat also diese Hilfslänge, die um so größer wird, je mehr man das Mikrophon an den Stab heranführt, oben an die Stelle von Δx zu setzen, um die gleichen Abschätzungen vorzunehmen.

Statt eines Mikrophons kann man übrigens auch den Eingang eines Abhörschlauches, der sich zu beiden Ohren gabelt, wie ihn die Ärzte verwenden, an den schwingenden Stab halten.

Weniger die geringe Empfindlichkeit als die Tatsache, daß auch Störwellen aufgenommen werden, machen die genannten Verfahren nur unter besonders günstigen Bedingungen verwendbar. Man kann aber solche Störwellen abhalten, indem man das Mikrophon über einen elastischen Ring an das Meßobjekt drückt, der zwischen diesem und der Membrane ein kleines Puffervolumen ausspart (Abb. I/20a). Genau das tut übrigens der „Horcher an der Wand", wenn er seine Ohrmuschel anpreßt.

Dasselbe, unter besser definierten Bedingungen erhält man, wenn man nach dem Vorschlag von Gösele[1] auf das Mikrophon eine Kapsel aufschraubt, die mit einer weiteren Membrane abgedeckt ist, die ihrer-

[1] Gösele, K.: VDI-Berichte 8 (1956) 161.

seits über einen Stift an das Meßobjekt gedrückt wird (Abb. I/20b). Voraussetzung ist auch hierbei, daß der so gegebene mechanische Eingangswiderstand des Aufnehmers klein ist gegen den Punktwiderstand des Objektes.

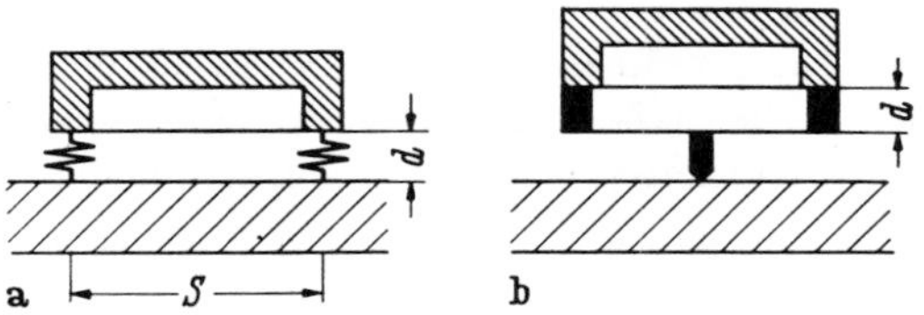

Abb. I/20. Messung der Schnelle einer Platte durch Ankopplung eines Luftschallaufnehmers über eine Druckkammer
a) durch seitliche Abdichtung, b) durch Zwischenschaltung eines Stiftes, einer Membrane und einer aufgeschraubten Druckkammer nach GÖSELE

Betrachten wir das Puffervolumen als einen Zylinder der Fläche S und der Höhe d, so ergibt sich die auf die Mikrophonmembrane wirkende Kraft zu:

$$\underline{F} = \frac{S\,K}{j\,\omega\,d}\,\underline{v}_0\,, \tag{75}$$

wobei K den adiabatischen Kompressionsmodul der Luft darstellt:

$$K = \varkappa\, p_s \tag{75a}$$

($\varkappa = 1{,}4$, Verhältnis der spezifischen Wärme für konstanten Druck zu derjenigen für konstantes Volumen, p_s statischer Druck der Luft, rund 1 bar $= 10^6$ Dyn cm^{-2} $= 10^5$ N m^{-2}).

In diesem Falle ist es günstiger, ein hochabgestimmtes Mikrophon zu verwenden. Das Verhältnis v_1/v_0 ist dann durch das Verhältnis von Luftpolstersteife zur Membransteife[1] gegeben und es ist abzuschätzen, daß die letzte sehr viel größer sein muß, wenn die Membrane hoch abgestimmt sein soll:

$$\frac{\underline{v}_1}{\underline{v}_0} = \frac{S\,K/d}{s}\,. \tag{76a}$$

Hier tritt bei tief abgestimmtem System ein seiner Definition nach kleiner frequenzabhängiger Faktor hinzu

$$\frac{\underline{v}_1}{\underline{v}_0} \approx -\frac{S\,K/d}{\omega^2\,m} = -\frac{\omega_0^2}{\omega^2}\,\frac{S\,K/d}{s}\,, \tag{76b}$$

dafür läßt sich allerdings hier die Membransteife geringer machen als oben. Man sagt daher besser, das Verhältnis v_1/v_0 ist gleich dem Quadrat des Verhältnisses der sicher sehr tiefen Eigenfrequenz eines Systems aus Membranmasse und Steife des koppelnden Luftpolsters zur jeweiligen Frequenz.

[1] einschließlich der Steife des hinter ihr befindlichen Luftpolsters.

Bei der Aufstellung der Beziehung zwischen der treibenden Kraft F und der Schnelle der Membrane v_1 des elektromechanischen Wandlers, die wir bei den folgenden nur diesem Wandler gewidmeten Betrachtungen einfach mit v bezeichnen werden, haben wir die von der elektrischen Seite ausgehende Rückwirkung vernachlässigt. Wenn wir diese nun berücksichtigen wollen, müssen wir auf das jeweils benutzte Wandlerprinzip eingehen. Die dabei hauptsächlich interessierenden 4 Arten lassen sich in ein Quadrantenschema ordnen, nämlich in:

1. elektrodynamische 2. elektrostatische,
3. elektromagnetische, 4. piezoelektrische

Wandler.

Man erkennt schon jetzt, daß links die mit magnetischen, rechts die mit elektrischen Feldern arbeitenden stehen. Die historisch entstandenen Bezeichnungen sind bis auf das Wort „piezo-elektrisch" (d. h. „druck-elektrisch") eigentlich sämtlich unzweckmäßig. So sind natürlich alle Bewegungen aufnehmenden bzw. auslösenden Wandler dynamischer Natur, und der sogenannte elektrodynamische, den wir an die erste Stelle gesetzt haben, arbeitet ebenfalls mit elektromagnetischen Feldern.

b) Der elektrodynamische Wandler

Bei ihm wird ein Leiter der Länge l bei der Bewegung ξ der Membrane in einem Magnetfeld mit der Induktion B bewegt. Dabei sind zwei konstruktive Anordnungen gebräuchlich; entweder der Leiter besteht aus einem gleichzeitig als mechanisch getriebene Membrane benutzten Bändchen, daß zwischen parallel dazu sich erstreckenden langen Polschuhen angebracht ist (Abb. I/21 a), oder der Leiter ist zu einer flachen Spule aufgewickelt, die an der eigentlichen Membrane befestigt ist und in den Ringspalt eines Topfmagneten eintaucht und daher „Tauchspule" genannt wird (Abb. I/21 b). In beiden Fällen entsteht eine „Wandlerkraft" F_w, wenn der Leiter von einem Strom i durchflossen wird:

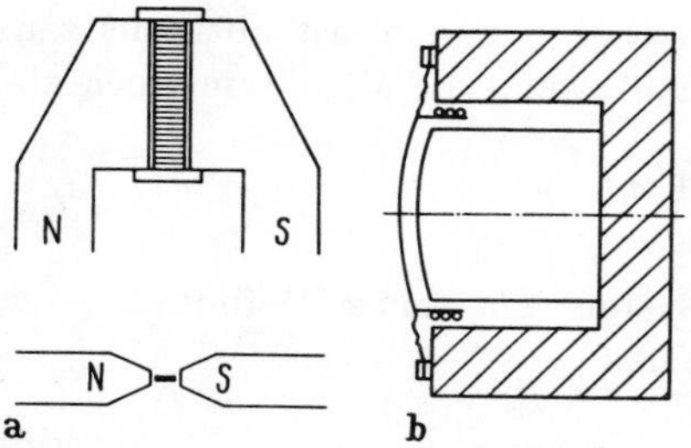

Abb. I/21. Elektrodynamische Mikrophone
a) Bändchen-Mikrophon,
b) Tauchspulen-Mikrophon

$$F_w = B\,l\,i \tag{77}$$

oder beim Übergang zu Zeigergrößen:

$$\underline{F}_w = B\,l\,\mathfrak{J}\,. \tag{77a}$$

Da in der Wandlertheorie keine Vektoren im physikalischen Sinne auftreten, können wir zur Kennzeichnung des komplexen Charakters aller elektrischen Größen die hierbei üblichen Fraktur-Buchstaben verwenden und diese dadurch anschaulich von den mechanischen unterscheiden.

Wir können in (77) noch über die Vorzeichen verfügen, so daß zu positivem $\mathfrak{I}$ eine Wandlerkraft gehört, die der vom Schallfeld ausgehenden treibenden Kraft $\underline{F}$ entgegenarbeitet. Der Unterschied zwischen beiden ist durch das Produkt aus Impedanz und Schnelle gegeben:

$$\underline{F} - \underline{F}_w = Z\, \underline{v}\,. \tag{78}$$

Beim Empfänger ist $\underline{F}$ primär gegeben, während I zu den sekundären Größen rechnet, wir verteilen daher bei der Zusammenfassung von (77) und (78) beides auf linke und rechte Seite:

$$\underline{F} = \underline{Z}\, \underline{v} + B\, l\, \mathfrak{I}\,. \tag{79}$$

Zu dieser Kraftgleichung tritt eine Spannungsgleichung. Bei unbewegtem Leiter lautet sie bekanntlich:

$$\mathfrak{U} = (R + j\,\omega\, L)\, \mathfrak{I} = \mathfrak{Z}\, \mathfrak{I}\,, \tag{80}$$

wobei $\mathfrak{Z}$ die aus dem Widerstand R und der Reaktanz $j\,\omega\, L$ der Spule additiv zusammengesetzte elektrische Impedanz darstellt, die wieder zur Unterscheidung von der mechanischen Impedanz in Fraktur geschrieben ist. Wird der Leiter bewegt, so tritt eine zusätzliche Änderung des von ihm begrenzten Magnetflusses ein, und es entsteht eine Wandlerspannung:

$$u_w = B\, l\, \frac{d\xi}{dt} = B\, l\, v\,. \tag{81}$$

Daß hierbei die gleiche Proportionalitätskonstante auftritt wie in (77) ist kein Zufall, sondern folgt daraus, daß die Multiplikation der Kräfte in (77) mit der Schnelle die von der mechanischen Seite abgegebene Wandlerleistung P_w darstellt, die gleich sein muß der — beim Aufnehmer — an die elektrische Seite abgegebenen, die wiederum durch Multiplikation der Spannungen in (81) mit dem Strom i erhalten wird:

$$\begin{aligned} P_w &= F_w\, v = B\, l\, i\, v \\ &= u_w\, i = B\, l\, v\, i\,. \end{aligned} \tag{82}$$

Damit sind wir aber auch im elektrischen Kreis mit einem Vorzeichen festgelegt. Die weiteren hängen davon ab, ob wir die Gleichungen beispielsweise so ansetzen wollen, daß die Leistung vom mechanischen zum elektrischen System fließt, wie es dem vorliegenden Problem des Aufnehmers entsprechen würde; wir könnten aber auch die umgekehrte dem Sender entsprechende Richtung bevorzugen; sie würde sogar der fast ausschließlich üblichen Wortreihenfolge in „Elektromechanischer

Wandler“ besser entsprechen; es bleibt aber noch eine dritte hinsichtlich des Leistungstransportes symmetrische Möglichkeit, die hier gewählt sei, nämlich die Vorzeichen so zu wählen, daß die Leistungen auf beiden Seiten positiv sind, wenn sie in den Wandler führen. Dann haben wir für (81) als Zeigergleichung zu schreiben:

$$\mathfrak{U}_w = - B\, l\, \underline{v}\,; \tag{83}$$

dafür erhalten wir analog zu (78) für die Differenz zwischen Klemmenspannung $\mathfrak{U}$ und Wandlerspannung $\mathfrak{U}_w$:

$$\mathfrak{U} - \mathfrak{U}_w = \mathfrak{Z}\,\mathfrak{I}\,, \tag{84}$$

und somit schließlich als zu (79) analoge Beziehung des elektrischen Kreises:

$$\mathfrak{U} = - B\, l\, \underline{v} + \mathfrak{Z}\,\mathfrak{I}\,. \tag{85}$$

In der Elektrotechnik nennt man Netzwerke mit zwei Eingangsklemmen und zwei Ausgangsklemmen „Vierpole“ oder neuerdings auch „Zweitore“. Haben wir es ausschließlich mit linearen Elementen zu tun, so können die Klemmenspannungen als lineare Funktion der Klemmenströme geschrieben werden:

$$\begin{aligned} \mathfrak{U}_1 &= \mathfrak{Z}_{11}\,\mathfrak{I}_1 + \mathfrak{Z}_{12}\,\mathfrak{I}_2 \\ \mathfrak{U}_2 &= \mathfrak{Z}_{21}\,\mathfrak{I}_1 + \mathfrak{Z}_{22}\,\mathfrak{I}_2\,, \end{aligned}$$

was man auch als Matrizengleichung etwas (— nicht viel —) kürzer schreibt in der Form:

$$\begin{pmatrix} \mathfrak{U}_1 \\ \mathfrak{U}_2 \end{pmatrix} = \begin{pmatrix} \mathfrak{Z}_{11} & \mathfrak{Z}_{12} \\ \mathfrak{Z}_{21} & \mathfrak{Z}_{22} \end{pmatrix} \begin{pmatrix} \mathfrak{I}_1 \\ \mathfrak{I}_2 \end{pmatrix}. \tag{86}$$

Genau so können wir hier von einem elektromechanischen Vierpol oder besser von einem elektromechanischen Zweitor sprechen und die Gleichungen (79) und (85) zusammenfassen in der Matrizenform:

$$\begin{pmatrix} \underline{F} \\ \mathfrak{U} \end{pmatrix} = \begin{pmatrix} \underline{Z} & B\,l \\ -B\,l & \mathfrak{Z} \end{pmatrix} \begin{pmatrix} \underline{v} \\ \mathfrak{I} \end{pmatrix}. \tag{87}$$

Auch hat man sich um eine sinnfällige schaltungsgemäße Darstellung eines „elektromechanischen Vierpols“ bemüht. Dabei war klar, daß der elektrische Eingang wie bei den rein elektrischen Vierpolen durch zwei Klemmen, d. h. durch zwei kleine Kreise darzustellen war, von denen Striche zu dem das unbekannte Netzwerk umschließenden Rechteck führen. Strom und Spannung sind dabei durch einfache Pfeile darstellbar. Hinsichtlich der mechanischen Seite besteht z. Z. noch keine einheitliche Regelung. In jedem Falle aber geht es hier immer um relative Verschiebungen, bzw. Schnelledifferenzen und um Kraft und Gegenkraft. Nun ist es im Fachwerksbau üblich, die Kräfte so einzuzeichnen, wie sie auf die Knoten wirken. Analog ist in Abb. I/22 an den den mechanischen Eingang (entsprechend der Membrane) darstellenden (masselosen) Teller ein Pfeil gezeichnet, der den Teller in das Gehäuse zieht, aber auch der Pfeil der Gegenkraft am Gehäuse. In gleichem Sinne bedeuten die aufeinander zugerichteten Pfeile bei v eine wachsende Verkürzung der zwischen ihnen liegenden Strecke. Die mechanische Leistung wird also dem Wandler zugeführt.

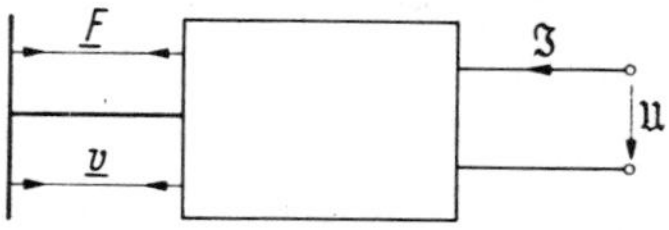

Abb. I/22. Schaltschema eines elektromechanischen Zwei-Tores für Luftschallwandler

Man kann auch die mechanischen und elektrischen Widerstände herausziehen und so ein rein mechanisches Zweitor vor und ein elektrisches Zweitor hinter ein elektromechanisches Zweitor setzen (Abb. I/23), das den „idealen elektrodynamischen Wandler" repräsentiert, indem es nur noch die Beziehungen (77) und (83) enthält, die auch in der Form:

$$\begin{pmatrix} \underline{F}_w \\ \underline{v} \end{pmatrix} = \begin{pmatrix} B\,l & 0 \\ 0 & -\dfrac{1}{B\,l} \end{pmatrix} \begin{pmatrix} \mathfrak{J} \\ \mathfrak{U}_w \end{pmatrix} \tag{88}$$

geschrieben werden können. Diese Form, bei der zwei „Eingangsgrößen" eines „Kettengliedes" in Abhängigkeit von zwei „Ausgangsgrößen" dargestellt werden, nennt man auch Kettenform und die auftretende Matrix die Kettenmatrix. Die in Abb. I/23 schaltungstechnisch vollzogene Trennung entspricht mathematisch der multiplikativen Aufspaltung der als Kettenmatrix umgeschriebenen Gleichung (87) in 3 zu multiplizierende Matrizen:

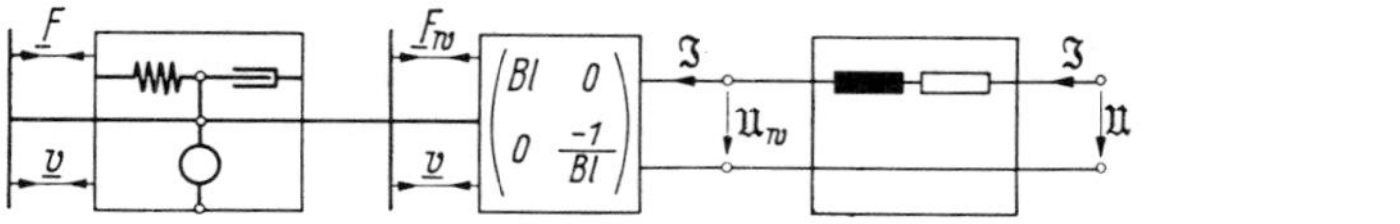

Abb. I/23. Aufteilung eines elektrodynamischen Wandlers in seine rein mechanischen Schaltelemente, seine rein elektrischen Schaltelemente und einen „idealen Wandler"

$$\begin{pmatrix} \underline{F} \\ \underline{v} \end{pmatrix} = \begin{pmatrix} B\,l + \dfrac{\underline{Z}\,\mathfrak{Z}}{(B\,l)} & -\dfrac{\underline{Z}}{B\,l} \\ \dfrac{\mathfrak{Z}}{B\,l} & -\dfrac{1}{B\,l} \end{pmatrix} \begin{pmatrix} \mathfrak{J} \\ \mathfrak{U} \end{pmatrix} = \begin{pmatrix} 1 & \underline{Z} \\ 0 & 1 \end{pmatrix} \begin{pmatrix} B\,l & 0 \\ 0 & -\dfrac{1}{B\,l} \end{pmatrix} \begin{pmatrix} 1 & 0 \\ -\mathfrak{Z} & 1 \end{pmatrix} \begin{pmatrix} \mathfrak{J} \\ \mathfrak{U} \end{pmatrix}. \tag{89}$$

In der — der Aneinanderreihung verschiedener Zweitore entsprechenden — Multiplikation liegt einer der Hauptvorteile des Rechnens mit und des Denkens in Matrizen. Die Multiplikationsregel für zweistellige Matrizen

$$\begin{pmatrix} a_{11} & a_{12} \\ a_{21} & a_{22} \end{pmatrix} \begin{pmatrix} b_{11} & b_{12} \\ b_{21} & b_{22} \end{pmatrix} = \begin{pmatrix} a_{11}\, b_{11} + a_{12}\, b_{21} & a_{11}\, b_{12} + a_{12}\, b_{22} \\ a_{21}\, b_{11} + a_{22}\, b_{21} & a_{21}\, b_{12} + a_{22}\, b_{22} \end{pmatrix} = \begin{pmatrix} c_{11} & c_{12} \\ c_{21} & c_{22} \end{pmatrix} \qquad (90)$$

ergibt sich einfach aus der sie darstellenden Kombination zweier linearer Gleichungspaare

$$x_1 = a_{11}\, y_1 + a_{12}\, y_2 \qquad y_1 = b_{11}\, z_1 + b_{12}\, z_2$$
$$x_2 = a_{21}\, y_1 + a_{22}\, y_2 \qquad y_2 = b_{21}\, z_1 + b_{22}\, z_2$$

zu einer y_1 und y_2 elimierenden Gleichung

$$x_1 = c_{11}\, z_1 + c_{12}\, z_2$$
$$x_2 = c_{21}\, z_1 + c_{22}\, z_2\,.$$

Wie (90) zeigt, ist die Reihenfolge der Matrizen nicht vertauschbar, was von ihrer Bedeutung als Repräsentanten bestimmter Zweitore her sofort einleuchtet. Wenn ein Längswiderstand und ein Querwiderstand kombiniert werden, ergeben sich zwei grundverschiedene Schaltungen, je nachdem ob der eine oder der andere an den Eingang anschließt. Wohl ist es möglich und gelegentlich auch zweckmäßig, aus einem Kettenglied Schaltelemente herauszunehmen und dafür in einem anderen solche einzubauen, daß die Wirkung der ganzen Kette die gleiche bleibt. Wir wollen aber hier von solchen Umformungen absehen, um die physikalischen Zusammenhänge nicht zu verwischen.

Man kann nun den so in der Mitte verbleibenden „idealen Wandler" jeweils dadurch kennzeichnen, daß man Gleichung (88) oder eine entsprechende in das zugehörige Kästchen einschreibt. Man kann sich aber auch mit der Eintragung der Matrix begnügen, wenn man, wie in Abb. I/23 die Feldgrößen in gleicher Anordnung, wie es der Gl. (88) entspricht, an die zugehörigen Pfeile bzw. Pfeilpaare der Schaltung schreibt.

Obschon die Wandlerkonstante $B\,l$ insofern unabhängig von der Induktivität des Leiters ist, als in diese wohl l, aber nicht B eingeht, die Annäherung vom wirklichen Wandler an den idealen also prinzipiell möglich ist, kann es doch vorteilhaft sein, die induktive Reaktanz $j\,\omega\,L$ mit in das für den dynamischen Wandler kennzeichnende Zweitor einzubeziehen. Dabei — und, wie wir später sehen werden, nur auf diese Weise — ist es möglich, den Wandler durch ein von der mathematischen Beschreibung unabhängiges Schalt-Symbol darzustellen. Das in Abb. I/24 vorgeschlagene schließt an die für elektrodynamische Lautsprecher bzw. Tonabnehmer empfohlenen[1] an, nur daß von der Spule

[1] DIN 40700.

ein — sozusagen ein Gestänge andeutender — Strich zum mechanischen Eingang führt und daß ein zum bewegten Leiter senkrechter mit dem Gehäuse verbundener Polschuh mit dem Pfeilzeichen ⊙ für die Richtung des Magnetfeldes zusätzlich eingetragen ist.

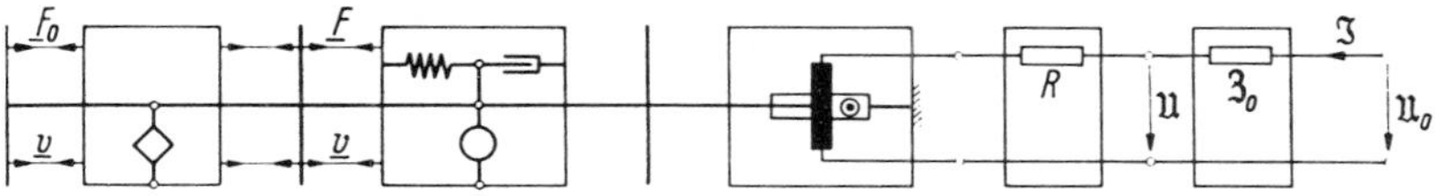

Abb. I/24. Ergänzung von Abb. I/23 durch links Strahlungswiderstand und rechts Quellspannung und inneren Widerstand der Spannungsquelle, sowie Vorschlag eines Symbols für den elektrodynamischen Wandler

Den Wirkwiderstand der Spule nimmt man zweckmäßigerweise aus dem Wandler-Schaltbild heraus. Er addiert sich ohnehin zu der im allgemeinen reellen Belastungsimpedanz $\mathfrak{Z}_0$, die bekannt sein muß, wenn man Strom und Klemmenspannung berechnen will.

Um auch gleich das Senderproblem mitzuerfassen, ist in Abb. I/24 dahinter noch ein Ausgang für eine beliebige primäre Erregerspannung $\mathfrak{U}_0$ vorgesehen, der beim Empfängerproblem kurzgeschlossen ist. Im Senderfalle wird der Belastungswiderstand zum inneren Widerstand der Spannungsquelle, entsprechend der Beziehung

$$\mathfrak{U}_0 - \mathfrak{U} = \mathfrak{Z}_0 \mathfrak{J} \,. \tag{91}$$

Strenggenommen haben wir eine entsprechende Belastung auf der mechanischen Seite vorzusehen. Da es der Sinn eines Lautsprechers ist, Schallenergie abzugeben, kann dort auch im Senderfalle die auf die Membrane wirkende Kraft nicht völlig verschwinden. Es muß sich also hier ein Strahlungswiderstand anschließen. Bei tiefen Frequenzen ist dieser reelle Teil der dort auftretenden mechanischen Impedanz sogar der geringere; weit größer ist die Reaktanz, die sich aus der Trägheit der im Nahfeld mitbewegten Luftmassen ergibt. (Bei einem an das Ohr gepreßten Kopfhörer besteht die Reaktanz aus der Federung des eingeschlossenen Luftvolumens.) Beide Anteile sind nur in einfachen Fällen einer Berechnung zugänglich und immer — im Gegensatz zu allen anderen, bisher verwendeten Schaltelementen — frequenzabhängig. Glücklicherweise sind sie beim Luftschall im allgemeinen so gering, daß man die wesentlichen Züge eines Wandlers auch ermitteln kann, ohne sie zu berücksichtigen. Mehr um ihr prinzipielles Vorhandensein zu unterstreichen, ist in Abb. I/24 noch eine „Strahlungsimpedanz" mit einem allgemeinen Schaltsymbol eingezeichnet, für das zur Unterscheidung von elektrischen Impedanzen ein schräg liegendes Karo verwendet wurde. Erst vor dieser Impedanz greift die zu messende Kraft F_0 an, die sich bei bewegter Membrane von der an der Membrane wirkenden Kraft zwar wenig, aber doch prinzipiell unterscheidet:

$$\underline{F}_0 - \underline{F} = \underline{Z}_0 \underline{v} \,. \tag{92}$$

(Hiermit sind die viel größeren Unterschiede nicht erfaßt, die dadurch entstehen, daß man an dem Schalldruck in einem mikrophonfreien Feld interessiert ist, das durch den Mikrophonkörper gestört wird.)

Die Einführung der Belastungen und der primären Größen $\underline{F}_0$ und $\mathfrak{U}_0$ in (87) führt auf die formal gleich gebaute Beziehung:

$$\begin{pmatrix} \underline{F}_0 \\ \mathfrak{U}_0 \end{pmatrix} = \begin{pmatrix} \underline{Z}_0 + \underline{Z} & B\,l \\ -B\,l & \mathfrak{Z} + \mathfrak{Z}_0 \end{pmatrix} \begin{pmatrix} \underline{v} \\ \mathfrak{J} \end{pmatrix}, \tag{93}$$

die wir in die uns letzten Endes interessierende Abhängigkeit der sekundären Größen $\underline{v}$ und $\mathfrak{J}$ von den primären umformen können:

$$\begin{pmatrix} \underline{v} \\ \mathfrak{J} \end{pmatrix} = \frac{1}{(\underline{Z}_0 + \underline{Z})(\mathfrak{Z} + \mathfrak{Z}_0) + (B\,l)^2} \begin{pmatrix} \mathfrak{Z} + \mathfrak{Z}_0 & -B\,l \\ B\,l & \underline{Z}_0 + \underline{Z} \end{pmatrix} \begin{pmatrix} \underline{F}_0 \\ \mathfrak{U}_0 \end{pmatrix}. \tag{94}$$

Die Koeffizienten der Hauptdiagonale bedeuten die mechanische und die elektrische Eingangs-Admittanz (Kehrwert der Impedanz) für den Aufnehmer, d. h. für $\mathfrak{U}_0 = 0$, und für den Sender, also für $\underline{F}_0 = 0$. Wir betrachten, da elektrische Schaltbilder geläufiger sind, zunächst den letzten, bzw. die zugehörige elektrische Eingangs-Impedanz des Senders, welche sich ergibt zu:

$$\left(\frac{\mathfrak{U}_0}{\mathfrak{J}}\right)_{\underline{F}_0 = 0} = \mathfrak{Z}_0 + \mathfrak{Z} + \frac{(B\,l)^2}{\underline{Z} + \underline{Z}_0}. \tag{95}$$

Zu der erwarteten Reihenschaltung von $\mathfrak{Z}_0$ und $\mathfrak{Z}$ tritt additiv eine durch den „idealen Wandler“ vermittelte Rückwirkung der mechanischen Impedanzen, die aber dabei im Nenner stehen. Mit den speziellen Größen des elektrodynamischen Wandlers und mit $\underline{Z}_0 \approx 0$ ergibt sich:

$$\left(\frac{\mathfrak{U}_0}{\mathfrak{J}}\right)_{\underline{F}_0 = 0} = R_0 + R + j\,\omega\,L + \frac{(B\,l)^2}{\dfrac{s}{j\,\omega} + r + j\,\omega\,m}. \tag{95a}$$

Hierbei können Federungs-, Reibungs- und Trägheitswiderstand durch die Parallelschaltung einer Induktivität $(B\,l)^2/s$, eines Widerstandes $(B\,l)^2/r$ und einer Kapazität $m/(B\,l)^2$, wie in Abb. I/25a dargestellt, ersetzt werden. Überwiegt die Steife, so wirkt der nachgeschaltete Teil im wesentlichen wie eine Induktivität, überwiegt die Masse wirkt er wie eine Kapazität, kompensieren sich beide, liegt also mechanische Resonanz vor, so wirkt der Reibungswiderstand wie ein Ohmscher Widerstand, der aber um so größer ist, je kleiner der Reibungswiderstand ist. Das hängt damit zusammen, daß die mechanischen Schwingungen und damit die Verluste bei kleinem r besonders groß werden, diese aber durch das Produkt aus Strom und Spannungsabfall am Ersatzwiderstand gedeckt werden müssen.

Ganz ebenso erhalten wir aus dem Kehrwert des ersten Koeffizienten oben links den mechanischen Eingangswiderstand des Aufnehmers, der uns eigentlich bei der Aufstellung der Gl. (72) interessiert hatte, zu:

$$\left(\frac{\underline{F}_0}{\underline{v}}\right)_{\mathfrak{U}_0=0} = \underline{Z}_0 + \underline{Z} + \frac{(B\,l)^2}{\mathfrak{Z} + \mathfrak{Z}_0}. \tag{96}$$

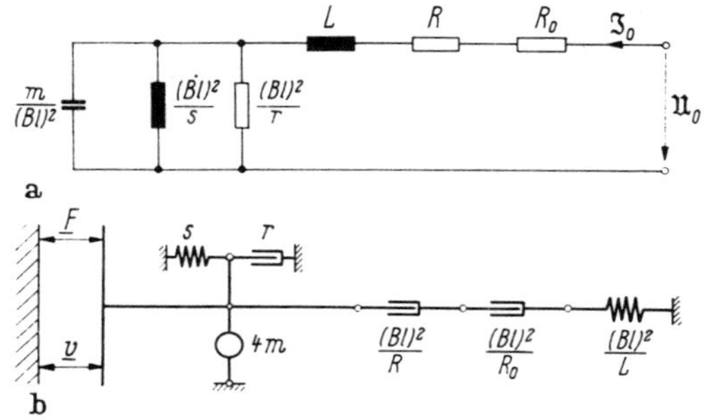

Abb. I/25. a) elektrisches Ersatzschema zur Berechnung des elektrischen Eingangswiderstandes,
b) mechanisches Ersatzschema zur Berechnung des mechanischen Eingangswiderstandes

Hier wirken die elektrischen Impedanzen über den idealen Wandler auf den mechanischen Eingang ein. Mit den gleichen Größen wie oben bedeutet das:

$$\left(\frac{\underline{F}}{\underline{v}}\right)_{\mathfrak{U}_0=0} = \underline{Z}_a = \frac{s}{j\,\omega} + r + j\,\omega\,m + \frac{(B\,l)^2}{R + R_0 + j\,\omega\,L}. \tag{96a}$$

Die aus dem vierten Summanden sich ergebende, vor allem wichtige, zusätzliche Dämpfung ist um so größer, je kleiner die Widerstände sind, am größten bei kurzgeschlossenem Ausgang, was von jedem Galvanometer, das ja auch einen elektrodynamischen Wandler darstellt, wohl bekannt ist. Man kann auch Gl. (96a) an Hand einer elektrischen Schaltung unter Benutzung einer der Analogien diskutieren. Man kann aber hierfür auch die eingeführten mechanischen Schaltelemente heranziehen. Die Widerstände R und R_0 erscheinen als Reiungswiderstände $(B\,l)^2/R$ und $(B\,l)^2/R_0$ und die Induktivität als eine Federsteife $(B\,l)^2/L$, die konstruktiv hintereinander gereiht sind (s. Abb. I/25b).

Unsere oben diskutierten Abschätzungen erweisen sich beim elektrodynamischen Aufnehmer nur insofern als korrekturbedürftig, als bei dem hochabgestimmten System statt s eine etwas größere wirksame Steife $s + (B\,l)^2/L$ einzusetzen gewesen wäre.

Die beiden Koeffizienten in der Nebendiagonale kennzeichnen die Übertragungsfaktoren für den Aufnehmer (links unten):

$$\left(\frac{-\mathfrak{J}}{\underline{F}_0}\right)_{\mathfrak{U}_0=0} = \left(\frac{\mathfrak{U}/\mathfrak{Z}_0}{\underline{F}_0}\right)_{\mathfrak{U}_0=0} = \frac{-B\,l}{(\underline{Z}_0 + \underline{Z})\,(\mathfrak{Z} + \mathfrak{Z}_0) + (B\,l)^2} \tag{97}$$

und für den Sender (rechts oben):

$$\left(\frac{-\underline{v}}{\mathfrak{U}_0}\right)_{\underline{F}_0=0} = \frac{B\,l}{(\underline{Z}_0 + \underline{Z})\,(\mathfrak{Z} + \mathfrak{Z}_0) + (B\,l)^2}\,. \tag{98}$$

(Die Vorzeichen von $\mathfrak{J}$ und $\underline{v}$ wurden hier dem Sinn des Leistungstransportes entsprechend eingesetzt.)

Die Gleichheit der Absolutwerte beider Übertragungsfaktoren kennzeichnet die besondere Art der Reziprozität von linearen Systemen mit eingeschalteten Wandlern. Praktisch ist die auftretende Phasenumkehr uninteressant. Es sei aber erwähnt, daß sie bei nur aus Energiespeichern und Energieverbrauchern bestehenden Systemen nicht auftritt.

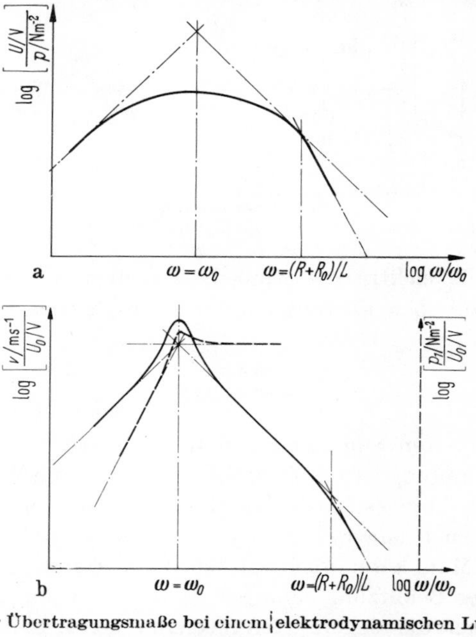

Abb. I/26.
Frequenzgang der Übertragungsmaße bei einem elektrodynamischen Luftschallwandler
a) für einen Empfänger, b) für einen Sender,
ausgezogene Linie bezogen auf die Membranschnelle,
gestrichelte Linie bezogen auf den Druck im Fernfeld

Aber auch die Reziprozität der Absolutwerte gilt nur so weit, als die konstruktiven Daten bei Aufnehmer und Sender dieselben sind. Das ist aber meist weder möglich, noch erwünscht. Ein Tauchspulenmikrophon hat eine relativ kleine Membrane, die etwas steifer gelagert sein muß. Bei ihm befindet sich die Eigenfrequenz in der Mitte des Übertragungsbereiches. Um dort keine resonanzartigen Frequenzabhängigkeiten zu haben, ist man an großer Dämpfung, sei es mechanischer, sei es elektrischer, interessiert. Man erhält so den in Abb. I/26a eingezeichneten Frequenzgang des Übertragungsmaßes, d. h. des Logarithmus des Übertragungsfaktors, das mit den einzusetzenden Beiwerten lautet:

$$\log\left\{\frac{|\mathfrak{U}|/\mathrm{V}}{p/\mathrm{bar}}\right\} = \log\left\{\left|\frac{B\,l\,S\,R_0}{(R_0 + R + j\,\omega\,L)\left(\frac{s}{j\,\omega} + r + j\,\omega\,m\right) + (B\,l)^2}\right|\frac{\mathrm{bar}}{\mathrm{V}}\right\}. \quad (99)$$

Bei sehr tiefen Frequenzen überwiegt im Nenner die mit der Frequenz abnehmende Federhemmung, die Kuppe wird durch den resultierenden mechanischen Widerstand $[r + (B\,l)^2/(R + R_0)]$ bestimmt, dann überwiegt der mit der Frequenz wachsende Massenwiderstand, und schließlich macht sich ein zusätzlicher Abfall durch die induktive Reaktanz bemerkbar. (Auf die Ankopplung weiterer Resonatoren mit zusätzlichen Strömungswiderständen, die zur Verbreiterung des flachen Teiles in Form verschiedener Kanäle und Hohlräume eingebaut werden, kann hier nicht eingegangen werden.)

Obschon derselbe mathematische Ausdruck — von konstanten Faktoren abgesehen — den Logarithmus des hier aus dem Quotienten von Membranschnelle zur Quellenspannung definierten Übertragungsfaktors des Senders beschreibt, erscheint der Verlauf über dem gleichen Frequenzbereich sehr verschieden, weil die Eigenfrequenz der weich gelagerten und viel größeren konusförmigen Membrane eines dynamischen Lautsprechers immer am unteren Frequenzbereich liegt und weil sie infolge der größeren Masse weniger gedämpft ist (s. Abb. I/26b, ausgezogene Linie).

Viel wesentlicher aber ist, daß man beim Lautsprecher gar nicht an der reziproken Fragestellung: „Welche Schnelle erzeugt eine gegebene Spannung?" interessiert ist, sondern nur an der Frage, wie groß ist der in bestimmter Entfernung (z. B. 1 m) erzeugte Schalldruck p_1. Dieser aber wächst, so lange der Membrandurchmesser klein zur Wellenlänge ist, also jedenfalls bei tiefen Frequenzen, bei gegebener Schnelle mit der Frequenz (s. Gl. (VI, 37)):

$$p_1 \sim \omega\,v\,. \quad (100)$$

Dadurch fällt bei Auftragung von $\log\left\{\frac{p_1/\mathrm{bar}}{|\mathfrak{U}_0|/\mathrm{V}}\right\}$, die Gerade unter der Resonanz nach tiefen Frequenzen noch steiler, aber der Abfall oberhalb der Resonanz verwandelt sich in eine Horizontale. Der tief abgestimmte elektrodynamische Lautsprecher arbeitet also in diesem mittleren Frequenzbereich ideal. (S. Abb. I/26b, gestrichelte Linie.)

Bei hohen Frequenzen sind die Voraussetzungen großer Wellenlängen nicht mehr erfüllt; dadurch treten vor allem große Unterschiede der Abstrahlung hinsichtlich der Richtung auf, so daß es problematisch wird, von einem Schalldruck in bestimmter Entfernung zu sprechen. (Die gestrichelte horizontale Linie in Abb. I/26b) ist daher nur bis zur Mitte der Frequenzskala gezogen.)

c) Der elektrostatische Wandler

Als zweitwichtigsten Luftschallwandler wollen wir uns nun dem sogenannten „elektrostatischen Wandler“ zuwenden, dessen Wirkung auf der (dynamischen) Änderung des „elektrostatischen“ Feldes in einem Kondensator beruht. Daß die Annäherung der Platten eines Kondensators um ξ die Kapazität ändert, hatten wir schon im letzten Abschnitt durch Gl. (69 a) beschrieben, dort aber diesen Effekt für einen steuernden Aufnehmer ausgenutzt. Diesmal legen wir die Platten über einen hohen Belastungswiderstand R_0 an die Klemmen einer Gleichspannungsbatterie mit der Spannung U_- (s. Abb. I/27). Dann führen Änderungen der Kapazität C zu Änderungen der Ladung Q, damit zu einem Ladestrom i und damit zu einer Klemmenspannung u. Die quantitativen Zusammenhänge ergeben sich aus der Summe der Umlaufspannungen zu:

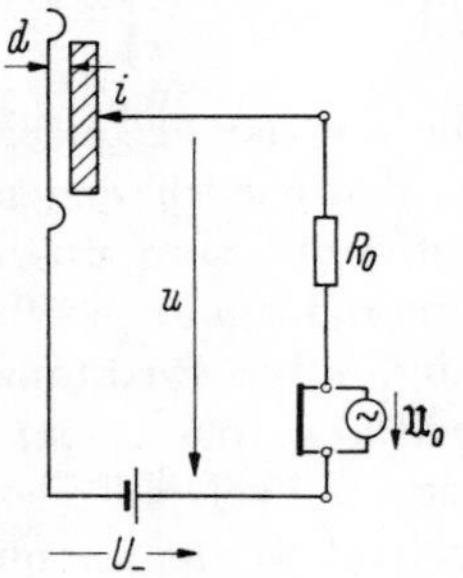

Abb. I/27. Schema eines elektrostatischen Luftschallwandlers

$$U_- - u = \frac{Q}{C} = \frac{Q_- - q}{C_-}\left(1 - \frac{\xi}{d}\right). \tag{101}$$

Dabei haben wir auch die Ladung in einen Gleichanteil Q_-, für den gilt

$$Q_- = C_- U_- \tag{102}$$

und in einen viel kleineren (daher kleingeschriebenen) Wechselanteil zerlegt, der sich aus der Integration des Ladestromes i ergibt:

$$q = \int i\, dt\,. \tag{103}$$

Die nach Abzug von (102) von (101) verbleibende Beziehung der zeitlich wechselnden Größen ergibt sich als Zeigergleichung zu:

$$\mathfrak{U} = \frac{U_-}{d}\,\underline{\xi} + \frac{1}{j\,\omega\,C_-}\,\mathfrak{J} = \frac{U_-}{j\,\omega\,d}\,\underline{v} + \frac{1}{j\,\omega\,C_-}\,\mathfrak{J}\,. \tag{104}$$

Diese Gleichung hat denselben Aufbau wie (85), nämlich:

Klemmenspannung = Wandlerspannung
+ Spannungsabfall am inneren Widerstand.

Dabei verhält sich die Wandlerspannung

$$\mathfrak{U}_w = \frac{U_-}{d}\,\underline{\xi} = \frac{U_-}{j\,\omega\,d}\,\underline{v} \tag{105}$$

zur angelegten Gleichspannung wie die Abstandsverkürzung zum Abstand. Drücken wir ξ, wie beim elektrodynamischen Wandler, durch die Schnelle aus, so erhalten wir eine imaginäre und frequenzabhängige Wandlerkonstante.

Schon hieraus ist auf einen anderen Frequenzgang des „Kondensatormikrophons" gegenüber dem „Tauchspulenmikrophon" zu schließen. Hinzu kommt, daß die Kondensatormikrophone stets hoch abgestimmt sind, denn die Masse ist weit kleiner, die Membrane muß keine Spule tragen.

Spezialisieren wir (104) durch einen Belastungswiderstand zu:

$$-\frac{U_-}{j\,\omega\,d}\,\underline{v} \doteq \left(R_0 + \frac{1}{j\,\omega\,C}\right)\mathfrak{J}\,, \tag{106}$$

und vernachlässigen wir vorerst die dabei sehr viel kleinere Rückwirkung des elektrischen Teils auf den mechanischen, indem wir einfach

$$\underline{F} \approx \left(\frac{s}{j\,\omega} + r + j\,\omega\,m\right)\underline{v} \tag{107}$$

setzen, so ergibt sich hier für den Übertragungsfaktor statt (97):

$$\left(\frac{-\mathfrak{J}}{\underline{F}}\right)_{\mathfrak{U}_0=0} = \left(\frac{\mathfrak{U}/R_0}{\underline{F}}\right)_{\mathfrak{U}_0=0} = \frac{U_-/j\,\omega\,d}{\left(R_0 + \frac{1}{j\,\omega\,C}\right)\left(\frac{s}{j\,\omega} + r + j\,\omega\,m\right)}\,. \tag{108}$$

In Abb. I/28a ist wieder das zugehörige Übertragungsmaß über logarithmischer Frequenzskala aufgetragen. Der Resonanzgipfel liegt hoch, ihm folgt ein steiler Abfall, der aus der Multiplikation der mit ω^{-1} abnehmenden Wandlerkonstante im Zähler und dem mit ω wachsenden Trägheitswiderstand im Nenner folgt. Vor der Resonanz aber liegt ein ausgedehnter Bereich eines konstanten Übertragungsfaktors:

$$\left(\frac{\mathfrak{U}}{\underline{F}}\right) = \frac{U_-}{s\,d}\,, \tag{109}$$

weil hier die Frequenzabhängigkeit der Wandlerkonstante im Zähler gegen die des Federungswiderstandes im Nenner sich wegkürzt. Das Kondensatormikrophon ist deshalb auch als idealer Luftschallaufnehmer anzusehen. Nachteilig ist nur, daß es einen hohen Belastungswiderstand verlangt, hinter den unmittelbar die erste Verstärkerstufe angeschlossen werden muß. R_0 aber muß groß gewählt werden, damit erst bei sehr tiefen Frequenzen der Bereich eintritt, wo der

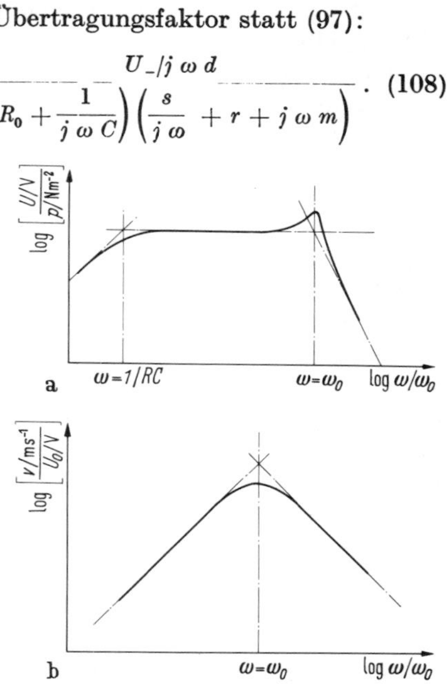

Abb. I/28. Frequenzgang des Übertragungsmaßes eines elektrostatischen Luftschallwandlers, a) als Mikrophon, b) als Lautsprecher, bezogen auf die Schnelle der Membrane

kapazitive Widerstand den Ohmschen Widerstand überwiegt, und damit der Übertragungsfaktor, wie in Abb. I/28a links zu sehen, mit ω^{-1} abfällt.

Wir müssen nun aber noch zeigen, daß der an eine Gleichspannung gelegte aber von einem Wechselstrom durchflossene Kondensator auch eine Wandlerkraft aufweist, die die Membrane mit gleicher Frequenz in Bewegung zu versetzen sucht. Sie ist keineswegs immer vernachlässigbar. Vielmehr wird das sog. „elektrostatische“ Wandlerprinzip auch für Lautsprecher benutzt. Auch sie sind hoch abgestimmt. Die Membrane besteht bei ihnen meist aus einer Fülle parallel geschalteter kleiner Membranen, die durch den Überzug der rauhen Fläche der festen Elektrode mit einer isolierenden und elastischen Folie entstehen, auf die die Gegenelektrode nur aufgedampft ist. Wir können aber bei den folgenden Betrachtungen trotzdem die Vorstellung zweier Platten im Abstand d als Modell beibehalten.

Tragen diese Platten eine Ladung Q, so enthält der Kondensator die elektrische Energie:

$$W_{el} = \frac{Q^2}{2\,C} = \frac{Q^2}{2\,C_-}\left(1 - \frac{\xi}{d}\right). \tag{110}$$

Daß diese Energie abnimmt, wenn sich die Platten nähern, besagt, daß zwischen den Platten eine Kraft wirkt, die bei Änderung von ξ Arbeit leisten kann, für die also gilt:

$$F = -\frac{\partial W_{el}}{\partial \xi} = -\frac{Q^2}{2}\frac{\partial}{\partial \xi}\left(\frac{1}{C}\right) = \frac{Q^2}{2\,C_-\,d}. \tag{111}$$

Würde die Ladung sinusförmig mit der Frequenz ω schwanken, so würde die Kraft aus einem Gleichanteil und einem mit doppelter Frequenz schwingendem Wechselanteil bestehen. Dadurch aber, daß Q sich wie in (101) aus einem Gleich- und einem Wechselanteil zusammensetzt, erhalten wir für den gleichfrequenten Wechselanteil an Kraft:

$$F_\sim = -\frac{Q_-\,q}{C_-\,d} = -\frac{U_-}{d}\int i\,dt. \tag{112}$$

Diese Kraft war positiv angesetzt worden, wenn sie ξ vergrößert; die Wandlerkraft war aber von uns so definiert worden, daß sie der äußeren Kraft, und damit der positiven Richtung von ξ entgegenwirkt, also erhalten wir schließlich:

$$\underline{F}_w = \frac{U_-}{j\,\omega\,d}\,\mathfrak{J}. \tag{113}$$

Aus der bei (82) durchgeführten Leistungsbetrachtung war zu erwarten, daß auch hier absolut die gleiche Konstante auftreten mußte wie in (105). Dagegen ergibt sich im Unterschied zu den Gleichungen (77a) und (83) kein Vorzeichenwechsel. Das hängt damit zusammen, daß die Wandlerkonstante hier imaginär ist.

Wir können die bei beiden bisher behandelten Wandlern auftretenden Wandlerkonstanten erfassen, indem wir für diese beliebige komplexe Werte ansetzen, die gegeben seien durch:

$$\left.\begin{aligned} \underline{F}_w &= \underline{\mathfrak{M}}_{Fi}\, \mathfrak{J} \\ \mathfrak{U}_w &= \underline{\mathfrak{M}}_{uv}\, \underline{v}\,. \end{aligned}\right\} \tag{114}$$

(Um die Zugehörigkeit der Wandlerkonstanten zum mechanischen und zum elektrischen System zu kennzeichnen, seien sie in Fraktur geschrieben und unterstrichen.) Die zunächst mit reellen Wandlerkonstanten und mit den Zeitwerten der Feldgrößen aufgestellte Leistungsbilanz (82) ist unter Berücksichtigung der inzwischen gewählten Vorzeichen zu ersetzen durch (s. IV (32) u. (33)):

$$\begin{aligned} P_w &= \frac{1}{2}\,\mathrm{Re}\left\{\hat{\underline{F}}_w\, \hat{\underline{v}}^*\right\} = \frac{1}{2}\,\mathrm{Re}\left\{(\underline{\mathfrak{M}}_{Fi}\, \hat{\mathfrak{J}})\, \hat{\underline{v}}^*\right\} \\ &= \frac{1}{2}\,\mathrm{Re}\left\{\hat{\mathfrak{J}}\left(-\,\hat{\mathfrak{U}}_w^*\right)\right\} = \frac{1}{2}\,\mathrm{Re}\left\{\hat{\mathfrak{J}}\,(-\,\underline{\mathfrak{M}}_{uv}^* \cdot \hat{\underline{v}}^*)\right\} \\ &= \frac{1}{2}\,\mathrm{Re}\left\{(-\,\underline{\mathfrak{M}}_{uv}^*\, \hat{\mathfrak{J}})\, \hat{\underline{v}}^*\right\}; \end{aligned} \tag{115}$$

und dies ist erfüllt, wenn:

$$\underline{\mathfrak{M}}_{Fi} = -\,\underline{\mathfrak{M}}_{uv}^*\,, \tag{116}$$

also bei reellen $\underline{\mathfrak{M}}$ Vorzeichenumkehr, bei imaginären Vorzeichengleichheit. Mit dieser allgemeinen Bezeichnung, die wir vereinfachen können, indem wir

$$\left.\begin{aligned} \underline{\mathfrak{M}}_{Fi} &= \underline{\mathfrak{M}} \\ \underline{\mathfrak{M}}_{uv} &= -\,\underline{\mathfrak{M}}^* \end{aligned}\right\} \tag{117}$$

setzen, können wir alle Luftschallwandlergleichungen entweder in der — die mechanischen und elektrischen Grundgleichungen enthaltenden — Form von (93) allgemein zusammenfassen:

$$\begin{pmatrix} \underline{F}_0 \\ \mathfrak{U}_0 \end{pmatrix} = \begin{pmatrix} \underline{Z} + \underline{Z}_0 & \underline{\mathfrak{M}} \\ -\,\underline{\mathfrak{M}}^* & \mathfrak{Z} + \mathfrak{Z}_0 \end{pmatrix} \begin{pmatrix} \underline{v} \\ \mathfrak{J} \end{pmatrix} \tag{118}$$

oder in der das interessierende Ergebnis enthaltenden Umkehrung:

$$\begin{pmatrix} \underline{v} \\ \mathfrak{J} \end{pmatrix} = \frac{1}{(\underline{Z} + \underline{Z}_0)\,(\mathfrak{Z} + \mathfrak{Z}_0) + M^2} \begin{pmatrix} \mathfrak{Z} + \mathfrak{Z}_0 & -\,\underline{\mathfrak{M}} \\ \underline{\mathfrak{M}}^* & \underline{Z} + \underline{Z}_0 \end{pmatrix} \begin{pmatrix} \underline{F}_0 \\ \mathfrak{U}_0 \end{pmatrix}. \tag{119}$$

Dabei haben wir davon Gebrauch gemacht, daß das Produkt zweier konjugiert komplexer Größen stets das Quadrat ihres Absolutwertes darstellt und für dieses geschrieben:

$$\underline{\mathfrak{M}}\,\underline{\mathfrak{M}}^* = M^2\,. \tag{120}$$

Setzen wir in (119) die speziellen Konstanten des „elektrostatischen“ Wandlers ein, so erhalten wir mit $Z_0 \approx 0$:

$$\begin{pmatrix}\underline{v}\\ \mathfrak{J}\end{pmatrix} = \frac{\begin{pmatrix} R_0 + \frac{1}{j\,\omega\,C} & \frac{-U_-}{j\omega d} \\ \frac{-U_-}{j\omega d} & \frac{s}{j\omega} + r + j\,\omega\,m \end{pmatrix}}{\left(\frac{s}{j\,\omega} + r + j\,\omega\,m\right)\left(R_0 + \frac{1}{j\omega C}\right) + \frac{U_-^2}{\omega^2\,d^2}} \begin{pmatrix}\underline{F}_0\\ \mathfrak{U}_0\end{pmatrix}. \tag{121}$$

Für die Diskussion der mechanischen und elektrischen Eingangswiderstände gilt im wesentlichen dasselbe wie oben. Daß beim Aufnehmer die elektrische Seite nicht auf die mechanische zurückwirkt, liegt daran, daß R_0 so groß ist, der hinzukommende Widerstandsanteil

$$\frac{M^2}{\mathfrak{Z} + \mathfrak{Z}_0} = \frac{U_-^2}{\omega^2\,d^2}\,\frac{1}{R_0 + \frac{1}{j\,\omega\,C}} \tag{122}$$

sehr klein ist. Es fließen eben nur sehr geringe Ströme; der Aufnehmer arbeitet fast „im Leerlauf“.

Ganz im Gegensatz dazu bemüht man sich beim Sender, den inneren Widerstand der Spannungsquelle so klein wie möglich zu machen. Hieraus ergibt sich wieder, wie schon oben beim dynamischen Wandler, aber in noch stärkerem Maße, eine Abweichung von der Reziprozität. Beim Sender kann man R_0 gegen $1/j\,\omega\,C$ ganz vernachlässigen. Dann ergibt sich für den durch $(-\underline{v}/\mathfrak{U}_0)$ wie oben definierten Übertragungsfaktor des elektrostatischen Lautsprechers:

$$\left(\frac{-\underline{v}}{\mathfrak{U}_0}\right)_{\underline{F}_0=0} = \frac{+\frac{U_-}{j\,\omega\,d}}{\left(\frac{s}{j\,\omega} + r + j\,\omega\,m\right)\frac{1}{j\,\omega\,C} + \frac{U_-^2}{\omega^2\,d^2}}, \tag{123}$$

also eine unterhalb der stets hoch liegenden Eigenfrequenz mit der Frequenz ansteigenden Größe, die in dem entsprechenden in Abb. I/28b eingetragenen „Übertragungsmaß“ über logarithmischer Frequenzskala als steigende Gerade in Erscheinung tritt. Auf die zusätzliche Eintragung des durch den Schalldruck in 1 m Abstand gegebenen Übertragungsmaßes wurde hier verzichtet. Die Beziehung (100) gilt nur für strahlende Flächen, die klein zur Wellenlänge sind. Ihre Berücksichtigung bei tiefen Frequenzen würde nur besagen, daß das auf den Druck im Fernfeld bezogene Übertragungsmaß noch stärker nach tiefen Frequenzen abfällt. Elektrostatische Lautsprecher werden aber vielfach großflächig gebaut. Dann gibt das eingezeichnete Übertragungsmaß für die Schnelle etwa auch das für den Schalldruck in einiger Entfernung auf der Mittelachse an. In jedem Falle ist der elektrostatische Lautsprecher vorzugsweise als Höhenstrahler geeignet und es bedarf besonderer zusätzlicher Maßnahmen, um ihn auch zu der Abstrahlung tiefer Frequenzen heranzuziehen.

Wir wollen noch den elektrostatischen Wandler in einer anderen Form beschreiben, die beim elektrodynamischen Wandler zwar auch möglich gewesen wäre, dort aber sehr künstlich gewirkt hätte. Es ist nämlich keineswegs zwangsläufig, daß wir die Wirkung eines Wandlers auf den elektrischen Kreis durch eine Wandlerspannung beschreiben. Man kann (104) genau so auf die Form bringen:

$$\mathfrak{J} = -\frac{C_- U_-}{d}\underline{v} + j\,\omega\, C_- \mathfrak{U}\,, \tag{124}$$

d. h. auf die Form:

Klemmenstrom = Wandlerstrom + Stromabfall im inneren Leitwert.

Das hat sogar den Vorteil, daß die den Wandlerstrom mit der Schnelle verbindende Wandlerkonstante

$$\frac{\mathfrak{J}_w}{\underline{v}} = -\frac{C_- U_-}{d} = -\frac{Q_-}{d} \tag{125}$$

reell und frequenzunabhängig wird. Dieselbe Konstante verbindet unter Vorzeichenwechsel auch Wandlerkraft und Spannung, wenn wir (124) in die Kraftgleichung einsetzen:

$$\underline{F} = \underline{Z}\,\underline{v} + \frac{U_-}{j\,\omega\, d}\,\mathfrak{J} = \left[\underline{Z} - \frac{Q_- U_-}{j\,\omega\, d^2}\right]\underline{v} + \frac{Q_-}{d}\,\mathfrak{U}\,. \tag{126}$$

Dabei erhalten wir aber ein ausschließlich von den elektrischen Größen abhängiges Zusatzglied zum mechanischen Widerstand. Das gilt allgemein: Die auf die Membrankraft $\underline{F}$ und Klemmenspannung $\mathfrak{U}$ reduzierte Gl. (118):

$$\begin{pmatrix}\underline{F}\\ \mathfrak{U}\end{pmatrix} = \begin{pmatrix}\underline{Z} & \underline{\mathfrak{M}}\\ -\underline{\mathfrak{M}}^* & \mathfrak{Z}\end{pmatrix}\begin{pmatrix}\underline{v}\\ \mathfrak{J}\end{pmatrix} \tag{127}$$

kann immer umgeformt werden in:

$$\begin{pmatrix}\underline{F}\\ \mathfrak{J}\end{pmatrix} = \begin{pmatrix}\underline{Z} + M^2/\mathfrak{Z} & \underline{\mathfrak{M}}/\mathfrak{Z}\\ \underline{\mathfrak{M}}^*/\mathfrak{Z} & 1/\mathfrak{Z}\end{pmatrix}\begin{pmatrix}\underline{v}\\ \mathfrak{U}\end{pmatrix} \tag{128}$$

oder unter Einführung der neuen Wandlerkonstante:

$$\underline{\mathfrak{N}} = \frac{\underline{\mathfrak{M}}}{\mathfrak{Z}}\,, \tag{129a}$$

d. h. bei einer Reaktanz $\mathfrak{Z}$ auch

$$\underline{\mathfrak{N}}^* = -\frac{\underline{\mathfrak{M}}^*}{\mathfrak{Z}} \tag{129b}$$

in:

$$\begin{pmatrix}\underline{F}\\ \mathfrak{J}\end{pmatrix} = \begin{pmatrix}\underline{Z} - N^2\,\mathfrak{Z} & \underline{\mathfrak{N}}\\ -\underline{\mathfrak{N}}^* & 1/\mathfrak{Z}\end{pmatrix}\begin{pmatrix}\underline{v}\\ \mathfrak{U}\end{pmatrix}. \tag{130}$$

Vergleicht man (127) mit (130), so tritt dabei die Behandlung des Wandlers als einer Ersatzspannungsquelle ($\mathfrak{M}$-Darstellung) jedenfalls als einfacher in Erscheinung als die Behandlung als Ersatzstromquelle ($\mathfrak{N}$-Darstellung). Wir werden aber unten noch Fälle kennen lernen, wo genau das Umgekehrte der Fall ist, d. h. wo in der $\mathfrak{M}$-Darstellung ein Zusatz zum mechanischen Widerstand auftritt, in der $\mathfrak{N}$-Darstellung dagegen nicht.

Im Falle des elektrostatischen Wandlers ist der zunächst formal auftretende Zusatz zum mechanischen Widerstand sogar sehr anschaulich physikalisch interpretierbar. Er bedeutet einen negativen Federungswiderstand:

$$\frac{M^2}{\mathfrak{Z}} = -N^2\,\mathfrak{Z} = -\frac{Q_-\,U_-}{j\,\omega\,d^2}, \tag{131}$$

also eine statische Instabilität. Eine solche erscheint in der Tat in der Beziehung für die Wandlerkraft, wenn wir sie, wie in (126), durch die angelegte Spannung auszudrücken versuchen; d. h. aber, daß wir nicht wie in (111) davon ausgehen, daß zwei Platten mit gegebener Ladung sich anziehen, sondern davon, daß die beiden Platten an eine Spannung U angeschlossen sind. Der Energiegehalt des Kondensators

$$W_{el} = \frac{C}{2}\,U^2 = \frac{C_-}{2}\,\frac{U^2}{1-\xi/d} = \frac{C_-\,U^2}{2}\left(1 + \left(\frac{\xi}{d}\right) + \left(\frac{\xi}{d}\right)^2 + \cdots\right) \tag{132}$$

wächst dann, wenn sich die Platten einander nähern. Trotzdem besteht kein Zweifel, daß die Platten auch in diesem Falle angezogen werden, daß also zusätzliche Arbeit geleistet wird. Beide Energieanteile aber werden jetzt aus der Spannungsquelle nachgeliefert und die Leistungsbilanz lautet hier, wo U gegeben ist:

$$U\,i\,dt = U\,dQ = U^2\,dC = dW_{el} + F\,d\xi\,; \tag{133}$$

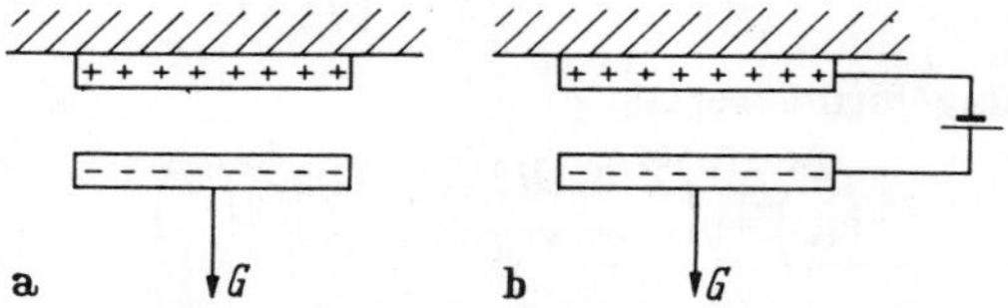

Abb. 29. Skizze zur Anziehung zwischen 2 geladenen Platten
a) ohne, b) mit Anschluß an eine Spannungsquelle

die Kraftgleichung lautet hier also:

$$F = \frac{U^2}{2}\,\frac{\partial}{\partial\xi}\,C = \frac{C_-\,U^2}{2\,d} + \frac{C_-\,U^2}{d^2}\,\xi + \cdots. \tag{134}$$

Sie ergibt in erster Näherung dasselbe wie früher, aber bei Berücksichtigung des nächsten Gliedes in der Reihenentwicklung von (132) eine mit ξ wachsende Kraft in Richtung von ξ. Ist beispielsweise ein horizontales Plattenpaar von der die obere befestigt ist, die untere frei schwebt

(s. Abb. I/29a) mit einer solchen Ladung versehen, daß die Anziehungskraft gerade das Gewicht aufhebt, so besteht ein indifferentes Gleichgewicht, das mit kleinen Änderungen von ξ nicht gestört wird. Sobald wir aber die Platten an eine Spannungsquelle anlegen (s. Abb. I/29b), kann Energie nachgeliefert werden, das Gleichgewicht wird instabil, und der Plattenabstand wird bei der kleinsten Störung — mit der immer gerechnet werden muß — bis zum „Aufeinanderkleben" verkürzt.

Wir wollen uns schließlich der schaltungsmäßigen Darstellung des elektrostatischen Wandlers zuwenden, wobei wir uns mit dem zwischen F, v und $\mathfrak{U}$, $\mathfrak{J}$ eingeschlossenen Bereich in Abb. I/23 begnügen wollen. Hierbei treten nun die $\mathfrak{M}$-Darstellung und die $\mathfrak{N}$-Darstellung unterschiedlich in Erscheinung, wenn wir in beiden Fällen einen idealen Wandler abspalten und durch die zugehörige Matrize kennzeichnen wollen. Im ersten Falle (s. Abb. I/30a) erscheint der innere Widerstand $1/j\,\omega\,C$ in Reihe, im zweiten Falle (s. Abb. I/30b) parallel zu dem elektrischen

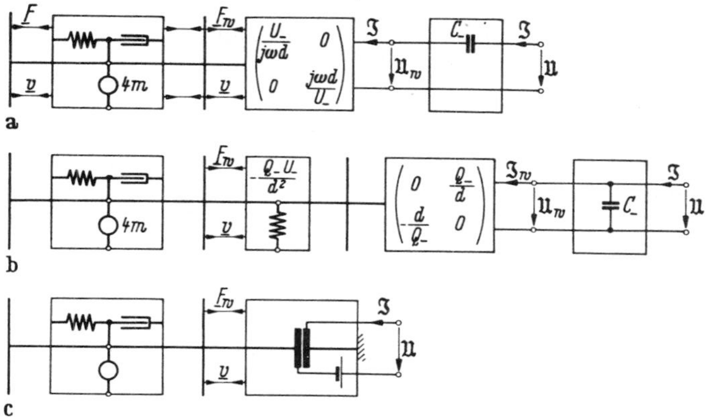

Abb. I/30. Schaltschema eines elektrostatischen Wandlers

a) unter Aufteilung in mechanische und elektrische Schaltelemente und einen als Ersatzspannungsquelle dienenden idealen Wandler

b) wie unter a), aber unter Heraustrennung eines als Ersatzstromquelle wirkenden idealen Wandlers

c) unter Einführung eines Wandler-Schaltsymbols

Eingang. Im letzten Falle benötigen wir aber zusätzlich ein Symbol für einen negativen Federungswiderstand. Hierfür wurde eine senkrecht zur Bewegungsrichtung unter großem Vordruck stehende Feder gewählt. Genau so wie eine gespannte Saite, also eine große Zugkraft, eine der Auslenkung entgegengesetzte Rückstellkraft ergibt, hat eine Druckkraft bei der kleinsten Auslenkung ξ eine heraustreibende Kraft in ξ-Richtung zur Folge.

Nun sind wir aber an einem Schaltsymbol interessiert, das davon unabhängig ist, ob wir eine $\mathfrak{M}$- oder eine $\mathfrak{N}$-Darstellung verwenden. Ein solches ist in der Tat möglich, wenn wir in beiden Fällen den kapazitiven Widerstand und im letzten die statische Instabilität einbeziehen, denn die Gln. (127) und (118), bzw. (130), führen nach Abspaltung des mechanischen Widerstandes alle auf die gleiche Kettenmatrix:

$$\begin{pmatrix} \underline{F} - Z\,\underline{v} \\ \underline{v} \end{pmatrix} = \begin{pmatrix} \mathfrak{M} & 0 \\ \mathfrak{Z}/\mathfrak{M}^* & -1/\mathfrak{M}^* \end{pmatrix} \begin{pmatrix} \mathfrak{I} \\ \mathfrak{U} \end{pmatrix} = \begin{pmatrix} \mathfrak{N}\,\mathfrak{Z} & 0 \\ -\dfrac{1}{\mathfrak{N}^*} & \dfrac{1}{\mathfrak{N}^*\,\mathfrak{Z}} \end{pmatrix} \begin{pmatrix} \mathfrak{I} \\ \mathfrak{U} \end{pmatrix}$$

$$= \begin{pmatrix} \dfrac{U_-}{j\,\omega\,d} & 0 \\ -\dfrac{d}{Q_-} & \dfrac{j\,\omega\,d}{U_-} \end{pmatrix} \begin{pmatrix} \mathfrak{I} \\ \mathfrak{U} \end{pmatrix}. \qquad (135)$$

Als Symbol wählen wir wieder eines, das eine Verbindung vom mechanischen Eingang zu der einen Platte des Kondensators enthält, mit dem wir auf der elektrischen Seite noch die polarisierte Spannung in Reihe schalten. Die andere Platte ist mit dem Gehäuse verbunden[1].

Wegen des Auftretens der negativen Federung erscheint — auch wenn diese praktisch meist vernachlässigbar ist — die $\mathfrak{N}$-Darstellung für den elektrostatischen Wandler die ungeeignetere. Es gibt auch noch einen anderen Gesichtspunkt[2]. Die $\mathfrak{M}$-Werte können bei verschwindendem inneren Widerstand, also bei beliebig wachsendem C durch Flächenvergrößerung endlich bleiben. Hier ist der Übergang des Wandler-Schaltbildes zum idealen Wandler möglich. Bei der $\mathfrak{N}$-Darstellung wächst mit C auch die Wandlerkonstante über jeden Wert[3].

d) Der elektromagnetische Wandler

Mit mehr Recht kann man bei den sogenannten elektromagnetischen Wandlern darüber streiten, welche Darstellung den Vorzug verdient. Einerseits wird man dem physikalischen Vorgang gemäß, der in dem Anziehen eines an der Membrane befestigten oder durch sie gebildeten Ankers besteht (s. Abb. I/31), eine möglichst zum elektrodynamischen Wandler analoge Darstellung, also die $\mathfrak{M}$-Darstellung, zu wählen suchen. Andererseits läßt sich der elektromagnetische Wandler als das zum elektrostatischen „duale" Gebilde auffassen, d. h. als dasjenige, bei dem man gleichgebaute Beziehungen erhält,

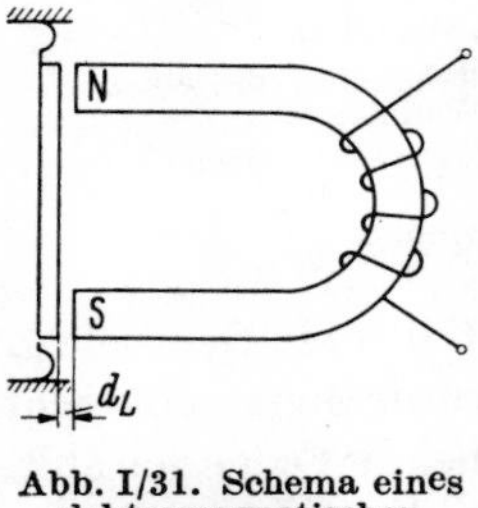

Abb. I/31. Schema eines elektromagnetischen Wandlers

[1] Auch dieser Vorschlag schließt an DIN 40700 an.
[2] S. Fischer, F. A.: Nachr. Techn. Z. 17 (1964) 388.
[3] Andererseits führt die $\mathfrak{N}$-Darstellung wegen ihrer reellen und frequenzunabhängigen Wandlerkonstante unmittelbarer zu einfachen elektrischen Ersatzbildern (Reichardt, W.: Grdl. d. Techn. Akustik, VI, Leipzig, 1968).

wenn man jeweils Spannung durch Strom, Kapazität durch Induktivität und — bei den elektrischen Schaltelementen — Reihenschaltung durch Parallelschaltung ersetzt. Das bedeutet aber auch Übergang von der Ersatzspannungsquelle zur Ersatzstromquelle, also von der $\mathfrak{M}$-Darstellung zur $\mathfrak{N}$-Darstellung.

Analog zur Änderung der Kapazität im Verhältnis $d/(d - \xi)$ beim elektrostatischen Wandler, wird hier die Induktivität bei der Verschiebung des Ankers um ξ geändert:

$$L = L_- \frac{d}{d - \xi} = \frac{L_-}{1 - \xi/d} . \tag{136}$$

Nur bedeutet d hier nicht die Dicke des Luftspaltes (s. Abb. I/31), sondern eine Hilfsgröße, die sich aus der auf die Permeabilität des Luftspaltes umgerechneten Länge des gesamten Umlaufweges der magnetischen Kraftlinien errechnet, wobei noch zu berücksichtigen ist, daß der Luftspalt zweimal durchsetzt wird, aber auch durch die Verschiebung ξ der Luftweg zweimal verkürzt wird:

$$2\,d = 2\,d_L + \frac{\mu_L}{\mu_E}\,l_E \tag{137}$$

(l_E Weglänge im Eisen, μ_L/μ_E Verhältnis der Permeabilitäten in Luft und Eisen).

Wie beim elektrostatischen Wandler muß den Wechselgrößen ein polarisierendes Gleichfeld überlagert sein. Dort wurde es durch eine Batteriespannung U_- erzeugt, hierdurch den Gleichstrom I_- in einem Elektromagneten, der aber auch durch einen äquivalenten Dauermagneten ersetzt sein kann. In beiden Fällen kann man das Gleichfeld durch den Strom I_- oder durch den Gleichwert der Durchflutung, oder des Produktes aus magnetischem Fluß Φ_- und Windungszahl n darstellen:

$$L_- I_- = n\,\Phi_- . \tag{138}$$

Diese Größe, (auch Spulenfluß genannt), die hier die zur Ladung analoge Größe darstellt, setzt sich aus diesem Gleich- und einem Wechselanteil zusammen, wobei wir in Anlehnung an (101) ansetzen:

$$n\,\Phi = n\,\Phi_- - n\,\varphi = \frac{L_-}{1 - \xi/d}\,(I_- - i) , \tag{139}$$

wobei der letzte wiederum aus einem stromabhängigen und einem lageabhängigen Anteil besteht:

$$n\,\varphi = L_-\,i - \frac{L_-\,I_-}{d}\,\xi . \tag{140}$$

Nur der Wechselanteil geht in die in der Spule induzierte Wechselspannung ein:

$$u_i = -\,n\,\frac{d\varphi}{dt} = -\,L_-\,\frac{di}{dt} + \frac{L_-\,I_-}{d}\,v . \tag{141}$$

Indem man diese zur Klemmenspannung addiert, nimmt die Spannungsgleichung des elektromagnetischen Wandlers mit den gewählten Vorzeichen die zu der des elektrodynamischen Wandlers (85) analoge Form an:

$$\mathfrak{U} = -\frac{L_- I_-}{d}\,\underline{v} + (R + j\,\omega\,L)\,\mathfrak{I}\,. \tag{142}$$

Die Rückwirkung des mechanischen Teiles erscheint durch die physikalisch gegebene Anwendung des Induktionsgesetzes als Ersatzspannung:

$$\mathfrak{U}_w = -\frac{L_- I_-}{d}\,\underline{v} = -\frac{n\,\Phi_-}{d}\,\underline{v}\,, \tag{143}$$

während ihre Darstellung als Stromquelle erst sekundär aus der Umformung von (142) folgt und auch dann nur auf einen einfachen Ausdruck führt, wenn wir den Ohmschen Widerstand vernachlässigen, oder aus den Wandlergleichungen herausziehen:

$$\mathfrak{I} = +\frac{I_-}{j\,\omega\,d}\,\underline{v} + \frac{1}{j\,\omega\,L_-}\,\mathfrak{U}\,. \tag{144}$$

Dafür bleibt hierbei die zu der des Kondensatormikrophons duale Wandlerkonstante wie dort auch dann endlich, wenn man den induktiven Abfall immer kleiner werden läßt, also den Übergang zum idealen Wandler vollzieht, während die Wandlerkonstante in (143) verschwinden würde.

Es bleibt noch die Frage, in welcher der beiden Kraftgleichungen ein Zusatzglied zum mechanischen Widerstand auftritt. Drücken wir den Energiegehalt des Magnetfeldes durch den der Ladung analogen Spulenfluß aus, so ergibt sich wieder ein Wert, der mit dem Ausschlag ξ abnimmt:

$$W_{\text{magn}} = \frac{(n\,\Phi)^2}{2\,L} = \frac{(n\,\Phi)^2}{2\,L_-}\left(1 - \frac{\xi}{d}\right). \tag{145}$$

Die zwischen Anker und Polschuhen auftretende Anziehungskraft ergibt sich somit aus:

$$F = -\frac{\partial W_{\text{magn}}}{\partial \xi} = \frac{(n\,\Phi)^2}{2\,L_-\,d}\,; \tag{146}$$

als Wandlerkraft ist wieder der der Anziehungsrichtung entgegengesetzte Wechselanteil einzusetzen:

$$\underline{F}_w = \frac{n\,\Phi_-}{L_-\,d}\,(n\,\underline{\varphi}) = \frac{I_-}{d}\,(n\,\underline{\varphi})\,, \tag{147}$$

und hierin ist entweder der Wechselanteil des Spulenflusses durch (140) auszudrücken, oder gemäß (141) durch

$$n\,\underline{\varphi} = -\frac{\mathfrak{U}_i}{j\,\omega}\,, \tag{148}$$

was bei Vernachlässigung (oder Herausziehen) von R gleichbedeutend ist mit

$$n\,\underline{\varphi} = \frac{\mathfrak{U}}{j\,\omega}\,. \tag{148a}$$

Die erste, dem elektrodynamischen Wandler angepaßte Schreibweise führt auf:

$$\underline{F}_w = \frac{I_-}{d}\left(L_-\,\mathfrak{J} - \frac{L_-\,I_-}{d}\,\underline{\xi}\right) = \frac{L_-\,I_-}{d}\,\mathfrak{J} - \frac{L_-\,I_-^2}{j\,\omega\,d^2}\,\underline{v}\,. \tag{149}$$

Gerade bei ihr tritt ein Zusatz zum mechanischen Widerstand in der um diesen vervollständigten Kraftgleichung des Wandlers auf:

$$\underline{F} = \left(\underline{Z} - \frac{L_-\,I_-^2}{j\,\omega\,d^2}\right)\underline{v} + \frac{L_-\,I_-}{d}\,\mathfrak{J}\,, \tag{150}$$

während die zum elektrostatischen Wandler duale Darstellung mit (148a) auf:

$$\underline{F}_w = \frac{I_-}{j\,\omega\,d}\,\mathfrak{U}\,, \tag{151}$$

bzw. auf

$$\underline{F} = Z\,\underline{v} + \frac{I_-}{j\,\omega\,d}\,\mathfrak{U} \tag{152}$$

führt.

In diesem Falle vereinfacht sich also die Darstellung gegenüber (130) zu:

$$\begin{pmatrix}\underline{F}\\ \mathfrak{J}\end{pmatrix} = \begin{pmatrix}\underline{Z} & \underline{\mathfrak{N}}\\ -\underline{\mathfrak{N}}^* & 1/\mathfrak{Z}\end{pmatrix}\begin{pmatrix}\underline{v}\\ \mathfrak{U}\end{pmatrix} = \begin{pmatrix}\underline{Z} & \dfrac{I_-}{j\,\omega\,d}\\ \dfrac{I_-}{j\,\omega\,d} & \dfrac{1}{j\,\omega\,L_-}\end{pmatrix}\begin{pmatrix}\underline{v}\\ \mathfrak{U}\end{pmatrix}, \tag{153}$$

während in der $\mathfrak{M}$-Darstellung ein additiver Zusatz zum mechanischen Widerstand auftritt, den man auch formal aus der Umformung von (153) erhält:

$$\begin{pmatrix}\underline{F}\\ \mathfrak{U}\end{pmatrix} = \begin{pmatrix}\underline{Z} + N^2\,\mathfrak{Z} & \underline{\mathfrak{N}}\,\mathfrak{Z}\\ \underline{\mathfrak{N}}^*\,\mathfrak{Z} & \mathfrak{Z}\end{pmatrix}\begin{pmatrix}\underline{v}\\ \mathfrak{J}\end{pmatrix} = \begin{pmatrix}\underline{Z} - \dfrac{M^2}{\mathfrak{Z}} & \underline{\mathfrak{M}}\\ -\underline{\mathfrak{M}}^* & \mathfrak{Z}\end{pmatrix}\begin{pmatrix}\underline{v}\\ \mathfrak{J}\end{pmatrix}. \tag{154}$$[1]

Dagegen ist die Kettenmatrix des Wandlers einschließlich seiner inneren elektrischen Impedanz wieder unabhängig davon, mit welcher der beiden Darstellungen man arbeiten will, und ergibt sich beim elektro-

---

[1] Wählt man beim jeweiligen Wandler immer diejenige Darstellungsart, bei der kein Zusatzglied zur rein mechanischen Impedanz auftritt, so kommt das auf eine Unterscheidung der Wandler in solche hinaus, bei denen der Strom die Wandlerkraft bestimmt ($\mathfrak{J}$ -F-Wandler) und solche, bei denen dies die Spannung übernimmt ($\mathfrak{U}$-F-Wandler).

magnetischen Wandler (nach Abspaltung des Ohmschen Widerstandes) zu:

$$\begin{pmatrix} \underline{F} - \underline{Z}\,\underline{v} \\ \underline{v} \end{pmatrix} = \begin{pmatrix} 0 & \mathfrak{N} \\ -\dfrac{1}{\mathfrak{N}^*} & \dfrac{1}{\mathfrak{N}^*\,\mathfrak{Z}} \end{pmatrix} \begin{pmatrix} \mathfrak{J} \\ \mathfrak{U} \end{pmatrix} = \begin{pmatrix} 0 & \dfrac{I_-}{j\,\omega\,d} \\ \dfrac{j\,\omega\,d}{I_-} & -\dfrac{d}{L_-\,I_-} \end{pmatrix} \begin{pmatrix} \mathfrak{J} \\ \mathfrak{U} \end{pmatrix}. \quad (155)$$

Praktisch ist der Unterschied im mechanischen Teil freilich so gering und sind die Verhältnisse hinsichtlich Lage der Resonanzfrequenz, hinsichtlich Größe der Membranflächen und dgl. so ähnlich dem elektrodynamischen Wandler, daß die Frequenzgänge der Übertragungsmaße aus den Abb. I/26a und I/26b im wesentlichen übernommen werden können. Nur die Induktivität ist im allgemeinen größer, weshalb die durch $\omega = (R + R_0)/L_-$ dargestellten Bereichsgrenzen gegen tiefere Frequenzen wandern.

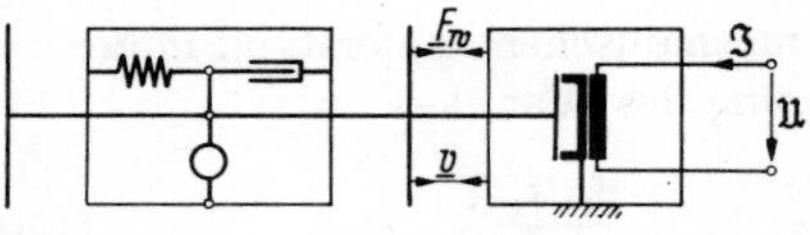

Abb. I/32. Vorschlag eines Schaltsymbols für einen elektromagnetischen Wandler

Abb. I/32 enthält wieder den Vorschlag für ein Schaltsymbol[1], bei dem vom mechanischen Eingang ein Strich zum Anker führt, neben dem ein U-Eisen-Magnet und eine Spule mit ihren Schaltzeichen angedeutet sind.

e) Der piezoelektrische Wandler

Bei dem letzten der oben aufgezählten Luftschallwandler, dem piezoelektrischen, ist die $\mathfrak{N}$-Darstellung so eindeutig die der Natur des Wand-

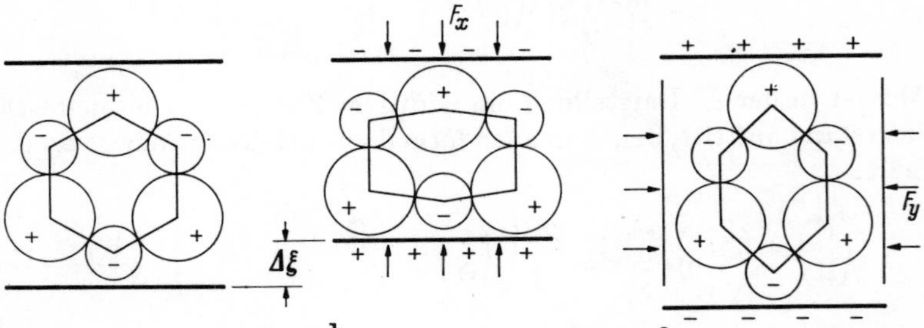

Abb. I/33. Prinzip-Skizze zur Wirkung eines piezoelektrischen Kristalls (nach NEUBERT)

ler-Vorganges angepaßte, wie es bei dem elektrodynamischen Wandler die $\mathfrak{M}$-Darstellung war. Man kann diese Vorgänge sich am einfachsten durch die in Abb. I/33 gezeigten schematischen Skizzen der Anordnung

[1] Wieder angeglichen an DIN 40700; wie beim elektrodynamischen Wandlersymbol wurde auf eine Unterscheidung zwischen Elektromagnet und Dauermagnet verzichtet.

verschiedener positiver und negativer Ionen in einem Kristallgitter klar machen[1]. Im undeformierten Zustand (Abb. I/33a) sind die inneren Ladungen in einem elektrischen Gleichgewicht, so daß auf den außen an das Kristall geklebten Elektroden keine Ladungen erscheinen. Dieses Gleichgewicht aber wird gestört, wenn das Gitter in der gezeichneten Lage zusammengedrückt oder auseinandergezogen wird, entsprechend den Verschiebungen (Abb. I/33b und I/33c), und dadurch sammeln sich auf den Elektroden Ladungen an, ohne daß es irgend einer äußeren Ladungszufuhr bedarf. Wegen der Querkontraktionen kann auch eine zur x-Richtung senkrechte Verschiebung η eine solche Ladungsänderung hervorrufen. Es kann also angesetzt werden:

$$Q_w = - K_{xx}\,\xi \text{ bzw } = - K_{xy}\,\eta$$

oder

$$\mathfrak{J}_w = - K_{xx}\,\underline{v}_x \text{ bzw.} = - K_{xy}\,\underline{v}_y\,. \qquad (156)$$

Die hierbei eingeführte Konstante K umfaßt allerdings sowohl Materialeigenschaften als auch konstruktive, denn aus dem Modell der Abb. I/33 leuchtet ein, daß sie mit der Elektrodenfläche wächst und dem Elektrodenabstand umgekehrt proportional ist.

Da zwischen den beiden Elektroden aber bei Wechselvorgängen auch Verschiebungsströme auftreten können, liegt zu der Wandlerstromquelle eine innere Ableitung parallel und die Beziehung

Quellenstrom = Wandlerstrom + innerer Stromabfall lautet:

$$\mathfrak{J} = - K\,\underline{v} + j\,\omega\,C\,\mathfrak{U}\,. \qquad (157)$$

Auch dieser Vorgang ist umkehrbar. Legt man an die Elektroden eine Spannung, so wirken auf die Ionen Kräfte ein, die zu einer Zusammenziehung oder Ausdehnung des Gitters, wieder verbunden mit entsprechenden Querbewegungen, führen. Aus dem, was oben in (116) und (129) über die Wandlerkonstanten ausgeführt wurde, können wir sofort ansetzen:

$$\underline{F} = \underline{Z}\,\underline{v} + K\,\mathfrak{U}\,. \qquad (158)$$

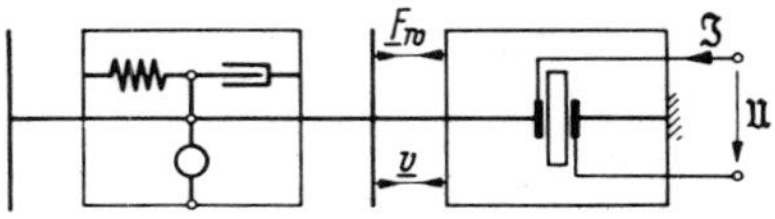

Abb. I/34. Vorschlag eines Schaltsymbols für den piezoelektrischen Wandler

Abb. I/34 zeigt den Vorschlag eines — den Kondensator wieder einbeziehenden — Schaltsymbols, das sich von dem des elektrostatischen Wandlers nur dadurch unterscheidet, daß der zwischen den Elektroden befindliche Kristallkörper durch ein Rechteck angedeutet ist[2] und daß die Battieriespannung wegfällt.

---

[1] Entnommen NEUBERT, H.: Instrument Transducers, Oxford 1963, 305.
[2] Siehe wieder DIN 40700.

Da die Frequenzabhängigkeit der Konstanten ganz derjenigen des elektrostatischen Wandlers in der $\mathfrak{N}$-Darstellung (Gl. (124)) und (Gl. (126)) entspricht und da auch der piezoelektrische Aufnehmer „im Leerlauf", der piezoelektrische Sender „im Kurzschluß" betrieben wird, können wir auch die Frequenzgänge der Übertragungsmaße in den Abb. I/28a und I/28b übernehmen. Der Unterschied ist lediglich, daß die „Kristall"-Wandler wegen der hohen Steife der Kristalle im allgemeinen noch viel höher abgestimmt sind und daß sie viel weniger gedämpft sind. Die in Abb. I/28 den elektrostatischen Wandlern entsprechend abgerundeten Gipfel sind bei den piezoelektrischen Wandlern sehr viel spitzer.

Im übrigen lassen sich bei den Kristall-Wandlern die träge und die elastisch wirkenden Elemente noch weniger in einem Massenwiderstand und einem Federungswiderstand trennen, wie wir das bisher in unseren Gleichungen und Schaltbildern getan haben. Vielmehr handelt es sich bei dem zu einer „Dickenschwingung", d. h. in Abb. I/33 in x-Richtung, angeregten Kristall um eine stehende Longitudinalwelle, wie wir sie in den Kap. II, 1 bzw. II, 4 behandeln werden, deren erste Resonanzstelle dort liegt, wo die Kristall-Dicke gleich einer halben longitudinalen Welle ist. Die Masse–Feder-Darstellung beschreibt aber die mechanischen Vorgänge unterhalb und bei der ersten Resonanz mit guter Annäherung. wenn wir die Federsteife aus der statischen Deformation entnehmen und die Masse dann der tiefsten Eigenfrequenz anpassen.

Die hohe Steife eines longitudinal erregten Kristalls bedeutet, wie in (109) beim Kondensatormikrophon, eine geringe Empfindlichkeit.

Man kann die Steife aber wesentlich verringern und die erste Eigenfrequenz wesentlich erniedrigen, wenn man aus dem Kristall einen schmalen Balken herausschneidet und diesen auf Biegung beansprucht (s. Abb. I/35). Man nutzt dann die in Balken-Querrichtungen auftretenden Ladungsverschiebungen aus, die sich auf Grund der Längsdehnungen und Querkontraktionen ergeben. Da diese aber oberhalb und unterhalb der neutralen Faser entgegengesetzt sind, bringt man in der Mitte eine dritte Elektrode an, die gegenüber den parallel geschalteten äußeren die Gegenelektrode bildet.

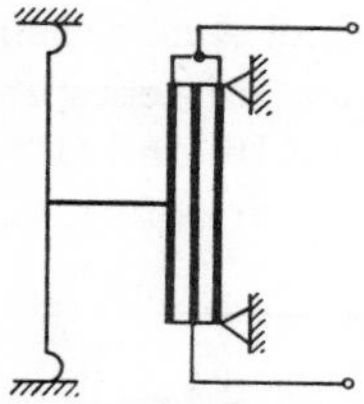

Abb. I/35. Konstruktive Anordnung eines piezoelektrischen Wandlers als Biegeschwinger

Bei Luftschallempfängern wird der Balken meist an beiden Enden aufgestützt und in der Mitte mit den vorzugsweise als Masse wirkenden Membranen durch einen starren Stift verbunden, wie das auch in Abb. I/35 angedeutet ist.

Wir fassen die Ergebnisse dieses Paragraphen wie folgt zusammen: Bei allen Luftschallwandlern liegt am mechanischen Eingang zwischen primärer Kraft und Wandlerkraft ein mechanischer Widerstand, der aus Masse, Feder, Reibungswiderstand und der beim Aufnehmer immer, beim Sender aber meist vernachlässigbaren Strahlungsimpedanz $\underline{Z}_0$ besteht:

$$\underline{F}_0 - \underline{F}_w = \left[\underline{Z}_0 + j\,\omega\,m + r + \frac{s}{j\,\omega}\right] \cdot \underline{v} \tag{159}$$

Beim Sender verschwindet $\underline{F}_0$.

Am elektrischen Eingang liegt zwischen der primären Quellspannung $\mathfrak{U}_0$ und der Klemmenspannung $\mathfrak{U}$ eine Belastungsimpedanz, meist ein reiner Widerstand:

$$\mathfrak{U}_0 - \mathfrak{U} = \mathfrak{Z}_0\,\mathfrak{I}\ (= R_0\,\mathfrak{I})\,. \tag{160}$$

Dieser ist bei den mit elektrischen Feldern arbeitenden Wandlern beim Aufnehmer sehr groß, beim Sender sehr klein. Es ist zweckmäßig, den evtl. auch im Wandler vorhandenen Widerstand mit R_0 additiv zusammenzufassen.

Die Beziehungen zwischen den mechanischen Eingangsgrößen des Wandlers $\underline{F}_w$, $\underline{v}$ und den elektrischen Eingangsgrößen $\mathfrak{I}$, $\mathfrak{U}$ werden dann bei den hier behandelten vier Arten durch die Kettenmatrizen bestimmt:

	magnetische Wandler	elektrische Wandler
$\mathfrak{I}$-F Wandler	elektrodynamisch $\begin{pmatrix}\underline{F}_w\\ \underline{v}\end{pmatrix} = \begin{pmatrix} B\,l & 0 \\ \dfrac{j\,\omega\,L}{B\,l} & -\dfrac{1}{B\,l}\end{pmatrix}\begin{pmatrix}\mathfrak{I}\\ \mathfrak{U}\end{pmatrix}$	elektrostatisch $\begin{pmatrix}\underline{F}_w\\ \underline{v}\end{pmatrix} = \begin{pmatrix} \dfrac{U_-}{j\,\omega\,d} & 0 \\ -\dfrac{d}{C_-U_-} & \dfrac{j\,\omega\,d}{U_-}\end{pmatrix}\begin{pmatrix}\mathfrak{I}\\ \mathfrak{U}\end{pmatrix}$
$\mathfrak{U}$-F Wandler	elektromagnetisch $\begin{pmatrix}\underline{F}_w\\ \underline{v}\end{pmatrix} = \begin{pmatrix} 0 & \dfrac{I}{j\,\omega\,d} \\ \dfrac{j\,\omega\,d}{I_-} & -\dfrac{d}{L_-\,I_-}\end{pmatrix}\begin{pmatrix}\mathfrak{I}\\ \mathfrak{U}\end{pmatrix}$	piezoelektrisch $\begin{pmatrix}\underline{F}_w\\ \underline{v}\end{pmatrix} = \begin{pmatrix} 0 & K \\ -\dfrac{1}{K} & \dfrac{j\,\omega\,C}{K}\end{pmatrix}\begin{pmatrix}\mathfrak{I}\\ \mathfrak{U}\end{pmatrix}$

5. Die elektromechanischen Wandler für Aufnahme und Sendung von Körperschall

a) Körperschall-Aufnehmer

Die zuletzt angegebenen Kettenmatrizen zwischen den leistungsbildenden Größen am mechanischen Eingang $\underline{F}_w$, $\underline{v}$ und denen am elektrischen Eingang $\mathfrak{I}$, $\mathfrak{U}$, sowie die Beziehung zwischen diesen und der Quellspannung, bzw. der Belastung, bleiben auch bei dem Körperschall-Wandler erhalten. Nur ist die Schnelle $\underline{v}$ der Membrane durch die Differenzschnelle $\underline{v}_\Delta$ zwischen den zwei Massen des Tonpilzes zu ersetzen, die wir auch als Wandlerschnelle $\underline{v}_w$ bezeichnen können.

Die Tatsache, daß diese Wandler-Eingangsschnelle nun nicht mehr als absolute, sondern als Differenzschnelle auftritt, verlangt nun auch eine andere Darstellung des mechanischen Eingangs. Er wird hierbei auch zu einem Zweipol, d. h. zu zwei nur gegeneinander bewegbaren „Klemmen", die wir im Gegensatz zu den elektrischen durch kleine Rechtecke darstellen wollen[1] (s. Abb. I/36). An diesen Klemmen hängt nun jeweils einmal der früher mit der Membrane der Mikrophone verbundene Teil, zum anderen der früher mit dem Gehäuse verbundene Teil, d. h. bei den elektrischen Wandlern die Gegenelektrode (s. Abb. I/36 b u. d), bei den magnetischen Wandlern die Erzeuger des Magnetfeldes, die einmal als senkrecht zur Zeichenebene wirkender Polschuh (Abb. I/36 a), oder als in Zeichenebene wirkender Hufeisenmagnet angedeutet sind (Abb. I/36 c).

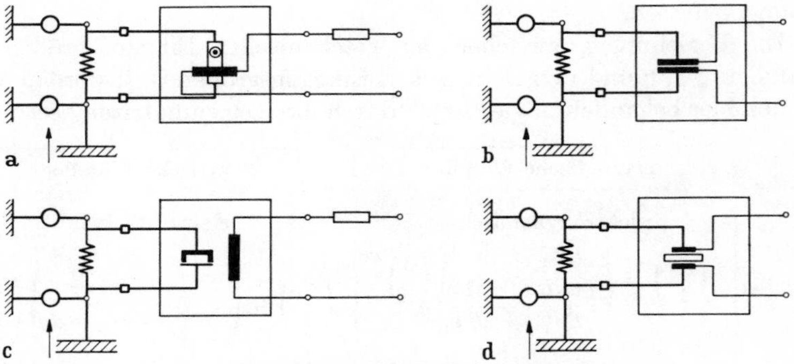

Abb. I/36. Schalt-Schemata für Körperschallwandler

a) elektrodynamische b) elektrostatische
c) elektromagnetische d) piezoelektrische

Die Beziehungen, die zwischen der Schnelle des Meßobjektes und der Wandler-Eingangsschnelle $\underline{v}_w$ (früher $\underline{v}$) herrschen, hatten wir bereits in Abschn. 2 diskutiert, allerdings ohne Berücksichtigung der mechanischen Rückwirkung. Mag diese auch wieder nur bei den magnetischen Aufnehmern beachtlich, bei den elektrischen dagegen klein sein, so wollen wir sie doch im Interesse einer einheitlichen Darstellung grundsätzlich betrachten; d. h. wir haben in der dynamischen Grundbeziehung für die Masse m_2 auch die Wandlerkraft $\underline{F}_w$ einzuführen:

$$\underline{F}_w + \frac{s}{j\,\omega}\underline{v}_w = j\,\omega\,m_2\,(\underline{v} - \underline{v}_w); \tag{161}$$

andererseits haben wir auf die Berücksichtigung einer linearen Reibungskraft verzichtet. Die Körperschallwandler arbeiten fast immer nur ent-

[1] Wir folgen dabei einem Vorschlag von FISCHER, F. A.: Nachr. Techn. Z. 17 (1964) 388.

weder oberhalb oder unterhalb der Resonanz

$$\omega_2 = \sqrt{\frac{s}{m_2}} \qquad (\text{in } (57) \ = \omega_0)\,, \tag{162}$$

so daß man sich bei den prinzipiellen Betrachtungen mit der qualitativen Abrundung evtl. rein mechanischer Resonanzgipfel begnügen kann. Quantitativ überwiegt bei den Aufnehmern meist die vom elektrischen Kreis ausgehende Dämpfung, bei den Sendern die Strahlungsbelastung.

Zwischen der vorerst primär gesuchten Schnelle $\underline{v}$ und den mechanischen Sekundärgrößen $\underline{F}_w$ und $\underline{v}_w$ ergibt sich aus (161) die Beziehung:

$$\underline{v} = \frac{1}{j\,\omega\, m_2}\underline{F}_w + \left(1 - \frac{\omega_2^2}{\omega^2}\right)\underline{v}_w\,. \tag{163}$$

Bei einem mit Impedanz $\mathfrak{Z}_0$ belasteten $\mathfrak{M}$-Wandler gilt nach (135) mit $\underline{v}_w$ statt $\underline{v}$:

$$\underline{F}_w = \underline{\mathfrak{M}}\,\mathfrak{I} \tag{164a}$$

$$\underline{v}_w = \frac{1}{\underline{\mathfrak{M}}^*}(\mathfrak{Z}\,\mathfrak{I} - \mathfrak{U}) = \frac{1}{\underline{\mathfrak{M}}^*}(\mathfrak{Z} + \mathfrak{Z}_0)\,\mathfrak{I}\,. \tag{164b}$$

Dies in (163) eingesetzt, liefert für den Übertragungsfaktor $(-\mathfrak{I}/\underline{v})$ des Aufnehmers:

$$\left(-\frac{\mathfrak{I}}{\underline{v}}\right)_{\mathfrak{U}_0=0} = \frac{-\underline{\mathfrak{M}}^*}{\left(1 - \frac{\omega_2^2}{\omega^2}\right)(\mathfrak{Z} + \mathfrak{Z}_0) + M^2/j\,\omega\, m_2}\,. \tag{165}$$

Als Beispiel betrachten wir den dynamischen Wandler, d. h.

$$\mathfrak{M} = B\,l; \qquad \mathfrak{Z} + \mathfrak{Z}_0 = j\,\omega\, L + R + R_0\,,$$

der außerdem wegen der Masse des Magneten nur als tief abgestimmtes System

$$\omega_2^2 \ll \omega^2$$

konstruktiv herstellbar ist. Dann ergibt sich:

$$\left(-\frac{\mathfrak{I}}{\underline{v}}\right)_{\mathfrak{U}_0=0} = \left(\frac{\mathfrak{U}}{R_0\,\underline{v}}\right)_{\mathfrak{U}_0=0} = \frac{-B\,l}{(j\,\omega\, L + R + R_0) + (B\,l)^2/j\,\omega\, m_2}\,. \tag{166}$$

In Abb. I/37 ist der Frequenzgang des entsprechenden Übertragungsmaßes $\log\left\{\frac{\mathrm{I/A}}{v/\mathrm{ms}^{-1}}\right\}$ eingetragen. Er zeigt zwischen dem durch

$$\omega = \frac{(B\,l)^2}{m_2\,(R + R_0)} \tag{167}$$

und

$$\omega = \frac{R + R_0}{L} \tag{168}$$

gegebenen Bereichsgrenzen ein ideales Verhalten als Schnelleaufnehmer. Der unter der durch (167) gegebenen Frequenz feststellbare Abfall hat nichts mit der mechanischen Abstimmung der schwebenden Masse m_2 zu tun. Diese ist noch viel tiefer anzunehmen. Er rührt vielmehr davon her, daß die Wandlerkraft in der Lage ist die Trägheit des Magneten, der ja möglichst in Ruhe verharren soll, zu überwinden, und damit die Differenzschnelle zwischen Spule und Topfmagneten zu verringern.

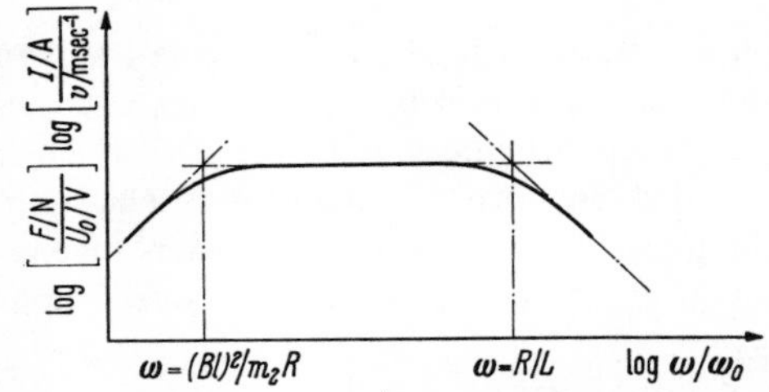

Abb. I/37. Frequenzgang des Übertragungsmaßes eines elektrodynamischen (bzw. elektromagnetischen) Körperschall-Wandlers

Ist der Magnet nicht elastisch mit dem Meßobjekt gekoppelt, sondern an einen als ruhend zu betrachtenden Bezugskörper von sehr großer Masse befestigt, dann entfällt der letzte Summand im Nenner von (165) und es gilt $\omega_2 = 0$. Die Beziehung (165) nimmt dann die einfache Form an:

$$\left(\frac{-\mathfrak{J}}{\mathfrak{v}}\right)_{\mathfrak{U}_0=0} = \frac{-\mathfrak{M}^*}{\mathfrak{Z}+\mathfrak{Z}_0}, \tag{169}$$

d. h. aber mit den Daten des elektromagnetischen Wandlers:

$$\left(\frac{\mathfrak{U}}{\mathfrak{v}}\right)_{\mathfrak{U}_0=0} = \frac{-B\,l\,R_0}{R+R_0+j\,\omega\,L}. \tag{170}$$

Der oberhalb der durch (168) gegebenen Frequenzgrenze zu erwartende Abfall, der von einem Überwiegen der induktiven Impedanz im elektrischen Kreise herrührt, bleibt dabei erhalten.

Einen Fall ruhender Gegenmasse m_2 werden wir im Kap. V, 4, Abb. 16 unter Anwendung des elektrostatischen Prinzips kennen lernen. Da dabei

$$-\underline{\mathfrak{M}}^* = \frac{U_-}{j\,\omega\,d}; \qquad \mathfrak{Z}+\mathfrak{Z}_0 = R_0 + \frac{1}{j\omega C_-} \approx R_0$$

ist, ergibt sich

$$\left(-\frac{\mathfrak{J}\,R_0}{\mathfrak{v}}\right) = \left(\frac{\mathfrak{U}}{\mathfrak{v}}\right) = \frac{U_-}{j\,\omega\,d}. \tag{171}$$

Man kann diesen mit ω^{-1} abfallenden Übertragungsfaktor auch einfach dahin interpretieren, daß der „tief abgestimmte", elektrostatische Aufnehmer den Ausschlag anzeigt[1].

Der elektrostatische Aufnehmer, der ja nur eine leichte Gegenelektrode benötigt, kann auch als hochabgestimmtes System auftreten[2]. Dann ergibt sich aus (165) unter Vernachlässigung der kleinen Wandler-

[1] Ein weiteres Beispiel eines tief abgestimmten elektrostatischen Aufnehmers beschreibt ERLER, W.: Hochfrequenz und Elektroakustik 65 (1957) 201.
[2] ERLER, W.: s. S. 204.

rückwirkung und des kapazitiven Widerstandes:

$$\left(\frac{\mathfrak{U}}{\underline{v}}\right) = \frac{U_-/j\,\omega\,d}{-\,\omega_2^2/\omega^2} = \frac{j\,\omega\,m_2}{s} \cdot \frac{U_-}{d}\,, \tag{172}$$

d. h., die Beschleunigung der Masse m_2 erzeugt eine Kraft, welche die Feder mit der Steife s zusammendrückt, und der daraus sich ergebende Differenzausschlag ξ_Δ erzeugt eine Ersatzspannung des elektrostatischen Wandlers, die sich zur Vorspannung U_- wie ξ_Δ zu d verhält. Der hoch abgestimmte elektrostatische Aufnehmer ist also ein Beschleunigungsaufnehmer. Bei sehr tiefen Frequenzen unterhalb

$$\omega = \frac{1}{R_0}\left(\frac{1}{C_-} - \frac{U_-^2}{d^2\,s}\right) \tag{173}$$

tritt, wie in Abb. I/38 angedeutet, ein zusätzlicher Abfall ein.

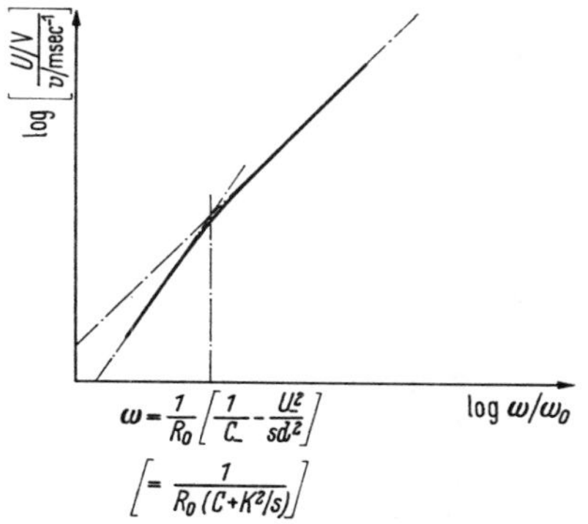

Abb. I/38. Frequenzgang des Übertragungsmaßes eines elektrostatischen (bzw. piezoelektrischen Aufnehmers)

Wir wenden uns nun den $\mathfrak{N}$-Wandlern zu. In diesem Falle sind (164a) und (164b) gemäß (155) zu ersetzen durch:

$$\underline{F}_w = \mathfrak{N}\,\mathfrak{U} \tag{174a}$$

$$\underline{v}_w = \frac{1}{\underline{\mathfrak{N}}^*}\left(-\,\mathfrak{J} + \frac{\mathfrak{U}}{\mathfrak{Z}}\right) = \frac{1}{\underline{\mathfrak{N}}^*}\left(\frac{1}{\mathfrak{Z}_0} + \frac{1}{\mathfrak{Z}}\right)\mathfrak{U} \tag{174b}$$

und wir erhalten statt (165):

$$\left(\frac{\mathfrak{U}}{\underline{v}}\right)_{\mathfrak{U}_0=0} = \frac{\underline{\mathfrak{N}}^*}{\left(1 - \frac{\omega_2^2}{\omega^2}\right)\left(\frac{1}{\mathfrak{Z}} + \frac{1}{\mathfrak{Z}_0}\right) + \frac{N^2}{j\,\omega\,m_2}}\,. \tag{175}$$

Der elektromagnetische Aufnehmer, als welcher jedes Telefonhörersystem dienen kann, ist wieder als tiefabgestimmt anzunehmen — bis zum Grenzfall der Befestigung an einem ruhenden Bezugskörper, also $\omega_2 = 0$. Für die übrigen Daten hatten wir (s. (153))

$$\underline{\mathfrak{N}}^* = \frac{-\,I_-}{j\,\omega\,d}\,, \qquad \mathfrak{Z} = j\,\omega\,L, \quad \mathfrak{Z}_0 = R + R_0 \approx R_0\,.$$

Wir erhalten somit für den Übertragungsfaktor:

$$\left(\frac{\mathfrak{U}}{\underline{v}}\right)_{\mathfrak{U}_0=0} = \frac{-\,I_-/j\,\omega\,d}{\frac{1}{j\,\omega\,L} + \frac{1}{R_0} + \frac{I_-^2}{j\,\omega^3\,d^2\,m_2}}\,. \tag{176}$$

Der die Wandlerkraft enthaltende dritte Summand im Nenner spielt erst bei so tiefen Frequenzen eine Rolle, daß er außer Betracht bleiben kann. Solange der Ohmsche Widerstand überwiegt, also bei tieferen und mittleren Frequenzen, haben wir es wie beim elektrodynamischen Aufnehmer mit einem Schnelleaufnehmer zu tun, im höheren Frequenzbereich, wo der induktive Widerstand überwiegt, wie dort mit einem Ausschlags-Aufnehmer.

Der am ruhenden Bezugskörper angebrachte elektromagnetische Aufnehmer hat — wie der in gleicher Weise angeordnete elektrostatische — den Vorteil, daß er praktisch rückwirkungsfrei ist. Dieser Vorteil aber wird dadurch erkauft, daß der Abstand d, bzw. d_L der wesentlich in die Wandlerkonstante eingeht, immer sehr sorgfältig eingehalten sein oder nachgeregelt werden muß. Die Abstandskontrolle kann in beiden Fällen durch Kontrolle der Ruhewerte von L und C in einer Spannungsteiler- oder Brückenschaltung geschehen. Wenn es sich nicht um eine Laboratoriumsanordnung handelt, sind solche Nacheichungen natürlich lästig.

Die praktisch weitaus größte Bedeutung als Aufnehmer hat daher der piezo-elektrische erlangt, der mit Gehäuse so leicht ausgeführt werden kann, daß man ein hochabgestimmtes System nach Art der Abb. I/11a erhält, das wegen der schützenden Ummantelung des schwingenden Teiles außerdem von jedermann gehandhabt werden kann.

Mit $\mathfrak{N} = K$ und $\mathfrak{Z} = \frac{1}{j\,\omega\,C}$, sowie $\mathfrak{Z}_0 = R_0 \gg \frac{1}{j\,\omega\,C}$ ergibt sich, wie oben bei dem hochabgestimmten elektrostatischen Aufnehmer, ein idealer Beschleunigungs-Aufnehmer, für den auch der in Abb. I/38 wiedergegebene Frequenzgang gilt:

$$\left(\frac{\mathfrak{U}}{\mathfrak{v}}\right)_{\mathfrak{U}_0=0} = \frac{\frac{j\,\omega\,m_2}{s}\,j\,\omega\,K}{\left(j\,\omega\,C + \frac{1}{R_0}\right) + K^2\,\frac{j\,\omega}{s}}. \tag{177}$$

Oberhalb der hier durch

$$\omega = \frac{1}{R_0}\,\frac{1}{C + K^2/s} \tag{178}$$

gegebenen Bereichsgrenze, gilt die einfache Formel:

$$\left(\frac{\mathfrak{U}}{\mathfrak{v}}\right)_{\mathfrak{U}_0=0} = \frac{j\,\omega\,m_2}{s}\,\frac{K}{(C + K^2/s)}, \tag{177a}$$

d. h. die Beschleunigung der Masse m_2 bewirkt eine Kraft $\omega\,m_2$, unter der sich die Feder mit der Steife s um ξ_Δ zusammendrückt; dies bewirkt eine Ladungsänderung $K\,\xi_\Delta$, mit der nach Maßgabe der Kapazität C eine Spannungsänderung verbunden ist.

Wie schon beim piezo-elektrischen Mikrophon vermerkt, ist auch hier die Zerlegung des als Dicken- oder Biege-Schwingers konstruierten Kristall-Aufnehmers in eine Masse m_2 und eine Feder s nur eine unterhalb der Eigenfrequenz und in ihrer Nähe gültige Ersatzdarstellung. Hinsichtlich der komplizierteren wirklichen Verhältnisse sei auf die ausführlichen Untersuchungen von ERLER und LENK verwiesen[1].

Wegen seiner hohen Steife ist der als Dickenschwinger arbeitende Quarzkristall auch geeignet, in den Kraftweg eingeschaltet zu werden, ohne daß das Verhalten des Meßobjektes durch merkliche Deformationen verändert wird. Wie wir aus (158) wissen, ist dann die an den Elektroden abgreifbare Spannung der Kraft direkt proportional.

Zur Kraftmessung wird auch noch ein fünftes Wandlerprinzip bei den Körperschallaufnehmern herangezogen, das als Mikrophon im Hörbereich gerade wegen der großen Steife kaum Verwendung findet. Es handelt sich darum, daß reines Nickel, sowie gewisse Eisen–Nickel-Legierungen ausgesprochene Änderungen ihrer magnetischen Eigenschaften — überschlägig ausgedrückt ihrer Remanenz und ihrer Permeabilität — zeigen, wenn sie gedrückt oder gezogen werden. Es leuchtet ein, daß das zur Magnetisierung notwendige Verdrehen oder gar Umklappen der Elementarmagnete beeinflußt wird, je nachdem das Material unter Druck oder Zug steht. Man spricht dann von „Magnetostriktion". Die damit verbundene zeitliche Änderung des Flusses, der zunächst auch wieder durch eine Vormagnetisierung erzeugt sein muß, ergibt nach dem Induktionsgesetz eine Spannung, die bei großem Belastungswiderstand zur Klemmenspannung wird:

$$\mathfrak{U} \approx \mathfrak{U}_w \sim j\,\omega\,\underline{F}\,. \qquad (178)$$

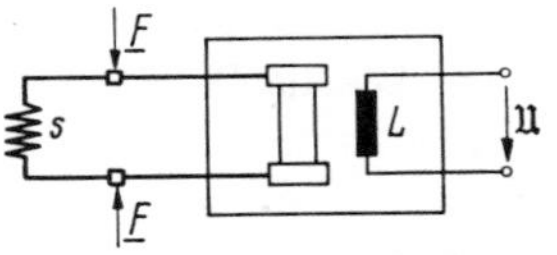

Abb. I/39. Wandler-Schaltsymbol für einen magnetostriktiven Kraftmesser

Abb. I/39 enthält einen Vorschlag für ein entsprechendes Wandlersymbol, wobei am mechanischen Eingang die auf der mechanischen Seite bei der Benutzung als Kraftmesser ausschließlich interessierende Federsteife parallel geschaltet ist.

Man kann die Kraft $\underline{F}$ auch durch die Beschleunigung einer Masse m_2 an einem wie bisher auf ein mit der Schnelle $\underline{\mathfrak{v}}$ schwingendes Objekt aufgesetzten Aufnehmer erzeugen:

$$\underline{F} = j\,\omega\,m_2\,\underline{\mathfrak{v}}\,. \qquad (179)$$

Die bei hohem elektrischem Belastungswiderstand angezeigte Klemmenspannung ist dann nicht der Beschleunigung proportional, sondern, wie die Kombination von (178) und (179) zeigt, deren Ableitung nach der Zeit

$$\underline{\mathfrak{U}} \sim -\,\omega^2\,m_2\,\underline{\mathfrak{v}} \qquad (180)$$

[1] ERLER, W.: Hochfrequenz und Elektroakustik 65 (1957) 201. — ERLER, W. u. LENK, A.: Hochfrequenz u. Elektroakustik 68 (1959) 64. — LENK, A.: Hochfrequenz u. Elektroakustik 72 (1963) 67.

wie das auch bei einem hochabgestimmten elektromagnetischen Aufnehmer der Fall wäre, mit der der magnetostriktive Wandler formal gleich behandelt werden kann. Die Empfindlichkeit würde bei einem solchen aufgesetzten magnetostriktiven Tonpilz stärker nach tiefen Frequenzen fallen, wenn man nicht durch elektrische Integration eine Spannung am Anzeigeinstrument erzeugen würde, die wenigstens der Beschleunigung proportional ist.

Das magnetostriktive Prinzip ist reziprok. Wenn man durch einen dem polarisierenden Strom überlagerten Wechselstrom den Fluß in einem magnetostriktiven Material ändert, ergeben sich Kräfte, die es zum Schwingen bringen. Man erhält dabei allerdings nur dann einen wirkungsvollen Sender, wenn man den magnetostriktiven Wandler in Resonanz betreibt[1]. Dabei gilt wieder wie oben bei den Kristallaufnehmern, daß es sich um die Dickenschwingung eines elastischen Kontinuums handelt, das nur näherungsweise durch ein Masse–Feder-System ersetzt werden kann.

b) Körperschall-Sender

Das weitaus am meisten angewendete Wandlerprinzip für Körperschall–Meß-Sender im Hörbereich ist das elektro-dynamische, weil es oberhalb der Eigenfrequenz eine frequenzunabhängige und hinreichend große Wechselkraft liefert. Wir dürfen auch bei den Körperschallwandlern erwarten, daß die Senderprobleme zu den Aufnehmerproblemen reziprok sind, wenn wir die beim Aufnehmer verschwindende Quellspannung $\mathfrak{U}_0$ als gegebene Größe einführen und dafür die beim Aufnehmer als gegeben betrachtete Objektschnelle $\underline{v} = 0$ setzen.

Es erscheint zunächst paradox, daß bei der Berechnung des Übertragungsfaktors eines Senders, dessen Aufgabe es ja gerade ist, einem Körperschallträger eine Schnelle aufzuzwingen, diese Schnelle gleich Null gesetzt wird. Die Vernachlässigung, die wir dabei begehen, ist aber prinzipiell nur dieselbe, die uns beim Aufnehmer berechtigt, an Stelle der Schnelle des Objektes ohne Aufnehmer $\underline{v}_0$ diejenige mit Aufnehmer $\underline{v}$ zu setzen. Wie wir in (11 a) dargelegt haben, ist der relative Fehler gleich dem Verhältnis der mechanischen Eingangsimpedanz $\underline{Z}_a$ des Wandlers zu der des Objektes $\underline{Z}_0$. Dasselbe gilt aber auch, wie sich durch eine in diesem Falle etwas weniger durchsichtige Rechnung beweisen, aber auch einfach aus dem Reziprozitätsgesetz folgern läßt, für den Unterschied der Kräfte, die der als Sender betriebene Wandler einmal auf eine starre Fläche und einmal auf ein bewegtes Objekt ausübt. Man kann daher unter der genannten Voraussetzung zunächst einmal die Kraft näherungsweise für $\underline{v} = 0$ ausrechnen und dann durch Division durch die Punktimpedanz

[1] Meyer, E. u. G. Buchmann: Akust. Z. 3 (1938) 132.

des anzuregenden Objektes die Schnelle und schließlich auch die an das Objekt abgegebene Wirkleistung berechnen:

$$P = \frac{1}{2} \operatorname{Re} \{\hat{\underline{F}}\, \hat{\underline{v}}^*\} = \frac{1}{2} \operatorname{Re} \left\{\frac{1}{\underline{Z}_0}\right\} \hat{F}^2 = \frac{1}{2} \operatorname{Re} \{\underline{Z}_0\}\, \hat{v}^2 . \qquad (181)$$

Gerade wenn $\underline{Z}_0$ sehr groß ist, kann v sehr klein und $v \approx 0$ eine gute Annäherung sein, dabei aber doch eine hinreichende Leistung an das Objekt abgegeben werden.

Dieses Vorgehen würde auch dem bei der Berechnung von Lautsprechern üblichen entsprechen, wo man die Schnelle der Membrane unter Vernachlässigung der geringen Kräfte berechnet, welche die beschleunigte oder komprimierte Luft auf die Membrane ausübt. Dabei ist es bei den Luftschallsendern meist bekannt, ob das Medium auf eine freischwingende Membrane, auf eine in einer Schallwand eingebettete, oder über eine Druckkammer mit anschließendem Trichter zurückwirkt. Die dahinter folgende Raumsituation ist im allgemeinen ohne Einfluß. Man wäre daher dort in der Lage, die jeweilige Strahlungsimpedanz in Rechnung zu setzen.

Bei den Körperschallsendern ist dagegen im allgemeinen völlig offen, auf was für eine Punktimpedanz sie aufgesetzt werden. Oft ist diese dem Körperschallträger gar nicht einmal anzusehen; sie kann infolge einer Eigenschwingung, wie wir in Abschn. 2 gesehen haben, sehr klein sein. Da sie aber im allgemeinen als groß anzusehen ist, erscheint es sinnvoll, die Sender durch den Grenzfall sehr großer Punktimpedanzen, d. h. aber durch $v = 0$ zu kennzeichnen.

Solange wir $v = 0$ setzen, spielt auch die mit dem Objekt bewegte Masse m_1 des Tonpilzes keine Rolle, vielmehr setzt sich die gesuchte Kraft $\underline{F}$ aus Wandlerkraft und Federkraft zusammen:

$$\underline{F} = \underline{F}_w + \frac{s}{j\,\omega}\, \underline{v}_w \qquad (182)$$

und diese beiden — für den Tonpilz „inneren“ — Kräfte sind es wiederum, die der Masse m_2 die Beschleunigung $-j\,\omega\,\underline{v}_w$ in Richtung von $\underline{F}$ erteilen:

$$\underline{F} = -\,j\,\omega\, m_2\, \underline{v}_w\,. \qquad (183)$$

Wir können also $\underline{F}_w$ und $\underline{v}_w$ durch die gesuchte Größe ausdrücken:

$$\underline{v}_w = -\frac{1}{j\,\omega\, m_2}\, \underline{F} \qquad (184a)$$

und unter Einsetzen von (183) in (182):

$$\underline{F}_w = \underline{F} \left(1 - \frac{\omega_2^2}{\omega^2}\right). \qquad (184b)$$

Die Beziehungen zwischen der beim Sender gegebenen Quellenspannung $\mathfrak{U}_0$ und den mechanischen „Ausgangsgrößen“ des Wandlers F_w, v_w sind dieselben wie beim Luftschall, nur daß wir dort $v_w = v$ setzen konnten. Sie lauten speziell beim elektrodynamischen Wandler (s. (77a), (85) und (91)

$$\underline{F}_w = B\, l\, \mathfrak{J} \tag{185a}$$

$$\mathfrak{U}_0 = (\mathfrak{Z} + \mathfrak{Z}_0)\, \mathfrak{J} - B\, l\, \underline{v}_w\,, \tag{185b}$$

ergeben also zusammengefaßt:

$$\mathfrak{U}_0 = \frac{\mathfrak{Z} + \mathfrak{Z}_0}{B\, l}\, \underline{F}_w - B\, l\, \underline{v}_w\,, \tag{186}$$

oder allgemein für einen $\mathfrak{M}$-Wandler:

$$\mathfrak{U}_0 = \frac{\mathfrak{Z} + \mathfrak{Z}_0}{\underline{\mathfrak{M}}}\, \underline{F}_w - \underline{\mathfrak{M}}^*\, \underline{v}_w\,. \tag{186a}$$

Das Einsetzen der Gln. (184) und (186) liefert schließlich für den gesuchten Sender-Übertragungsfaktor:

$$\left(\frac{\underline{F}}{\mathfrak{U}_0}\right)_{v=0} = \frac{\underline{\mathfrak{M}}}{\left(1 - \frac{\omega_2^2}{\omega^2}\right)(\mathfrak{Z} + \mathfrak{Z}_0) + \frac{M^2}{j\,\omega\, m_2}}\,, \tag{187}$$

also, wie erwartet, einen bis auf den Phasenwinkel zu (165) reziproken Ausdruck.

Bei dem stets tief abgestimmten elektrodynamischen Sender vereinfacht sich dieser Ausdruck zu:

$$\left(\frac{\underline{F}}{\mathfrak{U}_0}\right)_{v=0} = \frac{B\, l}{(j\,\omega\, L + R + R_0) + (B\, l)^2/j\,\omega\, m_2}\,. \tag{187a}$$

Der Frequenzgang des zugehörigen Übertragungsmaßes $\log \left|\frac{\underline{F}/\mathrm{N}}{\mathfrak{U}_0/\mathrm{V}}\right|$ ist somit derselbe, wie der des Aufnehmer-Übertragungsmaßes, weshalb auch in Abb. I/37 beide an die Ordinate angeschrieben wurden. Beim Sender leuchtet besonders ein, daß die erstrebte Kraftwirkung auf den Körperschallträger bei tiefen Frequenzen nachlassen muß, wenn die Masse des Magneten, gegen den sich diese Kraft „abstützt", nachgibt.

Man wird bei den stets kräftiger gebauten Sendern mehr als bei den leichteren Aufnehmern fallweise kontrollieren müssen, ob die für die Ableitung der Formel (187) gemachte Voraussetzung

$$\underline{Z}_a \ll \underline{Z}_0$$

erfüllt ist, also an einer Berechnung der mechanischen Eingangsimpedanz $\underline{Z}_a$ des ganzen konstruktiven Wandlergebildes interessiert sein.

Hierzu, aber auch um den allgemeinen Beziehungen der Körperschallwandler näher zu kommen, müssen wir einen Schritt weiter gehen und den mechanischen Eingang (bzw. Ausgang) vor die Masse m_1 verlegen. An Stelle der Gl. (182) erhalten wir dann die dynamische Grundgleichung für die Bewegung dieser Masse mit der Schnelle $\underline{v}$:

$$\underline{F} - \underline{F}_w - \frac{s}{j\,\omega}\underline{v}_w = j\,\omega\,m_1\,\underline{v}\,. \tag{188}$$

Eliminiert man hierin $\underline{v}$, indem man es nach der für m_2 geltenden dynamischen Grundbeziehung (161) bzw. (163) durch F_w und v_w ausdrückt, so erhält man:

$$\underline{F} = \left(\frac{m_1 + m_2}{m_2}\right)\underline{F}_w + \left(\frac{s}{j\,\omega} + j\,\omega\,m_1\left(1 - \frac{\omega_2^2}{\omega^2}\right)\right)\underline{v}_w\,. \tag{189}$$

Dies kann unter Einführung der Tonpilz-Eigenfrequenz nach (56) auch umgeformt werden zu:

$$\underline{F} = \frac{m_1 + m_2}{m_2}\underline{F}_w + \frac{m_1 + m_2}{m_2}\frac{s}{j\,\omega}\left(1 - \frac{\omega^2}{\omega_{12}^2}\right)\underline{v}_w\,. \tag{189a}$$

Bei Resonanz mit der Tonpilz-Eigenfrequenz sind Wandlerkraft und treibende Kraft somit gleichphasig.

Man kann auch die Gln. (163) und (189a) zu einer Kettenmatrix zusammenfassen:

$$\begin{pmatrix}\underline{F}\\ \underline{v}\end{pmatrix} = \begin{pmatrix}\dfrac{m_1 + m_2}{m_2} & \dfrac{m_1 + m_2}{m_2}\dfrac{s}{j\,\omega}\left(1 - \dfrac{\omega^2}{\omega_{12}^2}\right)\\ 1/j\,\omega\,m_2 & (1 - \omega_2^2/\omega^2)\end{pmatrix}\begin{pmatrix}\underline{F}_w\\ \underline{v}_w\end{pmatrix}. \tag{190}$$

An dieses mechanische zum konstruktiven Wandlerelement gehörige Kettenglied schließen sich wie beim Luftschallwandler die durch die folgenden Matrizen darstellbaren Glieder an, die bei Verwendung eines $\mathfrak{M}$-Wandlers lauten (s. Gln. (135) und (91)):

$$\begin{pmatrix}\underline{F}_w\\ \underline{v}_w\end{pmatrix} = \begin{pmatrix}\underline{\mathfrak{M}} & 0\\ \mathfrak{Z}/\underline{\mathfrak{M}}^* & -1/\underline{\mathfrak{M}}^*\end{pmatrix}\begin{pmatrix}\mathfrak{J}\\ \mathfrak{U}\end{pmatrix} \tag{191}$$

$$\begin{pmatrix}\mathfrak{J}\\ \mathfrak{U}\end{pmatrix} = \begin{pmatrix}1 & 0\\ -\mathfrak{Z}_0 & 1\end{pmatrix}\begin{pmatrix}\mathfrak{J}\\ \mathfrak{U}_0\end{pmatrix} \tag{192}$$

und die sich zusammenfassen lassen zu:

$$\begin{pmatrix}\underline{F}_w\\ \underline{v}_w\end{pmatrix} = \begin{pmatrix}\underline{\mathfrak{M}} & 0\\ (\mathfrak{Z} + \mathfrak{Z}_0)/\underline{\mathfrak{M}}^* & -1/\underline{\mathfrak{M}}^*\end{pmatrix}\begin{pmatrix}\mathfrak{J}\\ \mathfrak{U}_0\end{pmatrix}. \tag{193}$$

Wir wollen darauf verzichten, den langwierigen Ausdruck hinzuschreiben, der sich aus der Zusammenfassung von (190) und (193) ergibt. Unser Ziel, den mechanischen Eingangswiderstand $\underline{Z}_a$ kennen zu lernen, können wir einfacher haben. Zunächst wissen wir von den Luftschallwandlern (s. Gl. (96)) und können es aus (193) mit $\mathfrak{U}_0 = 0$ allgemeiner ausrechnen, daß der elektrische Kreis sich am mechanischen Wandlereingang wie ein mechanischer Ersatzwiderstand der Größe

$$\left(\frac{\underline{F}_w}{\underline{\mathfrak{v}}_w}\right)_{\mathfrak{U}_0=0} = \frac{M^2}{\mathfrak{Z} + \mathfrak{Z}_0} \tag{194}$$

auswirkt. Dieser Widerstand aber liegt zu der Feder s konstruktiv parallel; d. h. dort, wo bei den rein mechanischen Betrachtungen in (55) der Federungswiderstand $s/j\,\omega$ auftrat, ist jetzt:

$$\frac{s}{j\,\omega} + \left(\frac{\underline{F}_w}{\underline{\mathfrak{v}}_w}\right)_{\mathfrak{U}_0=0}$$

einzusetzen. Damit ergibt sich für den gesuchten mechanischen Eingangswiderstand:

$$\underline{Z}_a = j\,\omega\,m_1 + \cfrac{1}{\cfrac{1}{\cfrac{s}{j\,\omega} + \left(\cfrac{\underline{F}_w}{\underline{\mathfrak{v}}_w}\right)_{\mathfrak{U}_0=0}} + \cfrac{1}{j\,\omega\,m_2}}\,. \tag{195}$$

Diese Beziehung ergibt sich auch aus (190), dort allerdings zunächst in wesentlich unübersichtlicherer Form. Man sieht daran, wie zweckmäßig es auch im mechanischen Teil ist, in Schaltungen zu denken. Wir erhalten so für den gesuchten mechanischen Eingangswiderstand:

$$\underline{Z}_a = j\,\omega\,m_1 + \cfrac{1}{\cfrac{1}{s/j\,\omega + M^2/(\mathfrak{Z} + \mathfrak{Z}_0)} + \cfrac{1}{j\,\omega\,m_2}}\,. \tag{196}$$

Falls nun $\underline{Z}_0$ bekannt ist und sich herausstellt, daß es nicht groß gegen $\underline{Z}_a$ ist, bleibt als letzter Schritt, die Nachgiebigkeit des Meß- bzw. Erregungs-Objektes zu berücksichtigen. Wir können auch diese bereits in (11) enthaltene Ergänzung formal behandeln als Erweiterung unserer Kette um das Glied:

$$\begin{pmatrix}\underline{F}\\ \underline{\mathfrak{v}}_0\end{pmatrix} = \begin{pmatrix}1 & 0\\ 1/Z_0 & 1\end{pmatrix}\begin{pmatrix}\underline{F}\\ \underline{\mathfrak{v}}\end{pmatrix}. \tag{197}$$

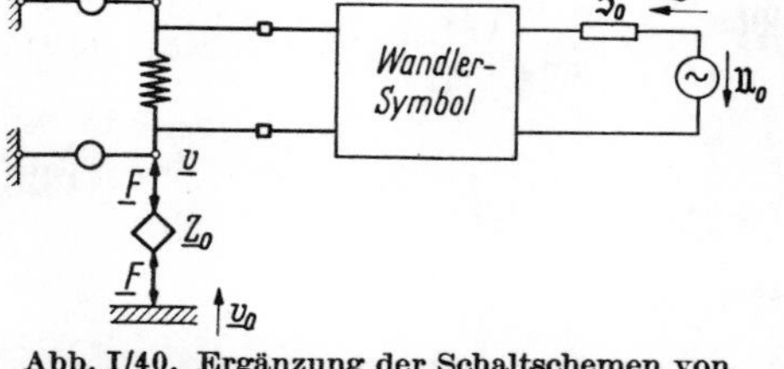

Abb. I/40. Ergänzung der Schaltschemen von Abb. I/36 durch ursprüngliche Schnelle, Objekt — Widerstand, Quellenspannung und elektrischen Belastungswiderstand

In dem entsprechend erweiterten Schaltbild (s. Abb. I/40) tritt die wieder durch ein schräg liegendes Karo angedeutete mechanische Impedanz Z_0 diesmal nicht als Kraftverzweigung, sondern „in Reihe“ mit der Masse m_2 auf.

Für die praktische Durchrechnung wie für die physikalische Übersicht ist es einfacher, auf (11) zurückzugreifen und darin (196) fallweise einzusetzen. Damit ändert sich der Übertragungsfaktor des Aufnehmers, den wir oben in (187) unter der Annahme gegebener v bereits ermittelt hatten, einfach in:

$$\left(-\frac{\mathfrak{J}}{\underline{v}_0}\right)_{\mathfrak{U}_0=0} = \frac{\underline{Z}_0}{\underline{Z}_0 + \underline{Z}_a} \frac{-\underline{\mathfrak{M}}^*}{\left(1-\frac{\omega_2^2}{\omega^2}\right)(\mathfrak{Z}+\mathfrak{Z}_0)+\frac{M^2}{j\,\omega\, m_2}}, \tag{198}$$

und wir können aus der vollständigen Reziprozität aller vor und hinter den Wandler geschalteten Glieder schließen, daß für den Sender-Übertragungsfaktor (abgesehen von der Vertauschung von $-\underline{\mathfrak{M}}^*$ mit $\underline{\mathfrak{M}}$) die gleiche Formel gilt:

$$\left(\frac{\underline{F}}{\mathfrak{U}_0}\right)_{\underline{r}_0=0} = \frac{\underline{Z}_0}{\underline{Z}_0 + \underline{Z}_a} \frac{\underline{\mathfrak{M}}}{\left(1-\frac{\omega_2^2}{\omega^2}\right)(\mathfrak{Z}+\mathfrak{Z}_0)+\frac{M^2}{j\,\omega\, m_2}}. \tag{199}$$

Um die „wirklichen" Übertragungsfaktoren in (198) und (199) berechnen zu können, muß man $\underline{Z}_0$ kennen. Einige Fälle, in denen die Punktimpedanz berechnet werden kann, werden wir in Kap. IV kennen lernen. Im allgemeinen aber muß man $\underline{Z}_0$ messen.

Dies kann einmal durch geeignete Kombination von Sendern und Aufnehmern geschehen, wobei es zweckmäßig ist, verschiedenartige Prinzipien zu verwenden, um eine unmittelbare Einwirkung, z. B. durch magnetische Streufelder, zu vermeiden.

Grundsätzlich besteht aber auch die Möglichkeit, die Punktimpedanz am elektrischen Eingang eines Wandlers zu messen, denn sie wirkt auf den dortigen Eingangswiderstand zurück. Von der elektrischen Seite aus gesehen, ist der Wandler mechanisch mit der Impedanz:

$$\left(-\frac{\underline{F}_w}{\underline{v}_w}\right)_{\underline{r}_0=0} = \frac{s}{j\,\omega} + \frac{1}{\frac{1}{j\,\omega\, m_2}+\frac{1}{j\,\omega\, m_1+\underline{Z}_0}}$$

belastet. Vom Standpunkt des Kraftflusses liegen m_1 und $\underline{Z}_0$ (bei $\underline{v}_0 = 0$) „parallel", beide aber mit m_2 „in Reihe". Diese mechanische Impedanz wirkt auf die elektrische zurück, so daß wir schließlich für die elektrische Eingangsimpedanz erhalten:

$$\left(\frac{\mathfrak{U}}{\mathfrak{J}}\right)_{\underline{r}_0=0} = \mathfrak{Z}_e = \mathfrak{Z} + M^2 \Bigg/ \left[\frac{s}{j\,\omega} + \frac{1}{\frac{1}{j\,\omega\, m_2}+\frac{1}{j\,\omega\, m_1+\underline{Z}_0}}\right]. \tag{200}$$

Der Zusammenhang vereinfacht sich und der Einfluß vergrößert sich, wenn $Z_0 \gg \omega\, m_1$, dagegen $\omega\, m_2 \gg Z_0$ und schließlich $Z_0 \gg s/\omega$ ist, was z. B. mit leichter Spule und weich federnder Auflage eines schweren

Magneten für einen mittleren Bereich von Punktimpedanzen erreichbar ist. Man erhält dann

$$\mathfrak{Z}_e \approx \mathfrak{Z} + \frac{M^2}{Z_0} \tag{200a}$$

und kann zudem $\mathfrak{Z}$ durch eine Brückenanordnung herauskompensieren.

Wird der Wandler im Sinne von (155) einfacher durch eine $\mathfrak{N}$-Darstellung beschrieben, wie es für den elektromagnetischen und den piezoelektrischen der Fall ist, so ist, wie bereits mehrfach gezeigt wurde, $\underline{\mathfrak{M}}$ durch $\underline{\mathfrak{N}}$, $\mathfrak{Z}$ durch $1/\mathfrak{Z}$ und $\mathfrak{U}$ durch $\mathfrak{J}$ zu ersetzen, also jeweils zu den dualen Größen überzugehen. Dabei ist auch zu beachten, daß das Vorzeichen von $\mathfrak{U}$ beim Übergang zum Aufnehmer, im Gegensatz zu dem von $\mathfrak{J}$, nicht umzukehren ist.

II. Übersicht über die verschiedenen Wellenarten

1. Longitudinale Wellen

a) Die reine Longitudinalwelle

Auch im festen Material gibt es, wie in flüssigen und gasförmigen Medien, reine Longitudinalwellen, also solche, bei denen Schwingungs- und Ausbreitungs-Richtung zusammenfallen. Man kann sich dieselben dadurch veranschaulichen, daß man die Bewegungen von im ungestörten Medium äquidistanten zur Ausbreitungsrichtung senkrechten Materialebenen betrachtet. Diese Ebenen verschieben sich bei der longitudinalen Wellenbewegung nicht nur absolut gegenüber ihrer Ruhelage, indem z. B. die in Abb. II/1 ursprünglich bei x befindliche Ebene um ξ verschoben wird, sondern sie ändert auch ihren relativen Abstand untereinander, indem die in der Ruhelage um dx entfernte Ebene eine im allgemeinen verschiedene Verschiebung $\xi + \frac{\partial \xi}{\partial x} dx$ erfährt. Die ursprünglich in dem Längenelement dx eingeschlossene Materie hat also eine Dehnung in x-Richtung von

$$\varepsilon_x = \frac{\partial \xi}{\partial x} \tag{1}$$

erfahren.

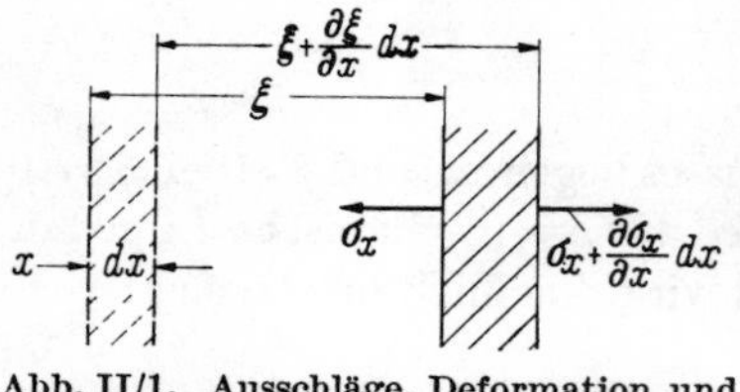

Abb. II/1. Ausschläge, Deformation und Spannungen in einer Longitudinalwelle

Eine solche Dehnung ist mit einer Spannung, oder genauer gesagt, mit einer Spannungsänderung gegenüber der im Ruhezustand herrschenden Spannung verbunden. Beim festen Körper braucht allerdings eine solche Vorspannung nicht vorhanden zu sein, weil die Dehnungen durch wirkliche Zugkräfte ausgelöst werden können, ohne daß der materielle

Zusammenhang verloren geht. Es ist sogar üblich, die Zugspannungen als die positiven Normalspannungen, d. h. auf den Trennflächen senkrechten Spannungen, einzuführen. Für die kleinen Deformationen, die bei den Schallschwingungen in Frage kommen, besteht immer im Sinne des HOOKEschen Gesetzes Proportionalität zwischen Zugspannung σ_x und Dehnung ε_x (bzw. zwischen Druckspannung $-\sigma_x$ und Verkürzung $-\varepsilon_x$):

$$\sigma_x = D\,\varepsilon_x \tag{2}$$

oder mit (1):

$$\sigma_x = D\frac{\partial \xi}{\partial x}. \tag{2a}$$

Wir können die Konstante D, die wie σ_x die Dimension Kraft/Fläche hat (z. B. N/m^2), als die longitudinale Steife des Materials bezeichnen. Auf ihre Beziehung zu den üblichen Elastizitätskonstanten gehen wir unten noch ein.

Auch die Spannung ist vom Ort abhängig. Das hat zur Folge, daß an jedem Massenelement von der ursprünglichen Länge dx und der Dichte ϱ eine beschleunigende Spannungsdifferenz wirkt:

$$\left(\sigma_x + \frac{\partial \sigma_x}{\partial x}\,dx\right) - \sigma_x = \varrho\,dx\,\frac{\partial^2 \xi}{\partial t^2},$$

daß also zwischen Spannung und Auslenkung außer (2a) die weitere Differentialgleichung gilt:

$$\frac{\partial \sigma_x}{\partial x} = \varrho\,\frac{\partial^2 \xi}{\partial t^2}. \tag{3}$$

Bei unserer Ableitung haben wir die Spannung σ_x nicht als Funktion des Ortes, an welchem sie auftritt, das wäre nämlich $(x + \xi)$ gekennzeichnet, sondern durch die Materialfläche, an der sie angreift, und diese durch den Ort x, welchen sie in der Ruhelage einnimmt. Die hier interessierenden Schallschwingungen machen aber so kleine Ausschläge ξ gemessen an den Entfernungen, die zwischen merklich anderen Feldzuständen liegen, und die als feste Bruchteile der jeweiligen Wellenlängen gekennzeichnet sind, daß dieser Unterschied zwischen der hier benutzten sog. „substantiellen“ Betrachtungsweise und der „lokalen“ keine Rolle spielt. Aus dem gleichen Grunde können wir bei lokaler Betrachtung die absolute Differentiation nach der Zeit durch die partielle ersetzen.)

Wie schon in Kapl. I dargelegt wurde, ist es zweckmäßig, die kinematischen Schallfeldverhältnisse nicht durch die Verschiebung ξ, sondern durch die Schnelle (Teilchengeschwindigkeit)

$$v_x = \frac{\partial \xi}{\partial t} \tag{4}$$

zu beschreiben. Die Schnelle hat gegenüber der Auslenkung den Vorzug, daß sie unmittelbar in der auf die Raumeinheit bezogenen kinetischen Energie

$$E_{\text{kin}} = \frac{1}{2}\,\varrho\, v_x^2 \tag{5}$$

in Erscheinung tritt.

Jede mechanische Wellenbewegung enthält aber auch potentielle Energie. Im vorliegenden Falle ist sie — wieder bezogen auf die Raumeinheit — gegeben durch

$$E_{\text{pot}} = \int\limits_0^{\varepsilon_x} \sigma_x\, d\varepsilon_x = \frac{1}{2}\, D\varepsilon_x^2 = \frac{1}{2\,D}\,\sigma_x^2 \,. \tag{6}$$

Die Gesamtenergiedichte, wie man die auf die Raumeinheit bezogene Energie auch bezeichnet, wird aber erst durch die Summe beider Anteile bestimmt:

$$E_{\text{ges}} = E_{\text{kin}} + E_{\text{pot}} \tag{7}$$

ist also erst durch die Kenntnis von v_x und ε_x oder von v_x und σ_x gegeben.

Wir müssen uns nun entscheiden, ob wir im folgenden die Dehnung oder die Spannung als zweite kennzeichnende Feldgröße bevorzugen wollen. Für das erste würde eine gewisse Symmetrie sprechen, indem dann die beiden Feldgrößen v_x und ε_x unmittelbar als räumliche und als zeitliche Differentiation der Auslenkung auftreten. Ferner können fast immer nur die Dehnungen (allgemein die Deformationen) unmittelbar gemessen und auf die Spannungen erst aus ihnen geschlossen werden. Wir werden trotzdem die Spannung bevorzugen und zwar einmal, weil viele physikalische Randbedingungen primär aus Aussagen über die Spannungsverhältnisse bestehen, dann aber vor allem, weil das Produkt aus Spannung und Schnelle den Leistungstransport je Flächeneinheit, also die Intensität des Schallfeldes, kennzeichnet:

$$J_x = -\,\sigma_x\, v_x\,; \tag{8}$$

das negative Vorzeichen trägt dem Umstande Rechnung, daß eine positive Zugspannung und eine positive, also gegen $+\,x$ gerichtete, Schnelle einen Leistungstransport in negativer x-Richtung ergeben.

Mit Einführung der Schnelle nimmt (3) die Form

$$\frac{\partial \sigma_x}{\partial x} = \varrho\,\frac{\partial v_x}{\partial t} \tag{9}$$

und (2a) nach Differentiation nach der Zeit die Form

$$D\,\frac{\partial v_x}{\partial x} = \frac{\partial \sigma_x}{\partial t} \tag{10}$$

an. Die beiden Größen sind also räumlich und zeitlich so gekoppelt, daß gegenseitig die räumliche Änderung der einen der zeitlichen der anderen proportional ist. Dieser Zyklus, der uns auch bei den folgenden Wellenarten immer wieder begegnen wird, führt mathematisch nach nochmaliger Differentiation nach x bzw. t und Kombination von (9) und (10) zu der für sämtliche Feldgrößen geltenden Wellengleichung

$$D \frac{\partial^2}{\partial x^2} (\sigma_x, v_x) = \varrho \frac{\partial^2}{\partial t^2} (\sigma_x, v_x) . \tag{11}$$

Man kann sich leicht davon überzeugen, daß sie durch sämtliche Funktionen der Form

$$F\left(t \pm \sqrt{\frac{\varrho}{D}}\, x\right) \tag{12}$$

erfüllt wird. Sie kennzeichnen unverzerrte Wellenausbreitungen, die je nach dem Vorzeichen von x in positiver oder negativer x-Richtung fortschreiten. Beobachten wir nämlich bei $x = 0$ einen bestimmten Zeitverlauf, so beobachten wir genau denselben an der beliebigen Stelle x nur nach einer um $\sqrt{\frac{\varrho}{D}}\, x$ späteren (oder früheren) Zeit. $\sqrt{\frac{D}{\varrho}}$ stellt also die konstante Geschwindigkeit dar, mit der sich die Störung ausbreitet:

$$c_L = \sqrt{\frac{D}{\varrho}}\,; \tag{13}$$

sie nimmt zu mit der Steife und nimmt ab mit der Dichte des Mediums. (Der Index L soll dabei den longitudinalen Charakter dieser Wellenart kennzeichnen.)

Die Größen D und ϱ sind aber noch in einer anderen Kombination von Bedeutung. Betrachten wir nämlich eine einzige Welle, die z. B. in positiver x-Richtung fortschreitet, und setzen wir entsprechend für die Verschiebung ξ an:

$$\xi\left(t - \sqrt{\frac{\varrho}{D}}\, x\right)$$

so folgt daraus einerseits für die Druckspannung nach (2a):

$$-\sigma_x = \sqrt{D\varrho}\, \xi'\left(t - \sqrt{\frac{\varrho}{D}}\, x\right)$$

und andererseits für die Schnelle:

$$v_x = \xi'\left(t - \sqrt{\frac{\varrho}{D}}\, x\right).$$

Beide Feldgrößen haben also genau die gleiche Abhängigkeit von Ort und Zeit; ihr Quotient bildet also an allen Stellen den gleichen konstanten Wert, der eine mechanische Impedanz je Fläche bedeutet und als longitudinaler „Kennwiderstand" des betreffenden Materials bezeichnet wird:

$$Z_L'' = \frac{-\sigma_x}{v_x} = \sqrt{D\,\varrho} = c_L\,\varrho\,. \tag{14}$$

Die Proportionalität der beiden Feldgrößen besagt auch, daß in einer solchen fortschreitenden Welle die Schwankungen in der potentiellen und in der kinetischen Energie örtlich und zeitlich zusammenfallen, und der Proportionalitätsfaktor ergibt, daß diese beiden Anteile gleich groß sind:

$$E_{\text{pot}} = \frac{1}{2D}\sigma_x^2 = E_{\text{kin}} = \frac{1}{2}\varrho\,v_x^2 = \frac{1}{2}\varrho\left[\xi'\left(t - \sqrt{\frac{\varrho}{D}}\,x\right)\right]^2. \tag{15}$$

Schließlich ergibt sich zwischen der Intensität

$$J = -\,\sigma_x\,v_x = Z_L''\left[\xi'\left(t - \sqrt{\frac{\varrho}{D}}\,x\right)\right]^2$$

und der Gesamtenergiedichte

$$E_{\text{ges}} = \varrho\left[\xi'\left(t - \sqrt{\frac{\varrho}{D}}\,x\right)\right]^2$$

die anschauliche Beziehung:

$$J = E_{\text{ges}}\,c_L\,, \tag{16}$$

die vor Augen führt, daß in einer fortschreitenden Welle die jeweilige Energiedichte mit der Geschwindigkeit c_L weiterwandert.

In Abb. II/2 sind die Verhältnisse noch einmal für den besonders einfachen Fall einer Sinuswelle zusammengestellt. Der Zeitverlauf

$$\xi(t, 0) = \hat{\xi}\sin\omega\,t$$

mit der Kreisfrequenz ω führt zu einer Zeitortabhängigkeit:

$$\xi\left(t - \frac{x}{c_L}\right) = \hat{\xi}\sin\left(\omega\left(t - \frac{x}{c_L}\right)\right). \tag{17}$$

Es ist üblich, den Quotienten ω/c_L als eine besondere Größe, die sogenannte Wellenzahl:

$$k_L = \frac{\omega}{c_L} \tag{18}$$

einzuführen. Da ω der Periodendauer T umgekehrt proportional ist

$$\omega = \frac{2\pi}{T}\,, \tag{19}$$

hängt die Wellenzahl k_L in gleicher Weise mit der räumlichen Periodizität, der Wellenlänge λ_L, zusammen:

$$k_L = \frac{2\pi}{\lambda_L} . \tag{18a}$$

Sie gibt an, wieviel Wellenlängen auf das 2π-fache der Längeneinheit entfallen.

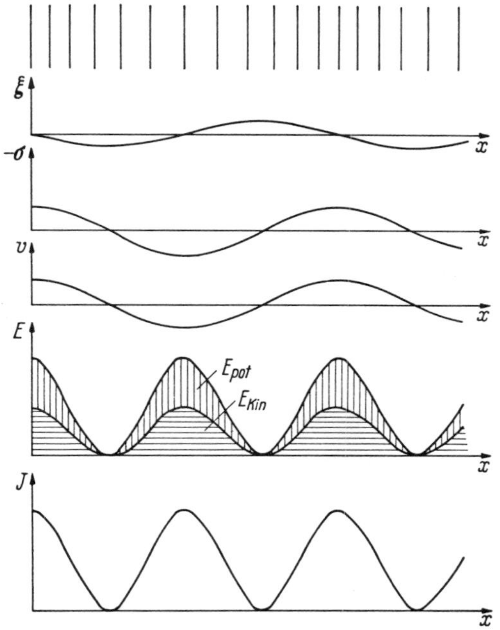

Abb. II/2. Feld- und Energieverteilung in einer sinusförmigen Longitudinalwelle

In Abb. II/2 ist nun ein solcher Zeitpunkt herausgegriffen, daß für die Auslenkung gilt:

$$\xi = -\hat{\xi} \sin k_L x . \tag{20a}$$

Diese Auslenkung ist zunächst oben durch die Verschiebung der ursprünglich äquidistanten Materialebenen gekennzeichnet, darunter ist sie im Diagramm über x aufgetragen, darunter die um $\lambda_L/4$ verschobene Verteilung der Druckspannung

$$-\sigma_x = \hat{\xi} D k_L \cos k_L x = -\hat{\sigma}_x \cos k_L x \tag{20b}$$

und darunter die mit dieser gleichphasigen Verteilung der Schnelle

$$v_x = \hat{\xi}\, \omega \cos k_L x = \hat{v}_x \cos k_L x . \tag{20c}$$

Unter diesen Feldgrößen sind die Energieanteile übereinander getürmt, und zwar unten als horizontal gestreifte Fläche die kinetische Energiedichte:

$$E_{\text{kin}} = \frac{1}{2} \varrho \hat{v}_x^2 \cos^2 k_L x \tag{20d}$$

und darüber als vertikal gestreifte Fläche die potentielle Energiedichte:

$$E_{\text{pot}} = \frac{1}{2D} \hat{\sigma}_x^2 \cos^2 k_L x = \frac{1}{2} \varrho \hat{v}_x^2 \cos^2 k_L x\,, \tag{20e}$$

so daß die oberste Kurve zugleich die Gesamtenergiedichte:

$$E_{\text{ges}} = \varrho \hat{v}_x^2 \cos^2 k_L x \tag{20f}$$

anzeigt. Auch diese Energieanteile weisen eine gleichphasige Periodizität, aber von halber Wellenlänge, auf. Schließlich ist noch die Intensität:

$$J = c_L \varrho \hat{v}_x^2 \cos^2 k_L x \tag{20g}$$

im untersten Diagramm aufgetragen, die mit den erstgenannten Energiegrößen ebenfalls in Phase liegt.

b) Die quasi-longitudinalen Wellen in Stäben und Platten

Die reinen Longitudinalwellen, wie wir sie in Kap. II behandelt haben, können sich nur in allseitig über sehr viele Wellenlängen ausgedehnten Körpern ausbilden. So treten sie z. B. bei den die Erde durchsetzenden Bebenwellen auf.

Die uns hier interessierenden Baukonstruktionsteile aber sind nie allseitig ausgedehnt. Die größte interessierende Querabmessung ist etwa die einer einsteinstarken Ziegelmauer mit 25 cm Dicke. Kombinieren wir diesen Abstand mit einer longitudinalen Schallgeschwindigkeit von 250000 cm/sek, wie sie etwa für ein solches Mauerwerk in Frage kommt und die zu den niedrigsten Longitudinalwellengeschwindigkeiten gehört, die in festen Baustoffen vorkommen, so würde bei 10000 Hz die Wandstärke erst eine Wellenlänge erreichen. In den meisten Fällen wird man daher viel eher sagen können, daß wenigstens eine Querabmessung, bei den stabförmigen Gebilden sogar beide, klein zur longitudinalen Wellenlänge sind.

Wohl haben wir auch bei einem langen Stab, wenn wir an einem Ende in Längsrichtung eine Wechselkraft wirken lassen, Wechsel- und Wellenbewegungen zu erwarten, die im wesentlichen längs des Stabes gerichtet sind. Aber schon der statische Zugversuch lehrt uns, daß neben der achsialen Verlängerung auch eine Querverkürzung zu beobachten ist, deren auf die jeweilige Dicke bezogener Wert $|\varepsilon_y|$ bzw. $|\varepsilon_z|$ in einem durch das Material bestimmten festen Verhältnis zur Längsdehnung ε_x steht:

$$\varepsilon_y = \varepsilon_z = -\mu\,\varepsilon_x\,. \tag{21}$$

Es hat sich vielfach eingebürgert, die Konstante μ als POISSONsche Zahl zu bezeichnen, da POISSON als erster auf Grund theoretischer Betrachtungen einen Wert, nämlich 0,25, für dieselbe abgeleitet hatte. Dieser Wert liegt auch in der beobachteten Größenordnung. Für Schmiedeeisen z. B. trifft der etwas größere Wert 0,3 zu, für Gußeisen wiederum sind geringere Werte anzusetzen, die je nach Belastungsart schwanken. Der höchste Wert, den μ überhaupt annehmen kann, ist 0,5. Er würde besagen, daß bei einem Stab die beiden Querkontraktionen den aus der reinen Längsdehnung sich ergebenden Volumenzuwachs wettmachen, daß also das Gesamtvolumen erhalten bliebe. Es leuchtet ein, daß die wirklichen Querkontraktionen darunter bleiben müssen, aber es verdient Beachtung, daß sie gar nicht einmal größenordnungsmäßig darunter liegen.

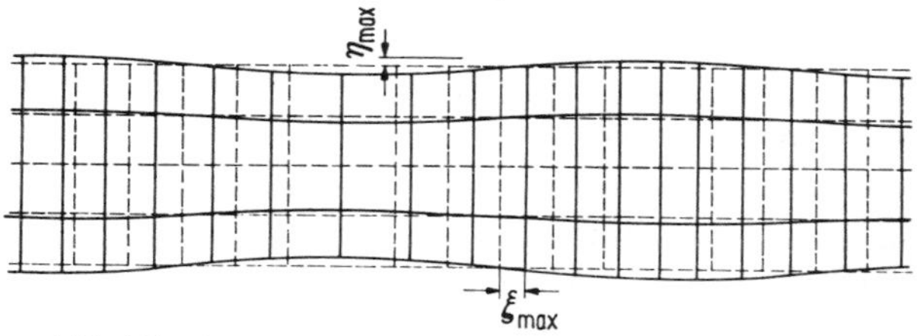

Abb. II/3. Deformation bei einer quasi-longitudinalen Welle

Das Auftreten der Querkontraktion besagt, daß neben den Längsverschiebungen ξ der Materialteilchen im Stab auch Querverschiebungen η in y- und ζ in z-Richtung auftreten, daß es also gar nicht zu einer reinen Longitudinalwelle kommen kann; vielmehr sieht die ausgelöste Wellenbewegung im Prinzip so aus, wie das in Abb. II/3 wieder für eine Sinuswelle gezeigt ist. Um das Wellenbild deutlich zu machen, wurden freilich die Verhältnisse übertrieben, und zwar nicht nur in bezug auf die absolute Größenordnung der Verschiebungen, die um wenigstens 5 Zehnerpotenzen über den wirklichen liegen, sondern die größte Querverschiebung $\hat{\eta}$ ist auch im Verhältnis zu der größten Längsverschiebung $\hat{\xi}$ in dem eben noch vernünftigen Höchstmaß gewählt. Ist d die Dicke des kreisrunden oder auch quadratischen Stabes und λ die vorhandene Wellenlänge, so ergibt sich dieses Verhältnis aus:

$$|\hat{\varepsilon}_y| = \frac{2\,\hat{\eta}}{d} = \mu|\hat{\varepsilon}_x| = \mu\,\frac{2\,\pi}{\lambda}\,\hat{\xi}$$

zu

$$\frac{\hat{\eta}}{\hat{\xi}} = \frac{\pi\,\mu\,d}{\lambda}\,. \tag{22}$$

Bedenken wir nun, daß $\pi\mu$ bei den interessierenden Baustoffen etwa 1 ist, so verhalten sich die größte Quer- zu der größten Längs-Verschiebung, wie die Dicke zur Wellenlänge; wir stellten aber bereits fest, daß die erste im Bereich der hörbaren Frequenzen größtenteils klein zur letzten ist. Nähern sich beide Werte, so ist die im folgenden durchgeführte Darstellung ohnehin nicht mehr zulässig, weil dann die Querverschiebungen nicht mehr innerhalb eines Querschnittes gleichphasig verlaufen und nicht einfach linear gegen den Rand zunehmen (vergl. II, 7c). Wir haben also die bei dieser Wellenbewegung auftretenden Verschiebungen als hauptsächlich längs gerichtet anzusehen, und es hat sich wegen dieser Kinematik eingebürgert, auch sie als Longitudinalwellen zu bezeichnen. Besser würde man freilich von „*quasi-longitudinalen*" *Wellen* sprechen und so die Abweichung gegenüber den *reinen Longitudinalwellen* andeuten.

R. Berger[1] schlug statt dessen die Bezeichnung „Dehnungswellen" vor, während er die reinen Longitudinalwellen „Verdichtungswellen" nannte. Doch spricht gegen diese — wohl ihrer Kürze wegen gerne benutzten — Bezeichnungen, daß in beiden Fällen Dehnungen und Verdichtungen auftreten.

So gering die Querbewegungen auch sein mögen, so ist ihr Vorhandensein doch in zweifacher Hinsicht wesentlich. Einmal leuchtet ein, daß nur diejenigen Bewegungen der Oberfläche zu einer Schallabstrahlung in ein umgebendes schubspannungsfreies Medium führen können, die senkrecht zur Oberfläche gerichtet sind. Die quasilongitudinalen Wellen sind somit auf Grund der Querkontraktion strahlungsfähig. Wir werden die Größe einer solchen Strahlung noch in Kap. VI abschätzen. Es sei aber hier schon erwähnt, daß diese Abstrahlung gegenüber Luft gering ist, und daß schon ungewöhnlich große Körperschallenergien ausgelöst werden müssen, wenn auf diese Weise Störungen zu befürchten sein sollen. Bei dem wesentlich schallhärteren Wasser ist dieser Effekt dagegen nicht zu vernachlässigen; ja man kann sogar diese Abstrahlung gut zur Messung der Intensität der in einer Platte entlanglaufenden Longitudinalwellen heranziehen.

Zum anderen ist zu beachten, daß die „quasi-longitudinalen" Wellenbewegungen eine geringere Ausbreitungsgeschwindigkeit aufweisen, als die reinen longitudinalen. Das kommt daher, daß die Steife des Materials gegenüber Zug- und Druckkräften geringer ist, wenn dasselbe seitlich sich zusammenziehen oder ausweichen kann. Da dies aber die technisch am einfachsten zu untersuchende Anordnung darstellt, wurde der Elastizitätsmodul E (auch Youngscher Modul genannt) aus dem hierbei zu beobachtenden Verhältnis aus Spannung und Dehnung in

[1] Berger, R.: Gesundheitsingenieur 1913, 433.

Zugrichtung definiert:

$$E = \frac{\sigma_x}{\varepsilon_x} \qquad (\sigma_y = \sigma_z = 0)\,. \tag{23}$$

Wird dagegen die seitliche Kontraktion verhindert, so weicht dieser einachsige Spannungszustand einem dreiachsigen, indem nun auch Normalspannungen σ_y und σ_z in den zur Zugrichtung senkrechten Richtungen auftreten. Diese aber verkürzen die Dehnung in x-Richtung, und zwar, wie sich aus dem Prinzip der ungestörten Überlagerung ergibt, gerade um die Querkontraktionen, welche sie allein hervorrufen würden. Formel (23) ist also allgemein zu ersetzen durch die drei Gleichungen:

$$\left.\begin{aligned} E\,\varepsilon_x &= \sigma_x - \mu\,(\sigma_y + \sigma_z) \\ E\,\varepsilon_y &= \sigma_y - \mu\,(\sigma_z + \sigma_x) \\ E\,\varepsilon_z &= \sigma_z - \mu\,(\sigma_x + \sigma_y)\,. \end{aligned}\right\} \tag{24}$$

Im Falle der verhinderten Querkontraktion ist

$$\varepsilon_y = \varepsilon_z = 0 \tag{25}$$

und damit ergibt sich durch Addition der beiden untersten Gln. (24):

$$(\sigma_y + \sigma_z) = \frac{2\,\mu}{1-\mu}\,\sigma_x$$

und somit nach Einsetzen in die oberste:

$$E\,\varepsilon_x = \sigma_x\left(1 - \frac{2\,\mu^2}{1-\mu}\right).$$

Die in Gl. (2) eingeführte „longitudinale" Steife D, die für die Ausbreitungsgeschwindigkeit der reinen Longitudinalwellen maßgebend war, hängt also mit den meßbaren Konstanten E und μ zusammen über die Beziehung:

$$D = \frac{E}{1 - 2\,\mu^2/(1-\mu)} = \frac{E\,(1-\mu)}{(1+\mu)\,(1-2\,\mu)}\,. \tag{26}$$

Offenbar ist stets $D > E$, bei dem mittleren Wert $\mu = 0{,}3$ immerhin um den Faktor 1,35.

Abgesehen von diesem Ersatz der longitudinalen Steife D durch E bleiben alle in II, 1, a aufgestellten Beziehungen auch für die „quasilongitudinalen" Wellen im Stab gültig. Dabei ist es zweckmäßig, statt der Zugspannung σ_x die an der ganzen Querschnittsfläche S angreifende Längskraft F_x einzuführen, und zwar positiv als Druckkraft:

$$F_x = -\,S\,\sigma_x\,, \tag{27}$$

so daß die in positiver x-Richtung transportierte Leistung durch das Produkt:

$$P = F_x\,v_x \tag{28}$$

gekennzeichnet ist. Dann nehmen die Kopplungsgleichungen (9) und (10) die Form an:

$$-\frac{\partial F_x}{\partial x} = \varrho\, S \frac{\partial v_x}{\partial t} \tag{29}$$

$$-E\, S \frac{\partial v_x}{\partial x} = \frac{\partial F_x}{\partial t}\,. \tag{30}$$

Bei Bildung der Wellengleichung fallen die Fläche und der Vorzeichenwechsel wieder heraus und es bleibt nur der Ersatz von D durch E:

$$E\, \frac{\partial^2}{\partial x^2}\,(F_x, v_x) = \varrho\, \frac{\partial^2}{\partial t^2}\,(F_x, v_x)\,. \tag{31}$$

Somit nimmt die Ausbreitungsgeschwindigkeit den niedrigeren Wert:

$$c_{L\,\mathrm{II}} = \sqrt{\frac{E}{\varrho}} \tag{32}$$

an. Mit $\mu = 0{,}3$ beträgt der Unterschied immerhin 16%, und es ist bei Angaben über Longitudinalgeschwindigkeiten darauf zu achten, welcher Wert gemeint ist.

Wir wollen daher in folgendem jedenfalls dort, wo Verwechselungen zu befürchten sind, die verschiedenen Longitudinalwellen-Geschwindigkeiten außer durch den gemeinsamen Index L noch durch die (römisch geschriebene) Zahl der ungehinderten Querkontraktionen unterscheiden; die durch (32) definierte Ausbreitungsgeschwindigkeit der quasilongitudinalen Wellen im Stab ist demgemäß zum Unterschied von der für reine Longitudinalwellen geltenden c_L mit $c_{L\,\mathrm{II}}$ bezeichnet[1].

Zwischen diesen beiden Fällen gibt es nämlich noch den der „quasilongitudinalen" Schallausbreitung in der Platte, bei welchen nur in einer Richtung — es sei dies die z-Richtung — eine Querbewegung stattfinden kann. Für diesen zweiachsigen Spannungszustand gilt:

$$\varepsilon_y = 0; \quad \sigma_z = 0\,. \tag{33}$$

Damit liefert die mittlere Gl. (24)

$$\sigma_y = \mu\, \sigma_x$$

und das Einsetzen in die oberste führt auf:

$$E\, \varepsilon_x = \sigma_x\,(1 - \mu^2)\,.$$

In diesem Falle ist also ein mittlerer Elastizitätsmodul

$$\frac{E}{1-\mu^2}$$

[1] Angaben über gemessene $C_{L\,\mathrm{II}}$-Werte findet der Leser in den Tabellen III, 2 und III, 3.

maßgebend, der näher an E als an D liegt. Ebenso unterscheidet sich die zugehörige Longitudinalwellengeschwindigkeit

$$c_{L\,\mathrm{I}} = \sqrt{\frac{E}{\varrho\,(1-\mu^2)}} \tag{34}$$

nur so wenig von der bei Stäben auftretenden $c_{L\,\mathrm{II}}$, — für $\mu = 0{,}3$ sind es 5%, — daß es für Überschlagrechnungen nicht unbedingt nötig ist, den Unterschied zu berücksichtigen.

Bei der Übertragung der Gln. (9) und (10) auf das Plattensystem empfiehlt es sich, anstelle der Zugspannungen σ_x die auf die Breiteneinheit reduzierten Druckkräfte einzuführen:

$$F'_x = -\,\sigma_x\,h\,, \tag{35}$$

wobei h die Plattendicke bedeutet. Es ist dann ferner

$$P' = F'_x\,v_x \tag{36}$$

die je Breiteneinheit weiterwandernde Leistung. Die Kopplungsgleichungen (9) und (10) nehmen hier die Form an:

$$-\frac{\partial F'_x}{\partial x} = \varrho\,h\,\frac{\partial v_x}{\partial t} \tag{37}$$

$$-\frac{E\,h}{1-\mu^2}\,\frac{\partial v_x}{\partial x} = \frac{\partial F'_x}{\partial t}\,. \tag{38}$$

und die aus beiden resultierende Wellengleichung geht über in

$$\frac{E}{1-\mu^2}\,\frac{\partial^2}{\partial x^2}\,(F'_x, v_x) = \varrho\,\frac{\partial^2}{\partial t^2}\,(F'_x, v_x)\,. \tag{39}$$

Der Fall der Platte unterscheidet sich schließlich von dem des Stabes nicht nur dadurch, daß die Querkontraktion nur in einer Richtung erfolgt, sondern es ergibt sich auch aus den auf diesen Fall angewandten Gln. (24), daß dafür diese eine Querkontraktion ε_z größer ist als die beiden gleichen Querkontraktionen beim Stab, nämlich:

$$\varepsilon_z = -\,\frac{\mu}{1-\mu}\,\varepsilon_x \tag{40}$$

Das Material macht sozusagen von der einzigen Ausweichmöglichkeit stärkeren Gebrauch. Bei $\mu = 0{,}3$ bedeutet der Unterschied eine prozentuale Erhöhung der Querkontraktion um 43%, ändert aber nichts Wesentliches an den oben angestellten kinematischen Abschätzungen. Immerhin verdient der Unterschied Beachtung bei der Berechnung der Abstrahlung, die ja außerdem bei allen plattenartigen Körpern größer ist als bei den stabförmigen, wo sich die Bewegungen davor und dahinter im Nahfeld ausgleichen können.

2. Transversal-Wellen

a) Die ebene Transversalwelle

Der feste Körper widersetzt sich bekanntlich nicht nur einer Änderung seines Volumens, sondern auch jeder Änderung seiner Form. Er kann dies, weil er im Gegensatz zu Flüssigkeiten und Gasen schon im Ruhezustand in jeder Schnittebene auch tangentiale Spannungen übertragen kann, die man auch, da sie das Verschieben längs der Schnittfläche hindern, als Schubspannungen bezeichnet. Diese Schubspannungen machen es erst möglich, daß die feste Materie in der Form von Stäben, Platten, Schalen usw. auftreten kann.

Sie machen es ferner möglich, daß im festen Körper auch transversale ebene Wellenbewegungen vorkommen können, bei denen die Ausbreitungsrichtung, welche wieder in x-Richtung fallen soll, und die Auslenkung, für welche wir die y-Richtung wählen wollen und die wieder mit η bezeichnet sei, zueinander senkrecht sind. Die transversalen Verschiebungen zweier um dx entfernten Materialebenen unterscheiden sich um $\frac{\partial \eta}{\partial x}\, dx$ und bewirken so die Verzerrung eines ursprünglich von ihnen eingeschlossenen Rechteckes mit den Seiten dx und dy in ein Parallelogramm, dessen spitzer Winkel um den Gleit- oder Schiebungs-Winkel

$$\gamma_{xy} = \frac{\partial \eta}{\partial x} \tag{41}$$

hinter einem rechten Winkel zurückbleibt (s. Abb. II/4). Man beachte, daß die Deformation diesmal nicht mit einer Volumenänderung verbunden ist.

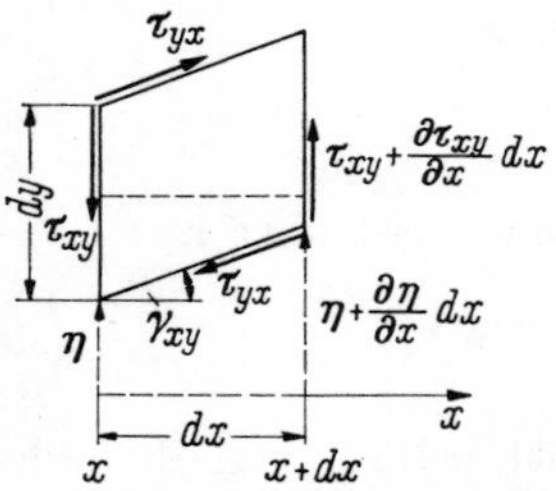

Abb. II/4. Ausschläge, Deformation und Spannungen in einer Transversalwelle

Dagegen findet außer dieser Deformation auch eine „Rotation" des betrachteten Elementes statt, nämlich um den freilich sehr kleinen Winkel $\gamma_{xy}/2$. Man bezeichnet daher die Transversalwellen auch als „Rotationswellen" (s. II, 5).

Eine solche Deformation verlangt andererseits das Auftreten von Schubspannungen τ_{xy} und τ_{yx}. Der erste Index kennzeichnet hierbei die Lage der Fläche zum Mittelpunkt des betrachteten Elementes, der zweite die Richtung der Spannung. Das Momentengleichgewicht verlangt nicht nur, daß solche Spannungen an beiden zueinander senkrechten Flächenpaaren auftreten, sondern auch, daß sie gleich groß sind. Andererseits sind auch sie im Sinne des Hookeschen Gesetzes der durch sie bewirkten Deformation γ_{xy} proportional:

$$\tau_{xy} = \tau_{yx} = G\,\gamma_{xy} \tag{42}$$

oder nach (41):

$$\tau_{xy} = G \frac{\partial \eta}{\partial x} \tag{42a}$$

Die Proportionalitätskonstante G ist wieder von der Dimension einer Spannung und wird als Gleitmodul oder Schubmodul bezeichnet.

Führen wir statt der Verschiebung in y-Richtung die entsprechende Schnelle

$$v_y = \frac{\partial \eta}{\partial t} \tag{43}$$

ein, so ergibt sich aus (42a) unter Differentiation nach der Zeit die Differentialgleichung:

$$G \frac{\partial v_y}{\partial x} = \frac{\partial \tau_{xy}}{\partial t}, \tag{44}$$

die hier an die Stelle von (10) tritt, während die dynamische Grundbeziehung (9) zu ersetzen ist durch:

$$\frac{\partial \tau_{xy}}{\partial x} = \varrho \frac{\partial v_y}{\partial t}, \tag{45}$$

d. h. die örtliche Differenz der Schubspannungen zwischen den um dx entfernten Angriffsflächen führt hier entsprechend der Wirkungsrichtung der Spannungen zu einer Beschleunigung in y-Richtung. Die Zusammenfassung der Kopplungsgleichungen (44) und (45) ergibt wieder eine Wellengleichung:

$$G \frac{\partial^2}{\partial x^2} (\tau_{xy}, v_y) = \varrho \frac{\partial^2}{\partial t^2} (\tau_{xy}, v_y), \tag{46}$$

aus welcher nur diesmal für die Ausbreitungsgeschwindigkeit der Ausdruck

$$c_T = \sqrt{\frac{G}{\varrho}} \tag{47}$$

folgt, also die neue Konstante G an die Stelle der früheren D oder E getreten ist. (Der Index T soll auf den erwähnten transversalen Charakter dieser Wellenart hinweisen)[1].

Man wäre geneigt anzunehmen, daß G eine weitere Materialkonstante darstellt, die von den früheren unabhängig ist. Das ist aber nicht der Fall und ergibt sich daraus, daß dort nicht nur Normalspannungen σ und hier nicht nur Schubspannungen τ auftreten. Dieser Tatbestand spricht auch dagegen, die reinen Transversalwellen als Schubwellen zu bezeichnen. Schubspannungen treten auch in der Longitudinalwelle auf. Nur wenn wir uns auf die Betrachtung der Schnittebenen, die zur Ausbreitungsrichtung parallel oder senkrecht sind, beschränken, tritt

[1] Angaben über gemessene c_T-Werte findet der Leser in Tabelle III, 2.

jeweils nur die eine oder die andere Spannungsart in Erscheinung. Die an einem Punkt eines festen Körpers vorhandenen Spannungen erscheinen aber je nach Lage der in Gedanken gelegten Schnittfläche in verschiedener Weise. Betrachten wir z. B. die in den Diagonalebenen eines zunächst nur durch Schubspannung beanspruchten Quadrates auftretenden Spannungen, so belehrt uns das Gleichgewicht der Kräfte (s. Abb. II/5a) daß hier einmal eine Druckspannung und einmal eine Zugspannung auftritt, die beide gleich den ursprünglich betrachteten Schubspannungen sind:

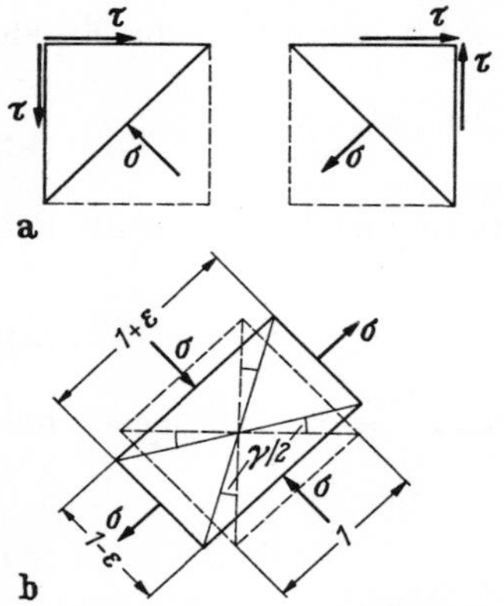

Abb. II/5. Zusammenhang zwischen a) Normal-Spannungen und Schubspannungen b) Dehnungen und Schiebungswinkeln

$$2\,\tau \cos 45^\circ = \frac{\sigma}{\cos 45^\circ}\,; \qquad \tau = \sigma\,.$$

Hierin tritt cos 45° links als Komponenten- rechts als Flächenfaktor auf. Aber auch die Deformation eines Elementarquaders tritt je nach Lage gegenüber den Spannungen verschieden in Erscheinung. Ein zu den genannten Diagonalen paralleles Quadrat erfährt bei einem ebenen Spannungszustand gem. (24) eine Verlängerung bzw. Querkürzung um

$$\varepsilon = \frac{\sigma\,(1+\mu)}{E}\,.$$

Diese Dehnungen aber hängen mit dem Winkel γ, wie Abb. II/5b zeigt, kinematisch zusammen über:

$$\frac{1-\varepsilon}{1+\varepsilon} = \operatorname{tg}\left(45^\circ - \frac{\gamma}{2}\right) \approx \frac{1-\gamma/2}{1+\gamma/2}$$

es ist also:

$$\varepsilon = \frac{\gamma}{2}\,.$$

Kombiniert man nun diese Gleichungen mit

$$\tau = G\,\gamma\,,$$

so ergibt sich der gesuchte Zusammenhang zwischen G und E zu:

$$G = \frac{E}{2\,(1+\mu)}\,. \qquad (48)$$

Der Gleitmodul ist also stets wesentlich geringer als der Elastizitätsmodul E und somit erst recht geringer als die longitudinale Steife D.

Daher ist auch die Ausbreitungsgeschwindigkeit c_T der Transversalwellen kleiner als die der quasi-longitudinalen:

$$\frac{c_T}{c_{L\,\mathrm{II}}} = \sqrt{\frac{G}{E}} = \sqrt{\frac{1}{2(1+\mu)}}\,, \tag{49a}$$

$$\frac{c_T}{c_{L\,\mathrm{I}}} = \sqrt{\frac{G(1-\mu^2)}{E}} = \sqrt{\frac{1-\mu}{2}}\,, \tag{49b}$$

und erst recht kleiner als die der reinen longitudinalen Wellen:

$$\frac{c_T}{c_L} = \sqrt{\frac{G}{D}} = \sqrt{\frac{1-2\mu}{2(1-\mu)}}\,. \tag{50}$$

Mit $\mu = 0{,}3$ verhält sich

$$c_T : c_{L\,\mathrm{II}} = 0{,}620\,, \quad c_T : c_{L\,\mathrm{I}} = 0{,}592 \quad \text{und} \quad c_T : c_L = 0{,}535\,.$$

Ohne es im Einzelnen wieder auszurechnen, sei unter Hinweis auf den gleichen Charakter der Feldgleichungen noch erwähnt, daß die Verteilung der kinetischen und der potentiellen Energie in einer sinusförmigen transversalen Welle die gleiche ist, wie bei der (in Abb. II/2 gezeigten) sinusförmigen longitudinalen Welle.

Auch die ebene Transversalwelle kann sich im allgemeinen nur in allseitig zur Wellenlänge großen Körpern ausbilden. Lediglich, wenn eine freie Oberfläche parallel zur Ausbreitungs- und Verschiebungsrichtung, in unserem Falle also zur x—y-Ebene, auftritt, bleibt sie ohne Einfluß auf diese Art der Wellenbewegung. Solche ebenen Transversalwellen sind also in planparallelen Platten möglich. Da dabei aber die Oberflächenbewegungen nur tangential verlaufen, üben sie keine Einwirkung auf das umgebende Medium aus und können ebenso nicht unmittelbar von diesem aus angeregt werden.

b) Torsionswellen

Es gibt aber auch eine Art von Transversalwellen, die in schmalen Stäben auftreten können, nämlich dann, wenn diese durch zeitlich wechselnde Torsionsmomente, also durch Momente, deren Drehachse in die Stabachse fällt, erregt werden. Es tritt dann eine Verdrehung der einzelnen Querschnitte um die Stabachse ein, bei welcher alle Punkte eines Querschnittes tangentiale Verschiebungen erleiden, die mit ihrem Abstand von der mit der x-Achse zusammenfallenden Drehachse (s. Abb. II/6a) wachsen. In den y- und z-Komponenten dieser Verschiebung ausgedrückt heißt das:

$$\eta = -\chi z\,, \tag{51a}$$

$$\zeta = \chi y\,, \tag{51b}$$

wobei χ den Verdrehungswinkel im Bogenmaß gegenüber der Ruhelage bedeutet.

Handelt es sich überdies um einen Kreis oder Kreisring-Querschnitt, so folgt weiterhin aus der Rotationssymmetrie, daß alle Punkte einer Querschnittsebenen nicht aus dieser Ebene heraustreten, daß also

$$\xi = 0 \tag{52}$$

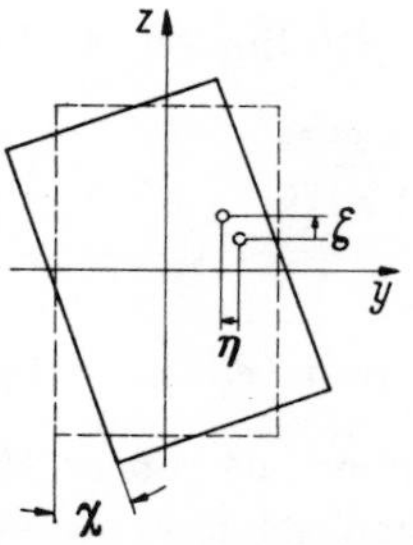

Abb. II/6a. Verdrehung der Querschnitte in einer Torsionswelle

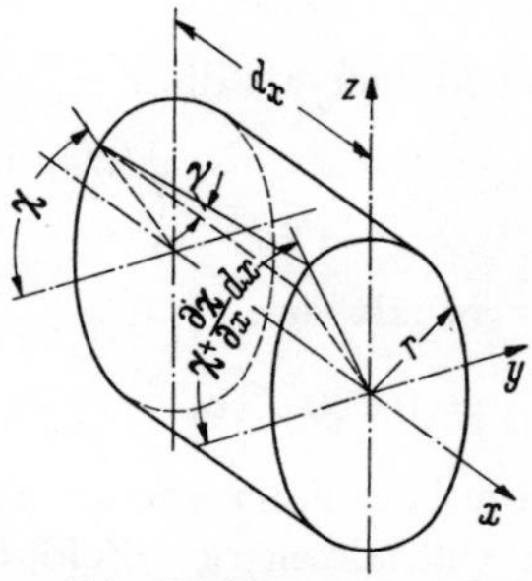

Abb. II/6b. Zusammenhang zwischen Änderung des Verdrehungswinkels und Schiebungswinkel

ist, denn es wäre nicht einzusehen, warum einzelne unter ihnen irgendeine x-Richtung bevorzugen sollten. In diesen Fällen also sind sogar reine Transversalwellen möglich, wie die im letzten Paragraphen behandelte ebene Transversalwelle eine darstellte, nur daß diesmal die unendliche Ausdehnung der seitlichen Verschiebungen durch das Sichschließen im Ring ersetzt wird. Es nimmt daher auch nicht Wunder, daß die zugehörige Wellenausbreitung, die bereits durch (47) gekennzeichnete Geschwindigkeit hat.

Um diese abzuleiten, bedienen wir uns wieder wie bei allen seitlich begrenzten Gebilden der Beschreibung durch integrierende Feldgrößen. Anstelle der am Querschnitt tangential angreifenden und radial zum Rande wachsenden Schubspannungen, deren Größe sich nach (42) und der aus Abb. II/6b folgenden Winkelbeziehung

$$\gamma = r \frac{d\chi}{dx} \tag{53}$$

ergibt zu:

$$\tau = G\, r \frac{\partial \chi}{\partial x}, \tag{54}$$

führen wir das (um die x-Achse wirkende) Torsionsmoment ein:

$$M_x = 2\pi \int_{r_i}^{r_a} \tau\, r^2\, dr = \frac{\pi}{2} G \left(r_a^4 - r_i^4\right) \frac{d\chi}{dx}. \tag{55}$$

(r_i, r_a innerer und äußerer Radius.)

Hierbei sei ferner die Abkürzung

$$T = \frac{\pi}{2} G \, (r_a^4 - r_i^4) \tag{56}$$

eingeführt, die wir Torsionssteife nennen wollen. Aber auch bei beliebigem Querschnitt besteht Proportionalität zwischen Torsionsmoment und örtlichem Zuwachs des Verdrehungswinkels im Sinne der Gl.

$$M_x = T \frac{\partial \chi}{\partial x}, \tag{56a}$$

durch welche dann die Torsionssteife unmittelbar definiert wird.

Führen wir ferner noch in Analogie zur Schnelle die zeitliche Ableitung des Verdrehungswinkels χ, also die Winkelgeschwindigkeit (Winkel-Schnelle) um die x-Achse

$$w_x = \frac{\partial \chi}{\partial t} \tag{57}$$

ein, so gewinnen wir durch Differentiation von (56a) nach der Zeit eine Beziehung zwischen der örtlichen Änderung der Winkelgeschwindigkeit und der zeitlichen Änderung des Torsionsmomentes:

$$\frac{\partial M_x}{\partial t} = T \frac{\partial w_x}{\partial x}. \tag{58}$$

Diese partielle Differentialgleichung wird wieder ergänzt durch eine Beziehung zwischen örtlicher Änderung des Torsionsmomentes und zeitlicher Änderung der Winkelgeschwindigkeit, die hier aus der Verwendung des Momentensatzes um die Stabachse auf ein Stablängenelement folgt zu:

$$\frac{\partial M}{\partial x} = \Theta' \frac{\partial w_x}{\partial t}. \tag{59}$$

Hierin bedeutet Θ' das Massen-Trägheitsmoment des Stabes je Längeneinheit, welches sich bei einem kreissymmetrischen Querschnitt mit dem Innenradius r_i und dem Außenradius r_a ergibt zu:

$$\Theta' = 2\pi \varrho \int_{r_i}^{r_a} r^3 \, dr = \frac{\pi}{2} \varrho \, (r_a^4 - r_i^4). \tag{60}$$

In der durch Zusammenfassung von (58) und (59) sich ergebenden Wellengleichung:

$$T \frac{\partial^2}{\partial x^2} (M_x, w_x) = \Theta' \frac{\partial^2}{\partial t^2} (M_x, w_x) \tag{61}$$

ist die Ausbreitungsgeschwindigkeit durch die Wurzel aus dem Quotienten aus Torsionssteife und Trägheitsmoment gegeben, und, wie die aus den gleichen Integrationsprozessen hervorgegangenen Ausdrücke

(56) und (60) zeigen, fallen bei dieser Quotientenbildung alle geometrischen Daten heraus, und es bleiben nur die Materialkonstanten G und ϱ übrig:

$$c_T = \sqrt{\frac{G}{\varrho}}. \tag{62}$$

Diese geometrische Entsprechung zwischen T und Θ' gilt aber nur für rotationssymmetrische Querschnitte. Betrachten wir dagegen statt eines Kreises ein flächengleiches Rechteck, so leuchtet ein, daß seine Torsionssteife um so geringer ausfällt, je schmaler es ist bei gleicher Gesamtfläche, während umgekehrt sein Trägheitsmoment um so mehr wächst. Das Letzte folgt sofort aus der bekannten Formel:

$$\Theta' = \frac{\varrho\,(b\,h^3 + h\,b^3)}{12} = \frac{\varrho\,S^2}{12}\left(\frac{h}{b} + \frac{b}{h}\right). \tag{63}$$

Dieser gegenüber Höhe h und Breite b symmetrische Ausdruck ist am kleinsten im Falle des Quadrates $h = b$, aber auch dann bereits größer, als für einen flächengleichen Kreis. Für schmale Rechtecke kann der zweite Summand in der Klammer gegenüber dem ersten vernachlässigt werden:

$$\Theta' = \varrho\,\frac{b\,h^3}{12}. \tag{63a}$$

Für die Torsionssteife ergibt dagegen die Statik folgende Werte[1] in Abhängigkeit des Quotienten h/b:

$\frac{h}{b} = 1$	1,5	2	3	6	10
$T = 0{,}141$	0,196	0,229	0,263	0,298	0,312 $G\,S^2\,b/h$

(64)

Mit $h/b \to \infty$ strebt diese Abhängigkeit dem Grenzwert zu:

$$T = \frac{G\,b^3\,h}{3}. \tag{64a}$$

Setzt man nun die aus (63) und (64) folgenden Werte für Θ' und T in (62) ein, so ergeben sich für rechteckige Querschnitte Ausbreitungsgeschwindigkeiten der Torsionswellen, die wir nunmehr mit $c_{T\,\mathrm{I}}$ bezeichnen wollen, und die umso mehr unter den durch (62) gegebenen Werten liegen, je größer das Höhe-zu-Breite-Verhältnis ist:

$\frac{h}{b} =$	1	1,5	2	3	6	10
$\frac{c_{T\,\mathrm{I}}}{c_T} =$	0,92	0,85	0,74	0,56	0,32	0,19

(65)

[1] Entnommen aus DUBBELS Taschenbuch für den Maschinenbau, 9. Aufl. I, S. 401, Berlin: Springer 1943.

Für große (h/b)-Werte ergibt sich aus (63a) und (64a) die Näherungsformel:

$$c_{T\,\mathrm{I}} = \frac{2\,b}{h}\,c_T\,. \tag{65a}$$

Wie der Vergleich mit den in (65) angegebenen Daten zeigt, gilt das mit genügender Genauigkeit bereits für $h/b > 6$.

Was wir hier für den Rechteckquerschnitt quantitativ untersucht haben, gilt prinzipiell auch für jeden anderen nicht rotationssymmetrischen Querschnitt. Stets ist das Trägheitsmoment größer, die Torsionssteife kleiner als bei einem Kreisquerschnitt gleichen Flächeninhalts; und wir entnehmen den in (65) zusammengestellten speziellen Werten insbesondere das allgemeine Ergebnis, daß die in länglichen Profilen möglichen Torsionswellen wesentlich kleinere Ausbreitungsgeschwindigkeiten als die der Transversalwelle aufweisen.

Diese Torsionswellen würden auch die Bezeichnung Transversalwellen aus dem Grunde nicht verdienen, weil bei ihnen auch Bewegungen in Ausbreitungsrichtung auftreten:

$$\xi \neq 0\,. \tag{66}$$

Die ursprünglich eine quer zur Stabachse liegende Ebene bildende Materialfläche verwölbt sich. Man kann sich davon leicht anhand eines Radiergummis von rechteckigem Querschnitt überzeugen, indem man ihn verdreht. Die dabei auftretenden longitudinalen Verschiebungen sind freilich wieder sehr klein gegenüber den transversalen, so daß man kinematisch alle Torsionswellen in nicht rotationssymmetrischen Querschnitten als „quasitransversale" Wellen bezeichnen könnte. (Auch die zur Unterscheidung von c_T bei der Ausbreitungsgeschwindigkeit der quasitransversalen Wellen eingeführte Bezeichnung $c_{T\,\mathrm{I}}$ ist insofern analog zur Unterscheidung zwischen c_L und $c_{L\,\mathrm{I}}$ als in beiden Fällen der Index I das Hinzukommen einer zur Hauptbewegung senkrechten Bewegung kennzeichnet.)

Es wäre nun freilich erst näher zu untersuchen, inwieweit die von der Statik gemachte Annahme, daß sich die nötigen Verschiebungen in Längsrichtung ungehindert ausbilden könne, daß also keine Längsspannungen σ_x auftreten, aufrecht erhalten werden kann. Wir wollen uns hier mit der Feststellung begnügen, daß bei jeder Wellenbewegung in Abständen einer halben Wellenlänge entgegengesetzte Verhältnisse auftreten. Da diese Abstände aber hier jedenfalls kleiner sind als die entsprechende halbe Wellenlänge einer Longitudinalwelle, die für die Frage des Ausgleichs von Längswechselspannungen maßgebend ist, so darf geschlossen werden, daß wir damit jedenfalls keinen Fehler begehen, der an den vorangegangenen Überlegungen etwas wesentliches ändert.

Man kann sich andererseits durch eine Abschätzung darüber vergewissern, daß die Massenkräfte, die bei den Längsbewegungen zu überwinden sind, gegenüber den aus der Deformation sich ergebenden Kräften kaum ins Gewicht fallen.

Schließlich unterscheiden sich die Torsionswellen bei nichtrotationssymmetrischen Querschnitten noch von solchen bei Kreis- und Kreisring-Profilen in einem weiteren Punkte. Während nämlich bei den Letzten die Oberfläche sich nur tangentiell zu sich selbst bewegt, also gar keine Abstrahlungen zu erwarten sind, weisen die nicht kreiszylindrischen Oberflächen bei ihrer Torsion gewisse zur Oberfläche senkrechte Bewegungskomponenten auf. Da dabei allerdings entgegengesetzte Bewegungen quer zur Stabachse immer dicht nebeneinander liegen, sind nennenswerte Abstrahlungen erst bei höheren Frequenzen zu erwarten, die wiederum niedrig genug sein müssen, um in den Schwingungen des Querschnitts noch Gleichphasigkeit bzw. Gegenphasigkeit zu ergeben.

Sofern es sich bei dem umgebenden Medium um Luft handelt, können wir jedenfalls von allen bisher besprochenen Wellenarten sagen, daß sie nur verschwindend wenig zur Abstrahlung unmittelbar beitragen. Sie können aber als Zwischenstufen für Störungen, die schließlich an anderer Stelle an das umgebende Medium abgestrahlt werden, von großer Bedeutung sein.

3. Biege-Wellen

a) Die reine Biegewelle

In bezug auf die Abstrahlung kommt die weitaus größte Bedeutung einer weiteren Wellenart, den Biegewellen, zu. Man wäre wegen der bei ihnen besonders großen seitlichen Auslenkungen geneigt, sie ebenfalls als transversale Wellen zu bezeichnen. Dagegen spricht aber nicht nur, daß die für die potentielle Energie maßgebenden Spannungen und Dehnungen in Längsrichtung laufen, sondern auch, daß sie hinsichtlich ihres ganzen Verhaltens und der ihnen zugrunde liegenden Differentialgleichungen so verschieden von den bisher besprochenen Transversalwellen sind, daß jeder auch nur an diese erinnernde Name, wie etwa pseudo-transversale Wellen, irreführend wirken würde. Nicht weniger sind die Biegewellen grundverschieden gegenüber den quasilongitudinalen Wellen. Kurzum, sie bilden eine eigene Gruppe für sich.

Dies zeigt sich namentlich darin, daß wir nicht mehr zwei, sondern vier beschreibende Feldgrößen haben, die auch für die Randbedingungen charakteristisch sind. Wir wählen dazu die (transversale) Schnelle v_y eines Elementes, seine Winkelgeschwindigkeit (um die zur Stabachse und Auslenkung senkrechte z-Achse) w_z, das am Querschnitt des Stabes angreifende (ebenfalls um die z-Achse) wirkende verbiegende Moment M_z und schließlich die durch den Querschnitt übertragene Querkraft F_y. (Bei der Platte beziehen wir wieder Momente und Kräfte auf die Breiteneinheit und kennzeichnen sie durch M'_z und F'_y.) Die Vorzeichen sind dadurch bestimmt, daß v_y in positiver y-Richtung positiv sein soll, w_z bei positiver Drehrichtung, also in Abb. II/9 entgegen dem Uhrzeiger, M_z so, daß das Produkt

$$M_z \cdot w_z = P_M \tag{67M}$$

einen Leistungstransport in x-Richtung bedeutet, und schließlich F_y so, daß das gleiche für das Produkt

$$F_y \cdot v_y = P_F \tag{67F}$$

gilt. Wir bemerken hier bereits, daß auch der Leistungstransport in zwei verschiedenen Formen auftritt, was sich als von großer Bedeutung erweisen wird.

Zwischen diesen vier Feldgrößen bestehen vier differentielle Beziehungen, welche diese wieder zyklisch miteinander koppeln. Zunächst besteht zwischen der seitlichen Verschiebung η und der durch den stets kleinen Winkel β gekennzeichneten Schräglage eines Querschnittes (s. Abb. II/7) angenähert die Beziehung:

$$\beta = \frac{\partial \eta}{\partial x}. \tag{68}$$

Dementsprechend liefert die zeitliche Differentiation die Verbindung zwischen Schnelle und Winkelgeschwindigkeit:

$$w_z = \frac{\partial v_y}{\partial x}. \tag{69}$$

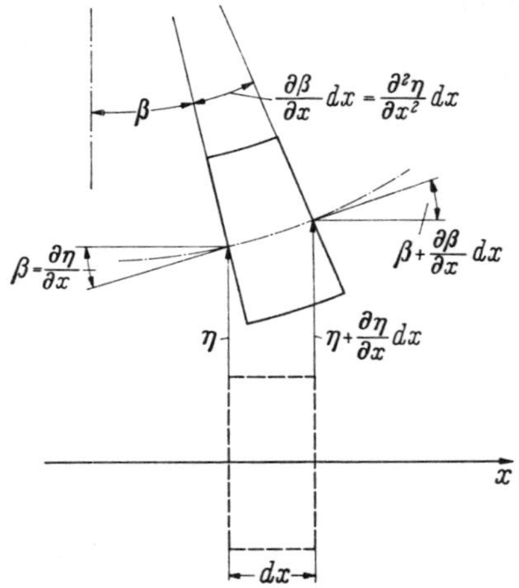

Abb. II/7. Ausschläge und Deformationen einer Biegewelle

Andererseits ist die örtliche Änderung der Winkelgeschwindigkeit gleich der zeitlichen Änderung der Krümmung, da wir für diese bei den geringen seitlichen Auslenkungen η mit guter Näherung $\frac{\partial^2 \eta}{\partial x^2}$ setzen können:

$$\frac{\partial w_z}{\partial x} = \frac{\partial^2 v_y}{\partial x^2} = \frac{\partial}{\partial t}\left(\frac{\partial^2 \eta}{\partial x^2}\right). \tag{70}$$

Die Krümmung aber ist, wie in der elementaren Festigkeitslehre gezeigt wird, in der Hauptsache durch das jeweils wirkende Biegemoment bedingt und diesem proportional:

$$\frac{\partial^2 \eta}{\partial x^2} = -\frac{M_z}{B}. \tag{71}$$

Das negative Vorzeichen ergibt sich daraus, daß wir M_z im Hinblick auf den Leistungstransport positiv gewählt haben, wenn es die Leistung in positiver x-Richtung überträgt, also an einer linken Schnittfläche mit w_z gleichgerichtet ist. Dieser Richtungssinn ist aber demjenigen genau entgegen, der erforderlich ist, um eine positive Krümmung zu bewirken.

Die Proportionalitätskonstante B können wir sinngemäß als Biegesteife bezeichnen. Sie ergibt sich aus den durch die Beobachtung gerechtfertigten Annahmen, daß die Querschnitte eben bleiben und sich nur um $\frac{\partial \eta}{\partial x}$ drehen, daß also zwei Nachbarquerschnitte sich um $\frac{\partial^2 \eta}{\partial x^2} dx$ gegeneinander verdrehen, und daß diese Verdrehungen nur durch die Dehnungen bzw. Stauchungen in Längsrichtung bedingt sind. (Die zusätzliche Verformung, die sich aus den durch die Querkräfte hervorgerufenen Schubdeformationen ergibt, ist zu vernachlässigen, wenn die Biegewellenlänge groß gegen die Querabmessungen ist, was wir als kennzeichend für eine „reine Biegewelle" voraussetzen wollen.) Die Dehnungen in Längsrichtung ε_x aber wachsen linear mit der Entfernung y von einer neutralen Faser, die bei symmetrischen Profilen in der Mitte liegt (s. Abb. II/8a):

$$\varepsilon_x = -y \frac{\partial^2 \eta}{\partial x^2}. \tag{72}$$

(Das negative Vorzeichen besagt, daß in Abb. II/8a oberhalb der neutralen Faser, also bei positivem y, Stauchungen auftreten.) Somit gilt das gleiche für die Zug- bzw. Druckspannungen:

$$\sigma_x = E\,\varepsilon_x = -E\,y \frac{\partial^2 \eta}{\partial x^2}. \tag{73}$$

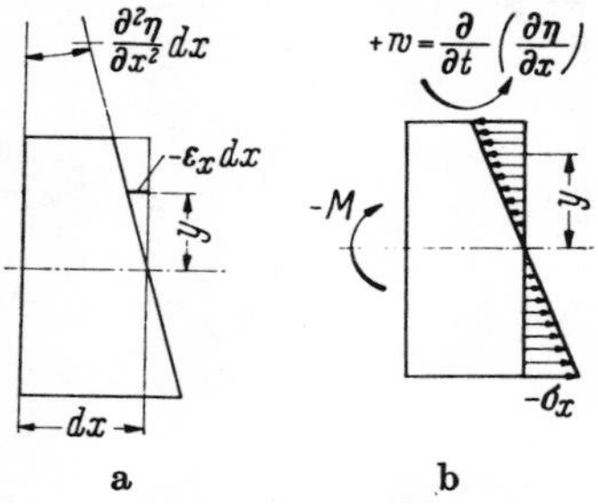

Abb. II/8. Verteilungen über dem Querschnitt
a) der Dehnung b) der Spannung

(Handelt es sich um die ebene Biegung von Platten, so tritt wieder an die Stelle von E wegen der nur einseitig behinderten Querkontraktion $E/(1-\mu^2)$. Die Biegemomente aber ergeben sich, indem wir die Spannungen σ_x mit den Hebelarmen y multiplizieren (s. Abb. II/8b)) und über die Querschnittsfläche summieren, zu:

$$M_z = \int_S \sigma_x\, y\, dS = -E \frac{\partial^2 \eta}{\partial x^2} \int_S y^2\, dS = -E\,I \frac{\partial^2 \eta}{\partial x^2}. \tag{74}$$

Hierin ist I das Flächenträgheitsmoment um die z-Achse. Wie der Vergleich zwischen (71) und (74) lehrt, ist also die Biegesteife das Produkt aus dem das Material kennzeichnenden Elastizitätsmodul und dem die Querschnittsform kennzeichnenden achsialen Trägheitsmoment:

$$B = E\,I\,. \quad \left[\frac{N}{m^2}\cdot m^4\right] \tag{75}$$

Es sei dabei daran erinnert, daß das achsiale Trägheitsmoment bei einem rechteckigen Profil (oder einer Platte) mit der dritten Potenz der Höhe h wächst:

$$I = \frac{b\,h^3}{12}\,. \tag{76}$$

(Bei der Platte wäre das Trägheitsmoment auf die Breiteneinheit zu beziehen, also

$$I' = \frac{h^3}{12} \tag{76'}$$

einzuführen und ferner die teilweise Verhinderung der Querkontraktionen zu berücksichtigen, also B durch

$$B' = \frac{I'\,E}{(1-\mu^2)} \tag{75'}$$

zu ersetzen. Der Übergang zu einer doppelt so dicken Wand bedeutet neben einer Verdopplung ihrer Masse eine Verachtfachung ihrer Biegesteife.) Differenzieren wir noch Gl. (71) nach der Zeit und führen wir nach (70) darin die Winkelgeschwindigkeit ein, so können wir sie auch auf die Form bringen:

$$\frac{\partial M_z}{\partial t} = -\,B\,\frac{\partial w_z}{\partial x}\,. \tag{77}$$

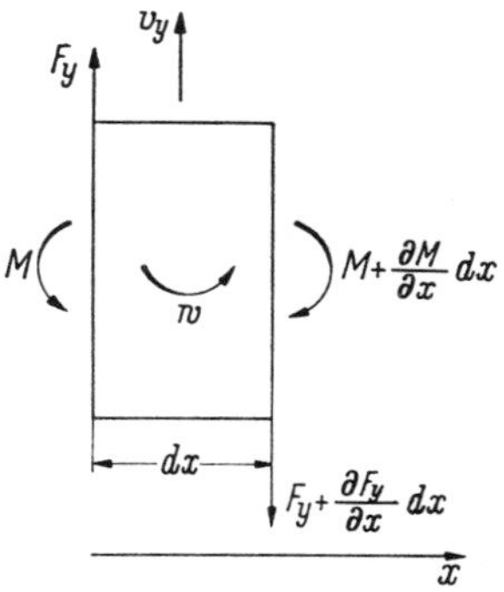

Abb. II/9. Vorzeichenwahl der Feldgrößen am Stabelement bei einer Biegewelle

Auch die nächste Beziehung, welche die Querkraft F_y mit dem Biegemoment M_z verkoppelt, können wir der statischen Biegelehre entnehmen. Sie ergibt sich aus dem Momenten-Gleichgewicht an dem Stabelement der Länge dx, das mit positiv eingetragenen Wirkungsrichtungen in Abb. II/9 wiedergegeben ist:

$$M_z - \left(M_z + \frac{\partial M_z}{\partial x}\,dx\right) - F_y\,dx = 0 \tag{78}$$

zu:

$$F_y = -\,\frac{\partial M_z}{\partial x}\,. \tag{78a}$$

Bei der Anwendung des Momentensatzes auf das kinetische Problem würde grundsätzlich noch ein Trägheitsglied

$$I\,\varrho\,dx\,\frac{\partial w_z}{\partial t}$$

auf der rechten Seite von (78) auftreten. Doch läßt sich, wie wir bei den Energiebetrachtungen noch zeigen werden, die aus der Rotation sich ergebende kinetische Energie gegen die translatorische vernachlässigen, sofern die Biegewellenlänge groß ist gegenüber den Querabmessungen, was auch für diese Art von ein-dimensionaler Wellenausbreitung Voraussetzung ist.

Schließlich fehlt nur noch eine Beziehung zwischen der Querkraft und der transversalen Schnelle, um den Kreis zu schließen. Diese ergibt sich aus der Anwendung des dynamischen Grundgesetzes auf die Transversalbeschleunigung eines Stabelementes (s. Abb. II/9):

$$F_y - \left(F_y + \frac{\partial F_y}{\partial x}\,dx\right) = m'\,dx\,\frac{\partial v_y}{\partial t} \tag{79}$$

zu:

$$-\frac{\partial F_y}{\partial x} = m' \cdot \frac{\partial v_y}{\partial t}\,. \tag{79a}$$

Hierin bedeutet

$$m' = \varrho\, S \tag{80}$$

die Masse je Längeneinheit. (Bei der Platte werden alle Größen außerdem noch auf die Breiteneinheit, die Masse also insgesamt auf die Flächeneinheit

$$m'' = \varrho\, h \tag{80'}$$

bezogen).

Die Zusammenfassung der Gln. (69), (77), (78a) und (79a) liefert für alle Feldgrößen die partielle Differentialgleichung der Biegewelle in ihrer eindimensionalen Form:

$$-B\,\frac{\partial^4}{\partial x^4}(v_y, w_z, M_z, F_y) = m'\,\frac{\partial^2}{\partial t^2}(v_y, w_z, M_z, F_y)\,. \tag{81}$$

Sie stimmt nur insofern mit der gewöhnlichen Wellengleichung überein, als auch in ihr hinsichtlich der Zeit nur die zweite Ableitung auftritt. Dagegen tritt links die vierte Ableitung nach dem Ort und diese außerdem mit negativem Vorzeichen auf. Es ist klar, daß dieses Vorzeichen, welches ja den Charakter der Lösungen wesentlich bestimmt, nicht nur ein Ergebnis zufälliger Vorzeichenwahlen bei den Feldgrößen sein und durch entsprechende Änderungen beseitigt werden kann.

Die Tatsache, daß die Ableitung nach dem Orte von anderer Ordnung als diejenige nach der Zeit ist, führt nun dazu, daß im allgemeinen keine verzerrungsfreien Wellenausbreitungen, wie sie der Ansatz (12) darstellte, mehr möglich sind. Auch läßt sich die Art der Verzerrung nicht allgemein durch einen ähnlich einfach gebauten funktionellen Zusammenhang ausdrücken. Dagegen bietet sich auch hier die Möglichkeit, jeden beliebigen Zeitverlauf im Sinne der Fourier-Analyse in reine Töne zu zerlegen und getrennt zu untersuchen, in welcher Weise sich eine sinusförmige Zeitabhängigkeit ausbreiten kann.

Wir wollen uns zunächst mit der Feststellung begnügen, daß in diesem Falle auch der räumliche Verlauf sinusförmig sein kann, daß es also sinusförmige Biegewellen gibt. Setzen wir nämlich den Ansatz

$$v_y = \hat{v}_y \sin(\omega t - k x + \varphi_v) \tag{82}$$

in (81) ein, so wird diese Differentialgleichung durch denselben offensichtlich für beliebige Amplituden und Phasenwinkel befriedigt, sofern nur zwischen den die zeitliche und räumliche Periodizität kennzeichnenden Kreisfrequenzen und Wellenzahlen gilt:

$$\frac{B}{m'} k^4 = \omega^2 . \tag{83}$$

Auch hier kennzeichnet der Quotient aus Kreisfrequenz und Wellenzahl

$$\frac{\omega}{k} = c \tag{84}$$

diejenige Geschwindigkeit, mit der wir weiterwandern müssen, wenn wir immer die gleiche Phase der sinusförmigen Wellenbewegung antreffen wollen. Wie sich aber aus (83) ergibt, ist diese „Phasen-Geschwindigkeit“ der Biegewellen, die wir mit dem Index B bezeichnen wollen, hier von der Kreisfrequenz abhängig:

$$c_B = \sqrt[4]{\frac{B}{m'}} \sqrt[2]{\omega} , \tag{85}$$

sie hat also in der Tat nur für eine unendliche sinusförmige Welle die Bedeutung der Ausbreitungsgeschwindigkeit schlechthin. Wellenformen, die zu einem gegebenen Zeitpunkt im Sinne der Fourier-Synthese aus verschiedenen Sinusbestandteilen zusammengesetzt sind, müssen sich notwendigerweise verzerren, indem die hohen Frequenzbestandteile mit anderer (in diesem Falle größerer) Phasengeschwindigkeit sich ausbreiten als die tiefen.

In der Optik bezeichnet man den entsprechenden Vorgang, der sich dort in der Zerlegung des weißen Lichtes in seine Spektralfarben äußert, als Dispersion, und man hat diese Bezeichnung sinngemäß auf alle Wellensysteme mit frequenzabhängiger Phasengeschwindigkeit übertragen.

Für Platten der Dicke h vereinfacht sich (85) zu der Formel:

$$c_B \approx \sqrt{1.8\, c_{L\mathrm{I}}\, h\, f} = c_{L\mathrm{I}} \sqrt{\frac{1{,}8\, h}{\lambda_{L\mathrm{I}}}} . \tag{85a}$$

In den Abb. II/10a bis d sind die Biegewellenlängen über der Frequenz bei logarithmischer Ordinaten- und Abszisseneinteilung für Platten aus

Eisen, Beton, Ziegelmauerwerk und Sperrholz und für die wichtigsten Dicken eingetragen. Die fallenden Geraden haben entsprechend dem Exponenten $(-1/2)$ nur die halbe Neigung, wie sie bei dispersionsfreien

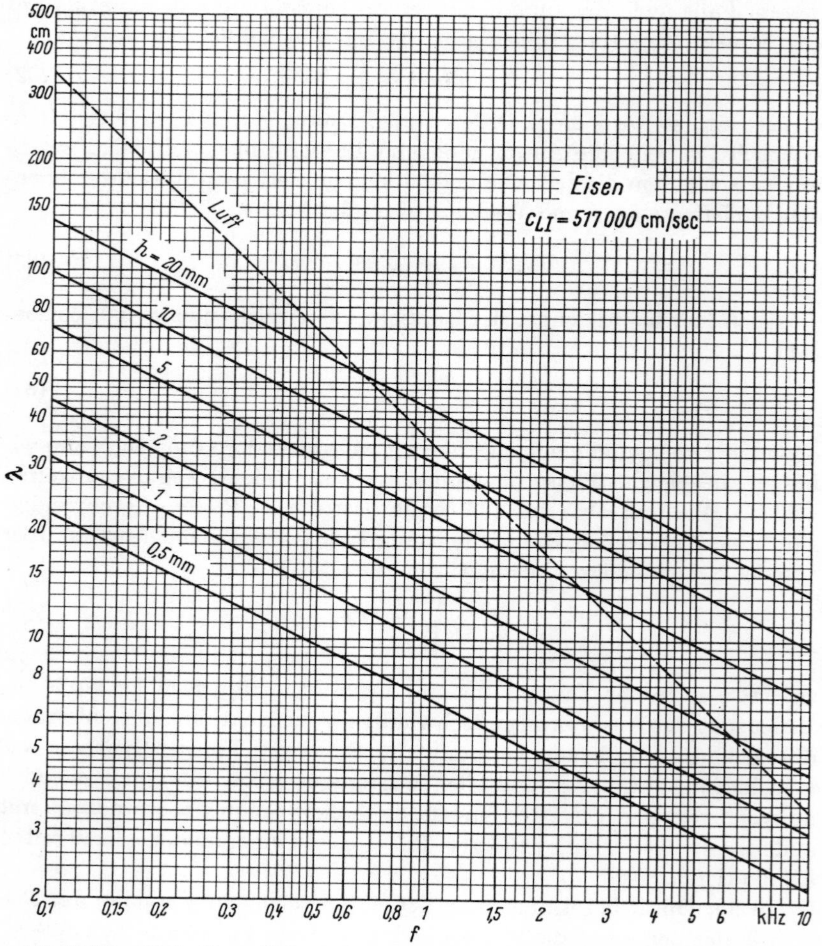

Abb. II/10a. Wellenlänge (λ) über Frequenz (f) für Eisenplatten verschiedener Dicke h

Wellen auftritt, wofür als Beispiel mit Hinblick auf die Abstrahlungsprobleme die Wellenlänge für Luft eingetragen ist. Auch ist die unten durch (107) definierte Gültigkeitsgrenze der Darstellung, soweit sie erreicht wird, markiert.

Außer der unendlichen Sinuswelle gibt es noch einen Sonderfall, bei welchem es einen Sinn hat von einer bestimmten Ausbreitungsgeschwindigkeit zu reden, nämlich dann, wenn sich der betreffende Vorgang aus mehreren Teilwellen von nur wenig unterschiedlicher Periodizität zusammensetzen läßt. Man wäre geneigt anzunehmen, daß für eine solche Synthese aus mehreren Wellen, deren Phasengeschwindigkeiten nur we-

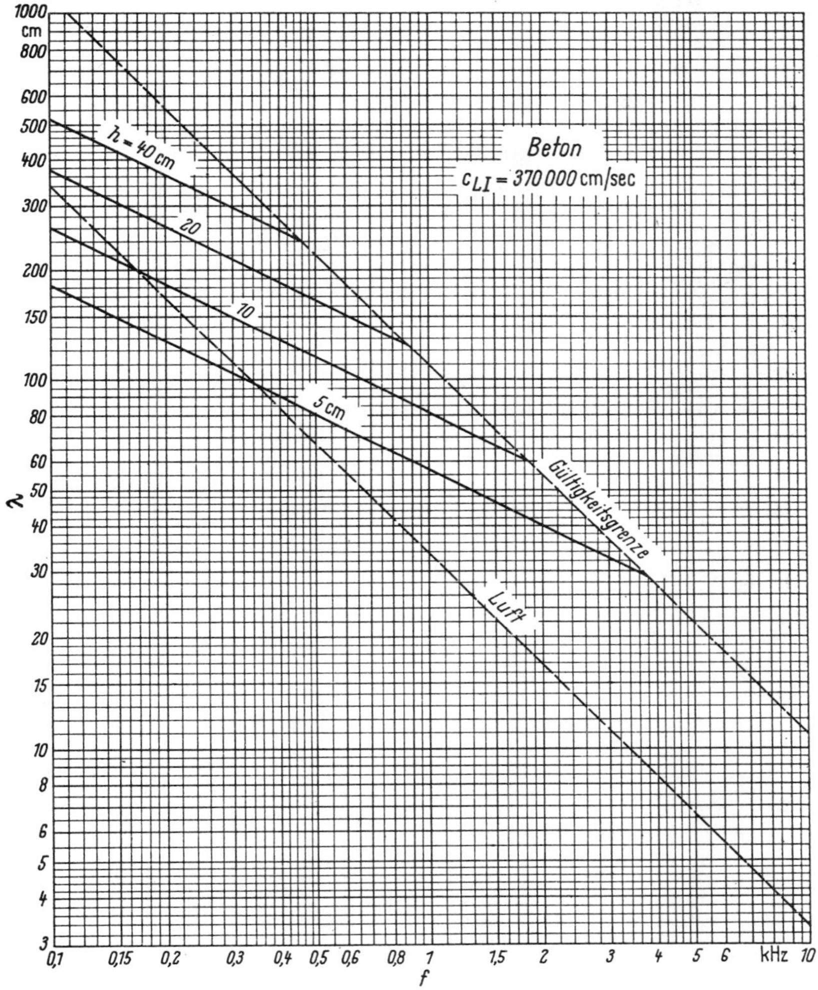

Abb. II/10b. $\lambda(f)$ für Betonplatten verschiedener Dicke

nig um einen mittleren Wert schwanken, eben dieser mittlere Wert als maßgebend angesehen werden kann. So einfach liegen aber die Dinge nicht, wie uns bereits der einfachste Fall, die Überlagerung zweier gleich starker, benachbarter Wellen mit den Kreisfrequenzen ω_1 und ω_2 und den Wellenzahlen k_1 und k_2 lehrt. Bekanntlich führt eine solche Überlagerung zu einer Schwebung

$$\sin(\omega_1 t - k_1 x) + \sin(\omega_2 t - k_2 x)$$
$$= 2 \sin\left(\frac{\omega_1 + \omega_2}{2} t - \frac{k_1 + k_2}{2} x\right) \cos\left(\frac{\omega_1 - \omega_2}{2} t - \frac{k_1 - k_2}{2} x\right), \quad (86)$$

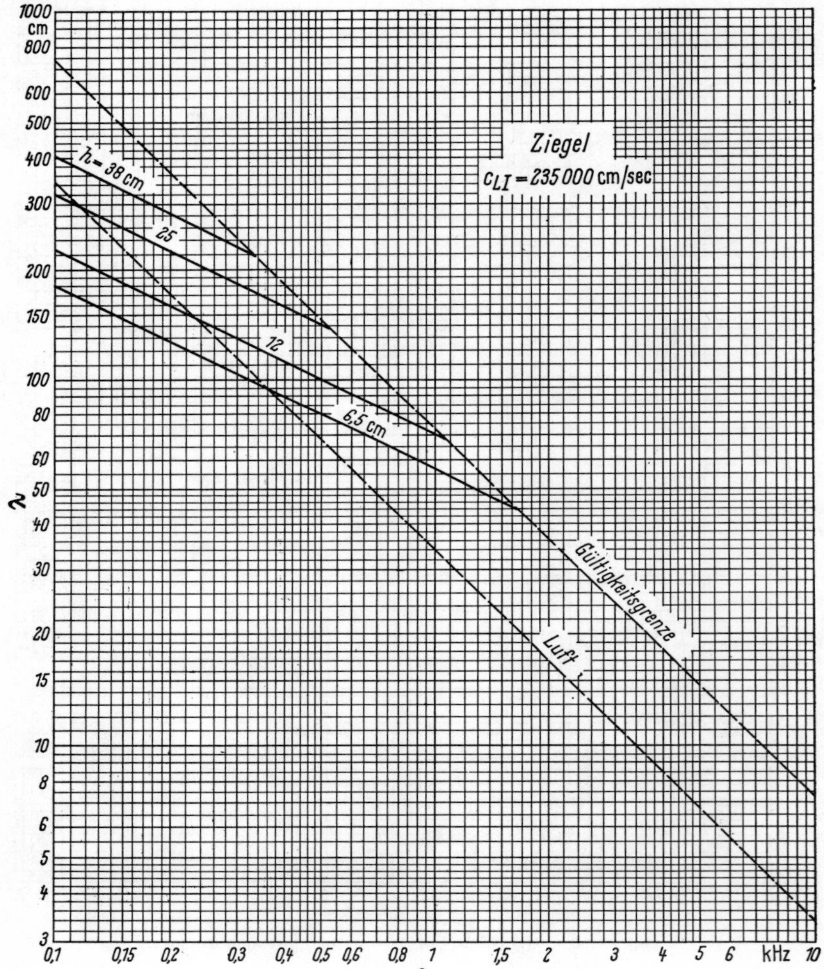

Abb. II/10c. $\lambda(f)$ für Ziegelsteinwände verschiedener Dicke

d. h. zu einer sinusförmigen „Trägerwelle" von der mittleren Kreisfrequenz $(\omega_1 + \omega_2)/2$ und der mittleren Wellenzahl $(k_1 + k_2)/2$, deren Amplitude entsprechend dem Kosinusfaktor in (86) mit einer viel niederigeren Frequenz $\frac{\omega_1 - \omega_2}{2}$ und der viel niedrigeren Wellenzahl $\frac{k_1 - k_2}{2}$ moduliert ist. Diese Hüllfunktion ist aber das, was bei einem derartigen Signal meist interessiert; durch sie wird namentlich auch der mittlere

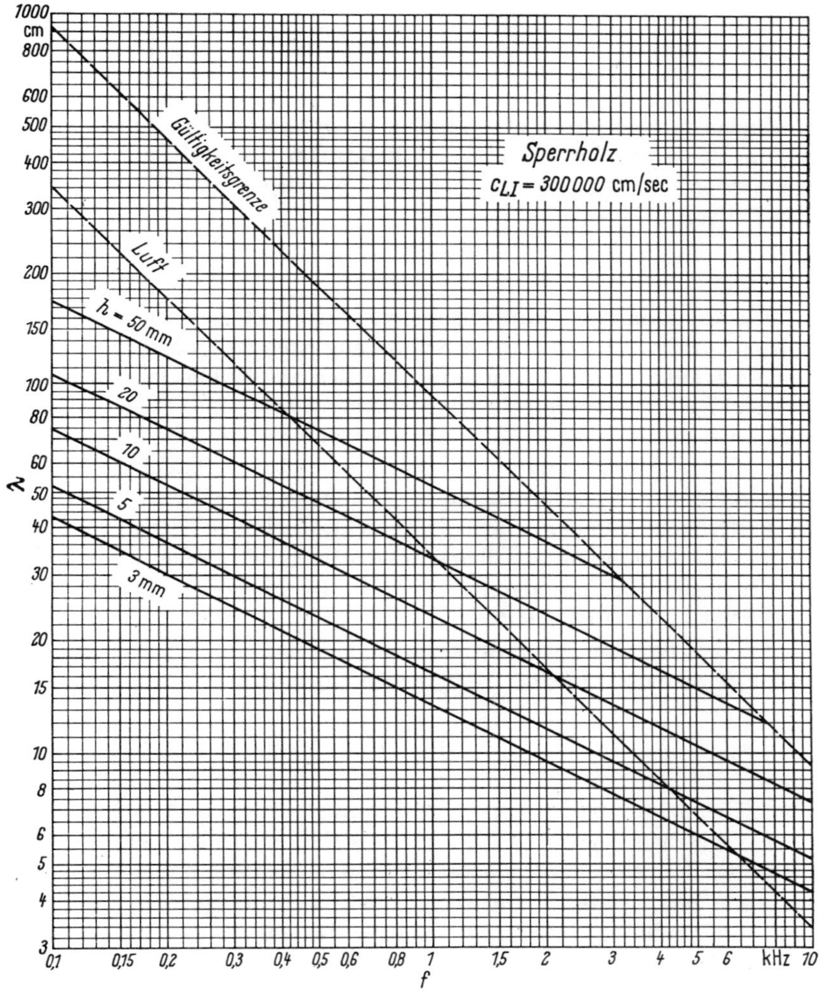

Abb. II/10d. $\lambda(f)$ für Sperrholzplatten verschiedener Dicke

Energietransport gekennzeichnet, sofern das Meßgerät diese langsamen Schwankungen noch anzeigen kann, dagegen für die Trägerfrequenz zu träge ist. Während aber nun die Trägerwelle in der Tat mit der mittleren

Phasengeschwindigkeit

$$c = \frac{\omega_1 + \omega_2}{k_1 + k_2} \tag{87}$$

sich ausbreitet, ist für die Hüllkurven, welche die Wellenberge zu einzelnen Berggruppen zusammenfaßt, die „Gruppengeschwindigkeit"

$$C = \frac{\omega_1 - \omega_2}{k_1 - k_2} = \frac{\Delta\omega}{\Delta k} \tag{88}$$

maßgebend, welche sowohl wesentlich größer als auch wesentlich kleiner als die Phasengeschwindigkeit sein kann. Im Grenzfall, daß die Kreisfrequenzen und Wellenzahlen beliebig dicht liegen, ist C gegeben durch den Differentialquotienten:

$$C = \frac{d\omega}{dk}. \tag{88a}$$

Die so definierte Gruppengeschwindigkeit ist nun nicht nur maßgebend für die Hüllkurve einer Schwebung nach (86), sondern allgemein für die Hüllkurven aller Vorgänge, die sich aus beliebig vielen benachbarten Wellenzügen mit beliebigen Amplituden und Phasen-Winkeln zusammensetzen lassen. Mit dem Übergang zu kontinuierlichen Spektren, deren Anteile außerhalb der unmittelbaren Nachbarschaft der Trägerfrequenz vernachlässigbar sind, können wir aber auch einmalige Trägerfrequenz-Signale erfassen. Diese isolierten Wellengruppen sind hauptsächlich von unmittelbarer Bedeutung; sie stellen die einzigen Sendezeichen dar, mit deren Hilfe sich an dispergierenden Systemen eindeutige Laufzeiten ermitteln lassen.

Bei den Biegewellen ergibt sich aus (83), daß die — wieder mit dem Index B gekennzeichnete — Gruppengeschwindigkeit

$$C_B = 2\sqrt{\frac{B}{m'}}\,k = 2\,c_B\,, \tag{89}$$

also gleich der doppelten Phasengeschwindigkeit ist. In Abb. II/11a sind diese Verhältnisse an einem Beispiel deutlich gemacht. Die obere und die untere Kurve gelten für zwei um eine halbe Periode der Trägerwelle versetzte Zeitpunkte. Dementsprechend ist in der unteren die Trägerwelle um ihre halbe Wellenlänge nach rechts gerückt, die Hüllkurve aber um das Doppelte dieses Betrages. In Abb. II/11b ist unten ein kontinuierliches Spektrum über der Wellenzahl (es handelt sich bei dieser Hüllfunktion um die Gaußsche Fehlerkurve) eingetragen. Es nimmt mit seinen wesentlichen Bestandteilen nur einen kleinen Bereich ein. Darüber ist die Dispersionsfunktion $\omega(k)$ aufgezeichnet und darin der Unterschied zwischen der Gruppen- und der Phasengeschwindigkeit durch die ntsprechenden Winkel deutlich gemacht.

Daß es hinsichtlich der Energieausbreitung auf die Gruppengeschwindigkeit ankommt, läßt sich übrigens auch an Hand der bei der reinen Sinuswelle vorhandenen Energieverhältnisse zeigen. Da dieselben auch sonst von den bei den übrigen besprochenen Wellenarten auftretenden

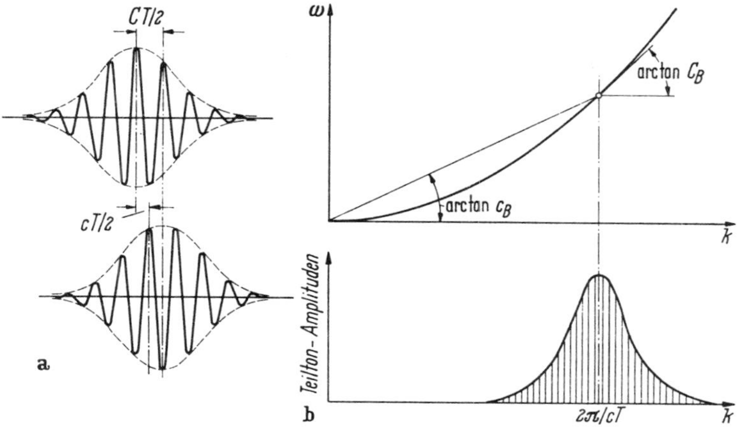

Abb. II/11. Beispiel zur Darlegung des Unterschieds zwischen Gruppengeschwindigkeit C und Phasengeschwindigkeit c

Energieverteilungen in bemerkenswerter Weise abweichen, ist in Abb. II/12 eine der Abb. II/2 entsprechende Zusammenstellung wiedergegeben. Für die — diesmal transversale — Auslenkung ist wieder angesetzt:

$$\eta = \hat{\eta} \sin (\omega t - k x) . \tag{90}$$

Obenan ist die zum Zeitpunkt $t = 0$ gehörige Biegedeformation gezeichnet. Darunter folgen schrittweise die entsprechenden Ortsabhängigkeiten für die Schnelle

$$v_y = \frac{\partial \eta}{\partial t} = \hat{\eta}\, \omega \cos k x = \hat{v}_y \cos k x , \tag{90a}$$

die Winkelgeschwindigkeit

$$w_z = \frac{\partial v_y}{\partial x} = - \hat{\eta}\, \omega\, k \sin k x = - \hat{w}_z \sin k x , \tag{90b}$$

das Biegemoment

$$M_z = - B \frac{\partial^2 \eta}{\partial x^2} = - \hat{\eta}\, B k^2 \sin k x = - \hat{M}_z \sin k x \tag{90c}$$

und schließlich für die Querkraft

$$F_y = - \frac{\partial M_z}{\partial x} = \hat{\eta}\, B k^3 \cos k x = \hat{F}_y \cos k x . \tag{90d}$$

Es sind also paarweise F_y und v_y und M_z und w_z in Phase, beide Paare aber gegeneinander um eine Viertelperiode versetzt. Das zieht eine bemerkenswerte Eigenschaft für den Leistungstransport nach sich, der sich ja sowohl aus dem Anteil

$$P_F = F_y\, v_y = \hat{\eta}^2\, B\, \omega\, k^3 \cos^2 k\, x = \hat{F}_y\, \hat{v}_y \cos^2 k\, x\,, \tag{91F}$$

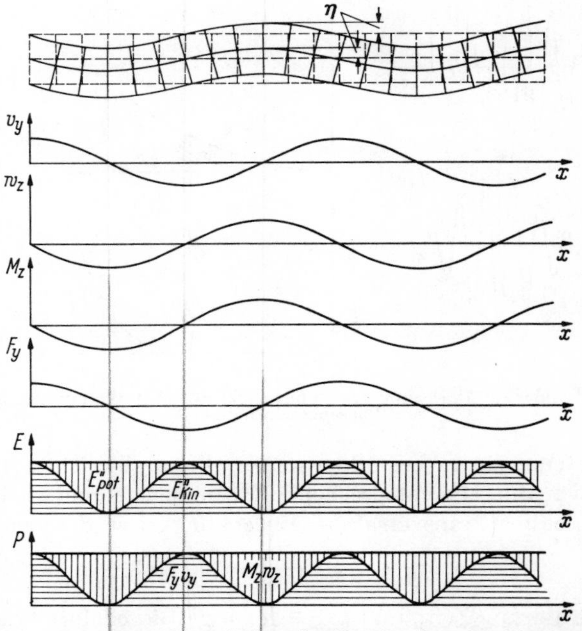

Abb. II/12. Verteilung der Feld- und Energiegrößen in einer sinusförmigen Biegewelle

der in Abb. II/12 unten horizontal schraffiert eingezeichnet ist, als auch aus dem mit vertikaler Schraffur darüber gesetzten Anteil

$$P_M = M_z\, w_z = \hat{\eta}^2\, B\, \omega\, k^3 \sin^2 k\, x = \hat{M}_z\, \hat{w}_z \sin^2 k\, x \tag{91M}$$

zusammensetzt. Die Summe aber ergibt einen konstanten Wert:

$$P = P_F + P_M = \hat{\eta}^2\, B\, \omega\, k^3\,. \tag{91}$$

In der sinusförmigen Biegewelle schwankt der Leistungstransport also nicht mit der Periode $\lambda/2$ zwischen 0 und einem Maximalwert hin und her, sondern er ist an jeder Stelle und zu jeder Zeit konstant.

Folglich muß dasselbe auch für die Summe aus potentieller und kinetischer Energie gelten. Die letzte ergibt sich (unter Bezug auf die Längeneinheit) einfach aus:

$$S\, E_{\text{kin}} = \frac{m'}{2}\, v_y^2 = \frac{m'}{2}\, \omega^2\, \hat{\eta}^2 \cos^2 k\, x = \frac{\varrho\, S}{2}\, \hat{v}_y^2 \cos^2 k\, x \tag{92k}$$

(Sie ist praktisch nur durch die Translationsenergie bestimmt.) Vergleicht man nämlich damit die Rotationsenergie je Längeneinheit:

$$S\,\bar{e}_{\text{kin}} = \frac{\varrho\, I}{2}\, w_z^2 = \frac{\varrho\, I}{2}\, k^2\, \hat{v}_y^2 \sin^2 k\,x\,,$$

so überblickt man, daß ihr Höchstwert im quadratischen Verhältnis des 2π-fachen Trägheitsradius $\sqrt{I/S}$ zur Wellenlänge kleiner ist:

$$\frac{\bar{e}_{\text{kin, max}}}{E_{\text{kin, max}}} = \left(\frac{2\,\pi\sqrt{I/S}}{\lambda}\right)^2.$$

(Da die Energiedichte bei der Rotation zum Rande wächst, ist sie als Mittelwert zu verstehen und durch Überstreichen gekennzeichnet.)

Es gehört aber, wie schon bemerkt, zu den Voraussetzungen der reinen Biegungsdeformation, daß die Querabmessungen des Stabes klein gegenüber der Wellenlänge sind. Deshalb sind auch die Formeln (85) und (89) nur in Bereichen gültig, in welchen die daraus sich errechnenden Geschwindigkeiten noch wesentlich unter der Longitudinalwellen-Geschwindigkeit c_L bleiben.

Auf der anderen Seite sind ebenso nur die Längsspannungen und Längsdehnungen für den potentiellen Energiegehalt verantwortlich:

$$S\,\bar{E}_{\text{pot}} = \frac{1}{2}\int\limits_S \sigma_x\,\varepsilon_x\,dS = \frac{E}{2}\left(\frac{\partial^2\eta}{\partial x^2}\right)^2 \int\limits_S y^2\,dS = \frac{B}{2}\,k^4\,\hat{\eta}^2 \sin^2 k\,x\,. \quad \text{(92p)}$$

Beide Energiearten pendeln zwischen 0 und einem Höchstwert mit der Periode $\lambda/2$. Dieser Höchstwert ist ferner wieder in beiden Fällen derselbe, wie man nach Einsetzen von (83) in den Ausdruck für die potentielle Energie erkennt. Beide Pendelungen sind aber um eine Viertelwellenlänge gegeneinander verschoben. An den Stellen seiner größten Krümmung befindet sich der Stab in Umkehr, also momentan in Ruhe. In dem vorletzten Diagramm der Abb. II/12 sind wieder die horizontal schraffierte kinetische Energie und die vertikal schraffierte potentielle übereinander getürmt. Die Summe ergibt den konstanten Wert:

$$S\,\bar{E}_{\text{ges}} = S(\bar{E}_{\text{kin}} + \bar{E}_{\text{pot}}) = \frac{\hat{\eta}^2}{2}\,(m'\,\omega^2 \cos^2 k\,x + B\,k^4 \sin^2 k\,x) = \frac{B\,k^4\,\hat{\eta}^2}{2}. \quad (92)$$

Setzt man nun noch die konstante Energiedichte $\bar{E}_{\text{ges}}$ mit dem konstanten Leistungstransport P in Beziehung, so ergibt sich:

$$P = 2\,\frac{\omega}{k}\,S\,\bar{E}_{\text{ges}} = 2\,c_B\,S\,\bar{E}_{\text{ges}}\,. \quad (93)$$

Es läßt bei erster Betrachtung einen Rechenfehler vermuten, daß hier im Gegensatz zu (16) die doppelte Phasengeschwindigkeit auftritt, mit welcher doch die periodischen Einzelanteile an kinetischer und potentieller

Energie weiterwandern. Aber zunächst einmal ist festzustellen, daß mit einer in Ausbreitungsrichtung vollkommen gleichmäßigen Gesamtenergieverteilung auch jede andere Ausbreitungsgeschwindigkeit der Gesamtenergie verträglich ist. Erst wenn wir es mit einem endlichen oder sonst in seiner Stärke schwankenden Wellenzug zu tun haben, muß verlangt werden, daß das Weiterwandern dieses Energiegebirges dem Ausdruck für den Leistungstransport entspricht. Dieses aber vollzieht sich nach den obigen Ausführungen mit der Gruppengeschwindigkeit und in der Tat tritt diese in der Beziehung (93) zwischen Leistung und Energiedichte auf, die sich mit (89) umschreiben läßt zu:

$$P = c_B\, S\, \overline{E}_{\text{ges}}\,. \tag{93a}$$

b) Die korrigierte Biegewelle

Die im letzten Abschnitt gegebene Theorie der reinen Biegewellen gilt nur so lange, als die zugehörige Wellenlänge groß ist gegenüber den Querabmessungen des Stabes oder der Platte. Wo die Gültigkeitsgrenze zweckmäßig zu ziehen ist, können wir aber erst abschätzen, wenn wir die bisherige Darstellung mit einer umfassenderen vergleichen. Eine solche bietet sich zunächst in der Form, daß wir zwei Korrekturen einführen.

Einmal hatten wir bereits im letzten Abschnitt festgestellt, daß bei kürzeren Wellenlängen die Rotationsenergie nicht mehr vernachlässigt werden kann. Das heißt wiederum, daß wir (78a) noch durch das anschließend angeführte Trägheitsglied zu ergänzen haben. Diese Korrektur wurde bereits von LORD RAYLEIGH[1] berücksichtigt. Dabei wollen wir, um auch inhomogene Konstruktionen einbeziehen zu können, bei welchen kein geometrischer Zusammenhang zwischen Biegesteife und Drehträgheit besteht, statt $I\varrho$ den Ausdruck Θ'_z einführen:

$$-F_y - \frac{\partial M_z}{\partial x} = \Theta'_z \frac{\partial w_z}{\partial t}\,. \tag{94}$$

Dieser Zusatz aber tritt nicht als einzige Ergänzung unserer im letzten Paragraphen abgeleiteten Gleichungen auf. Wie zuerst von TIMOSHENKO[2] dargelegt wurde, tritt im gleichen Frequenzbereich eine meist sogar noch einflußreichere Korrektur hinzu durch Berücksichtigung derjenigen Deformation, die durch die Schubspannungen im Querschnitt hervorgerufen wird. Aus der Statik ist bekannt, daß dieselbe um so eher von Einfluß ist, in je geringerem Abstande die entgegengesetzten äußeren Kräfte an dem betreffenden Balken wirken. Für diesen Abstand kommt sinn-

[1] Lord RAYLEIGH: Theory of Sound I, 186, London 1877.

[2] TIMOSHENKO, S. P.: Phil. Mag. Ser. 6 Bd. 41 (1921), 744, s. auch TIMOSHENKO, S. P.: Schwingungsprobleme der Technik, Abschn. 41. Berlin: Springer 1932.

gemäß hier die halbe Wellenlänge in Frage, um welche versetzt die Massenträgheitskräfte in entgegengesetzter Richtung wirken, und es leuchtet ein, daß die Schubdeformation somit ebenfalls mit kürzer werdender Wellenlänge an Einfluß gewinnt.

Derselbe äußert sich darin, daß die Schrägstellung des Balkens, bzw. der Platte, aus zwei Anteilen sich zusammensetzt, aus dem oben berücksichtigten und von der reinen Verbiegung herrührende Anteil β und aus einem Schiebungswinkel γ nach Art der Abb. II/4:

$$\frac{\partial \eta}{\partial x} = \beta + \gamma \,. \tag{95}$$

Indem wir unter w_z wie früher die zeitliche Änderung von β verstehen:

$$w_z = \frac{\partial \beta}{\partial t} \,, \tag{96}$$

bleibt Gl. (94) ungeändert, da an der Drehung des Querschnitts im Ganzen nur die Biegedeformation beteiligt ist; ebenso bleiben die früheren Beziehungen (77) und (79a) erhalten; dagegen müssen wir die frühere kinematische Beziehung (69), entsprechend einer Differentiation von (95) nach der Zeit mit einem Zusatzglied versehen:

$$\frac{\partial v_y}{\partial x} = w_z + \frac{\partial \gamma}{\partial t} \,. \tag{97}$$

γ ist nun nach (42) der jeweiligen Schubspannung und somit der diese hervorrufenden Querkraft F_y proportional. Bei einer gleichmäßigen Verteilung der vertikalen Schubspannungen über dem Querschnitt würde gelten:

$$\tau_{xy} = -\frac{F_y}{S} \,, \tag{98}$$

und somit statt (97):

$$\frac{\partial v_y}{\partial x} = w_z - \frac{1}{G S} \frac{\partial F_y}{\partial t} \,. \tag{99a}$$

(Das negative Vorzeichen ergibt sich aus der in Abb. II/9 getroffenen Festlegung für die positive Richtung von F_y, die der in Abb. II/4 angenommenen positiven Schubspannungsrichtung entgegengesetzt ist.)

So einfach liegen die Dinge freilich nicht. Die vertikale Schubspannungskomponente kann gar nicht gleichmäßig über den Querschnitt verteilt sein; sie muß jedenfalls oben und unten, wo der Rand horizontal verläuft, verschwinden; denn, wie wir in II, 2a auseinandergesetzt hatten, bedingt jede vertikale Schubspannungskomponente τ_{xy} eine zugeordnete gleich große horizontale Komponente τ_{yx}; für eine solche fehlt aber am freien Rande der Gegenhalt. Sind nun einige Schubspannungen kleiner als der durch (98) bestimmte Mittelwert, so müssen andere dafür größer sein. Hinzu kommt, daß bei seitlich schrägen Rändern durch die Bedingung, daß die Schubspannung nur tangential zum Rande verlaufen kann (— für jede normale Komponente fehlt der Gegenhalt —) auch quer gerichtete Schubspannungen auftreten. Eine zuerst von BACH[1] durchgeführte Betrachtung über die Formänderungsarbeit macht es einleuchtend, daß dadurch der in (97) einzusetzende Winkel größer ist als es seinem arithmetischen Mittelwert entspricht. BACH setzt die gesamte, in den Schubspannungen aufgespeicherte Formänderungsarbeit innerhalb des Längenelementes dx gleich der äußeren Arbeit, die von der Querkraft $-F_y$ infolge der Verschiebung $\gamma_{\text{res}}\,dx$ geleistet wird:

$$\frac{dx}{2\,G}\int\limits_S (\tau_{xy}^2 + \tau_{xz}^2)\,dS = \frac{-\,dx}{2}\,F_y\,\gamma_{\text{res}} = \frac{\gamma_{\text{res}}\,dx}{2}\int\limits_S \tau_{xy}\,dS\,.$$

Vergleicht man diesen resultierenden Schiebungswinkel mit dem (99a) zugrunde gelegten Mittelwert:

$$\bar{\gamma} = \frac{1}{G\,S}\int\limits_S \tau_{xy}\,dS\,,$$

so ergibt sich für das Verhältnis aus beiden eine Zahl, die als Schubverteilungszahl bezeichnet wird, und die stets größer als 1 ist:

$$\varkappa = \frac{\gamma_{\text{res}}}{\bar{\gamma}} = \frac{\dfrac{1}{S}\displaystyle\int\limits_S (\tau_{xy}^2 + \tau_{xz}^2)\,dS}{\left(\dfrac{1}{S}\displaystyle\int\limits_S \tau_{xy}\,dS\right)^2}\,. \qquad (100)$$

Gl. (99a) wäre hiernach also abzuändern in:

$$\frac{\partial v_y}{\partial x} = w_z - \frac{\varkappa}{G\,S}\,\frac{\partial F_y}{\partial t}\,. \qquad (99\text{b})$$

Die Schubverteilungszahl kann bei I-Profilen Werte von 2,4 und darüber annehmen. Bei rechteckigem Querschnitt beträgt sie jedoch nur 1,2 und bei kreisförmigem nur 1,18. Man würde in diesen Fällen also keinen wesentlichen Fehler begehen, wenn man $\varkappa = 1$ setzen, also mit der Vorstellung der gleichmäßigen Schubspannungsverteilung arbeiten würde.

Es geschieht mehr im Interesse des physikalischen Einblicks, wenn wir dieser Frage so ausführlich nachgehen und nun sogar die Schubspannungsverteilung und zugehörige Deformation im Falle des rechteckigen Querschnittes noch im einzelnen betrachten. Dieser Fall ist darum besonders einfach, weil keine Verschiedenartigkeit in der Querrichtung (z-Richtung) hinzukommt und somit auch keine z-Komponenten der Schubspannungen τ_{xz} auftreten. Wir haben also nur in den zur

[1] S. z. B. BACH, K. von: Elastizität und Festigkeit, Berlin 1928.

yz-Ebene parallelen Querschnitten vertikale Schubspannungen und in den zur xz-Ebene parallelen Schnitten die gleich großen horizontalen Schubspannungen. Die letzten bieten auch Anhaltspunkte über die Spannungsverteilung. Nicht nur erkennt man an ihnen die Randbedingung:

$$y = \pm \frac{h}{2}; \qquad \tau_{yx} = 0; \qquad (101)$$

ihre Änderung in vertikaler Richtung ergibt sich überdies aus der bekannten Verteilung der Normalspannungen; denn, wie leicht aus Abb. II/13 abzulesen, gilt für die Anwendung des dynamischen Grundgesetzes auf die Beschleunigung eines Massenelementes $\varrho\ dx\ dy\ dz$ in x-Richtung:

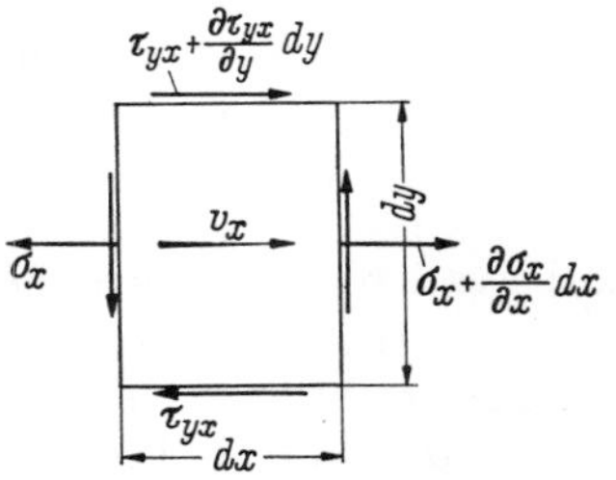

Abb. II/13. Spannungsverteilung in einem Stabelement

$$\frac{\partial \sigma_x}{\partial x} + \frac{\partial \tau_{yx}}{\partial y} = \varrho \frac{\partial v_x}{\partial t}. \qquad (102)$$

Von dem ersten Glied $\frac{\partial \sigma_x}{\partial x}$ interessiert uns ferner nur, daß es gemäß (73) linear mit y wächst. Für statische Betrachtungen verschwindet schließlich das Beschleunigungsglied auf der rechten Seite. Es ließe sich leicht

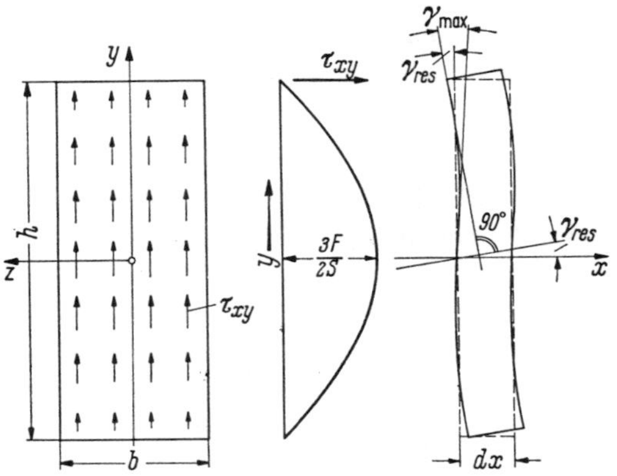

Abb. II/14. Verteilung der Schubspannung und Schubdeformation beim Rechteckquerschnitt

zeigen, daß unsere Korrekturrechnung jedenfalls noch einen großen Frequenzbereich richtig erfaßt, wenn wir dieses Glied vernachlässigen. Doch brauchen wir diese Abschätzung gar nicht durchzuführen, da ja auch v_x linear mit y wächst, dieses Glied also an der y-Abhängigkeit der Schubspannungen gegenüber der Statik nichts ändert. Die Schubspannungen verteilen sich also jedenfalls, wie dies in Abb. II/14 dargestellt ist, parabolisch über dem Querschnitt und zwar im Hinblick auf Symmetrie und Randbedingung nach dem Gesetz:

$$\tau_{yx} = \tau_{xy} = \tau_{xy\max}\left(1 - \left(\frac{2\,y}{h}\right)^2\right). \tag{103a}$$

Hieraus ergibt sich aber auch eine Änderung der Schiebungswinkel längs y:

$$\gamma_{xy} = \gamma_{\max}\left(1 - \left(\frac{2\,y}{h}\right)^2\right) \tag{103b}$$

insbesondere muß auch dieser Winkel am Rande verschwinden. Der Querschnitt kann daher entgegen der Annahme der elementaren Biegelehre gar nicht eben bleiben, sondern nimmt eine leicht S-förmige Gestalt an, wie dies in Abb. II/14 rechts zu sehen ist. Dabei ergibt sich eine zusätzliche Verschiebung in x-Richtung, die aber gegenüber der durch die Verbiegung bedingten als sehr klein angesehen werden kann. Die Schubdeformation wäre somit ganz vernachlässigbar, wenn sie nicht zu der zusätzlichen Schräglage führen würde. In Abb. II/14 ist nun der „resultierende" Wert γ_{res} gemäß der obigen Energiebetrachtung eingetragen, welche für die Schubverteilungszahl in diesem Falle, wie schon vorweg bemerkt, ergibt:

$$\varkappa = 1{,}2\,.$$

Schließlich wollen wir auch bei dieser Korrektur die Möglichkeiten inhomogener Konstruktionen einbeziehen. Immer wird die Querkraft F_y eine zusätzliche Schrägstellung zur Folge haben:

$$\gamma = -\frac{F_y}{K}\,, \tag{104}$$

die durch eine gegebenenfalls experimentell zu ermittelnde Schubsteife K bestimmt wird. Bei homogenen Profilen wäre also:

$$K = \frac{G\,S}{\varkappa}\,.$$

Anstelle von (99a) schreiben wir daher allgemeiner:

$$\frac{\partial v_y}{\partial x} = w_z - \frac{1}{K}\,\frac{\partial F_y}{\partial t}\,. \tag{105}$$

Fügen wir hierzu noch einmal die drei weiteren in Frage kommenden Differentialgleichungen, nämlich zunächst (77):

$$\frac{\partial w_z}{\partial x} = -\,\frac{1}{B}\,\frac{\partial M_z}{\partial t}\,,$$

weiterhin die abgeänderte Momentengleichung (94):

$$-\,\frac{\partial M_z}{\partial x} = F_y + \Theta_z'\,\frac{\partial w_z}{\partial t}\,,$$

und schließlich die ungeändert gebliebene Gleichung (79a):

$$-\frac{\partial F_y}{\partial x} = m' \frac{\partial v_y}{\partial t},$$

so haben wir wieder einen Zyklus von 4 Gleichungen für die 4 Feldgrößen vor uns, die sich zu einer Differentialgleichung zusammenfassen lassen, nämlich zu:

$$\frac{B}{m'} \frac{\partial^4 v_y}{\partial x^4} + \frac{\partial^2 v_y}{\partial t^2} - \left[\frac{\Theta_z'}{m'} + \frac{B}{K}\right] \frac{\partial^4 v_y}{\partial x^2 \partial t^2} + \frac{\Theta_z'}{K} \frac{\partial^4 v_y}{\partial t^4} = 0 . \quad (106)$$

Hierin bilden die beiden ersten Glieder die Differentialgleichung der reinen Biegewelle (81). Die drei weiteren stellen die Korrekturen dar. Von diesen wäre das erste, dessen Konstante Θ_z'/m' einfach gleich dem Quadrat des jeweiligen Trägheitsradius ist, allein aufgetreten, wenn nur die Drehträgkeit, das zweite allein, wenn nur die Schubdeformation berücksichtigt worden wäre. Bei homogenen Konstruktionen sind beide Anteile nicht unabhängig voneinander. Einerseits ist

$$\frac{\Theta'}{m'} = \frac{I}{S}$$

andererseits

$$\frac{B}{K} = \frac{I E \varkappa}{S G}.$$

Bei Platten wäre, abgesehen von dem Bezug aller Größen auf die Breiteneinheit, was aber bei derQuotientenbildung herausfällt, E durch $E/(1-\mu^2)$ zu ersetzen.

Bei homogenen Konstruktionen überwiegt sogar der zweite Anteil, denn $\varkappa$ ist stets größer als 1 und der Elastizitätsmodul E nach (48) stets größer als der Gleitmodul G. Im Falle eines rechteckigen Querschnittes ($\varkappa = 1{,}2$) und des mittleren Wertes $\mu = 0{,}3$ beträgt die Korrektur infolge der Schubdeformation mehr als das Dreifache, nämlich 3,12 derjenigen, die infolge der Drehträgheit allein auftritt. Im Falle einer Platte erhöht sich dieser Wert noch auf 3,43.

Wir wollen nun für den letzten Fall abschätzen, oberhalb welcher Frequenz oder anschaulicher unterhalb welcher Wellenlänge diese beiden, dann in

$$-\frac{h^2}{12} 4{,}43 \frac{\partial^4 v_y}{\partial x^2 \partial t^2}$$

übergehenden Korrekturglieder gegenüber dem Glied $\frac{\partial^2 v_y}{\partial t^2}$ nicht mehr vernachlässigbar sind. Wir wollen dabei ihre Berücksichtigung erst dann als erforderlich ansehen, wenn die Ausbreitungsgeschwindigkeit einer Sinuswelle dadurch um 10% geändert wird. Bei einer solchen Welle bedeutet die zweimalige Differentiation nach x eine Multiplikation mit

$-(2\pi/\lambda)^2$. Die Korrekturglieder sind also gegenüber dem davorstehenden mit dem Faktor $14{,}6\,(h/\lambda)^2$ behaftet. Bei der näherungsweisen Ausrechnung der Phasengeschwindigkeit c aus der nur um dieses Korrekturglied erweiterten Biegewellengleichung, d. h. aus

$$\frac{B}{m'}\left(\frac{\omega}{c}\right)^4 - \omega^2\left(1 + 14{,}6\left(\frac{h}{\lambda}\right)^2\right) = 0$$

tritt dieser Korrekturfaktor nur noch zu $^1/_4$ in Erscheinung:

$$c = \sqrt[4]{\frac{B}{m'}}\,\sqrt[2]{\omega}\left(1 - 3{,}6\left(\frac{h}{\lambda}\right)^2\right).$$

Die erwähnte 10%ige Abweichung würde also erst eintreten, wenn die Biegewellenlänge unter

$$\lambda = 6\,h \tag{107}$$

sinkt.

Das letzte Glied in Gleichung (106) ergibt sich erst aus der Kombination beider Korrekturen. Es ist daher bei den Frequenzen, bei welchen die beiden ersten merklich zu werden beginnen sicher noch zu vernachlässigen. Darüber hinaus ergibt sich die Frage, ob eine solche Kombination überhaupt noch Sinn hat. Wohl wird, wie wir im Anschluß an Formel (102) darlegten, die der zweiten Korrektur zugrunde gelegte Spannungsverteilung durch die Berücksichtigung der ersten nicht geändert, solange die Schubdeformation nur wenig zu den axialen Bewegungen beiträgt, so daß es durchaus möglich wäre, daß der Berücksichtigung dieses Korrekturgliedes noch Bedeutung zukommt. Keinesfalls aber können wir erwarten, daß unsere Darstellung, welche von vornherein gleichphasige und gleich große Feldzustände an beiden entgegengesetzten Rändern annimmt, auch noch auf Frequenzen übertragbar ist, bei welchen die Stärke des Profils bereits die Größenordnung der Longitudinal-Wellenlänge erreicht.

4. Die Wellenbewegungen auf Stäben endlicher Länge

Die bisher behandelten, in einer Richtung fortschreitenden Wellen sind nur so lange möglich, als sich an der Beschaffenheit des Wellenträgers nichts ändert. Aber auch jeder homogene Wellenträger hat seine Begrenzung, seinen Rand. Dort wird die Wellenbewegung zumindest zu einer Richtungsänderung, meist auch zu einer Änderung der Amplitude und Phase, vielfach sogar ihrer Art, gezwungen.

In diesem Abschnitt wollen wir uns nun mit dem eindimensionalen Fall begnügen, wobei wir zur weiteren Vereinfachung nur die in den Abschnitten 1b, 2b und 3a behandelten Wellenausbreitungen in Stäben bei überdies idealen Randbedingungen behandeln.

a) Longitudinale Eigenschwingungen

Wir nehmen also zunächst an, daß eine quasilongitudinale Welle auf ein bei $x = 0$ gelegenes Stabende auffalle. Dieses Ende könnte entweder starr, also in einem schweren Körper eingespannt, oder frei sein. Im ersten Fall würde die Schnelle, im zweiten die Kraft dort verschwinden. Während bei der Luftschallausbreitung in Rohren der erste Fall viel leichter herzustellen ist, ist schon beim Flüssigkeitsschall die zweite Bedingung viel eher zu realisieren; und erst recht gilt das von festen Körpern. Wir werden daher vorzugsweise, — insbesondere im Hinblick auf die meßtechnische Anwendung —, den am Rande freien Stab betrachten, also als Randbedingung ansetzen:

$$x = 0; \qquad F = 0\,. \tag{108}$$

Diese für alle Zeiten geltende Bedingung ist mit der gegebenen auflaufenden Welle, die wir mit dem Index + kennzeichnen wollen, weil sie in positiver x-Richtung wandern soll,

$$F_+\left(t - \frac{x}{c}\right)$$

allein nicht erfüllbar, wir müssen vielmehr eine ebenfalls mögliche in $-x$-Richtung laufende Welle

$$F_-\left(t + \frac{x}{c}\right)$$

hinzufügen:

$$F(x,t) = F_+\left(t - \frac{x}{c}\right) + F_-\left(t + \frac{x}{c}\right), \tag{109}$$

und die Befriedigung der Randbedingung (108) verlangt, daß

$$F_-(t,0) = -\,F_+(t,0); \tag{110F}$$

die Welle kehrt also in bezug auf die Kraft nur ihr Vorzeichen um, sie wird „ideal reflektiert“.

Betrachten wir stattdessen die Schnelle, so hat sie, wie wir zunächst bei der reinen longitudinalen Welle an Hand der Gl. (14) gezeigt haben und wie sich auch aus (29) oder (30) ableiten läßt, in der auffallenden Welle den gleichen Verlauf wie die Kraft:

$$v_+ = \frac{1}{\varrho\, S\, c_L}\, F_+\left(t - \frac{x}{c}\right).$$

Bei der reflektierten Welle tritt dagegen ein Vorzeichenwechsel zwischen v_- und F_- auf:

$$v_- = \frac{-1}{\varrho\, S\, c_L}\, F_-\left(t + \frac{x}{c}\right),$$

weil bei ihr der Leistungstransport in negativer Richtung erfolgt. Somit gilt am Rande:

$$v_-(t, 0) = v_+(t, 0) . \tag{110v}$$

Während also die Kraft verschwindet, wird die Schnelle dort doppelt so groß wie die der ankommenden Welle:

$$v(t, 0) = 2\, v_+(t, 0) . \tag{111}$$

Hätten wir angenommen, daß es möglich wäre, bei $x = 0$ jede Bewegung zu unterdrücken, so hätten wir dafür an diesem starren Ende eine Kraftverdoppelung erhalten.

Da die in Kap. II, 2b behandelten Feldgleichungen für die Torsionswellen denen der quasilongitudinalen Wellen analog sind und dies auch von den Randbedingungen am freien, bzw. starren Ende gilt, in dem dort entweder das Moment M oder die Winkelgeschwindigkeit w verschwinden, können wir, ohne die Gleichungen im einzelnen hinschreiben zu müssen, schließen, daß auch eine Torsionswelle am freien oder starren Stabende eine ideale Reflexion erfährt, wobei im ersten Falle M das Vorzeichen wechselt, w es beibehält, während im zweiten Falle das Umgekehrte gilt.

Entsprechend erhalten wir am freien Ende eine Verdoppelung der Winkelgeschwindigkeit, am starren Ende eine solche von M.

Ist der Stab beiderseits in gleicher Weise begrenzt, so hat nach zweimaliger Reflexion die Welle nicht nur wieder die gleiche Ausbreitungsrichtung, sondern beide Feldgrößen haben wieder das ursprüngliche Vorzeichen; das bedeutet aber, daß jede Feldgröße an jeder Stelle bei den bisher betrachteten Wellen einen periodischen Zeitverlauf aufweist mit der Periodendauer

$$T = \frac{2\,l}{c}, \tag{112a}$$

in welcher die Welle den Weg bis zu einem Rande, von dort zum anderen und von dort zur Anfangsstelle mit der Geschwindigkeit c zurückgelegt hat.

Da aber jeder mit der Frequenz

$$f_1 = \frac{1}{T} = \frac{c}{2\,l} \tag{112b}$$

periodische Vorgang in sinusförmige Teilschwingungen der Frequenzen

$$f_n = n\,\frac{c}{2\,l} \tag{112c}$$

zerlegbar ist, erhebt sich die Frage, wie sehen die zugehörigen Teilwellen aus, bzw. die sich aus ihnen unter Berücksichtigung der Randbedingungen ergebenden Schwingungen, die, da sie eine Eigentümlichkeit des betreffenden Stabes darstellen, *Eigenschwingungen* heißen.

Im einfachsten Fall, bei einem Pendel oder einer elastisch gelagerten in einer Richtung beweglichen Masse, ist eine Eigenschwingung für jede Feldgröße u (Ausschlag, Schnelle, Rückstellkraft ect.) gegeben durch den Ansatz:

$$u = \hat{u} \cos (\omega t + \varphi_u) . \tag{113a}$$

Bei m Freiheitsgraden benötigen wir m unabhängige Feldgrößen zur Beschreibung, die alle eine sinusförmige Bewegung ausführen, wobei die Teilamplituden durchaus verschieden sein können. Wird keine Energie verbraucht, handelt es sich also um ungedämpfte Schwingungen, so finden die Nulldurchgänge sogar zur gleichen Zeit statt.

Man kann daher unter Wahl eines Umkehrzeitpunktes für $t = 0$ und Zulassung positiver und negativer Werte für die Amplituden $\hat{u}$ auch $\varphi_u = 0$ setzen, es gilt dann für jede der k Koordinaten ein Ansatz:

$$u_k = \hat{u}_k \cos \omega t . \tag{113b}$$

Beim Kontinuum wird die Zahl der Freiheitsgrade unendlich, das bedeutet, daß die diskreten Amplituden in eine kontinuierliche Funktion des Ortes übergehen:

$$u(x, t) = \hat{u}(x) \cos \omega t . \tag{113c}$$

Diese — nach D. Bernoulli benannte — Aufspaltung des Feldverlaufes in eine vom Ort und eine von der Zeit abhängige Funktion ist sicher dem Begriff der Eigenschwingungen noch besser angepaßt als die in (109) angewendete, auf D'Alembert zurückgehende Zerlegung in fortschreitende Wellen beliebiger Form.

Wir können aber aus der bisher nur abgeleiteten Tatsache, daß jede Feldgröße einen mit $2\,l/c$ periodischen Zeitverlauf aufweist, der sich in Teiltöne zerlegen läßt, vorerst nur schließen, daß für diese Teilschwingungen ein Ansatz der Form:

$$u(x, t) = \hat{u}(x) \cos \big(\omega t + \varphi_u(x)\big) \tag{113d}$$

gelten muß, d. h. wir müssen vorerst die Möglichkeit offen halten, daß Phasenverschiebungen auftreten. Wir wollen diesen allgemeinen Ansatz aber auch deshalb diskutieren, weil er nicht nur die hier interessierenden Eigenschwingungen mitumfaßt, sondern alle quasistationären, d. h. zeitlich sinusförmig sich ändernden Feldbilder, wobei evtl. die Abhängigkeit von x in eine von einem Ortsvektor $\mathfrak{r}$ zu ersetzen ist.

Der Ansatz (113d) entspricht nun keiner einfachen multiplikativen Aufspaltung mehr, sondern entweder der Summe von zwei solchen zeitlich phasenverschobenen Aufspaltungen

$$u(x, t) = [\hat{u}(x) \cos \varphi_u(x)] \cos \omega t + [-\hat{u}(x) \sin \varphi_u(x)] \sin \omega t \tag{113e}$$

oder dem Realteil eines Produktes aus komplexen, jeweils von Ort und Zeit abhängenden Größen:

$$u(x, t) = \mathrm{Re}\,\{[\hat{u}(x)\, e^{j\varphi_u(x)}]\, e^{j\omega t}\} = \mathrm{Re}\,\{\underline{\hat{u}}(x)\, e^{j\omega t}\}\,. \tag{113f}$$

Diese bereits in I, (7) und (8) eingeführte Darstellung ist hier nur auf ortsabhängige „Zeiger“ $\underline{\hat{u}}(x)$ zu erweitern.

Die eindimensionalen Wellengleichungen (11), (31), (46) und (61) nehmen somit für diese Zeiger die Form der gewöhnlichen Schwingungsgleichung an:

$$\frac{d^2\underline{\hat{u}}}{dx^2} + k^2\,\underline{\hat{u}} = 0\,. \tag{114}$$

Wir knüpfen an die in (109) verwendete Zerlegung in zwei einander entgegenlaufende Wellen an, wenn wir die Lösung der „örtlichen“ Schwingungsgleichung (114) — speziell für die Längskraft im Stab — schreiben:

$$\underline{\hat{F}}\,(x) = \underline{\hat{F}}_+\, e^{-jkx} + \underline{\hat{F}}_-\, e^{+jkx}\,. \tag{115}$$

Es leuchtet ein, daß bei dem ersten Summanden, der eine in $+\,x$-Richtung fortschreitende Welle darstellt, die Phase mit wachsendem x nacheilen muß, weil eine gegebene Phase ja um so später einen Ort erreicht, je größer x ist.

Die erste Randbedingung, das Verschwinden der Kraft bei $x = 0$, liefert wie in (110F) für die beiden Zeiger $\underline{\hat{F}}_+$ und $\underline{\hat{F}}_-$ entgegengesetztes Vorzeichen.

Da man für

$$\underline{\hat{F}}_- = -\,\underline{\hat{F}}_+ \tag{116a}$$

auch schreiben kann:

$$\underline{\hat{F}}_- = \underline{\hat{F}}_+\, e^{-j\pi}\,, \tag{116b}$$

kann man den Vorzeichenwechsel der Kraftwelle auch als einen bei ihrer Reflexion auftretenden „Phasensprung“ um

$$\gamma = -\,\pi \tag{116c}$$

bezeichnen.

Jedenfalls ergibt sich aus der ersten Randbedingung, daß die örtliche Kraftverteilung mit einem bei $x = 0$ einsetzenden Sinusbogen beginnt:

$$\underline{\hat{F}}(x) = \underline{\hat{F}}_{\max} \sin k\,x\,. \tag{117}$$

Wegen der zweiten Randbedingung, dem Verschwinden der Kraft bei $x = l$, muß sich dieser Bogen dort wieder auf Null senken. Durch diese Bedingung werden bestimmte k und somit Wellenlängen λ ausgewählt:

$$k_n\, l = n\,\pi; \qquad l = \frac{n\,\lambda_n}{2}\,. \tag{118}$$

Die zugehörigen Frequenzen sind die oben in (112c) bereits als zu erwartende angegebenen, sie heißen *Eigenfrequenzen* und verhalten sich im vorliegenden Fall wie die ganzen Zahlen. In Abb. II/15 sind links die Kraftverteilungen für $n = 1, 2, 3$ untereinander für die Zeitpunkte absoluter Maximalwerte eingezeichnet; rechts sind die Schnellen — und somit auch Ausschlagsverteilungen — in gleicher Weise eingetragen, für welche gilt:

$$\hat{\underline{v}}_n(x) = \hat{\underline{v}}_{n\,\max} \cos k_n x \tag{119a}$$

$$\hat{\underline{\xi}}_n(x) = \hat{\underline{\xi}}_{n\,\max} \cos k_n x\,. \tag{119b}$$

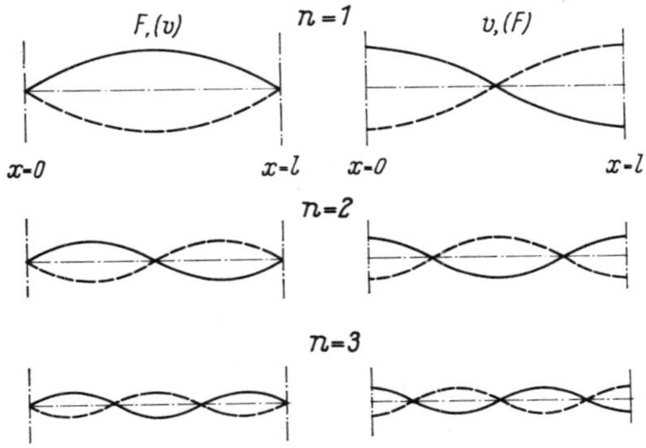

Abb. II/15. Longitudinale Eigenschwingungen eines Stabes.
F, v ohne Klammer: bei freien Enden v, F in Klammern: bei starren Enden
(die ausgezogenen und gestrichelten Linien unterscheiden sich um eine halbe Periodendauer)

Der in (118) zum Ausdruck kommende Sachverhalt, daß Hin- und Rückweg $2\,l$ gerade ein ganzzahliges Vielfaches der Wellenlänge ergeben, läßt sich auch aus einem, für alle Eigenschwingungen gültigen, sehr anschaulichen *Prinzip* herleiten. Es besagt, daß eine Eigenschwingung dann zu erwarten ist, wenn eine fortschreitende Welle nach Reflexion an den in Frage kommenden Rändern mit gleicher Größe und Phase an ihren Ausgangspunkt zurückkehrt, wenn also diese fortschreitende Welle einen *in sich geschlossenen Wellenzug* bilden kann. Da im vorliegenden Fall die Reflexionen nichts an den Amplituden ändern, kommt es bei diesem *Wellenzyklus* nur noch auf den *gleichphasigen Anschluß* der zweimal reflektierten Welle an.

Die Betrachtung der Schnelle, die ohne Phasensprung reflektiert wird, liefert dann sofort die Beziehung (118). Zur Veranschaulichung ist in Abb. II/16 für $n = 2$ der nach rechts eilende Teil der Welle als ausgezogen, der nach links eilende als gestrichelte Linie eingetragen.

Bei Betrachtung der Kraft ist der Zusammenhang nicht ganz so übersichtlich, weil Phasensprünge auftreten und die Bedingung gleichphasigen

Anschlusses verlangt, daß die Phasensprünge γ_0 und γ_l bei $x = 0$ und $x = l$ mit berücksichtigt werden, sie lautet daher allgemein:

$$2\,k\,l - \gamma_0 - \gamma_l = 2\,n\,\pi\,. \tag{120}$$

Da aber die Phasensprünge jedesmal $(-\pi)$ betragen, unterscheidet sich (120) von (118) nur dadurch, daß $(n - 1)$ statt n auftritt. Da aber n ohnehin alle ganzen Zahlen durchlaufen kann, kommt das auf dasselbe hinaus, was andererseits erwartet werden mußte, da die Bestimmung der Eigenfrequenzen nicht davon abhängig sein darf, an Hand welcher Feldgröße man den gleichphasigen Anschluß kontrolliert.

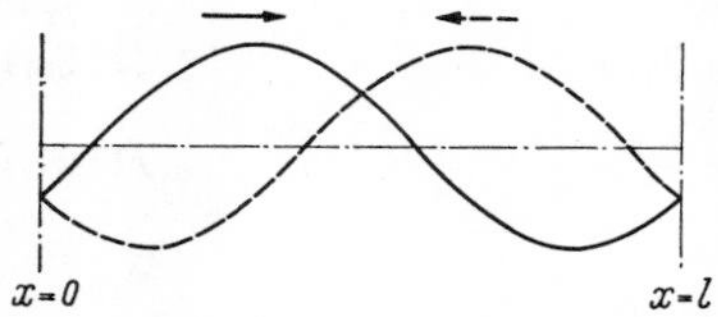

Abb. II/16. Skizze zum Prinzip des gleichphasigen Anschlusses

Damit wird auch klar, daß der an beiden Enden starr eingespannte Stab, wo Kraft und Schnelle ihre Rollen bei den Randbedingungen und somit auch bei den Phasensprüngen vertauschen, die gleichen Eigenfrequenzen aufweist.

Das Prinzip vom gleichphasigen Anschluß liefert aber auch sehr anschaulich die Eigenfrequenzen für den einseitig eingespannten, einseitig freien Stab, mag es sich um Longitudinal- oder um Torsionswellen handeln. Welche Feldgröße wir auch betrachten, an einer Seite wird sie ohne Phasensprung an der anderen mit dem Phasensprung $(-\pi)$ reflektiert. Wir erhalten somit

$$2\,k_n\,l = (2\,n - 1)\,\pi\,; \quad l = \frac{(2\,n - 1)\,\lambda_n}{4}\,; \quad f_n = \frac{(2\,n - 1)\,c}{4\,l}\,. \tag{121}$$

Wie bei der gedackten Pfeife verhalten sich die Eigenfrequenzen hier wie die ungeraden Zahlen.

b) Biege-Eigenschwingungen

Wir wenden uns nun den freien Biegeschwingungen eines Stabes endlicher Länge zu und wollen versuchen, auch hier die Eigenfrequenzen aus dem Prinzip des gleichphasigen Anschlusses herzuleiten. Hierzu müssen wir zunächst wieder die Phasensprünge feststellen, zu denen die verschiedenen Randbedingungen führen. Dabei stellen wir fest, daß es nicht einfach die idealen Grenzfälle „starr" und „frei" gibt, sondern daß hinzugefügt werden muß, ob diese Bezeichnungen jeweils für die transversale Verschiebung oder für die Neigung gelten.

Ein nur aufgestützter Stab, wie er in Abb. II/17 oben links gezeichnet ist, ist wohl transversal unbeweglich ($v = 0$), aber beliebig neigbar und daher nicht in der Lage, Momente am Rande aufzunehmen ($M = 0$). Erst wenn der Stab, wie daneben gezeichnet, eingespannt ist, verschwinden Verschiebung und Neigung, also auch Schnelle und Winkelgeschwindigkeit ($v = 0$, $w = 0$). Umgekehrt verschwinden bei dem darunter gezeichneten freien Stab Moment und Querkraft am Ende ($M = 0$, $F = 0$). Schließlich ist auch noch eine Lagerung denkbar, wenn auch schwer zu realisieren, bei der der Stab sich wohl seitlich verschieben, aber nicht neigen kann, was rechts unten durch Führungsstifte angezeigt ist, wo also Querkraft und Winkelgeschwindigkeit verschwinden ($F = 0$, $w = 0$).

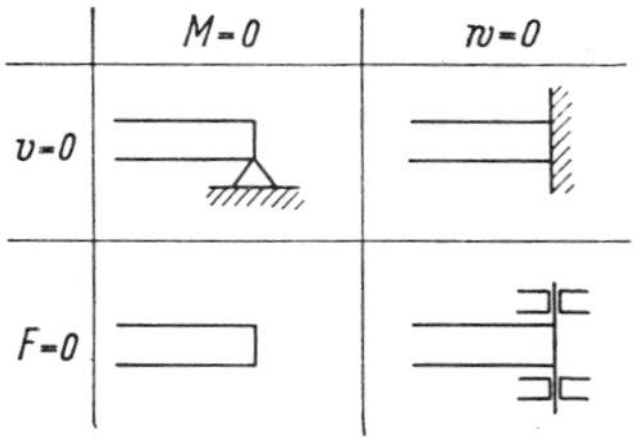

Abb. II/17. Zusammenstellung möglicher Randbedingungen für Biegeschwingungen eines Stabes

In jedem der vier Fälle aber haben wir zwei Randbedingungen zu erfüllen und hierzu reicht das Hinzufügen einer auch hier zu erwartenden reflektierten Welle zur auffallenden nicht aus.

Hier zeigt sich nun, wie zwangsläufig die Verdoppelung der Randbedingungen mit der Verdoppelung der Ordnung der im Wellenträger geltenden Differentialgleichung zusammenhängt, zu welcher eben noch andere Lösungsbestandteile als nur fortschreitende Wellen gehören.

Zunächst nimmt die Biegewellengleichung (81) unter Beschränkung auf sinusförmigen Zeitverlauf also unter Einführung der Zeiger $\underline{\hat{v}}$, $\underline{\hat{w}}$, $\underline{\hat{M}}$, $\underline{\hat{F}}$ z. B. für die $\underline{\hat{v}}$ die Form an:

$$\frac{d^4 \underline{\hat{v}}}{dx^4} - k^4 \underline{\hat{v}} = 0 \,, \tag{122}$$

wobei k wie schon in (83) gesetzt ist für $\sqrt[4]{m'/B}\,\sqrt[2]{\omega}$ und, wie dort ebenfalls gezeigt ist, die Bedeutung der Wellenzahl für eine fortschreitende Biegewelle hat. Daß solche Wellenbewegungen, die sonst als Lösungen der gewöhnlichen Wellengleichung zweiter Ordnung auftreten, hier auch als Lösungsbestandteile vorkommen, ergibt sich daraus, daß man die in (122) auf $\underline{\hat{v}}$ anzuwendende Operation multiplikativ in zwei Anteile aufspalten kann:

$$\left(\frac{d^4}{dx^4} - k^4\right) = \left(\frac{d^2}{dx^2} + k^2\right)\left(\frac{d^2}{dx^2} - k^2\right), \tag{123}$$

wovon der erste auf die „örtliche“ Schwingungsgleichung (114), d. h. aber auf fortschreitende Sinuswellen führt, wie sie in (115) für den Zeiger der Längskraft aufgeführt sind, und hier für die transversale Schnelle entsprechend anzusetzen sind:

$$\underline{\hat{v}}_1 = \underline{\hat{v}}_+ \, e^{-jkx} + \underline{\hat{v}}_- \, e^{+jkx} \,. \tag{124,1}$$

Da die zweite Operation aus der ersten entsteht, indem man $\pm k$ durch $\pm j\,k$ ersetzt, heißt das, daß auch noch Lösungen der Form:

$$\underline{\hat{v}}_2 = \underline{\hat{v}}_{-j} \, e^{-kx} + \underline{\hat{v}}_j \, e^{+kx} \tag{124,2}$$

auftreten können. Das sind gleichphasige Feldverteilungen, die von einer Störungsstelle, also auch von den Rändern mit wachsender Entfernung ($\pm x$) exponentiell abnehmen, also als „Nahfelder" bezeichnet werden können.

Die Gesamtlösung besteht somit aus 4 Lösungsbestandteilen, entsprechend der vierten Ordnung der Differentialgleichung, und den je 2 unabhängigen Randbedingungen an beiden Rändern:

$$\underline{v} = \hat{\underline{v}}_+ \, e^{-jkx} + \hat{\underline{v}}_- \, e^{+jkx} + \hat{\underline{v}}_{-j} \, e^{-kx} + \hat{\underline{v}}_j \, e^{+kx} \,. \tag{124}$$

Wenn wir nun von links ($x < 0$) auf einen bei $x = 0$ befindlichen Rand eine Welle

$$\hat{\underline{v}}_+ \, e^{-jkx}$$

auffallen lassen, so kann sie dort eine reflektierte Welle

$$\hat{\underline{v}}_- \, e^{+jkx}$$

und ein Nahfeld

$$\hat{\underline{v}}_j \, e^{kx}$$

auslösen, wodurch in jedem Falle die Erfüllung zweier Randbedingungen ermöglicht wird.

Dabei kann es vorkommen, daß ein Nahfeld gar nicht auftritt. Das ist z. B. bei dem aufgestützten Stab der Fall. Die Randbedingungen

$$\underline{v} = 0; \quad \underline{M} = 0 \,, \tag{125a}$$

die mit

$$\underline{v} = 0; \qquad \frac{d^2 \underline{v}}{dx^2} = 0 \tag{125b}$$

gleichbedeutend sind, führen hier auf die beiden Gleichungen:

$$\left.\begin{aligned} \hat{\underline{v}}_- + \hat{\underline{v}}_j &= -\, \hat{\underline{v}}_+ \\ -\, \hat{\underline{v}}_- + \hat{\underline{v}}_j &= +\, \hat{\underline{v}}_+ \,. \end{aligned}\right\} \tag{125c}$$

Die Addition dieser beiden Gleichungen, in denen links die gesuchten, rechts der gegebene Zeiger auftreten, führt auf

$$\hat{\underline{v}}_j = 0 \tag{125d}$$

Damit ergibt sich außerdem

$$-\, \hat{\underline{v}}_- = \hat{\underline{v}}_+ \,, \tag{125e}$$

also derselbe Phasensprung von ($-\pi$) wie für die Schnelle der Longitudinalwelle beim starr abgeschlossenen Stab.

Die in Abb. II/15 links gezeigten einfachen Feldverteilungen entsprechen also Schnelle und Ausschlag des beiderseits aufgesetzten Stabes. Da aber die Frequenzen wegen der Dispersion der Biegewellen den Quadraten der Wellenzahlen gemäß (83) proportional sind, verhalten sich die Eigenfrequenzen hier wie die Quadrate der ganzen Zahlen:

$$f_n = \frac{1}{2\pi}\sqrt{\frac{B}{m'}}\,k^2 = \frac{\pi}{2}\sqrt{\frac{B}{m'}}\,\frac{n^2}{l^2}\,. \tag{125f}$$

Auch bei dem — prinzipiell möglichen — „geführten" Stab (in Abb. II/17 rechts unten) würde man die gleichen Eigenfrequenzen erhalten, weil man dort dieselben Gleichungen für die Winkelgeschwindigkeit w erhält, wie hier für v, denn nicht nur lautet die erste Randbedingung $w = 0$, auch die zweite $F = 0$ ist gleichbedeutend mit $\frac{d^2w}{dx^2} = 0$.

Dagegen tritt bei der Reflexion am freien Ende ein Nahfeld auf. Da die hierbei auftretenden Randbedingungen

$$\underline{M} = 0, \qquad \underline{F} = 0 \tag{126a}$$

auch geschrieben werden können

$$\underline{M} = 0, \qquad \frac{d\underline{M}}{dx} = 0 \tag{126b}$$

empfiehlt es sich, das Feld durch die Zeiger der Momente für die ankommende Welle

$$\hat{\underline{M}}_+\, e^{-jkx}$$

die reflektierte Welle

$$\hat{\underline{M}}_-\, e^{+jkx}$$

und das Nahfeld

$$\hat{\underline{M}}_j\, e^{kx}$$

zu beschreiben. Die Randbedingungen liefern dann die beiden Gleichungen:

$$\left.\begin{aligned} \hat{\underline{M}}_- + \hat{\underline{M}}_j &= -\hat{\underline{M}}_+ \\ j\,\hat{\underline{M}}_- + \hat{\underline{M}}_j &= j\,\hat{\underline{M}}_+ \end{aligned}\right\} \tag{126c}$$

und hier ergibt sich ein Nahfeld-Zeiger

$$\hat{\underline{M}}_j = \frac{\begin{vmatrix} 1 & -1 \\ j & j \end{vmatrix}}{\begin{vmatrix} 1 & 1 \\ j & 1 \end{vmatrix}}\,\hat{\underline{M}}_+ = (-1 + j)\,\hat{\underline{M}}_+\,, \tag{126d}$$

der unmittelbar am Rand sogar größer ist, als der der ankommenden Welle. Diese erhöhte Amplitude gibt zwar dem Nahfeld eine entsprechend erhöhte Reichweite, ändert aber nichts daran, daß schließlich doch nur die reflektierte Welle übrig bleibt und diese allein Energie abführt. Da diese gleich der zugeführten sein muß, kann die Amplitude der reflektierten Welle nur gleich der ankommenden sein. In der Tat liefern die Gln. (126c) für $\hat{\underline{M}}_-$:

$$\hat{\underline{M}}_- = \frac{\begin{vmatrix} -1 & 1 \\ j & 1 \end{vmatrix}}{1 - j} \hat{\underline{M}}_+ = -j\,\hat{\underline{M}}_+ \,. \tag{126e}$$

Wir erhalten dabei diesmal einen Phasensprung von $\gamma = -\pi/2$.

Nehmen wir an, daß die an einem Ende ausgelösten Nahfelder am jeweils gegenüberliegenden bereits vernachlässigbar klein sind, was jedenfalls um so besser gilt, je kürzer die Wellenlänge, je höher also die Frequenz ist, wird das Prinzip des geschlossenen Wellenzyklus wieder durch die Forderung gleichphasigen Anschlusses der reinen Wellenanteile erfüllt, und wir erhalten als Näherungsformel für die Eigenfrequenzen des beiderseitig freien Stabes:

$$2\,k_n\,l \approx (2\,n - 1)\,\pi;$$

$$f_n = \frac{1}{2\pi}\sqrt{\frac{B}{m'}}\,k_n^2 \approx \frac{\pi}{8}\sqrt{\frac{B}{m'}}\,\frac{(2\,n-1)^2}{l^2}\,. \tag{126f}$$

Wir haben also in diesem Falle die gleiche Beziehung zwischen Wellenlänge und Stablänge erhalten, wie bei den Longitudinalwellen am einseitig eingespannten Stab. Dort aber erfolgte der Phasensprung von $-\pi$ an einem Ende, während er sich bei dem vorliegenden symmetrischen Problem gleichmäßig mit je $-\pi/2$ auf beide Enden verteilt. Dadurch werden auch die in Abb. II/18 gezeichneten Verteilungen symmetrisch bzw. antisymmetrisch. Die dick gezeichneten Linien schließen dabei die Nahfeldanteile ein, die dünn gezeichneten entsprechen den reinen Wellenanteilen.

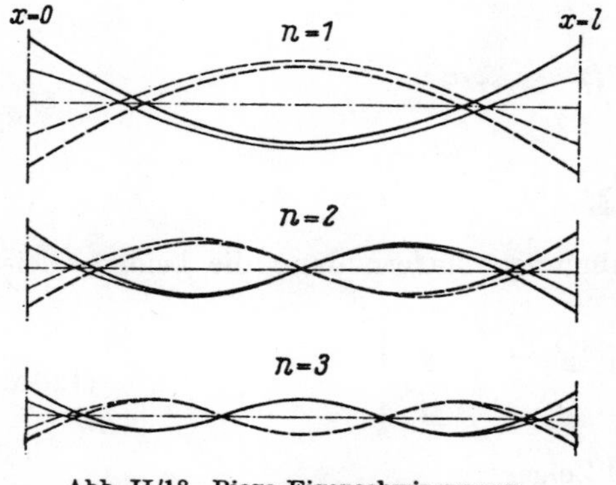

Abb. II/18. Biege-Eigenschwingungen eines beiderseits freien Stabes

dick gezeichnet: mit
dünn gezeichnet: ohne Nahfelder.

(Die ausgezogenen und gestrichelten Linien unterscheiden sich wieder um eine halbe Periodendauer)

Der in (126f) zunächst nicht auszuschließende Fall $n = 1$ entfällt, weil er entweder eine einseitige Verschiebung des Stabes, also eine Wechselbewegung seines Schwerpunktes bedeuten würde, wofür beim freien Stab die äußeren Kräfte fehlen, oder eine örtlich gleichsinnige, zeitlich wechselnde Drehung der Stabelemente um den Mittelpunkt, wofür die äußeren Momente fehlen.

Die Eigenfrequenzen des beiderseitig freien Stabes verhalten sich somit näherungsweise wie

$$9:25:49:81:\ldots\ldots,$$

die Obertöne sind also nicht mehr harmonisch zum Grundton.

Da die Randbedingungen beim beiderseitig eingespannten Stab

$$\underline{v} = 0; \qquad \frac{d\underline{v}}{dx} = 0$$

lauten, man also zu den gleichen Formeln gelangt, wenn man M durch v ersetzt, können wir wieder schließen, daß die Formeln (126f) auch den Fall des beiderseitig eingespannten Stabes mit gleicher Näherung erfassen.

Dabei dürfte in den meisten Fällen die Abweichung von der Randbedingung idealer Einspannung mehr Einfluß auf die Eigenfrequenz haben als die (126f) zu Grunde liegende Vernachlässigung der Nahfelder.

Aber auch beim freien Stab dürfte für $n > 2$ die in (126f) enthaltene prozentuale Abweichung vom theoretisch genaueren Wert vermutlich innerhalb der Fehler-Grenzen liegen, die für die Bestimmung von B, m', l oder für die Messung der Frequenz gelten.

Nur bei der tiefsten Eigenfrequenz des freien Stabes ist es von Interesse, Formel (126f) noch zu verbessern. Wir wollen dieser Korrektur auch nachgehen, um dem Eindruck zu begegnen, daß das Prinzip des geschlossenen Wellenzyklus nur näherungsweise gilt. Es ist durchaus geeignet, auch bei den Biegewellenproblemen die jeweils strenge Lösung zu liefern, wenn wir berücksichtigen, daß die an einem Ende ausgelösten Nahfelder am gegenüberliegenden noch endliche Werte aufweisen, die auf Grund der dortigen Randbedingung wieder eine Welle und ein Nahfeld auslösen.

Nehmen wir — um an (126c) anzuknüpfen — an, daß ein in positiver x-Richtung abklingendes Nahfeld

$$\hat{\underline{M}}_{-j}\, e^{-kx}$$

den bei $x = 0$ befindlichen freien Rand erreicht und dort die reflektierte Welle

$$\hat{\underline{M}}_{-}\, e^{+jkx}$$

und ein sekundäres Nahfeld

$$\hat{\underline{M}}_{j}\, e^{kx}$$

auslöst, so liefern die Randbedingungen (126b) zunächst die Gleichungen:

$$\hat{\underline{M}}_{-} + \hat{\underline{M}}_{j} = -\,\hat{\underline{M}}_{-j}$$

$$j\,\hat{\underline{M}}_{-} + \hat{\underline{M}}_{j} = +\,\hat{\underline{M}}_{-j}\,,$$

und hieraus folgt diesmal für die Sekundärgrößen:

$$\hat{\underline{M}}_- = -(1 + j)\,\hat{\underline{M}}_{-j} \tag{126g}$$

$$\hat{\underline{M}}_j = j\,\hat{\underline{M}}_{-j}\,. \tag{126h}$$

Um das Prinzip des geschlossenen Wellenzyklus konsequent anzuwenden, müssen wir daher das gemeinsame Schicksal von Wellen und Nahfeldern zyklisch verfolgen.

Wenn nun vom Stabanfang $x = 0$ sowohl eine Wellenbewegung $\hat{\underline{M}}_+ e^{-jkx}$ wie ein Nahfeld $\hat{\underline{M}}_{-j} e^{-kx}$ ausgehen, lösen diese am Stabende $x = l$ resultierend eine reflektierte Welle aus, deren Zeiger dort den Wert:

$$-j\,e^{-jkl}\,\hat{\underline{M}}_+ - (1 + j)\,e^{-kl}\,\hat{\underline{M}}_{-j} \tag{126i}$$

annimmt, und ebenso ergeben beide ein vom Ende abklingendes Nahfeld mit dem Ausgangswert

$$-(1 - j)\,e^{-jkl}\,\hat{\underline{M}}_+ + j\,e^{-kl}\,\hat{\underline{M}}_{-j}\,. \tag{126k}$$

Indem man auf diese beiden Teilvorgänge nochmals die gleichen Operationen anwendet, wie auf $\hat{\underline{M}}_+$ und $\hat{\underline{M}}_{-j}$ und die sich dann aus je 4 Summanden zusammensetzenden Zeiger, die der am Anfang erneut erzeugten Welle und dem dort ausgelösten Nahfeld entsprechen, den ursprünglichen Werten $\underline{M}_+$ und $\underline{M}_{-j}$ gleichsetzt, ergeben sich für das Verhältnis $\underline{M}_{-j}/\underline{M}_+$ zwei Gleichungen, deren Übereinstimmung dann die Bedingung für die $(k_n\,l)$ und somit für die Eigenfrequenzen liefert. Der dabei auftretende Rechenaufwand, oder aufrichtiger gesagt: die Möglichkeit, sich dabei zu verrechnen, ist freilich kaum kleiner, als wenn man den allgemeinen Ansatz (124) direkt in die für $x = 0$ und $x = l$ geltenden Randbedingungen einsetzt.

Beim vorliegenden symmetrischen Problem können wir uns aber mit dem einmaligen Durchlaufen und einer Reflexion begnügen, denn — wie auch die in Abb. II/18 gezeigten Beispiele lehren —, entweder sind die gleichen Feldgrößen an beiden Enden gleichphasig oder sie sind gegenphasig. Da dies auch für ihre Wellen- und Nahfeld-Anteile gelten muß, heißt das, daß die in (126i) und (126k) angegebenen Ausdrücke bereits gleich $\pm\,\hat{\underline{M}}_+$ bzw. $\pm\,\hat{\underline{M}}_j$ sein müssen. Es ergeben sich also die beiden Gleichungspaare:

$$\left(\mp 1 - j\,e^{-jkl}\right)\hat{\underline{M}}_+ + \left((-1 - j)\,e^{-kl}\right)\hat{\underline{M}}_{-j} = 0\,,$$

$$\left((-1 + j)\,e^{-jkl}\right)\hat{\underline{M}}_+ + \left(\mp 1 + j\,e^{-kl}\right)\hat{\underline{M}}_{-j} = 0\,,$$

deren Verträglichkeit verlangt, daß

$$\begin{aligned}(\mp 1 - j\,e^{-jkl})\,(\mp 1 + j\,e^{-kl}) - 2\,e^{-kl-jkl}\\ = 1 \mp j\,(e^{-kl} - e^{-jkl}) - e^{-kl-jkl} = 0\end{aligned}$$

ist. Multipliziert man die hierin enthaltenen beiden Gleichungen miteinander, so kommt man schließlich auf die für die Eigenfrequenzen des beiderseitig freien Stabes charakteristische Gleichung, ausgedrückt durch die entsprechenden $k\,l$:

$$1 + e^{-2kl} + e^{-2jkl} + e^{-2kl-2jkl} - 4\,e^{-kl-jkl} = 0\,, \tag{126l}$$

die mit der aus der klassischen Literatur[1] bekannten Form

$$\cosh k\,l \cos k\,l - 1 = 0 \tag{126m}$$

identisch ist.

Man übersieht, daß diese Gleichung für große $k\,l$ in die der Näherungslösung zugrunde gelegte Bedingung

$$\cos k\,l = 0$$

übergeht. Wie schon bemerkt, interessiert die Abweichung zwischen beiden Gleichungen praktisch nur für die erste Nullstelle, wo die strenge Lösung statt $k\,l = 3\,\pi/2$ liefert

$$k_1\,l = 3\,\pi/2 + 0{,}0176\,,$$

d.h. die Wellenzahl ist gegenüber der Näherungsformel (126f) um 3,7‰, die Eigenfrequenz immerhin um rund 7‰ erhöht:

$$f_1 = 3{,}8\sqrt{\frac{B}{m'}}\,\frac{1}{l^2}\,. \tag{126n}$$

Schließlich sei noch auf den einseitig eingespannten Stab eingegangen, ohne die entsprechende Rechnung in allen Einzelheiten auszuführen. Wir können, wenn wir den Wellenzyklus an Hand des Schicksals der Schnelle verfolgen, die am eingespannten Ende durch eine Welle $\underline{v}_+$ oder ein Nahfeld $\underline{v}_{-j}$ ausgelösten Sekundärgrößen aus den Formeln übernehmen, die für die Momente am freien Ende gelten (s. (126d, e, g und h)). Es bleibt uns zu untersuchen, wie die entsprechenden Beziehungen für die Schnelle am freien Ende aussehen. Wir haben also die dort geltenden Randbedingungen

$$\underline{M} = 0, \quad \underline{F} = 0\,, \tag{127a}$$

die gleichbedeutend sind mit

$$\frac{d^2\underline{v}}{dx^2} = 0\,, \qquad \frac{d^3\underline{v}}{dx^3} = 0\,, \tag{127b}$$

einmal mit dem Ansatz

$$\hat{\underline{v}} = \hat{\underline{v}}_+\,e^{-jkx} + \hat{\underline{v}}_-\,e^{+jkx} + \hat{\underline{v}}_j\,e^{+kx}$$

zu erfüllen, der einer auffallenden Welle entspricht, und einmal mit dem Ansatz

$$\hat{\underline{v}} = \hat{\underline{v}}_{-j}\,e^{-kx} + \hat{\underline{v}}_-\,e^{+jkx} + \hat{\underline{v}}_j\,e^{+kx}\,,$$

[1] Lord RAYLEIGH: Theory of Sound I, § 173.

bei dem ein Nahfeld den Rand $x = 0$ erreicht. Für die ausgelösten Sekundärgrößen erhält man im ersten Falle:

$$\hat{\underline{v}}_- = -j\,\hat{\underline{v}}_+ \tag{127c}$$

$$\hat{\underline{v}}_j = +(1-j)\,\hat{\underline{v}}_+ \tag{127d}$$

im zweiten Falle

$$\hat{\underline{v}}_- = +(1+j)\,\hat{\underline{v}}_{-j} \tag{127e}$$

$$\hat{\underline{v}}_j = j\,\hat{\underline{v}}_{-j}\,. \tag{127f}$$

Vergleicht man diese Beziehungen mit den am anderen Rande geltenden, so ist zunächst festzustellen, daß (127c) auf den gleichen Phasensprung zwischen reflektierter und ankommender Welle hinausläuft, wie oben in (126e), nämlich auf $\gamma = -\pi/2$; d. h. aber, daß auch hier bei hohen Frequenzen die aus der Bedingung gleichphasigen Anschlusses folgende Formel (126f) gilt:

$$f_n \approx \frac{\pi}{8}\sqrt{\frac{B}{m'}}\,\frac{(2n-1)^2}{l^2}\,. \tag{127g}$$

Bei niedrigen Eigenfrequenzen sind wegen der über die Stablänge reichenden Nahfelder wieder Abweichungen zu erwarten. Dies gilt hier besonders, weil die von der Einspannung her möglichen äußeren Kräfte auch eine Verschiebung des Schwerpunktes und eine einseitige Stabdrehung, also auch den Fall $n = 1$ erlauben.

Vergleicht man nun die Gln. (127d), (127e) und (127f) mit den am anderen Rande (für M statt v) geltenden Gln. (126d), (126g) und (126h), so ist in den ersten beiden Fällen nur ein Vorzeichenwechsel, im letzten nicht einmal ein solcher festzustellen. Das heißt, daß diese Summanden in der hier an die Stelle von (126l) tretenden Gleichung, die einem einmaligen Wechsel von Welle zum Nahfeld oder umgekehrt entsprechen, und das ist nach der Entstehungsgeschichte nur der letzte Summand, der den Faktor $e^{-kl-jkl}$ enthält, gegenüber (126l) einen Vorzeichenwechsel erhalten. Der Summand davor entspricht bereits dem Produkt zweier solcher Misch-Exponenten, bzw. einem aus reinen Wellen oder Nahfeldanteilen und behält somit sein Vorzeichen bei. Die charakteristische Gleichung für die $(k\,l)$ bei einseitig eingespanntem, einseitig freiem Stab lautet also:

$$1 + e^{-2kl} + e^{-2jkl} + e^{-2kl-2jkl} + 4\,e^{-kl-jkl} = 0 \tag{127h}$$

oder in der klassischen Form[1]:

$$\cosh k\,l \cos k\,l + 1 = 0\,. \tag{127i}$$

Der $n = 1$ entsprechende niedrigste $(k\,l)$-Wert liegt hier bei:

$$k_1\,l = \frac{\pi}{2} + 0{,}304\,,$$

[1] Lord Rayleigh: Theory of Sound I, § 173.

die zugehörige Eigenfrequenz somit bei

$$f_1 = 0{,}56 \sqrt{\frac{B}{m'}}\, \frac{1}{l^2}\,. \tag{127k}$$

5. Die allgemeinen Feldgleichungen

Wir sind bisher jedesmal von speziellen Deformationen ausgegangen und dabei immer wieder auf neue Wellenausbreitungstypen gestoßen. Es entsteht daher die Frage, ob diese Mannigfaltigkeit sich etwa noch beliebig fortsetzen läßt oder ob man nicht vielleicht umgekehrt alle behandelten und noch möglichen Wellentypen aus wenigen allgemeinen Grundtypen zusammensetzen kann.

Hierzu müssen wir zunächst feststellen, welche Wellenvorgänge in einem allseitig unbegrenzten festen Medium möglich sind, und dann untersuchen, welche Beeinflussung diese Vorgänge durch freie Oberflächen erfahren.

In Abb. II/19 ist nun die allgemeinste Deformation eingezeichnet, die ein Flächenelement $dx\,dy$ (der Deutlichkeit halber ist $dx = dy$ gewählt) in der xy-Ebene erfahren kann. Zunächst ist es in der x-Richtung um ξ und in der y-Richtung um η verschoben. Da diese Auslenkungen, wie schon im Anschluß an (3) betont, jedenfalls klein zu den Wellenlängen sind, so stellen alle örtlichen Differentiationen derselben $\frac{\partial \xi}{\partial x}, \frac{\partial \xi}{\partial y}, \frac{\partial \eta}{\partial x}, \frac{\partial \eta}{\partial y}$ immer sehr kleine Dehnungen bzw. Winkel dar. Die in Abb. II/19 eingetragenen Deformationen, die sich aus diesen Differentialquotienten ergeben, sind wieder im Interesse der Deutlichkeit um mehrere Zehnerpotenzen übertrieben. Bei diesen Deformationen unterscheiden wir zweckmäßig die drei in Abb. II/19 unten getrennt herausgezeichneten Möglichkeiten:

a) Die Dehnungen $\varepsilon_x = \frac{\partial \xi}{\partial x}$, $\varepsilon_y = \frac{\partial \eta}{\partial y}$. Ihre Summe bedeutet unter Vernachlässigung des Produktes $\varepsilon_x \varepsilon_y$ die relative Flächenvergrößerung. Da sie untereinander nicht gleich groß zu sein brauchen, ja sogar entgegengesetztes Vorzeichen haben können, bedeuten sie im allgemeinen zugleich eine gewisse Gestaltsänderung, d. h. Änderung des Längen-Breiten-Verhältnisses.

b) Die Schubdeformation mit dem Schubwinkel γ_{xy}. Sie äußern sich in einer weiteren Gestaltsänderung, nämlich in einer Umformung des ursprünglichen Rechtecks in ein Parallelogramm. In der zu reinen Transversalwellen gehörigen Abb. II/4 war diese Gestaltsänderung nur durch η-Verschiebungen entstanden, die gesamte Formänderungsarbeit also nur von den τ_{xy} geleistet worden. Da aber an dem Zustandekommen dieser Verformung die τ_{yx} genau so beteiligt sind, leuchtet ein, daß als eine reine Schubspannungsverformung eine solche anzusehen ist, bei der der gesamte Schiebungswinkel γ_{xy} sich auf beide ursprünglich zueinander senkrechten Angriffsflächen gleichmäßig verteilt, wie sie in Abb. II/19 unter *b* eingezeichnet ist. Im gleichen Sinne hätte freilich auch unter *a* die neue gedehnte Form symmetrisch um die alte ungedehnte gezeichnet werden müssen. In jenem Falle waren aber die Dehnungen gegenüber den Verschiebungen ξ, η so klein, daß man ganz außer Acht lassen konnte, daß die Deformation in Abb. II/19 unter *a*, *b* aus einer reinen Dehnung um $\varepsilon_x\, dx$ und $\varepsilon_y\, dy$ und einer zusätzlichen Verschiebung um $\frac{1}{2}\,\varepsilon_x\, dx$ und $\frac{1}{2}\,\varepsilon_y\, dy$ besteht. Anders liegen die Größenverhältnisse, wenn wir bei den Winkeländerungen darauf achten, daß die in Abb. II/4 gezeichnete Verformung einer Überlagerung der reinen Schubdeformation und

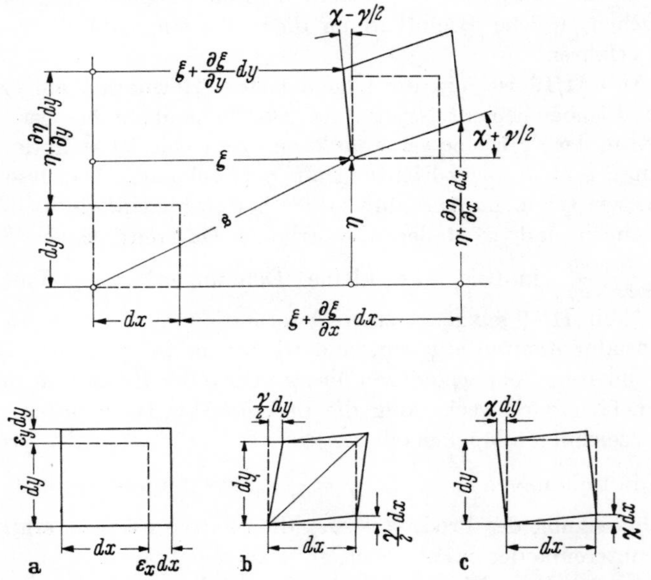

Abb. II/19. Ausschläge und Deformationen im zweidimensionalen Falle
a) reine Dehnung in x und y-Richtung, b) reine Schubdeformation, c) reine Drehung um z-Achse

c) einer Drehung χ_z entsprechen, wie sie in Abb. II/19 unter c allein gezeichnet ist. Denn diese Drehungen nehmen bei den elastischen Wellen wie etwa bei den reinen Transversalwellen nur sehr geringe Werte an. Dadurch ist es aber auch möglich, den Drehwinkel (um die z-Achse) χ_z ebenfalls den durch ihn hervorgerufenen Anteilen an $\frac{\partial \xi}{\partial y}$ und $\frac{\partial \eta}{\partial x}$ proportional zu setzen.

Im ganzen setzen sich diese Differentialquotienten, wie leicht aus Abb. II/19 zu übersehen ist, zusammen aus:

$$\frac{\partial \xi}{\partial y} = \frac{1}{2}\gamma_{xy} - \chi_z \tag{128a}$$

und

$$\frac{\partial \eta}{\partial x} = \frac{1}{2}\gamma_{xy} + \chi_z . \tag{128b}$$

Die Summe der Differentialquotienten bestimmt also den Schubwinkel

$$\gamma_{xy} = \frac{\partial \xi}{\partial y} + \frac{\partial \eta}{\partial x}, \tag{129a}$$

ihre Differenz den doppelten Drehwinkel

$$2\,\chi_z = \frac{\partial \eta}{\partial x} - \frac{\partial \xi}{\partial y}. \tag{130a}$$

Es leuchtet ein, daß bei einer Deformation in allen drei Achsenrichtungen noch eine Verschiebungskomponente ζ in z-Richtung, ferner je ein Schubwinkel in der yz-Ebene

$$\gamma_{yz} = \frac{\partial \eta}{\partial z} + \frac{\partial \zeta}{\partial y} \tag{129b}$$

und einer in der xz-Ebene

$$\gamma_{zx} = \frac{\partial \zeta}{\partial x} + \frac{\partial \xi}{\partial z} \tag{129c}$$

hinzukommen, und daß ebenso im allgemeinen auch Drehungen um die x-Achse

$$2\,\chi_x = \frac{\partial \zeta}{\partial y} - \frac{\partial \eta}{\partial z} \tag{130b}$$

und um die y-Achse

$$2\,\chi_y = \frac{\partial \xi}{\partial z} - \frac{\partial \zeta}{\partial x} \tag{130c}$$

auftreten.

Vereinigen wir die drei Verschiebungskomponenten in dem Verschiebungsvektor

$$\mathfrak{s} = \mathfrak{i}\,\xi + \mathfrak{j}\,\eta + \mathfrak{k}\,\zeta\,, \tag{131}$$

so lassen sich auch die drei Gln. (130) zusammenfassen, indem $2\,\chi_x$, $2\,\chi_y$ und $2\,\chi_z$ nichts anderes darstellen, als die Komponenten des Rotors von $\mathfrak{s}$:

$$\mathfrak{i}\,\chi_x + \mathfrak{j}\,\chi_y + \mathfrak{k}\,\chi_z = \frac{1}{2}\,\mathrm{rot}\,\mathfrak{s}\,. \tag{132}$$

Schließlich ist auch noch eine Dehnung in z-Richtung $\varepsilon_z = \frac{\partial \zeta}{\partial z}$ zu erwarten. Zusammen mit ε_x und ε_y bestimmt sie die relative Volumenzunahme eines beliebigen Raumteils, die auch als Dilatation δ bezeichnet wird und die ebenfalls eine bekannte Differentialoperation des Vektors $\mathfrak{s}$, nämlich seine Divergenz, darstellt:

$$\delta = \varepsilon_x + \varepsilon_y + \varepsilon_z = \operatorname{div} \mathfrak{s} \,. \tag{133}$$

Wir bringen nun die Deformationen mit den Spannungen in Beziehung. Am einfachsten ergeben sich die Schubspannungspaare aus den zugeordneten Schubwinkeln:

$$\tau_{xy} = \tau_{yx} = G\left(\frac{\partial \xi}{\partial y} + \frac{\partial \eta}{\partial x}\right), \tag{134a}$$

$$\tau_{yz} = \tau_{zy} = G\left(\frac{\partial \eta}{\partial z} + \frac{\partial \zeta}{\partial y}\right), \tag{134b}$$

$$\tau_{zx} = \tau_{xz} = G\left(\frac{\partial \zeta}{\partial x} + \frac{\partial \xi}{\partial z}\right). \tag{134c}$$

Dagegen sind die Normalspannungen, wie bereits in Kap. II, 1b dargelegt, infolge der Querkontraktionen miteinander gekoppelt. Indem wir die dortigen Gln. (24) addieren und E entsprechend (48) durch G ersetzen, folgt

$$2\,G\,(1 + \mu)\,\delta = (1 - 2\,\mu)\,(\sigma_x + \sigma_y + \sigma_z)$$

und indem wir so die Summe der Normalspannungen durch die Dilatation ausdrücken, ergibt sich aus den Gln. (24):

$$\sigma_x = 2\,G\left[\frac{\partial \xi}{\partial x} + \frac{\mu}{1 - 2\,\mu} \operatorname{div} \mathfrak{s}\right], \tag{135a}$$

$$\sigma_y = 2\,G\left[\frac{\partial \eta}{\partial y} + \frac{\mu}{1 - 2\,\mu} \operatorname{div} \mathfrak{s}\right], \tag{135b}$$

$$\sigma_z = 2\,G\left[\frac{\partial \zeta}{\partial z} + \frac{\mu}{1 - 2\,\mu} \operatorname{div} \mathfrak{s}\right]. \tag{135c}$$

Wir wollen diesmal ausnahmsweise die Verschiebungen selbst beibehalten und nicht erst statt ihrer die Komponenten der Schnelle $v_x = \frac{\partial \xi}{\partial t}$ usw. einführen, damit wir ohne nochmalige Differentiationen die im Abschnitt II, 3b bereits herangezogene dynamische Grundgleichung für die Bewegung in x-Richtung (102), räumlich erweitert um den Summanden $\frac{\partial \tau_{zx}}{\partial z}$, verwenden und darin (134) und (135) einführen können. Es ergibt sich dann:

$$G\left\{2\frac{\partial^2 \xi}{\partial x^2} + \frac{2\,\mu}{1 - 2\,\mu}\frac{\partial}{\partial x} \operatorname{div} \mathfrak{s} + \frac{\partial^2 \xi}{\partial y^2} + \frac{\partial^2 \eta}{\partial x\,\partial y} + \frac{\partial^2 \zeta}{\partial x\,\partial z} + \frac{\partial^2 \xi}{\partial z^2}\right\}$$

$$= G\left\{\triangle\,\xi + \frac{1}{1 - 2\,\mu}\frac{\partial}{\partial x} \operatorname{div} \mathfrak{s}\right\} = \varrho\,\frac{\partial^2 \xi}{\partial t^2}, \tag{136a}$$

worin für den sog. LAPLACEschen Operator

$$\frac{\partial^2}{\partial x^2} + \frac{\partial^2}{\partial y^2} + \frac{\partial^2}{\partial z^2} \equiv \text{div grad}$$

die übliche Abkürzung Δ eingeführt ist. Da keine Raumrichtung bevorzugt ist, müssen sich aus den entsprechenden dynamischen Beziehungen für die y-Richtung:

$$\frac{\partial \sigma_y}{\partial y} + \frac{\partial \tau_{zy}}{\partial z} + \frac{\partial \tau_{xy}}{\partial x} = \varrho \frac{\partial^2 \eta}{\partial t^2}$$

und für die z-Richtung

$$\frac{\partial \sigma_z}{\partial z} + \frac{\partial \tau_{xz}}{\partial x} + \frac{\partial \tau_{yz}}{\partial y} = \varrho \frac{\partial^2 \zeta}{\partial t^2}$$

ergeben:

$$G\left\{\triangle \eta + \frac{1}{1-2\mu}\frac{\partial}{\partial y}\,\text{div}\,\mathfrak{s}\right\} = \varrho \frac{\partial^2 \eta}{\partial t^2} \tag{136b}$$

und

$$G\left\{\triangle \zeta + \frac{1}{1-2\mu}\frac{\partial}{\partial z}\,\text{div}\,\mathfrak{s}\right\} = \varrho \frac{\partial^2 \zeta}{\partial t^2}\,. \tag{136c}$$

Schließlich lassen sich alle drei Gln. (136) zusammenfassen in der vektoriellen Form:

$$G\left\{\triangle \mathfrak{s} + \frac{1}{1-2\mu}\,\text{grad div}\,\mathfrak{s}\right\} = \varrho \frac{\partial^2 \mathfrak{s}}{\partial t^2}\,, \tag{136d}$$

welche ebenso für den Vektor der Schnelle $\mathfrak{v}$ gilt.

$$G\left\{\triangle \mathfrak{v} + \frac{1}{1-2\mu}\,\text{grad div}\,\mathfrak{v}\right\} = \varrho \frac{\partial^2 \mathfrak{v}}{\partial t^2}\,. \tag{136e}$$

Diese zentrale Differentialgleichung, welcher alle elastischen Schwingungsbewegungen im Innern eines festen Körpers genügen müssen, gleicht dem in den Abschnitten II, 1 u. 2 behandelten Wellengleichungen nur insofern, als sie ebenfalls hinsichtlich Raum und Zeit von zweiter Ordnung ist. Aber sie unterscheidet sich einmal durch ihren räumlichen Charakter, indem das Argument, der Verschiebungsvektor, drei Komponenten umfaßt, und indem die Differentiationen entsprechend den Vektor-Operatoren nach allen Raumrichtungen erfolgen. Die letzte Eigenschaft liegt in der Natur aller räumlichen Wellenprobleme. Eine spezielle Eigenart des festen Körpers stellt dagegen das additive Auftreten zweier Operatoren auf der linken Seite dar, und hierin äußert sich, daß diese Gleichung zwei Wellengleichungen zugleich umfaßt.

Nach einem allgemeinen Satz der Vektoranalysis kann man jedes kontinuierliche Vektorfeld in einen wirbelfreien und einen quellenfreien

Anteil aufspalten. Sie seien hier mit $\mathfrak{s}_1$ und $\mathfrak{s}_2$ bezeichnet. Für den ersten gilt also

$$\operatorname{rot} \mathfrak{s}_1 = 0 \tag{137}$$

und für den zweiten

$$\operatorname{div} \mathfrak{s}_2 = 0 \,. \tag{138}$$

Der wirbelfreie Anteil weist somit dieselbe Dilatation auf, wie das ganze Feld:

$$\operatorname{div} \mathfrak{s}_1 = \operatorname{div} \mathfrak{s} = \delta \,, \tag{139}$$

und der quellenfreie Anteil dieselbe Rotation wie das ganze Feld:

$$\operatorname{rot} \mathfrak{s}_2 = \operatorname{rot} \mathfrak{s} \,, \tag{140}$$

oder indem wir den Vektor der Winkelgeschwindigkeit einführen:

$$\mathfrak{w} = \frac{1}{2} \operatorname{rot} \mathfrak{v}_2 = \frac{1}{2} \operatorname{rot} \mathfrak{v} \,. \tag{140a}$$

Indem wir nun auf Gl. (136d) noch einmal die Operation der Divergenz anwenden und dabei beachten, daß

$$\operatorname{div} \triangle = \triangle \operatorname{div} \quad \text{und} \quad \operatorname{div} \frac{\partial^2}{\partial t^2} = \frac{\partial^2}{\partial t^2} \operatorname{div}$$

ist, ergibt sich die räumliche Wellengleichung für die Dilatation:

$$G \frac{2\,(1-\mu)}{(1-2\,\mu)} \triangle \delta = \varrho \frac{\partial^2 \delta}{\partial t^2} \,. \tag{141}$$

Diese Gleichung umschließt auch die Möglichkeit, daß innerhalb jeder zur x-Achse senkrechten Ebene jeweils gleiche Zustände herrschen. Dann geht $\triangle$ in $\frac{\partial^2}{\partial \xi^2}$ über, und es entsteht die bereits im Abschnitt II, 1a als (11) abgeleitete eindimensionale Wellengleichung; auch die darin aufgetretene Ausbreitungsgeschwindigkeit war nach (50) dieselbe wie hier, nämlich diejenige der reinen Longitudinalwellen:

$$c_L = \sqrt{\frac{2\,G\,(1-\mu)}{\varrho\,(1-2\,\mu)}} \,. \tag{142}$$

Da wir auch in Kap. II, 1a ein allseitig unbegrenztes Medium vorausgesetzt hatten, mußte der dort behandelte Wellentyp in unserer allgemeinen Darstellungsweise enthalten sein. Wir erkennen hier, daß er der ebenen Welle entspricht, mit der ein ebener Dilatationszustand sich im unbegrenzten Medium ausbreiten kann. Man bezeichnet daher die „reine Longitudinalwelle" auch als „Dilatationswelle". Gegen diese Bezeichnung ist nur einzuwenden, daß es, wie wir gesehen haben, in begrenzten Medien auch Ausbreitungen von Zuständen mit anderer Geschwindigkeit gibt, die nicht frei von Dilatationen sind. Dagegen können wir allgemein die „reine Longitudinalwelle" als die einzige „rotationsfreie Welle“ bezeichnen, die einzige nämlich, in der die Ausdrücke (130) an allen Stellen identisch verschwinden.

Da wir auch bei der reinen Transversalwelle in Kap. II, 2a ein allseitig unbegrenztes Medium vorausgesetzt haben, muß auch sie als Lösung von (136d) auftreten. Wir gewinnen hier zusätzlich die Erkenntnis, daß es außer diesen beiden schon behandelten Wellentypen keine weitere ebene Welle im unbegrenzten Medium mehr geben kann. Wenn wir nämlich jetzt das quellenfreie Wellenfeld betrachten, in welchem also nur raumbeständige Deformationen vorkommen, indem wir auf (136) die Operation der Rotorbildung anwenden, und dabei einmal die Vertauschungsregeln

$$\operatorname{rot} \triangle = \triangle \operatorname{rot} \quad \text{und} \quad \operatorname{rot} \frac{\partial^2}{\partial t^2} = \frac{\partial^2}{\partial t^2} \operatorname{rot} ,$$

sowie die Identität

$$\operatorname{rot} \operatorname{grad} \equiv 0$$

beachten, ergibt sich für rot $\mathfrak{s}$ die dreidimensionale Wellengleichung:

$$G \triangle (\operatorname{rot} \mathfrak{s}) = \varrho \frac{\partial^2}{\partial t^2} (\operatorname{rot} \mathfrak{s}) , \tag{143}$$

oder

$$G \triangle \mathfrak{w} = \varrho \frac{\partial^2 \mathfrak{w}}{\partial t^2} . \tag{143a}$$

Diese aber geht bei der Annahme ebener Feldverteilungen über in (46), indem sie für die Ausbreitung aller ebenen Rotationszustände auf die Transversalwellengeschwindigkeit:

$$c_T = \sqrt{\frac{G}{\varrho}} \tag{144}$$

führt. Daher ist es auch üblich, c_T als Rotationswellengeschwindigkeit zu bezeichnen. Jedoch muß auch hier darauf aufmerksam gemacht werden, daß die bei begrenzten Medien außerdem möglichen Ausbreitungstypen mit ihren anderen Geschwindigkeiten auch Rotationen enthalten. Dagegen stellen die Lösungen von (143) die einzigen möglichen „quellenfreien Wellenbewegungen“ dar.

Zu der am Anfang dieses Paragraphen aufgeworfenen Frage, ob sich nicht alle Wellentypen aus wenigen allgemeinen Grundtypen zusammensetzen lassen, kann vorerst nur festgestellt werden, daß im Innern eines festen Körpers nur die reine longitudinale und die reine transversale Welle als ebene Wellen auftreten können.

Dabei sind diese beiden möglichen Wellenarten völlig unabhängig voneinander, könnten also getrennt erregt werden. Praktisch wird es sich meist nicht vermeiden lassen, daß beide Wellen angeregt werden, oder allgemeiner ausgedrückt, daß ein wirbelfreies und ein quellenfreies Feld erzeugt wird. Da sie sich aber mit sehr unterschiedlichen Geschwindigkeiten ausbreiten, wird bei kurzer Erregungszeit sehr bald eine Trennung der ,,Wellen-Impulse" erfolgen, vorausgesetzt, daß der Körper ausgedehnter ist als das Produkt aus der Differenz $(c_L - c_T)$ und der Impulsdauer.

Solche Verhältnisse liegen vor, bei der Ausbreitung der Bebenwellen in der Erde, oder bei der Prüfung dickwandiger Konstruktionsteile mit Hilfe von Ultraschall, also immer dann, wenn das ,,Innere" des Körpers allseitig viele Wellenlängen umfaßt.

6. Das Wellenfeld an einer freien Oberfläche

a) Reflexion ebener Wellen

Sobald aber die reine longitudinale oder die reine transversale Welle auf eine Änderung im Medium trifft, erzeugt sie im allgemeinen auch die andere Wellenart, oder — allgemeiner gesagt — die andere Feldart.

Das einfachste und für uns wichtigste Beispiel bildet der ,,freie Rand" in Form einer ebenen Oberfläche. Dieser stelle die xz-Ebene eines rechtwinkligen Koordinatenkreuzes dar, sei also durch $y = 0$ gekennzeichnet.

Wir wollen weiter, ohne damit das Problem einzuschränken, die Ebene, die durch die y-Achse und durch die im Nullpunkt angelegte Ausbreitungsrichtung der einfallenden Welle geht, die sogenannte ,,Einfalls-Ebene" zur $x\,y$-Ebene machen; das bedeutet aber, daß alle Feldgrößen sich in z-Richtung nicht ändern. Wir haben es also nur mit einem zweidimensionalen Problem zu tun. Dabei können bei transversalen Wellen wohl auch Verschiebungen in z-Richtung vorkommen.

α) Einige einfache Spezialfälle. Man kann stets die Transversalwelle in einen nur Verschiebungen in z-Richtung enthaltenden Anteil und einen in der $x\,y$-Ebene schwingenden Anteil zu zerlegen. Die Reflexionsgesetze für den ersten Anteil sind sehr einfach. Er könnte am Rande nur Schubspannungen τ_{yz}, aber keine Normalspannungen σ_y erzeugen. Er hat also nur die eine Randbedingung, nämlich, daß auch die Schubspannungen τ_{yz} verschwinden müssen

$$y = 0; \quad \tau_{yz} = 0 \tag{145}$$

zu erfüllen. Dies gelingt durch Überlagerung einer gleich starken reflektierten Welle unabhängig vom Einfallswinkel, deren Phase hinsichtlich der Schubspannung entgegengesetzt ist.

Aus den im vorletzten Abschnitt II, 4 behandelten Beispielen wissen wir, daß dann die tangentiale Verschiebung ζ den doppelten Wert gegenüber der einfallenden Welle annimmt.

Für den anderen Teil der Schubwelle, wie für jede longitudinale Welle, gilt dagegen, daß sie an der Oberfläche sowohl zu einer Schubspannung τ_{xy} wie zu einer Normalspannung σ_y führen würden, daß also durch sekundäre Wellenfelder zwei Randbedingungen zu erfüllen sind:

$$y = 0; \qquad \tau_{xy} = 0\,, \tag{146a}$$

$$\sigma_y = 0\,. \tag{146b}$$

Hierzu genügt nicht nur eine reflektierte Welle der gleichen Art, sondern es muß ein sekundäres Wellenfeld der anderen Art hinzukommen, von dem wir naheliegenderweise zunächst annehmen, daß es auch den Charakter einer von der Oberfläche wegwandernden ebenen Welle hat.

Wohl tritt auch hier nicht immer ein solches zweites Sekundärfeld auf. Eine senkrecht auf die freie Oberfläche auflaufende longitudinale Welle (im folgenden kurz mit L-Welle bezeichnet) kann keine Schubspannungen τ_{xy} erzeugen. Folglich wird sie total reflektiert mit Phasenumkehr in σ_y, Phasengleichheit und dementsprechender Verdopplung in η bzw. v_y.

Umgekehrt kann eine senkrecht auffallende transversale Welle (T-Welle) keine Normalspannungen erzeugen. Sie wird genau wie die oben erwähnte in z-Richtung „polarisierte" Welle vollständig reflektiert.

Schließlich sei noch ein nicht ganz so trivialer Fall erwähnt. Von der Abb. II/5a her wissen wir, daß eine reine Schubdeformation in Schnitten, die unter 45° zu den maximalen Schubspannungen gelegt sind, nur gleich große Normalspannungen erzeugt. Somit ist gerade für eine unter 45° einfallende Schubwelle das Verschwinden der Schubspannungen an der Oberfläche von selbst erfüllt. Also haben wir auch in diesem Falle mit Totalreflexion zu rechnen. Zu beachten ist nur, daß sich diesmal die normale Komponente der Schnelle v_y verdoppelt, und daß neben σ_y auch v_x, die tangentiale Komponente der Schnelle, verschwindet.

β) Einführung von Geschwindigkeitspotential und Stromfunktion. Es erhebt sich nun die Frage, durch welche Feldgröße wir am besten die primären und sekundären Wellenanteile beschreiben. Bei den bisher behandelten eindimensionalen Problemen bot sich hierfür meist eine in einer der Randbedingungen auftretende Größe an, die mit allen anderen über einfache Differentiationen oder Integrationen nach Ort oder Zeit zusammenhing. Hier sind weder σ_y noch τ_{yx} dafür geeignet, da sie nicht in einfacher Weise miteinander zusammenhängen, sondern, wie schon in (134) und (135) gezeigt, sich leider erst durch partielle

Differentiationen aus den Verschiebungen ergeben, wobei hier im zweidimensionalen Fall gilt:

$$\tau_{yx} = G\left(\frac{\partial \xi}{\partial y} + \frac{\partial \eta}{\partial x}\right), \tag{147a}$$

$$\sigma_y = 2\,G\left(\frac{\partial \eta}{\partial y} + \frac{\mu}{1-2\,\mu}\left(\frac{\partial \xi}{\partial x} + \frac{\partial \eta}{\partial y}\right)\right) \tag{147b}$$

Aber auch keine der hierin auftretenden Komponenten der Verschiebung $\mathfrak{s}$ ist für sich geeignet, da es sehr vom Einfallswinkel abhängt, ob ein ξ oder η eine Welle mit großem oder kleinem Ausschlag darstellt, und der Zusammenhang für den longitudinalen und transversalen Anteil noch dazu entgegengesetzte Tendenz hat.

Wohl könnte man den Absolutwert der Verschiebung, bzw. der ihrer zeitlichen Ableitung, der Schnelle, wählen. Auf den ersten Blick erscheint das sogar sehr anschaulich. Es setzt aber voraus, daß eine solche resultierende, eindeutig gerichtete Größe immer angegeben werden kann. Wir werden aber sehen, daß das nicht der Fall ist.

Wir wollen daher den Klassikern der theoretischen Akustik folgen und uns nach Größen umsehen, aus denen sich wiederum die Komponenten der Schnelle v_x und v_y durch einfache partielle Differentiationen ergeben.

Hinsichtlich des wirbelfreien Anteils, den wir, weil er die L-Welle einschließt, kurz L-Anteil nennen wollen, bietet sich hier das Geschwindigkeitspotential Φ, also eine in jedem Falle skalare Größe an, die definiert ist durch

$$\mathfrak{v}_L = \operatorname{grad} \Phi\,, \tag{148}$$

was im vorliegenden Fall sich zerlegen läßt in:

$$v_{xL} = \frac{\partial \Phi}{\partial x} \tag{148a}$$

und

$$v_{yL} = \frac{\partial \Phi}{\partial y}\,. \tag{148b}$$

Der quellenfreie Anteil der Schnelle läßt sich entsprechend nur als Rotation eines Vektors darstellen, den man als Vektorpotential $\vec{\Psi}$ bezeichnet:

$$\mathfrak{v}_T = \operatorname{rot} \vec{\Psi}\,. \tag{149}$$

Da im zweidimensionalen ebenen Feld dieser Vektor immer senkrecht auf der Feldebene steht, hier also in z-Richtung zeigt, verliert er seinen Vektorcharakter, weshalb in der Lehre von den ebenen Strömungen auch Ψ einfach als Stromfunktion bezeichnet wird. Wir erhalten dann

$$v_{xT} = \frac{\partial \Psi}{\partial y} \tag{149a}$$

und

$$v_{yT} = -\frac{\partial \Psi}{\partial x}. \tag{149b}$$

Resultierend ergibt sich somit:

$$v_x = \frac{\partial \Phi}{\partial x} + \frac{\partial \Psi}{\partial y}, \tag{150a}$$

$$v_y = \frac{\partial \Phi}{\partial y} - \frac{\partial \Psi}{\partial x}. \tag{150b}$$

Wenn nun τ_{yx} und σ_y in jedem Zeitpunkt am Rande verschwinden sollen, muß das auch für ihre zeitlichen Ableitungen gelten. Wir können also in den Randbedingungen (147) ξ und η auch durch v_x und v_y ersetzen und diese durch Φ und Ψ ausdrücken und erhalten so:

$$2\frac{\partial^2 \Phi}{\partial x\, \partial y} + \frac{\partial^2 \Psi}{\partial y^2} - \frac{\partial^2 \Psi}{\partial x^2} = 0\,, \tag{151a}$$

$$\frac{\partial^2 \Phi}{\partial y^2} + \frac{\mu}{1 - 2\mu}\left(\frac{\partial^2 \Phi}{\partial x^2} + \frac{\partial^2 \Phi}{\partial y^2}\right) - \frac{\partial^2 \Psi}{\partial x\, \partial y} = 0\,. \tag{151b}$$

γ) Die Gleichheit der Spurgeschwindigkeiten. Wir wollen nun als primär gegebene Größe eine unendlich breite L-Welle unter dem Einfallswinkel ϑ_L einfallen lassen (s. Abb. II/20, wo zur klaren Trennung der einzelnen Wellenanteile ein Stück endlicher Breite willkürlich herausgeschnitten ist.) Da die L-Welle eine Welle verzerrungsfreier Ausbreitung ist, könnten wir wie in Kap. II, 4 sie mit beliebigem Zeitverlauf einsetzen. Daraus würde sich dann auch die Ortsabhängigkeit ergeben, wobei diesmal darauf zu achten ist, daß das Feld sich sowohl in x- wie in y-Richtung ändert.

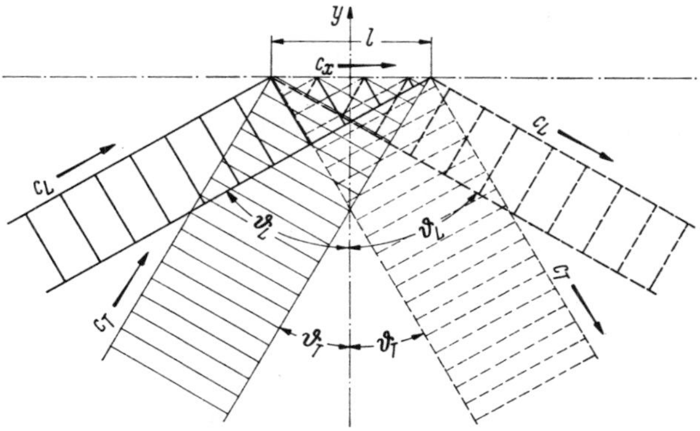

Abb. II/20. Skizze zur Reflexion longitudinaler und transversaler Wellen an einer freien Oberfläche

In beiden Richtungen pflanzt sich eine bestimmte Phase der Welle schneller fort, als in der eigentlichen Ausbreitungsrichtung, indem innerhalb einer Ebene gleicher Phase immer wieder andere Stellen die x- und y-Achse schneiden. Wir wollen dabei die Phasengeschwindigkeit entlang der Oberfläche, also in x-Richtung

$$c_{xL} = \frac{c_L}{\sin \vartheta_L}, \tag{152a}$$

die an die Spuren erinnert, welche schräg auflaufende Wasserwellen in einem sandigen Strand ebenfalls mit einer tangentialen Phasengeschwindigkeit hinterlassen, „Spurgeschwindigkeit" nennen. Die Phasengeschwindigkeit in y-Richtung beträgt entsprechend

$$c_{yL} = \frac{c_L}{\cos \vartheta_L} \tag{152b}$$

und sei „Lotgeschwindigkeit" genannt. Die aus dem 3. Quadranten einfallende, also in positiver x- und y-Richtung fortschreitende, Welle kann somit bei beliebigem Zeitverlauf beschrieben werden durch

$$\Phi_+(t, x, y) = \Phi_+\left(t - \frac{x \sin \vartheta_L}{c_L} - \frac{y \cos \vartheta_L}{c_L}\right). \tag{153a}$$

Dieser Ansatz befriedigt aber nicht nur die im Innern geltende Gleichung für L-Wellen (141), er ist auch zur Erfüllung der Randbedingungen geeignet, sofern wir annehmen dürfen, daß sich die Sekundärfelder ähnlich beschreiben lassen, daß sie also auch aus verzerrungsfrei fortschreitenden ebenen Wellen bestehen. Die Tatsache, daß die Randbedingungen in jedem Zeitpunkt erfüllt sein müssen, verlangt dabei denselben Zeitverlauf. Die sekundären Wellen müssen also dieselbe Wellenform haben.

Aber die Randbedingungen müssen nicht nur für alle Zeiten, sondern auch für alle Stellen der freien Oberfläche erfüllt sein; d. h. aber alle Zustände müssen mit der gleichen Spurgeschwindigkeit in positiver x-Richtung wandern.

Ein Einsetzen des dann nur noch in bezug auf c_{yL} unbestimmten allgemeinen Ansatzes für die reflektierte, also in bezug auf y in negativer Richtung wandernde, L-Welle

$$\Phi_-(t, x, y) = \Phi_-\left(t - \frac{x \sin \vartheta_L}{c_L} + \frac{y}{c_{yL}}\right)$$

in die Wellengleichung (141) ergibt, nachdem das Vorzeichen aus physikalischen Gründen festliegt, die gleiche Lotgeschwindigkeit. Wir haben also anzusetzen:

$$\Phi_-(t, x, y) = \Phi_-\left(t - \frac{x \sin \vartheta_L}{c_L} + \frac{y \cos \vartheta_L}{c_L}\right). \tag{153b}$$

Entsprechend läßt sich die unter dem Ausfallswinkel wegwandernde T-Welle beschreiben durch

$$\Psi_-(t, x, y) = \Psi_-\left(t - \frac{x \sin \vartheta_T}{c_T} + \frac{y \cos \vartheta_T}{c_T}\right). \tag{153c}$$

Der Winkel ϑ_T ist dabei eindeutig durch die verlangte Gleichheit der Spurgeschwindigkeiten gegeben:

$$\frac{c_L}{\sin \vartheta_L} = \frac{c_T}{\sin \vartheta_T} = c_x, \tag{154}$$

einer Beziehung, die vom Problem des Übertritts einer Welle von einem Medium in ein anderes mit anderer Ausbreitungsgeschwindigkeit als „Snelliussches Brechungsgesetz" bekannt ist. Der Ausdruck „Brechung" rührt dabei von dem Knick in der sonst geradlinigen Ausbreitung her. Auch hier findet eine Winkelabweichung gegenüber der sonst bei geometrischer Reflexion zu erwartenden Gleichheit von Einfalls- und Ausfallswinkeln statt. Wir wollen daher die jeweils der anderen Feldart zugehörige Welle als „zurückgebrochene" Welle bezeichnen.

Der die Winkel ϑ_L und ϑ_T verbindende Quotient der Ausbreitungsgeschwindigkeiten sei dabei auch hier Brechzahl genannt und wie üblich mit n bezeichnet:

$$n = \frac{c_T}{c_L}. \tag{155a}$$

Wie aus (142) und (144) folgt, hängt die Brechzahl eindeutig mit der die Querkontraktion kennzeichnenden Poissonschen Zahl zusammen:

$$n = \sqrt{\frac{1 - 2\mu}{2 - 2\mu}}. \tag{155b}$$

Da μ nur zwischen 0 und 0,5 liegen kann, ergibt sich auch für n^2 nur — bei umgekehrter Tendenz — der Bereich:

$$0{,}5 > n^2 > 0. \tag{155c}$$

Für $\mu = 0{,}25$ ergibt sich z. B. $n = 1/\sqrt{3} = 0{,}58$.

Die Ansätze für die sekundären Wellen Φ_- und Ψ_- sind zunächst auch angemessen, wenn wir statt einer primären L-Welle annehmen, daß eine T-Welle unter dem Winkel ϑ_T einfällt:

$$\Psi_+(t, x, y) = \Psi_+\left(t - \frac{x \sin \vartheta_T}{c_T} - \frac{y \cos \vartheta_T}{c_T}\right). \tag{156}$$

In diesem Falle ergibt sich ϑ_L aus ϑ_T gemäß (154). Dabei tritt aber eine grundsätzliche Schwierigkeit auf. Während bei gegebenem ϑ_L der kleinere Winkel ϑ_T gemäß

$$\sin \vartheta_T = n \sin \vartheta_L \tag{157a}$$

für alle in Frage kommenden primären Winkel

$$0 < \vartheta_L < \frac{\pi}{2}$$

sich stets angeben läßt, ist der Winkel ϑ_L bei gegebenem ϑ_T aus

$$\sin \vartheta_L = \frac{1}{n} \sin \vartheta_T \qquad (157\,b)$$

nur im Bereich der primären Winkel:

$$0 < \vartheta_T < \operatorname{arc} \sin n$$

vorhanden. Bei dem durch

$$\vartheta_{T\,g} = \operatorname{arc} \sin n \qquad (158)$$

gegebenen Grenzwinkel, läuft die sekundäre L-Welle bereits parallel zur Oberfläche.

Nun ist es aber doch möglich, daß T-Wellen unter schrägerem Winkel einfallen, und wir müssen feststellen, daß unsere beliebige Wellenformen zulassenden Ansätze in diesem Gebiet versagen. Dabei ist das Gebiet keineswegs klein. Für $\mu = 0{,}25$ umfaßt es bereits alle ϑ_T, die größer als $35^1/_2{}^\circ$ sind.

Diese Erkenntnis zwingt uns, die allgemeinen Ansätze für die primären Wellen aufzugeben und uns auf Sinus-Wellen zu beschränken, was andererseits wegen der Linearität der Feldgleichungen und der Randbedingungen infolge der Zusammensetzbarkeit beliebiger Zeitverläufe aus sinusförmigen keine grundsätzliche Beschränkung bedeutet.

Wir gewinnen dabei außerdem eine sehr einfache Darstellung der unterschiedlichen Größe der einzelnen Feldanteile, indem $\Phi_\pm$ und $\Psi_\pm$ nun durch ihre Zeiger $\underline{\hat{\Phi}}_\pm$ und $\underline{\hat{\Psi}}_\pm$ im Nullpunkt nach ihrer Amplitude, gegebenenfalls aber auch nach ihrer Nullphase gekennzeichnet werden:

$$\Phi_\pm = \mathrm{Re}\,\{\underline{\hat{\Phi}}_\pm\, e^{j\,\omega\,t - j\,k_L \sin \vartheta_L\, x \mp j\, k_L \cos \vartheta_L\, y}\} \qquad (159\,a)$$

$$\Psi_\pm = \mathrm{Re}\,\{\underline{\hat{\Psi}}_\pm\, e^{j\,\omega\,t - j\,k_T \sin \vartheta_T\, x \mp j\, k_T \cos \vartheta_T\, y}\}\,. \qquad (159\,b)$$

Der Gültigkeitsbereich der früheren Ansätze mit beliebigem Zeitverlauf muß sich dann darin äußern, daß die einzelnen Zeiger durch Multiplikation mit frequenzunabhängigen und reellen Konstanten ineinander übergehen.

Eine Unabhängigkeit der gegenseitigen Beziehungen zwischen $\underline{\hat{\Phi}}_+$, $\underline{\hat{\Phi}}_-$ usw. von der Frequenz ist übrigens zu erwarten, weil diese Werte sich auf die Oberfläche beziehen und hier keine Strecke und so auch nicht ihr Verhältnis zu einer Wellenlänge eingeht. Wenn wir allerdings einen Punkt in bestimmtem Abstand von der Oberfläche betrachten, kann das Verhältnis dieses Abstandes zur Wellenlänge und somit die Frequenz wesentlich sein.

δ) Berechnung der Reflexionsfaktoren und Reflexionsgrade. Um Wiederholungen gleichartiger Rechnungen und Überlegungen zu vermeiden, lassen wir gleichzeitig eine L-Welle und eine zur gleichen Spurgeschwindigkeit gehörige T-Welle einfallen, setzen also für die resultierenden wirbel- und quellenfreien Feldanteile an:

$$\underline{\Phi}(x, y) = [\underline{\Phi}_+ \, e^{-j k_L \cos \vartheta_L y} + \underline{\Phi}_- \, e^{+j k_L \cos \vartheta_L y}] \, e^{-j k_L \sin \vartheta_L x} \tag{160a}$$

$$\underline{\Psi}(x, y) = [\underline{\Psi}_+ \, e^{-j k_T \cos \vartheta_T y} + \underline{\Psi}_- \, e^{+j k_T \cos \vartheta_T y}] \, e^{-j k_T \sin \vartheta_T x} \,. \tag{160b}$$

Die sekundären Zeiger $\underline{\Phi}_-$ und $\underline{\Psi}_-$ werden sich dann als lineare Funktionen der primären ergeben:

$$\underline{\Phi}_- = \underline{r}_{\Phi\Phi} \, \underline{\Phi}_+ + \underline{r}_{\Psi\Phi} \, \underline{\Psi}_+ \tag{161a}$$

$$\underline{\Psi}_- = \underline{r}_{\Phi\Psi} \, \underline{\Phi}_+ + \underline{r}_{\Psi\Psi} \, \underline{\Psi}_+ \,. \tag{161b}$$

Dabei kennzeichnen die einzelnen Koeffizienten dieser beiden Gleichungen, die möglicherweise komplexen Reflexionsfaktoren[1] r, die Anteile an den sekundären Wellen, die von den einzelnen primären herrühren. Diese vier Reflexionsfaktoren bilden zusammen eine Matrix

$$\begin{pmatrix} \underline{r}_{\Phi\Phi} & \underline{r}_{\Psi\Phi} \\ \underline{r}_{\Phi\Psi} & \underline{r}_{\Psi\Psi} \end{pmatrix}, \tag{161c}$$

die sinngemäß hier als Reflexionsmatrix bezeichnet werden kann. (In der elektrischen Nachrichtentechnik werden ähnliche Matrizen, bei denen dann neben reflektierten auch durchgelassene Wellen auftreten, „Streumatrizen" genannt. An solchen Matrizen lassen sich Verwandtschaften ihrer Elemente übersichtlicher und einfacher darlegen als wenn man die Wirkungen der einzelnen Primärgrößen getrennt untersucht.)

Vorerst gewinnen wir aber durch Einsetzen der Ansätze (160) in die Randbedingungen (151) zwei Gleichungen der Form:

$$a_\Delta \, (\underline{\Phi}_+ - \underline{\Phi}_-) + b_\Sigma \, (\underline{\Psi}_+ + \underline{\Psi}_-) = 0 \tag{162a}$$

$$a_\Sigma \, (\underline{\Phi}_+ + \underline{\Phi}_-) + b_\Delta \, (\underline{\Psi}_+ - \underline{\Psi}_-) = 0 \tag{162b}$$

mit

$$a_\Delta = - \, k_L^2 \sin 2 \, \vartheta_L \, ; \qquad b_\Sigma = - \, k_T^2 \cos 2 \, \vartheta_T \, ;$$

$$a_\Sigma = - \, k_L^2 \left(\cos^2 \vartheta_L + \frac{\mu}{1 - 2 \mu} \right) ; \qquad b_\Delta = \frac{1}{2} \, k_T^2 \sin 2 \, \vartheta_T \,. \tag{163a}$$

Da alle Konstanten dem Quadrat der Wellenzahlen, also dem Quadrat der Frequenz proportional sind, läßt sich die Frequenz wie erwartet

---

[1] Es sei darauf hingewiesen, daß die Reflexionsfaktoren unterschiedlich ausfallen, je nachdem auf welche Feldgröße man sie bezieht. Wir werden später vorzugsweise die Schnellen dazu heranziehen, da sie beim Körperschall meist gemessen werden.

herauskürzen, beispielsweise durch Division aller Konstanten durch k_T^2. An die Stelle von k_L^2 tritt dann n^2. n ist aber auch gemäß (155b) noch in μ enthalten, sowie in der Beziehung zwischen ϑ_L und ϑ_T. Drückt man aber (a_Σ/k_T^2) durch n und ϑ_T aus, so erhält man sogar einen wesentlich einfacheren Ausdruck:

$$\frac{a_\Sigma}{k_T^2} = -n^2\left(1 - \frac{\sin^2\vartheta_T}{n^2} + \frac{1}{2n^2} - 1\right) = -\frac{1}{2}\cos 2\vartheta_T\,, \tag{163b}$$

der sich von b_Σ/k_T^2 nur durch einen Zahlenfaktor unterscheidet. Dies ergibt sich nicht zufällig, sondern hängt mit Reziprozitäts-Eigenschaften unseres Problems zusammen.

Wenn wir nämlich die Gln. (162) in die Form der Gln. (161) überführen, erhalten wir für die eingeführten Reflexionsfaktoren

$$\underline{r}_{\Phi\Phi} = \underline{r}_{\Psi\Psi} = \frac{a_\triangle b_\triangle + a_\Sigma b_\Sigma}{a_\triangle b_\triangle - a_\Sigma b_\Sigma} = \frac{n^2\sin 2\vartheta_L \sin 2\vartheta_T - \cos^2 2\vartheta_T}{n^2\sin 2\vartheta_L \sin 2\vartheta_T + \cos^2 2\vartheta_T} \tag{164}$$

$$\underline{r}_{\Phi\Psi} = \frac{2\,a_\triangle a_\Sigma}{a_\triangle b_\triangle - a_\Sigma b_\Sigma} = \frac{-2n^2\sin 2\vartheta_L\cos 2\vartheta_T}{\text{Nenner wie oben}} \tag{165}$$

$$\underline{r}_{\Psi\Phi} = \frac{2\,b_\triangle b_\Sigma}{a_\triangle b_\triangle - a_\Sigma b_\Sigma} = \frac{+2\sin 2\vartheta_T\cos 2\vartheta_T}{\text{Nenner wie oben}}\,. \tag{166}$$

Das erste, was uns an diesen Konstanten auffällt, ist die Gleichheit von $r_{\Phi\Phi}$ und $r_{\Psi\Psi}$. Sie bedeutet eine Symmetrie der Reflexions-Matrix und hängt mit einer physikalischen Symmetrie des Problems zusammen.

Denken wir uns das durch die einfallenden, durch Φ_+ und Ψ_+ gekennzeichneten Wellen ausgelöste Wellenfeld etwa in einem Film festgehalten, so kommt offensichtlich, wenn wir den Film rückwärts laufen lassen, das gleiche Reflexionsproblem heraus, nur daß diesmal das Paar Φ_-, Ψ_- die primären Wellen, das Paar Φ_+, Ψ_+ die sekundären Wellen bedeutet. Dabei ist allerdings zu beachten, daß die Schnellen der L-Wellen ihre Richtung umkehren, die der T-Wellen sie dagegen beibehalten, daß somit bei einem der beiden Potentiale das Vorzeichen umzukehren ist.

Diese — von symmetrischen „Vierpolen" her bekannte — Vertauschbarkeit von „Eingangs"- und „Ausgangs"-Größen verlangt einmal, daß die Determinante der Reflexionsmatrix gleich Eins ist:

$$\underline{r}_{\Phi\Phi}\,\underline{r}_{\Psi\Psi} - \underline{r}_{\Phi\Psi}\,\underline{r}_{\Psi\Phi} = 1 \tag{167a}$$

und daß ferner gilt:

$$\underline{r}_{\Phi\Phi} = \underline{r}_{\Psi\Psi}\,. \tag{167b}$$

Wir stellen dabei fest, daß beide Reflexionsfaktoren verschwinden können, nämlich wenn ihr Zähler verschwindet, also wenn

$$n^2\sin 2\vartheta_L \sin 2\vartheta_T - \cos^2 2\vartheta_T = 0 \tag{168}$$

ist. Wir wollen uns mit der Feststellung begnügen, daß dieser Fall wegen der im Bereich $0 < \vartheta_T < \vartheta_{Tg}$ monoton wachsenden Tendenz des ersten Summanden mit ϑ_T und der abfallenden des im Bereich $0 < \vartheta_T < \frac{\pi}{2}$ negativen zweiten jedenfalls möglich ist, wobei es von n abhängt, ob es zum Schnitt kommt. Physikalisch bedeutet dieser Fall, daß die L-Welle vollständig in eine T-Welle übergeht und umgekehrt. Man spricht dann von „Wechselwellen".

Bisher haben wir von der durch Umformung festgestellten Gleichheit von a_Σ und $\frac{1}{2} b_\Sigma$ noch keinen Gebrauch gemacht. Mit ihr ergibt sich aber auch ein einfacher Zusammenhang zwischen $\underline{r}_{\Phi\Psi}$ und $\underline{r}_{\Psi\Phi}$, nämlich:

$$\frac{\underline{r}_{\Psi\Phi}}{\underline{r}_{\Phi\Psi}} = -\,n^{-2}\frac{\sin 2\,\vartheta_T}{\sin 2\,\vartheta_L} = -\frac{1}{n}\frac{\cos\vartheta_T}{\cos\vartheta_L}\,. \tag{169}$$

Diese Beziehung wird — wenn man wieder in Gedanken die Ausbreitungsrichtung umkehrt —, dem Reziprozitätsprinzip gerecht. Es findet bei Problemen der vorliegenden Art am einfachsten seinen Ausdruck in der Aussage, daß der prozentuale Leistungsanteil einer unter ϑ_L auftreffenden L-Welle, der als T-Welle in Richtung ϑ_T reflektiert wird, gleich ist dem einer unter ϑ_T einfallenden T-Welle, der als L-Welle in Richtung ϑ_L reflektiert wird:

$$\frac{P_{T-}}{P_{L+}} = \frac{P_{L-}}{P_{T+}}\,. \tag{170}$$

Da man bei einfacher Reflexion das Verhältnis von reflektierter zu auffallender Energie „Reflexionsgrad" nennt und mit ϱ bezeichnet, kann die vorstehende Aussage auch als Gleichheit der Wechselreflexionsgrade ϱ_{LT} und ϱ_{TL} formuliert werden:

$$\varrho_{LT} = \varrho_{TL}\,. \tag{170a}$$

Dabei müssen sich die zu vergleichenden einfallenden und reflektierten Leistungen auf gleiche Längen l in Spurrichtung beziehen (s. Abb. II/20). Sie sind gleich den jeweiligen Intensitäten J multipliziert mit den zugehörigen Strahlbreiten $l\cos\vartheta$. Für die Verhältnisse der Intensitäten gilt daher:

$$\frac{J_{T-}}{J_{L+}}\frac{\cos\vartheta_T}{\cos\vartheta_L} = \frac{J_{L-}}{J_{T+}}\frac{\cos\vartheta_L}{\cos\vartheta_T}\,. \tag{170b}$$

Zwischen den Intensitäten und den Amplituden $\hat{\Phi}$ und $\hat{\Psi}$, auf die sich die Reflexionsfaktoren beziehen, aber gilt*

$$J_L = \frac{1}{2}\,\varrho\, c_L\,\hat{v}_L^2 = \frac{1}{2}\,\varrho\,\omega\, k_L\,\hat{\Phi}^2$$

$$J_T = \frac{1}{2}\,\varrho\, c_T\,\hat{v}_T^2 = \frac{1}{2}\,\varrho\,\omega\, k_T\,\hat{\Psi}^2\,.$$

* In den beiden folgenden Gleichungen ist ϱ die Dichte.

Damit geht (170b) über in

$$r_{\Phi\Psi}^2 \frac{k_T}{k_L} \frac{\cos \vartheta_T}{\cos \vartheta_L} = r_{\Psi\Phi}^2 \frac{k_L}{k_T} \frac{\cos \vartheta_L}{\cos \vartheta_T} \tag{170c}$$

in Einklang mit (169).

Der dort auftretende Vorzeichenwechsel läßt sich wieder daraus erklären, daß bei einer Richtungsumkehr der Wellen das eine Potential das Vorzeichen ändert, das andere nicht.

Übrigens folgt auch aus (170a) die oben aus der Umkehrbarkeit der Ausbreitungsrichtung gefolgerte Gleichheit von $r_{\Phi\Phi}$ und $r_{\Psi\Psi}$. Wenn nämlich der Energieanteil, den eine eintreffende Wellenart in die andere umsetzt, für beide Wellenarten der gleiche ist, dann gilt das auch für den in der gleichen Art reflektierten Anteil. Für diesen aber sind $\cos \vartheta$ und k gleich, so daß die Reflexionsgrade (P_-/P_+) unmittelbar den Quadraten von $r_{\Phi\Phi}$ und $r_{\Psi\Psi}$ gleich sind.

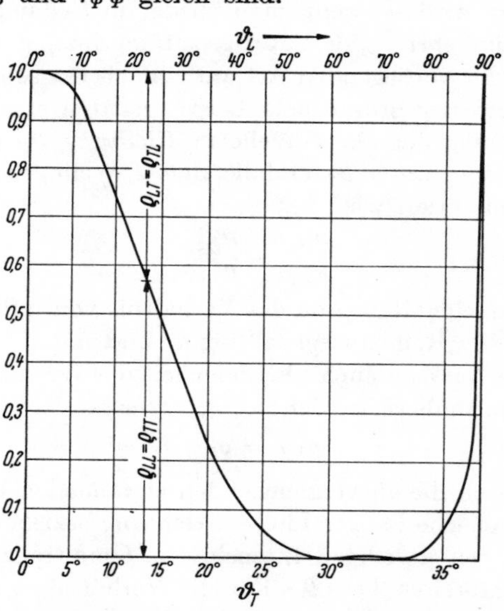

Abb. II/21. Reflexionsgrade an freier Oberfläche in Abhängigkeit vom Einfallswinkel oben: einer longitudinalen unten: einer transversalen Welle

In Abb. II/21 ist diese Energieaufspaltung für beide Wellenarten für den Fall $\mu = 0{,}25$ eingetragen, der zweimal die Bildung von „Wechselwellen" erkennen läßt.

Wir überzeugen uns, daß bis zu dem durch (158) definierten Grenzwinkel für ϑ_T, bei welchem $\vartheta_L = 90°$ wird, alle Reflexionsfaktoren nicht nur frequenzunabhängig, sondern auch reell sind, daß also die Ansätze (153) und (156) für verzerrungsfreie Wellen beliebiger Form anwendbar gewesen wären.

b) Oberflächenwellen

α) Erzwungene Oberflächenwellen. Wir fragen uns nun, was aus der sekundären L-Welle wird wenn $\vartheta_T > \vartheta_{Tg}$ ist. Um die Rechnung dabei gleich für zusätzliche Erweiterungen zugänglich zu machen, wollen wir die vorerst noch durch den Einfallswinkel ϑ_T gegebene Spurwellenzahl

$$k_x = k_T \sin \vartheta_T$$

allgemein mit

$$k_x = k_T\, s \tag{171}$$

ansetzen, also eine auf die T-Wellenzahl „reduzierte Spurwellenzahl" s einführen. Bei dem zunächst in Rede stehenden Problem, bleibt s im Bereich

$$0 < s < 1\,. \tag{172}$$

Entsprechend ändern sich die bisher aufgetretenen trigonometrischen Ausdrücke in:

$$\left.\begin{aligned} &\sin \vartheta_T = s; \quad \cos \vartheta_T = \sqrt{1 - s^2}; \quad \sin 2\,\vartheta_T = 2\,s\sqrt{1 - s^2};\\ &\cos 2\,\vartheta_T = 1 - 2\,s^2; \quad \sin \vartheta_L = \frac{s}{n}\,; \quad \cos \vartheta_L = \sqrt{1 - \frac{s^2}{n^2}}\,;\\ &n^2 \sin 2\,\vartheta_L = 2\,s\sqrt{n^2 - s^2}\,. \end{aligned}\right\} \tag{173}$$

Der Grenzwinkel ϑ_{Tg} ist nunmehr charakterisiert durch die reduzierte Grenz-Spurwellenzahl:

$$s_g = n\,, \tag{174}$$

der bisher erfaßte Winkelbereich durch

$$0 < s < n\,. \tag{175}$$

Wenn wir jetzt zu dem Winkelbereich

$$n < s < 1 \tag{176}$$

übergehen, bleiben die neuen Ausdrücke immer noch definiert, doch wird der früher als $\sin \vartheta_L$ deutbare Ausdruck größer als 1, der als $\cos \vartheta_L$ deutbare sogar imaginär:

$$\sqrt{1 - \left(\frac{s}{n}\right)^2} = \pm j\sqrt{\left(\frac{s}{n}\right)^2 - 1}\,. \tag{177}$$

Wie wir noch zeigen werden, wird dabei nur das negative Vorzeichen den physikalischen Bedingungen gerecht. Jedenfalls nimmt der bisher durch (164) gegebene Reflexionsfaktor eine Form an, bei der Zähler und Nenner absolut gleich groß sind:

$$\underline{r}_{\psi\psi} = \frac{-j\,4\,s^2\sqrt{s^2 - n^2}\sqrt{1 - s^2} - (1 - 2\,s^2)^2}{-j\,4\,s^2\sqrt{s^2 - n^2}\sqrt{1 - s^2} + (1 - 2\,s^2)^2}\,; \tag{178}$$

das bedeutet aber

$$|\underline{r}_{\Psi\Psi}| = 1 , \tag{178a}$$

also Totalreflexion. Man bezeichnet daher den durch (176) bestimmten Winkelbereich einfach als den „Bereich totaler Reflexion" und ϑ_{Tg} als den „Grenzwinkel der Totalreflexion".

Die Totalreflexion rührt aber hier nicht davon her, daß nur noch eine der beiden Randbedingungen erfüllt werden muß, vielmehr ist im allgemeinen in diesem Bereich das Auftreten eines sekundären wirbelfreien Feldes notwendig. Daß ein solches vorhanden ist, ergibt sich auch daraus, daß $\underline{r}_{\Psi\Phi}$ durchaus einen endlichen, allerdings komplexen Wert annimmt.

Um zu erkennen, wieso dieses sekundäre Feld der einfallenden Welle keine Energie entzieht, wollen wir es in seiner Abhängigkeit vom Ort betrachten.

Ersetzen wir in dem früheren Ansatz (160) $k_L \sin\vartheta_L$ durch $k_T s$ und $k_L \cos\vartheta_L$ durch $\pm j\, k_T \sqrt{s^2 - n^2}$, so geht der zweite, reflektierte Anteil über in

$$\underline{\Phi}(x, y) = \underline{\Phi}_- \, e^{-j k_T s x \pm k_T \sqrt{s^2 - n^2}\, y} . \tag{179}$$

Dabei kommt physikalisch als sekundäres Wellenfeld nur ein solches in Frage, das von der Oberfläche nach dem Inneren hin, hier also in negativer y-Richtung, abklingt.

Das so beschriebene wirbelfreie Sekundärfeld breitet sich somit nur noch parallel zur Oberfläche als Welle aus und klingt nach dem Innern des Mediums hin exponentiell ab. Man bezeichnet solche — nicht mehr ebene — Wellenfelder als „Oberflächenwellen". Sie sind uns von den Wellen, die sich auf der Wasseroberfläche infolge von Schwere und Oberflächenspannung bilden, aus täglicher Erfahrung bekannt. Im Gegensatz zu ihnen nennt man die von der Oberfläche schräg in den Raum abwandernden Wellen auch „Raumwellen".

Nun führen zweifellos auch die Oberflächenwellen kinetische und potentielle Energie mit sich. Bei den hier betrachteten Wellen unendlicher Breite ist die Oberflächenwelle als schon für negativ unendliche x-Werte vorhanden anzusehen, sie wandert in x-Richtung, ohne Energie aus der einfallenden Welle zu benötigen, oder solche an die reflektierte abzugeben. Bei Wellenzügen endlicher Breite muß die Oberflächenwelle aber erst aufgebaut werden, dadurch kann die Reflexion am linken Rand zunächst nicht vollständig sein, wie andererseits die reflektierte Welle auch nicht rechts plötzlich abbrechen kann, weil die Oberflächenwelle erst durch Abstrahlung verzehrt werden muß. Diese Verhältnisse sind nicht nur qualitativ, sondern sogar quantitativ analog zu der Erregung eines Schwingers in seiner Resonanzfrequenz durch einen endlichen Tonimpuls. Er muß — dort zeitlich — sich erst auf die Resonanzamplitude aufschaukeln, klingt dafür aber nach Aufhören der Erregung noch nach[1].

Noch eine weitere Eigenheit der Oberflächenwelle muß erwähnt werden; die Komponenten der Schnelle in x- und y-Richtung weisen eine Phasenverschiebung um $\pi/2$ auf:

$$\frac{\underline{v}_x}{\underline{v}_y} = \frac{\partial \underline{\Phi}/\partial x}{\partial \underline{\Phi}/\partial y} = \frac{-j\,s}{\sqrt{s^2 - n^2}}\,. \tag{180}$$

Das bedeutet aber, daß sie sich nicht zu einer resultierenden Schnelle mit eindeutiger Richtung vereinen, sondern daß die Teilchen elliptische Bahnen beschreiben. Darum waren auch die nur bei den ebenen Raumwellen definierten resultierenden Schnellen oder Verschiebungen zur allgemeinen Beschreibung des Problems nicht geeignet.

Schließlich sei noch auf die hier im Gebiet der Totalreflexion zu erwartenden Verzerrungen der auftreffenden Welle eingegangen. Zunächst sei hierzu darauf hingewiesen, daß gemäß (179) die Oberflächenwelle um so weniger ins Innere eindringt, je höher die Frequenz ist. In den tieferen Schichten bleiben somit nur die tieferen Frequenzanteile übrig. Man könnte somit die Bildung einer Oberflächenwelle als „Tiefpaß" ausnutzen. Aber die Oberflächenwelle ist bereits an der Oberfläche, ebenso wie auch die regulär reflektierte T-Welle gegenüber der auffallenden Welle verzerrt, obschon $\underline{r}_{\Psi\Phi}$ und $\underline{r}_{\Psi\Psi}$ frequenzunabhängig sind. Sie enthalten aber einen Phasensprung, der gerade deshalb, weil er unabhängig von der Frequenz ist und nicht mit ihr linear wächst, eine Verzerrung bedingt, für deren Ermittlung es keinen anderen Weg gibt, als die Zerlegung in Sinuswellen.

Was bedeutet aber $\underline{r}_{\Phi\Phi}$, das auch hier mit $\underline{r}_{\Psi\Psi}$ gleich bleibt, und was bedeutet $\underline{r}_{\Phi\Psi}$? Läßt sich noch ein physikalisch sinnvolles primäres, wirbelfreies Wellenfeld angeben, das nun an die Stelle einer unter bestimmtem Winkel ϑ_L einfallenden ebenen Raumwelle tritt? Offenbar ist das Gegenstück zu dem durch (179) beschriebenen sekundären Wellenfeld eine ebenfalls in x-Richtung fortschreitende Welle, die aber nach dem Innern ($y < 0$) hin exponentiell zunimmt:

$$\underline{\Phi}_+\, e^{-j k_T s x - k_T \sqrt{s^2 - n^2}\, y}\,. \tag{181}$$

Ein solches Wellenfeld läßt sich nicht nur durch eine entsprechende Erregung an einer zur bisherigen Oberfläche parallelen zweiten Oberfläche prinzipiell erzeugen, dieser Fall tritt sogar beim Schalldurchgang durch Platten immer wieder auf und kann auch zur Beschreibung freier Wellen in Platten zweckmäßigerweise herangezogen werden, der wir uns im nächsten Abschnitt zuwenden werden.

[1] Cremer, L.: Archiv d. Elektr. Übertr. 2 (1948) 136.

Damit gewinnt aber auch die Ausdehnung unserer Formeln auf das Gebiet

$$s > 1\,, \tag{182}$$

in welchem nun auch die Transversalwellen in quellenfreie Oberflächenwellen und deren primäres Gegenstück übergehen, physikalisch an Bedeutung. Sinngemäß haben wir dabei

$$\cos\vartheta_T \quad \text{durch} \quad -j\sqrt{s^2-1} \tag{183}$$

zu ersetzen, und das resultierende, quellenfreie Wellenfeld zu beschreiben durch:

$$\underline{\Psi}(x, y) = \left[\underline{\Psi}_+ \, e^{-k_T\sqrt{s^2-1}\,y} + \underline{\Psi}_- \, e^{+k_T\sqrt{s^2-1}\,y}\right] e^{-j k_T s x}\,. \tag{184}$$

In gewissem Sinne vereinfacht sich sogar das Problem, indem nun die „Reflexionsfaktoren" $\underline{r}_{\Phi\Phi}$ und $\underline{r}_{\Psi\Psi}$ wieder reell werden, $\underline{r}_{\Psi\Phi}$ und $\underline{r}_{\Phi\Psi}$ dagegen rein imaginär.

β) Die freie Oberflächenwelle (Rayleigh-Welle). Die wesentliche Änderung für die Reflexionsfaktoren, die sich durch den Übergang zu Spurwellenzahlen, die größer als diejenigen der T-Welle sind

$$k_x > k_T\,, \tag{185}$$

anders ausgedrückt, zu Spurgeschwindigkeiten, die kleiner als die T-Wellen-Geschwindigkeit sind

$$c_x < c_T \tag{186}$$

ergeben, besteht darin, daß in diesem Gebiet der ihnen gemeinsame Nennerausdruck für reelle s Null werden kann:

$$-4\,s^2\sqrt{s^2-n^2}\sqrt{s^2-1} + (1-2\,s^2)^2 = 0\,. \tag{187}$$

Physikalisch bedeutet das, daß sekundäre Wellenfelder möglich sind, ohne daß die bisher notwendigen primären vorhanden sind. Es leuchtet ein, daß dies nicht möglich war, solange eine abgehende Raumwelle ständig Energie abführte. Nur die Oberflächenwellen verlangen, wenn sie einmal erregt sind, keine Nachfuhr von Energie. Es ist aber eine Kombination einer wirbelfreien und einer quellenfreien Oberflächenwelle dazu nötig, da eine allein nicht beide Randbedingungen erfüllen kann.

Das Amplitudenverhältnis dieser Kombination ergibt sich aus den Gln. (162), die dahin zu spezialisieren sind, daß man die primären Größen Φ_+ und Ψ_+ verschwinden läßt, und daß man die Konstanten gemäß (173) und (183) durch Funktionen von s-Werten ausdrückt, die größer als 1 sind. Mit der im übrigen schon oben durchgeführten Kürzung durch k_T^2, bzw. $1/2\, k_T^2$ erhält man:

$$\left(-j\, 2\, s \sqrt{s^2 - n^2}\right) \underline{\Phi}_- + (2\, s^2 - 1)\, \underline{\Psi}_- = 0 \tag{188}$$

$$\left(\frac{1}{2}\,(2\, s^2 - 1)\right) \underline{\Phi}_- + \left(j\, s \sqrt{s^2 - 1}\right) \underline{\Psi}_- = 0\,, \tag{189}$$

und hieraus entweder

$$\frac{\underline{\Psi}_-}{\underline{\Phi}_-} = \frac{j\, 2\, s \sqrt{s^2 - n^2}}{(2\, s^2 - 1)} \tag{190}$$

oder

$$\frac{\underline{\Psi}_-}{\underline{\Phi}_-} = \frac{j\,(2\, s^2 - 1)}{2\, s \sqrt{s^2 - 1}}\,. \tag{191}$$

(Die Verträglichkeit beider Bedingungen, d. h. das Verschwinden der aus den Koeffizienten von (188) und (189) gebildeten Determinante, entspricht ja seiner Entstehung nach dem Verschwinden des Nenners der r.)

Da Lord RAYLEIGH als erster die Frage untersuchte und löste[1], ob es eine solche Kombination von Oberflächenwellen gleicher Spurgeschwindigkeit gibt, die die Randbedingung erfüllen und daher als „freie Wellen" existieren können, wird sie als „RAYLEIGH-Welle" bezeichnet. Wir wollen daher die zu der reellen Wurzel von (187) gehörige Spurgeschwindigkeit durch den Index R kennzeichnen:

$$c_R = \frac{\omega}{s_R}\,. \tag{192}$$

Erstaunlicherweise ist diese Spurgeschwindigkeit nur wenig kleiner als c_T und wenig abhängig von den zwischen 0 und 0,5 möglichen POISSONNschen Querkontraktionszahlen. Man erhält für

$$\mu = 0; \qquad 0{,}25; \qquad 0{,}5;$$

$$\frac{1}{s_r} = \frac{c_R}{c_T} = 0{,}874; \quad 0{,}919; \quad 0{,}955\,. \tag{193}$$

Dies führt, da das Abnehmen der Feldgrößen nach dem Innern hin durch die Ausdrücke für die Zeiger der Potentiale

$$\underline{\Phi}(x, y) = \underline{\Phi}_-\, e^{-j k_T s_R x + k_T \sqrt{s_R^2 - n^2}\, y} \tag{194a}$$

und

$$\underline{\Psi}(x, y) = \underline{\Psi}_-\, e^{-j k_T s_R x + k_T \sqrt{s_R^2 - 1}\, y} \tag{194b}$$

gegeben ist, namentlich bei dem quellenfreien Feld auf eine verhältnismäßig große Eindringtiefe. In Abb. II/22 ist für den Fall $\mu = 0{,}25$

[1] Lord RAYLEIGH: Proc. Math. Soc. Lond. 17 (1885) 4.

gezeigt, wie sich das gestrichelt eingetragene quadratische Netz des ruhenden Mediums bei einer RALEIGH-Welle deformiert. Man sieht, wie in einiger Tiefe nur noch Schubdeformationen des Feldbild beherrschen, während umgekehrt die Erhaltung der Rechtwinkligkeit an der Oberfläche zeigt, daß dort die Schubspannung verschwindet.

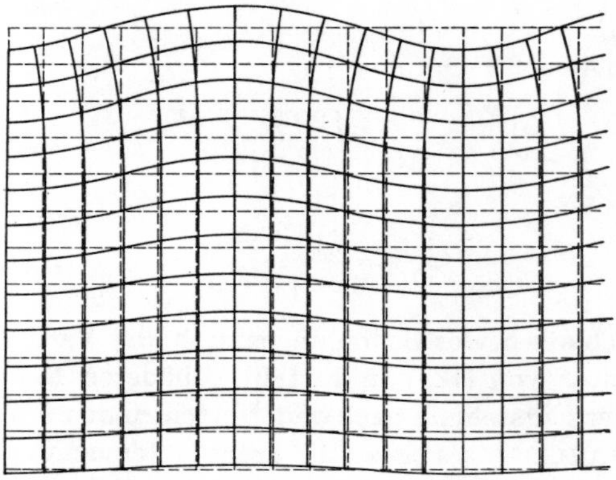

Abb. II/22. Deformation bei einer RAYLEIGH-Welle

7. Die freien Plattenwellen

a) Randbedingungen und Lösungsformen

Unter einer „Platte" versteht die Mechanik ein homogenes, isotropes, elastisches Kontinuum, das von zwei freien, parallelen, ebenen Oberflächen begrenzt wird, deren beliebiger Abstand mit h bezeichnet sei. Es ist zu erwarten, daß die mathematische Beschreibung vereinfacht und übersichtlicher wird, wenn man dabei den Koordinaten-Nullpunkt in die zwischen den freien Oberflächen liegende Symmetrie-Ebene verlegt, diese also durch $y = 0$ kennzeichnet. Hinsichtlich der Randbedingungen bedeutet das die Formulierung:

$$y = \pm \frac{h}{2}\,; \qquad \left.\begin{aligned} \tau_{yz} &= 0\,,\\ \tau_{xy} &= 0\,,\\ \sigma_y &= 0\,. \end{aligned}\right\} \tag{195}$$

Wie in allen Abschnitten dieses Kapitels und insbesondere im letzten, wollen wir von allen möglichen Wellenfeldern nur wieder solche betrachten, die in einer bestimmten Ausbreitungsrichtung — es sei wieder die $+x$-Richtung — bei sinusförmigem Zeitverlauf als sinusförmige Wellen mit der Phasengeschwindigkeit c_x fortschreiten, für die wir auch in diesem Falle den Ausdruck „Spurgeschwindigkeit" beibehalten wollen.

Drücken wir dabei wieder den wirbelfreien Anteil durch den Zeiger des Geschwindigkeitspotentials $\underline{\Phi}(x, y)$ und den quellenfreien durch den Zeiger der Komponente eines Vektorpotentials (Stromfunktion $\underline{\Psi}(x, y)$) aus, so heißt das, daß wir nur Felder der Form:

$$\underline{\Phi}(x, y) = \underline{\Phi}_y(y) \cdot e^{-j k_x x}$$
$$\underline{\Psi}(x, y) = \underline{\Psi}_y(y) \cdot e^{-j k_x x} \qquad (196)$$

betrachten wollen.

Von den letzten Abschnitten her wissen wir, daß die durch $\underline{\Phi}_y$ und $\underline{\Psi}_y$ beschriebenen Querverteilungen entweder den Charakter von zwei einander mit der Lotgeschwindigkeit c_y entgegenlaufenden Wellen haben, was zusammen mit der vorgegebenen x-Abhängigkeit zwei sich unter einem Winkel ($180° - 2\,\vartheta$) kreuzende Raumwellen bedeutet, oder den Charakter zweier exponentiell von den beiden Oberflächen abklingender Felder, die zusammen mit der x-Abhängigkeit zwei Oberflächenwellen bedeuten. Dabei wird im allgemeinen die freie Plattenwelle aus einem quellenfreien und einem wirbelfreien Paar solcher Wellen sich zusammensetzen. Dies muß auch für die von uns bereits in Kap. II, 1b und II, 3a behandelten quasilongitudinalen Wellen und Biegewellen in dünnen Platten gelten; auch die durch Berücksichtigung von Schubdeformation und Rotationsträgheit korrigierte Biegewelle muß enthalten sein.

Ebenso muß die zuletzt behandelte Rayleigh-Welle als Grenzfall auftreten, wenn die Platte so dick im Verhältnis zu den λ_L und λ_T geworden ist, daß jene vor Erreichen der jeweils gegenüberliegenden Oberfläche vernachlässigbar klein geworden ist.

Die strenge zweidimensionale Behandlung der quasilongitudinalen Welle und der Biegewelle und ihr allmählicher Übergang in Oberflächenwellen waren auch die Veranlassung für die ersten Untersuchungen des zweidimensionalen Plattenwellenfeldes von Lord Rayleigh[1] und von Lamb[2], wie der späteren von Timoshenko[3]. Da aber Lamb darüber hinaus sich auch mit weiteren „Plattenwellen" befaßte und sie am Grenzfall eines inkompressiblen Mediums deutete als Wellen mit zu den Oberflächen parallelen „Knotenflächen", an denen wiederum die tangentialen Schubspannungen verschwinden, nennt man die durch die Ansätze (196) gekennzeichneten, die Randbedingungen (195) erfüllenden Wellen auch vielfach Lamb-Wellen. Wir wollen stattdessen den anschaulicheren, von Schoch[4] eingeführten Ausdruck „freie Plattenwellen" gebrauchen, wobei im Folgenden auch der Zusatz „freie" entfallen mag.

---

[1] Lord Rayleigh: Proc. Lond. Math. Soc. XX (1889) 225.
[2] Lamb, H.: Proc. Roy. Soc. Lond. Ser. A, 93 (1917) 114.
[3] Timoshenko, S. P.: Phil. Mag. Ser. 6, 43 (1922) 125.
[4] Schoch, A.: Ergeb. exakt. Naturwiss. 23 (1950) 172 ff.

Im allgemeinen haben wir freilich zwischen „freien“ und „erzwungenen“ Plattenwellen zu unterscheiden. Die letzten ergeben sich, wenn wir, wie es beispielsweise in der Ultraschallprüfung von Platten geschieht, längs einer Oberfläche eine Spannungswelle einwirken lassen. In diesem Falle können wir Frequenz und Spurgeschwindigkeit frei wählen. Die dabei primär ausgelösten longitudinalen und transversalen Wellen erreichen dann mit einer durch die Plattendicke gegebenen Phasen- (oder Amplituden-)Änderung die gegenüberliegende freie Oberfläche, setzen sich dort zu rückkehrenden Wellen zusammen und überlagern sich nach Wiederholung der gleichen Prozesse schließlich gleichsinnig fortschreitend der primären Welle, ohne daß zu ihr irgend eine Beziehung gefordert werden muß.

Bei den freien Wellen muß dagegen die zurückgekehrte Welle in die dabei willkürlich als primär angesehenen Amplituden und Phasensprünge übergehen, also bezüglich der Querrichtung das „Prinzip des geschlossenen Wellenzyklus“ erfüllen, das wir in Kap. II, 4 an Hand der eindimensionalen Wellen in Stäben dargelegt haben.

Das bedeutet, daß die im letzten Paragraphen eingeführten Zeiger $\underline{\Phi}_+$, $\underline{\Psi}_+$ einerseits und $\underline{\Phi}_-$, $\underline{\Psi}_-$ andererseits ihre Rollen als auffallende und reflektierte Anteile fortgesetzt vertauschen, und das wiederum bedeutet, daß diese Zeiger, die diesmal die Wellenanteile nach Größe und Phase in der Symmetrieebene kennzeichnen sollen, dort absolut gleich sein müssen und in der Phase entweder gleich oder entgegengesetzt:

$$\underline{\Phi}_- = \pm \underline{\Phi}_+ \tag{197Φ}$$

$$\underline{\Psi}_- = \pm \underline{\Psi}_+ \, . \tag{197Ψ}$$

Die Phasenumkehr nach Durchlaufen des halben Weges entspricht ebenfalls der Phasengleichheit nach Durchlaufen des ganzen Zyklus. Das Eingehen auf die unterschiedliche Phasenlage auf halbem Wege erlaubt aber gleich von Anfang an zu unterscheiden, ob die jeweilige Querverteilung eine gerade Funktion ist (+ Zeichen) oder eine ungerade (— Zeichen), die in der Mitte durch die gegenseitige Kompensation der beiden Anteile verschwindet. Wegen der Symmetrie der Randbedingungen gibt es nur das eine oder das andere.

In die Phasenbedingung geht aber der durchlaufene Weg, also die Plattenhöhe h ein, und zwar, wie immer, wenn eine Länge in einem Wellenfeld eine Rolle spielt in ihrem Verhältnis zu irgend einer Wellenlänge, als welche wir die zu einer Transversalwelle gehörige Wellenlänge λ_T wählen wollen. Das mit der Frequenz wachsende Verhältnis

$$\frac{h}{\lambda_T} = \frac{h f}{c_T} = \nu \tag{198}$$

möge somit als Frequenzparameter dienen. Von diesem Parameter wird das Feldbild und somit im allgemeinen auch seine Periodizität in x-Richtung, also seine ebenfalls auf λ_T normierbare Spurwellenlänge, damit aber auch die Spurgeschwindigkeit abhängen:

$$\frac{\lambda_x}{\lambda_T} = \frac{c_x}{c_T} = s^{-1} . \tag{199}$$

Wir haben also bei den Plattenwellen im allgemeinen eine Dispersion zu erwarten, wie sie uns bei der einfachen und der korrigierten Biegewelle bereits begegnet ist. Und wir werden feststellen, daß die Fälle der quasilongitudinalen Welle und der Rayleigh-Welle nur als asymptotische Grenzfälle im Bereich sehr niedriger bzw. sehr hoher Frequenzen auftreten.

Jedenfalls aber können bei den gesuchten freien Plattenwellen nicht beliebige c_x mit beliebigem f vorgegeben werden, vielmehr gibt es zu gegebenem Frequenzparameter nur eine bestimmte Spurgeschwindigkeit, und wir stehen vor der Aufgabe, alle vorkommenden Wellenarten durch Punkte in der $c_x\,\nu$-Ebene zu beschreiben. Da im allgemeinen nicht anzunehmen ist, daß eine Wellenart bei kleiner Frequenzänderung plötzlich neu auftritt oder verschwindet, haben wir mit Kurvenzügen zu rechnen, die die Dispersion einer zusammenfaßbaren Wellenart kennzeichnen. Wir wollen diese $c_x(\nu)$-Kurven als Dispersionskurven und die Gesamtheit dieser Kurven als „Dispersions-Diagramm" bezeichnen.

b) Wellen, deren Verschiebungen nur parallel zur Oberfläche sind

Wie im letzten Paragraphen beginnen wir dabei zunächst mit dem einfachen Fall, daß nur transversale Verschiebungen in z-Richtung, also solche, die parallel zu den freien Oberflächen sind, vorkommen. Wir haben es dann nur mit einem quellenfreien Wellenfeld zu tun. Das bedeutet, daß statt der 2 Bedingungen in (197) nur eine zu erfüllen ist. Das Zurückgreifen auf das Vektorpotential ist dabei nicht nötig; es würde sogar eine Erschwerung bedeuten, da zwei — wenn auch voneinander abhängige — Komponenten in diesem Falle zu betrachten wären.

Wir können vielmehr unmittelbar von dem Zeiger der Schnelle v_z ausgehen, und die Bedingungen (197) durch die Forderung

$$\underline{v}_{z+} = \pm\, \underline{v}_{z-} \tag{200}$$

ersetzen.

Da die Reflexion an der Oberfläche für $\underline{v}_z$ ohne Amplituden- und Phasensprung erfolgt, müssen dort beide Anteile gleich sein. Sie unterscheiden sich also von den in der Mitte anzutreffenden Zeigern nur durch

Phasendrehungen infolge einer Quer-Wellenausbreitung mit der Lotwellenzahl k_{Ty}:

$$\underline{v}_{z+}\, e^{-j\, k_{Ty} h/2} = \underline{v}_{z-}\, e^{+j\, k_{Ty} h/2} \tag{201}$$

Damit führt die Bedingung (200) auf die Forderungen

$$\sin\left(\frac{k_{Ty}\, h}{2}\right) = 0 \tag{202a}$$

für gerade Funktionen $v_z(y)$ und

$$\cos\left(\frac{k_{Ty}\, h}{2}\right) = 0 \tag{202b}$$

für ungerade Funktionen $v_z(y)$, was man auch in der beide Arten durch Vorzeichenwechsel unterscheidenden Form

$$\left[\operatorname{tg}\left(\frac{k_{Ty}\, h}{2}\right)\right]^{\pm 1} = 0 \tag{202c}$$

zusammenfassen kann.

In den Fällen gerader Funktionen, die man entsprechend dem kinematischen Schwingungsbild auch als „symmetrisch" bezeichnen kann, gilt, daß sich stets eine gerade Zahl von halben transversalen Lotwellenlängen λ_{Ty} über die Plattenhöhe spannt:

$$h = \frac{m\, \lambda_{Ty}}{2} = \frac{m\, \lambda_T}{(2 \cos\vartheta_T)}; \quad m = 0, 2, 4 \ldots \tag{203a}$$

In den „antisymmetrischen" Fällen der ungeraden Funktionen gilt dies für eine ungerade Zahl:

$$m = 1,\ 3,\ 5 \ldots. \tag{203b}$$

Der Fall $m = 0$ bedeutet konstante Schnelle über der ganzen Plattenhöhe und somit auch konstante Schubspannung, also einen Ausschnitt der Höhe h aus einer ebenen Transversalwelle. Ein solcher Ausschnitt ist mit den eingangs erwähnten Randbedingungen verträglich, da die hier auftretenden Schubspannungen τ_{xz} und τ_{zx} nur an den Flächen $x =$ konst und $z =$ konst aber nicht an den Flächen $y =$ konst auftreten.

Da die so geordneten Plattenwellenarten sich, vom Fall $m = 0$ abgesehen, als Überlagerung von zwei sich kreuzenden, die Oberfläche unter ϑ_T treffenden Transversalwellen darstellen lassen, ergibt sich für die gesuchte Spurgeschwindigkeit in beiden Fällen:

$$c_x = \frac{c_T}{\sin\vartheta_T} = \frac{c_T}{\sqrt{1 - \left(\frac{m\, \lambda_T}{2\, h}\right)^2}} = \frac{c_T}{\sqrt{1 - \left(\frac{m}{2\, \nu}\right)^2}}, \tag{204}$$

eine Formel, die auch den Grenzfall $m = 0$ umfaßt.

Abb. II/23 zeigt das zugehörige Dispersionsdiagramm. Da die Ordnungszahl m nur im Verhältnis zum Frequenzparameter ν auftritt, gehen die zu verschiedenen Ordnungszahlen $m > 0$ gehörigen Äste durch horizontale Parallelverschiebung ineinander über. Mit Überschreitung der Parameterwerte

$$\nu_m = \frac{m}{2}, \qquad (205\text{a})$$

d. h. für die Frequenzen

$$f_m = \frac{\omega_m}{2\pi} = m\frac{c_T}{2h}, \qquad (205\text{b})$$

beginnt immer ein neuer Ast im Unendlichen, d. h. mit

$$\vartheta_T = 0^\circ, \qquad (206)$$

also mit reiner Querwellenbewegung.

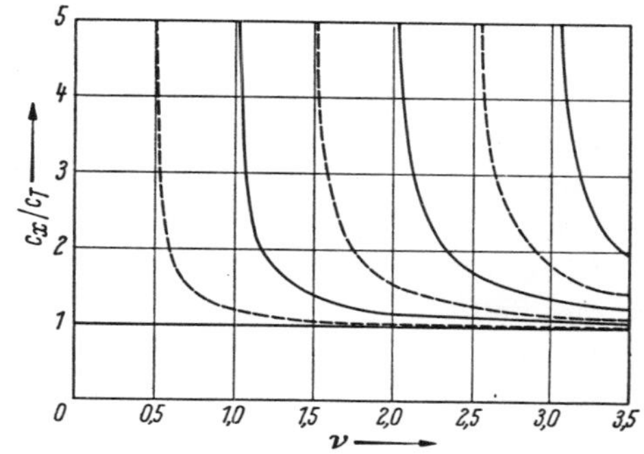

Abb. II/23. Dispersions-Diagramm freier Transversalwellen, deren Verschiebungen parallel zur Oberfläche sind
—— symmetrische – – – antisymmetrische Moden

Die Bedingung (205b) kennzeichnet die Verhältnisse einer Platten-Eigenschwingung in Querrichtung.

Mit $\nu \to \infty$ nähern sich alle Äste ihrem unteren Grenzwert

$$\lim_{\nu \to \infty} c_x = c_T\,. \qquad (207)$$

Daß die Phasengeschwindigkeit in x-Richtung c_x, wie hier an ihrer Deutung als Spurgeschwindigkeit leicht einzusehen,

$$c_x = \frac{c_T}{\sin\vartheta_T} \qquad (208)$$

größer als c_T ist, steht nicht im Widerspruch zu der physikalischen Erwartung, daß die Energie einer auf reinen Schubdeformationen beruhenden Plattenwelle sich höchstens mit der Schubwellengeschwindigkeit c_T ausbreiten kann, denn für die Ausbreitung der Energie ist, wie wir am Ende von Kap. II, 3 darlegten, die Gruppengeschwindigkeit in x-Richtung maßgebend,

$$C_x = \frac{d\omega}{dk_x}, \qquad (209)$$

die hier nicht wie dort größer als die Phasengeschwindigkeit ist. Wir können doıt vielmehr, indem wir in (204) c_x durch ω/k_x und $(m/2\,\nu)$ durch (ω_m/ω) ersetzen und diese Gleichung in der Form

$$c_T^2\, k_x^2 = \omega^2 - \omega_m^2 \qquad (210)$$

schreiben, aus ihr ableiten, daß

$$\frac{\omega\, d\omega}{k_x\, dk_x} = c_x\, C_x = c_T^2 \qquad (211)$$

ist, daß sich also die gesuchte Gruppengeschwindigkeit c_x zur Transversalwellengeschwindigkeit c_T genau so verhält, wie diese zur Phasengeschwindigkeit c_x; das erlaubt aber die von SCHOCH gegebene einfache geometrische Deutung der Gruppengeschwindigkeit in x-Richtung

$$C_x = c_T \sin \vartheta_T \tag{212}$$

als der auf die Oberfläche projizierten Geschwindigkeit eines Energiepaketes, das unter dem Einfallswinkel ϑ_T im Zick-Zack zwischen den Oberflächen hin- und hergeworfen wird, wie eine schräg zur Bande angestoßene Billardkugel.

Diese anschauliche Deutung darf jedoch nicht zu der Auffassung führen, daß die strenge wellentheoretische Behandlung nur bestätigen würde, was man auch bei einfacher geometrischer Strahlenkonstruktion erhalten hätte. Die Strahlenkonstruktion ist an keine bestimmten Winkel gebunden, während bei den Plattenwellen zu gegebener Frequenz immer nur diskrete Richtungen der sich kreuzenden Wellen auftreten. Vor allem aber bilden sie bei ihrem paarweisen Auftreten eine ganz bestimmte sinus- oder cosinusförmige Querverteilung, die dann auch der Verteilung der anregenden Kräfte eigen sein müßte, wenn eine bestimmte Plattenwelle allein angeregt werden soll, worüber die Strahlenbetrachtungen nichts aussagen.

Vielmehr aber muß auch hier gelten, daß Strahlenbetrachtungen nur dann geeignet sind, die zu erwartende Wellenausbreitung zu beschreiben, wenn die Wellenlänge sehr klein zu allen sonst in Frage kommenden Abmessungen, d. h. hier zu Strahlenbreite und Plattenhöhe h ist; d. h. bei großen ν-Werten müssen die Plattenwellen sich zur Beschreibung von ebenen unter beliebigen Winkeln verlaufenden Transversalwellenzügen endlicher Breite zusammensetzen lassen, wie sie nach Kap. II, 2a im allseitig unendlich ausgedehnten elastischen Kontinuum möglich sind.

c) Wellen, deren Verschiebungen auch senkrecht zur Oberfläche sind

Wir wenden uns nun dem Fall zu, daß Verschiebungen in y-Richtung, also senkrecht zur Plattenoberfläche auftreten, der für die praktische Anwendung viel wichtiger ist, weil er von der Oberfläche, also vom umgebenden Medium angeregt werden und zu einer Abstrahlung in dieses führen kann. Wie wir an Hand der hierzu gehörigen quasilongitudinalen Welle und der Biegewelle gesehen haben, treten dabei auch immer Verschiebungen in x-Richtung auf, — im ersten Beispiel sind sie sogar die Hauptsache.

Die allgemeine Behandlung aller — Verschiebungen in der $x\,y$-Ebene aufweisender — Plattenwellen ist komplizierter, vor allem weil wir wegen der Erfüllung von zwei Randbedingungen mit zwei Wellenarten, wirbelfreien und quellenfreien, zu rechnen haben, dann aber auch, weil wir hier berücksichtigen müssen, daß diese, wie wir vom letzten Abschnitt her wissen, als Raumwellen oder als Oberflächenwellen auftreten können. Wir haben daher in dem zu entwickelnden Dispersionsdiagramm drei vertikal untereinander liegende Gebiete zu unterscheiden, die folgendes Schema ergeben:

	wirbelfreier Anteil	quellenfreier Anteil
$c_x > c_L$ $(s < n)$	longitudinale Raumwellen	transvers. Raumwellen
$c_L > c_x > c_T$ $(n < s < 1)$	Oberflächenwellen	transvers. Raumwellen
$c_T > c_x$ $(1 < s)$	Oberflächenwellen	Oberflächenwellen

Da aber der Übergang von einem Gebiet ins andere in der mathematischen Beschreibung dadurch sich — sozusagen von selbst — ergibt, daß die Komponenten der Wellenzahlen in y-Richtung imaginär werden, und dabei nur noch Vorzeichenfragen nach physikalischen Gesichtspunkten zu entscheiden bleiben, können wir der Ableitung der Dispersionsgesetze jedes Gebiet zu Grunde legen. Wir wählen mit SCHOCH[1] dazu das Gebiet der größten Spurgeschwindigkeiten, weil die Anwendung der Reflexionsgesetze auf Raumwellen anschaulicher ist und wir damit auch am besten an die bisherige Darstellung anschließen.

Da wir diesmal zwei Wellen zu betrachten haben, führen wir die Winkel

$$\varphi = \frac{k_L h}{2} \cos \vartheta_L = \pi \nu \sqrt{n^2 - s^2}$$

$$\psi = \frac{k_T h}{2} \cos \vartheta_T = \pi \nu \sqrt{1 - s^2} \tag{213}$$

ein, die die Drehungen der Zeiger $\underline{\Phi}_-$ und $\underline{\Psi}_-$ auf dem Wege von der Mitte zum oberen Rande kennzeichnen, oder auch die Drehungen der Zeiger $\underline{\Phi}_-$ und $\underline{\Psi}_-$ auf dem Wege vom oberen Rand zur Mitte. Da wir diese Zeiger hier für $y = 0$ definiert haben, treten an die Stelle von (161) die Gleichungen:

$$e^{j\varphi}\, \underline{\Phi}_- = \underline{r}_{\Phi\Phi}\, e^{-j\varphi}\, \underline{\Phi}_+ + \underline{r}_{\Psi\Phi}\, e^{-j\psi}\, \underline{\Psi}_+ \tag{214a}$$

$$e^{j\psi}\, \underline{\Psi}_- = \underline{r}_{\Phi\Psi}\, e^{-j\varphi}\, \underline{\Phi}_+ + \underline{r}_{\Psi\Psi}\, e^{-j\psi}\, \underline{\Psi}_+ \,. \tag{214b}$$

Beim Einsetzen dieser Gleichungen in die auf Grund des „Prinzips des geschlossenen Wellenzyklus“ aufgestellten Bedingungen (197) ist noch zu beachten, daß die dort wahlweise auftretenden Vorzeichen + und —

[1] SCHOCH, A.: Ergeb. exakt. Naturwiss. 23 (1950) 172 ff.

nicht beliebig kombiniert werden dürfen. Ein Blick auf die Randbedingungen in der Form der Gl. (151) lehrt, daß die Differentiationen von $\underline{\Phi}$ und $\underline{\Psi}$ nach y immer um eine Ordnung unterschieden sind, d. h. aber, daß zu einer in y geraden $\underline{\Phi}$-Verteilung eine ungerade $\underline{\Psi}$-Verteilung gehört und umgekehrt; das aber bedeutet, daß ein + Zeichen in (197Φ) nur mit einem — Zeichen in (197Ψ) kombiniert werden darf und umgekehrt. Dabei kennzeichnet, wie sich wieder aus den Gln. (150) ergibt, der erste Fall — im Folgenden stets das obere Vorzeichen — die symmetrischen, der zweite die antisymmetrischen Plattenwellen.

Wir erhalten so aus (197) und (214) die beiden linearen Beziehungen zwischen $\underline{\Phi}_+$ und $\underline{\Psi}_+$:

$$[\pm e^{j\varphi} - \underline{r}_{\Phi\Phi} e^{-j\varphi}]\, \underline{\Phi}_+ - \underline{r}_{\Psi\Phi} e^{-j\psi}\, \underline{\Psi}_+ = 0 \tag{215a}$$

$$-\underline{r}_{\Phi\Psi} e^{-j\varphi}\, \underline{\Phi}_+ + [\mp e^{j\psi} - \underline{r}_{\Psi\Psi} e^{-j\psi}]\, \underline{\Psi}_+ = 0 \tag{215b}$$

Damit diese Gleichungen bei endlichem $\underline{\Phi}_+$ und $\underline{\Psi}_+$ miteinander verträglich sind, muß die Determinante der Koeffizienten verschwinden, was zunächst auf die Gleichung:

$$\begin{aligned} -e^{j(\psi+\varphi)} &\pm [\underline{r}_{\Phi\Phi} e^{j(\psi-\varphi)} - \underline{r}_{\Psi\Psi} e^{-j(\psi-\varphi)}] \\ &+ [\underline{r}_{\Phi\Phi}\underline{r}_{\Psi\Psi} - \underline{r}_{\Phi\Psi}\underline{r}_{\Psi\Phi}]\, e^{-j(\varphi+\psi)} = 0 \end{aligned} \tag{216}$$

führt, die sich aber auf Grund der Formeln (167) vereinfacht zu:

$$\sin(\psi + \varphi) = \pm \underline{r}_{\Phi\Phi} \sin(\psi - \varphi)\,, \tag{217}$$

was wiederum gleichbedeutend ist mit

$$\frac{\operatorname{tg}\psi + \operatorname{tg}\varphi}{\operatorname{tg}\psi - \operatorname{tg}\varphi} = \pm \underline{r}_{\Phi\Phi}\,. \tag{217a}$$

Die nochmalige Umformung in

$$-\frac{\operatorname{tg}\psi}{\operatorname{tg}\varphi} = \frac{1 \pm \underline{r}_{\Phi\Phi}}{1 \mp \underline{r}_{\Phi\Phi}} = \left(\frac{1 + \underline{r}_{\Phi\Phi}}{1 - \underline{r}_{\Phi\Phi}}\right)^{\pm 1} \tag{217b}$$

vereinfacht nicht nur die linke Seite, indem die zu den verschiedenen Feldarten gehörigen Tangensfunktionen auf Zähler und Nenner verteilt werden, sondern auch die rechte, da $\underline{r}_{\Phi\Phi}$ nach (164) selbst aus dem Quotienten der Summe und der Differenz zweier Größen besteht.

Man gelangt so zu der in der Literatur üblichen Form[1]:

$$\left(\frac{\operatorname{tg}\psi}{\operatorname{tg}\varphi}\right)^{\pm 1} = \frac{a_\triangle b_\triangle}{a_\Sigma b_\Sigma} = -\, n^2 \frac{\sin 2\vartheta_L \sin 2\vartheta_T}{\cos^2 2\vartheta_T}\,, \tag{218}$$

[1] Man kann unmittelbar zu dieser Form gelangen, indem man die Reflexionsbedingungen in der Gl. (162), statt in der Gl. (161) heranzieht. Doch ist der Weg über die Reflexionsmatrix für die Verwendung des Prinzips vom geschlossenen Wellenzyklus physikalisch anschaulicher.

Auch sei erwähnt, daß bereits NIKLAS* dieses Prinzip zur Ableitung der Dispersionsbeziehung herangezogen hat, wobei er es allerdings in zwei Schritte unterteilt, in die Bestimmung der zu gleichen Amplituden gehörigen Phasensprünge und in die Aufstellung der Bedingungen für gleichphasigen Anschluß.

* NIKLAS, L.: Materialprüfung 4 (1962) 12.

die mit Einführung des Frequenzparameters ν und der in (171) eingeführten „reduzierten Spurwellenzahl" s, die der gesuchten Spurgeschwindigkeit umgekehrt proportional ist, die gesuchte „Dispersionsbedingung" liefert:

$$\left[\frac{\operatorname{tg}(\pi\nu\sqrt{1-s^2})}{\operatorname{tg}(\pi\nu\sqrt{n^2-s^2})}\right]^{\pm 1} = -\frac{4s^2\sqrt{1-s^2}\sqrt{n^2-s^2}}{(1-2s^2)^2}, \tag{219}$$

die auf beliebige s-Werte, also auf Raum- und Oberflächen-Wellenpaare anwendbar ist.

Eine weitere Vereinfachung scheint nicht möglich, jedenfalls gelingt es nicht, die Gleichung nach s oder ν aufzulösen. Dagegen kann man sie verhältnismäßig übersichtlich, wenn auch mühsam, graphisch lösen, indem man sich die s-Werte vorgibt und die zugehörigen ν-Werte aus den Schnitten zweier Tangensscharen bestimmt.

Diese horizontale Abtastung des Dispersionsdiagrammes empfiehlt sich auch bei der Diskussion der Gl. (219). Wir wollen dabei oben, d. h. mit großen c_x-Werten beginnen, was wieder im Grenzfall $c_x \to \infty$, also $\sin\vartheta_L = 0$, $\sin\vartheta_T = 0$, Wellen bedeutet, die die Oberflächen senkrecht treffen. Da in diesen Fällen die longitudinalen und transversalen Wellen getrennt bleiben, dürfen wir erwarten, daß die für beide Wellenarten möglichen Platteneigenschwingungen in Querrichtung, die analog zu (205a) gegeben sind durch

$$\nu = \frac{m_T}{2}; \quad m_T = 1, 2, 3 \ldots \tag{220T}$$

$$n\nu = \frac{m_L}{2}; \quad m_L = 1, 2, 3 \ldots, \tag{220L}$$

vertikale Asymptoten für die Dispersionskurven darstellen.

In der Tat ergibt Gl. (219) für $c_x \to \infty$, d. h. aber für $s = 0$, daß die rechte Seite verschwindet, daß also alle Nullstellen des jeweiligen Tangens im Zähler oder Pole des zugehörigen Tangens im Nenner diesen Asymptoten entsprechen.

Im einzelnen ergeben

	transversale W.	longitud. W.
symmetrische Moden (+)	$\operatorname{tg}\psi = 0$; $m_T = 2, 4 \ldots$	$\operatorname{tg}\varphi = \infty$; $m_L = 1, 3 \ldots$
antisymmetrische Moden (−)	$\operatorname{tg}\psi = \infty$; $m_T = 1, 3 \ldots$	$\operatorname{tg}\varphi = 0$; $m_L = 2, 4 \ldots$

Da es von der Brechzahl n und somit von dem jeweiligen Material abhängt, wie die beiden durch (220) gegebenen Reihen ineinandergeschachtelt sind, können die Plattenwellen nicht allgemeingültig durch eine einfache Zahlenreihe geordnet werden. Aber auch bei Beschränkung auf ein bestimmtes Material würde eine solche Reihe nicht an geraden oder ungeraden Zahlen erkennen lassen, ob es sich um einen symmetrischen oder unsymmetrischen Typ handelt. Es empfiehlt sich daher eine Doppelreihe, wobei die bei den transversalen Querschwingungen beginnenden Äste mit $T1$, $T2$, $T3$ gekennzeichnet seien, die bei den longitudinalen beginnenden mit $L1$, $L2$, $L3$.

Da mit $\nu \to \infty$ die ebenen transversalen und longitudinalen Wellen wie oben mehr und mehr aus Plattenwellen zusammensetzbar sein müssen, ist zu erwarten, daß auch in diesem Dispersionsdiagramm die horizontalen Linien $c_x = c_L$ und $c_x = c_T$ als Asymptoten auftreten. Man wäre zunächst geneigt anzunehmen, daß ähnlich wie in Abb. II/23 die Kurven der Linie $c_x = c_T$ sich nähern, hier dasselbe für T-Typen gilt, während die L-Typen in die Linie $c_x = c_L$ einlaufen.

Das letzte ist jedoch nicht der Fall. Man übersieht auch, daß das Einsetzen $c_x = c_L$, d. h. aber $s = n$ in (219) bzw. sogar das Überschreiten dieser Linie in das Gebiet $s > n$, wohl aus dem einen Kreistangens eine ansteigende Gerade, bzw. einen Hyperbeltangens macht, daß dies aber nichts an der Zahl der Schnittpunkte ändern kann. Dagegen ergibt die Ausrechnung, daß alle Kurven hoher Ordnungszahlen mit Annäherung an die ($c_x = c_L$)-Linie stufenähnlich verweilen, wobei eine Kurve die andere ablöst. Diese Stufen nähern sich dabei nicht nur dem Grenzwert $c_x = c_L$ für $\nu \to \infty$, sondern sie bilden schon vorher näherungsweise die zu (204) analoge Gesetzmäßigkeit

$$c_x = \frac{c_L}{\sin \vartheta_L} = \frac{c_L}{\sqrt{1 - \left(\frac{m_L}{2\,n\,\nu}\right)^2}}, \tag{221}$$

die, wie wir dort gesehen haben, für die Bildung schräg verlaufender Strahlen benötigt wird.

Bei den zuerst von Götz[1] für Messing ($n = c_T/c_L = 0{,}53$) punktweise graphisch ermittelten Dispersionskurven dieser Art (d. h. $T1$, $L1$ und $T2$) war diese Tendenz noch kaum erkennbar. Sie deutete sich aber schon bei den einige Jahre später von Firestone[2] für Eisen ($n = 0{,}49$) mit Hilfe einer Rechenmaschine ermittelten Kurvenscharen (bis $T7$ und $L3$) an. Am besten aber kommt sie heraus bei den von Naake und Tamm[3] ermittelten und in Abb. II/24 wiedergegebenen Dispersionskurven, nicht nur weil sie bis $T15$ entwickelt sind, sondern weil sie von diesen Autoren für den sehr kleinen Wert $n = 0{,}24$ errechnet wurden.

Das gegenüber Abb. II/23 unterschiedliche Verhalten der Dispersionskurven zeigt deutlich, daß das, was wir zur Abkürzung als T-Typen und L-Typen bezeichnet haben, eben im Allgemeinen nicht nur aus trans-

[1] Götz, J.: Akust. Z. 8 (1943) 145.
[2] Firestone, F. A.: Non-destructive-testing 7 (1948) Nr. 2.
[3] Naake, H. J. u. K. Tamm: Acustica 8 (1958) 65.

versalen oder longitudinalen Wellenfeldern besteht, sondern aus beiden zusammengesetzt ist.

Daran ändert auch die Unterschreitung der ($c_x = c_T$)-Grenze nichts. Es werden die wirbelfreien Anteile lediglich aus Raumwellen zu Oberflächenwellen.

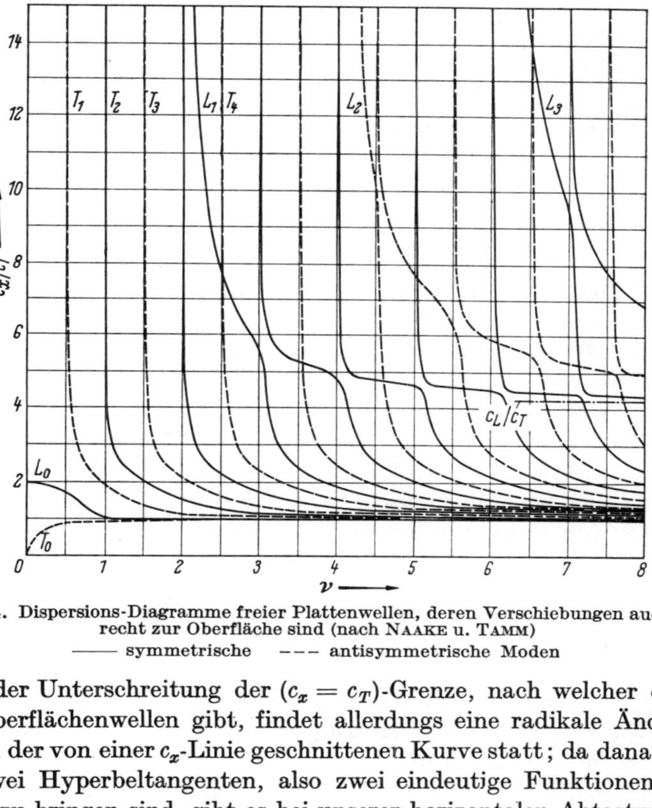

Abb. II/24. Dispersions-Diagramme freier Plattenwellen, deren Verschiebungen auch senkrecht zur Oberfläche sind (nach NAAKE u. TAMM)
—— symmetrische – – – antisymmetrische Moden

Bei der Unterschreitung der ($c_x = c_T$)-Grenze, nach welcher es nur noch Oberflächenwellen gibt, findet allerdings eine radikale Änderung der Zahl der von einer c_x-Linie geschnittenen Kurve statt; da danach nur noch zwei Hyperbeltangenten, also zwei eindeutige Funktionen, zum Schnitt zu bringen sind, gibt es bei unserer horizontalen Abtastung nur noch einen Schnittpunkt mit einer Dispersionskurve.

Einen solchen gibt es auch bereits im Grenzfall $c_x = c_T$. Er gehört nicht zu den aus dem Unendlichen kommenden Dispersionskurven; diese nähern sich alle asymptotisch, d. h. mit $\nu \to \infty$ der Grenze $c_x = c_T$; er gehört vielmehr zu der jeweiligen Plattenwelle, die bei niedrigen Frequenzen ($\nu \to 0$) in die nahezu frequenzunabhängige, quasilongitudinale Welle übergeht, also mit $\nu = 0$ mit dem endlichen Wert (s. (34) und (49)):

$$c_x = c_{L\,I} = \frac{c_{L\,II}}{\sqrt{1-\mu^2}} = c_T \sqrt{\frac{2}{1-\mu}}\,. \qquad (222)$$

beginnt.

In der Tat fällt in (219) ν mit $\nu \to 0$ ganz heraus, wenn man die Reihenentwicklung der Tangensfunktionen mit dem ersten Glied abbricht und es bleibt nur noch:

$$\left(\frac{\sqrt{1-s^2}}{\sqrt{n^2-s^2}}\right)^{\pm 1} = -\frac{4\,s^2\sqrt{1-s^2}\sqrt{n^2-s^2}}{(1-2\,s^2)^2} \tag{223}$$

übrig. Bedenkt man, daß die quasilongitudinale Welle zu den symmetrischen Plattenwellen gehört, also nur das Plus-Zeichen gilt, ferner aber im Gebiet $n < s < 1$ liegt, weshalb wir $\sqrt{n^2 - s^2}$ durch $\pm j\sqrt{s^2 - n^2}$ zu ersetzen haben, so bleibt die einfache Bedingung

$$(1 - 2\,s^2)^2 = 4\,s^2\,(s^2 - n^2)$$

oder

$$s^2 = \frac{1}{4\,(1-n^2)}\,, \tag{224}$$

was mit Rücksicht auf (155b) mit (222) identisch ist.

Die zweidimensionale Ableitung der quasilongitudinalen Plattenwelle lehrt uns aber nicht nur, daß sie aus einem wirbelfreien Oberflächen-Wellenpaar und zwei sich kreuzenden Transversalwellen besteht, sie gestattet auch zu berechnen, bis zu welcher Frequenz man die auch bei dieser Wellenart vorhandene Dispersion vernachlässigen kann.

Berücksichtigt man in (219) bei der Reihenentwicklung der Tangensfunktion auch noch die kubischen Glieder, so bedeutet das in (223) das Auftreten von Korrekturgliedern, die die Frequenz enthalten:

$$\left[\frac{\sqrt{1-s^2}\left(1+\frac{1}{3}(\pi\nu)^2(1-s^2)\right)}{\sqrt{n^2-s^2}\left(1+\frac{1}{3}(\pi\nu)^2(n^2-s^2)\right)}\right]^{\pm 1} = -\frac{4\,s^2\sqrt{1-s^2}\sqrt{n^2-s^2}}{(1-2\,s^2)^2}\,. \tag{225}$$

Nimmt man wieder das positive Vorzeichen und setzt man für s, soweit es in den Faktoren der Korrekturglieder auftritt, den Näherungswert aus (224) ein, so erhält man:

$$s^2 = \frac{1}{4\,(1-n^2)}\left(1 + \frac{1}{3}(\pi\nu)^2\,\frac{(1-2\,n^2)^2}{4\,(1-n^2)}\right). \tag{226}$$

Ersetzt man die in ν enthaltene Wellenlänge λ_T durch die der quasilongitudinalen Welle zukommende Wellenlänge λ_{LI}, so findet man für die gesuchte Spurgeschwindigkeit:

$$c_x = c_{LI}\left(1 - \frac{1}{6}\left(\frac{\pi h}{\lambda_{LI}}\right)^2 (1-2\,n^2)^2\right) \tag{226a}$$

oder mit Einführung der Querkontraktionszahl

$$c_x = c_{LI}\left(1 - \frac{1}{6}\left(\frac{\pi h}{\lambda_{LI}}\right)^2 \left(\frac{\mu}{1-\mu}\right)^2\right). \tag{226b}$$

Mit dem mittleren Wert $\mu = 0{,}3$ bedeutet das, daß erst dann eine rund 3% überschreitende Abweichung gegenüber c_{LI} auftritt, wenn

$$\lambda_{LI} < 3\,h \tag{227}$$

geworden ist.

Wie wir schon bemerkten, durchstößt die zur quasilongitudinalen Welle gehörige Dispersionskurve die $(c_x = c_T)$-Linie, erreicht also das Gebiet, in dem beide Kreistangensfunktionen in Hyperbeltangensfunktionen übergegangen sind. Diese aber nehmen mit $\nu \to \infty$ den Wert 1 an, wodurch Gl. (219) in die Bestimmungsgl. (187) für die RAYLEIGHschen Oberflächenwellen übergeht. Da wir es bei dieser Dispersionskurve mit symmetrischen Plattenwellen zu tun haben, bedeutet das, daß wir auch zwei symmetrische RAYLEIGH-Wellen an den beiden Oberflächen anzunehmen haben.

Da der Übergang von (219) in (187) ebenso bei negativem Vorzeichen, also für antisymmetrische Plattenwellen möglich ist, ist auch der Grenzfall zweier antisymmetrischer RAYLEIGH-Wellen als Plattenwelle anzusehen, und die Superposition dieser mit der vorigen kann die RAYLEIGH-Welle auf einer Seite auslöschen, wodurch auch die einfache RAYLEIGH-Welle in unserem Dispersionsdiagramm enthalten ist.

Während der symmetrische Typ sich von oben her der Linie $c_x = c_R$ nähert, schmiegt sich der Kurvenast des antisymmetrischen Typs ihr von unten an. Verfolgen wir diesen in das Gebiet kleiner ν-Werte, so erhalten wir schließlich die Biegewelle. Hier müssen wir von vornherein die Tangensfunktionen bis zum kubischen Glied entwickeln, denn (223) würde bei Wahl des negativen Vorzeichens nur den trivialen Wert $s \to \infty$, $c_x = 0$ liefern, was nur einer gleichmäßigen Verschiebung der ganzen Platte in y-Richtung entsprechen würde. Dagegen erhalten wir aus (225):

$$1 + \frac{1}{3}(\pi\,\nu)^2\,(1 - n^2) = \frac{(1 - 2\,s^2)^2}{4\,s^2\,(s^2 - 1)} = 1 + \frac{1}{4}\,s^{-4} + \cdots. \tag{228}$$

Im Grenzfall kleiner c_x, also großer s-Werte, bleibt übrig:

$$s^{-4} = \left(\frac{c_x}{c_T}\right)^4 = \frac{4}{3}(\pi\,\nu)^2\,(1 - n^2) = \frac{1}{3}\left(\frac{\omega\,h}{c_T}\right)^2 (1 - n^2)$$

oder mit Rücksicht auf (224) und mit den Bezeichnungen des Kap. II/3a

$$c_x^4 = c_{LI}^2\,\frac{(\omega\,h)^2}{12} = \frac{B}{m'}\,\omega^2 \tag{229}$$

wie in (85).

Führt man die Entwicklungen auf rechter und linker Seite um ein Glied weiter, so erhält man ein Korrekturglied, das, wie TIMOSHENKO[1] für $\mu = 0{,}25$ gezeigt hat, kaum von dem abweicht, das wir in Kap. II, 3b auch nach TIMOSHENKO durch Berücksichtigung von Drehträgheit und

[1] TIMOSCHENKO, S. P.: Phil. Mag. Ser. 6, 43 (1922) 125.

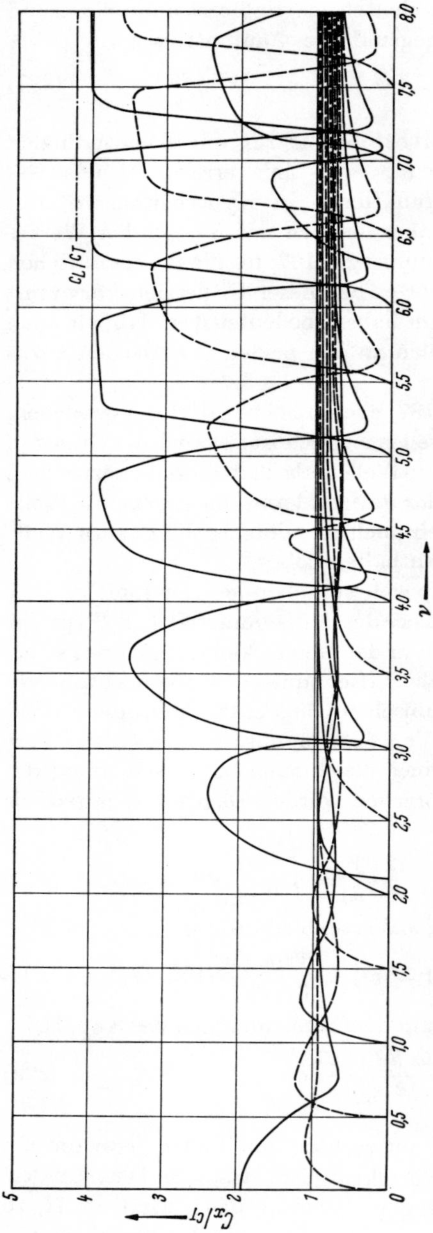

Abb. II/25. Dispersions-Diagramme der zu Abb. II/24 gehörenden Gruppengeschwindigkeiten (nach TAMM u. WEISS)

Schubdeformation erhalten hatten. Die dortige Ableitung findet so ihre Bestätigung auf allgemeiner Basis.

Da Biegewelle und quasilongitudinale Welle mit $\nu \to 0$ erhalten werden, ist es vertretbar, die damit beginnenden Dispersionskurven an die Kennzeichnung der übrigen $T1$, $T2$ . . . $L1$, $L2$ . . . anzuschließen, indem man sie mit $T0$ und $L0$ bezeichnet und so gesonderte Bezeichnungen vermeidet. Dabei wird man die vorzugsweise transversale Bewegungen aufweisende Biegewelle der T-Reihe, und erst recht die quasilongitudinale Welle der L-Reihe zuordnen.

(Zwangsläufig ist das nicht, man könnte auch die umgekehrte Zuordnung vertreten, indem an den Oberflächen die quasilongitudinale vorzugsweise Bewegungen in x-Richtung, die Biegewelle solche in y-Richtung aufweist und das erste auch für die T-Wellen, das zweite für die L-Wellen im Grenzfall $c_x \to \infty$ gilt, mit dem die Kurven bei kleinem ν beginnen. Dabei würde auch $T0$ wie $T2$, $T4$ eine symmetrische, $L0$ wie $L2$, $L4$ eine antisymmetrische Welle kennzeichnen.)

TAMM und WEISS[1] haben auch die zu den in Abb. II/24

[2] TAMM, K. u. O. WEISS: Acustrica 9 (1959) 275.

zusammengefaßten Plattenwellen gehörigen Gruppengeschwindigkeiten errechnet. Sie sind aus dem Dispersionsdiagramm gemäß der Gl. (209)

$$C_x = \frac{d\omega}{dk_x} = \frac{1}{\frac{d}{d\omega}\left(\frac{\omega}{c_x}\right)} = \frac{c_x}{1 - \frac{\omega}{c_x}\frac{dc_x}{d\omega}} \tag{230}$$

ermittelbar.

In Abb. II/25 sind die zu Abb. II/24 gehörigen Werte, wieder bezogen auf c_T, eingetragen. Wir wollen uns mit folgenden Feststellungen begnügen: Keine Gruppengeschwindigkeit überschreitet die Ausbreitungsgeschwindigkeit der Longitudinalwellen c_L. Diese tritt wieder nur als gemeinsame Asymptote von immer stufenweise von neuen Kurvenästen gebildeten Kurvenzügen auf, die man hier als Kammlinie bezeichnen könnte, und die etwa den in (221) angegebenen Phasengeschwindigkeiten entsprechen, also

$$C_x = c_L \sin \vartheta_L = c_L \sqrt{1 - \left(\frac{m_L}{2\pi\nu}\right)^2}\,. \tag{231}$$

Dadurch sind bei sehr hohen Frequenzen schräg verlaufende longitudinale Strahlen aus den Plattenwellen herstellbar. Analoges gilt für die Annäherung von unten an die als echte Asymptote enthaltenden Transversalwellengeschwindigkeit c_T, auch wenn die Kurven diese vorübergehend weit überschritten haben. Daß die quasilongitudinale Welle und die Biegewelle bei der etwas tiefer liegenden RAYLEIGH-Welle enden, die auch keine Dispersion mehr aufweist, ist bei den sich dicht drängenden Kurvenästen nicht mehr zu erkennen.

Glücklicherweise können wir uns in den meisten Fällen mit den für kleine ν ausschließlich erhaltenen Grenzfällen begnügen, mit der quasilongitudinalen Welle und mit der reinen Biegewelle.

III. Dämpfung

1. Dämpfungsmechanismen und ihre Darstellungsweise

Im vorhergehenden Kapitel wurden die verschiedenen Wellenarten, die im Festkörper auftreten können, eingehend diskutiert. Dabei wurde stets in irgend einer Form das HOOKEsche Gesetz — also die Proportionalität von Spannung und Dehnung — benutzt. Dieses Gesetz hat — wie die meisten der Physik — die Eigenschaft, nur für Idealfälle zu gelten, die in der Praxis nur als Grenzfälle erreicht werden. Für die im vorherigen Kapitel behandelten Fälle spielen die in der Praxis auftretenden Abweichungen vom HOOKEschen Gesetz keine Rolle. Interessiert man sich jedoch beispielsweise für den Verlauf eines Vorganges über relativ lange Zeiten, so sieht man sofort, daß die im letzten Kapitel abgeleiteten Beziehungen zu Widersprüchen mit der Erfahrung führen; während aus dem täglichen Leben bekannt ist, daß jede Schwingung zeitlich und räumlich „abklingt", besagen die bisher abgeleiteten Beziehungen (s. beispielsweise Gln. (II/11) und (II/12)), daß eine einmal in Gang gesetzte Bewegung beliebig lange fortdauern würde.

Dieses Abklingen der Vorgänge, das auf eine Umwandlung der in einer bestimmten Schwingung enthaltenen Energie in eine andere Energieform zurückzuführen ist, und das im allgemeinen als *Dämpfung*[1] oder auch Dissipation bezeichnet wird, soll in diesem Kapitel behandelt werden. Wir werden uns dabei auf die Vorgänge beschränken, bei denen mechanische Energie in Wärme umgesetzt wird (Strahlungsdämpfung und dgl. bleibt also unberücksichtigt) und erst die Dämpfung von isotropen Körpern behandeln, um dann auf die für die Praxis sehr wichtigen Mehrschichtsysteme (z. B. Platten mit Dämpfungsbelägen) überzugehen.

In der Praxis spielt die mechanische Dämpfung nicht nur in der Schwingungs- und Lärmbekämpfung sondern auch bei Untersuchungen über den Aufbau der Stoffe (insbesondere der Hochpolymere) und bei der Fertigungskontrolle eine Rolle.

Die Frage wie die elastischen Grundgleichungen (im einfachsten Falle Gl. (II, 2)) modifiziert werden müssen, um den Dämpfungserscheinungen Rechnung zu tragen, beschäftigt die Physiker schon sehr lange. Bereits im Jahre 1874 schlug O. E. Meyer[2] vor, zusätzlich zu den elastischen Kräften noch eine Reibungskraft anzunehmen, die viskoser Natur, also proportional der zeitlichen Ableitung der Dehnung ist. Statt Gl. (II, 2) wäre also zu schreiben

$$\sigma = D\left(\varepsilon + \vartheta \frac{d\varepsilon}{dt}\right). \tag{1}$$

Setzt man hier den uns hauptsächlich interessierenden periodischen Dehnungsverlauf

$$\varepsilon = \hat{\varepsilon} \cos \omega t \tag{2}$$

ein, so folgt

$$\begin{aligned}\sigma &= D\,\hat{\varepsilon}\,(\cos \omega t - \omega\,\vartheta \sin \omega t)\\ &= D\,\hat{\varepsilon}\sqrt{1 + \omega^2 \vartheta^2} \cos(\omega t + \operatorname{arctg} \omega \vartheta)\,.\end{aligned} \tag{3}$$

Man sieht also, daß bei gegebenem Dehnungsverlauf Spannung und Dehnung gegeneinander phasenverschoben sind. Dies führt dann — wie später noch gezeigt wird — auch dazu, daß während der Schwingungen mechanische Energie verloren geht, d. h. in Wärme umgesetzt wird.

---

[1] Zum Unterschied dazu wird in der Akustik die Reflexion mechanischer Schwingungen an Unstetigkeiten etc. (s. Kap. V) als Dämmung bezeichnet.

[2] Meyer, O. E.: J. reine u. angewandte Math. 78 (1874) 130—135.

Gln. (1) bzw. (3) sind etwas unbefriedigend, weil sich in der Praxis die Größe ϑ als sehr stark frequenzabhängig erweist; außerdem sind viskose Kräfte bei Festkörpern nur schwer vorstellbar. Aus diesem Grunde schlug Boltzmann[1] eine andere Form des Zusammenhangs zwischen Dehnung und Spannung vor. Er ging davon aus, daß die Kraft, die aufzuwenden ist, um eine bestimmte Dehnung zu erzeugen, nicht nur von der Dehnung selbst, sondern auch von früheren Dehnungen (der „Vorgeschichte") abhängt. Nimmt man mit Boltzmann an, daß sich die Wirkungen der früheren Dehnungen linear superponieren, so läßt sich der Zusammenhang zwischen Spannung $\sigma(t)$ zur Zeit t und Dehnung $\varepsilon(t)$ zur Zeit t bzw. $\varepsilon\,(t - \Delta t)$ zur früheren Zeit $(t - \Delta t)$ wie folgt darstellen:

$$\sigma(t) = D_1\,\varepsilon(t) - \int_0^\infty \varepsilon\,(t - \Delta t)\,\varphi(\Delta t)\,d(\Delta t)\,. \tag{4}$$

Dabei ist $\varphi(\Delta t)$ die sog. Nachwirkungsfunktion, von deren Form die jeweilige Spannungs–Dehnungsbeziehung abhängt. Wie man sieht, gibt sich für $\varphi(\Delta t) \equiv 0$ wie zu erwarten wieder das Hookesche Gesetz.

Von den vielen Nachwirkungsfunktionen, die im Prinzip möglich wären, hat eigentlich nur eine, die sog. Relaxationsfunktion, Bedeutung. Man geht dabei davon aus, daß sich bei einer Dehnung gewisse molekulare Vorgänge (Platzwechsel, Kristallwandverschiebungen, Veränderung der Molekülstruktur, Anregung von bestimmten Molekülschwingungen, etc.) ereignen, die allmählich angeregt werden und auch allmählich wieder abklingen. Wird beispielsweise durch die Dehnung ein Kettenmolekül in Schwingungen versetzt, so kann man annehmen, daß diese Schwingungen exponentiell wieder abklingen; die „Nachwirkungsfunktion" wird also die Form

$$\varphi(\Delta t) = \frac{D_2}{\tau}\,e^{-\Delta t/\tau} \tag{5}$$

haben. Dabei ist D_2 eine Konstante und τ die sog. Relaxationszeit, also im oben genannten Beispiel eine Art Abklingzeit[2] der Molekülschwingungen. Wie der Spannungsverlauf bei gegebener Dehnung aussieht, kann man aus Abb. III/1 für zwei Beispiele ersehen. Bei dem linken Beispiel handelt es sich um den Kraftverlauf, der notwendig ist, um eine plötzliche Dehnung von 0 auf ε_0 zu bewirken. Wie man sieht, ist erst eine relativ große Kraft notwendig, die sich nach einiger Zeit, wenn sich der Körper an den neuen Zustand „gewöhnt" hat, verringert. Das rechte Beispiel zeigt den Spannungsverlauf bei einer periodischen Dehnung.

---

[1] Boltzmann, L.: Ann. d. Physik, Erg.Bd. 7 (1876), 624–654.

[2] Bei Molekülschwingungen sind die Zeiten natürlich sehr kurz, bei Veränderungen der Molekülstruktur kann dagegen τ sehr lang sein. Relaxationszeiten können Stunden und Tage oder auch Nanosekunden betragen.

Dieser Fall sei auch noch explizit ausgerechnet, da er besonders wichtig ist. Setzt man Gln. (2) und (5) in (4) ein, so erhält man

$$\sigma(t) = D_1 \hat{\varepsilon} \cos \omega t - \frac{D_2}{\tau} \hat{\varepsilon} \int_0^\infty \cos \omega (t - \Delta t) e^{-\Delta t/\tau} d(\Delta t)$$

$$= \left(D_1 - \frac{D_2}{\omega^2 \tau^2 + 1}\right) \hat{\varepsilon} \cos \omega t - D_2 \frac{\omega \tau}{\omega^2 \tau^2 + 1} \hat{\varepsilon} \sin \omega t . \quad (6)$$

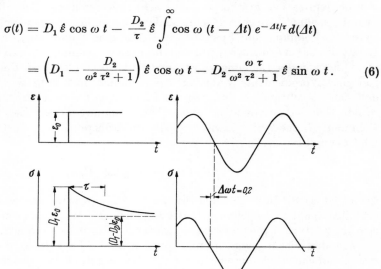

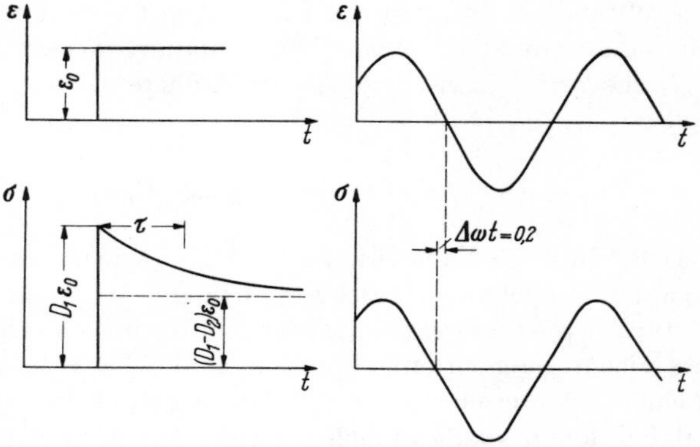

Abb. III/1. Dehnungs- und Spannungsverlauf bei einer vorgegebenen plötzlichen (links) oder periodischen (rechts) Dehnung. (Angenommene Werte: $D_1 = 2 D_2$, $\omega \tau = 0{,}2$)

Es wird also auch durch Relaxationsvorgänge eine Phasenverschiebung und damit Vernichtung von mechanischer Energie bewirkt. Wieviel mechanische Energie in Wärme umgewandelt wird, hängt vom zweiten Glied in Gl. (6) also im wesentlichen von der Relaxationszeit und der jeweiligen Frequenz ab.

Mit den Gln. (4) und (5) lassen sich alle beobachteten Spannungs–Dehnungsbeziehungen erklären. Man muß bestenfalls noch annehmen, daß gleichzeitig mehrere Relaxationsvorgänge stattfinden, d. h., daß Gl. (5) durch eine Summe gleichartiger Formeln mit verschiedenen Relaxationszeiten zu ersetzen ist. Aus diesem Grunde ist das Relaxationsmodell der Nachwirkung allgemein als richtig anerkannt.

Leider führen die bisher angegebenen Spannungs–Dehnungsbeziehungen, d. h. Gln. (1) und (4) zu relativ komplizierten Ausdrücken, wenn sie benutzt werden, eine Wellengleichung abzuleiten. Wie man aus Gln. (II, 9) und (II, 10) sieht, erhält man durch Einsetzen des Viskositätsmodells nach Gl. (1) eine Differentialgleichung dritten Grades, während das Nachwirkungsmodell nach Gl. (4) sogar zu einer Integrodifferentialgleichung führt.

Den mit derartigen Gleichungen verbundenen Schwierigkeiten kann man jedoch aus dem Wege gehen, wenn man sich auf periodische Vorgänge beschränkt (aus denen dann andere Zeitverläufe wieder zusammengesetzt werden können) und einen komplexen Modul einführt. Sowohl Gl. (3) als auch Gl. (6) zeigen nämlich, daß der wesentliche Effekt der Dämpfung darin besteht, daß sich zwischen Spannung und Dehnung eine Phasendifferenz ausbildet. Diesen Tatbestand kann man durch die komplexe Schreibweise sehr gut ausdrücken indem man schreibt

$$\sigma(t) = \mathrm{Re}\{\underline{D}\, \hat{\varepsilon}\, e^{j\omega t}\} = D^{\perp}\, \hat{\varepsilon} \cos \omega t - D^{\perp\!\!\perp}\, \hat{\varepsilon} \sin \omega t\,. \tag{7}$$

Dabei ist

$$\underline{D} \doteq D^{\perp} + j\, D^{\perp\!\!\perp} = D' \,(1 + j\,\eta) \tag{7a}$$

der komplexe Elastizitätsmodul. Die Größe

$$\eta = \frac{D^{\perp\!\!\perp}}{D^{\perp}} \tag{7b}$$

die den sogenannten Verlustfaktor[1] bedeutet, wird uns im folgenden noch sehr häufig begegnen.

Man sieht, daß sowohl das Viskositätsmodell (mit $D^{\perp} = D$ und $\eta = \omega\,\vartheta$) als auch das Relaxationsmodell (mit $D^{\perp} = D_1 - D_2/(\omega^2 \tau^2 + 1)$ und $D^{\perp\!\!\perp} = D_2\, \omega\, \tau/(\omega^2 \tau^2 + 1)$) durch einen komplexen Modul dargestellt werden können. Die Einführung eines komplexen Moduls stellt also ein sehr einfaches Mittel dar, um die an sich sehr verwickelten physikalischen Vorgänge bei der Dämpfung von periodischen Vorgängen zu repräsentieren. Wir werden daher im folgenden immer nur mit komplexen Modulen rechnen. Damit bleiben — bei Benutzung der Zeigerschreibweise — alle in Kap. II abgeleiteten Beziehungen bestehen; man muß nur D durch $\underline{D}$, E durch $\underline{E}$, etc. ersetzen.

2. Der komplexe Elastizitätsmodul

Setzt man den soeben definierten Elastizitätsmodul $\underline{D}$ in die Wellengleichung ein, so ergibt sich als wesentliche Änderung, daß die Ausbreitungsgeschwindigkeit komplex wird. Statt Gl. (II, 13) erhält man also

$$\underline{c}_L = c_L^{\perp} + j\, c_L^{\perp\!\!\perp} = \sqrt{\frac{\underline{D}}{\varrho}} = \sqrt{\frac{\sqrt{D^{\perp 2} + D^{\perp\!\!\perp 2}} + D^{\perp}}{2\,\varrho}} + j \sqrt{\frac{\sqrt{D^{\perp 2} + D^{\perp\!\!\perp 2}} - D^{\perp}}{2\,\varrho}}\,. \tag{8}$$

Gl. (8) kann man für schwache Dämpfung, d. h. $D^{\perp} \gg D^{\perp\!\!\perp}$ bzw. $\eta \ll 1$ sehr gut annähern, indem man

$$\underline{c}_L \approx \sqrt{\frac{D^{\perp}}{\varrho}} \left(1 + j\, \frac{\eta}{2}\right) \tag{9}$$

[1] In der Physik der Hochpolymeren wird der Verlustfaktor häufig auch mit d bezeichnet.

setzt. Selbst bei $\eta = 0{,}5$ gibt diese Näherung nur Abweichungen von ca. 4%. Erst bei $\eta > 1$ treten Fehler über 10% auf. Für die Wellenzahl erhält man nun natürlich auch einen komplexen Wert und zwar:

$$\underline{k}_L = \frac{\omega}{\underline{c}_L} = k_L^{\perp} - j\, k_L^{\perp\!\!\perp} \approx \omega \sqrt{\frac{\varrho}{D^{\perp}}} \left(1 - j\,\frac{\eta}{2}\right). \tag{10}$$

Für Ausbreitung in positiver x-Richtung ist der angegebene Ausdruck mit -1 zu multiplizieren, für Ausbreitung in negativer x-Richtung mit $+1$.

Ähnliche Gleichungen gelten auch für Quasilongitudinalwellen in Platten und Stäben sowie für Torsions- und Transversalwellen. Als Vereinfachung kommt dabei noch hinzu, daß bei homogenen isotropen Medien der Verlustfaktor für Dehnung und Scherung erfahrungsgemäß gleich ist. (Bei anisotropen Körpern ist das durchaus nicht der Fall.) Es gilt also auch bei Transversalwellen bei schwacher Dämpfung

$$\underline{c}_T \approx \sqrt{\frac{G^{\perp}}{\varrho}} \left(1 + j\,\frac{\eta}{2}\right); \quad \underline{k}_T \approx \pm\,\omega \sqrt{\frac{\varrho}{G^{\perp}}} \left(1 - j\,\frac{\eta}{2}\right). \tag{11}$$

Bei reinen Biegewellen erhält man durch Einsetzen des entsprechenden komplexen Moduls in Gl. (II, 85)

$$\underline{c}_B \approx \sqrt[4]{\omega^2\,\frac{B^{\perp}}{m'}} \left(1 + j\,\frac{\eta}{4}\right). \tag{12a}$$

Für die Wellenzahl ergibt sich

$$\underline{k}_B \approx \sqrt[4]{\omega^2\,\frac{m'}{B^{\perp}}} \left(1 - j\,\frac{\eta}{4}\right). \tag{12b}$$

Die physikalische Bedeutung der komplexen Wellenzahl bzw. Geschwindigkeit erkennt man sofort, wenn man die Größe in die entsprechende Zeigergleichung einsetzt. Eine ebene in positiver x-Richtung fortschreitende Welle kann durch

$$u(x, t) = \mathrm{Re}\,\{\hat{u}\, e^{j\omega t - jkx}\} = \hat{u} \cos(\omega t - k\,x) \tag{13}$$

dargestellt werden. Bei Verwendung einer komplexen Wellenzahl wird daraus

$$u(x, t) = \mathrm{Re}\,\{\hat{u}\, e^{j\omega t - jk^{\perp}x - k^{\perp\!\!\perp}x}\} = \hat{u}\, e^{-k^{\perp\!\!\perp}x} \cos(\omega t - k^{\perp}\,x)\,. \tag{14}$$

Das Vorhandensein einer komplexen Wellenzahl, d. h. eines komplexen Moduls, bedeutet also, daß eine ebene fortschreitende Welle exponentiell abnimmt.

Nachdem bei kleiner Dämpfung und bei Longitudinal-, Quasilongitudinal-, Transversal- und Torsionswellen $k^{\perp\!\!\perp} = k^{\perp}\,\eta/2 = \pi\,\eta/\lambda$ gilt, besagt Gl. (14), daß innerhalb einer Wellenlänge die Amplitude von eins auf $e^{-\pi\eta}$ abnimmt; d. h., daß innerhalb einer Strecke Δx eine Pegelabnahme um

$$\Delta L = \frac{8{,}7\,\pi\,\eta\,\Delta x}{\lambda}\,dB \tag{15}$$

erfolgt.

Bei Biegewellen ist wegen $k_B^{\perp\!\perp} \approx \pi\,\eta/2\,\lambda_B$ die Pegelabnahme mit der Entfernung

$$\Delta L_B = \frac{4{,}34\,\pi\,\eta\,\Delta x}{\lambda_B}\,dB\,. \tag{16}$$

Der Grund, weshalb sich Gl. (15) u. (16) um den Faktor 2 unterscheiden, liegt darin, daß bei Biegewellen die Gruppengeschwindigkeit — also die für die Energieverhältnisse und damit auch für die Dämpfung maßgebliche Geschwindigkeit — doppelt so groß ist wie die Phasengeschwindigkeit (s. Gl. (II, 89)).

Eine Schwierigkeit ergibt sich noch bei den Biegewellennahfeldern. Benutzt man nämlich Gl. (12b) zur Berechnung der Nahfeldwellenzahl (s. Gl. (II — 124, 3)), dann ergeben sich Nahfelder der Form

$$e^{k_B^{\perp}\,x - j\,k_B^{\perp\!\perp}\,x}\,, \quad e^{-k_B^{\perp}\,x + j\,k_B^{\perp\!\perp}\,x}\,.$$

Es handelt sich hier um die sogenannten komplexen Nahfelder, bei denen Ausbreitungsrichtung und Amplitudenabnahme in entgegengesetzter Richtung verlaufen. Auf den ersten Blick erscheint dieses Ergebnis physikalisch wenig sinnvoll, da es zu Amplitudenzunahmen zu führen scheint. Es wurde jedoch von Tamm und Weis[1, 2] gezeigt, daß derartige komplexe Nahfelder bei Plattenschwingungen in den höheren Moden sehr häufig auftreten (s. Kap. II, 7c). Der scheinbare Widerspruch zum Energiesatz verschwindet, wenn man die beiden zueinander gehörigen konjugiert komplexen Wellenzahlen als Repräsentation einer abklingenden stehenden Welle betrachtet. Für das folgende sind jedoch die komplexen Nahfelder relativ unbedeutend.

Für die komplizierteren Schwingungsformen wie sie im Kap. II, 7c (insbesondere Abb. II/24) behandelt wurden, kann man Ausbreitungsgeschwindigkeit und Dämpfung ebenfalls durch Einsetzen von komplexen Moduln erhalten. Die entsprechenden Gleichungen sind jedoch sehr kompliziert. Bisher sind nur die Lösungen für gummielastische Platten ($\mu = 0{,}5$) mit reinen Schubverlusten bekannt[2]. Die Rechnungen zeigen, daß bei hohen Verlusten die Moden mit den hohen Ausbreitungsgeschwindigkeiten ($c \gg c_T$) sehr stark gedämpft sind, so daß — grob gesprochen — nur die Biegewelle bzw. die Rayleigh-Welle, die Transversalwelle und die Quasilongitudinalwelle übrig bleiben.

---

[1] Tamm, K. u. O. Weis: Acustica 9 (1959) 275.

[2] Weis, O.: Acustica 9 (1959) 387.

Es ist interessant, neben dem örtlichen Verlauf einer Schwingung auch den Energieinhalt zu studieren. Wir nehmen dazu ein System an, das zu zeitlich periodischen Schwingungen der Kreisfrequenz ω angeregt wird — beispielsweise einen von einem elektrodynamischen Körperschallsender zu Quasilongitudinalwellen angeregten Stab. Die in einem gegebenen Volumenelement dieses Systems auftretenden Dehnungen können also wieder durch

$$\varepsilon(t) = \mathrm{Re}\,\{\hat{\varepsilon}\, e^{j\omega t}\} = \hat{\varepsilon} \cos \omega t \tag{17}$$

beschrieben werden. Für die Spannung gibt sich demnach (s. Gl. (3), (6) u. (7))

$$\begin{aligned} \sigma = \mathrm{Re}\,\{\underline{D}\, \hat{\varepsilon}\, e^{j\omega t}\} &= \hat{\varepsilon}\, D^{\perp} \cos \omega t - \hat{\varepsilon}\, D^{\perp\!\perp} \sin \omega t \\ &= \hat{\varepsilon}\, D^{\perp} \sqrt{1+\eta^2} \cos(\omega t + \mathrm{arc\,tg}\, \eta)\,. \end{aligned} \tag{18}$$

Wie man sieht, ist die Phasenverschiebung zwischen Spannung und Dehnung ein Maß für den Verlustfaktor η. Berechnet man nun die Dichte der potentiellen Energie, so ergibt sich nach Gl. (II, 6)

$$E_{\mathrm{pot}} = \int_0^{\varepsilon} \sigma\, d\varepsilon$$

$$= \frac{\hat{\varepsilon}^2 D^{\perp}}{2} \left[\eta\, \omega t - \frac{1}{2} + \frac{\sqrt{1+\eta^2}}{2} \cos(2\,\omega t + \mathrm{arc\,tg}\, \eta) + \mathrm{const}\right]. \tag{19}$$

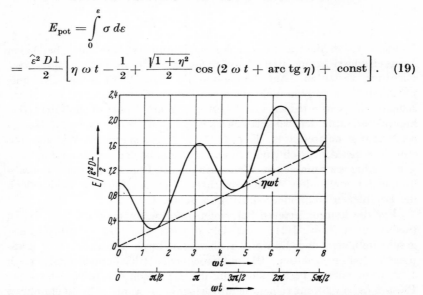

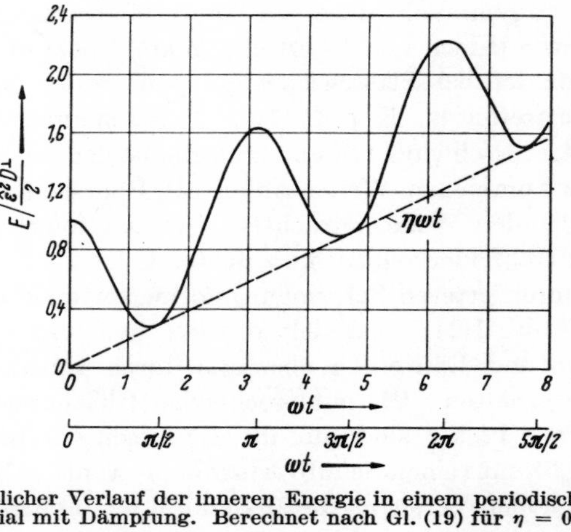

Abb. III/2. Zeitlicher Verlauf der inneren Energie in einem periodisch schwingenden Material mit Dämpfung. Berechnet nach Gl. (19) für $\eta = 0{,}2$

Dabei ist const eine von den Integrationsgrenzen abhängige unwichtige Konstante. Der durch Gl. (19) ausgedrückte zeitliche Verlauf der Energiedichte ist in Abb. III/2 graphisch dargestellt. Wie man sieht, wächst die mittlere Energiedichte mit der Zeit; da jedoch die Schwingungsamplitude und damit die rein mechanische (reversible) Energie gleich bleibt, muß die zusätzlich zugeführte Energie (das Glied $\eta\,\omega\,t$ in Gl. (19)) in eine andere Energieform (Wärme) umgewandelt werden. Durch die vom Körperschallanreger ständig zugeführte Energie wird also letzten Endes das Material erwärmt.

Man kann sich diesen Sachverhalt auch durch eine Betrachtung des Spannungs–Dehnungsdiagrammes verdeutlichen. Setzt man Gl. (17) in (18) ein, so ergibt sich

$$\sigma^2 - 2\,\sigma\,\varepsilon\,D^\perp + \varepsilon^2 D^{\perp 2}(1+\eta^2) = \eta^2 D^{\perp 2}\,\hat{\varepsilon}^2\,. \tag{20}$$

Diese Gleichung stellt bekanntlich eine Ellipse dar, deren Mittelpunkt im Ursprung liegt (s. Abb. III/3).

Die große und kleine Halbachse dieser Ellipse sind bei der in Abb. III/3 gewählten Auftragung

$$\frac{\sqrt{2}\,\eta}{\sqrt{\alpha-\beta}} \approx \sqrt{2} \quad \text{und} \quad \frac{\sqrt{2}\,\eta}{\sqrt{\alpha+\beta}} \approx \frac{\eta}{\sqrt{2}} \tag{20a}$$

mit

$$\alpha = 2 + \eta^2;\ \beta = \sqrt{4+\eta^4}\,.$$

Für die Fläche der Ellipse ergibt sich daraus

$$\pi\,\eta\,D^\perp\,\hat{\varepsilon}^2\,.$$

Nun ist aber die innerhalb einer Schwingung der Dauer T verloren gegangene Energie E_v durch

$$E_v = \oint \sigma\,d\varepsilon\,,$$

also gerade durch die Fläche der Ellipse gegeben. Das bedeutet

$$E_v = \pi\,\eta\,D^\perp\,\hat{\varepsilon}^2\,. \tag{21}$$

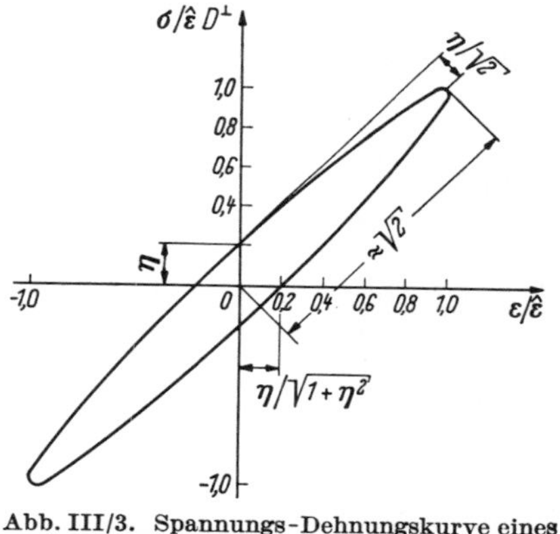

Abb. III/3. Spannungs-Dehnungskurve eines verlustbehafteten Mediums bei periodischer Beanspruchung ($\eta = 0{,}2$)

Für die innerhalb der Zeit t verloren gegangene Energie folgt also $E_v \dfrac{t}{T} = E_v \dfrac{\omega t}{2\pi} = \hat{\varepsilon}^2 D^\perp \dfrac{\eta\,\omega\,t}{2}$; das ist genau derselbe Wert, der sich im Zeitmittel aus Gl. (19) ergibt.

Aus den Energiebeziehungen kann man eine sehr anschauliche Definition des Verlustfaktors ableiten. Dividiert man nämlich Gl. (21) durch die wieder gewinnbare (reversible) mechanische Energie $E_R = D^\perp\,\hat{\varepsilon}^2/2$, so ergibt sich

$$\eta = \frac{E_r}{2\,\pi\,E_R}\,. \tag{22}$$

Der Verlustfaktor gibt also an, wie groß die innerhalb einer Schwingungsperiode in Wärme umgewandelte (verloren gegangene) Energie im Verhältnis zur wieder gewinnbaren mechanischen Energie ist. Es ist zu beachten, daß im Nenner von Gl. (22) die reversible Energie und nicht — wie man es von Wirkungsgraddefinitionen her gewohnt ist — die gesamte Energie steht. Lediglich bei kleiner Dämpfung ist dieser Unterschied belanglos. Wie die reversible Energie zu den Energieschwankungen mit der Zeit in Beziehung steht, ist aus Abb. III/2 ersichtlich.

Neben der Energieumwandlung in einem System, dessen Schwingungsamplituden durch eine äußere Anregung konstant gehalten werden, ist für die Praxis auch das zeitliche Abklingen von Interesse, wenn keine Energiezufuhr erfolgt.

Wir nehmen also ein mit der Kreisfrequenz ω schwingendes System an und bezeichnen mit E_{R0} dessen reversible mechanische Energie zur Zeit $t = 0$. Von $t = 0$ an ist das System sich selbst überlassen; es wird also die mechanische Energie allmählich in Wärme umgesetzt. Als weitere Annahme müssen wir voraussetzen, daß in dem System nur ein Energiereservoir vorhanden ist; Fälle, bei denen beispielsweise eine Kopplung zwischen Biegewellenenergie und Torsionswellenenergie besteht, sollen ausgeschlossen sein. Außerdem muß vorausgesetzt werden, daß die Änderung des Spitzenwertes von Periode zu Periode klein ist. Bezeichnet man die bis zur Zeit t in Wärme umgewandelte Energie mit $E_v(t)$, so ist wegen des Energieerhaltungssatzes die zur Zeit t noch verfügbare reversible mechanische Energie $E_R(t) = E_{R0} - E_v(t)$; die im Zeitintervall von t bis $t + dt$ umgewandelte Energie ist also nach Gl. (19) (erster Term) $[E_{R0} - E_v(t)]\,\eta\,\omega\,dt$. Für die gesamte bis zur Zeit t umgewandelte Energie folgt daraus durch Summation

$$E_v(t) = \int_0^t [E_{R0} - E_v(t)]\,\eta\,\omega\,dt\,. \tag{23}$$

Differenziert man Gl. (23) nach t, so ergibt sich eine einfache Differentialgleichung für $E_v(t)$, die erwartungsgemäß eine Exponentialfunktion als Lösung hat

$$E_v(t) = E_{R0}\,(1 - e^{-\eta\,\omega\,t}) \quad \text{bzw.} \quad E_R(t) = E_{R0}\,e^{-\eta\,\omega\,t}\,. \tag{24}$$

Wie man sieht, nimmt die Energie exponentiell mit einer Abklingkonstante von $\eta\,\omega$ ab.

3. Resonanzschwingungen von gedämpften Stäben

Für die Messung des Verlustfaktors wird häufig ein Verfahren benutzt, das darin besteht, die Frequenzabhängigkeit — insbesondere die sogenannte Halbwertsbreite — von Schwingungen bei gegebener Anregung zu messen und daraus den Verlustfaktor zu bestimmen. Diese Methode ist zwar von der Messung der Dämpfung bei Schwingungen mit einem Freiheitsgrad her sehr bekannt; sie soll jedoch hier noch etwas ausführlicher behandelt werden, da bei Messungen an Stäben und dgl. einige Gesichtspunkte von Bedeutung sind, die bei Systemen mit einem Freiheitsgrad (z. B. Masse-Federsystemen) nicht auftreten.

a) Quasilongitudinal- und Torsionswellen

Von den verschiedenen Methoden, die Schwingungen eines Stabes zu berechnen, wollen wir zuerst eine etwas umständliche aber physikalisch sehr durchsichtige benutzen, bei der die Schwingungen eines endlichen Stabes aus dem Verhalten eines unendlich langen Stabes ermittelt werden. Wir nehmen an, daß ein Stab (s. Abb. III/4) an einem Ende von der Kraft

$$F = \operatorname{Re}\{\underline{\hat{F}}\, e^{j\omega t}\}$$

angeregt wird. In einem unendlich langen Stabe würde das — zu einer Wellenbewegung der Form

$$\underline{\hat{v}}_0(x) = \frac{\underline{\hat{F}}}{\underline{Z}}\, e^{-j\underline{k}x} \qquad (25)$$

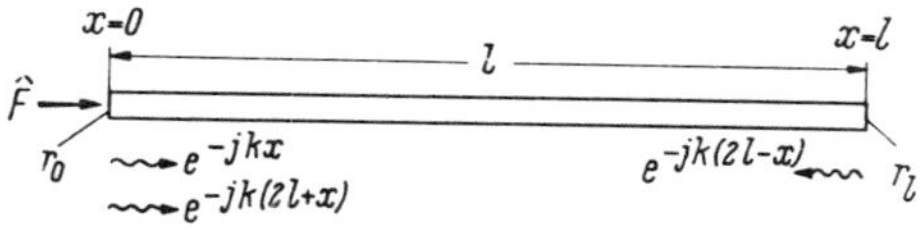

Abb. III/4. Wellenausbreitung auf einem Stab

führen. Dabei ist $\underline{Z}$ der wegen der komplexen Ausbreitungsgeschwindigkeit komplexe Eingangswiderstand — bei Quasilongitudinalwellen und freiem Stabende $\underline{c}_{L\,\mathrm{II}}\, \varrho\, S$ —, $\underline{k}$ ist die komplexe Wellenzahl.

Wenn die durch Gl. (25) gegebene Welle am Ende des Stabes ankommt, hat die Schnelle den Wert

$$\frac{\underline{\hat{F}}}{\underline{Z}}\, e^{-j\underline{k}l}\,.$$

Es erfolgt nun eine Reflexion, die, wenn der Reflexionsfaktor für die Schnelle an der Stelle $x = l$ durch $\underline{r}_l$ (komplex) gekennzeichnet wird, zu einer rücklaufenden Welle der Form

$$\frac{\underline{\hat{F}}}{\underline{Z}}\, \underline{r}_l\, e^{-j\underline{k}(2l-x)}$$

führt. An der Stelle $x = 0$ wird die Welle wieder reflektiert und hat nach der Reflexion (der Reflexionsfaktor an der Stelle $x = 0$ heißt $\underline{r}_0$) die Amplitude

$$\frac{\underline{\hat{F}}}{\underline{Z}}\, \underline{r}_l\, \underline{r}_0\, e^{-j\underline{k}(2l+x)}\,.$$

Die zweifach reflektierte Welle wird an der Stelle $x = l$ wieder reflektiert usw. usw. Das Spiel wiederholt sich beliebig oft, man hat also im stationären Zustand, bei dem alle diese Teilwellen gleichzeitig vorhanden sind,

$$\underline{v}(x) = \frac{F}{\underline{Z}}\left[e^{-j\underline{k}x} + \underline{r}_l\, e^{-j\underline{k}(2l-x)} + \underline{r}_0\,\underline{r}_l\, e^{-j\underline{k}(2l+x)} + \underline{r}_0\,\underline{r}_l^2\, e^{-j\underline{k}(4l-x)}\ldots\right]. \tag{26}$$

Wie man sieht, bilden das erste, dritte, fünfte, ... Glied eine geometrische Reihe mit dem Multiplikator $\underline{r}_0\,\underline{r}_l\, e^{-2j\underline{k}l}$; genau dasselbe gilt für das zweite, vierte, sechste, ... Glied. Man kann also die Summationsformel für unendlich geometrische Reihen anwenden und erhält

$$\underline{v}(x) = \frac{F}{\underline{Z}}\,\frac{e^{-j\underline{k}x} + \underline{r}_l\, e^{-j\underline{k}(2l-x)}}{1 - \underline{r}_0\,\underline{r}_l\, e^{-2j\underline{k}l}}\,. \tag{27}$$

Aus Gl. (27) sieht man übrigens noch einmal, wie die Resonanzstellen — d. h. die Nullstellen bzw. die Minima des Nenners — durch das Prinzip vom geschlossenen Wellenzug gegeben sind (s. Kap. II, 4). Ein geschlossener Wellenzug besteht nämlich gerade aus einer Phasenverschiebung um $2\,\underline{k}\,l$ und der Reflexion an den beiden Enden des Stabes. Ein geschlossener Wellenzug liegt also vor, wenn $\underline{r}_0\,\underline{r}_l\, e^{-2j\underline{k}l}$ dem Wert eins so nahe wie möglich kommt.

Zur Illustration der Allgemeingültigkeit von Gl. (27) seien noch einige Grenzfälle angegeben. Ist der interessierende Stab an beiden Enden frei ($\underline{r}_0 = \underline{r}_l = 1$) und sehr kurz ($\underline{k}\,l \ll 1$), dann kann man die Exponentialfunktionen in Gl. (27) entwickeln und erhält

$$\underline{v}(x) \approx \frac{F}{\underline{Z}}\,\frac{1}{j\,\underline{k}\,l}\,. \tag{28}$$

Bei einem zu Quasilongitudinalwellen angeregten Stab, bei dem $\underline{Z}\,\underline{k}\,l = \omega\,\varrho\,S\,l$ ist, bedeutet das, daß der beiderseits freie, kurze Stab sich — erwartungsgemäß — wie eine Masse verhält.

Ist der Stab auf einer Seite frei und auf der anderen eingespannt ($\underline{r}_0 = 1$, $\underline{r}_l = -1$), dann erhält man durch Multiplikation von Gl. (27) mit $e^{j\underline{k}l}$

$$\underline{v}(x) = j\,\frac{F}{\underline{Z}}\,\frac{\sin \underline{k}\,(l-x)}{\cos \underline{k}\,(l-x)}\,. \tag{29}$$

Bei kurzen Stäben ($\underline{k}\,l \ll 1$) wird daraus an der Stelle $x = 0$

$$\underline{v}(0) \approx j\,\underline{k}\,l\,\frac{F}{\underline{Z}}\,; \tag{30}$$

das heißt, der Stab nimmt reinen Federungscharakter an.

Bei Quasilongitudinalwellen ergibt sich daraus (wegen $\underline{Z} = S\sqrt{\underline{E}\,\varrho}$ und $\underline{k} = \omega\sqrt{\varrho/\underline{E}}$):

$$\underline{v}(0) \approx j\,\frac{\omega\, l\, F}{S\,\underline{E}}\,. \tag{31}$$

Besonders wichtig für die meßtechnische Anwendung ist das Verhalten von Gl. (27) in der Nähe der Minima des Nenners. Um diese Minima zu finden, nehmen wir an, daß an den beiden Stabenden bei der Reflexion keine Energieverluste, sondern höchstens Phasensprünge γ_0 bzw. γ_l erfolgen (s. Kap. II, 4). Das ist beispielsweise bei freien Enden ($\underline{r} = 1$) und eingespannten Enden ($\underline{r} = -1$) der Fall. Führt man nun die komplexe Wellenzahl $\underline{k} = k^{\perp} - j\,k^{\amalg}$ ein (s. Gl. (10)), so erhält man für den Nenner von Gl. (27)

$$1 - e^{-2k^{\amalg} l}\left[\cos\left(2\,k^{\perp}\,l - \gamma_0 - \gamma_l\right) - j\sin\left(2\,k^{\perp}\,l - \gamma_0 - \gamma_l\right)\right]. \tag{32}$$

Bei kleiner Dämpfung, also bei $k^{\amalg}\,l \ll 1$ wird der Minimalwert dieser Funktion, d. h. das Maximum der Schnelle für

$$2\,k^{\perp}\,l - \gamma_0 - \gamma_l = 2\,n\,\pi \tag{32a}$$

erreicht. Wie man durch Vergleich mit Gl. (II, 120) sieht, sind das genau die Resonanzfrequenzen des ungedämpften Stabes. Bei nicht sehr kleiner Dämpfung muß man die Minima von (32) durch Nullsetzen der Ableitung nach $k^{\perp}$ ermitteln. Man erhält dann Resonanzfrequenzen, die etwas nach tieferen Frequenzen verschoben sind.

Ob die Minima des Nenners von Gl. (27) mit einem Maximum der Schnelle zusammenfallen, hängt noch vom jeweiligen Beobachtungsort ab. Der Zähler von Gl. (27) ist nämlich periodisch in x; d. h. es treten Schwingungsknoten und Bäuche auf. Zur Verdeutlichung ist in Abb. III/5a die Frequenzabhängigkeit und in Abb. III/5b die Ortsabhängigkeit der Schnelle für verschiedene Dämpfungen aufgetragen. In beiden Fällen wurde ein beiderseits freier Stab und eine für alle Frequenzen gleiche anregende Kraft angenommen. Die Schnelle ist also durch

$$|\underline{v}(x)|^2 = \left|\frac{F}{\underline{Z}}\right|^2 \frac{\cosh 2\,k^{\amalg}\,(l - x) + \cos 2\,k^{\perp}\,(l - x)}{\cosh 2\,k^{\amalg}\,l - \cos 2\,k^{\perp}\,l} \tag{33}$$

gegeben. Als Abszisse dient in Abb. III/5a die mit der Länge multiplizierte Wellenzahl $k^{\perp}\,l$, also eine der Frequenz proportionale Größe, während in Abb. III/5b die Entfernung x multipliziert mit der Wellenzahl $k^{\perp}$ die Abszisse ist. Als Ordinate wurde der Absolutbetrag der Schnelle im logarithmischen Maßstab gewählt. Der Bezugswert v_0 ist willkürlich. Man sieht, daß mit wachsender Dämpfung und Frequenz die Kurven immer flacher werden und sich allmählich wie eine exponentiell abklingende Funktion verhalten. (Für $k^{\perp\!\!\perp}/k^{\perp} = 0{,}5$, d. h. $\eta \approx 1$ wäre überhaupt keine Periodizität in den Kurven mehr zu erkennen.)

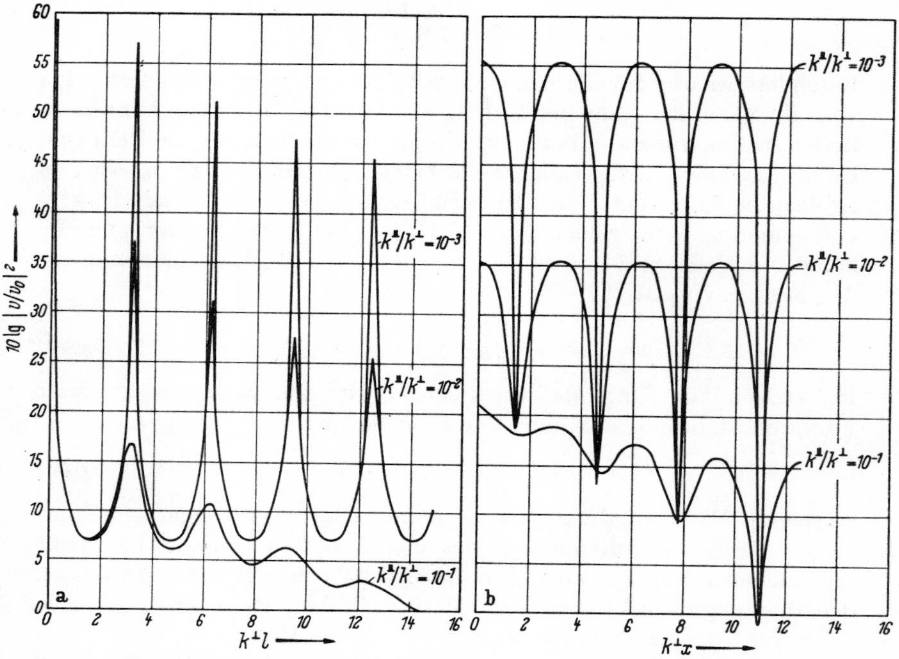

Abb. III/5a. Frequenzgang eines beiderseits freien zu Quasilongitudinal- oder Torsionswellen angeregten Stabes. Nach Gl. (33) an der Stelle $x = l$ gerechnet
b. Örtlicher Schwingungsverlauf eines beiderseits freien zu Quasilongitudinal- oder Torsionswellen angeregten Stabes. Nach Gl. (33) für $k^{\perp} l = 4\pi$ gerechnet

Das Verhalten in der Nähe der Resonanzstellen kann man bei kleiner Dämpfung noch in eine einfache Form bringen, indem man Gl. (27) um eine Resonanzstelle herum entwickelt. Dabei ist allerdings zu beachten, daß sowohl Zähler als auch Nenner von der Frequenz abhängen. Wir nehmen daher für das weitere an, daß die Schnelle in einem Schwingungsbauch gemessen (Maxima in Abb. III/5b) werde, d. h. an einer Stelle, an der die Kurve der Ortsabhängigkeit sehr flach, also unabhängig von kleinen Variationen in $k^{\perp} x$ ist. In den Schwingungsknoten gilt die folgende Rechnung nicht, da an diesen Stellen eine kleine Frequenzänderung zu großen Änderungen in Zähler und Nenner von Gl. (27) führt. In den Schwingungsbäuchen erhalten wir aus Gl. (27)

$$\underline{v}_B = \frac{\underline{v}_0}{1 - |\underline{r}_0\, \underline{r}_l|\, e^{-2k^{\perp\!\!\perp}} \; e^{-j(2k^{\perp} l - \gamma_0 - \gamma_l)}} .$$

Setzen wir nun voraus, daß die Dämpfung klein ist und daß nur das Verhalten in der Nähe der Resonanzstellen interessiert, dann können wir die Näherungen $e^{-2k^{\perp\!\!\perp}l} \approx 1 - 2\,k^{\perp\!\!\perp}\,l = 1 - 2\,\eta\,k^{\perp}\,l$ und $e^{-j(2k^{\perp}l - \gamma_0 - \gamma_l)} \approx 1 - 2\,\Delta k^{\perp}\,l$ benutzen und erhalten

$$\underline{v}_B \approx \frac{\underline{v}}{1 - |\underline{r}_0\,\underline{r}_l|\,(1 - 2\,k^{\perp\!\!\perp}\,l - 2\,j\,\Delta k^{\perp}\,l)}\,.$$

Wie zu erwarten hat diese Funktion an der Resonanzstelle ($\Delta k^{\perp}\,l = 0$) ihr Maximum. Es gilt also

$$\frac{\underline{v}_B}{\underline{v}_{\max}} \approx \frac{1 - |\underline{r}_0\,\underline{r}_l|\,(1 - 2\,k^{\perp\!\!\perp}\,l)}{1 - |\underline{r}_0\,\underline{r}_l|\,(1 - 2\,k^{\perp\!\!\perp}\,l - 2\,j\,\Delta k^{\perp}\,l)} = \frac{1}{1 + j\,\dfrac{\Delta k^{\perp}\,l}{k^{\perp\!\!\perp}\,l + (1 - |\underline{r}_0\,\underline{r}_l|)/2\,|\underline{r}_0\,\underline{r}_l|}}$$

Daraus ergibt sich dann

$$\left|\frac{\underline{v}_B}{\underline{v}_{\max}}\right|^2 \approx \frac{1}{1 + \left[\dfrac{\Delta k^{\perp}}{k^{\perp}}\;\dfrac{1}{(k^{\perp\!\!\perp}/k^{\perp}) + (1 - |\underline{r}_0\,\underline{r}_l|)/2\,|\underline{r}_0\,\underline{r}_l|\,k^{\perp}\,l}\right]^2}\,. \tag{34}$$

In der Nähe der Resonanzfrequenz hat also die Frequenzkurve den bekannten typischen Resonanzcharakter, s. Gl. (I, 31) (s. Abb. III/6), wobei die Breite der Resonanzkurve von den Energieverlusten bei der Reflexion und von der inneren Dämpfung abhängt. Treten keine Energieverluste bei der Reflexion auf ($|\underline{r}_0\,\underline{r}_l| = 1$), dann wird aus Gl. (34)

$$\left|\frac{\underline{v}_B}{\underline{v}_{\max}}\right|^2 \approx \frac{1}{1 + \left(\dfrac{\Delta k^{\perp}}{k^{\perp\!\!\perp}}\right)^2}\,. \tag{35}$$

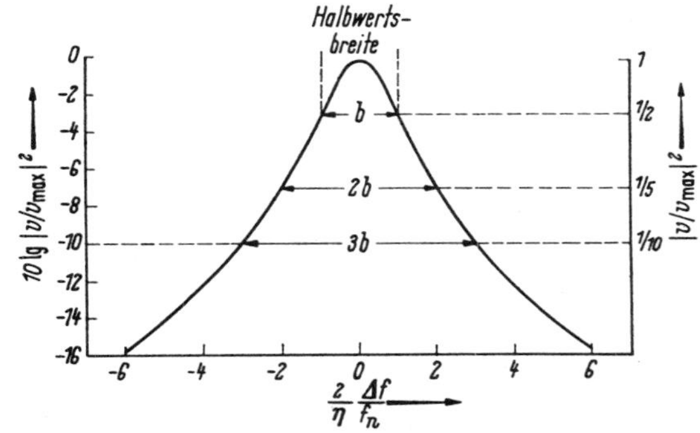

Abb. III/6. Schwingungsverhalten in der Nähe einer Resonanz bei kleiner Dämpfung

Geht man hier von der Wellenzahl auf die dazu proportionale Frequenz über, dann wird $\Delta k^{\perp}/k^{\perp} = \Delta f/f_n$, wobei Δf der Frequenzunterschied zur Gipfelfrequenz f_n ist; außerdem kann man $k^{\perp\!\!\perp} = \eta\,k^{\perp}/2$ setzen (s. Gl. (10)) und erhält damit

$$\left|\frac{\underline{v}_B}{\underline{v}_{\max}}\right|^2 \approx \frac{1}{1 + \left(\dfrac{2\,\Delta f}{\eta\,f_n}\right)^2}\,. \tag{36}$$

Die Halbwertsbreite der Resonanzkurve (s. Abb. III/6) ist also $b = \eta\, f_n$. Wie man sieht, ist die Ermittlung des Resonanzverhaltens ein einfaches Mittel zur Bestimmung der Dämpfung, vorausgesetzt, daß der Verlustfaktor nicht zu groß ist und daß in einem Schwingungsbauch gemessen wird.

In ähnlicher Weise kann man auch die Schwingungen in der Nähe der Knotenstellen entwickeln und erhält bei festgehaltener Frequenz

$$|\underline{v}_K|^2 \approx |\underline{v}_{\min}|^2 \left[1 + \frac{4\,|\underline{r}_l|\, e^{-2k^{\perp\!\perp}(l-x)}}{\left(1 - |\underline{r}_l|\, e^{-2k^{\perp\!\perp}(l-x)}\right)^2} (k\,\Delta x)^2\right]. \tag{37}$$

Bei verschwindender Dämpfung ($k^{\perp\!\perp} = 0$) wird daraus (für $|\underline{r}_l| \approx 1$)

$$|\underline{v}_K|^2 \approx |\underline{v}_{\min}|^2 \left[1 + \left(\frac{2\,k\,\Delta x}{1 - |\underline{r}_l|}\right)^2\right] = |\underline{v}_{\min}|^2 \left[1 + \left(\frac{4\,\pi}{1 - |\underline{r}_l|}\right)^2 \left(\frac{\Delta x}{\lambda}\right)^2\right]. \tag{38}$$

Bei vollständiger Reflexion am Ende ($|\underline{r}_l| = 1$) folgt mit der Näherung $e^{-2k^{\perp\!\perp}(l-x)} = 1 - 2\,k^{\perp\!\perp}\,(l - x)$

$$|\underline{v}_K|^2 \approx |\underline{v}_{\min}|^2 \left[1 + \left(\frac{\Delta x}{l - x_n}\right)^2 \frac{k^{\perp 2}}{k^{\perp\!\perp 2}}\right]. \tag{39}$$

Wie man sieht, besteht eine enge Verwandtschaft zwischen dem Verhalten einer Stabschwingung um eine Resonanzstelle und um einen Knotenpunkt. Der Resonanzfrequenz f_n entspricht dabei der Ort x_n des Schwingungsknotens, der Frequenzverschiebung Δf die örtliche Verschiebung Δx; daß in einem Fall der Ausdruck $1 + \ldots$ im Nenner, im anderen Fall im Zähler auftritt, ist, besonders wenn man die Schnelle in einer logarithmischen Einheit mißt, nicht entscheidend.

Neben der eben behandelten Methode, die Schwingungen eines Stabes darzustellen, gibt es noch mehrere andere, von denen die wichtigste die sogenannte Vierpoldarstellung ist. Man gewinnt diese Darstellung wenn man davon ausgeht, daß das Wellenfeld auf einem Stab aus hin- und zurücklaufenden Wellen besteht. Die Schnelle kann also durch

$$\underline{v}(x) = \underline{v}_+\, e^{-j\underline{k}x} + \underline{v}_-\, e^{j\underline{k}x} \tag{40}$$

dargestellt werden. Dabei sind $\underline{v}_+$ und $\underline{v}_-$ — vorläufig — noch unbestimmte Größen. Für die im Stab wirkende Kraft ergibt sich aus der obigen Gleichung

$$\underline{F}(x) = \underline{Z}\,\underline{v}_+\, e^{-j\underline{k}x} - \underline{Z}\,\underline{v}_-\, e^{j\underline{k}x}. \tag{40a}$$

Der hier auftretende Vorzeichenwechsel ist auf die unterschiedliche Richtung der Wellen zurückzuführen.

Die obige Darstellung muß an allen Stellen gültig sein, also auch an der Stelle $x = 0$. Man erhält daraus für $\underline{v}_+$ und $\underline{v}_-$ die Bestimmungsgleichungen

$$\underline{v}_0 = \underline{v}_+ + \underline{v}_-, \quad \underline{F}_0 = \underline{Z}\,(\underline{v}_+ - \underline{v}_-).$$

Setzt man die sich dabei ergebenden Werte für $\underline{v}_+$ und $\underline{v}_-$ in Gl. (40) und (40a) ein, dann erhält man beispielsweise für die Stelle $x = l$

$$\left.\begin{aligned} \underline{v}_l &= \underline{v}_0 \cos \underline{k}\, l - j \frac{\underline{F}_0}{\underline{Z}} \sin \underline{k}\, l \\ \underline{F}_l &= - j\, \underline{Z}\, \underline{v}_0 \sin \underline{k}\, l + \underline{F}_0 \cos \underline{k}\, l\,. \end{aligned}\right\} \tag{41}$$

Die Gl. (41) stellt eine Vierpolgleichung des Stabes dar. Sie verknüpft Schnelle und Kraft am Stabanfang mit den entsprechenden Größen am Ende. Die Umkehrung von (41) lautet

$$\left.\begin{aligned} \underline{v}_0 &= \underline{v}_l \cos \underline{k}\, l + j \frac{\underline{F}_l}{\underline{Z}} \sin \underline{k}\, l \\ \underline{F}_0 &= j\, \underline{Z}\, \underline{v}_l \sin \underline{k}\, l + \underline{F}_l \cos \underline{k}\, l\,. \end{aligned}\right\} \tag{41a}$$

Selbstverständlich führen Gln. (41a) und (27) stets zu denselben Ergebnissen. Das zeigt z. B. der beiderseits freie Stab, bei dem $F_l = 0$ ist. Durch Division der beiden Gln. (41a) erhält man

$$\frac{\underline{v}_0}{\underline{F}_0} = \frac{\cos \underline{k}\, l}{j\, \underline{Z} \sin \underline{k}\, l}\,.$$

Dasselbe Ergebnis gewinnt man aus Gl. (27), wenn man $|\underline{r}_0| = |\underline{r}_l| = 1$ setzt und Zähler und Nenner mit $e^{j k l}$ multipliziert.

Ob Gl. (27) oder die Vierpoldarstellung nach (41a) für die Rechnung vorteilhafter ist, hängt vom jeweiligen Problem ab. Sind die Reflexionsfaktoren bekannt, dann ist Gl. (27) die angemessene Beschreibungsart. Handelt es sich dagegen um die Übertragung von einem beliebigen System über den Stab auf ein anderes System, dann ist die Vierpoldarstellung meist vorteilhafter.

b) Biegewellen

Wollte man das im letzten Abschnitt benutzte Verfahren auch auf Biegewellen anwenden, dann müßte man statt der einfachen Exponentialfunktionen in Gl. (25) bis (27) die komplizierteren Ausbreitungsfunktionen der Biegewellen, die aus Nah- und Wellenfeldern bestehen, benutzen. Auf diese Weise würde man jedoch zu relativ langen und umständlichen Rechnungen kommen[1]. Aus diesem Grunde wollen wir die Biegewellen auf Stäben nach einem anderen Verfahren untersuchen.

[1] Wenn der Stab nicht zu kurz ist, stellt übrigens Gl. (27) auch für Biegewellen eine sehr gute Näherung dar, vorausgesetzt, daß die richtigen Reflexionsfaktoren eingesetzt werden. (Also beispielsweise $\underline{r}_0 = \underline{r}_l = -j$ beim freien Stab.) Da die Näherung darin liegt, daß nur die Nahfelder vernachlässigt werden, kann man die im letzten Abschnitt gewonnenen Ergebnisse auch auf Biegewellen anwenden, wenn man ein Gebiet von je einer halben Wellenlänge an beiden Enden des Stabes von der Betrachtung ausschließt.

Wie Gl. (II — 124, 3) zeigt, besteht die Biegeschwingung eines Stabes aus vier Lösungsbestandteilen

$$\underline{v} = \underline{v}_+ e^{-j\underline{k}x} + \underline{v}_- e^{j\underline{k}x} + \underline{v}_{-j} e^{-\underline{k}x} + \underline{v}_{+j} e^{\underline{k}x} . \tag{42}$$

Statt (42) kann man auch schreiben

$$\underline{v} = \underline{v}_1 \cosh \underline{k}\, x + \underline{v}_2 \sinh \underline{k}\, x + \underline{v}_3 \cos \underline{k}\, x + \underline{v}_4 \sin \underline{k}\, x . \tag{42a}$$

Je nach Problem, ist die eine oder andere Methode einfacher zu handhaben.

Die vier Unbekannten $\underline{v}_+$, $\underline{v}_-$, $\underline{v}_{+j}$, $\underline{v}_{-j}$ bzw. $\underline{v}_1$, $\underline{v}_2$, $\underline{v}_3$ $\underline{v}_4$ ergeben sich aus den vier Randbedingungen. So gilt beispielsweise beim beiderseits freien Stab, der an der Stelle $x = 0$ von der Kraft F_0 angeregt wird (s. Kap. II, 4b)

$$\left.\begin{aligned}
\underline{M}(l) &\equiv -\frac{\underline{B}\,\underline{k}^2}{j\,\omega}\left[-\underline{v}_+ e^{-j\underline{k}l} - \underline{v}_- e^{j\underline{k}l} + \underline{v}_{-j} e^{-\underline{k}l} + \underline{v}_{+j} e^{\underline{k}l}\right] = 0\\
\underline{F}(l) &\equiv \frac{\underline{B}\,\underline{k}^3}{j\,\omega}\left[j\,\underline{v}_+ e^{-j\underline{k}l} - j\,\underline{v}_- e^{j\underline{k}l} - \underline{v}_{-j} e^{-\underline{k}l} + \underline{v}_{+j} e^{\underline{k}l}\right] = 0\\
\underline{M}(0) &\equiv -\frac{\underline{B}\,\underline{k}^2}{j\,\omega}\left[-\underline{v}_+ - \underline{v}_- + \underline{v}_{-j} + \underline{v}_{+j}\right] = 0\\
\underline{F}(0) &\equiv \frac{\underline{B}\,\underline{k}^3}{j\,\omega}\left[j\,\underline{v}_+ - j\,\underline{v}_- - \underline{v}_{-j} + \underline{v}_{+j}\right] = \underline{F}_0 .
\end{aligned}\right\} \tag{43}$$

Rechnet man aus Gl. (43) die verschiedenen Koeffizienten aus, so erhält man nach etwas langwierigen Rechnungen für die Schwingungen eines zu Biegeschwingungen angeregten beiderseits freien Stabs folgende Gleichung

$$\underline{v} = \frac{j\omega\underline{F}_0}{\underline{B}\,\underline{k}^3}\,\frac{\begin{aligned}&\sinh \underline{k}\,l \cos \underline{k}\,(l-x) - \sin \underline{k}\,x - \cosh \underline{k}\,l \sin \underline{k}\,(l-x)\\ &- \sin \underline{k}\,l \cosh \underline{k}\,(l-x) + \sinh \underline{k}\,x + \cos \underline{k}\,l \sinh \underline{k}\,(l-x)\end{aligned}}{2\,(1-\cos \underline{k}\,l \cosh \underline{k}\,l)} . \tag{44}$$

An der Stelle $x = l$ ergibt sich also

$$\underline{v}(l) = \frac{j\,\omega\,\underline{F}_0}{\underline{B}\,\underline{k}^3}\,\frac{\sinh \underline{k}\,l - \sin \underline{k}\,l}{1 - \cos \underline{k}\,l \cosh \underline{k}\,l} . \tag{45}$$

Für $k\,l \to 0$, also für einen sehr kurzen Stab, kann man durch Entwicklung bis zu Gliedern in $(k\,l)^4$ zeigen, daß

$$\underline{v}(l) \approx \frac{2\,\underline{F}_0}{j\,\omega\,m'\,l} . \tag{45a}$$

Dasselbe Ergebnis erhält man auch, wenn man die (aus einer Rotation und einer Translation bestehende) Bewegung eines einseitig angeregten starren Stabes berechnet.

Die aus Gln. (44) und (45) berechnete Frequenzabhängigkeit am Stabende $x = l$ sowie Ortsabhängigkeit bei der durch $k^{\perp}\,l = 9\,\pi/2$

gegebenen konstanten Frequenz sind in Abb. III/7a u. 7b aufgetragen. Dabei dient als Ordinate wieder der Logarithmus des Absolutbetrages der Schnelle, während $k^{\perp} l$ bzw. $k^{\perp} x$ als Abszisse gewählt wurden. Da $k^{\perp} = \sqrt{\omega}\,\sqrt[4]{m'/B}$, ist in Abb. III/7a die Abszisse proportional der Wurzel der Frequenz.

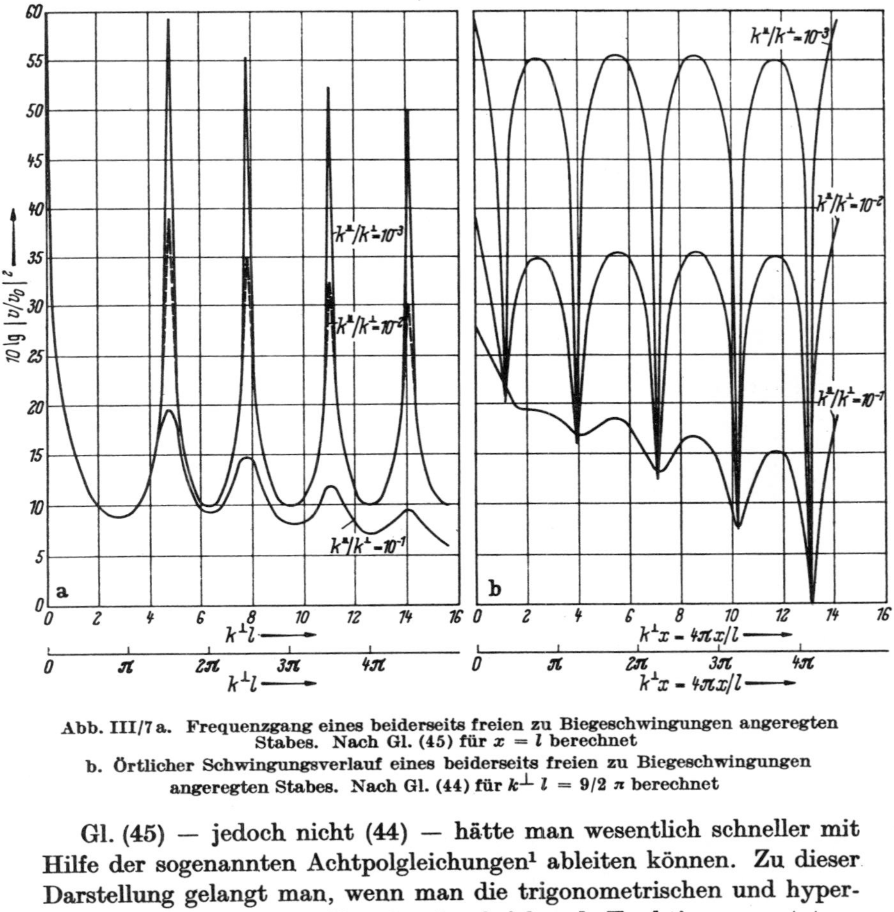

Abb. III/7a. Frequenzgang eines beiderseits freien zu Biegeschwingungen angeregten Stabes. Nach Gl. (45) für $x = l$ berechnet

b. Örtlicher Schwingungsverlauf eines beiderseits freien zu Biegeschwingungen angeregten Stabes. Nach Gl. (44) für $k^{\perp} l = 9/2\,\pi$ berechnet

Gl. (45) — jedoch nicht (44) — hätte man wesentlich schneller mit Hilfe der sogenannten Achtpolgleichungen[1] ableiten können. Zu dieser Darstellung gelangt man, wenn man die trigonometrischen und hyperbolischen Funktionen in Gl. (42a) durch folgende Funktionen ersetzt

$$\frac{1}{2}(\cosh k x + \cos k x) = C(k x), \qquad \frac{1}{2}(\cosh k x - \cos k x) = c(k x),$$

$$\frac{1}{2}(\sinh k x + \sin k x) = S(k x), \qquad \frac{1}{2}(\sinh k x - \sin k x) = s(k x).$$

[1] Cremer, L.: Sitz. Ber. der Preuß. Akademie d. Wissenschaften, phys.-math. Kl., 1934, I, S. 1.

Der Vorteil dieser Funktionen ist, daß sie durch Differentiation ineinander übergehen und zwar in der Reihenfolge $C(k\,x)$, $s(k\,x)$, $c(k\,x)$, $S(k\,x)$, $C(k\,x)$; außerdem gilt $C(0) = 1$, $S(0) = s(0) = c(0) = 0$. Schreibt man nun Schnelle und Winkelgeschwindigkeit in der Form

$$\underline{v}_x = \alpha\, C(k\,x) + \beta\, S(k\,x) + \gamma\, c(k\,x) + \delta\, s(k\,x)$$
$$\underline{w}_x = k\,[\alpha\, s(k\,x) + \beta\, C(k\,x) + \gamma\, S(k\,x) + \delta\, c(k\,x)]\,,$$

dann sieht man sofort, daß die Schnelle v_0 am Stabanfang identisch mit α sein muß, während für die Winkelgeschwindigkeit am Stabanfang $w_0 = k\,\beta$ gelten muß. Für Moment und Kraft gelten entsprechende Beziehungen, so daß sich nach einigen Umrechnungen ergibt:

$$\left.\begin{aligned}
\underline{v}_x &= \underline{v}_0\, C(k\,x) + \underline{w}_0 \frac{1}{k}\, S(k\,x) - \underline{M}_0 \frac{1}{j\,W'}\, c(k\,x) + \underline{F}_0 \frac{1}{j\,W'\,k}\, s(k\,x)\\
\underline{w}_x &= \underline{v}_0\, k\, s(k\,x) + \underline{w}_0\, C(k\,x) - \underline{M}_0 \frac{k}{j\,W'}\, S(k\,x) + \underline{F}_0 \frac{1}{j\,W'}\, c(k\,x)\\
\underline{M}_x &= -\,\underline{v}_0\, j\,W'\, c(k\,x) - \underline{w}_0 \frac{j\,W'}{k}\, s(k\,x) + \underline{M}_0\, C(k\,x) - \underline{F}_0 \frac{1}{k}\, S(k\,x)\\
\underline{F}_x &= \underline{v}_0\, j\,W'\,k\, S(k\,x) + \underline{w}_0\, j\,W'\, c(k\,x) - \underline{M}_0\, k\, s(k\,x) + \underline{F}_0\, C(k\,x)\,.
\end{aligned}\right\}\qquad(46)$$

Dabei ist $W' = B\,k^2/\omega = \sqrt{B\,m'}$ (s. Gl. (V, 28)).

Ähnlich wie bei den Vierpolgleichungen ist auch hier die Umkehrung — also die Darstellung der Größen am Stabanfang durch die am Stabende — sehr leicht vorzunehmen, da die Determinante der Koeffizientenmatrix wegen des Reziprozitätsprinzips gerade eins wird. Es zeigt sich dementsprechend, daß die Umkehrung nur zu einem Vorzeichenwechsel der $S(k\,x)$ und $s(k\,x)$ Glieder führt.

Für die meßtechnische Auswertung sind noch folgende Näherungsformeln von Interesse:

Für $k^{\perp}\, l > \pi$ kann der Frequenzgang der Schwingungen am Stabende durch

$$|\underline{v}(l)|^2 \approx \left|\frac{\omega\,\underline{F}_0}{\underline{B}\,\underline{k}^3}\right|^2 \frac{2}{\cosh 2\,k^{\perp\!\!\perp}\, l + \cos 2\,k^{\perp}\, l} \qquad (47)$$

ausgedrückt werden. Für die Ortsabhängigkeit ergibt sich im Gebiet $\pi < k^{\perp}\, x < k^{\perp}\, l - \pi$ näherungsweise

$$|\underline{v}(x)|^2 \approx \left|\frac{\omega\,\underline{F}_0}{\underline{B}\,\underline{k}^3}\right|^2 \frac{\cosh 2\,k^{\perp\!\!\perp}\,(l-x) - \sin 2\,k^{\perp}\,(l-x)}{\cosh 2\,k^{\perp\!\!\perp}\, l + \cos 2\,k^{\perp}\, l}\,. \qquad (48)$$

Man kann sich leicht davon überzeugen, daß sich diese Formeln auch ergeben, wenn man in Gl. (27) $\underline{r}_0 = \underline{r}_l = -\,j$ einsetzt. Man kann also — wie bereits erwähnt — die einfacheren Formeln von Abschn. 3a auch auf die Biegeschwingungen eines langen Stabes anwenden, wenn man die richtigen Reflexionsfaktoren einsetzt. Die Unterschiede zwischen den verschiedenen Wellenarten treten erst auf, wenn man von den Wellenzahlen $k^{\perp}$ und $k^{\perp\!\!\perp}$ auf die Frequenz und den Verlustfaktor übergeht. Im Gegensatz zu Longitudinal- und Torsionswellen gilt nämlich für Biegewellen $k^{\perp\!\!\perp}/k^{\perp} = \eta/4$ (s. Gl. (12b)).

Genauso wie bei Longitudinal- und Torsionswellen kann man auch bei schwach gedämpften Biegewellen aus der Halbwertsbreite die Dämpfung ermitteln. Genau dieselbe Rechnung wie in Abschn. 3, a führt auf

$$\frac{v_B}{v_{\max}} \approx \frac{1}{1 + j\,\dfrac{\Delta k^{\perp}\, l}{k^{\perp\!\!\perp}\, l}}\,. \tag{49}$$

Wegen $k = \sqrt{\omega}\,\sqrt[4]{m'/B}$ wird $\Delta k = \dfrac{1}{2}\,\dfrac{k\,\Delta f}{f_n}$.

Es folgt also

$$\left|\frac{v_B}{v_{\max}}\right|^2 \approx \frac{1}{1 + \left(\dfrac{2\,\Delta f}{\eta\, f_n}\right)^2}\,. \tag{49a}$$

Wie man sieht, gilt auch bei Biegewellen für die Halbwertsbreite der Resonanzkurve

$$b = \eta\, f_n\,. \tag{50}$$

Das ist dieselbe Gleichung wie bei Longitudinal- und Torsionswellen auf Stäben.

Für das Schwingungsverhalten in der Nähe eines Schwingungsknotens gelten ebenfalls die in Abschn. 3, a abgeleiteten Formeln. Man kann also die Gln. (37) bis (39) außerhalb der Nahfelder direkt auf Biegewellen anwenden.

Der Frequenzgang der Stabschwingungen in der Nähe der Resonanzstellen ist nicht nur für die meßtechnische Anwendung — insbesondere bei der Bestimmung des Verlustfaktors — von Interesse, man kann auch ganz allgemein die Stabschwingungen als eine Summe von Resonanzschwingungen (Eigenschwingungen) darstellen. Wir werden diese Frage im Kap. IV, 4 ausführlich behandeln und finden, daß die Schnelle eines Stabes durch

$$\underline{v}(x) = \sum_{n=0}^{\infty} \frac{\underline{v}_n\, \varphi_n(x)}{\omega_n^2(1 - j\,\eta) - \omega^2} \tag{51}$$

dargestellt werden kann.

Dabei sind ω_n die Eigenkreisfrequenzen des Stabes, $\underline{v}_n$ von der Frequenz ziemlich unabhängige Koeffizienten und $\varphi_n(x)$ die sogenannten Eigenfunktionen. Die Gl. (51) gilt sowohl für Longitudinal- und Torsionswellen als auch für Biegewellen, man muß nur die richtigen Werte für ω_n, $\underline{v}_n$ und $\varphi_n(x)$ einsetzen.

Die Tatsache, daß man die durch die Gln. (44) oder auch (27) gegebenen Stabschwingungen auch durch eine Gleichung der Form (51) darstellen kann, ist auf den ersten Blick etwas überraschend, da beide Gleichungen einen ganz verschiedenen Charakter haben. Es ist jedoch durchaus möglich, die beiden Darstellungen ineinander überzuführen, wenn man vom MITTAG-LEFFLERschen Satz der Funktionentheorie Gebrauch macht. Dieser Satz besagt, daß jede meromorphe Funktion — also insbesondere auch Funktionen der Form $1/\sin x$ oder $1/\cos x$ — durch eine unendliche Summe dargestellt werden kann. Die tatsächliche Durchführung dieser Umformung bereitet zwar keine prinzipielle Schwierigkeit, sie ist jedoch etwas zu langwierig, um hier explizit vorgenommen zu werden.

Die für die Verlustfaktormessung sehr wichtige Gl. (49a) erhält man übrigens auch aus Gl. (51), indem man nur den größten Summanden berücksichtigt und sich auf einen Punkt $x = x_0$ beschränkt. Es wird dann

$$\underline{v}(x_0) \approx \frac{\underline{v}_n \, \varphi_n(x_0)}{\omega_n^2 - \omega^2 - j\,\omega_n^2 \eta} = \frac{\underline{v}\, \varphi_n(x_0)}{(\omega_n - \omega)\,(\omega_n + \omega) - j\,\omega_n^2 \eta} \,. \tag{52}$$

In der Nähe der Resonanzstelle $\omega = \omega_n$ kann man $\omega_n + \omega \approx 2\,\omega_n$ setzen und erhält mit $\omega_n - \omega = \Delta\omega$

$$\underline{v}(x_0) \approx \frac{\underline{v}_n \, \varphi_n(x_0)}{-j\,\omega_n^2 \eta} \; \frac{1}{1 + j\,\dfrac{2\,\Delta\omega}{\eta\,\omega_n}} \,.$$

Daraus ergibt sich dann sofort wieder Gl. (49a).

4. Messung des komplexen Moduls

Der komplexe Elastizitätsmodul ist eine sehr wichtige Größe zur Beschreibung der mechanischen Eigenschaften eines Materials. Es gibt daher eine ganze Reihe von Meßverfahren, von denen einige wichtige hier beschrieben werden sollen. Im Prinzip kann man drei Typen von Meßmethoden unterscheiden. Bei tiefen Frequenzen und kleinen Probeabmessungen kann man das zu untersuchende Probestück als Feder betrachten und die Federkonstanten ermitteln. Bei mittleren und hohen Frequenzen ist dieses Verfahren nicht mehr anwendbar, da das Probestück nicht mehr als Feder sondern als Wellenleiter wirkt. Man benutzt daher in diesem Frequenzbereich Stäbe als Probestücke und bestimmt aus dem Verhalten der Longitudinal-, Torsions- oder Biegewellen die mechanischen Eigenschaften der Probe. Bei sehr hohen Frequenzen, insbesondere im Ultraschallbereich, sind die Wellenlängen meist wesentlich kleiner als alle Stababmessungen. In diesem Gebiet ist es am günstigsten, die Messungen an Probestücken vorzunehmen, die bereits als „unendlich ausgedehntes Kontinuum“ behandelt werden können.

Es werden hier nur die beiden ersten Typen behandelt; bezüglich der reinen Ultraschallmessungen verweisen wir auf die entsprechende Literatur[1]. Es soll auch kein Versuch gemacht werden, die vielen hochinteressanten Zusammenhänge zwischen dem Aufbau der Stoffe und ihren mechanischen Eigenschaften zu studieren. Die Untersuchung dieser Fragen, die in den letzten Jahren eine sehr stürmische Entwicklung erfuhr und zahlreiche sehr interessante Effekte ergab (z. B. Wechselwirkungen zwischen Schallschwingungen und Bewegungen der Elektronen), gehört zum größten Teil in das Gebiet der reinen Physik und dürfte wenigstens vorläufig für die Praxis der Lärmbekämpfung noch wenig Anwendung haben. Lediglich bei den Hochpolymeren ergaben die Konstitutionsuntersuchungen mit Hilfe von Körperschallmessungen Ergebnisse, die für die Entwicklung von Stoffen zur Körperschalldämmung unmittelbar von Interesse sind. Wir werden daher dieses Gebiet etwas ausführlicher behandeln.

a) Messung an kleinen Proben

α) Bestimmung des Spannungs-Dehnungsdiagramms. Abb. III/8 zeigt das Prinzip eines direkten Verfahrens zur Ermittlung eines komplexen Elastizitätsmoduls. Das Probestück wird an einem Ende starr gehalten. Am anderen Ende wird es von einer periodischen Kraft F angeregt. Die dadurch bedingte Auslenkung $\Delta\xi$ wird gemessen. Aus dem Absolutbetrag der Kraft und der Auslenkung ergibt sich der Absolutbetrag des Elastizitätsmoduls nach der Gleichung

$$\frac{|F|}{|\Delta\xi|} = |\underline{E}|\,\frac{S}{l} = \frac{S}{l}\,E'\sqrt{1+\eta^2} \tag{53}$$

(S = Querschnitt, l = Länge des Probestückes).

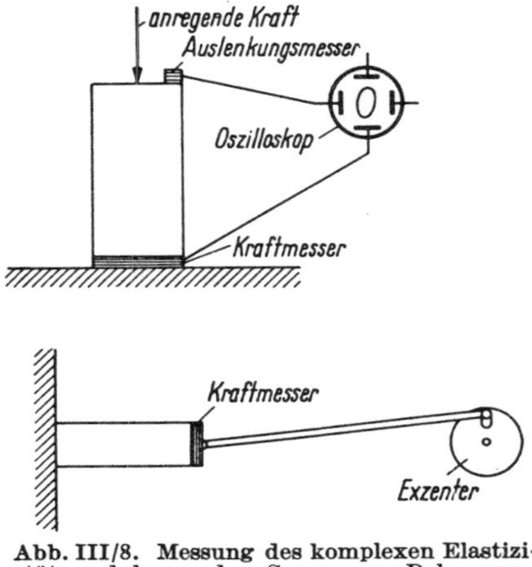

Abb. III/8. Messung des komplexen Elastizitätsmoduls aus dem Spannungs-Dehnungs-Diagramm

Aus dem Phasenwinkel φ zwischen Kraft und Auslenkung erhält man den Verlustfaktor nach der Beziehung

$$\eta = \operatorname{tg}\varphi\,. \tag{54}$$

---

[1] S. z. B. MASON, W. P.: Physical Acoustics and the Properties of Solids, van Nostrand: 1958.

Zur Erzeugung der Wechselkraft wird man im allgemeinen ein elektrodynamisches System benutzen, zur Messung der Kraft und der Auslenkung elektromechanische Aufnehmer. Man kann also ohne allzu großen Aufwand die mechanischen Größen phasenrichtig in elektrische umwandeln, verstärken und messen. Gibt man zudem noch die beiden elektrischen Signale auf die Platten eines Oszillographen, so erhält man eine Ellipse, aus deren Abmessungen sich Real- und Imaginärteil des Moduls ergeben (s. Gl. (20) und Abb. III/3), außerdem kann man Unregelmäßigkeiten (Nichtlinearitäten durch seitliches Ausknicken des Probestückes, Auftreten von Schwingungen höherer Ordnung, Resonanzen des Halterungssystems) an Verzerrungen der Ellipse sehr leicht erkennen.

Man kann das Probestück auch auf Biegung oder Torsion beanspruchen und aus den Kräften bzw. Momenten und den Auslenkungen bzw. Verdrehungen die komplexe Biegesteife und den komplexen Schubmodul ermitteln. Außerdem kann man, statt einer periodischen Kraft eine periodische Auslenkung z. B. durch einen Exzenter vorgeben; bei dieser Methode kann man auch ohne große Schwierigkeiten eine statische Vorspannung einstellen (s. Abb. III. 8 unten).

Die Hauptschwierigkeit bei der eben beschriebenen Meßmethode besteht in der genauen Messung des Phasenwinkels und in der Herstellung eines „starren Endes“. (Ein „starres Ende“ ist genau so wenig realisierbar, wie beispielsweise ein absolutes Vakuum.) Um Verlustfaktoren von $\eta \approx 10^{-2}$ (dieser Wert wird z. B. von Holz erreicht) zu messen, müßte man den Phasenwinkel zwischen Kraft und Auslenkung bis auf etwa 0,2° genau messen.

Selbst wenn eine gute elektrische Apparatur das zu leisten imstande ist, so werden doch in der Probenhalterung meistens Verluste auftreten, die zu größeren Phasendrehungen führen. Aus diesem Grunde ist der praktische Anwendungsbereich der Methode auf relativ weiche Materialien mit nicht zu kleinen Verlusten (z. B. Gummi) beschränkt[1]. Selbstverständlich muß die tiefste Resonanzfrequenz der Meßapparatur wesentlich höher sein, als die höchste zu messende Frequenz. Der Befestigung der Probenenden muß ebenfalls Beachtung geschenkt werden. Wird eine Klemmvorrichtung benutzt, so ist zu beachten, daß die Länge des Probestückes nicht genau definiert ist, da ein Teil des eingeklemmten Probestabes noch mit gedehnt wird. Es ist daher günstig, „schlanke“ Probestücke zu verwenden, bei denen dieser Einfluß gering ist. Allerdings ist dann auch die Gefahr des seitlichen Ausknickens größer. Auch bei Probestücken, die stumpf angeklebt werden, können Schwierigkeiten auftreten. Das ist darauf zurückzuführen, daß an der Klebestelle die Querkontraktion verhindert ist, daß also an dieser Stelle der Modul um

[1] Diese Meßmethode ist auch in DIN 53513 „Bestimmung der viskoelastischen Eigenschaften von Gummi“ ausführlich beschrieben.

den Faktor $(1-\mu)/(1-\mu-2\,\mu)^2$ größer ist. Besonders bei Gummi mit einer Querkontraktionszahl $\mu \approx 0{,}5$ ist dieser Einfluß zu beachten.

Eine physikalische Grenze für die Verwendbarkeit des beschriebenen Meßverfahrens ergibt sich aus der Länge der Probe. Wie Gl. (29) zeigt, ist die Steife einer einseitig eingespannten Probe durch $\omega\, Z \operatorname{ctg} k\, l$ gegeben. Da $k\, l = 2\,\pi\, l/\lambda$, gilt Gl. (53) nicht mehr, wenn die Länge des Probestückes vergleichbar mit der Longitudinalwellenlänge wird (bei Beanspruchung auf Biegung oder Torsion sind die entsprechenden Wellenlängen einzusetzen). Eine Entwicklung von $\operatorname{ctg} k\, l$ zeigt, daß der relative Fehler, der durch die endliche Länge der Probe verursacht wird, von der Größenordnung $k^2\, l^2/3$ ist. Bei einer Probe, deren Länge ein Fünfzigstel der Wellenlänge beträgt, ist der Fehler ca. 0,8%, bei einem Zehntel der Wellenlänge bereits 20%.

Ein großer Vorteil der beschriebenen Methode besteht darin, daß man ohne Änderung an der Probe die Meßfrequenz kontinuierlich ändern kann (bei allen Resonanzmethoden ist das nicht der Fall). Man kann also die Frequenzabhängigkeit des Moduls und des Verlustfaktors ohne Schwierigkeit über den ganzen Meßbereich der Apparatur ermitteln.

β) Bestimmung des mechanischen Widerstandes. In vielen Fällen ist es günstig, statt der beiden Größen Spannung und Dehnung deren Quotienten — den mechanischen Widerstand je Fläche Z'' einer Probe — zu bestimmen und daraus die Materialkonstanten zu berechnen. Das bekannteste Verfahren dieser Art ist der sogenannten „Fitzgerald-Apparat" zur Bestimmung der komplexen Schubsteife[1]. Das Prinzip der Anordnung besteht darin, daß an einer sehr weich aufgehängten Masse der Probekörper befestigt wird; der Probekörper wird mit einer periodischen Kraft angeregt und es wird der mechanische Widerstand der ganzen Anordnung bestimmt. Aus dem Widerstand der Gesamtanordnung kann man durch Berücksichtigung des Widerstandes des Anregesystems und der „schwimmenden Masse" den Widerstand der Probe allein ermitteln.

In Abb. III/9 ist oben eine Prinzipskizze der konstruktiven Anordnung gegeben; darunter ist das elektromechanische Schaltbild gemäß den in (I, 4b) eingeführten Symbolen eingezeichnet. Die von der Spule ausgehende Kraft verteilt sich zunächst auf die innere Impedanz des Anregesystems $\underline{Z}_A$ und auf die Probe, deren Impedanz mit $\underline{Z}_P$ bezeichnet sei, wobei sich die Schnelle aufteilt in die Änderung der Zusammendrückung und die absolute Schnelle der Masse m. Wir erhalten somit für die gesamte mechanische Impedanz, mit dem der elektrodynamische Wandler belastet ist:

$$\underline{Z} = \underline{Z}_A + \frac{1}{\left(\frac{1}{\underline{Z}_p} + \frac{1}{\underline{Z}_m}\right)} \tag{55}$$

[1] Fitzgerald, E. R. and J. O. Ferry: J. Colloid. Sci. 8 (1953) 1.

$\underline{Z}_A$ muß durch eine Hilfsmessung vorher bestimmt werden. $\underline{Z}_p$ nimmt im Falle von Schubbewegungen den Wert:

$$\underline{Z}_p = \frac{G\,S}{j\,\omega\,d} \tag{56}$$

an, wobei S die Querschnittsfläche, d die Dicke der Probe darstellt. Ist die Probe nicht mehr klein zur Wellenlänge, so tritt an die Stelle der einfachen Impedanz $\underline{Z}_P$ ein mechanischer Vierpol.

Beim Fitzgerald-Apparat geschieht die Anregung durch zwei Spulen, die von den Strömen $\mathfrak{I}_1$ und $\mathfrak{I}_2$ durchflossen werden, also die Kraft ergeben:

$$\underline{F} = \underline{Z}\,\underline{v} = M_1\,\mathfrak{I}_1 + M_2\,\mathfrak{I}_2\,.$$

M_1 und M_2 bedeuten die Wandlerkonstanten, also die Produkte aus Induktionen und Leiterlängen.

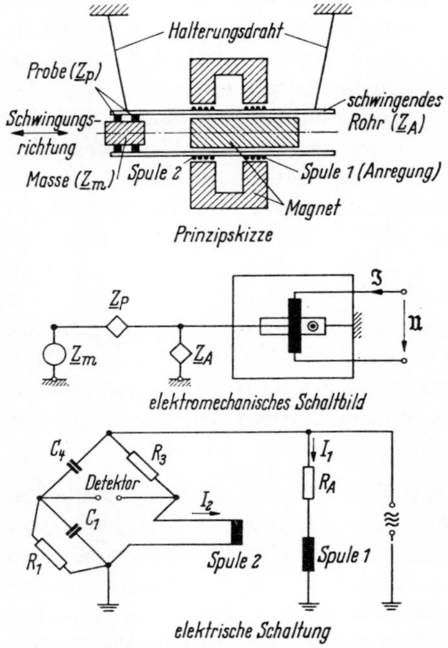

Abb. III/9. Messung des mechanischen Widerstands nach FITZGERALD

Dabei befindet sich die eine Spule im Zweig einer Brücke, die einen Zweig mit den variablen, parallel geschalteten Elementen R_1 und C_1 und in den anderen Zweigen die festen Elemente R_3 und C_4 enthält. (Abb. III/9 unten). Die in der Brücke abgeglichene Eingangsimpedanz $\mathfrak{Z}_2$ ist dabei gegeben durch (s. Gl. I, 95)

$$\mathfrak{Z}_2 = \frac{\mathfrak{U}_2}{\mathfrak{I}_2} = \mathfrak{Z}_{20} - \frac{M_2\,\underline{v}}{\mathfrak{I}_2} = \mathfrak{Z}_{20} - \frac{M_2^2}{\underline{Z}}\left(1 + \frac{M_1\,\mathfrak{I}_1}{M_2\,\mathfrak{I}_2}\right).$$

Die „Ruhe-Impedanz" $\mathfrak{Z}_{20}$ kann bei festgehaltener Spule bestimmt werden.

Einfacher ist es jedoch, zwei Messungen für verschiedene Stromverhältnisse $\mathfrak{I}_1/\mathfrak{I}_2$ durchzuführen (man kann das durch Variation von R_3 und R_A erreichen). Für die auf diese Weise gemessenen Widerstände $\mathfrak{Z}_{2a}$ und $\mathfrak{Z}_{2b}$ gilt dann

$$\mathfrak{Z}_{2a} - \mathfrak{Z}_{2b} = \frac{M_1\,M_2}{\underline{Z}}\left(\frac{\mathfrak{I}_{1a}}{\mathfrak{I}_{2a}} - \frac{\mathfrak{I}_{1b}}{\mathfrak{I}_{2b}}\right).$$

Es braucht also nur die Apparatekonstante $M_1\,M_2$ (die man aus Messungen mit bekannten Widerständen gewinnt) bekannt zu sein, um aus den elektrischen Widerständen den mechanischen zu ermitteln.

Der mechanische Widerstand $\underline{Z}$ kann bei geeigneter Wahl der elektrischen Größen mit einer Genauigkeit von etwa 1% gemessen werden. Wie genau der Widerstand der Probe $\underline{Z}_p$ gemessen werden kann, hängt noch von den beiden Differenzbildungen in Gl. (55) ab. Offensichtlich wird die Messung am genauesten, wenn $\underline{Z}_A \ll \underline{Z}$ und $\underline{Z}_m \gg \underline{Z}_p$. Das als Spulenträger dienende Rohr soll also sehr leicht, die schwimmende Masse sehr schwer sein. Will man über große Frequenzbereiche messen, so ist es günstig, verschiedene Probengrößen zu verwenden, so daß man immer im Bereich großer Genauigkeit arbeitet.

Der große Vorteil aller Meßmethoden, die auf die Bestimmung des mechanischen Widerstandes hinauslaufen, liegt darin, daß man die Meßfrequenz kontinuierlich ändern kann. Ein gewisser Nachteil ist, daß die Messung selbst nicht gerade einfach ist. Der Meßbereich ist durch die Bedingung $\underline{Z}_A \ll \underline{Z}$ und $\underline{Z}_m \gg \underline{Z}_p$, sowie durch das Auftreten von Resonanzen im Spulenträgerrohr bestimmt. Hinsichtlich der Frequenz geht der Bereich von ca. 20—5000 Hz, hinsichtlich der Moduln bis etwa 10^{10} dyn/cm².

γ) Bestimmung des Ausschwingvorganges. Während bei den bisher behandelten Meßverfahren Spannung und Dehnung gemessen werden müssen, genügt es bei allen Methoden, die das Resonanzverhalten einer Anordnung ausnützen, nur eine Größe, meist die Dehnung oder die Schnelle bzw. Beschleunigung zu messen. Man hat jedoch den Nachteil, daß man nur bei einer Frequenz, nämlich der Resonanzfrequen messen kann.

Ein sehr bekanntes Verfahren dieser Art ist der Torsionsschwingungsversuch, der besonders bei Hochpolymeren bei tiefen Frequenzen (DIN 53445) benutzt wird, jedoch nicht darauf beschränkt ist (Abb. III/10)[1].

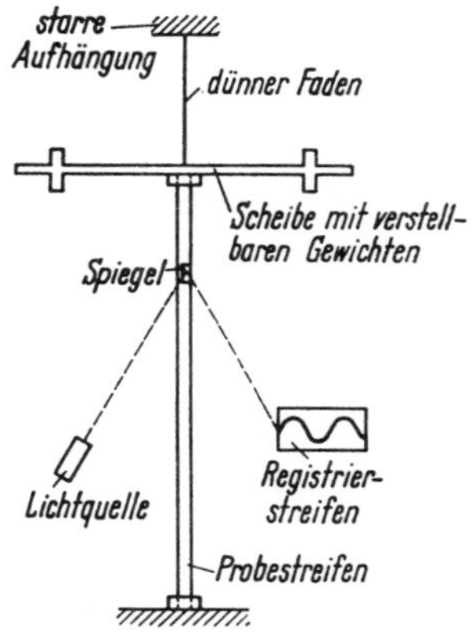

Abb. III/10. Prinzip eines Torsionspendels

Man benutzt dazu sehr häufig eine optische Anordnung bestehend aus einer Lichtquelle, einem kleinen Spiegel und einem mit konstanter Geschwindigkeit vorbeilaufenden Registrierpapier (bei höheren Frequenzen werden elektrische Meßverfahren benutzt). Auf diesem Papier werden dann die Schwingungen direkt angezeigt und man kann beispielsweise aus dem Abstand der Maxima und der Registriergeschwindigkeit sofort die Eigenfrequenz f_0 ermitteln. Für die Messung der Dämpfung wird

[1] Dabei ist, um eine Dehnung der Probe durch das Gewicht der Scheiben zu vermeiden, die ganze Anordnung „umgekehrt“ an einem dünnen Faden aufgehängt.

meist das sogenannte logarithmische Dekrement Λ benutzt. Es ist definiert aus den Amplitudenabnahmen pro Periode. Ist also A_n der zu irgendeiner Zeit gemessene Maximalausschlag und A_{n+1} der Maximalausschlag eine Periode später, dann ist

$$\Lambda = \ln \frac{A_n}{A_{n+1}} . \tag{57}$$

Für kleine Dämpfungen ergibt sich daraus nach Gl. (24) unmittelbar

$$\eta = \Lambda/\pi . \tag{58}$$

Für große Dämpfungen ist noch eine Korrektur notwendig, die auf die Formel

$$\eta = \frac{\Lambda/\pi}{\sqrt{1 + (\Lambda/2\pi)^2}} \tag{59}$$

führt. Da sich, wenn man über viele Perioden mißt, Λ ziemlich genau bestimmen läßt, hat man eine einfache und ziemlich exakte Methode zur Bestimmung von η.

Für die zweite interessierende Größe — die Torsionssteife T der Probe — gilt

$$|T| = (2\pi f_n)^2\, \Theta \left(1 + \frac{\Lambda^2}{4\pi^2}\right) \tag{60}$$

(Θ = Trägheitsmoment der Scheibe).

Aus der Torsionssteifigkeit und den Abmessungen der Probe ergibt sich der Absolutbetrag des Schubmoduls. Für die häufig verwendeten, bändchenförmigen Probekörper gilt

$$|G| = G^{\perp} \sqrt{1 + \eta^2} = |T| \frac{3\,l}{b^3\, h\, (1 - 0{,}63\, b/h)} . \tag{61}$$

Dabei ist l die Länge, h die Breite und b die Dicke der Probe ($h > b$) (Die in DIN 53445 für Hochpolymere empfohlenen Abmessungen sind $l \approx 60$, $h \approx 10$, $b \approx 2$ mm). Über den Zusammenhang zwischen Torsionssteife und Schubmodul (s. auch die Gln. (II, 64) und (II, 64a)).

Der Hauptvorteil des Torsionspendels ist die große Einfachheit. Es können damit Stoffe in relativ kurzer Zeit bei vielen Temperaturen untersucht werden. Der Nachteil ist, daß man jeweils nur bei einer durch das Trägheitsmoment Θ bestimmten Frequenz messen kann. Die Frequenzabhängigkeit eines Moduls ist also mit dem Torsionspendel nur auf relativ umständliche Weise, durch Variation von Θ, l, b und h, zu bestimmen. Nach unten ist der Verwendung des Torsionspendels kaum eine Grenze gesetzt; es muß nur sichergestellt sein, daß durch die bei tiefen Frequenzen notwendigen großen Scheiben die Probe nicht unzulässig belastet wird. In der Praxis kommen Frequenzen von 0,1 Hz vor. Nach hohen Frequenzen hin ist der Meßbereich durch die Probenlänge bestimmt; für Messungen mit einer Genauigkeit von 1% sollte sie nicht größer sein als ein Fünfzigstel der Torsionswellenlänge. Man wird also nur sehr selten auf Meßfrequenzen über 500 Hz kommen.

δ) Bestimmung der Resonanzfrequenz und der Halbwertsbreite. Im Prinzip eng verwandt, jedoch äußerlich sehr verschieden vom Torsionspendel sind die verschiedenen Vibrometer zur Bestimmung der mechanischen Steife. Bei diesen Anordnungen, die sehr oft zur Untersuchung von Fasermatten, Schaumstoffen, Kork und dergl. verwendet werden, wird das Probestück ebenfalls als Federelement in einem mechanischen Resonanzkreis benutzt. Im einzelnen wird das Probestück an einem Ende auf einem starren Fundament oder auf einer großen, sehr weich gelagerten Masse befestigt. Am anderen Ende wird eine bekannte Masse angebracht, die von einer Wechselkraft angeregt wird und deren Schnelle gemessen wird (Abb. III/11). Wird die Frequenz der anregenden Kraft variiert, die Kraftamplitude jedoch einigermaßen konstant gehalten, dann beobachtet man im allgemeinen eine Resonanzfrequenz f_R, deren Halbwertsbreite b ohne Schwierigkeit gemessen werden kann. Der Realteil des Elastizitätsmoduls ergibt sich aus der Resonanzfrequenz nach der Gleichung

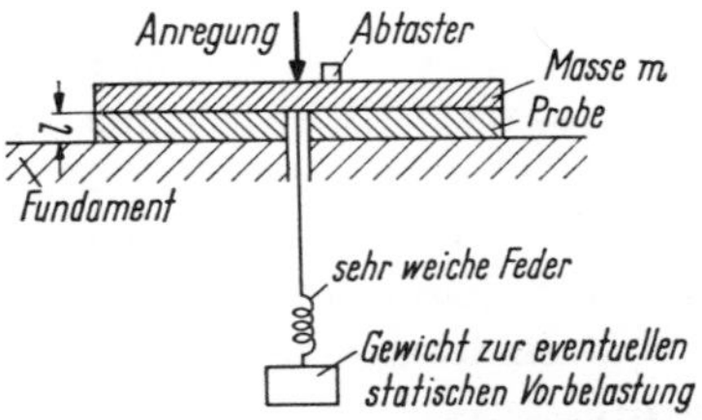

Abb. III/11. Messung der dynamischen Steife und des Verlustfaktors aus der Resonanzfrequenz und der Halbwertsbreite

$$E^{\perp} = 4\,\pi^2 f_R^2\, m \frac{l}{S}\,. \tag{62}$$

(Dabei ist l die Probedicke und S ihre Fläche.) Bei Befestigung auf einem starren Fundament ist m die obere Masse. Bei Befestigung auf einer weich gelagerten Masse m_u mit einer oberen Masse m_0 ist $m = m_0\, m_u/m_0 + m_u$ zu setzen. Für den Verlustfaktor gilt unmittelbar (s. Gl. (52))

$$\eta = \frac{b}{f_R}\,. \tag{63}$$

Will man die Eigenschaften der Probe bei verschiedenen Frequenzen untersuchen, so muß man die obere Masse variieren, um andere Resonanzen zu erhalten. Dabei genügt es häufig nicht, einfach Zusatzgewichte aufzulegen, vielmehr sollen die Gewichte angeschraubt oder auf andere Weise starr befestigt werden; nur so ist gewährleistet, daß die Masse m als Einheit wirkt und nicht ihrerseits Resonanzen aufweist. (In bestimmten Fällen, z. B. bei der Messung der Lastabhängigkeit einer Fasermatte, wird die Vorlast meist dadurch erzielt, daß man Zusatzgewichte über sehr weiche Federn anbringt.)

Wie alle Meßmethoden, bei denen der Verlustfaktor aus der Halbwertsbreite bestimmt wird, ist auch die hier beschriebene nur für kleine

Verlustfaktoren geeignet. Ist nämlich der Verlustfaktor zu hoch, dann wird die Resonanzkurve so flach, daß man keine Halbwertsbreite messen kann. Im günstigsten Fall, das ist, wenn man die beiden Frequenzen mißt (oberhalb und unterhalb der Resonanz), bei denen die Amplitude gerade das 0,707fache (—3 dB) der Resonanzamplitude ist, und daraus b bestimmt, ist der relative Fehler von der Größe $\eta^2/2$.

Eine weitere physikalische Grenze für die Verwendbarkeit derartiger Vibrometer ist durch die Probedicke gegeben, die wieder sehr viel kleiner sein soll als die entsprechende Wellenlänge.

Praktische Schwierigkeiten, die beim Betrieb der Apparaturen auftreten, sind Resonanzen der Lagerung und das durch unsymmetrische Anregung bedingte Auftreten von Kippbewegungen der Probe. Beide Effekte führen dazu, daß keine eindeutige Resonanz und damit auch keine eindeutige Steife gemessen werden kann. Weiterhin ist zu beachten, daß durch das Anregesystem keine zusätzliche Dämpfung verursacht wird. Bei Proben, die Luft enthalten (Fasermatten, Schaumstoffe) ist unter Umständen die Größe der Probe von großem Einfluß auf das Meßergebnis. Man muß hier zwei Fälle unterscheiden: Hat die Probe nur offene Poren, so kann man die Steife des Skelettmaterials allein bestimmen, da bei kleinen Proben und tiefen Frequenzen die Luft nur aus- und ein„gepumpt“ wird. (Für Messungen an Fasermattern benutzt man nach DIN 52214 im allgemeinen Proben von 20×20 cm² und Frequenzen von 20—200 Hz). Bei hohen Frequenzen kann die Luft nicht mehr schnell genug hin- und herbewegt werden; sie wird also komprimiert und liefert unter Umständen einen erheblichen Anteil zur Gesamtsteife. Bei Proben mit geschlossenen Poren ist es nicht möglich, zwischen der Steife des Skeletts und der eingeschlossenen Luft zu unterscheiden. Man kann in diesem Fall nur die Gesamtsteife bestimmen, die — ähnlich wie bei Gummi — sehr stark von der Probenfläche abhängt. Man kann sich leicht vorstellen, daß sich solche Proben beinahe wie Flüssigkeiten verhalten, also eine Querkontraktionszahl von etwa 1/2 haben.

b) Messung an Stäben

Wie im zweiten Kapitel ausführlich dargelegt wurde, treten bei Stäben Quasilongitudinal-, Torsions- und Biegewellen auf; erst bei relativ hohen Frequenzen kommen noch die Oberflächenwellen hinzu. Man kann also zur Untersuchung von Stäben diese drei Wellenarten benutzen. In der Praxis begnügt man sich meist damit, mit Biegewellen zu messen, da dieser Wellentyp für die Schallabstrahlung am wichtigsten ist. Außerdem lassen sich Biegewellen am leichtesten und „saubersten“ anregen, da sie von den drei Wellenarten den kleinsten Eingangswiderstand haben. Die Biegewellenmethoden wurden hauptsächlich zur Untersuchung von Entdröhnbelägen und dgl. entwickelt[1, 2]. Wir werden sie im folgenden etwas ausführlich behandeln und auf die Meßmethoden mit Torsions- und Quasilongitudinalwellen nur ganz kurz eingehen.

α) Bestimmung der Halbwertsbreiten. Am besten geeignet zur Messung der Biegewellenresonanzen sind frei aufgehängte Stäbe, die an einem Ende angeregt und am anderen abgetastet werden (Prinzip s. Abb. III/12). In diesem Falle ist man sicher, daß sich sowohl Anreger als auch Abtaster

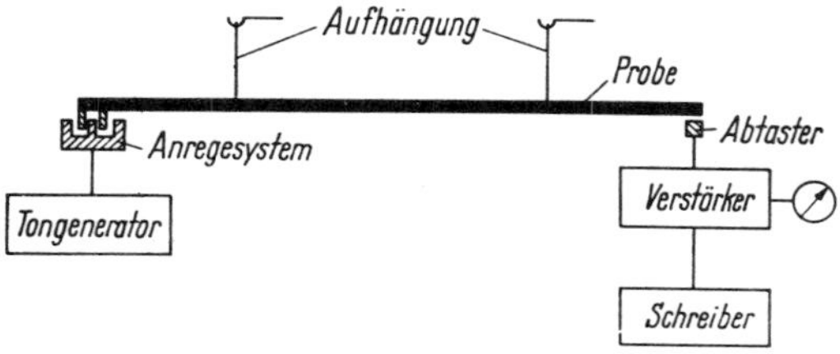

Abb. III/12. Messung der Biegewellenresonanz und ihrer Halbwertsbreite

bei allen Frequenzen in einem Schwingungsbauch befinden; die mit den — frequenzabhängigen — stehenden Wellen auf der Probe zusammenhängenden Schwierigkeiten treten damit nicht auf. Als Anregesystem eignen sich fast alle lose gekoppelten elektro-mechanischen Systeme (der Elektromagnet eines Kopfhörers und eine auf die Probe geklebte Rasierklinge ergeben bereits ein brauchbares Anregesystem). Die lose Kopplung ist wichtig, da der Probekörper durch die Anregung nicht gedämpft und nicht belastet werden darf. Dasselbe gilt für das Abtastsystem. Für sehr leichte Proben eignen sich kapazitive Sonden am besten, (ein in 0,5—1 mm Abstand vom Stab angebrachtes Mikrophon, das den Luftschall aufnimmt, ist oft ein brauchbarer Notbehelf), bei größeren Proben können auch andere Abnehmer verwendet werden. Für genaue Messungen empfiehlt es sich, die Masse des Abtastsystems kleiner zu halten als $M/30\,n$. Dabei ist M die Gesamtmasse der Probe, n die Anzahl der Schwingungsknoten auf dem Stab bei der höchsten Meßfrequenz*. Ist die genaue Lage der Resonanzfrequenzen höherer Ordnung nicht von großer Bedeutung, dann kann der Abtaster auch schwerer sein.

Die Aufhängung der Proben soll so sein, daß keine zusätzliche Dämpfung verursacht wird. Sind die zu messenden Verlustfaktoren größer als 10^{-3}, so wird diese Forderung durch eine einfache Aufhängung auf

[1] Oberst, H. u. K. Frankenfeld: Acustica (Beihefte) 2 (1952) 181.

[2] Oberst, H., G. W. Becker u. K. Frankenfeld: Acustica (Beihefte) 4 (1954) 433.

* Bei dieser Abschätzung wurde davon ausgegangen, daß der Massenwiderstand des Abtasters kleiner sein soll als ein Zehntel des Biegewelleneingangswiderstandes eines Stabes (s. Kap. IV, 3b).

Fäden verwirklicht. Bei kleineren Verlustfaktoren und leichten Proben muß die Lagerung in den zu erwartenden Schwingungsknoten vorgenommen werden. Auf diese Weise wird dem System am wenigsten Schwingungsenergie entzogen; es bedeutet allerdings, daß für jede Resonanz die Lagerung geändert werden muß (s. Abb. II/18). Eine weitere Quelle unerwünschter Dämpfung kann (im Gebiet $\eta < 10^{-4}$) die Abstrahlung von Luftschallenergie sein. Sie läßt sich zum Teil durch geeignete Formgebung, jedenfalls jedoch durch Messung im Vakuum ausschalten.

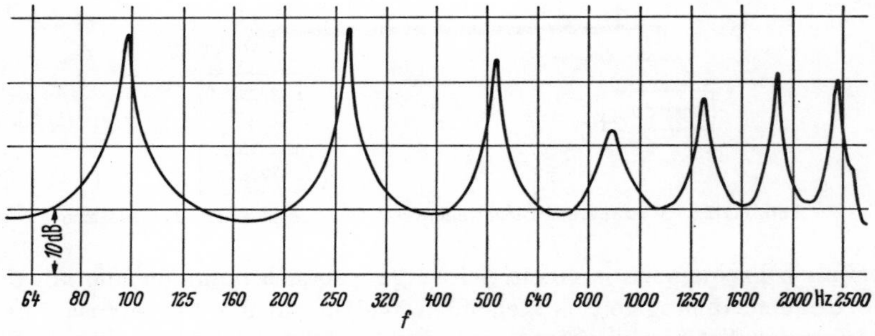

Abb. III/13. Gemessener Frequenzgang eines frei-freien Stabes. Der Stab war mit einem dünnen Dämpfungsbelag versehen. ($\eta \approx 2 \cdot 10^{-2}$ frequenzabhängig)

Die Messung besteht darin, die Resonanzfrequenzen f_n und die dazugehörigen Halbwertsbreiten b zu bestimmen. (Einen typischen Frequenzgang zeigt Abb. III/13.) Der Realteil der Biegesteife ergibt sich nach Gl. (II, 126f) zu

$$B^{\perp} = m' \, l^4 \, f_n^2 \, \frac{64}{\pi^2 \, (2\,n - 1)^4} \,. \tag{64}$$

Für den Verlustfaktor gilt

$$\eta = \frac{b}{f_n} \,. \tag{65}$$

In diesen Gleichungen ist m' die Masse des Probestabes pro Längeneinheit (also $m' \, l$ die Gesamtmasse), l die Länge, n die Anzahl der Schwingungsknoten, die eventuell durch Abtastung entlang des Stabes gefunden werden muß.

Gl. (64) gilt nicht ganz genau, da vernachlässigt wurde, daß durch die Dämpfung die Resonanzfrequenz etwas verringert wird. Der dadurch verursachte relative Fehler, der maximal $\eta/4$ beträgt (s. Bemerkung zu Gl. (32)), ist jedoch nie von großer Bedeutung, da mit dem Resonanzverfahren nur Verlustfaktoren bis etwa 0,1 gut gemessen werden können. Diese Grenze kommt daher, daß sich bei großer Dämpfung überhaupt keine Resonanzen mehr ausbilden. (Abb. III/7a zeigt, daß für $k^{\parallel}/k^{\perp} = 0{,}1$, also $\eta \approx 0{,}4$, bereits bei der dritten Resonanzfrequenz die Überhöhung kaum mehr als 3 dB beträgt. Eine Berücksichtigung höherer Glieder zeigt, daß die Darstellung der Stabschwingungen durch *eine* Resonanzkurve, also der Übergang von Gl. (47) auf Gl. (49), für $k^{\text{II}} l \gg 1$ vollkommen ungenau ist. Der sich ergebende relative Fehler bei der Bestimmung von η beträgt ungefähr $n^2 \eta^2/5$ (n = Anzahl der Schwingungsknoten); oder anders ausgedrückt, wenn der Abstand zwischen den Resonanzen vergleichbar wird mit der Halbwertsbreite, ist keine genaue Messung mehr möglich.

β) Bestimmung der Abklingzeiten. Bei sehr kleinen Dämpfungen ist es meist genauer, statt der Halbwertsbreiten der Resonanzen deren Abklingzeiten zu ermitteln. (Für $f = 100$ Hz, und $\eta = 10^{-3}$ ist die Halbwertsbreite nur 0,1 Hz, also mit einfachen Mitteln nicht mehr gut zu messen.) Man verwendet dazu denselben Aufbau, wie unter α beschrieben, jedoch wird nicht der Frequenzgang in der Nähe der Resonanzen untersucht, sondern es wird das Abklingen der Schwingung beobachtet, wenn die Erregung plötzlich abgeschaltet wird. Wie Gl. (24) zeigt, erfolgt der Abklingvorgang für die Energie nach der Funktion $e^{-\eta \omega t}$. Man kann also beispielsweise wie in der Raumakustik die Nachhallzeit T messen, in der die Schwingungsenergie auf ein Millionstel ihres Ausgangswertes absinkt. Es gilt dann nach Gl. (24)

$$\eta = \frac{\ln 10^6}{\omega T} \approx \frac{2{,}2}{f T}. \tag{66}$$

Statt der Nachhallzeit T kann man natürlich auch jede andere für den Abklingvorgang charakteristische Größe messen und daraus η ausrechnen.

Soll nur der Verlustfaktor, nicht aber die Biegesteife gemessen werden, genügt es, die Nachhallzeit zu messen, wenn der Probestab durch Anschlagen mit einem Hammer oder dgl. angeregt wird. Es muß dann das vom Abtaster abgegebene elektrische Signal noch gefiltert werden, um auch den Frequenzgang des Verlustfaktors zu erhalten. Die Genauigkeit dieser Messung ist nicht besonders groß, da u. U. zwei oder mehrere Eigenschwingungen mit verschiedenen Abklingzeiten innerhalb einer Filterbreite liegen; man erhält dann „gekrümmte“ Nachhallkurven und damit keinen eindeutigen Verlustfaktor.

Unregelmäßigkeiten in den Abklingvorgängen können auch bei periodischer Anregung auftreten und zwar dann, wenn Anregefrequenz und Eigenfrequenz nicht genau übereinstimmen (s. Abb. III/14). Gl. (24) wurde nämlich unter der Voraussetzung abgeleitet, daß nur ein Energiereservoir vorhanden ist. Ist das nicht der Fall, sind also zwei Wellentypen oder mehrere Eigenschwingungen (wie das bei der Anregung außerhalb der Resonanz der Fall ist) angeregt, dann kann die mechanische Energie nicht nur in Wärme umgesetzt werden, sondern auch zwischen den Energiereservoirs hin- und herpendeln und so zu den merkwürdigsten

Abklingvorgängen Anlaß geben. Sicher ist in solchen Fällen nur, daß zum Schluß der Vorgang mit der längsten Nachhallzeit übrig bleibt.

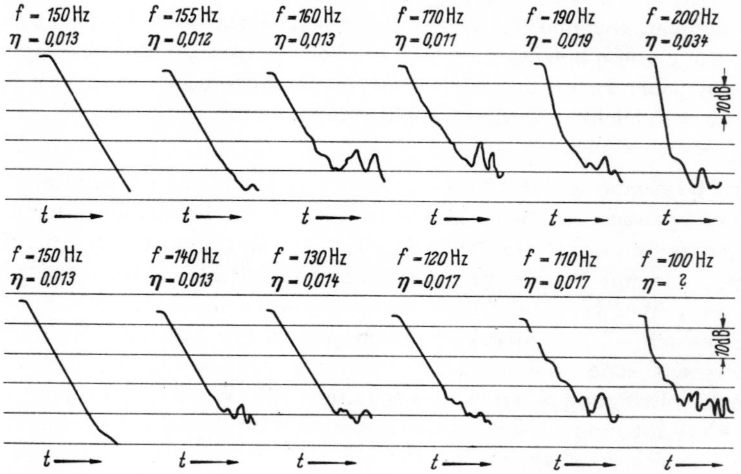

Abb. III/14. Gemessene Abklingvorgänge bei und in der Nähe der Resonanzfrequenz (150 Hz)

Im Prinzip wäre die Bestimmung der Nachhallzeit eine bis zu relativ großen Werten von η brauchbare Methode. Wegen der Trägheit der dabei meist verwendeten Meßgeräte wird sie jedoch im allgemeinen nur bei kleinen Dämpfungen angewandt.

γ) **Bestimmung der Pegelabnahme.** Im Grenzfall sehr langer, stark gedämpfter Stäbe erfolgt die Wellenausbreitung genau so wie in einem unendlich langen Stab. Es gilt also für die Schnelle bzw. Beschleunigung an den Punkten x_0 und x_1

$$\underline{v}_1 = \underline{v}_0\, e^{-j\underline{k}(x_0 - x_1)} = \underline{v}_0\, e^{-k^{\perp\!\!\perp}(x_0 - x_1)}\, e^{-jk^{\perp}(x_0 - x_1)}. \tag{67}$$

Die Phasenverschiebung zwischen den beiden Punkten ist also

$$\varphi_{01} = k^{\perp}\,(x_1 - x_0)\,\text{rad} = \frac{2\pi}{\lambda}\,(x_1 - x_0)\,\text{rad} \tag{68}$$

(λ = Wellenlänge), während für die Amplitudenabnahme gilt

$$\ln\frac{v_0}{v_1}\,\text{Np} = 10\lg\frac{|v_0^2|}{|v_1^2|}\,\text{dB} = 8{,}7\,k^{\perp\!\!\perp}(x_1 - x_0)\,\text{dB}\,. \tag{69}$$

Man kann also durch Messung der Phasen- und Amplitudenabnahme den Real- und Imaginärteil der Wellenzahl ermitteln.

Für nicht allzu große Dämpfung ergibt sich dann der Realteil der Biegesteife zu

$$B^{\perp} = \omega^2 m' \frac{1}{k^{\perp 4}} = \omega^2 m' \left(\frac{x_1 - x_0}{\varphi_{01}}\right)^4 . \tag{70}$$

Für den Verlustfaktor gilt

$$\eta = 4 \frac{k^{\perp\!\perp}}{k^{\perp}} = \frac{D' \lambda}{13,6} . \tag{71}$$

Dabei ist D' die Pegelabnahme in dB pro Längeneinheit, also $(x_1 - x_0) D' = 10 \lg \frac{|v_0^2|}{|v_1^2|}$ dB.

Praktisch geht die Messung so vor sich, daß man den Probestab an einem Ende anregt und mit einem verschiebbaren Abtaster die Schwingungen entlang des Stabes mißt (Abb. III/15). Erfolgt die Abtastung mit konstanter Geschwindigkeit, so kann man aus der Neigung des registrierten Pegels direkt D' und damit $k^{\perp\!\perp}$ bestimmen. Die Messung der Phasenverschiebung erfolgt am einfachsten dadurch, daß man die anregende Spannung und das Signal des Abtasters auf die Plattenpaare eines Oszillographen gibt und die Punkte auf dem Stab markiert, bei denen die Phasenverschiebung gegenüber der Anregung 180 bzw. 360° beträgt.

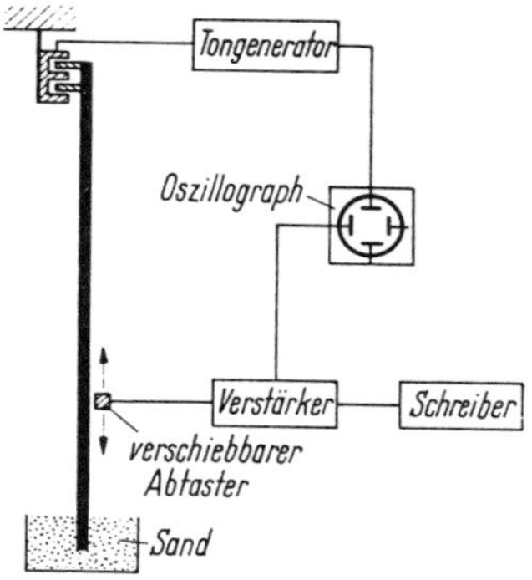

Abb. III/15. Abtastung fortschreitender Biegewellen zur Messung der Wellenlänge und der Dämpfung

Die Aufhängung der Probe und die Befestigung des Anregers ist beim vorliegenden Verfahren ziemlich unkritisch. Dagegen soll der Abtaster nicht zu schwer sein. Es ist oft günstig, ein Ende des Stabes in Sand oder dgl. zu betten, um die Reflexion am Stabende zu reduzieren.

Ist es nicht möglich, Reflexionen am Ende und damit stehende Wellen vollkommen zu vermeiden, dann ist die Amplitudenabnahme nicht mehr durch $e^{-k^{\perp\!\perp} x}$, sondern durch das Verhalten des Zählers in Gl. (48) gegeben. In diesem Falle liegen die Amplitudenmaxima auf einer durch $(\cosh 2\, k^{\perp\!\perp} (l - x) + 1)^{1/2} = \sqrt{2} \cosh k^{\perp\!\perp} (l - x)$ gegebenen Kurve, während die Minima durch $\sqrt{2} \sinh k^{\perp\!\perp} (l - x)$ gegeben sind. Aus diesen beiden Bedingungen läßt sich, wenn man die Nahfelder an den Stabenden ausschließt, $k^{\perp\!\perp}$ und damit η ermitteln.

Die Messung der Pegelabnahme kann erst für $\eta\, k^{\perp}\, l > 10$ genügend genau vorgenommen werden. (Mit einer guten Sanddämpfung kann diese Grenze noch etwas heruntergesetzt werden.) Andererseits eignet sich die Halbwertsbreitenmethode nur bis etwa $\eta\, k^{\perp}\, l = 2$ (s. auch

Abb. III/7a u. 7b). Es wird also im Zwischengebiet notwendig sein, die Probenlänge etwas zu variieren, um die eine oder andere Meßmethode benutzen zu können.

δ) Sonstige Meßmethoden. Neben den bisher beschriebenen Meßmethoden zur Bestimmung der elastischen Eigenschaften von Stäben, die zu Biegeschwingungen angeregt sind, gibt es auch noch andere Meßmethoden. Beispielsweise könnte man den Verlustfaktor aus dem Unterschied der Maxima und Minima des Frequenzganges, aus der Breite der Knoten der stehenden Wellen, oder aus dem mechanischen Eingangswiderstand ermitteln. Alle diese Verfahren haben jedoch gegenüber den oben ausführlich beschriebenen einige Nachteile, so daß sie nur in Ausnahmefällen verwendet werden dürften.

Für die bisher kaum erwähnten Quasilongitudinal- und Torsionswellen können die Methoden der Bestimmung der Halbwertsbreite, der Abklingzeit und der Pegelabnahme (hier ist allerdings zu beachten, daß statt Gl. (71) die Formel $\eta = D' \lambda/27{,}2$ zu benutzen ist) in derselben Weise wie oben beschrieben, angewendet werden. Es gelten auch dieselben Fehlerabschätzungen. Zu beachten ist lediglich, daß stets die richtige Wellenart angeregt und gemessen wird. Besonders bei inhomogenen Stäben ist es nämlich sehr leicht, trotz guter Symmetrierung und dgl. gleichzeitig mehrere Wellenarten anzuregen. Messungen mit Quasilongitudinal- und Torsionswellen werden — wegen der sehr geringen Strahlungsdämpfung — besonders bei sehr schwach gedämpften Medien und — wegen der größeren Wellenlänge — bei hohen Frequenzen verwendet.

c) Messungen an nicht stabförmigen Proben

Proben in Form von Platten, Ringen, Zylindern und dergl. können, ähnlich wie Stäbe, durch Messung der Resonanzfrequenz und der Halbwertsbreite bzw. Abklingzeit untersucht werden. Allerdings ist die Auswertung der Meßergebnisse etwas schwieriger, da nur für kreisrunde und momentenfrei gelagerte, rechteckige Platten sowie für Ringe einfache Formeln für die Resonanzfrequenzen bekannt sind. In allen anderen Fällen ist man auf Näherungsformeln oder dgl. zur Berechnung des Elastizitätsmoduls aus den Resonanzfrequenzen angewiesen. Für die Bestimmung des Verlustfaktors aus der Halbwertsbreite bzw. Abklingkonstante bzw. Nachhallzeit gilt auch bei nicht stabförmigen Körpern Gl. (65) bzw. (66). Da jedoch bei derartigen Proben die Resonanzfrequenzen dichter liegen als bei Stäben und oft auch ziemlich unregelmäßig verteilt sind (Zylinder und langgestreckte Platten weisen beispielsweise eine Art Bandenstruktur auf mit Häufungsstellen der Resonanzfrequenzen), muß man besonders sorgfältig darauf achten, daß der Abstand der Resonanzfrequenzen größer ist als die Halbwertsbreite. Auch ist es wegen der komplizierten Verteilung der Knotenlinien oft nicht leicht, geeignete Meßpunkte zu finden.

Bei gekrümmten Probekörpern kommt noch hinzu, daß bestimmte Schwingungsformen (bei Zylindern sind es Wellen, die sich in axialer Richtung ausbreiten) sehr stark gedämpft sind, während andere Schwingungsformen eine wesentlich geringere Dämpfung haben. Man muß in derartigen Fällen entweder alle Resonanzfrequenzen mühsam auswerten und alle Feinheiten im Frequenzgang des Verlustfaktors ermitteln, oder man kann — um einen näherungsweisen Überblick zu gewinnen — den Probekörper mit Rauschen von Terz- oder Oktavbreite anregen und die Nachhallzeit bestimmen. Dieses letzte Verfahren, das dem Hallraumverfahren in der Raumakustik entspricht, eignet sich besonders bei Proben mit sehr vielen Resonanzen. Es eignet sich auch dann, wenn durch Inhomogenitäten etc. eine starke Koppelung zwischen den einzelnen Wellentypen stattfindet.

5. Meßergebnisse

In der Literatur wird die Materialdämpfung durch mehrere verschiedene Kenngrößen charakterisiert. Um dem Leser die Umrechnung zu erleichtern, sind in Tab. III/1 die wichtigsten Kenngrößen zusammen mit den Umrechnungsformeln angegeben. Die meisten Formeln gelten nur für $\eta < 1$.

a) Metalle

Während Dichte, Elastizitätsmodul und Poissonzahl und damit auch die Schallgeschwindigkeit in Metallen relativ unabhängig von der Vorgeschichte, der Dauer der Beanspruchung, der Frequenz, etc. sind, ist das beim Verlustfaktor durchaus nicht der Fall. Es wurde durch zahlreiche und umfangreiche Untersuchungen erwiesen, daß die innere Dämpfung von Metallen schon durch relativ kleine Änderungen im Metallgefüge, z. B. durch Kaltwalzen[1], Tempern[1], Bestrahlung[2], etc. beeinflußt werden kann. Man kann daher den Verlustfaktor von Metallen nicht als Materialkonstante betrachten, sondern kann umgekehrt Verlustfaktormessungen dazu benutzen, kleine Änderungen in Metallen nachzuweisen. Derartige Untersuchungen werden auch häufig durchgeführt; sie geben ein Beispiel dafür, wie Meßmethoden der Akustik in der Metallkunde und in der Festkörperphysik von großem Nutzen sein können. Wenn trotzdem in Tab. III/2 Verlustfaktoren angegeben sind, so geschah das nur, um einen

[1] ZENER, C.: Elasticity and Anelasticity of Metals, University Chicago Press, 1953.

[2] TRUELL, R. and C. ELBAUM: High Frequency Ultrasonic Stress Waves, im Handbuch der Physik (ed. S. Flügge), Bd. XI, 2, Springer: Berlin 1961.

Tabelle III/1. Umrechnungsformeln für Dämpfungsgrößen

Verlustfaktor $\eta =$	η	b/f	$2{,}2/T\,f$	Λ/π	$\operatorname{tg}\varphi$	$D'_L\,\lambda/27{,}2$	$D'_B\,\lambda/13{,}6$	$1/Q$
Bandbreite [Hz] $b =$	$\eta\,f$	b	$2{,}2/T$	$\Lambda f/\pi$	$f\operatorname{tg}\varphi$	$D'_L\,c/27{,}2$	$D'_B\,c/13{,}6$	f/Q
Nachhallzeit [sec] $T =$	$2{,}2/\eta\,f$	$2{,}2/b$	T	$6{,}8/\Lambda\,f$	$2{,}2/f\operatorname{tg}\varphi$	$60/D'_L\,c$	$30/D'_B\,c$	$2{,}2\,Q/f$
log. Dekrement $\Lambda =$	$\eta\,\pi$	$\pi\,b/f$	$6{,}8/T\,f$	Λ	$\pi\operatorname{tg}\varphi$	$D'_L\,\lambda/8{,}7$	$D'_B\,\lambda/4{,}3$	π/Q
Phasenwinkel [rad] $\varphi =$	$\operatorname{arctg}\eta$	$\operatorname{arctg} b/f$	$\operatorname{arctg} 2{,}2/T\,f$	$\operatorname{arctg}\Lambda/\pi$	φ	$\operatorname{arctg} D'_L\,\lambda/27{,}2$	$\operatorname{arctg} D'_B\,\lambda/13{,}6$	$\operatorname{arctg} 1/Q$
Pegelabnahme für ebene Longitudinalwellen [dB/m] $D'_L =$	$27{,}2\,\eta/\lambda$	$27{,}2\,b/c$	$60/T\,c$	$8{,}7\,\Lambda/\lambda$	$27{,}2\operatorname{tg}\varphi/\lambda$	D'_L	./.	$27{,}2/Q\,\lambda$
Pegelabnahme für ebene Biegewellen [dB/m] $D'_B =$	$13{,}6\,\eta/\lambda$	$13{,}6\,b/c$	$30/T\,c$	$4{,}3\,\Lambda/\lambda$	$13{,}6\operatorname{tg}\varphi/\lambda$	./.	D'_B	$13{,}6/Q\,\lambda$
Resonanzgüte $Q =$	$1/\eta$	f/b	$T\,f/2{,}2$	π/Λ	$\operatorname{ctg}\varphi$	$27{,}2/D'_L\,\lambda$	$13{,}6/D'_B\,\lambda$	Q

λ = Wellenlänge in m; c = Phasengeschwindigkeit in m/sec.

Weitere Zusammenhänge: $\underline{k}_L \approx k_L\left(1 - j\,\frac{\eta}{2}\right)$ bei Longitudinalwellen, $\underline{k}_B \approx k_B\left(1 - j\,\frac{\eta}{4}\right)$ bei Biegewellen;

$\underline{E} = E^{\perp}\,(1 + j\,\eta)$.

Eindruck von den auftretenden Größenordnungen zu vermitteln. Als historische Besonderheit sei noch erwähnt, daß der Einfluß von Ermüdungserscheinungen schon vor vielen Jahren[1] durch ganz einfache Experimente an Drähten, die Torsionsschwingungen ausführten, nachgewiesen wurde.

Die physikalischen Vorgänge, die die innere Dämpfung von Metallen bewirken, sind sehr verwickelt und auch noch nicht ganz erforscht. Hinzu kommt noch, daß es gar nicht leicht ist, die oft sehr geringen Verlustfaktoren zu messen und daß daher manche in der Literatur angegebenen Werte nicht die Verluste im untersuchten Material, sondern in der Meßapparatur (Halterung, Anregung etc.) oder durch Schallabstrahlung (speziell bei Biegewellen) wiedergeben.

Die Hauptgründe für die innere Dämpfung in Metallen sind Versetzungsvorgänge im kristallinen Gefüge und Wärmeleitung zwischen Gebieten verschiedener Dehnung. Während sich die Forschung[2, 3] über die Versetzungsvorgänge noch voll im Fluß befindet, ist die Deutung der Wärmeleitungserscheinungen wesentlich einfacher; man braucht dazu nur die durch Temperaturänderungen erzeugten Spannungen und die durch Spannungen erzeugten Temperaturänderungen sowie den Wärmeausgleich zu berücksichtigen. Betrachten wir auch hier wieder zuerst den einfachen Fall der Longitudinalwellen, dann ist die Spannungs-Dehnungsbeziehung (Gl. (II, 2)) noch um ein Glied zu erweitern, das angibt, welche zusätzliche Spannung durch eine kleine Temperaturänderung Θ verursacht wird. Wir haben also statt Gl. (II, 2)

$$\sigma = D\,\varepsilon + \alpha_1\,\Theta\,, \tag{72}$$

wobei α_1 eine Materialkonstante ist.

Die nun noch erforderliche Verknüpfung zwischen Temperaturänderung und Spannung gibt die Wärmeleitungsgleichung

$$C_v\,\varrho\,\frac{\partial \Theta}{\partial t} - \Lambda\,\frac{\partial^2 \Theta}{\partial x^2} = -\frac{\partial Q}{\partial t}\,, \tag{72a}$$

wobei

$$\frac{\partial Q}{\partial t} = \alpha_2\,\frac{\partial \varepsilon}{\partial t} \tag{72b}$$

die zeitliche Änderung der von der Dehnung ε erzeugten Wärmemenge Q ist.

Λ ist das Wärmeleitvermögen, ϱ die Dichte, C_v die spezifische Wärme und α_2 eine Materialkonstante. Bei den meisten Metallen ist $C_v\,\varrho/\Lambda$ von

---

[1] Love, A. E. H.: A Treatise on the Mathematical Theory of Elasticity, S. 119, Dover Publication (1948).

[2] Lücke, K.: Die von Kristallbaufehlern, insbesondere von Versetzungen verursachten Dämpfungserscheinungen, Z. Metallkunde 53 (1962) 53.

[3] Bordoni, P. G.: Dislocation, Relaxation at High Frequencies, Nuovo Cimento Suppl. 17 (1960) 43.

der Größenordnung 1*. Betrachtet man nun als einfachsten Fall den der fortschreitenden Longitudinalwellen, dann ist

$$\varepsilon = \underline{\varepsilon}_0 \, e^{-jkx} \, e^{j\omega t} .$$

Man kann also auch für die Temperaturänderung Θ und die Spannung σ den Ansatz

$$\Theta = \underline{\Theta}_0 \, e^{-jkx} \, e^{j\omega t}$$

$$\sigma = \underline{\sigma}_0 \, e^{-jkx} \, e^{j\omega t}$$

machen. Eingesetzt in Gl. (72), (72a) und (72b) ergibt sich

$$j\,\omega\, C_v\, \varrho\, \underline{\Theta}_0 + \Lambda\, k^2\, \underline{\Theta}_0 = -\, j\,\omega\, \alpha_2\, \underline{\varepsilon}_0$$

$$\underline{\sigma}_0 = D\, \underline{\varepsilon}_0 + \alpha_1\, \underline{\Theta}_0$$

oder nach Elimination von $\underline{\Theta}_0$

$$\underline{\sigma}_0 = \underline{\varepsilon}_0 \left[D - \frac{j\,\omega\,\alpha_1\,\alpha_2}{j\,\omega\, C_v\,\varrho + \Lambda\, k^2} \right]$$

$$= D\, \underline{\varepsilon}_0 \left[1 - \frac{\alpha_1\,\alpha_2}{D\, C_v\,\varrho} \frac{\omega^2\tau^2}{1+\omega^2\tau^2} - j\, \frac{\alpha_1\,\alpha_2}{D\, C_v\,\varrho} \frac{\omega\,\tau}{1+\omega^2\tau^2} \right],$$

wobei $\tau = C_v\,\varrho/\Lambda\, k^2$ ist.

Den zweiten Term in der letzten Gleichung, der sehr klein ist, verglichen mit eins, kann man vernachlässigen und erhält

$$\underline{\sigma}_0 = D\, \underline{\varepsilon}_0 \left(1 - j\, \frac{\alpha_1\,\alpha_2}{D\, C_v\,\varrho} \frac{\omega\,\tau}{1+\omega^2\tau^2} \right). \tag{72c}$$

Wie man sieht, führt die Wärmeleitung zu einem komplexen Zusammenhang zwischen Dehnung und Spannung. Es tritt also eine Dämpfung auf, die — wie ein Vergleich mit Gl. (7) zeigt — zu einem Verlustfaktor der Größe

$$\eta_w = \frac{\alpha_1\,\alpha_2}{D\, C_v\,\varrho} \frac{\omega\,\tau}{1+\omega^2\tau^2} \tag{72d}$$

führt. Weiterhin sieht man aus einem Vergleich mit Gl. (6) daß es sich bei der Wärmeleitung um einen typischen Relaxationsvorgang handelt, wobei τ die Relaxationszeit bedeutet.

Ist diese Relaxationszeit sehr lang, verglichen mit der Schwingungsdauer, d. h. der reziproken Frequenz, dann können sich die entstehenden Temperaturdifferenzen ausgleichen; man hat es also für $\omega\,\tau \ll 1$ mit einem isothermen Vorgang zu tun, der zu kleinen Verlusten führt. Auch im anderen Grenzfall $\omega\,\tau \gg 1$ sind die Verluste sehr klein, da die Zeit zwischen den Spannungsänderungen nicht zu einem Temperaturausgleich ausreicht, so daß die Bewegung adiabatisch erfolgt. Zwischen diesen beiden Grenzfällen liegt die Stelle $\omega\,\tau = 1$, an der der Verlustfaktor ein sehr breites Maximum aufweist. Allerdings liegt bei Longitudinalwellen in Metallen die Frequenz, bei der $\omega\,\tau = 1$ ist, so hoch (bei etwa 10^{11} Hz),

* Wenn alle Angaben in cgs-Einheiten gemacht werden.

daß sie kaum interessiert; außerdem ist auch im Körperschallbereich der durch (72d) gegebene Verlustfaktor so klein, daß er von anderen Dämpfungseffekten verdeckt wird.

Anders ist das bei Biegewellen[1], bei denen die Gebiete verschiedener Temperatur — nämlich die gedehnte Oberseite und die gestauchte Unterseite bzw. umgekehrt — sehr nahe aneinander liegen. Zur Berechnung der Wärmeleitung für diesen Fall muß man von Gl. (II, 74) ausgehen, die zusammen mit der obigen Gl. (72)

$$M_z = b \int_{-h/2}^{+h/2} \sigma_x \, y \, dy = b \int_{-h/2}^{+h/2} (E \, \varepsilon_x + \alpha_1 \, \Theta) \, y \, dy \tag{73}$$

ergibt. Dabei ist b die Breite des Stabes, $b\,dy$ also ein Flächenelement, h ist die Stabdicke. Ersetzt man hier die Dehnung ε_x durch die Krümmung* ψ, so folgt

$$M_z = b \int_{-h/2}^{+h/2} (-E \, y \, \psi + \alpha_1 \, \Theta) \, y \, dy \, . \tag{73a}$$

Für die Wärmeleitungsgleichung schreiben wir entsprechend (72a)

$$C_v \, \varrho \frac{\partial \Theta}{\partial t} - \Lambda \frac{\partial^2 \Theta}{\partial y^2} = - \alpha_2 \frac{\partial \varepsilon_x}{\partial t} = \alpha_2 \, y \frac{\partial \psi}{\partial t} \, . \tag{73b}$$

Die örtliche Ableitung ist hier in Y-Richtung genommen, da in diese Richtung der Wärmestrom erfolgt. Ein vernünftiger Ansatz für die Temperaturänderung in der Platte lautet

$$\Theta = \underline{\Theta}_0 \sin \frac{\pi \, y}{h} \, e^{j \omega t} \, .$$

Dieser Ansatz hat zweifellos den für periodische Vorgänge richtigen Zeitverlauf; er entspricht aber auch hinsichtlich der y-Abhängigkeit den Erwartungen, da in der neutralen Faser $y = 0$ die Temperaturänderungen verschwinden und an den Oberflächen $y = \pm \, h/2$ die örtliche Ableitung von Θ zu Null wird**. Für die Krümmung, die in allen Fasern gleichmäßig erfolgt, gilt

$$\psi = \underline{\psi}_0 \, e^{j \omega t} .$$

Setzt man diese Gleichungen in (73b) ein, so folgt

$$\underline{\Theta}_0 \left[j \, \omega \, C_v \, \varrho + \Lambda \left(\frac{\pi}{h} \right)^2 \right] \sin \frac{\pi \, y}{h} = j \, \omega \, \alpha_2 \, y \, \underline{\psi}_0 \, . \tag{73c}$$

[1] ZENER, C.: Phys. Rev. 52 (1937) 230.

* In Kap. II wird nicht mit der Krümmung sondern mit der zweiten Ableitung der Auslenkung gerechnet (Gl. (II, 70—74)) Beide Größen sind jedoch für kleine Deformation gleich. Die Einführung von ψ hat den Vorteil, daß die Schreibarbeit verringert und Verwechslungen von Auslenkung und Verlustfaktor — die beide mit η bezeichnet werden — vermieden werden.

** Bei einer genaueren Rechnung müßte (73b) aus einer Summe von Gliedern der Form $\sin (2\,n + 1)\,\pi\, y/h$ bestehen. Damit wird aber das Ergebnis auch nicht wesentlich geändert.

Multiplikation mit $\sin \pi\, y/h$ und Integration liefert

$$\underline{\Theta}_0 \left[j\,\omega\, C_v\, \varrho + \Lambda \left(\frac{\pi}{h}\right)^2 \right] \frac{h}{2} = j\,\omega\,\alpha_2 \frac{2\,h^2}{\pi^2}\, \underline{\psi}_0$$

oder

$$\underline{\Theta}_0 = \frac{4\,j\,\omega\,\alpha_2\,h}{\pi^2} \frac{\underline{\psi}_0}{j\,\omega\, C_v\,\varrho + \Lambda(\pi/h)^2}\,.$$

Durch Einsetzen in (73a) erhält man

$$M_z = b\,\underline{\psi}_0 \int\limits_{-h/2}^{+h/2} \left[-E\,y^2 + \frac{4\,j\,\omega\,\alpha_2\,\alpha_1\,h}{\pi^2} \frac{y \sin \pi\, y/h}{j\,\omega\,C_o\,\varrho + \Lambda\,(\pi/h)^2} \right] dy$$

$$= -\,b\,E \frac{h^3}{12} \psi_0 \left[1 - j \frac{96\,\omega\,\alpha_1\,\alpha_2}{\pi^4\,E} \frac{1}{j\,\omega\,C_v\,\varrho + \Lambda\,(\pi/h)^2} \right].$$

Führt man hier die Relaxationszeit

$$\tau_B = C_v\,\varrho\,h^2/\Lambda\,\pi^2$$

ein, so folgt

$$M_z = -\,b\,E \frac{h^3}{12} \underline{\psi}_0 \left[1 - \frac{96\,\alpha_1\,\alpha_2}{\pi^4\,E\,C_v\,\varrho} \frac{\omega^2\,\tau_B^2}{1 + \omega^2\,\tau_B^2} - j \frac{96\,\alpha_1\,\alpha_2}{\pi^4\,E\,C_v\,\varrho} \frac{\omega\,\tau_B}{1 + \omega^2\,\tau_B^2} \right]. \tag{73d}$$

Vernachlässigt man auch hier wieder das mittlere Glied, dann erhält man eine Gleichung, die genauso gebaut ist, wie Gl. (72c). Der Verlustfaktor durch Wärmeleitung ist also bei Biegewellen

$$\eta_B = \frac{96\,\alpha_1\,\alpha_2}{\pi^4\,E\,C_v\,\varrho} \frac{\omega\,\tau_B}{1 + \omega^2\,\tau_B^2}\,. \tag{74}$$

Wie man sieht, unterscheidet sich diese Gleichung von Gl. (72d) fast nur durch die andere Relaxationszeit. Während bei Longitudinalwellen $\tau = C_v\,\varrho/\Lambda\,k^2 = (\lambda/2)^2\,C_v\,\varrho/\Lambda\,\pi^2$ war, wobei λ die Wellenlänge ist, gilt bei Biegewellen $\tau_B = h^2\,C_v\,\varrho/\Lambda\,\pi^2$. Dieses Ergebnis leuchtet sofort ein, denn die Gebiete verschiedener Temperatur sind bei Longitudinalwellen eine halbe Wellenlänge, bei Biegewellen etwa eine Stabdicke voneinander entfernt.

Das Relaxationsmaximum liegt bei Biegewellen relativ tief. Benutzt man als typischen Wert $C_v\,\varrho/\Lambda = 1$, dann liegt das durch $\omega\,\tau_B = 1$ gegebene Dämpfungsmaximum bei* $\omega \approx \pi^2/h^2$, also bei 0,2 mm Blech bei nur 35 Hz. Das Maximum, das der Verlustfaktor erreicht, ist etwa 10^{-3}.

Die Dämpfung von Biegewellen durch Wärmeleitung, wie sie durch Gl. (74) gegeben ist, wurde bereits mehrfach experimentell bestätigt. Es zeigt sich jedoch, daß nur in der Nähe des Relaxationsmaximums die gemessene Dämpfung mit den theoretischen Werten übereinstimmt. Nach höheren Frequenzen hin überwiegen sehr bald andere Dämpfungs-

* Alle Größen in cgs-Einheiten, also in h cm.

Tabelle III/2. Mechanische Daten von Metallen bei Normalbedingungen (ca. 20 °C)

Stoff	Dichte g/cm³	E-Modul dyn/cm²	Schubmodul* dyn/cm²	Poisson-Zahl	$c_{L_{II}}$ cm/sec	c_T cm/sec	Verlustfaktor Longitudinal	Verlustfaktor Biege	Bemerkungen (s. Fußnoten)
Aluminium	2,7	$72 \cdot 10^{10}$	$27 \cdot 10^{10}$	0,34	$5{,}2 \cdot 10^5$	$3{,}1 \cdot 10^5$	$0{,}3-10 \cdot 10^{-5}$	$\approx 10^{-4}$	[1] [2] [6]
Blei	11,3	$17 \cdot 10^{10}$	$6 \cdot 10^{10}$	0,43	$1{,}25 \cdot 10^5$	$0{,}73 \cdot 10^5$	$5-30 \cdot 10^{-2}$	$\approx 2 \cdot 10^{-2}$	[1] chem. rein
							$1-4 \cdot 10^{-3}$		[1] Antimon
Eisen, rein	7,8	$200 \cdot 10^{10}$	$77 \cdot 10^{10}$	0,30	$5{,}05 \cdot 10^5$	$3{,}1 \cdot 10^5$	$1-4 \cdot 10^{-4}$	$2-6 \cdot 10^{-4}$	[1] [3] [6]
Stahl	7,8	$210 \cdot 10^{10}$	$77 \cdot 10^{10}$	0,31	$5{,}1 \cdot 10^5$	$3{,}1 \cdot 10^5$	$0{,}2-3 \cdot 10^{-4}$		
Gold	19,3	$80 \cdot 10^{10}$	$28 \cdot 10^{10}$	0,423	$2{,}0 \cdot 10^5$	$1{,}2 \cdot 10^5$	$\approx 3 \cdot 10^{-4}$		[5]
Kupfer	8,9	$125 \cdot 10^{10}$	$46 \cdot 10^{10}$	0,35	$3{,}7 \cdot 10^5$	$2{,}3 \cdot 10^5$	$2 \cdot 10^{-3}$	$\approx 2 \cdot 10^{-3}$	Polykristallin
							$2-7 \cdot 10^{-4}$		Einkristall
Magnesium	1,74	$43 \cdot 10^{10}$	$17 \cdot 10^{10}$	0,29	$5 \cdot 10^5$	$3{,}1 \cdot 10^5$		$\approx 10^{-4}$	[6]
Messing	8,5	$95 \cdot 10^{10}$	$36 \cdot 10^{10}$	0,33	$3{,}2 \cdot 10^5$	$2{,}1 \cdot 10^5$	$0{,}2-1 \cdot 10^{-3}$	$< 10^{-3}$	[1]
Nickel	8,9	$205 \cdot 10^{10}$	$77 \cdot 10^{10}$	0,30	$4{,}8 \cdot 10^5$	$2{,}9 \cdot 10^5$		$< 10^{-3}$	[6]
Silber	10,5	$80 \cdot 10^{10}$	$29 \cdot 10^{10}$	0,37	$2{,}7 \cdot 10^5$	$1{,}6 \cdot 10^5$	$\approx 4 \cdot 10^{-4}$	$< 3 \cdot 10^{-3}$	[4] [5]
Wismuth	9,8	$3{,}3 \cdot 10^{10}$	$1{,}3 \cdot 10^{10}$	0,38	$0{,}58 \cdot 10^5$	$0{,}36 \cdot 10^5$		$\approx 8 \cdot 10^{-4}$	[6]
Zink	7,13	$13{,}1 \cdot 10^{10}$	$5 \cdot 10^{10}$	0,33	$1{,}35 \cdot 10^5$	$0{,}85 \cdot 10^5$		$\approx 3 \cdot 10^{-4}$	[6]
Zinn	7,28	$4{,}4 \cdot 10^{10}$	$1{,}6 \cdot 10^{10}$	0,39	$0{,}78 \cdot 10^5$	$0{,}47 \cdot 10^5$		$\approx 20 \cdot 10^{-4}$	[6]

[1] WEGEL, R. u. H. WALTER: Physics 6 (1935) 141. — [2] ZEMANEK and RUDNIK: J. acoust. Soc. Amer. 33 (1961) 1283. — [3] SCHMIDT, R.: Ing. Arch. 5 (1943) 352. — [4] BENNEWITZ, K. u. H. RÖTGER: Phys. Zeitschrift 37 (1936) 578.— [5] BORDONI, NUOVO, VERDINI: Proceedings of the Third Intern Congress on Acoustics, Stuttgart 1959 (ed. L. Cremer), Elsevier: 1961, Vol I, S. 583. — [6] FÖRSTER, F. u. W. KÖSTER: Z. Metallkunde 29 (1937) 116.

* 10^{10} dyn/cm² $= 10^9$ N/m² $\approx 10^4$ kp/cm².

mechanismen (Wärmeleitung zwischen den einzelnen Kristalliten, Versetzungsvorgänge etc.). Diese Mechanismen führen dann zu den in Tab. III/2 angegebenen Werten unter „normalen“ Bedingungen.

Wie man sieht, ist — abgesehen von Blei, Zinn, Silber, Kupfer — im allgemeinen damit zu rechnen, daß der Verlustfaktor eines Metalles wesentlich kleiner als 10^{-3} ist.

Glücklicherweise kommen die großen Unterschiede in der Dämpfung bei praktischen Konstruktionen nie zum Tragen, da in den meisten Fällen in der Praxis die tatsächlich vorhandene Dämpfung nicht durch die Verluste in den Metallen, sondern durch Reibung an Verbindungsstellen, Schrauben, etc. (s. Kap. III, 7) gegeben ist. Auf Grund vieler Messungen kann man als Faustregel angeben, daß eine vernietete oder geschraubte Konstruktion aus dünnen Blechen (z. B. Auto) einen Verlustfaktor von etwa $2 \cdot 10^{-2}$ hat. Bei geschweißten Konstruktionen aus dickeren Blechen (z. B. Schiff) muß man mit $\eta \approx 10^{-3}$ rechnen. Kleinere Werte werden nur ganz selten beobachtet. Größere Werte als 10^{-2} erhält man nur, wenn besondere zusätzliche Dämpfungsmaßnahmen getroffen werden.

b) Kunststoffe

Die Messung der inneren Verluste wird schon seit geraumer Zeit zur Untersuchung von Hochpolymeren benutzt. Außerdem werden derartige Stoffe sehr häufig als Dämpfungsmaterialien (Entdröhnbeläge) benutzt. Es lohnt sich daher, diese Stoffgruppe gesondert zu behandeln. Das wesentliche mechanische Merkmal der amorphen Hochpolymeren ist, daß sie ein sehr breites Übergangsgebiet zwischen dem festen und dem flüssigen Zustand besitzen. In diesem Übergangsgebiet, in dem die langen und unter Umständen vernetzten Molekülketten immer beweglicher werden, treten Relaxationsmechanismen auf, die zu Verlustfaktoren bis zu $\eta = 10$ führen. Wie zu erwarten, sind der Elastizitätsmodul und der Verlustfaktor sehr stark von der Temperatur und der Frequenz abhängig. Man kann also derartige Stoffe nur dadurch eindeutig beschreiben, daß man den Frequenzgang der mechanischen Eigenschaften für viele Temperaturen angibt. Ein Beispiel einer derartigen Kurvenschar gibt Abb. III/16, die aus einer Arbeit von Becker und Oberst[1] entnommen ist.

Abb. III/16 zeigt sehr schön, daß der Verlustfaktor dort am größten ist, wo sich der Elastizitätsmodul am stärksten mit der Frequenz ändert. Dieses Verhalten würde man auch für einen Relaxationsvorgang erwarten. Wie bereits erwähnt, ist der Verlustfaktor proportional $\omega\,\tau/(\omega^2\,\tau^2 + 1)$, hat also sein Maximum bei $\omega\,\tau = 1$. Der Realteil des Elastizitätsmoduls ist proportional $1/(\omega^2\,\tau^2 + 1)$. Die Ableitung dieser

[1] Becker, G. W. u. H. Oberst: Kolloid Z. 148 (1956), S. 6.

Funktion, also die Neigung der Elastizitätsmodulkurve hat — wie zwei einfache Differentiationen zeigen — ihr Maximum ebenfalls bei $\omega \tau = 1$. Daß in Wirklichkeit nicht eine Relaxationszeit vorhanden ist, sondern eine beliebige Mannigfaltigkeit von Relaxationsvorgängen auftritt, ist für die eben gemachten Betrachtungen nicht von Bedeutung.

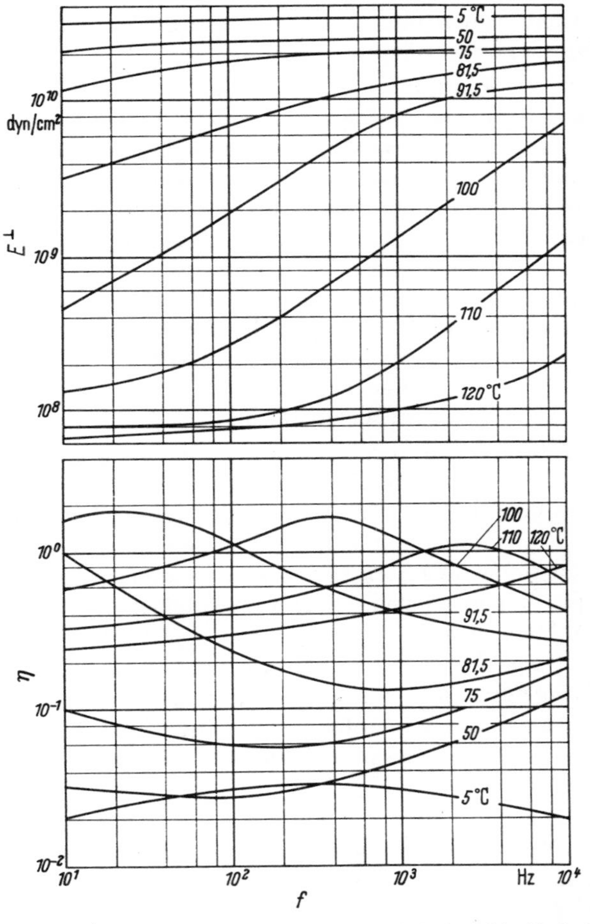

Abb. III/16. Verlustfaktor und Elastizitätsmodul von Polyvinylchlorid als Funktion der Frequenz für verschiedene Temperaturen

Neben dem Zusammenhang zwischen Verlustfaktor und Frequenzgang des Elastizitätsmoduls gibt es noch eine ganze Reihe von Gesetzmäßigkeiten, die bei amorphen Hochpolymeren auftreten, deren wichtigste im folgenden kurz beschrieben sind.

Alle Kunststoffe haben eine sogenannte „Einfriertemperatur", unterhalb der sie ähnliche Eigenschaften wie Glas haben. Diese Einfriertemperatur (glass-transition temperature) ist nicht genau definiert; sie ist, wie Abb. III, 16 zeigt, um so höher, je höher die Frequenz ist. Unterhalb der Einfriertemperatur haben fast alle Hochpolymere einen Elastizitätsmodul von ca. $5 \cdot 10^{10}$ dyn/cm². Der Verlustfaktor ist ziemlich klein; er liegt jedenfalls unter 0,1. Unterhalb der Einfriertemperatur sind also Kunststoffe nicht zur Dämpfung geeignet.

Oberhalb der Einfriertemperatur ist ein mehr oder weniger breiter Temperaturbereich, in dem sich Kunststoffe nicht mehr wie richtige Festkörper verhalten, aber auch noch nicht das rein plastische Verhalten zeigen. In diesem Bereich sind Kunststoffe am besten als Dämpfungsmaterialien geeignet, da ziemlich hohe Verlustfaktoren auftreten (s. Tab. III/3). Die Elastizitätsmoduln — die für Entdröhnbeläge von Bedeutung sind — liegen in diesen Übergangsbereich bei „linearen" Stoffen, also solchen mit Fadenmolekülen in der Gegend von 10^7—10^8 dyn/cm² und bei vernetzten Stoffen bei etwa 10^9 dyn/cm². Der Elastizitätsmodul kann durch Beimengung von Füllstoffen (z. B. Vermikulite) noch etwas erhöht werden. Auf diese Weise gelingt es, Verlustmoduln mit Werten bis zu $E^{\perp\!\perp} = E^{\perp}\,\eta = 10^{10}$ dyn/cm² herzustellen.

Da man die Temperaturabhängigkeit eines Kunststoffes durch das Hinzufügen eines „Weichmachers" noch wesentlich beeinflussen kann, hat man also im Prinzip die Möglichkeit durch geeignete Mischung eines vernetzten Kunststoffes mit einem Weichmacher und einem Füllstoff, den für den jeweiligen Temperatur- und Anwendungsbereich „optimalen" Dämpfungsstoff herzustellen. Eine Schwierigkeit bei den „optimalen" Mischungen bildet das Temperaturverhalten. Sowohl die Erfahrung als auch theoretische Überlegungen[1] zeigen nämlich, daß der Temperaturbereich großer Verlustfaktoren (also die „Bandbreite") um so kleiner ist, je höher der maximale Verlustfaktor ist. Ähnlich ist das Verhalten hinsichtlich des Frequenzganges. Je höher der Verlustfaktor, desto kleiner die Bandbreite.

Tabelle III/3. Verlustfaktor und Elastizitätsmodul [dyn/cm²] beim Dämpfungsmaximum einiger Hochpolymere

Polyvinylchlorid (rein)	$\eta = 1{,}8$	$E = 3 \cdot 10^8$	bei 92 °C u. 20 Hz
Polystyrol	$\eta = 2{,}0$	$E = 30 \cdot 10^8$	bei 140 °C u. 2000 Hz
Polyisobutylen	$\eta = 2{,}0$	$E = 0{,}6 \cdot 10^8$	bei 20 °C u. 3000 Hz
Nitrilkautschuk	$\eta = 0{,}8$	$E = 33 \cdot 10^8$	bei 20 °C u. 1000 Hz
Hartgummi	$\eta = 1{,}0$	$E = 20 \cdot 10^8$	bei 60 °C u. 40 Hz
Polyvinylchlorid mit 30% Weichmacher	$\eta = 0{,}8$	$E = 2 \cdot 10^8$	bei 50 °C u. 100 Hz

[1] Linhardt, F. u. H. Oberst: Acustica 11 (1961) 255.

Tabelle III/4. Mechanische Daten von Baustoffen bei Normalbedingungen

Stoff	Dichte g/cm³	E-Modul* dyn/cm²	$c_{L\,II}$ cm/sec	Verlustfaktor	Bemerkungen (s. Fußnoten)
Asbestzement	2,0	$28 \cdot 10^{10}$	$3{,}7 \cdot 10^5$	$0{,}7-2 \cdot 10^{-2}$	
Asphalt	1,8—2,3	$7{,}7 \cdot 10^{10}$	$1{,}9 \cdot 10^5$	0,38	[6] 23 °C, 10% Weichbit.-Gehalt
		$12 \cdot 10^{10}$	$2{,}4 \cdot 10^5$	0,21	13 °C, 11% Weichbit.-Gehalt
		$21 \cdot 10^{10}$	$3{,}2 \cdot 10^5$	0,055	13 °C, 8,5% Hartbit.-Gehalt
Eichenholz	0,7—1,0	$2-10 \cdot 10^{10}$	$1{,}5-3{,}5 \cdot 10^5$	$\approx 1 \cdot 10^{-2}$	
Fasermatten Gefüge- und Luftsteife	0,08—0,3	$1{,}4-3 \cdot 10^6$		$\approx 0{,}1$	
Fichtenholz	0,4—0,7	$1-5 \cdot 10^{10}$	$\approx 2{,}5 \cdot 10^5$	$\approx 8 \cdot 10^{-3}$	[3]
Filz		$0{,}03 \cdot 10^{10}$		$\approx 6 \cdot 10^{-2}$	
Gipsplatten	1,2	$7 \cdot 10^{10}$	$2{,}4 \cdot 10^5$	$6 \cdot 10^{-3}$	[5]
Glas	2,5	$60 \cdot 10^{10}$	$4{,}9 \cdot 10^5$	$0{,}6-2 \cdot 10^{-3}$	[5]
Holzspanplatten	0,6—0,7	$4{,}6 \cdot 10^{10}$	$2{,}7 \cdot 10^5$	$1-3 \cdot 10^{-2}$	
Kalkputz	1,7	$4{,}4 \cdot 10^{10}$	$1{,}6 \cdot 10^5$	$2-5 \cdot 10^{-2}$	
Kork	0,12—0,25	$\approx 0{,}025 \cdot 10^{10}$	$0{,}43 \cdot 10^5$	0,13—0,17	
Leichtbeton	1,3	$3{,}8 \cdot 10^{10}$	$1{,}7 \cdot 10^5$	$1{,}5 \cdot 10^{-2}$	[5]
Plexiglas	1,15	$5{,}6 \cdot 10^{10}$	$2{,}2 \cdot 10^5$	$2-4 \cdot 10^{-2}$	
Porenbeton	0,6	$2 \cdot 10^{10}$	$1{,}7 \cdot 10^5$	$1 \cdot 10^{-2}$	[5]
Sand, trocken	≈1,5	$\approx 0{,}03 \cdot 10^{10}$	$0{,}1-0{,}17 \cdot 10^5$	0,06—0,12	[4]
Schwerbeton	2,3	$26 \cdot 10^{10}$	$3{,}4 \cdot 10^5$	$4-8 \cdot 10^{-3}$	[1] [5]
Sperrholz	0,6	$5{,}4 \cdot 10^{10}$	$3 \cdot 10^5$	$\approx 1{,}3 \cdot 10^{-2}$	[3] [1]
Ziegelstein	1,9—2,2	$\approx 16 \cdot 10^{10}$	$2{,}5-3 \cdot 10^5$	$1-2 \cdot 10^{-2}$	[1] [2]

[1] WATTERS, B. G.: J. acoust. Soc. Amer. 31 (1959) 898 — [2] SCHMIDT, R.: Ing. Arch. 5 (1943) 352. — [3] OBERST, H.: Acustica 2 (1952) 181. — [4] KURTZE, G.: VDI Berichte 8 (1956) 110. — [5] KIRSTEN, TH. u. H. W. MÜLLER: Berichte des Beirats für Bauforschung beim Bundesminister für Wohnungsbau, H. 13, Körperschall in Gebäuden, Ernst & Sohn, Berlin 1960. — [6] CREMER, L.: Bitumen 25 (1963) 93.

* 10^{10} dym/cm² = 10^9 N/m² ≈ 10^4 kp/cm².

Der Zusammenhang zwischen Temperatur und Frequenzabhängigkeit ist übrigens noch viel weitergehend. Es wurde insbesondere von WILLIAMS, LANDEL und FERRY[1] gezeigt, daß im Übergangsbereich (näherungsweise) einer Temperaturerhöhung (bei gleichbleibender Frequenz) eine Frequenzmultiplikation (bei gleichbleibender Temperatur) entspricht. Man kann also feststellen, daß Temperaturerhöhung, Frequenzverringerung und Addition eines Weichmachers qualitativ dieselbe Wirkung haben. Insbesondere wird durch diese Maßnahmen der Elastizitätsmodul verringert; ob der Verlustfaktor steigt oder fällt, hängt davon ab, auf welcher Seite des Verlustfaktormaximums man sich befindet.

Von Interesse ist schließlich noch, daß der Schubmodul in den meisten Fällen etwa ein Drittel des Elastizitätsmoduls ist und daß der Verlustfaktor für Schubbeanspruchung sich nur unmerklich von dem für Dehnbeanspruchung unterscheidet.

An den kautschukelastischen Bereich schließt sich der plastische und schließlich der flüssige Bereich an. In diesem Gebiet erzeugt jede Beanspruchung eine dauernde Verformung. Außerdem ist der Elastizitätsmodul so klein, daß die Stoffe in diesem Zustand nicht mehr zur konstruktiven Verwendung und nicht einmal mehr zur optimalen Dämpfung geeignet sind.

c) Baustoffe

Neben den Metallen und Kunststoffen spielen in der Praxis auch bei Baustoffen die mechanischen Eigenschaften eine große Rolle. Es wurden daher in Tab. III/4 die Elastizitätsmoduln und Verlustfaktoren (im hörbaren Frequenzbereich) für eine Reihe von Stoffen zusammengestellt. Selbstverständlich können die angegebenen Zahlen nur als Richtwerte dienen; denn die mechanischen Eigenschaften von Stoffen wie Beton, Asphalt, Ziegelstein, etc. hängen bekanntlich sehr stark von der jeweiligen Zusammensetzung und Herstellungsart ab.

Es fällt auf, daß der Verlustfaktor sehr häufig in der Nähe von $2 \cdot 10^{-2}$ liegt. Diese Zahl kann also bei groben Schätzungen nicht nur bei dünnen Blechkonstruktionen, sondern auch bei Bauwerken benutzt werden.

6. Dämpfung von geschichteten Platten

Während bisher nur von mehr oder weniger homogenen Stoffen die Rede war, sollen im folgenden auch sehr inhomogene Anordnungen behandelt werden. Für die Praxis der Körperschalldämpfung sind die geschichteten Platten von beonderer Bedeutung. Man hat dabei eine metallene Grundplatte, auf die eine oder mehrere Schichten eines visko-

[1] WILLIAMS, M. L., R. F. LANDEL, J. D. FERRY: J. Amer. Chem. Soc. 77 (1955) 3701.

elastischen Dämpfungsmaterials (z. B. Hochpolymere) und eventuell noch weitere Metallplatten aufgebracht werden. Es handelt sich hier sozusagen um Platten mit „Arbeitsteilung"; die Metallplatten geben die Festigkeit und das Dämpfungsmaterial die günstigen Körperschall-eigenschaften.

Besonders zu beachten ist, daß bei geschichteten Platten der Verlustfaktor für verschiedene Beanspruchungsarten sehr verschieden sein kann. Man muß also immer sehr darauf achten, für welche Beanspruchungsart der jeweilige Verlustfaktor gilt. Ein Beispiel für die Verschiedenheit des Verlustfaktors bei Anregung von Longitudinal- bzw. Biegewellen gibt bereits die als nächstes behandelte Platte mit einem einfachen Belag.

a) Platten mit einfachen Belägen, die auf Dehnung beansprucht sind

Eine sehr einfache Methode die Körperschalldämpfung von Metallplatten zu erhöhen, ist das Aufbringen eines sogenannten Entdröhnbelages. Den auf diese Weise erzeugten Verlustfaktor kann man sehr leicht ausrechnen, wenn man auf die Definitionsgleichung (22) zurückgeht. Betrachten wir zuerst Quasilongitudinalwellen, dann ist offensichtlich, daß sich die wiedergewinnbare mechanische Energie aus der maximalen potentiellen Energie in der Grundplatte und im Belag zusammensetzt. Für die gesamte reversible Energie (hier wie im folgenden wird stets mit Energien pro Oberflächeneinheit gerechnet) gilt also nach Gl. (II, 6)

$$W_R'' = \frac{1}{2}\left(E_1^{\perp}\, d_1 + E_2^{\perp}\, d_2\right)|\varepsilon|^2 = \frac{1}{2}\left(E_1^{\perp}\, d_1 + E_2^{\perp}\, d_2\right)\left|\frac{d\xi}{dx}\right|^2. \qquad (75)$$

Dabei sind: ξ die Maximalauslenkung innerhalb einer Periode, $E_1^{\perp}$, d_1 bzw. $E_2^{\perp}$, d_2 der Realteil des Elastizitätsmoduls* und die Dicke der Grundplatte bzw. des Belages.

Nimmt man nun an, daß die inneren Verluste in der Grundplatte vernachlässigbar sind, dann gilt für die gesamte in Wärme umgewandelte Energie pro Schwingungsperiode (s. Gl. (21))

$$W_V'' = \pi\, \eta_2\, E_2^{\perp}\, d_2 \left|\frac{d\xi}{dx}\right|^2. \qquad (75\text{a})$$

Damit wird der Verlustfaktor η_L für longitudinale Beanspruchung

$$\eta_L = \frac{W_V''}{2\pi W_R''} = \eta_2 \frac{E_2^{\perp}\, d_2}{E_1^{\perp}\, d_1 + E_2^{\perp}\, d_2}. \qquad (76)$$

Wie man sieht, ist der Verlustfaktor proportional dem Verlustmodul $\eta_2 E_2^{\perp}$. Diese Größe nimmt bei den besten bisher bekannten Stoffen etwa

* Da der Buchstabe E für den Elastizitätsmodul gebräuchlich ist, wurde um Verwechslungen zu vermeiden für die Energie pro Flächeneinheit der Buchstabe W'' eingeführt.

den Wert 10^{10} dyn/cm² an; für ein Stahlblech ($E_1 = 2 \cdot 10^{12}$ dyn/cm²) erhält man also bei $d_1 = d_2$ nur $\eta_L \approx 5 \cdot 10^{-3}$. Quasilongitudinalwellen sind also, wenn sie nicht in andere Wellenarten umgeformt werden können, nur schwer zu dämpfen.

Betrachten wir nun die für die Schallabstrahlung wesentlich wichtigeren Biegewellen. Bei dieser Beanspruchungsart wird, wie man aus Abb. III/17 ersieht, der Belag ebenfalls gedehnt. Ist ξ_M die Auslenkung in der Mittellinie des Belages, dann gilt für die in Wärme umgesetzte Energie pro Flächeneinheit und Schwingung

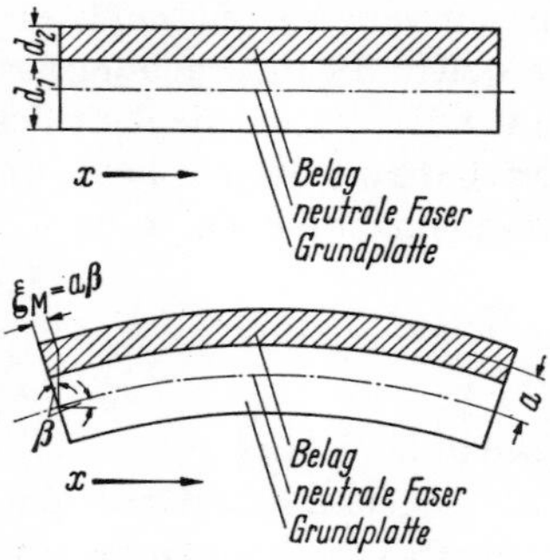

Abb. III/17. Auf Biegung beanspruchter Stab mit viskoelastischem Belag

$$W''_V = \pi\, \eta_2\, E_2^{\perp}\, d_2 \left|\frac{d\xi_M}{dx}\right|^2. \tag{77}$$

Die reversible mechanische Energie bei Verbiegung ist dagegen nach Gl. (II, 92p) durch

$$W''_R = \frac{1}{2}\, B \left|\frac{d^2\eta}{dx^2}\right|^2 = \frac{1}{2}\, B \left|\frac{d\beta}{dx}\right|^2 \tag{77a}$$

gegeben.

Dabei ist B die Biegesteife des Systems Platte + Belag und β der Biegewinkel. Bezeichnet man den Abstand von der neutralen Faser bis zur Mitte des Belages mit a, dann ist offensichtlich $\xi_M = a\,\beta$. Damit ergibt sich für den Verlustfaktor η_B für Biegewellen

$$\eta_B = \frac{W''_V}{2\pi W''_R} = \eta_2\, \frac{E_2^{\perp}\, d_2\, a^2}{B}. \tag{78}$$

Diese Gleichung enthält noch die beiden unbestimmten Größen a und B. Man kann dafür relativ gute Näherungen[1] machen, indem man annimmt, daß $a = (d_1 + d_2)/2$ also gleich dem Abstand von Mitte Grundplatte zu Mitte Belag darstellt. Für B kann man

$$B \approx \frac{E_1\, d_1^3}{12} + E_2\, d_2\, a^2 \tag{78a}$$

setzen, wobei der zweite Term nur bei relativ dicken Belägen ($d_2 > d_1$) von Interesse ist.

In Abb. III/18 ist das Verhältnis der Verlustfaktoren η_B/η_2 über dem Dickenverhältnis nach der strengen Rechnung von Oberst[2] eingezeichnet. Für $E_2^{\perp}/E_1 = 3 \cdot 10^{-3}$ sind außerdem noch Punkte eingetragen, die nach Gl. (78) erhalten wurden. Wie man sieht, stellt Gl. (78) eine sehr gute Näherung dar.

Interessant ist, daß die Verlustfaktoren für Biegewellen ebenfalls frequenzunabhängig, aber wesentlich höher sind als für Longitudinal-

[1] Kurtze, G.: J. Acoust. Soc. Amer. 31 (1959) 952.
[2] Oberst, H. u. K. Frankenfeld: Acustica (Beiheft) 2 (1952) 181.

wellen. Während* für $E_2^{\perp}\,\eta_2 = 10^{10}$, $d_1 = d_2$ und $E_1 = 2 \cdot 10^{12}$ der Verlustfaktor $\eta_L \approx 5 \cdot 10^{-3}$ war, wird bei den gleichen Materialdaten und Dimensionen der Verlustfaktor für Biegewellen $\eta_B \approx 5{,}5 \cdot 10^{-2}$; also mehr als zehnmal so hoch.

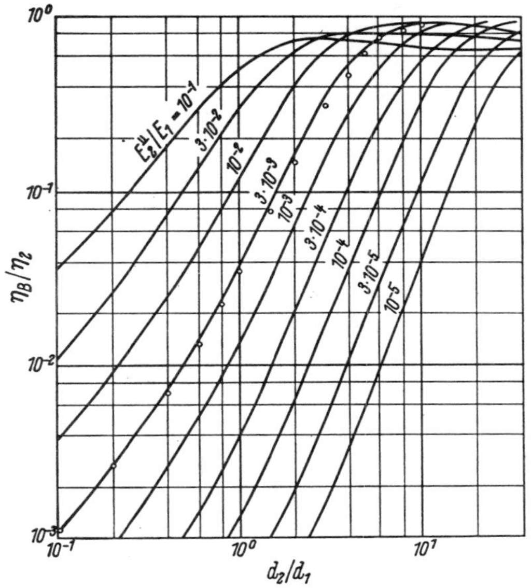

Abb. III/18. Verlustfaktor von Stäben oder Platten mit einfachen visko-elastischen Belägen nach H. OBERST. ∘∘∘ nach den Näherungsgleichungen (78) und (78a) erhaltene Werte für $E_2^{\perp}/E_1 = 3 \cdot 10^{-3}$

Die Meßergebnisse, die an Platten mit Entdröhnbelägen erhalten wurden, stimmen sehr gut mit Gl. (78) und Abb. III/18 überein. Man kann also diese Angaben sehr gut zur Vorausberechnung der Dämpfung benutzen. Wie man sieht, wird die Gesamtdämpfung um so höher je größer das Produkt $E_2^{\perp}\,\eta_2$ und die Dicke d_2 wird. Das körperschalldämpfende Medium soll also nicht nur dick sein und einen hohen Verlustfaktor haben, es soll auch einen möglichst hohen Elastizitätsmodul aufweisen. Weiche Materialien wie Filz, Weichgummi sind also als Beläge zur Körperschalldämpfung wenig geeignet. Es werden daher im allgemeinen Hochpolymere mit Füllstoffen mit einem Elastizitätsmodul von mehr als 10^{10} dyn/cm² und einem möglichst hohen Verlustfaktor als „Entdröhnbeläge" verwendet.

Neben den bereits angegebenen Größen spielt noch der Abstand a (s. Abb. III/17) eine wesentliche Rolle. Offensichtlich soll a möglichst groß sein. Man kann dies dadurch erreichen, daß man die Belagdicke

* Alles in cgs-Einheiten.

groß macht oder daß man einen Abstandhalter (Abb. III/19) zwischen Belag und Grundplatte einbringt. Daß eine Erhöhung der Belagdicke den Abstand erhöht, ist offenkundig. Dabei ist jedoch zu beachten, daß insbesondere dicke Beläge nur einseitig angebracht werden sollen. Eine Verteilung der gleichen Materialmenge auf beide Seiten der Grundplatte wäre ungünstiger. Die Wirkung des oben erwähnten Abstandhalters[1] (spacer) besteht darin, daß die Bewegungen der Grundplatte durch eine Hebelwirkung übersetzt werden. Im Idealfall besteht der Abstandhalter aus einer Zwischenschicht mit sehr hoher Schubsteife. (Meist verwendet man eine metallische Honigwabenanordnung als Abstandhalter). Das bedeutet, daß der Abstand a um die Dicke des Abstandhalters vergrößert und damit der Verlustfaktor beträchtlich erhöht wird. (Bei dem oben genannten Beispiel mit $E_2^{\perp}\,\eta_2 = 10^{10}$ dyn/cm² und $d_1 = d_2$ würde nach Gl. (78) das Einbringen eines Abstandhalters von der Dicke d_1 den Abstand a verdoppeln und den Verlustfaktor fast vervierfachen. Hat der Abstandhalter keine sehr hohe Schubsteife, dann ist die Erhöhung des Verlustfaktors geringer.)

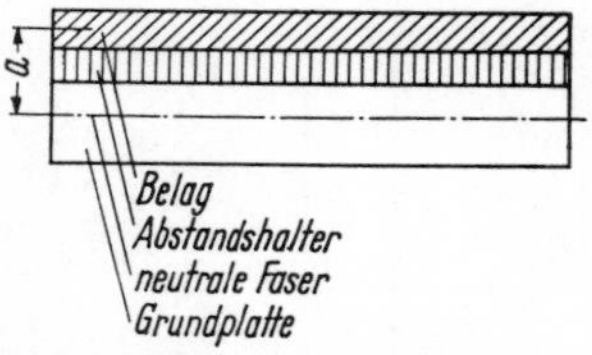

Abb. III/19. Abstandshalter zur Vergrößerung der Wirkung eines einfachen viskoelastischen Belages

Bei den bisherigen Rechnungen wurde stillschweigend vorausgesetzt, daß die Kraft, die notwendig ist, um den Belag zu dehnen, proportional dem Elastizitätsmodul und der Dehnung ist. Unter dieser Annahme ergab sich dann ein frequenzunabhängiger Verlustfaktor. Diese Voraussetzung ist jedoch nicht mehr erfüllt, wenn die Longitudinalwellenlänge im Belag vergleichbar wird mit der Biegewellenlänge der Grundplatte. Wenn diese Art von Koinzidenz vorliegt, kann der Belag sehr leicht deformiert werden und es treten entsprechend kleinere Verluste[2] auf. Bei allen guten Belag-Materialien tritt die Koinzidenz erst bei sehr hohen Frequenzen auf (bei einer Stahl- oder Aluminiumplatte von 1 cm Dicke und einem Belag mit $E_2 = 10^{10}$ dyn/cm² ist diese Koinzidenz erst bei 10 kHz), sie kann also im allgemeinen vernachlässigt werden.

b) Platten mit Mehrschichtbelägen

Seit einigen Jahren werden zur Körperschalldämpfung auch Platten oder dgl. verwendet, die mit einem Belag aus viskoelastischem Material versehen sind, der seinerseits wieder mit einer zweiten Metallplatte abgedeckt ist. Praktische Konstruktionen dieser Art sind Platten mit der sog. „damping tape" (das ist eine selbstklebende relativ dicke Metall-

[1] Kerwin, E. M.: Proc. 3rd I.C.A. Congress in Stuttgart (ed. L. Cremer), Elsevier (1961) 412.

[2] Tatarkowski, B. O. u. S. A. Rybak: 4th I.C.A. Congress, Copenhagen 1962, Paper P 43.

folie, bei der die Klebeschicht aus einem viskoelastischen Material besteht) und Sandwichplatten mit einer Zwischenlage aus einem stark verlustbehafteten Kunststoff. Daneben sind noch viele andere Konfigurationen (s. Abb. III/20) mit und ohne Abstandhalter denkbar. All diesen Anordnungen ist gemeinsam, daß das viskoelastische Material im wesentlichen auf Schub beansprucht wird (s. Abb. III/21). Die Schubbeanspruchung kommt dadurch zustande, daß die obere Metall-

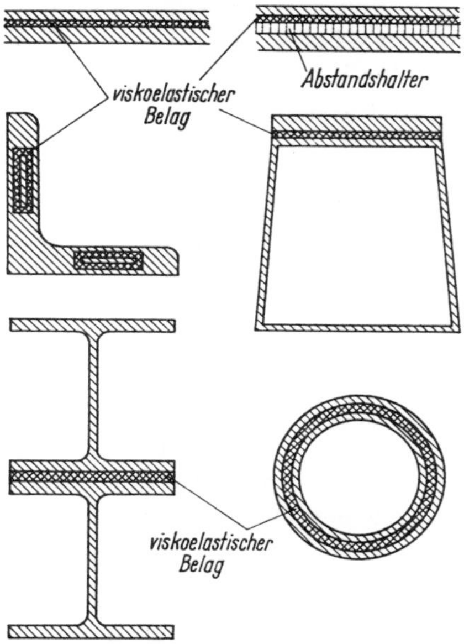

Abb. III/20. Verschiedene Anordnungen, bei denen viskoelastische Materialien auf Schub beansprucht sind

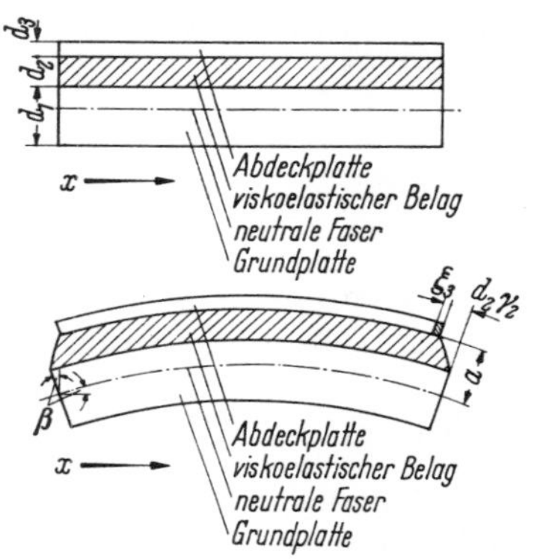

Abb. III/21. Verformung eines zwischen zwei Platten befindlichen visko-elastischen Materials

platte weniger gedehnt wird als die Oberseite der Grundplatte. Aus diesem Längenunterschied ξ_2 ergibt sich der Gleitwinkel $\gamma_2 = \xi_2/d_2$. Damit wird, in Analogie zu Gl. (21), die innerhalb des viskoelastischen Belags in Wärme umgesetzte Energie pro Schwingung (wieder pro Oberflächeneinheit gerechnet)

$$W_V'' = \pi\, \eta_2\, G_2^{\perp}\; d_2 |\gamma_2|^2 = \pi\, \eta_2\, G_2^{\perp}\; d_2 \left|\frac{\xi_2}{d_2}\right|^2 . \tag{79}$$

(G_2 = Schubmodul der Mittelschicht.)

Die wiedergewinnbare Formänderungsarbeit ist dagegen genau so wie oben

$$W_R'' = \frac{1}{2}\, B \left|\frac{d\beta}{dx}\right|^2 = \frac{1}{2}\, B\, k^2 |\beta|^2 . \tag{80}$$

Dabei ist B die Biegesteife der gesamten Plattenanordnung. Sie setzt sich, wie unten noch gezeigt wird, aus mehreren Anteilen zusammen.

Die in Gl. (80) auftretende Diffentiation nach x konnte leicht durchgeführt werden, da man davon ausgehen kann*, daß das ganze System nur zu Biegeschwingungen angeregt ist. Es führen also sowohl die beiden Platten als auch die Zwischenschicht Schwingungen mit derselben Wellenlänge aus. Für den Fall ebener Wellen — aus dem dann durch Superposition jede beliebige Wellenform erhalten werden kann — ist die x-Abhängigkeit aller Bewegungen durch e^{-jkx} gegeben. Dabei ist $k = \sqrt[4]{\omega^2 m'/B}$ die Biegewellenzahl, die sich aus der Gesamtmasse und der gesamten Biegesteife ergibt.

Aus den Gln. (79) u. (80) folgt unmittelbar (s. Gl. (22)) für den Verlustfaktor einer Plattenkombination, bei der die mechanischen Verluste vorwiegend durch Schubbeanspruchung einer viskoelastischen Schicht entstehen

$$\eta = \eta_2 \frac{G_2^{\perp} d_2 |\gamma_2|^2}{B k^2 |\beta|^2} . \tag{81}$$

Diese Gleichung enthält noch zwei unbekannte Größen, die Biegesteife der Gesamtanordnung und das Verhältnis von Schubwinkel zu Biegewinkel. Diese beiden Größen werden im folgenden für zwei Spezialfälle berechnet. Man sieht aber bereits ohne genaue Kenntnis der einzelnen Größen, daß es günstig ist, das Verhältnis γ_2/β möglichst groß zu machen.

α) Biegesteife Grundplatte mit dünner Abdeckplatte. Wird eine Platte mit dünnen Belägen (z. B. damping tape) versehen, so kann man in erster Näherung die Biegesteife der Grundplatte und der Plattenkombination gleichsetzen. Mit dieser Näherung gilt aber auch, daß die Verschiebung der viskoelastischen Schicht $a\,\beta$ beträgt (s. Abb. III/21). Daraus ergibt sich aber noch nicht der Schubwinkel γ_2, vielmehr muß man noch berücksichtigen, daß durch die Schubkräfte die Abdeckplatte um einen Betrag ξ_3 verlängert wird. Für den Schubwinkel γ_2 gilt also die Beziehung

$$d_2 \gamma_2 = \xi_2 = a\,\beta - \xi_3 . \tag{82}$$

Die Größe ξ_3 ergibt sich aus der auf die Platte 3 wirkenden Kraft $G_2 \gamma_2$ und der Rückstellkraft dieser zu Longitudinalbewegungen angeregten Platte. Unter Benutzung von Gl. (II, 2 u. II, 3) (wobei statt der Träg-

* Aus dieser Forderung ergibt sich eine Gültigkeitsgrenze für die vorliegenden Rechnungen. Offensichtlich darf die Zwischenschicht zwischen den beiden Platten nicht so weich sein, daß die beiden Platten als unabhängig betrachtet werden können. Insbesondere muß die Resonanzfrequenz, gegeben aus den Massen der beiden Platten und der Steife der Zwischenschicht weit über dem interessierenden Bereich liegen. Es muß also $\sqrt{\frac{E_2 (m_1 + m_3)}{d_2 m_1 m_3}} \gg \omega$ sein.

heitskraft die Schubkraft eingesetzt wird) kann man schreiben

$$E_3\, d_3 \frac{d^2 \xi_3}{dx^2} = - \underline{G}_2 \gamma_2 \,. \tag{83}$$

(E_3 = Elastizitätsmodul der Abdeckplatte.)

Da eine Differentiation nach x wieder gleichbedeutend ist mit einer Multiplikation mit k, erhält man aus Gl. (82) u. (83)

$$\frac{\gamma_2}{\beta} = \frac{a}{d_2} \frac{1}{1 + \frac{\underline{G}_2}{E_3\, d_3\, d_2\, k^2}} \,. \tag{84}$$

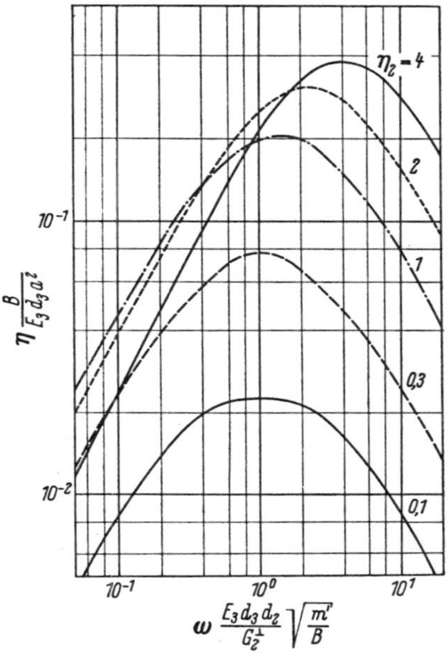

Abb. III/22. Frequenzgang des Verlustfaktors einer Mehrschichtplatte

Es ist zu beachten, daß hier nicht wie in Gln. (79) und (81) der Realteil $G_2^\perp$ des Schubmoduls auftritt sondern der komplexe Modul $\underline{G}_2 = G_2^\perp (1 + j\,\eta_2)$. Setzt man Gln. (84) in (81) ein, so ergibt sich für den Verlustfaktor einer derartigen Anordnung

$$\eta = \eta_2 \frac{E_3\, d_3\, a^2\, g_d}{B\, |1 + (1 + j\,\eta_2)\, g_d|^2} \,. \tag{85}$$

Dabei wurde ein sog. Schubparameter für die dünne (Index d) Abdeckplatte

$$g_d = \frac{G_2^\perp}{E_3\, d_3\, d_2\, k^2} \tag{86}$$

eingeführt, für den man auch schreiben kann:

$$g_d = \frac{G_2^\perp}{E_3\, d_3\, d_2\, \omega} \sqrt{\frac{B}{m'}} = \frac{G_2^\perp\, \lambda^2}{4\,\pi^2\, E_3\, d_3\, d_2} \,, \tag{86a}$$

wobei λ die Biegewellenlänge auf der Platten-Kombination ist. Wie man sieht, ist g_d und damit auch der Verlustfaktor der Mehrschichtplatte frequenzabhängig. Im Gegensatz dazu war der Verlustfaktor einer Platte mit einem einfachen Belag frequenzunabhängig. Der Frequenzgang des Verlustfaktors, der durch $\eta_2\, g_d\, |1 + (1 + j\,\eta_2)\, g_d|^{-2}$ gegeben ist, wurde in Abb. III/22 aufgetragen. Wie man sieht, tritt ein Dämpfungsmaximum auf, das — wie eine einfache Rechnung zeigt — bei

$$f_{\max} = \frac{1}{2\pi} \frac{G_2^\perp \sqrt{1+\eta_2^2}}{E_3\, d_3\, d_2} \sqrt{\frac{B}{m'}} \approx \frac{1}{22} \frac{c_{L1}\, d_1\, G_2^\perp}{d_2\, d_3\, E_3} \sqrt{1 + \eta_2^2} \tag{87}$$

liegt. (c_{L1} = Longitudinalwellengeschwindigkeit in der Grundplatte.)

Da bei Metallplatten $c_{L1} \approx 5 \cdot 10^5$ cm/sec ist, muß der Schubmodul sehr viel niedriger sein als der Elastizitätsmodul der Abdeckplatte, um die Frequenz größter Dämpfung in den hauptsächlich interessierenden Bereich zwischen 100 und 1000 Hz zu legen.

Die Abnahme der Dämpfung zu beiden Seiten des Maximums ist relativ langsam. Die „Halbwertsbreite" beträgt ca. 5 Oktaven.

Neben der soeben erwähnten Frequenzabhängigkeit besteht noch ein weiterer wichtiger Unterschied zwischen Einschicht- und Mehrschichtbelägen. Während beim Einschichtbelag (s. Gl. (78)) das Produkt $\eta_2 E_2^{\perp}$ von ausschlaggebender Bedeutung ist, braucht beim Mehrschichtbelag nicht unbedingt gefordert zu werden, daß das Produkt $\eta_2 G_2^{\perp}$ möglichst groß sein muß. Gl. (85) zeigt nämlich, daß der Schubmodul $G_2^{\perp}$ keinen Einfluß auf die Höhe des Verlustfaktormaximums hat; durch $G_2^{\perp}$ wird nur die Frequenz bestimmt, bei der dieses Maximum auftritt. Man braucht also — wenigstens bis zu einem gewissen Grade — bei der Auswahl eines viskoelastischen Materials nicht allzusehr auf Größe von $G_2^{\perp}$ zu achten, solange der Verlustfaktor η_2 möglichst hoch ist. Es ist also durchaus möglich, die relativ weichen Kunststoffe mit $\eta_2 > 1$ (s. Tab. III/3) zu verwenden.

Die maximal erreichbare Dämpfung bei der optimalen Frequenz ist

$$\eta_{\text{opt}} = \frac{E_3\, d_3\, a^2}{B} \frac{\eta_2}{2\left(1 + \sqrt{1 + \eta_2^2}\right)} \,. \tag{88}$$

Bei dicken Grundplatten, also wenn $B \approx E_1\, d_1^3/12$ gesetzt werden kann, und bei dünnen Belägen, bei denen $d_1 \gg d_2$, $d_1 \gg d_3$ und damit $a \approx d_1/2$, geht Gl. (88) über in

$$\eta_{\text{opt}} = \frac{3}{2} \frac{E_3\, d_3}{E_1\, d_1} \frac{\eta_2}{\left(1 + \sqrt{1 + \eta_2^2}\right)} \,. \tag{88a}$$

Wie man sieht, ist der für $\eta_2 = 2$ (höhere Werte dürften nur selten auftreten) maximal erreichbare Verlustfaktor etwa 0,9 $E_3\, d_3/E_1\, d_1$.

Zusammenfassend kann man also sagen:

Mehrschichtplatten mit viskoelastischen Belägen, die auf Schub beansprucht werden, ergeben Verlustfaktoren, die sich etwas mit der Frequenz ändern. Der physikalische Grund für die Frequenzabhängigkeit liegt darin, daß bei tiefen Frequenzen die Abdeckplatte stark gedehnt wird (s. Gl. (83)), während bei den hohen Frequenzen die Biegeenergie immer größer wird, verglichen mit der Schubenergie. Gl. (84). Die Frequenz maximaler Dämpfung hängt vom Schubmodul und der Dicke der Abdeckplatte und von der Wellenlänge der Biegeschwingungen, also auch von den Eigenschaften der Grundplatte ab. Die Größe des maximalen Verlustfaktors hängt vom Verlustfaktor des viskoelastischen Materials (nicht jedoch von dessen Schubmodul), von den Elastizitätsmoduln der Grund- und Abdeckplatte und von den Abmessungen ab. Durch das Einbringen eines Abstandhalters (spacer) können die Verluste beträchtlich erhöht werden. Bei geeigneter Dimensionierung kann man über ein ziemlich breites Frequenzband einen Verlustfaktor von $0{,}5\, E_3\, d_3/E_1\, d_1$ bis $1{,}0\, E_3\, d_3/E_1\, d_1$ erreichen. Die „geeignete Dimensionierung" ist jedoch für jede Grundplatte verschieden, man muß sie also beinahe für jeden Fall neu festlegen.

Bei Temperaturerhöhung wird $G_2^{\perp}$ verringert, das Maximum des Verlustfaktors verschiebt sich also zu tieferen Frequenzen.

ß) Zwei gleich dicke Platten mit einer dünnen Zwischenschicht. Bei den Rechnungen unter α wurde angenommen, daß die Abdeckplatte sehr viel dünner ist als die Grundplatte. Es konnte also der Einfluß der Biegesteife der Abdeckschicht vernachlässigt werden. Gl. (88a) zeigt jedoch, daß der Verlustfaktor proportional dem Verhältnis $E_3\, d_3/E_1\, d_1$ ist. Diese Tatsache läßt vermuten, daß dicke Abdeckplatten zu hohen Verlustfaktoren führen und daß Gleichheit der beiden Platten eine Art Optimum darstellt. Aus diesem Grunde wird dieser Fall hier gesondert untersucht.

Hat man zwei gleiche Platten mit einer dünnen viskoelastischen Zwischenschicht, dann ist, wie man aus Abb. III/23 leicht ersehen kann (s. auch Gl. (82)),

$$d_2 \gamma_2 = 2\, a\, \beta_1 - 2\, \xi_1 = 2\, a\, \beta_3 - 2\, \xi_3\,. \tag{89}$$

Für die Dehnungen ξ_1 und ξ_3 gilt genauso wie im Abschnitt α

$$E_3\, d_3 \frac{d^2 \xi_3}{dx^2} = E_1\, d_1 \frac{d^2 \xi_1}{dx^2} = -\, k^2\, E_1\, d_1\, \xi_1 = -\, \underline{G}_2\, \gamma_2\,. \tag{90}$$

Damit wird

$$\frac{\gamma_2}{\beta_1} = \frac{\gamma_2}{\beta_3} = \frac{a}{d_2} \frac{2}{1 + \dfrac{2\, \underline{G}_2}{E_3\, d_3\, d_2\, k^2}}\,. \tag{91}$$

Führt man hier wieder einen Schubparameter für identische (Index i) Platten

$$g_i = \frac{2\, G_2^{\perp}}{E_3\, d_3\, d_2\, k^2} \tag{92}$$

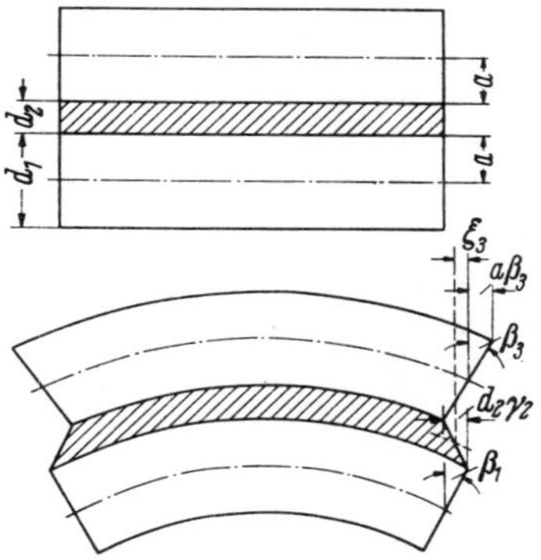

Abb. III/23. Verformung eines viskoelastischen Belags zwischen zwei gleichen Platten

ein, so erhält man nach Gl. (81)

$$\eta = \eta_2 \frac{2\, E_3\, d_3\, a^2}{B} \frac{g_i}{|1 + (1 + j\, \eta_2)\, g_i|^2}\,. \tag{93}$$

Gl. (93) enthält noch eine Unbekannte, die Biegesteife B der Plattenkombination. Diese Größe kann man berechnen, wenn man berücksichtigt, daß die gesamte reversible Energie

$$W''_R = \frac{1}{2} B k^2 |\beta|^2 \tag{94}$$

sich zusammensetzt aus:
der Biegeenergie der beiden Platten

$$\frac{1}{2} (2 B_1) k^2 |\beta|^2 , \tag{94a}$$

der Dehnungsenergie der beiden Platten

$$\frac{1}{2} (2 E_3 d_3) k^2 |\xi_3|^2 \tag{94b}$$

und der reversiblen Schubenergie in der Zwischenschicht

$$\frac{1}{2} G_2^{\perp} d_2 |\gamma_2|^2 . \tag{94c}$$

Setzt man hier Gln. (90) bis (92) ein, dann folgt

$$W''_R = \frac{1}{2} B k^2 |\beta|^2 = \frac{1}{2} k^2 |\beta|^2 \left[2 B_1 + 2 E_3 d_3 a^2 \frac{g_i^2 (1 + \eta_2^2) + g_i}{|1 + (1 + j \eta_2) g_i|^2} \right].$$

Die Biegesteife der Gesamtanordnung ist also gleich dem Ausdruck in der eckigen Klammer. Wir erhalten also

$$B = 2 B_1 \left[1 + \frac{E_3 d_3 a^2 g_i}{B_1} \frac{1 + g_i (1 + \eta_2^2)}{|1 + (1 + j \eta_2) g_i|^2} \right] \approx 2 B_1 \left(1 + \frac{3 g_i}{1 + g_i} \right). \tag{95}$$

Dabei wurde $B_1 = E_1 d_1^3/12$ und $a \approx d_1/2$ gesetzt. Wie zu erwarten, ist bei hohen Frequenzen (d. h. $g_i \to 0$) die Biegesteife der Gesamtanordnung gleich der doppelten Biegesteife einer Platte, bei tiefen Frequenzen ($g_i \to \infty$) ist sie das achtfache einer Platte, entspricht also der Biegesteife einer Platte mit der Dicke $2 d_1$.

Setzt man die Biegesteife B in Gl. (93) ein, so erhält man nach einigen Umformungen und mit der Abkürzung

$$h_i = \frac{E_3 d_3 a^2}{B_1} \approx 3$$

den Ausdruck

$$\eta = \frac{\eta_2 h_i g_i}{1 + (2 + h_i) g_i + (1 + h_i)(1 + \eta_2^2) g_i^2} \approx \frac{3 \eta_2 g_i}{1 + 5 g_i + 4 (1 + \eta_2^2) g_i^2} . \tag{96}$$

Die Frequenz maximaler Dämpfung ist in diesem Fall durch

$$g_i = \frac{1}{2 \sqrt{1 + \eta_2^2}} ,$$

also durch

$$f_{\max} \approx \frac{2}{\pi} \frac{G_2^{\perp}}{E_3 d_3 d_2} \sqrt{\frac{B}{m'}} \approx \frac{2}{11} \frac{G_2^{\perp}}{E_3} \frac{c_{L1}}{d_2} \tag{97}$$

gegeben. Dabei wurde für die Biegesteife der in der Nähe von $f_{\max}$ gültige Wert $B \approx 4\,B_1$ eingesetzt. Bei Eisenplatten mit $f_{\max} \approx 500$ Hz muß also $G_2^{\perp} \approx 5 \cdot 10^9\,d_2$ sein ($G_2^{\perp}$ in dyn/cm², d_2 in cm). Dieser Wert ist, wie die Tab. III/3 zeigt, leicht zu realisieren. Die „Bandbreite" beträgt wieder ca. 5 Oktaven.

Der Verlustfaktor bei der optimalen Frequenz ist

$$\eta_{\text{opt}} \approx \frac{3\,\eta_2}{5 + 4\sqrt{1 + \eta_2^2}}\,. \tag{98}$$

Offensichtlich kann η_{opt} selbst für beliebig hohe Werte von η_2 nicht größer als 0,75 sein. Praktisch erreichbar für dünne Zwischenschichten ist $\eta_{\text{opt}} \approx 0{,}4$; ein Beispiel hierfür zeigt Abb. III/24.

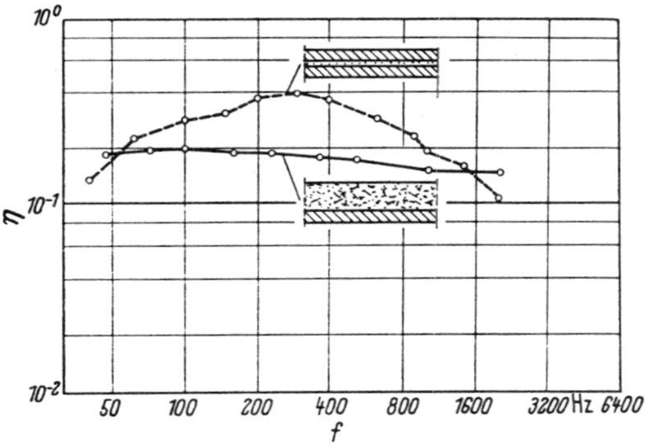

Abb. III/24. Gemessener Verlustfaktor einer Verbundplatte mit dünner Zwischenschicht und einer Platte mit einfacher Beschichtung ($d_2/d_1 \approx 2{,}5$)

Wie man sieht, gelten für Konstruktionen mit zwei gleichen Platten dieselben allgemeinen Gesichtspunkte wie für dicke Platten mit zwei dünnen Belägen. Der Hauptvorteil der Mehrschichtplatten mit viskoelastischen Zwischenschichten, die auf Schub beansprucht sind, ist der, daß man bei geeigneter Materialwahl mit sehr dünnen Schichten (die Dicke d_2 geht nicht in Gl. (98) oder Gl. (88) ein) hohe Verlustfaktoren erreichen kann und daß durch den viskoelastischen Belag die Biegesteife der Anordnung nicht sehr erhöht wird. Das bedeutet, daß im Vergleich zu Platten mit einfachen Belägen die Biegewellenlänge ziemlich kurz und damit die Dämpfung innerhalb einer gegebenen Entfernung relativ hoch ist. Der Nachteil der Mehrschichtplatten ist, daß sie beinahe für jede Plattendicke gesondert dimensioniert sein müssen.

γ) **Beliebige Platten oder- Stabkombinationen.** Auf die Ableitung der Gleichungen für den Verlustfaktor von komplizierteren Stabkombinationen, wie sie in Abb. III/20 dargestellt sind, sei hier verzichtet, da keine prinzipiell neuen Gesichtspunkte zu erwarten sind. Eine genaue Durchrechnung dieser Fälle wie sie von KERWIN, ROSS, UNGAR und KURTZE[1, 2, 3] durchgeführt wurde, ergab

$$\left.\begin{aligned} \eta &= \frac{\eta_2 h g}{1 + (2 + h) g + (1 + h)(1 + \eta_2^2) g^2}, \\ \text{wobei} \quad \frac{1}{h} &= \frac{B_1 + B_3}{(a_1 + a_3)^2}\left(\frac{1}{E_1 S_1} + \frac{1}{E_3 S_3}\right), \\ g &= \frac{G_2^{\perp} b}{d_2 k^2}\left(\frac{1}{E_1 S_1} + \frac{1}{E_3 S_3}\right). \end{aligned}\right\} \tag{99}$$

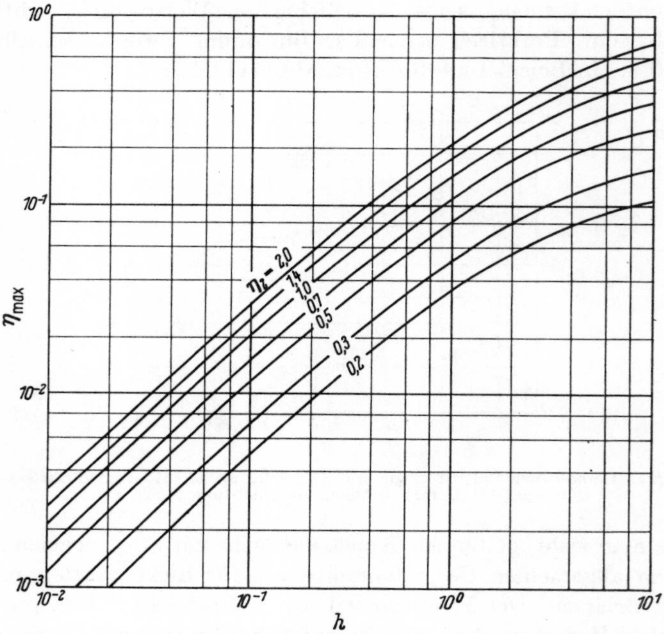

Abb. III/25. Verlustfaktor von Mehrschichtanordnungen bei der Frequenz maximaler Dämpfung (h = Parameter nach Gl. (99))

Diese Gleichungen gelten für beliebige Profile. Es treten daher auch die Breite b der Zwischenschicht und die Querschnittsfläche der Stäbe S_1 und S_3 auf.

[1] ROSS, D., E. E. UNGAR, E. M. KERWIN: Structural Damping (ed. J. E. RUZICKA), American Society of Mechanical Engineers, New York 1959.

[2] UNGAR, E. E.: J. acoust. Soc. Amer. 34 (1962) 1082.

[3] KURTZE, G.: J. acoust. Soc. Amer. 31 (1959) 1183.

Man sieht sofort, daß die Gln. (85) u. (96) in (99) enthalten sind. Die nach Gl. (99) erreichbaren optimalen Verlustfaktoren als Funktion von h sind in Abb. III/25 aufgetragen. Wie man sieht, können bei Platten Verlustfaktoren bis etwa 0,4 erreicht werden, während sich mit Spezialbalkenkonstruktionen noch etwas höhere Werte erzielen lassen. Für die Biegesteife mehrschichtiger Balken ergibt sich aus den oben genannten Arbeiten

$$B = (B_1 + B_3)\left\{1 + h\,\frac{g\,[1 + g\,(1 + \eta_2^2)]}{|1 + (1 + j\,\eta_2)\,g|^2}\right\}. \tag{100}$$

Auch in diesem Ausdruck ist Gl. (95) enthalten.

c) Dämpfung durch Resonatoren

Bei den bisher behandelten Plattenkombinationen ergab sich stets eine sehr breitbandige Wirkung, wie sie in der Praxis, wenn die Anregung durch Geräusche erfolgt, meist erwünscht ist. Es gibt aber auch Fälle, bei denen nur ein sehr schmales Frequenzband angeregt wird (Transformatoren, etc.). Hier lohnt es sich, unter Umständen auch die Dämpfungsmaßnahme auf ein sehr schmales Frequenzgebiet abzustimmen, um auf Kosten der Bandbreite eine große Dämpfung in einem kleinen Gebiet zu erzielen.

Den einfachsten Fall derartiger dämpfender Resonatoren (oft sehr drastisch als akustische Blutegel bezeichnet) bilden unabhängige Masse-Federsysteme, die auf die zu dämpfende Fläche aufgebracht werden.

Betrachten wir als erstes einen zu Quasilongitudinalwellen angeregten Stab, der mit vielen unabhängigen Federn und Massen versehen ist (Abb. III/26). Für jede einzelne dieser Federn ergibt sich die Verschiebung aus der Formel

$$F' = \underline{s}'\,(\xi_S - \xi_M)\,. \tag{101a}$$

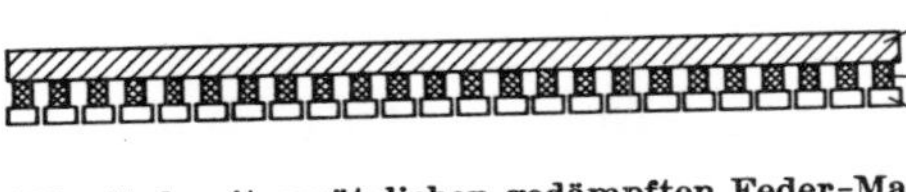

Abb. III/26. Stab mit zusätzlichen gedämpften Feder-Masse-Systemen

Dabei ist F' die antreibende Kraft, ξ_S und ξ_M die Auslenkungen zu beiden Seiten der Feder und $\underline{s}'$ die komplexe Steife einer Feder. Da alle Federn im vorliegenden Fall auf Schub beansprucht werden, ist

$$\underline{s}' = \underline{G}_F\,\frac{b}{l} = G_F'\,(1 + j\,\eta_F)\,\frac{b}{l}\,. \tag{101b}$$

(G_F = Schubmodul, η_F = Verlustfaktor des Federmaterials, l = Abstand zwischen Stab und Masse, b = Breite).

Für die Bewegung der Masse folgt nach dem Trägheitsgesetz

$$F' = -\omega^2 m' \xi_M . \tag{101 c}$$

Die hier angenommene Bewegung der Form $e^{j\omega t}$ bedeutet keine Einschränkung der Allgemeinheit, da bekanntlich alle Bewegungen durch Superposition von rein periodischen Bewegungen erhalten werden können. Führt man nun noch die Schnelle $v_S = j\,\omega_S\,\xi_S$ ein, dann erhält man

$$F' = \frac{j\,\omega\,m'\,v_S}{1 - \dfrac{\omega^2}{\underline{\omega}_0^2}}, \tag{101 d}$$

wobei

$$\underline{\omega}_0^2 = \frac{s'}{m'} = \frac{G_F'\,b}{l\,m'}\,(1 + j\,\eta_F) = \omega_0^2\,(1 + j\,\eta_F) \tag{101 e}$$

das Quadrat der komplexen Eigenfrequenz des Feder–Masse Systems ist.

Zur Berechnung der Schwingungen braucht man nun nur noch das Gleichungspaar (29) und (30) aus Kap. II zu benutzen. Dieses Gleichungspaar ist um die durch Gl. (101 d) gegebene Kraft zu erweitern. Man erhält also für die Longitudinalbewegung eines mit Federn und Massen belasteten Stabes

$$-\frac{dF}{dx} = j\,\omega\,\varrho\,S\,v_S + \frac{j\,\omega\,m'}{1 - \dfrac{\omega^2}{\underline{\omega}_0^2}}\,v_S \tag{102 a}$$

$$-E\,S\,\frac{dv_S}{dx} = j\,\omega\,F . \tag{102 b}$$

Durch Differentiation nach x ergibt sich daraus sofort

$$\frac{d^2 v_S}{dx^2} + \omega^2\,\frac{\varrho}{E}\left(1 - \frac{m'}{\varrho\,S}\,\frac{\omega_0^2\,(1 + j\,\eta_F)}{\omega^2 - \omega_0^2 - j\,\eta_F\,\omega_0^2}\right) v_S = 0 . \tag{103}$$

Wie zu erwarten, geht diese Gleichung für $m' = 0$ wieder in die übliche Wellengleichung über.

Der Einfluß der zusätzlich angebrachten Federn und Massen besteht darin, die beim unbehandelten Stab durch $k_{L0}^2 = \dfrac{\omega^2}{c_0^2} = \omega^2\,\varrho/E$ gegebene Wellenzahl in

$$k^2 = k_{LO}^2\left[1 + \frac{m'}{\varrho\,S}\,\frac{(1 - \nu^2) + \eta_F^2}{(1 - \nu^2)^2 + \eta_F^2} - j\,\eta_F\,\frac{m'}{\varrho\,S}\,\frac{\nu^2}{(1 - \nu^2)^2 + \eta_F^2}\right] \tag{104}$$

umzuwandeln ($\nu = \omega/\omega_0$).

Die Änderung der Wellenzahl, die in Gl. (104) zum Ausdruck kommt, bezieht sich sowohl auf den Real- als auch den Imaginärteil; d. h. durch die aufgesetzten Federn und Massen werden Ausbreitungsgeschwindigkeit und Dämpfung des ursprünglichen Systems geändert.

Für Zusatzmassen, die insgesamt 10% der Stabmasse haben, ist in Abb. III/27 die Ausbreitungsgeschwindigkeit und die Dämpfung eingezeichnet. Wie man sieht, wird eine kleine Änderung der Ausbreitungsgeschwindigkeit und nahe der Resonanzstelle eine beträchtliche Dämpfung bewirkt. Die Dämpfung wird sogar so hoch, daß die Voraussetzung der Rechnung ($\eta \ll 1$) nicht mehr erfüllt ist.

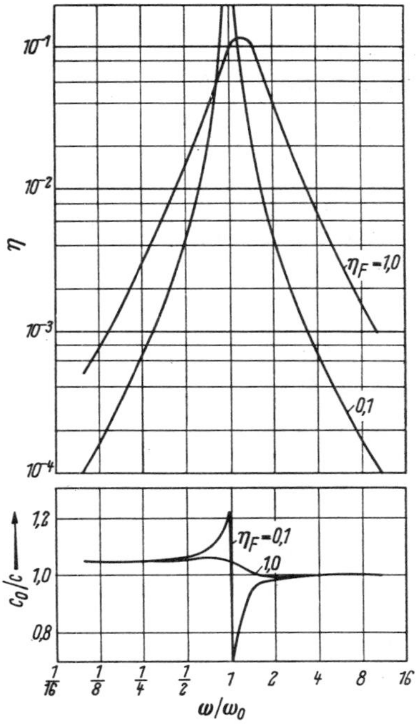

Abb. III/27. Dämpfung und Ausbreitungsgeschwindigkeit eines Stabes mit zusätzlichen Feder-Masse-Systemen $m'/\varrho S = 0{,}1$

Gln. (102) bis (104) kann man ohne Schwierigkeiten auf andere voneinander unabhängige Zusatzsysteme erweitern. Benutzt man nämlich statt Gl. (101d) der Eingangswiderstand

$$\underline{Z}' = \frac{F'}{v_S}$$

eines Zusatzsystems (pro Länge gerechnet), dann erhält man statt Gl. (103)

$$\frac{d^2 v_S}{dx^2} + \omega^2 \times \frac{\varrho}{E}\left(1 - j\,\frac{\underline{Z}'}{\omega\,\varrho\,S}\right) v_S = 0\,. \qquad (105)$$

Der Realteil des Eingangswiderstandes gibt also an, wie groß die Dämpfung ist. Besonders hohe Dämpfungen erhält man für rein reelle Widerstände. Ein Beispiel eines derartigen reellen Widerstandes ist der Eingangswiderstand einer Platte (s. Gl. (IV, 63)). Man kann also durch Anbringen von dünnen, gedämpften Platten, die senkrecht zur Stabachse stehen, ganz beachtliche Dämpfungen von Quasilongitudinalwellen erzielen (Verlustfaktoren von 0,3 sind für derartige Kombinationen nicht ausgeschlossen).

Die durch Gl. (104) gegebene Dämpfung hätte man natürlich auch nach den Energiemethoden, die in Abschn. 6a und 6b benutzt wurden, erhalten können. Wenn die Belastung durch die zusätzlich angebrachten Federn und Massen nicht allzu groß ist, dann ist die reversible mechanische Energie in einem Stab der Länge l

$$W_R'' = \frac{1}{2}\,\varrho\,S\,l|v_S^2|\,.$$

Die pro Zeiteinheit — für den Stab — verlorengegangene Energie ist (s. Gl. (IV, 33))

$$\frac{1}{2} n \operatorname{Re}\{v_S F^*\} = \frac{n}{2} |v_S|^2 \operatorname{Re}\{\underline{Z}_E\}.$$

Dabei ist n die Anzahl der Zusatzelemente und $\underline{Z}_E$ der Eingangswiderstand eines Elementes. Die pro Schwingungsperiode T verlorengegangene Energie ist entsprechend

$$W_v'' = \frac{n}{2} |v_S|^2 T \operatorname{Re}\{\underline{Z}_E\} = \frac{n\pi}{\omega} |v_S|^2 \operatorname{Re}\{\underline{Z}_E\}.$$

Nach der Definitionsgleichung (22) ergibt sich also für den Verlustfaktor der gesamten Anordnung

$$\eta = \frac{n}{l} \frac{\operatorname{Re}\{\underline{Z}_E\}}{\omega \varrho S}. \tag{106}$$

Da $n \underline{Z}_E/l$ der Eingangswiderstand pro Längeneinheit ist, ergeben Gln. (104) u. (106) beinahe dasselbe Ergebnis (der noch bestehende kleine Unterschied ist darauf zurückzuführen, daß die in den Zusatzelementen enthaltene reversible Energie vernachlässigt wurde).

Die gleiche Rechnung wie bei Quasilongitudinalwellen kann man auch bei Torsions- und Biegewellen durchführen. Man braucht auch hier lediglich zu den Trägheitskräften die von außen angreifenden Kräfte zu addieren. Für Biegewellen erhält man auf diese Weise statt Gl. (II, 122)

$$\frac{d^4 v}{dx^4} - k_{B0}^4 \left(1 - j \frac{\underline{Z}'}{\omega \varrho S}\right) v = 0. \tag{107}$$

Dabei ist $\underline{Z}'$ der Eingangswiderstand pro Längeneinheit der Zusatzanordnung, ϱS die Masse pro Längeneinheit des Stabes und k_{B0} die Biegewellenzahl des unbehandelten Stabes. Offensichtlich ist auch hier die Dämpfung wieder durch den Realteil des Widerstandes gegeben. Sie hat also bei einfachen Feder–Masse Systemen wieder ein ausgeprägtes Maximum; auch bei den übrigen Frequenzen entspricht die Wirkung den in Abb. III/27 angegebenen Kurven.

Ein Meßbeispiel[1] eines Stabes, bei dem die Dämpfung durch Einzelelemente erfolgte, zeigt Abb. III/28. Es handelt sich hier um einen auf Biegung beanspruchten Stab, an den viele kleine, verschieden abgestimmte Blechstreifen angebracht waren. Die Blechstreifen waren schwach gedämpft.

Wie man sieht, erhält man auf diese Weise immerhin Verlustfaktoren von 0,01—0,02. Dieser Wert ist zwar nicht besonders hoch (das Gewicht der Blechstreifen ist ca. 9% des Stabgewichtes; bei demselben Gewichtsverhältnis könnte man durch einen einfachen viskoelastischen Belag

[1] Heckl, M.: J. Acoust. Soc. Amer. 33 (1961) 640.

den 3- bis 4-fachen Verlustfaktor erzielen) aber die Tatsache, daß man einen beinahe beliebigen Frequenzgang einstellen kann, mag ähnliche Anordnungen in Spezialfällen interessant erscheinen lassen.

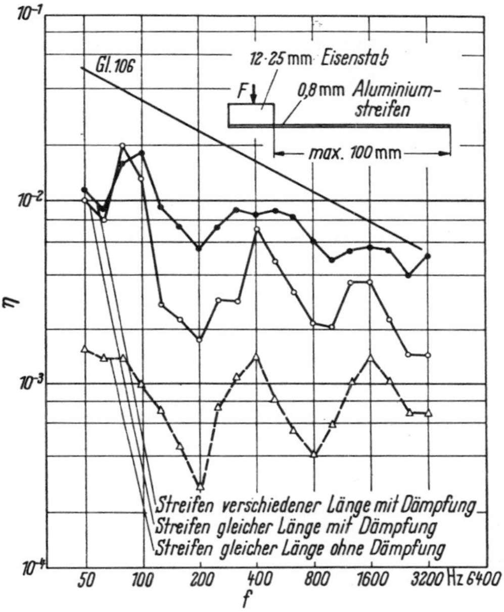

Abb. III/28. Verlustfaktor eines Stabes mit seitlich angebrachten Blechstreifen als Resonatoren

Ein weiteres System, bei dem die Dämpfung Resonanzcharakter hat, besteht aus zwei Platten, die miteinander durch federnde Elemente verbunden sind. Es handelt sich also um ein gekoppeltes System, das man durch zwei gekoppelte Biegewellengleichungen beschreiben kann. Die bei der Durchrechnung des Problems auftretenden Formeln für die beiden Biegewellenzahlen sind im allgemeinen Fall ziemlich kompliziert (s. Kap. V, 7a). Es läßt sich jedoch zeigen, daß die größte Dämpfung dann eintritt, wenn

$$\omega = \omega_0 = \sqrt{\frac{s'' (m_1'' + m_2'')}{m_1'' m_2''}}$$

ist. Da s'' die Federsteife der Zwischenschicht je Fläche und m_1'' bzw. m_2'' die Massen je Fläche der beiden Platten sind, stellt ω_0 gerade die Tonpilzfrequenz des Systems dar. Oberhalb und unterhalb von ω_0 ist die Dämpfung ziemlich klein. Diese Tatsache ist für Mehrschichtplatten mit sehr weichen oder dicken Zwischenschichten manchmal von Bedeutung; die in Abschn. 6b berechneten relativ hohen Verlustfaktoren werden nämlich oberhalb von ω_0 meist nicht mehr erreicht. Man sollte also immer darauf achten, daß die Zwischenschichten von Mehrschichtplatten nicht zu weich sind.

7. Dämpfung durch trockene Reibung

Bei den in Abschn. 6 behandelten Fällen erfolgte die Umsetzung von mechanischer Energie in Wärme stets in einem viskoelastischen Material. Dieser Energieumwandlungsprozeß ist zwar — bei geeigneter Materialwahl — sehr wirkungsvoll, aber er ist durchaus nicht der einzig mögliche. Ein anderer Mechanismus, durch den mechanische Schwingungsenergie in Wärme umgewandelt werden kann, ist der Prozeß der trockenen Reibung. Dieser Prozeß wird in der Praxis sehr häufig zur Dämpfung benutzt, er ist jedoch in seinen Einzelheiten noch ziemlich unerforscht. Meist begnügt man sich mit der einfachen Feststellung, daß zwei Flächen, die sich aneinander reiben können, Dämpfung verursachen; diese Art der Dämpfung ist es, die bei dünnwandigen, verschraubten Blechkonstruktionen ohne irgendwelche besondere Maßnahmen den in Abschn. 5a genannten Verlustfaktor von etwa 10^{-2} ergibt.

Wir wollen im folgenden zwei Arten der trockenen Reibung kurz behandeln: 1. durch Berührung von Metallflächen, 2. durch Sandschüttungen.

a) Reibung an Metallflächen

Es ist bekannt, daß die trockene Reibung, wie sie bei makroskopischen Bewegungen beobachtet wird, einem nichtlinearen Gesetz zwischen Kraft und Bewegung folgt.

Der Verlustfaktor müßte also mit wachsender Amplitude zunehmen. Dieses Verhalten wird in manchen Fällen beobachtet — insbesondere wenn die Bewegungsamplituden groß sind und wenn Schlupf zwischen zwei Konstruktionselementen stattfinden kann — und wurde auch schon theoretisch und experimentell eingehend untersucht[1]. Die Mehrzahl der Fälle lassen sich jedoch mit den Reibungsgesetzen für relativ große Bewegungen nicht erklären. Das ist nicht sonderlich verwunderlich, wenn man bedenkt, daß die normalerweise auftretenden Schwingungsamplituden im Frequenzbereich über 100 Hz in der Größenordnung von 10^{-8} bis 10^{-3} cm liegen.

Nach den bisher bekannten Messungen scheint bei kleinen Amplituden die durch Reibung in Wärme umgewandelte Energie proportional dem Quadrat der Amplituden zu sein. Man kann also auch hier mit

[1] Goodman, L. E.: A Review of Progress in Analysis of Interfacial Slip Damping, Sec. II, Structural Damping (ed. J. E. Ruzicka), Amer. Soc. Mech. Engrs., New York 1959.

einem amplitudenunabhängigen Verlustfaktor rechnen[1]. Für die praktisch besonders wichtigen Fälle, bei denen ein Stab und eine Platte miteinander verbunden sind, ergab sich außerdem, daß die verlorengegangene Energie etwa proportional der Kontaktfläche[1] ist und daß die Dämpfung einen ausgeprägten Frequenzgang aufweist, der damit zusammenhängt, in welchen Abständen Platte und Stab miteinander verbunden sind.

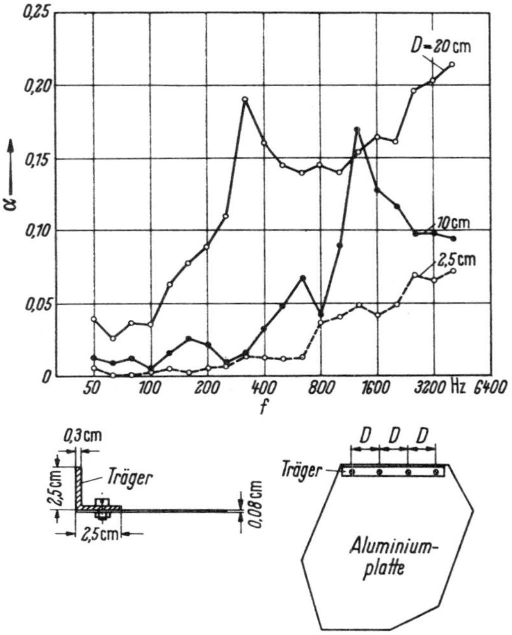

Abb. III/29. Körperschallabsorption auf einer Platte mit einem angebrachten Träger. (Die Berührungsfläche war nicht besonders behandelt)

Ein Beispiel der gemessenen Verluste an einem einfachen System zeigt Abb. III/29. In dieser Abbildung ist nicht der Verlustfaktor, sondern ein sog. Absorptionsgrad α aufgetragen. Diese Größe gibt etwa an, welcher Teil der auf den Rand auffallenden Körperschallenergie in Wärme umgewandelt wird.

$$\alpha = \frac{\text{an einer Grenzlinie geschluckte Energie}}{\text{auftreffende Energie}}. \tag{108}$$

Offensichtlich ist dieser Absorptionsgrad vollkommen analog dem aus der Raumakustik bekannten Schluckgrad. Er kann auch nach derselben

[1] UNGAR, E. E.: 33rd Symposium on Shock, Vibration and Associated Environments, Washington Dez. 1963.

Methode, nämlich durch Messung der Körperschallnachhallzeit T_0 und T_1 vor und nach Anbringen des Stabes, ermittelt werden.

Setzt man in die bekannte SABINEsche Nachhallformel für die Ausbreitungsgeschwindigkeit und für die mittlere freie Weglänge die für Platten gültigen Werte ein, dann ergibt sich folgende Gleichung[1] für die Bestimmung des Absorptionsgrades aus zwei Nachhallmessungen

$$\alpha = \frac{42\,S}{C\,L}\left(\frac{1}{T_1} - \frac{1}{T_0}\right). \tag{109}$$

Dabei ist S die Plattenfläche, L die Länge des aufgebrachten Stabes und C die Gruppengeschwindigkeit für Biegewellen auf der Platte. Einzelheiten hierzu s. Kap. V 6a, Gl. (V, 305).

Es fällt auf, daß der in Abb. III, 29 gezeigte Schluckgrad bei großem Schraubenabstand bis zu 20% betragen kann; es können also durch die Relativbewegung zweier Konstruktionsteile durchaus interessante Dämpfungen erzielt werden. Von Bedeutung ist die Dämpfung durch Reibung bei hohen Temperaturen (z. B. Schaufeln von Gasturbinen), bei denen die viskoelastischen Materialien nicht mehr verwendet werden können.

b) Dämpfung durch Sandschüttungen

Im Bauwesen werden zur Körperschalldämpfung im allgemeinen — aus wirtschaftlichen Gründen — Sandschüttungen oder dgl. verwendet. Intuitiv würde man erwarten, daß körnige Materialien zwar eine gewisse Körperschalldämpfung ergeben, daß aber die damit erzielbare Wirkung wegen der Unregelmäßigkeiten des Materials nur sehr schwer vorausberechenbar ist. Tatsächlich ergaben jedoch Messungen[2] an „Sandstangen“* gut reproduzierbare Ergebnisse. Man kann auf Grund dieser Untersuchungen im Mittel mit folgenden Daten für Sand rechnen:

Longitudinalwellengeschwindigkeit	$c_L \approx 1{,}5 \cdot 10^4$ cm/sec
Schubwellengeschwindigkeit	$c_T \approx 1{,}0 \cdot 10^4$ cm/sec
Verlustfaktor	$\eta \approx 0{,}1$

Auf Grund dieser Meßergebnisse, die zeigen, daß die Wellenlänge in Sand sehr kurz ist, leuchtet ein, daß die Dämpfung durch Sandschüttungen auf Energieableitung in den Sand mit nachfolgender Vernichtung (und weniger auf Reibung zwischen Sand und tragender Konstruktion) zurückzuführen ist. In Analogie zu den in Abschn. 6c behandelten Dämpfern mit Resonanzcharakter würde man also erwarten, daß bei Resonanz, d. h. wenn die Wellenlänge im Sand ein ungerades Vielfaches

[1] HECKL, M.: J. Acoust. Soc. Amer. 34 (1962) 803.

[2] SCHMIDT, H.: Acustica 4 (1954) 639.

* Die horizontalen „Sandstangen“ wurden dadurch erhalten, daß in eine lange Mulde, die aus einer Kunststoffolie gebildet wurde, Sand geschüttet wurde.

einer Viertelwellenlänge ist, besonders hohe Verluste auftreten. Dieser Effekt wird an gleichmäßig dicken Schüttungen auch tatsächlich beobachtet (s. Abb. III/30)[1]. Dabei zeigt sich zudem noch, daß die Dämpfung bei Resonanz um so höher ist, je kleiner der Verlustfaktor der Schüttung ist.

Als praktische Folgerung aus diesem Verhalten ergibt sich, daß Sandschüttungen nicht gleichmäßig dick sein sollen und daß die tiefste Frequenz, bei der eine Dämpfung auftritt, durch die größte Schichtdicke gegeben ist.

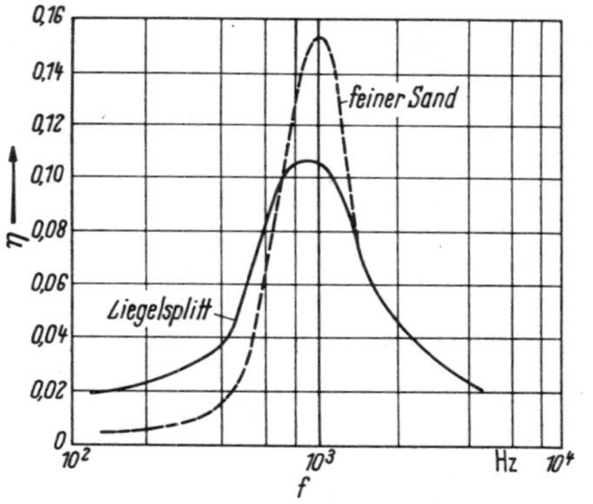

Abb. III/30. Verlustfaktor einer Betonstange mit Sandschichten (Sandgewicht etwa 10 % des Gesamtgewichtes)

Ein Beispiel der mit Sandschüttung erzielbaren Verbesserung zeigt Abb. III/31. Es ist hier der Pegelabfall auf einer freistehenden Hohlblockmauer mit sandgefüllten Hohlräumen aufgetragen[2]. Wie

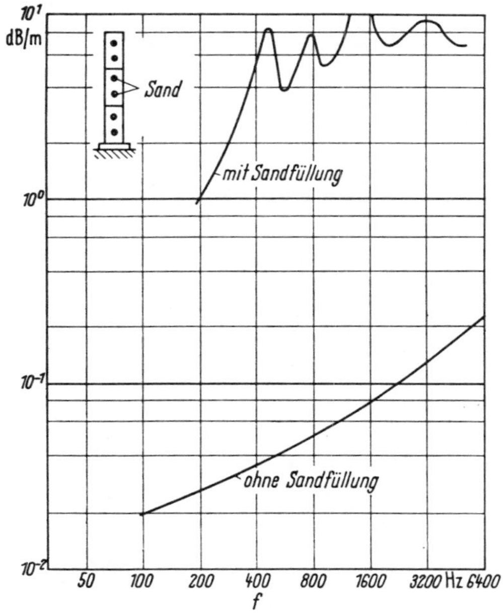

Abb. III/31. Körperschallpegelabnahme in einer frei-stehenden Hohlblockmauer mit und ohne Sandfüllung

[1] Kurtze, G.: VDI Berichte 8 (1956) 110.
[2] Kuhl, W. u. H. Kaiser: Acustica 2 (1952) 179

man sieht, ist der Pegelabfall sehr viel größer als der einer Mauer ohne Sandschüttung; man hat also hier ein relativ einfaches Mittel, die Körperschalldämpfung in Bauwerken zu erhöhen.

IV. Impedanzen

1. Definition der Punktimpedanz

In den beiden letzten Kapiteln wurde die Körperschallausbreitung in Form von ebenen Wellen mit und ohne Dämpfung untersucht. In diesem Kapitel soll nun der der Ausbreitung vorangehende Prozeß — also die Anregung von Körperschall — behandelt werden.

In der Praxis geschieht die Körperschallanregung durch Maschinen, die mit Fundamenten, Bauwerken etc. verbunden sind, durch Gehen, Klopfen, durch magnetische Kräfte in elektrischen Maschinen, durch Luftschall, durch Flüssigkeitsschall in Rohren etc. etc. All diesen Anregungsarten ist gemeinsam, daß eine bestimmte Kraft ausgeübt wird und daß dadurch — wenn man von extrem hohen Belastungen absieht — der Kraft proportionale Bewegungen hervorgerufen werden. Betrachten wir nur periodische Vorgänge mit einer Frequenz — alle übrigen Zeitverläufe können mit Hilfe einer Spektralanalyse auf periodische Vorgänge zurückgeführt werden — dann hat es einen Sinn, ähnlich wie in anderen Gebieten der Physik, eine Eingangsimpedanz zu definieren.

Die allgemeine Definitionsgleichung für die mechanische Impedanz $\underline{Z}$ lautet

$$\underline{Z} = \frac{\hat{\underline{F}}}{\hat{\underline{v}}}. \tag{1}$$

Dabei ist $\hat{\underline{F}}$ der Scheitelwertzeiger der anregenden Kraft und $\hat{\underline{v}}$ der Scheitelwertzeiger der erzeugten Schnelle am „Ort der Anregung". Die Eingangsimpedanz wird im allgemeinen eine komplexe Funktion der Frequenz sein, da sich der Quotient aus Kraft und Schnelle mit der Frequenz ändert.

Die durch Gl. (1) definierte Impedanz ist, im Gegensatz zur Impedanz in der Punktmechanik noch nicht eindeutig, da der „Ort der Anregung" unter Umständen ein größeres Gebiet ist, innerhalb dessen die Schnelle $\hat{\underline{v}}$ nicht konstant zu sein braucht. Außerdem enthält die Definitionsgleichung keine Angabe über die Größe der angeregten Fläche. Beispielsweise kann es einen großen Unterschied machen, ob eine dünne Platte mit einer auf einen Punkt konzentrierten Kraft angeregt wird oder ob dieselbe Kraft auf eine Ringfläche oder dgl. verteilt ist. Um diese Mehrdeutigkeit zu beseitigen, muß man noch genaue Festlegungen über die Kraftverteilung und über den „Ort der Anregung" treffen.

Offensichtlich ist diese Festlegung am einfachsten, wenn die anregende Kraft auf einen Punkt — in der Praxis bedeutet das ein Gebiet, dessen Abmessungen sehr viel kleiner sind, als die jeweilige Wellenlänge — konzentriert ist. In diesem Falle bestimmt sich die Impedanz aus der Kraft und Schnelle am Anregepunkt; man bezeichnet die entsprechende Größe daher auch als Punktimpedanz. Wir werden im folgenden fast nur Punktimpedanzen behandeln, da sie für die praktischen Probleme am wichtigsten sind. Außerdem ist die punktförmige Anregung auch rein mathematisch gegenüber allen anderen Anregungsarten ausgezeichnet, da jede beliebige Kraftverteilung auf eine Integration von Punktquellen zurückgeführt werden kann. Die punktförmige Anregung ist also für die Theorie des Körperschalls ebenso fundamental, wie der Strahler nullter Ordnung (Punktschallquelle) für die Theorie des Luftschalls. Wir werden auf diese Sonderstellung der Punktquellen, die nichts anderes ist als eine Anwendung des GREENschen Satzes, noch einige Male zurückkommen.

Neben den Punktimpedanzen sind fast nur noch die sogenannten Trennimpedanzen von praktischem Interesse. In diesem Fall, der bei der Theorie der Schalldämmung eine Rolle spielt, werden unendlich ausgedehnte Stäbe, Platten, Zylinder etc. betrachtet, die durch eine örtlich periodische Kraftverteilung angeregt werden. Da in diesem Falle Kraft und Schnelle dieselbe örtliche Verteilung haben, ist es gleichgültig, welcher Punkt als Ort der Anregung betrachtet wird (s. Kap. VI, 7a).

Ein ganz wesentlicher Vorteil der Impedanzen ist natürlich, daß man damit eine Methode hat, relativ komplizierte Gebilde als Elemente in einem mechanischen Schaltbild zu betrachten. Derartige Schaltbilder sind oft sehr bequem, da es — mit einiger Übung — möglich ist, die wesentlichen Eigenschaften eines Systems auf den ersten Blick zu erkennen. Es sei allerdings davor gewarnt mechanische Schaltbilder allzu unbedenklich zu benutzen, da sie manchmal — z. B. bei Biegewellen, bei denen neben den Kräften und Schnellen auch die Momente und Winkelgeschwindigkeiten von Bedeutung sind — bei oberflächlicher Betrachtung zu falschen Schlüssen führen können.

2. Messung mechanischer Impedanzen

a) Bestimmung von Kraft und Schnelle

Die nach Gl. (1) naheliegende Methode zur Widerstandsmessung ist die Bestimmung von Kraft und Schnelle. Für derartige Messungen benutzt man meist elektrodynamische Körperschallsender die mit einem sog. Impedanzkopf[1, 2] versehen sind. Dieser Impedanzkopf enthält meist

[1] PLUNKETT, K.: J. Appl. Mechanics 76 (1954) 250.
[2] ELLING, W.: Acustica 4 (1954) 396.

zwei piezoelektrische Kristalle, die zur Messung der Kraft bzw. der Schnelle oder der Beschleunigung dienen. Bei geeichten Körperschallsendern, die eine dem elektrischen Strom proportionale Kraft abgeben, ist nur die Verwendung eines Schnelle- oder Beschleunigungsmessers notwendig. Ein Beispiel eines Körperschallsenders zeigt Abb. IV/1. Zur Bestimmung des komplexen mechanischen Widerstandes werden die beiden der Kraft und Schnelle proportionalen elektrischen Spannungen nach Betrag und Phase bestimmt. Diese Größen braucht man nur mehr mit einer Apparatekonstante zu multiplizieren, die ihrerseits durch Eichmessungen an bekannten Widerständen — am einfachsten Massenwiderständen — ermittelt werden. Für sehr genaue Messungen bei wenigen Frequenzen empfiehlt es sich, die elektrischen Größen durch eine Brückenschaltung (s. z. B. Abb. III/9) zu bestimmen. Für Messungen über ein breites Frequenzband versucht man die Kraft möglichst konstant zu halten und registriert den Frequenzgang der Schnelle nach Betrag und Phase auf einem schreibenden Gerät.

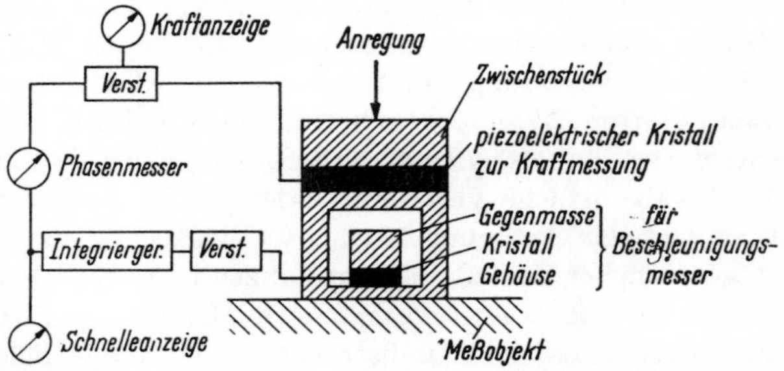

Abb. IV/1. Messung des mechanischen Widerstandes mit Hilfe eines Impedanzkopfes

Das Hauptproblem bei allen Messungen mit Impedanzköpfen bildet die Beeinflussung des Meßergebnisses durch die Meßapparatur. Da der Impedanzkopf mit dem Meßobjekt starr verbunden ist, stellt er einen Teil derselben dar. Der gemessene Widerstand $\underline{Z}_1$ besteht also aus dem gewünschten Widerstand $\underline{Z}_0$ des Meßobjekts und dem Widerstand des Impedanzkopfes. In den weitaus meisten Fällen kann man den Impedanzkopf durch einen Massenwiderstand sich ersetzt denken. Es gilt also, wenn m die Masse des Kopfes ist:

$$\underline{Z}_1 = \underline{Z}_0 + j\,\omega\, m\,. \tag{2}$$

Um das gewünschte Meßergebnis zu erhalten, muß man also vom gemessenen Widerstand den Massenwiderstand $j\,\omega\, m$ abziehen. Diese Subtraktion ist nicht nur umständlich, sie verringert auch die Genauigkeit der Messung. Man versucht daher, Impedanzköpfe so leicht zu bauen, daß diese Korrektur nicht nötig ist. Leider ist das nur bei tiefen

Frequenzen möglich; bei hohen Frequenzen (über 2000 Hz) muß man fast immer den Massenwiderstand berücksichtigen. Als Beispiel sei eine 5 mm dicke Aluminiumplatte erwähnt, deren Eingangswiderstand ca. $6 \cdot 10^5$ dyn sec/cm ist. Dieser Wert entspricht bei 5000 Hz dem Widerstand einer 20 g schweren Masse. Also selbst bei einem nur 20 g schweren Impedanzkopf müßte man in diesem Fall schon weit unter 5000 Hz den Massenwiderstand berücksichtigen.

Ein weiteres wichtiges Problem bei Impedanzmessungen ist die Verbindung zwischen Meßobjekt und Impedanzkopf. Man muß hier sehr darauf achten, daß eine wirklich starre Verbindung besteht und daß nur die gewünschte Bewegungskomponente angeregt wird.

Für überschlägige Messungen des Absolutbetrages einer Impedanz kann man manchmal auch ein einfaches mechanisches Hammerwerk benutzen. Voraussetzung ist dabei, daß sowohl die einzelnen Hämmer als auch die Oberfläche des Prüfobjektes sehr hart sind, so daß man den Aufprall der Hämmer beinahe als einen idealen Stoßvorgang betrachten kann. Hat das benutzte Hammerwerk die Schlagfrequenz f_S, dann besteht der zeitliche Verlauf der Kraft aus einer Reihe von sehr hohen Spitzen, deren gegenseitiger Abstand $T = 1/f_S$ beträgt (s. Abb. IV/2). Legt man nun den Zeitpunkt $t = 0$ so, daß dort gerade ein Stoß erfolgt, dann kann man die Kraft durch die Fourier-Reihe

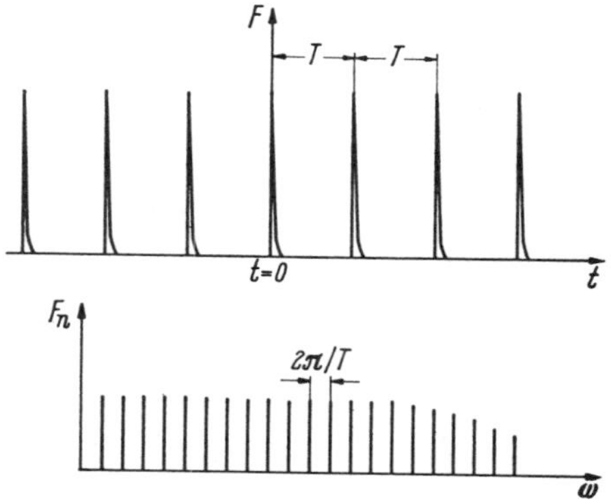

Abb. IV/2. Zeitverlauf und Spektrum eines mechanischen Hammerwerkes

$$F(t) = \sum_{n=1}^{\infty} F_n \cos n\,\omega_S\,t$$

ausdrücken. Dabei sind $\omega_S = 2\pi f_S$ und F_n die Fourier-Koeffizienten, die sich für $n \geq 1$ bekanntlich aus

$$F_n = \frac{2}{T}\int_0^T F(t) \cos n\,\omega_S\,t\,dt$$

ergeben. Sind die zu den Zeiten $t = 0,\ T,\ 2\,T,\ 3\,T \ldots$ erfolgenden Stöße so kurz, daß selbst für hohe Werte von n der Kraftstoß schon abgeklungen ist, bevor sich $\cos n\,\omega_S\,t$ wesentlich von $+\,1$ unterscheidet, dann ist

$$F_n \approx \frac{2}{T}\int_0^T F(t)\,dt = \frac{2}{T} I = 2\,m\,v_0\,f_S\,. \tag{3}$$

Dabei bedeutet I den Impuls, der sich aus der Masse m des Hammers und der Geschwindigkeit v_0 beim Aufprall ergibt. Das Hammerwerk führt also zu einem Spektrum von gleich hohen Linien im Abstand f_S. Dieses Ergebnis gilt in Strenge allerdings nur für den idealen Stoß, bei realen Stößen von endlicher Breite nimmt die Linienhöhe bei sehr hohen Frequenzen allmählich ab. Nach Messungen von T. H. LANGE[1] kann man jedoch bei harten Oberflächen bis zu einigen Kilohertz mit der Gültigkeit von Gl. (3) rechnen.

Zur Berechnung der von einem Hammerwerk erzeugten Schnelle muß man die FOURIER-Koeffizienten F_n durch den Eingangswiderstand bei der jeweiligen Frequenz dividieren und die so entstandenen FOURIER-Koeffizienten addieren. Man erhält somit

$$v(t) = \sum_{n=1}^{\infty} \frac{2\,I\,f_S}{Z} \cos n\,\omega_S\,t\,. \tag{3a}$$

Bei der Messung wird nun die durch (3a) gegebene Schnelle mit Hilfe eines Körperschallabtasters in ein elektrisches Signal umgewandelt. Dieses elektrische Signal kann man durch ein Filter der Bandbreite Δf geben und elektrisch gleichrichten. Man erhält dann den Effektivwert der Schnelle, für den aus Gl. (3a) folgt

$$\tilde{v}^2 = \frac{2\,N\,I^2 f_S^2}{|Z|^2}\,. \tag{3b}$$

Dabei ist N die Anzahl der Spektrallinien im Bereich Δf, also $N = \Delta f / f_S$.

Aus (3b) ergibt sich schließlich

$$\frac{1}{|Z|} = \frac{\tilde{v}}{I\,f_S\sqrt{2\,N}}\,. \tag{4}$$

Dabei ist $I\,f_S\sqrt{2\,N}$ eine Apparatekonstante, die man aus den Daten des Hammerwerks oder aus Vergleichsmessungen mit einem bekannten Widerstand erhalten kann. Wie man sieht, ist die Durchführung der Messung, die nur eine Schnellemessung erfordert, sehr einfach; allerdings ist die Genauigkeit nicht sehr hoch.

b) Vergleich mit einem bekannten Widerstand

Ähnlich wie in der Elektrotechnik, kann man auch in der Mechanik die Größe eines Widerstandes dadurch ermitteln, daß man ihn mit

[1] LANGE, T. H.: Acustica 3 (1953) 161.

einem bekannten vergleicht. Man benutzt im allgemeinen dazu mehr oder weniger große Massen, mit denen sich ohne weiteres ein sehr genauer Vergleichswiderstand herstellen läßt.

Die einzige Voraussetzung dabei ist, daß die Massen wirklich starr sind, also überall dieselbe Schnelle haben. Bei Systemen, die zu Biegewellen angeregt werden, ist zusätzlich noch zu berücksichtigen, daß neben den Transversal- auch Drehbewegungen auftreten, die evtl. zu Meßfehlern führen können.

Eine einfache Methode, einen Widerstand mit einem bekannten Massenwiderstand zu vergleichen, ist in Abb. IV/3 dargestellt.

Es handelt sich hier um einen sehr weich gelagerten Körperschallsender, der zur Anregung des Testobjektes dient.

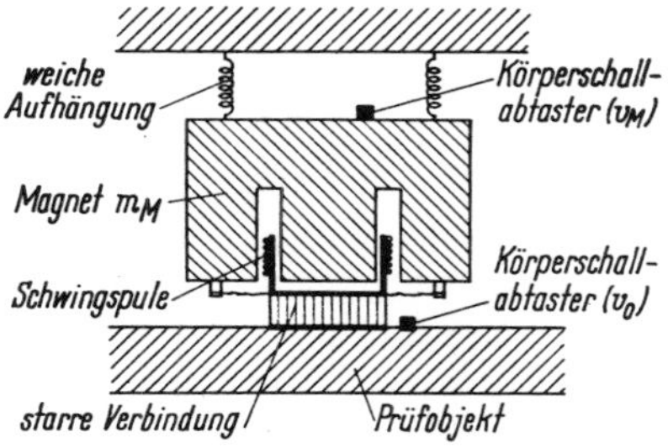

Abb. IV/3. Messung des mechanischen Widerstandes durch Vergleich mit einem Massenwiderstand

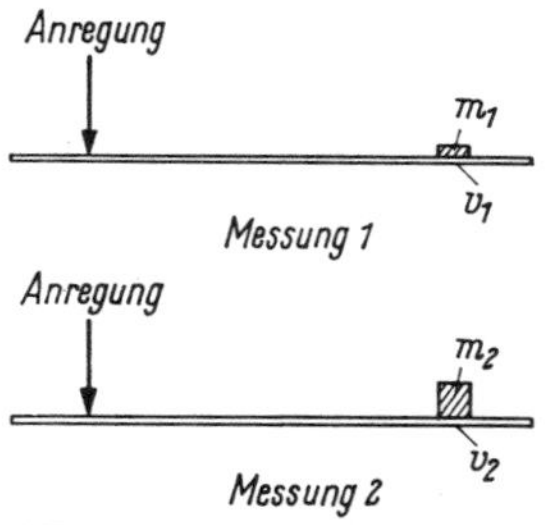

Abb. IV/4. Messung des mechanischen Widerstandes aus der Schnelleabnahme bei Belastung

Der Sender besteht aus einem möglichst kompakten Magneten der Masse m_M in dessen Ringspalt eine Spule angebracht ist, die mit dem Testobjekt starr verbunden ist. Wird die Spule vom Strom durchflossen, so wirkt eine Kraft F auf das Testobjekt und wegen der Gleichheit von Kraft und Gegenkraft eine gleich große Kraft auf den Magneten. Falls das Ganze sehr weich gelagert ist und der Magnet als reine Masse betrachtet werden kann, gilt folgender Zusammenhang zwischen Kraft und Schnelle des Magneten:

$$\underline{F} = j\,\omega\, m_M\, \hat{\underline{v}}_M\,. \tag{5}$$

Die Schnelle v_0 des Testobjekts ist dagegen

$$\hat{\underline{v}}_0 = \frac{\hat{\underline{F}}}{\underline{Z}_1}, \tag{5a}$$

wobei $\underline{Z}_1$ der — eventuell um die Spulenmasse vergrößerte — Eingangswiderstand ist. Aus (5) und (5a) folgt unmittelbar

$$\underline{Z}_1 = \frac{j\,\omega\, m_M \hat{\underline{v}}_M}{\hat{\underline{v}}_0}\,. \tag{6}$$

Die Widerstandsmessung ist also, wegen des direkten Vergleichs mit dem Massenwiderstand $j\,\omega\, m_M$, auf die Relativmessung zweier Schnellen oder auch Beschleunigungen zurückgeführt. Wichtig ist dabei nur, daß der Magnet als reine Masse betrachtet werden kann. Je nach Konstruktion ist das bis zu Frequenzen von einigen Kilohertz möglich.

Eine andere Möglichkeit[1] durch Vergleichsmessungen einen unbekannten Widerstand zu ermitteln, besteht darin, die bei Belastung mit einer bekannten Masse hervorgerufene Änderung der Schnelle eines Systems zur Widerstandmessung heranzuziehen. Wie aus Gl. (2) hervorgeht, ist bei Belastung mit einer Masse m_1 der Widerstand

$$\underline{Z}_{11} = \frac{\hat{\underline{F}}}{\hat{\underline{v}}_1} = \underline{Z} + j\,\omega\, m_1\,.$$

Diese Gleichung gilt nicht nur für die Anregestelle sondern auch für jeden beliebigen Meßpunkt. $\hat{\underline{F}}$ ist dann natürlich nicht die anregende Kraft sondern diejenige, die man am Beobachtungsort messen würde. Nimmt man nun eine zweite Messung vor, bei der die Masse m_1 durch eine Masse m_2 ersetzt wird und hält man die anregende Kraft konstant so gilt

$$\underline{Z}_{12} = \frac{\hat{\underline{F}}}{\hat{\underline{v}}_2} = \underline{Z} + j\,\omega\, m_2\,.$$

Bildet man den Quotienten aus beiden Gleichungen, so ergibt sich

$$\frac{\underline{v}_2}{\underline{v}_1} = \frac{\underline{Z} + j\,\omega\, m_1}{\underline{Z} + j\,\omega\, m_2}$$

oder

$$\underline{Z} = j\,\omega\, \frac{\left(\frac{\underline{v}_2}{\underline{v}_1}\right) m_2 - m_1}{1 - \left(\frac{\underline{v}_2}{\underline{v}_1}\right)}\,. \qquad (7)$$

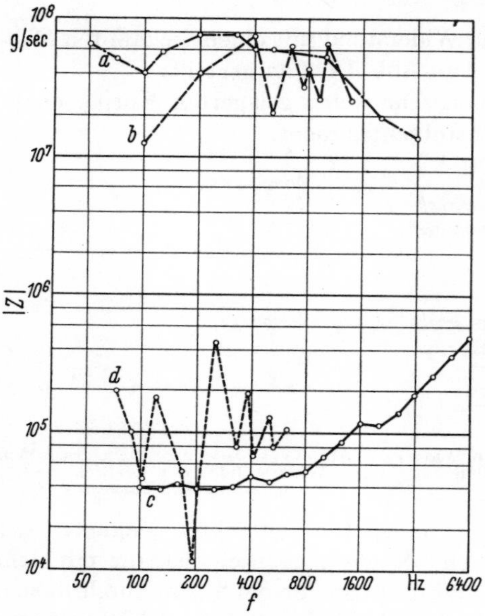

Abb. IV/5. Einige Beispiele von gemessenen Impedanzen

a) 12 cm Ziegelmauer[1] (Mittelwert); b) Außenhaut eines Unterseebootes[2]; c) 0,61 mm Stahlplatte (Nachhallplatte nach KUHL[3] mit zusätzlicher Masse von 7 gr an der Anregestelle; d) Cello (am linken Stegfuß angeregt[4])

[1] ELLING, W.: Acustica 4, 1954, S. 603.
[2] MUSTER, D.: Mechanical Impedance Measurements, Colloquium on Mechanical Impedance Methods for Mechanical Vibrations, ed. by R. Plunkett, The American Society of Mechanical Engineers, New York, 1958.
[3] KUHL, W.: Rundfunktechnische Mitteilungen 2, 1958, S. 111.
[4] EGGERS, F.: Acustica 9, 1959, S. 453.

Man kann also aus einer Relativmessung der beiden Schnellen $\underline{v}_1$ und $\underline{v}_2$ den gesuchten Widerstand $\underline{Z}$ errechnen. Offensichtlich wird die Messung um so genauer, je kleiner m_1 und je größer m_2 ist. Speziell für

$$j\,\omega\, m_1 \ll \underline{Z} \ll j\,\omega\, m_2$$

[1] HECKL, M.: Acustica 6 (1956), 373.

gilt

$$\underline{Z} \approx \frac{j\,\omega\, m_2\, \underline{v}_2}{\underline{v}_1}.$$

Diese Art der Messung eignet sich also besonders dann, wenn der zu messende Widerstand relativ klein ist. Beispiele von gemessenen Widerständen zeigt Abb. IV/5.

c) Sonstige Meßmethoden

Benutzt man einen der üblichen elektrodynamischen Körperschallsender, so setzt sich dessen elektrischer Widerstand $\mathfrak{Z}$ aus dem Innenwiderstand $\mathfrak{Z}_0$ bei festgehaltener Spule und aus dem von der Wandlerspannung $\mathfrak{U}_w$ hervorgerufenen Anteil zusammen. (s. Kap. I, 5b). Es gilt also

$$\mathfrak{Z} = \mathfrak{Z}_0 - \frac{\mathfrak{U}_w}{\mathfrak{J}}, \tag{8}$$

wobei $\mathfrak{U}_w$ die induzierte Gegenspannung und $\mathfrak{J}$ der durch die Spule fließende Strom sind. Nun sind aber (s. Gl. (I, 83) u. (I, 88)) $\mathfrak{U}_w$ und $\mathfrak{J}$ durch die elektromechanischen Kopplungsgleichungen

$$\mathfrak{U}_w = -\,B\,l\,\underline{v}; \qquad \underline{F} = B\,l\,\mathfrak{J} \tag{9}$$

mit der erzeugten Kraft und Schnelle der Spule verknüpft. (Da es sich bei einem elektrodynamischen Sender um einen passiven Wandler handelt, ist die durch die Stärke des Magnetfeldes und die Leiterlänge auf der Spule gegebenen Kopplungskonstante in beiden obigen Formeln gleich.) Durch Einsetzen von (9) in (8) erhält man

$$\mathfrak{Z} = \mathfrak{Z}_0 + \frac{(B\,l)^2\,\underline{v}}{\underline{F}} = \mathfrak{Z}_0 + \frac{(B\,l)^2}{\underline{Z}}. \tag{10}$$

Der mechanische Widerstand eines elektrodynamischen Körperschallsenders ist also durch den elektrischen Widerstand $\mathfrak{Z}_0$ bei festgehaltener Spule (d. h. durch die Kupferverluste und die Selbstinduktion) und durch den mechanischen Widerstand $\underline{Z}$ gegeben. Man kann also wenn $\mathfrak{Z}_0$ genügend klein ist, durch eine rein elektrische Widerstandsmessung den mechanischen Widerstand ermitteln. Offensichtlich eignet sich dieses Verfahren besonders für kleine Widerstände bei denen das zweite Glied in Gl. (10) relativ groß ist. Ein gewisser Vorteil dieses Verfahrens ist, daß man u. U. — insbesondere, wenn die Kupferverluste sehr klein sind — aus einer elektrischen Leistungsmessung die übertragene mechanische Leistung bei gegebener Kraft ermitteln kann.

Eine andere indirekte Methode zur Bestimmung mechanischer Widerstände erhält man durch eine Übertragung des aus dem Gebiet des Luftschalls bekannten Verfahrens der Impedanzrohrmessungen. Bekanntlich mißt man akustische Widerstände meist dadurch, daß man die zu untersuchende Probe an den Abschluß eines Rohrs bringt und die stehenden

Luftschallwellen im Rohr abtastet. Aus dem Unterschied des Schalldrucks in den Druckknoten und -bäuchen und aus der Lage des ersten Druckknotens kann man dann die Impedanz der Probe ermitteln[1]. Bei einer Übertragung dieses Verfahrens auf das Gebiet des Körperschalls ist das luftgefüllte Rohr durch einen zu Longitudinalwellen angeregten Stab und das Meßmikrophon durch einen Körperschallabtaster zu ersetzen. Es gelten dann dieselben Gesichtspunkte und Formeln wie bei den Impedanzmessungen für Luftschall. Man muß nur den Kennwiderstand der Luft durch den Kennwiderstand $\varrho\, c_L\, S$ ersetzen. Dabei ist ϱ die Dichte, c_L die Longitudinalwellengeschwindigkeit und S der Querschnitt des Stabes.

So elegant diese Widerstandsmessung auf den ersten Blick erscheint — es sind nur Relativmessungen von Schnellen notwendig und Phasenmessungen werden durch Längenmessungen ersetzt — ihre praktische Durchführung führt zu erheblichen Schwierigkeiten. Bekanntlich muß ein Impedanzrohr etwa so lang sein, wie eine halbe Wellenlänge bei der tiefsten Meßfrequenz. Auf das vorliegende Problem angewandt bedeutet das, daß ein Stahl oder Aluminiumstab ca. 12,5 m lang sein müßte um Messungen von 200 Hz an zu ermöglichen. Eine weitere Schwierigkeit ist, daß es durchaus nicht leicht ist, reine Longitudinalwellen auf einem langen Stab zu erzeugen. Meistens werden auch bei vollkommen symmetrischer Anregung an irgendwelchen Störstellen Biegewellen mitangeregt.

Statt eines zu Longitudinalwellen angeregten Stabes kann man auch einen zu Biegewellen angeregten Stab als akustische Meßleitung benutzen[2]. Das führt dann jedoch, da am Stabende auch Biegewellennahfelder auftreten zu sehr komplizierten und zeitraubenden Messungen und Auswertungen.

Von praktischem Interesse ist diese Meßmethode eigentlich nur dann, wenn der Absorptionsgrad α, also das Verhältnis von der am Ende übertragenen mechanischen Leistung zur auffallenden, bestimmt werden soll.

3. Eingangsimpedanzen von unendlich ausgedehnten Stäben und Platten

a) Anregung von Quasilongitudinalwellen in Stäben

Für reine Longitudinalwellen in einem unendlich ausgebreiteten Kontinuum wurde der Wellenwiderstand bereits im zweiten Kapitel (Gl. (II, 14)) angegeben. Eine vollkommen analoge Rechnung auf Quasilongitudinalwellen (Kap. II/1 b) angewandt, ergibt folgenden Ausdruck für den Ein-

---

[1] Details der Impedanzmessungen s. z. B. Cremer, L.: Die wissenschaftlichen Grundlagen der Raumakustik, Bd. III, § 13—18, Leipzig: S. Hirzel 1950.

[2] Vogel, S.: Acustica 6 (1956) 511.

gangswiderstand eines an einem Ende angeregten unendlich langen Stabes:

$$Z_{LII} = m' \, c_{LII} = S \sqrt{E \, \varrho} \, . \tag{11}$$

Dabei ist $m' = \varrho \, S$ die Masse pro Längeneinheit, c_{LII} die Longitudinalwellengeschwindigkeit im Stab (s. Gl. (II, 32)) und E der Elastizitätsmodul des Stabmaterials.

Mit Hilfe des durch Gl. (11) definierten Widerstandes kann man sofort die Bewegung eines Stabes berechnen, wenn er von einer Masse m angeschlagen wird. Wir nehmen dazu an, daß die Masse m zur Zeit $t = 0$ mit der Geschwindigkeit v_0 auf die Stirnfläche des Stabes antrifft. Es wirkt also vom Moment des Aufpralls an eine Trägheitskraft $m \, dv/dt$ auf die Masse und eine gleich große Kraft

$$F = S \sqrt{E \, \varrho} \, v_0$$

auf den Stab. Es gilt also

$$m \frac{dv}{dt} + S \sqrt{E \, \varrho} \, v = 0 \qquad \text{für } t \geqq 0 \, . \tag{12}$$

Daraus ergibt sich für die Schnelle an der Aufprallstelle

$$\left. \begin{aligned} v &= v_0 \, e^{-S(\sqrt{E\varrho}/m)t} && \text{für } t \geqq 0 \\ v &= 0 && \text{für } t < 0 \, . \end{aligned} \right\} \tag{13}$$

Man erhält also einen exponentiell abnehmenden Bewegungsverlauf, der um so langsamer mit der Zeit abklingt (d. h. um so dumpfer klingt), je größer die Stoßmasse ist.

Selbstverständlich gelten Gl. (12) u. (13) nur, wenn keine plastische Deformation des Stabes und keine elastische oder plastische Deformation der Stoßmasse auftreten. Ist das nicht der Fall, dann ist der Stoßvorgang „weicher“ als nach Gl. (13) anzunehmen wäre.

Die Fortpflanzung des Stoßvorganges im Stab erfolgt vollkommen unverzerrt mit der Ausbreitungsgeschwindigkeit für Longitudinalwellen. Die Schnelle an einer beliebigen Stelle des Stabes ist also nach Gl. (II, 12) durch

$$\left. \begin{aligned} v &= v_0 \, e^{-(S\sqrt{E\varrho}/mc)\,(ct-x)} && \text{für } x \leqq c\,t \\ v &= 0 && \text{für } x > c\,t \end{aligned} \right\} \tag{14}$$

gegeben.

Aus Gl. (14) kann man auch ablesen unter welchen Voraussetzungen die beim Stoß auf einen unendlich langen Stab gewonnenen Ergebnisse auf Stäbe endlicher Länge übertragen werden können. Man kann nämlich den Stoßvorgang als im wesentlichen abgeschlossen betrachten, wenn der Exponent in Gl. (13) den Wert -2 erreicht hat. Das ist aber gerade dann der Fall, wenn die erste Stoßfront an der Stelle $x_l = 2 \, m/S \, \varrho$ angelangt ist; eine an dieser Stelle — oder erst recht später — erfolgte Reflexion kommt erst zu einer Zeit an die Aufprallstelle $x = 0$ an zu der der Klopfvorgang abgeschlossen ist. Da $S\,\varrho\,x_l$ die Masse des entsprechenden Stabstückes ist, bedeutet das, daß bei einem Stab endlicher Länge der Stoßvorgang praktisch genau so erfolgt, wie bei einem Stab unendlicher Länge, vorausgesetzt, daß die gesamte Masse des Stabs mindestens zweimal so groß ist, wie die Masse des klopfenden Körpers.

Es ist interessant denselben Vorgang nun auch noch nach einer anderen Methode — nämlich der der Spektralanalyse — zu untersuchen. Man geht dabei davon aus, daß sich der Stoßvorgang dadurch ersetzen läßt, daß man einen idealen Kraftstoß (also eine sehr hohe Kraft in einem kurzen Zeitraum) auf die mit dem Stab in Berührung befindliche Masse wirken läßt. Es wirkt also eine vorgegebene Kraft $F(t)$ auf ein System mit dem — wegen der vorgeschalteten Masse — frequenzabhängigen Widerstand $S\sqrt{E\,\varrho} + j\,\omega\,m$.

Wie oben bereits erwähnt, ist der Eingangswiderstand nur für periodische Vorgänge mit einer Frequenz definiert. Wir müssen also die anregende Kraft durch das Kraftspektrum ersetzen und daraus das Schnellespektrum und schließlich den Zeitverlauf der Schnelle ermitteln. Diese Rechnung ist relativ leicht durchzuführen, denn das Spektrum des Kraftstoßes ist durch ein einfaches FOURIER-Integral gegeben. Bezeichnet man das Kraft- bzw. Schnellespektrum mit $\check{F}(\omega)$ bzw. $\check{v}(\omega)$, so gelten bekanntlich folgende Gleichungspaare* für den Zusammenhang zwischen Zeitverlauf und Spektralverlauf.

$$F(t) = \frac{1}{2\pi}\int_{-\infty}^{+\infty} \check{F}(\omega)\, e^{j\omega t}\, d\omega; \quad \check{F}(\omega) = \int_{-\infty}^{+\infty} F(t)\, e^{-j\omega t}\, dt \tag{15}$$

$$v(t) = \frac{1}{2\pi}\int_{-\infty}^{+\infty} \check{v}(\omega)\, e^{j\omega t}\, d\omega; \quad \check{v}(\omega) = \int_{-\infty}^{+\infty} v(t)\, e^{-j\omega t}\, dt\,. \tag{16}$$

Setzt man den angenommenen sehr kurzen Kraftstoß $F(t)$ in die zweite Gl. (15) ein, so verschwindet das Integral überall mit Ausnahme des Intervalls Δt, innerhalb dessen die relativ hohe Kraft wirkt. Wird das Intervall sehr klein gemacht, dann kann man $e^{-j\omega t}$ durch 1 ersetzen und erhält

$$\check{F}(\omega) = \int_0^{\Delta t} F(t)\, dt = I\,. \tag{17}$$

---

* In der Literatur treten die folgenden Formeln auch mit anderen Faktoren vor dem Integral auf. Das ist jedoch ohne Einfluß auf das Endergebnis. — S. DIN 5487.

Dabei wurde das Kraftintegral durch den Impuls ersetzt. Wegen

$$\breve{v}(\omega) = \frac{\breve{F}(\omega)}{Z(\omega)} \tag{18}$$

ergibt sich nun das Schnellespektrum zu

$$\breve{v}(\omega) = \frac{I}{S\sqrt{E\,\varrho} + j\,\omega\,m}\,. \tag{19}$$

Man erhält also ein bei hohen Frequenzen abnehmendes Schnellespektrum. Die Abnahme setzt um so früher ein (d. h. der Schlag klingt um so dumpfer, je größer die Stoßmasse ist. Aus Gl. (19) ergibt sich der zeitliche Verlauf der Schnelle

$$v(t) = \frac{I}{2\pi}\int\limits_{-\infty}^{+\infty} \frac{e^{j\omega t}}{S\sqrt{E\,\varrho} + j\,\omega\,m}\,d\omega\,. \tag{20}$$

Wie man aus jeder guten Integraltafel entnehmen — oder nach der Residuenmethode ausrechnen — kann, hat das obige Integral die Lösung

$$\begin{aligned} v(t) &= \frac{I}{m}\,e^{-(S\sqrt{E\varrho}/m)\,t} \qquad &&\text{für } t \geqq 0 \\ v(t) &= 0 &&\text{für } t < 0\,. \end{aligned} \tag{21}$$

Da für den Impuls $I = m\,v_0$ gilt, ergeben schließlich beide Berechnungsmethoden (s. Gl. (13)) dasselbe Ergebnis.

b) Anregung von Biegewellen auf Stäben

Die Berechnung der Eingangswiderstände von Stäben, die auf Biegung beansprucht sind, ist etwas umständlicher, da die Ausbreitungsgeschwindigkeit frequenzabhängig ist und neben den fortschreitenden Wellen auch die exponentiell abklingenden Nahfelder auftreten. Am einfachsten wird die Rechnung, wenn man von den Gleichungen für die Schnelle v, die Winkelgeschwindigkeit w, das Biegemoment M_z und die Querkraft F_y ausgeht und aus den jeweiligen Randbedingungen die unbekannten Größen ermittelt. Nach Kapitel II (Gln. (69), (77), (78a), (79a)) sind die allgemeinen Gleichungen für v, w, M_z, F_y, wenn man die Differentiation nach der Zeit durch Multiplikation mit $j\,\omega$ ersetzt (also zur Zeigerschreibweise übergeht)

$$\underline{\hat{w}} = \frac{\partial \underline{\hat{v}}}{\partial x}\,;\quad \underline{\hat{M}}_z = -\frac{B}{j\,\omega}\,\frac{\partial \underline{\hat{w}}}{\partial x}\,;\quad \underline{\hat{F}}_y = -\frac{\partial \underline{\hat{M}}_z}{\partial x}\,;\; j\,\omega\,m'\,\underline{\hat{v}} = -\frac{\partial \underline{\hat{F}}_y}{\partial x}\,. \tag{22}$$

Dabei ist B die Biegesteife und m' die Masse per Längeneinheit des Stabes. Außer Gl. (22) brauchen wir noch die allgemeine Lösung der

Biegewellengleichung für Vorgänge mit der Kreisfrequenz ω. Nach Gl. (II, 124) gilt

$$\hat{\underline{v}} = \hat{\underline{v}}_+ \, e^{-jkx} + \underline{v}_- \, e^{jkx} + \hat{\underline{v}}_{-j} \, e^{-kx} + \hat{\underline{v}}_{+j} \, e^{kx} \,. \tag{23}$$

Dabei ist $k = (\omega^2 m'/B)^{1/4}$ die Biegewellenzahl.

Betrachten wir nun als erstes den Fall eines „halbunendlichen" Stabes, d. h. eines Stabes, der sich von $x = 0$ bis $x = \infty$ erstreckt und an der Stelle $x = 0$ von einer senkrecht auf den Stab wirkenden Kraft F angeregt wird. (Ein Moment darf nicht gleichzeitig übertragen werden.) Da alle Wellen von der Anregestelle weglaufen, verschwinden $\hat{\underline{v}}_-$ und $\hat{\underline{v}}_{+j}$. Es bleibt also

$$\hat{\underline{v}} = \hat{\underline{v}}_+ \, e^{-jkx} + \hat{\underline{v}}_{-j} \, e^{-kx} \,. \tag{24}$$

Die beiden vorläufig noch unbekannten Größen $\hat{\underline{v}}_+$ und $\hat{\underline{v}}_{-j}$ ergeben sich aus den Randbedingungen an der Anregestelle; es muß nämlich dort das Biegemoment M_z verschwinden und die anregende Kraft F gleich der Querkraft F_y sein. Da

$$\left.\begin{aligned} \hat{\underline{M}}_z &= -\frac{B}{j\omega} k^2 \left(-\hat{\underline{v}}_+ \, e^{-jkx} + \hat{\underline{v}}_{-j} \, e^{-kx}\right) \\ &\text{und} \\ \hat{\underline{F}}_y &= \frac{B}{j\omega} k^3 \left(j\,\hat{\underline{v}}_+ \, e^{-jkx} - \hat{\underline{v}}_{-j} \, e^{-kx}\right) \end{aligned}\right\} \tag{25}$$

ergibt sich an der Stelle $x = 0$

$$\left.\begin{aligned} &-\hat{\underline{v}}_+ + \hat{\underline{v}}_{-j} = 0 \qquad j\,\hat{\underline{v}}_+ - \hat{\underline{v}}_{-j} = \frac{j\omega\hat{\underline{F}}}{B k^3} \\ &\text{bzw.} \\ &\hat{\underline{v}}_+ = \hat{\underline{v}}_{-j} = \frac{\omega \hat{\underline{F}}}{B k^3 (1+j)} \,. \end{aligned}\right\} \tag{26}$$

Damit wird

$$\hat{\underline{v}} = \frac{\omega \hat{\underline{F}}}{B k^3 (1+j)} \left(e^{-jkx} + e^{-kx}\right) . \tag{27}$$

Der Eingangswiderstand des halbunendlichen Stabes ist also

$$\underline{Z} = \frac{\hat{\underline{F}}}{\hat{\underline{v}}(0)} = \frac{B k^3}{2\omega} (1+j) = m' c_B \frac{1+j}{2} \,. \tag{28}$$

($c_B = \omega/k$ = Phasengeschwindigkeit für Biegewellen).

Wie man aus Gl. (28) sieht, ist der Widerstand komplex und außerdem steigt er wegen der Frequenzabhängigkeit der Phasengeschwindigkeit mit der Wurzel der Frequenz an. Tatsächlich steigt der Widerstand nicht über alle Grenzen an, denn von einer bestimmten Frequenz an wird der Gültigkeitsbereich (s. Kap. II, 3) der einfachen Biegewellentheorie verlassen und damit wird auch Gl. (28) ungültig. Man könnte zwar den Gültigkeitsbereich noch etwas erweitern, indem man statt der einfachen die korrigierte Biegewellengleichung (Gl. II, 106) benutzt. Wir werden das jedoch hier nicht tun, sondern die entsprechenden Rechnungen nur für die Platte durchführen (s. Kap. IV/3f).

Für den zweiten Fall des von $x = -\infty$ bis $x = +\infty$ sich erstreckenden Stabes, der an der Stelle $x = 0$ angeregt wird, können wir die oben gemachten Rechnungen nicht ohne weiteres übernehmen. Denkt man sich nämlich den Stab an der Stelle $x = 0$ aufgeschnitten, dann entstehen zwar zwei halbunendliche Stäbe, die von je der Hälfte der wirkenden Kraft angeregt werden. Das bedeutet aber noch nicht, daß der gesuchte Eingangswiderstand das Doppelte des durch Gl. (28) gegebenen Wertes ist. Der Grund dafür ist, daß die Randbedingungen an der Anregestelle anders sind. Während im Fall des halbunendlichen Stabes angenommen wurde, daß am Stabanfang kein Moment wirkt, ist das im vorliegenden Beispiel nicht der Fall, denn es kann durchaus möglich sein, daß in der „Schnittfläche" $x = 0$ Momente übertragen werden. Dagegen ist schon aus Symmetriegründen klar, daß bei dem von $-\infty$ bis $+\infty$ sich erstreckenden Stab an der Anregestelle die Winkelgeschwindigkeit verschwinden muß; das der Anregestelle unmittelbar benachbarte Stabstück verschiebt sich durch die Einwirkung der anregenden Kraft immer nur parallel zur Stabachse. Das Problem lautet also eine Lösung für Gl. (24) zu finden, die den Randbedingungen

$$\underline{\hat{w}}(0) = k\,(-j\,\hat{\underline{v}}_+ - \hat{\underline{v}}_{-j}) = 0; \quad \frac{\hat{\underline{F}}}{2} = \frac{B\,k^3}{j\,\omega}\,(j\,\hat{\underline{v}}_+ - \hat{\underline{v}}_{-j}) \tag{29}$$

genügt. Daraus ergibt sich

$$\hat{\underline{v}}_+ = +\,j\,\hat{\underline{v}}_{-j} = \frac{\omega\,\hat{\underline{F}}}{4\,B\,k^3}$$

und damit

$$\left.\begin{aligned} \hat{\underline{v}} &= \frac{\omega\,\hat{\underline{F}}}{4\,B\,k^3}\,(e^{-j\,k\,x} - j\,e^{-k\,x}) \quad &&\text{für } x \geqq 0 \\ \hat{\underline{v}} &= \frac{\omega\,\hat{\underline{F}}}{4\,B\,k^3}\,(e^{j\,k\,x} - j\,e^{k\,x}) \quad &&\text{für } x < 0\,. \end{aligned}\right\} \tag{30}$$

Der zu diesen Funktionen gehörende Zeitverlauf der Bewegung ist aus Abb. IV/6 ersichtlich. Für den Eingangswiderstand erhält man aus Gl. (30)

$$\underline{Z} = \frac{2\,B\,k^3}{\omega}\,(1 + j) = 2\,m'\,c_B\,(1 + j)\,. \tag{31}$$

Der Eingangswiderstand hat also dieselbe allgemeine Form wie beim halbunendlichen Stab, er ist jedoch viermal so groß.

Mit Hilfe der soeben abgeleiteten Formel für den Eingangswiderstand kann man auch die von einer Punktkraft übertragene Leistung ermitteln, die bekanntlich gleich dem Produkt aus Kraft und Schnelle ist (der zweite Leistungsanteil (s. Gl. (II, 91)), das Produkt aus Moment und Winkelgeschwindigkeit braucht hier nicht berücksichtigt zu werden, da kein anregendes Moment vorhanden ist.) Bei der Berechnung des Kraft–Schnelle-Produkts ist jedoch nun zu beachten, daß in diesem Abschnitt immer mit Zeigern gerechnet wurde, die Leistung aber eine rein reelle Größe ist. Man muß also die übertragenen Leistungen durch die Gleichung

$$P = [\mathrm{Re}\,\{\hat{\underline{F}}\, e^{j\omega t}\}] \cdot [\mathrm{Re}\,\{\hat{\underline{v}}\, e^{j\omega t}\}] \tag{32}$$

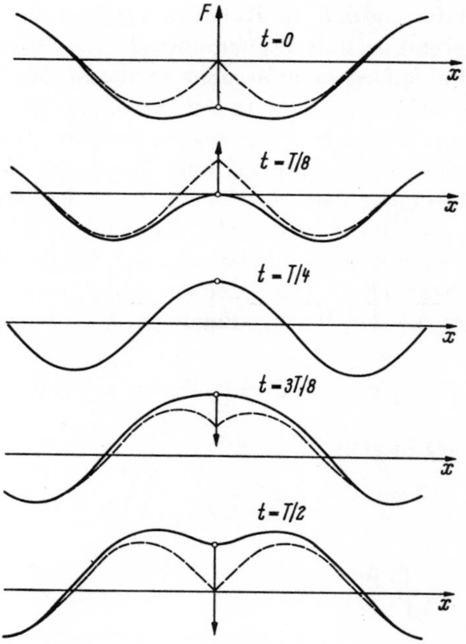

Abb. IV/6. Bewegungsverlauf eines punktförmig zu Biegewellen angeregten Stabes (T = Periodendauer) gestrichelte Kurve ohne Nahfelder gerechnet

ausdrücken. Setzt man nun für die komplexen Größen $\hat{\underline{F}}$ und $\hat{\underline{v}}$

$$\underline{F} = F^{\perp} + j\,F^{\parallel}\,, \qquad \hat{\underline{v}} = v^{\perp} + j\,v^{\parallel}\,,$$

wobei $F^{\perp}, F^{\parallel}, v^{\perp}, v^{\parallel}$ rein reelle Größen sind, so wird

$$\begin{aligned} P &= [F^{\perp}\cos\omega t - F^{\parallel}\sin\omega t]\cdot[v^{\perp}\cos\omega t - v^{\parallel}\sin\omega t] \\ &= F^{\perp} v^{\perp}\cos^2\omega t + F^{\parallel} v^{\parallel}\sin^2\omega t - (F^{\perp} v^{\parallel} + F^{\parallel} v^{\perp})\cos\omega t\sin\omega t\,. \end{aligned}$$

Im Zeitmittel verschwindet der zweite Term während die Sinus- und Cosinusquadrate den Wert 1/2 annehmen. Damit ergibt sich

$$P = \frac{1}{2}\,(F^{\perp}\,v^{\perp} + F^{\perp\!\!\perp}\,v^{\perp\!\!\perp}) = \frac{1}{2}\,\mathrm{Re}\,\{\hat{\underline{F}}\,\hat{\underline{v}}^*\}\,; \tag{33}$$

wobei $\hat{\underline{v}}^* = v^{\perp} - j\,v^{\perp\!\!\perp}$ der konjugiert komplexe Wert von $\hat{\underline{v}}$ ist. Formel (33) gilt ganz allgemein für die Leistungsberechnungen aus den Zeigern der Feldgrößen. Führt man nun in Gl. (33) den Eingangswiderstand ein und berücksichtigt daß $\hat{\underline{v}}^* = \hat{\underline{F}}^*/\underline{Z}^*$, dann ergibt sich

$$P = \frac{1}{2}\,|\hat{\underline{F}}|^2\,\mathrm{Re}\left\{\frac{1}{\underline{Z}^*}\right\} = \frac{1}{2}\,|\hat{\underline{F}}|^2\,\mathrm{Re}\left\{\frac{1}{\underline{Z}}\right\}. \tag{34}$$

Mit dem Eingangswiderstand eines unendlich langen Stabes (s. Gl. (31)) erhalten wir also für die von einer Punktkraft mit dem Scheitelwert $\hat{\underline{F}}$ angeregte Leistung

$$P = \frac{|\hat{\underline{F}}|^2\,\omega}{8\,B\,k^3} = \frac{|\hat{\underline{F}}|^2}{8\,m'\,c_B}\,. \tag{35}$$

Da wir in den Rechnungen die Dämpfung während der Ausbreitung nicht berücksichtigen, muß im stationären Zustand die an der Anregestelle eingespeiste Leistung gleich der nach beiden Seiten abgewanderten Leistung sein. Nach Gl. (II, 91) ist die von einer fortschreitenden Biegewelle transportierte Leistung $\hat{\eta}^2\,\omega\,B\,k^3$. Dabei ist $\hat{\eta}$ der Scheitelwert der Auslenkung. Geht man nun von der Auslenkung zur Schnelle über ($v = j\,\omega\,\eta$) und berücksichtigt, daß nur der v_+ Anteil in Gl. (24) zu einer fortschreitenden Welle gehört, so ergibt sich die nach beiden Seiten abgewanderte Leistung zu

$$P = \frac{2\,|\hat{\underline{v}}_+|^2\,B\,k^3}{\omega} = \frac{1}{8}\,\frac{|\hat{\underline{F}}|^2\,\omega}{B\,k^3}\,. \tag{36}$$

Man erhält also nach beiden Methoden (Gln. (35) u. (36)) dieselben Formeln.

Schließlich sei der Eingangswiderstand noch dazu benutzt das Schwingungsverhalten eines „idealen" Stabes zu berechnen, der von einer senkrecht zur Stabachse auftreffenden Masse m angeregt wird.

Formal kann dieses Problem genau so behandelt werden, wie der longitudinale Stoß auf einen Stab, d. h. es gilt auch bei der impulsartigen Biegewellenanregung Gl. (18), es muß lediglich der Biegewelleneingangswiderstand vergrößert um den Massenwiderstand eingesetzt werden. Damit ergibt sich für das Schnellespektrum an der Anregestelle

$$\check{v}(\omega) = \frac{\check{F}(\omega)}{2\,m'\,c_B\,(1 + j) + j\,\omega\,m} \tag{37}$$

und für einen Punkt $x \geqq 0$ erhalten wir

$$\check{v}(\omega, x) = \frac{\check{F}(\omega)\,(e^{-jkx} + e^{-kx})}{2\,m'\,c_B\,(1+j) + j\,\omega\,m}\,. \tag{38}$$

Es ist hier zu beachten, daß sowohl die Biegewellengeschwindigkeit als auch die Wellenzahl k Funktionen von ω sind.

Unter Benutzung der Beziehung $1 + j = \sqrt{2\,j}$ läßt sich Gl. (37) umformen in

$$\check{v}(\omega) = \frac{\check{F}(\omega)}{m\,(j\,\omega + \sqrt{j\,\omega/\vartheta})}\,, \tag{39}$$

wobei ϑ eine durch

$$\vartheta = \frac{m^2}{8\sqrt{B\,m'^3}}$$

gegebene Zeitkonstante ist. Da $\check{F}(\omega)$ nach Gl. (17) bis auf einen konstanten Faktor nichts anderes als der Impuls $I = m\,v_0$ des Stoßvorganges ist, ergibt sich für sehr tiefe Frequenzen ein mit der Wurzel und für sehr hohe ein mit der ersten Potenz der Frequenz abnehmendes Spektrum.

Zur Ermittlung des Zeitverlaufs der Schnelle ist es notwendig, wieder die Rücktransformation von Gl. (39) vorzunehmen. Wie man in den einschlägigen Tabellen[1] nachlesen kann, gehört zu dem durch Gl. (39) gegebenen Spektrum der Zeitverlauf

$$v(t) = v_0\,e^{t/\vartheta}\left[1 - \frac{2}{\sqrt{\pi}}\int\limits_0^{\sqrt{t/\vartheta}} e^{-\xi^2}\,d\xi\right]. \tag{40}$$

Dabei ist der zweite Term in der Klammer das bekannte Gausssche Fehlerintegral, dessen Werte genauestens tabelliert sind. Für überschlägige Rechnungen genügt es das Integral anzunähern; man erhält dann

$$v(t) \approx v_0\,e^{t/\vartheta}\left[1 - 2\sqrt{\frac{t}{\pi\,\vartheta}}\left(1 - \frac{1}{3}\,\frac{t}{\vartheta} + \cdots\right)\right] \quad \text{für } \frac{t}{\vartheta} < 0{,}5$$

$$v(t) \approx v_0\sqrt{\frac{\vartheta}{\pi\,t}}\left(1 - \frac{1}{2}\,\frac{\vartheta}{t} + \frac{3}{4}\left(\frac{\vartheta}{t}\right)^2 \ldots\right) \quad \text{für } \frac{t}{\vartheta} > 2\,.$$

In Abb. IV/7 ist der Zeitverlauf der Schnelle am Anregeort für einen Stab aufgetragen, der durch einen idealen Stoß mit der Masse m zu Longitudinalen bzw. Biegewellen angeregt wird. Es wurde dabei angenommen, daß die anregende Masse achtmal so groß ist wie ein Stabstück, das gerade einen Trägheitsradius lang ist. (Also bei einem Rechteckstab der Dichte ϱ, der Breite b und der Höhe h ist $m = \varrho\,h^2\,b/\sqrt{12}$). Wie man sieht, nimmt

[1] S. z. B. Doetsch, G.: Tabellen zur Laplace-Transformation, Berlin: Springer, 1947.

die Bewegung beim longitudinalen Stoß sehr viel schneller ab, als im anderen Fall; das heißt der longitudinale Stoß klingt im allgemeinen heller als der transversale.

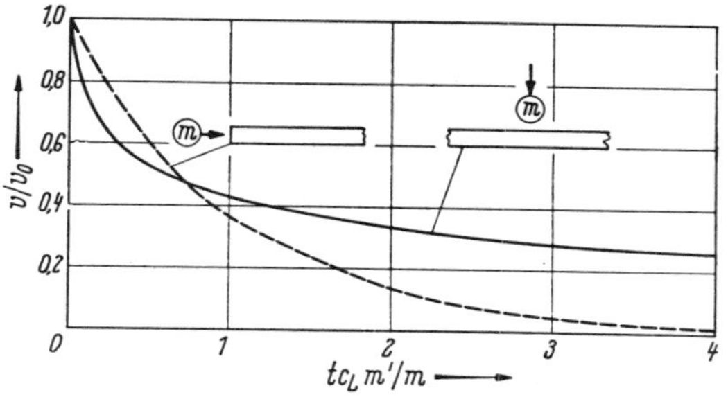

Abb. IV/7. Zeitverlauf der Bewegung an der Anregestelle eines durch Anschlag mit einer Masse zu Longitudinal- bzw. Biegewellen angeregten Stabes

c) Die Biegewellengleichung der homogenen, dünnen Platte

In der Praxis, insbesondere für Fragen der Bauakustik ist der Eingangswiderstand von Platten (Decken, Wänden, etc.) von besonderer Bedeutung. Um diese Größe berechnen zu können, müssen wir jedoch erst die Wellengleichung für Biegewellen in zwei Dimensionen ableiten. Wir benutzen dazu dieselbe Nomenklatur wie im Kap. II, 3 bei der Herleitung der Biegewellengleichung für Stäbe. Es soll also die Platte in der x, z Ebene liegen, während die Richtung der transversalen Auslenkung mit der y-Achse zusammenfallen soll. Die transversale Auslenkung wird wieder mit η die dazugehörige Schnelle mit $v_y = \partial\eta/\partial t$ bezeichnet. Für die Winkelgeschwindigkeiten ergeben sich jedoch bereits Unterschiede, denn man muß nun die Winkeländerungen in den verschiedenen Richtungen betrachten. Wir müssen also unterscheiden zwischen den beiden Winkelgeschwindigkeiten $\partial v/\partial x$ und $\partial v/\partial z$.

Als nächstes sind die an einem Plattenelement wirkenden Momente von Interesse. Wie man aus Abb. IV/8 sieht, treten zwei Biegemomente je Breiteneinheit M'_{xz} und M'_{zx} auf, die sich genau so wie beim Stab durch Multiplikation der Spannungen σ mit den dazugehörigen Hebelarmen y und Integration über die Plattendicke ergeben.

$$M'_{xz} = \int_{-h/2}^{+h/2} \sigma_x \, y \, dy, \qquad M'_{zx} = \int_{-h/2}^{+h/2} \sigma_z \, y \, dy \,. \tag{41}$$

(Die Vorzeichen ergeben sich aus den in Abb. IV/8 eingezeichneten Richtungen.)

Im Gegensatz zum eindimensionalen Fall des Stabes ist nun zu beachten, daß die Spannungen wegen der Querkontraktion von den Dehnungen in beiden Richtungen abhängen. Statt Gl. (II, 73) muß daher Gl. (II, 24) benutzt werden, aus der sich für $\sigma_y = 0$ ergibt:

$$\left.\begin{aligned} \sigma_x &= \frac{E}{1-\mu^2}(\varepsilon_x + \mu\,\varepsilon_z) = -\frac{E\,y}{1-\mu^2}\left(\frac{\partial^2\eta}{\partial x^2} + \mu\frac{\partial^2\eta}{\partial z^2}\right) \\ \sigma_z &= \frac{E}{1-\mu^2}(\varepsilon_z + \mu\,\varepsilon_x) = -\frac{E\,y}{1-\mu^2}\left(\frac{\partial^2\eta}{\partial z^2} + \mu\frac{\partial^2\eta}{\partial x^2}\right). \end{aligned}\right\} \tag{42}$$

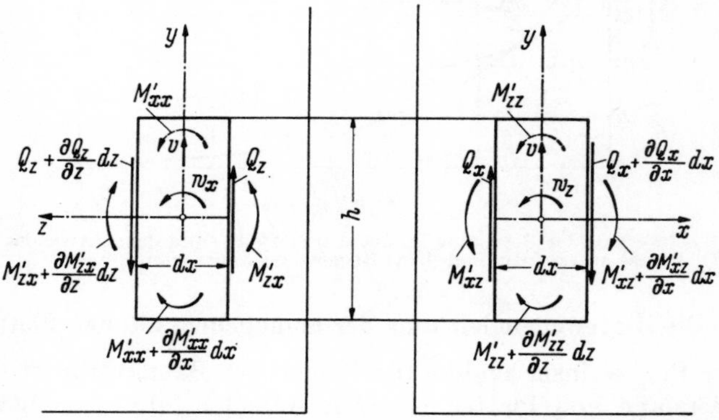

Abb. IV/8. Bewegungsgrößen, Momente und Kräfte bei der Verbiegung von Platten

Dabei ist wieder E der Elastizitätsmodul und μ die POISSON-Zahl des Plattenmaterials.

Eingesetzt in Gl (41) erhalten wir

$$M'_{xz} = -B'\left(\frac{\partial^2\eta}{\partial x^2} + \mu\frac{\partial^2\eta}{\partial z^2}\right), \quad M'_{zx} = B'\left(\frac{\partial^2\eta}{\partial z^2} + \mu\frac{\partial^2\eta}{\partial x^2}\right), \tag{43}$$

wobei

$$B' = \frac{E}{1-\mu^2}\int\limits_{-h/2}^{+h/2} y^2\,dy = \frac{E}{1-\mu^2}\,\frac{h^3}{12} \tag{43a}$$

die Biegesteife der Platte ist, die wegen des Faktors $(1-\mu^2)$ im allgemeinen um ca. 10% höher ist als die Biegesteife eines Stabes aus dem gleichen Material und der Breite einer Längeneinheit.

Mit den beiden Biegemomenten M'_{xz} und M'_{zx} sind nun aber noch nicht alle an einem Plattenelement wirkenden Momente erfaßt. Es treten auch noch die Torsionsmomente je Breiteneinheit M'_{xx} und M'_{zz} auf, die darauf zurückzuführen sind, daß sich die Platte bei der Biegung auch etwas verwindet. Die Größe dieser Torsionsmomente ergibt sich aus den am Hebelarm angreifenden Schubspannungen $\tau_{xz} = \tau_{zx}$. Mit den aus Abb. IV/8 sich ergebenden Vorzeichen gilt also

$$M'_{xx} = -M'_{zz} = -\int\limits_{-h/2}^{+h/2} \tau_{xz}\,y\,dy\,. \tag{44}$$

Die Schubspannung ist nun wiederum nach Gl. (II, 134, c) durch

$$\tau_{xz} = G\left(\frac{\partial \zeta}{\partial x} + \frac{\partial \xi}{\partial z}\right) \tag{44a}$$

gegeben. Dabei sind ξ und ζ die Bewegungskomponenten eines Volumenelementes in x- bzw. z-Richtung und $\partial\xi/\partial z$ sowie $\partial\zeta/\partial x$ die dazugehörigen Winkeländerungen. G ist der Schubmodul. Da ξ und ζ ihrerseits wieder über die Gleichungen

$$\varepsilon_x = \frac{\partial \xi}{\partial x}, \qquad \varepsilon_z = \frac{\partial \zeta}{\partial z}$$

mit den Dehnungen zusammenhängen und da

$$\varepsilon_x = -\,y\,\frac{\partial^2 \eta}{\partial x^2}, \qquad \varepsilon_z = -\,y\,\frac{\partial^2 \eta}{\partial z^2},$$

erhalten wir durch Integration nach x und Differentiation nach z, bzw. umgekehrt,

$$\frac{\partial \xi}{\partial z} = \frac{\partial \zeta}{\partial x} = -\,y\,\frac{\partial^2 \eta}{\partial x\,\partial z}$$

und damit nach Gl. (44) u. (44a)

$$M'_{xx} = -\,M'_{zz} = 2\,G\,\frac{\partial^2 \eta}{\partial x\,\partial z}\int\limits_{-h/2}^{+h/2} y^2\,dy\,.$$

Benutzt man nun noch die Formel (II, 48)

$$G = \frac{E}{2(1+\mu)} = \frac{E(1-\mu)}{2(1-\mu^2)},$$

dann wird

$$M'_{xx} = -\,M'_{zz} = B'\,(1-\mu)\,\frac{\partial^2 \eta}{\partial x\,\partial z}\,. \tag{45}$$

Schließlich brauchen wir noch die an einem Plattenelement wirkenden Querkräfte je Breiteneinheit, die wir zur Unterscheidung von den äußeren Anregekräften mit Q_x und Q_z bezeichnen. Man kann sich an Hand von Abb. IV/8 leicht davon überzeugen, daß für diese Querkräfte gilt

$$\left.\begin{aligned} Q_x &= -\,\frac{\partial M'_{xz}}{\partial x} - \frac{\partial M'_{zz}}{\partial z} \\ Q_z &= \frac{\partial M'_{zx}}{\partial z} + \frac{\partial M'_{xx}}{\partial x}\,. \end{aligned}\right\} \tag{46}$$

Setzt man hier Gl. (43) u. (45) ein, so folgt

$$\left.\begin{aligned} Q_x &= B'\,\frac{\partial}{\partial x}\left(\frac{\partial^2 \eta}{\partial x^2} + \frac{\partial^2 \eta}{\partial z^2}\right) = B'\,\frac{\partial}{\partial x}\,(\Delta\eta)\,, \\ Q_z &= B'\,\frac{\partial}{\partial z}\left(\frac{\partial^2 \eta}{\partial x^2} + \frac{\partial^2 \eta}{\partial z^2}\right) = B'\,\frac{\partial}{\partial z}(\Delta\eta)\,. \end{aligned}\right\} \tag{47}$$

Dabei ist Δ der LAPLACE-Operator (siehe Kap. II, 5).

Als letzte Beziehung haben wir dann noch das NEWTONsche Kraftgesetz, das den Zusammenhang zwischen den beiden Querkräften und der Transversalbewegung gibt:

$$-\frac{\partial Q_x}{\partial x}-\frac{\partial Q_z}{\partial z}=m''\frac{\partial^2\eta}{\partial t^2}. \tag{48}$$

Setzt man hier Gl. (47), so folgt

$$-B'\left[\frac{\partial^2\Delta\,\eta}{\partial x^2}+\frac{\partial^2\Delta\,\eta}{\partial z^2}\right]=-B'\,\Delta\Delta\,\eta=m''\frac{\partial^2\eta}{\partial t^2} \tag{49}$$

oder wenn man sich auf sinusförmige Zeitverläufe beschränkt, und gleichzeitig die Biegewellenzahl $k=\sqrt[4]{\omega^2 m''/B'}$ einführt

$$\Delta\Delta\,\underline{\hat{\eta}}-k^4\,\underline{\hat{\eta}}=0\,. \tag{50}$$

Falls auf die Platte noch zusätzlich äußere Erregerkräfte wirken, dann brauchen wir nur noch die pro Flächeneinheit angreifende Kraft, also den senkrecht auf die Platte wirkenden Druck $p(x,z,t)$ auf der linken Seite von Gl. (48) zu addieren. Wir erhalten also

$$p(x,z,t)=\frac{\partial Q_x}{\partial x}+\frac{\partial Q_z}{\partial z}+m''\frac{\partial^2\eta}{\partial t^2}. \tag{51}$$

Durch Einsetzen von (47) geht diese Gleichung über in

$$B'\,\Delta\Delta\,\eta+m''\frac{\partial^2\eta}{\partial t^2}=p(x,z,t)\,. \tag{52}$$

In Zeigerschreibweise wird daraus

$$\Delta\Delta\,\underline{\hat{\eta}}-k^4\,\underline{\hat{\eta}}=\frac{1}{B'}\,\underline{\hat{p}}(x,z)\quad\text{bzw.}\quad\Delta\Delta\,\underline{\hat{v}}-k^4\,\underline{\hat{v}}=\frac{j\,\omega}{B'}\,\underline{\hat{p}}(x,z)\,. \tag{52a}$$

Die beiden Gln. (50) und (52), die die freien und erzwungenen Schwingungen einer zu Biegewellen angeregten Platte beschreiben, werden im folgenden noch sehr häufig benutzt werden.

d) Der Biegewelleneingangswiderstand der homogenen Platte

Die naheliegendste Methode den Eingangswiderstand einer Platte zu berechnen besteht darin, eine Lösung der Differentialgleichung (50) zu finden, die folgende Randbedingungen erfüllt:

α die Lösung ist rotationssymmetrisch,

β an der Anregestelle treten keine Drehbewegungen auf, d. h. die erste Ableitung verschwindet an dieser Stelle (das bedeutet gleichzeitig, daß die Amplitude endlich bleibt),

γ an der Anregestelle stimmt die Summe der Querkräfte mit der anregenden Kraft überein,

δ die Lösung genügt der SOMMERFELDschen „Ausstrahlungsbedingung", d.h. sie verhält sich in großen Entfernungen wie eine abnehmende Welle.

Um eine derartige Lösung[1] zu erhalten, schreiben wir Gl. (50) in der Operatorenform

$$\Delta\Delta\,\underline{\hat{\eta}} - k^4\,\underline{\hat{\eta}} = (\Delta - k^2)\,(\Delta + k^2)\,\underline{\hat{\eta}} = 0\,.$$

Wir ersetzen also (50) durch die beiden Differentialgleichungen zweiter Ordnung

$$\Delta\,\underline{\hat{\eta}} + k^2\,\underline{\hat{\eta}} = 0 \tag{53a}$$

$$\Delta\,\underline{\hat{\eta}} - k^2\,\underline{\hat{\eta}} = 0\,. \tag{53b}$$

Die erste der beiden Gln. (53) ist nun aber nichts anderes als die übliche Wellengleichung für dispersionsfreie Medien (z. B. Schallwellen in Luft), deren rotationssymmetrische Lösung in zwei Dimensionen bekanntlich durch Zylinderfunktionen nullter Ordnung gegeben ist. Berücksichtigt man nun noch die Randbedingung δ, so ergibt sich als einzige Lösung die Hankel-Funktion zweiter Art. Es ist also

$$\underline{\hat{\eta}}_1 = C_1\,H_0^{(2)}(k\,r) \tag{54}$$

(r = Abstand von der Anregestelle).

Eine genaue Kenntnis der Hankel-Funktion ist für das weitere nicht notwendig. Wir werden lediglich von den beiden folgenden asymptotischen Entwicklungen Gebrauch machen

$$H_0^{(2)}(x) \approx \frac{-2\,j}{\pi}\ln x \qquad \text{für } |x| \ll 1$$

$$H_0^{(2)}(x) \approx \sqrt{\frac{2}{\pi\,x}}\;e^{-j\,(x-\pi/4)} \qquad \text{für } |x| \gg 1\,.$$

Die Lösung der zweiten Gl. (53b), die den oben genannten Randbedingungen genügt, erhält man einfach dadurch, daß man in (54) $k\,r$ durch $-j\,k\,r$ ersetzt, d. h.

$$\underline{\hat{\eta}}_2 = C_2\,H_0^{(2)}(-j\,k\,r)\,. \tag{55}$$

Macht man hier die eben angegebene Entwicklung für große Werte von $k\,r$, so ergibt sich

$$H_0^{(2)}\,(-j\,k\,r) \approx \sqrt{\frac{2}{-\,j\,\pi\,k\,r}}\;e^{+j\pi/4}\;e^{-k\,r} = j\sqrt{\frac{2}{\pi\,k\,r}}\;e^{-k\,r}\,.$$

Gl. (55) repräsentiert also ein exponentiell abnehmendes Nahfeld, wie es auch bei Biegewellen auf Stäben auftrat. Die sich aus (54) und (55) ergebende Gesamtlösung ist

$$\underline{\hat{\eta}} = C_1\,H_0^{(2)}(k\,r) + C_2\,H_0^{(2)}(-\,j\,k\,r)\,. \tag{56}$$

[1] Cremer, H. u. L.: Frequenz 2 (1948) 61.

Benutzen wir nun die Randbedingung β, die besagt, daß

$$\frac{\partial \underline{\hat{\eta}}}{\partial r} = C_1\, k\left[-j\frac{2}{\pi\, k\, r} + \ldots\right] - j\, C_2\, k\left[\frac{2}{\pi\, r\, k} + \cdots\right]$$

$$= \frac{2\, j}{\pi\, r}(-C_1 - C_2) + \cdots \qquad (57)$$

an der Anregestelle verschwinden muß, so erhalten wir, da die Glieder mit $k\,r$ und höheren Potenzen Null werden, aus den ersten Term in Gl. (57)

$$C_1 = -C_2$$

und damit

$$\underline{\hat{\eta}} = C_1\left[H_0^{(2)}(k\, r) - H_0^{(2)}(-j\, k\, r)\right]. \qquad (58)$$

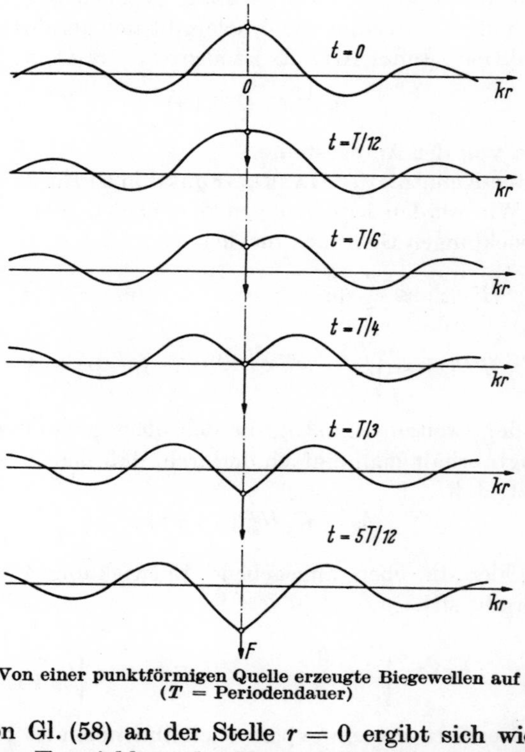

Abb. IV/9. Von einer punktförmigen Quelle erzeugte Biegewellen auf einer Platte (T = Periodendauer)

Der Wert von Gl. (58) an der Stelle $r = 0$ ergibt sich wieder aus der asymptotischen Entwicklung der HANKEL-Funktionen. Es gilt nämlich

$$\underline{\hat{\eta}}\,(0) = \underline{\hat{\eta}}_0 = C_1\left[-\frac{2\, j}{\pi}\ln\frac{k\, r}{2} + \cdots + \frac{2\, j}{\pi}\left(\ln\frac{k\, r}{2} + \ln(-j)\right) + \cdots\right]$$

$$= C_1\,\frac{2\, j}{\pi}\ln(-j) = C_1\,.$$

Der Wert der Konstanten C_1 ist also gleich der Auslenkung am Anregeort, so daß wir erhalten

$$\underline{\hat{\eta}} = \underline{\hat{\eta}}_0 \left[H_0^{(2)}(k\,r) - H_0^{(2)}(-j\,k\,r)\right] = \underline{\hat{\eta}}_0\, \Pi(k\,r)\,. \tag{59}$$

Dabei ist gleichzeitig die durch die Differenz zweier HANKEL-Funktionen definierte Ausbreitungsfunktion $\Pi(k\,r)$ eingeführt. In Abb. IV/9 sind die zu Gl. (59) gehörenden Wellenbilder für verschiedene Zeiten aufgetragen. Die Amplitudenabnahme mit der Entfernung von der Anregestelle, also der Verlauf von $|\Pi(k\,r)|^2$ ist aus Abb. IV/9a ersichtlich. In dieser Abbildung ist auch der Verlauf nach der asymptotischen Entwicklung für große $k\,r$ angegeben, die von $k\,r = 4$ ab eine sehr gute Näherung darstellt.

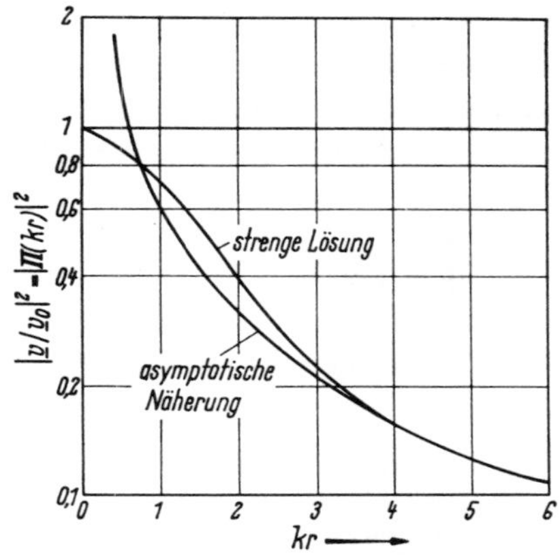

Abb. IV/9a. Amplitudenabnahme der von einer Punktquelle erzeugten Biegewelle

Die noch verbleibende Unbekannte $\underline{\hat{\eta}}_0$ kann man unter Benutzung der Randbedingung γ aus der anregenden Kraft ermitteln. Zu diesem Zweck denken wir uns um den Nullpunkt einen kleinen Kreis mit dem Radius r_0 gelegt, auf dessen Fläche die von außen anregende Kraft $\underline{\hat{F}}_0$ wirkt. Die über den Umfang des Kreises in der Platte wirkenden Querkräfte je Breiteneinheit seien $\underline{\hat{Q}}_r$. Sie ergeben sich auch in Zylinderkoordinaten aus Gl. (47), denn auf den x- und z-Achsen stimmt die Achsrichtung mit der radialen überein. Wir erhalten also

$$Q_r = B' \frac{\partial \Delta \eta}{\partial r}\,. \tag{60}$$

Setzt man hier Gl. (59) ein, so ergibt sich wegen

$\Delta H_0^{(2)}(k\,r) = -\,k^2\, H_0^{(2)}(k\,r)$ und $\Delta H_0^{(2)}(-j\,k\,r) = k^2\, H_0^{(2)}(-j\,k\,r)$:

$$\underline{\hat{Q}}_r = -\,B'\,k^3\,\underline{\hat{\eta}}_0 \left[\frac{d\,H_0^{(2)}(k\,r)}{d\,k\,r} + \frac{d\,H_0^{(2)}(-j\,k\,r)}{d\,k\,r}\right].$$

Führt man hier wieder die Entwicklung der HANKEL-Funktionen nach kleinen Argumenten durch, so erhält man für die längs des Umfanges wirkende Querkraft

$$\underline{\hat{Q}}_{r_0} = \frac{4\,j\,B'\,k^2}{\pi\, r_0}\,\underline{\hat{\eta}}_0\,. \tag{61}$$

Multipliziert man Gl. (61) mit dem Umfang des kleinen Kreises, dann erhält man die gesamten Querkräfte, die nach Randbedingung γ gleich der anregenden Kraft $\hat{\underline{F}}_0$ sein sollen, d. h.

$$\hat{\underline{F}}_0 = 2\pi r_0 \hat{\underline{Q}}_{r_0} = 8 j B' k^2 \hat{\underline{\eta}}_0 . \tag{62}$$

Eine sich hierbei ergebende Schwierigkeit besteht darin, daß mit verschwindendem Radius die Schubspannungen beliebig groß werden. Für die folgende Rechnung muß also vorausgesetzt werden, daß die anregende Kraft über eine Fläche angreift, deren Dimensionen sehr klein sind verglichen mit der Biegewellenlänge, aber nicht so klein, daß Schubdeformationen am Anregeort auftreten. In der Praxis sind diese Voraussetzungen sehr häufig erfüllt.

Führt man nun statt des Ausschlages die Schnelle $\hat{\underline{v}}_0 = j\omega \hat{\underline{\eta}}_0$ an der Anregestelle ein, so erhält man für den Eingangswiderstand der punktförmig angeregten Platte die Formel

$$Z_0 = \frac{\hat{\underline{F}}_0}{\hat{\underline{v}}_0} = \frac{8 B' k^2}{\omega} = 8\sqrt{B m''} = \frac{8\omega m''}{k^2} . \tag{63}$$

Die Schnelleverteilung auf einer mit einer Punktkraft angeregten Platte ist somit

$$\hat{\underline{v}}(x, z) = \frac{\hat{\underline{F}}_0 \omega}{8 B' k^2} [H_0^{(2)}(k r) - H_0^{(2)}(-j k r)] = \frac{\hat{\underline{F}}_0}{Z_0} \Pi(k r) . \tag{63a}$$

Dieses erstaunlich einfache Ergebnis, das durch Messungen gut bestätigt wurde (s. Abb. IV/10), ist etwas überraschend, weil sich der Eingangswiderstand der Platte als reell und frequenzunabhängig erweist, also weniger kompliziert ist als der Eingangswiderstand des Stabes. Man kann sich dieses Ergebnis noch etwas veranschaulichen, wenn man eine Leistungsbilanz durchführt. Nach Gl. (33) ist die von einer Punktkraft übertragene Leistung

$$P = \frac{1}{2} \operatorname{Re}\{\hat{\underline{F}}_0 \hat{\underline{v}}_0^*\} = \frac{1}{2} |\hat{\underline{F}}_0|^2 \operatorname{Re}\left\{\frac{1}{Z_0}\right\} = \frac{1}{2} |\hat{\underline{v}}_0|^2 \operatorname{Re}\{Z_0\} . \tag{64}$$

Andererseits ist in einem großen Abstand R von der Anregestelle, wenn sich die Zylinderwelle schon wie eine abnehmende ebene Welle verhält, die durch den Kreisumfang $2\pi R$ wandernde Leistung nach Gl. (II, 93)

$$P = c_B 2\pi R \varrho h |\hat{\underline{v}}|^2 . \tag{65}$$

Dabei ist c_B die Phasengeschwindigkeit für Biegewellen in der Platte und v die Schnelle im Abstand R von der Anregestelle. Ist R genügend groß, dann kann man wieder die asymptotische Entwicklung der HANKEL-Funktion für große Argumente benutzen und schreiben

$$\frac{\hat{\underline{v}}}{\hat{\underline{v}}_0} = \sqrt{\frac{2}{\pi k R}}\, e^{-j(kR - \pi/4)} \quad \text{bzw.} \quad \left|\frac{\hat{\underline{v}}}{\hat{\underline{v}}_0}\right|^2 = \frac{2}{\pi k R} . \tag{65a}$$

Setzt man nun Gl. (64) und (65) unter Benutzung von (65a) gleich, so erhält man

$$\mathrm{Re}\,\{Z\} = \frac{8\, c_B\, \varrho\, h}{k} = \frac{8\, \omega\, m''}{k^2}\,.$$

Also ein mit Gl. (63) übereinstimmendes Ergebnis.

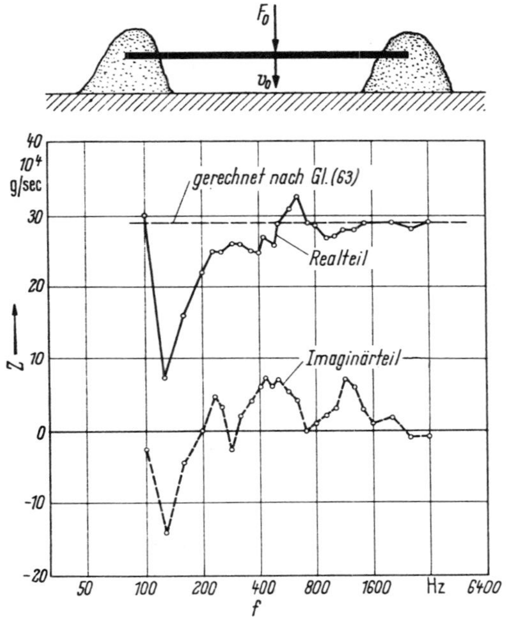

Abb. IV/10. Gemessener Real- und Imaginärteil einer 3 mm dicken Aluminiumplatte. Um die Verhältnisse auf einer unendlichen Platte anzunähern, wurden die Ränder in Sand gebettet. (Nach W. ELLING, Acustica 4, 1954, S. 396)

Man sieht aus der obigen Ableitung, daß der Eingangswiderstand die für die Leistungsübertragung entscheidende Größe ist und zwar ist bei gegebener Kraft die übertragene Leistung um so größer je kleiner der Widerstand ist, bei gegebener Schnelle ist die Leistung proportional dem Realteil des Widerstandes.

Die Berechnung der übertragenen Leistung ist nicht die einzige Anwendung der erhaltenen Formeln für Plattenschwingungen bei punktförmiger Anregung. Man kann auch Gl. (63a) dazu benutzen, die Schnelle einer Platte bei beliebig verteilter Anregung zu bestimmen; man betrachtet dazu die Anregung in jedem Flächenelement als eine Punktkraft und summiert die von diesen Punktkräften nach Gl. (63a) erzeugten Schnellen. Wenn also die Anregung durch eine Druckverteilung $\underline{\hat{p}}(x_0, z_0)$ gegeben ist, dann ist die auf ein Flächenelement $dx_0\, dz_0$ wirkende Kraft

$\underline{\hat{p}}(x_0, z_0)\, dx_0\, dz_0$. Die von dieser Kraft erzeugte Schnelle an einem beliebigen Punkt x, z ist nach Gl. (63a)

$$\frac{1}{Z_0} \Pi(k\, r)\, \underline{\hat{p}}(x_0, z_0)\, dx_0\, dz_0 \,.$$

Dabei ist r der Abstand zwischen dem Anregeort x_0, z_0 und dem „Aufpunkt" x, z, also $r = \sqrt{(x - x_0)^2 + (z - z_0)^2}$. Will man nun die von allen Anregepunkten x_0, z_0 erzeugte Schnelle am Aufpunkt bestimmen, dann braucht man nur die Wirkung all der Punktquellen $\underline{\hat{p}}(x_0, z_0)\, dx_0\, dz_0$ zu summieren; d. h. den obigen Ausdruck zu integrieren. Die allgemeine Lösung der Plattengleichung bei beliebig vorgegebener Anregung ist also

$$\underline{\hat{v}}(x, z) = \frac{1}{Z_0} \iint\limits_{-\infty}^{+\infty} \underline{\hat{p}}(x_0, z_0)\, \Pi\left(k \sqrt{(x - x_0)^2 + (z - z_0)^2}\right) dx_0\, dz_0 \,. \qquad (66)$$

Als Integrationsgebiet ist in der obigen Formel die gesamte Plattenfläche genommen. Wirkt der anregende Druck nur über einen Teil dieser Fläche, dann kann das Integrationsgebiet entsprechend kleiner sein.

Die genaue Berechnung eines Schnellefeldes mit Hilfe von Gl. (66) ist natürlich ziemlich kompliziert; man kann jedoch sehr gut brauchbare Lösungen angeben, wenn man sich im „Fernfeld" befindet, d. h. wenn der Abstand zwischen der anregenden Fläche und dem Aufpunkt sehr groß ist. Unter dieser Voraussetzung kann man die Hankel-Funktion mit dem imaginären Argument ganz vernachlässigen und für $H_0^{(2)}(k\, r)$ die asymptotischen Entwicklungen benutzen. Damit wird

$$\underline{\hat{v}}(x, z) \approx \frac{1}{Z_0} \iint\limits_{S} \underline{\hat{p}}(x_0, z_0) \sqrt{\frac{2}{\pi\, k\, r}}\, e^{-j(k\, r - \pi/4)}\, dx_0\, dz_0$$

(S ist die Fläche innerhalb der die Anregung von Null verschieden ist.)

Da wir uns auf das Schnellefeld in großer Entfernung von der Anregung beschränken, kann der Faktor $\sqrt{\pi\, k\, r}$ im Nenner als nahezu konstant angesehen werden und vor das Integral gezogen werden. Wir erhalten also schließlich

$$\underline{v}(x, z) = \frac{\sqrt{2}\; e^{j\, \pi/4}}{Z_0 \sqrt{\pi\, k\, r}} \iint\limits_{S} \underline{p}(x_0, z_0)\, e^{-j\, k\, r}\, dx_0\, dz_0 \,. \qquad (67)$$

Das nun noch verbleibende Integral in Gl. (67) ist nicht nur wesentlich einfacher als Gl. (66), es ist zudem für viele Fälle bekannt; denn Integrale dieser Art treten bei der Berechnung der Schallabstrahlung auf. Sie wurden insbesondere von Stenzel[1] eingehend untersucht. Die bei Sten-

[1] Stenzel, H. u. O. Brosze: Leitfaden zur Berechnung von Schallvorgängen, Berlin: Springer 1958.

ZEL angegebenen Ergebnisse können zum Teil direkt übernommen werden. Es handelt sich hier jedoch nicht um einen Zufall, denn wir werden im Kapitel VI in ganz allgemeiner Form noch zeigen, daß wegen des Reziprozitätsprinzips ein sehr enger Zusammenhang zwischen Anregung und Abstrahlung besteht.

Eine große Vereinfachung von Gl. (67) ergibt sich, wenn die Anregung rotationssymmetrisch auf einer Kreisfläche mit dem Radius a erfolgt. In diesem Fall kann man — wie Abb. IV/11 zeigt — den Abstand zwischen Quellpunkt und Aufpunkt durch $r = R - \varrho \cos \psi$ ersetzen und erhält damit

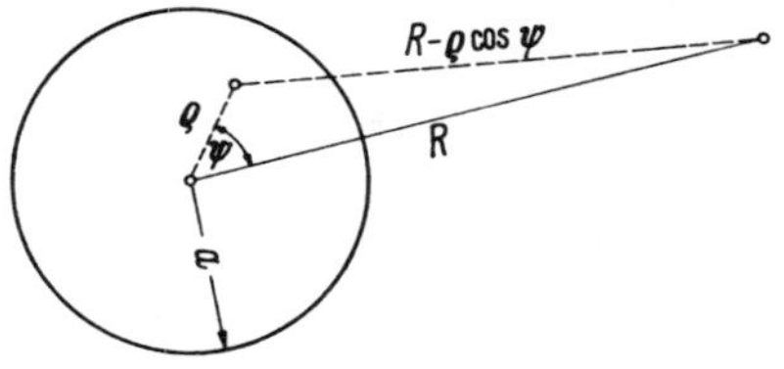

Abb. IV/11. Näherungsweise Berechnung der von einer rotationssymmetrischen Druckverteilung im Fernfeld erzeugten Schnelle

$$\underline{v}(R) = \frac{\sqrt{2}\, e^{-jkR+j\pi/4}}{Z_0 \sqrt{\pi k R}} \int_0^a \int_0^{2\pi} \underline{p}(\varrho)\, e^{jk\varrho\cos\psi}\, \varrho\, d\varrho\, d\psi\,.$$

Die Integration über ψ läßt sich hier sofort durchführen, da

$$\int_0^{2\pi} e^{jk\varrho\cos\psi}\, d\psi = 2\pi\, J_0(k\varrho)$$

ist, wobei J_0 die BESSEL-Funktion nullter Ordnung[1] ist. Man erhält also für die rotationssymmetrische Anregung

$$\underline{v}(R) = \sqrt{\frac{2\pi}{kR}}\, \frac{2\, e^{-jkR+j\pi/4}}{Z_0} \int_0^a \underline{p}(\varrho)\, J_0(k\varrho)\, \varrho\, d\varrho\,.$$

Betrachtet man nun als Beispiel einen auf der angeregten Kreisfläche konstanten Druck $\underline{p}(\varrho) = \underline{p}_0$, dann ist das verbleibende Integral in jeder Formelsammlung zu finden. Es ergibt sich dann für die Schnelle im Fernfeld

$$\underline{v}(R) = \underline{p}_0\, \pi a^2 \sqrt{\frac{2}{\pi k R}}\, \frac{2\, J_1(ka)}{Z_0\, k a}\, e^{-jkR+j\pi/4}\,.$$

Benutzt man nun wieder Gl. (65) zur Berechnung der nach außen abwandernden — also auch der in die Platte eingespeisten — Leistung, so erhält man

$$P = \frac{1}{2 Z_0} |\underline{p}_0\, \pi a^2|^2 \left[\frac{2\, J_1(ka)}{ka}\right]^2. \tag{68}$$

[1] JAHNKE, E. u. F. EMDE: Tables of Functions, Kapitel VIII, Fourth Edition, New York: Dover Publication 1945.

Entwickelt man in dieser Gleichung die Funktion $J_1(k\,a)$ nach sehr kleinen bzw. sehr großen Argumenten, so findet man

$$\frac{2\,J_1(k\,a)}{k\,a} = 1 - \frac{k^2\,a^2}{4} + \frac{k^4\,a^4}{192} \ldots \qquad \text{für } k\,a \ll 1$$

und

$$\frac{2\,J_1(k\,a)}{k\,a} \approx -\frac{2}{k\,a}\sqrt{\frac{2}{\pi\,k\,a}}\cos\left(k\,a + \frac{\pi}{4}\right) \qquad \text{für } k\,a \gg 1\,.$$

Ist also der Radius der angeregten Kreisfläche sehr viel kleiner als die Biegewellenlänge, dann gilt

$$P = \frac{1}{2\,Z_0}\,|\underline{p}_0\,\pi\,a^2|^2\left(1 - \frac{k^2\,a^2}{2}\ldots\right).$$

Bis auf das Korrekturglied, das bei $k\,a = 0{,}5$ ca. 12% ausmacht, ist dieses Ergebnis identisch mit Gl. (64), wenn man den Eingangswiderstand nach (63) einsetzt. Hinsichtlich der Leistungsübertragung kann also eine anregende Fläche als „punktförmig" angesehen werden, wenn ihre Abmessungen kleiner sind als ein Zehntel der Biegewellenlänge.

Ist die anregende Fläche sehr groß, also $k\,a \gg 1$, dann geht Gl. (68) über in

$$P \approx \frac{|\underline{p}_0|^2}{2\,Z_0}\,\frac{\pi\,a}{k^3}\cos^2\left(k\,a + \frac{\pi}{4}\right) = |\underline{p}_0|^2\,\frac{\pi\,a}{2\,\omega\,m''\,k}\cos^2\left(k\,a + \frac{\pi}{4}\right)$$

Die übertragene Leistung nimmt also bei gegebenem Druck nur linear mit dem Radius zu, während sie für $k\,a \ll 1$ mit der 4. Potenz des Radius zunimmt, oder anders ausgedrückt, die Leistung fällt im ersten Falle bei gegebener Kraft mit a^{-3}, während sie für $k\,a \ll 1$ unabhängig vom Radius ist. Bei gleicher Kraft wird also wesentlich weniger Körperschallenergie übertragen, wenn die Kraft über eine möglichst große Fläche verteilt ist.

e) Anwendung von Fouriertransformationen zur Berechnung von Biegewellen auf Platten

Die im letzten Abschnitt abgeleitete Methode zur Berechnung des Schnellefeldes auf einer unendlich großen Platte nach Gl. (66) stellt für jede beliebige Anregung eine eindeutige und vollständige Lösung des gestellten Problems dar. Es bestände also keine Veranlassung, noch nach anderen Verfahren zur Berechnung von Biegewellen auf Platten zu suchen. Es soll aber hier trotzdem getan werden, um das Problem auch noch von einer anderen Seite zu beleuchten und um die Methode der Fourier-Transformation einzuführen, die sich auch auf andere Probleme (s. Abschn. f) erweitern läßt.

Ähnlich wie im letzten Abschnitt gehen wir auch hier wieder von einem relativ einfachen Fall (Elementarlösung) aus und verallgemeinern das Ergebnis durch Summation bzw. Integration. Nur benutzen wir als Elementarlösung nicht die punktförmige Anregung, sondern die in Form einer ebenen, fortschreitenden Welle über die ganze Platte verteilte Anregung. Wir gehen dazu von der Biegewellengleichung (52a) aus und fragen nach der Plattenschnelle, wenn die äußere Anregung durch

$$\underline{p}(x, z) = \check{p}(k_x, k_z)\, e^{j k_x x}\, e^{j k_z z} \tag{69}$$

gegeben ist. Dabei ist $\check{p}(k_x, k_z)$ die Amplitude der anregenden Welle und $2\pi/\sqrt{k_x^2 + k_z^2}$ die Wellenlänge. Der Tangens der Ausbreitungsrichtung ist durch das Verhältnis der Wellenzahlen k_x/k_z gegeben. Nimmt man nun für die örtliche Verteilung der Schnelle der Platte die Form

$$\underline{v}(x, z) = \check{v}(k_x, k_z)\, e^{j k_x x}\, e^{j k_z z} \tag{69a}$$

an, dann erhält man durch Einsetzen in Gl. (52a)

$$\begin{aligned} \check{v}(k_x, k_z) &= \frac{j\,\omega\,\check{p}(k_x, k_z)}{B'\,[(k_x^2 + k_z^2)^2 - k_B^4]} \\ &= \frac{j\,\omega\,\check{p}(k_x, k_z)}{2\,B'\,k_B^2}\left(\frac{1}{k_x^2 + k_z^2 - k_B^2} - \frac{1}{k_x^2 + k_z^2 + k_B^2}\right). \end{aligned} \tag{70}$$

(Um Verwechslungen zu vermeiden, wurde die nur vom Material und der Frequenz abhängende Biegewellenzahl mit dem Index B versehen.)

Man hat also das Verhältnis zwischen Druck und erzwungener Schnelle, wenn die Anregung in der einfachen Exponentialform nach Gl. (69) gegeben ist. Die noch offene Frage, ob Gl. (70) auch die vollständige Lösung des Problems darstellt, kann bejaht werden, denn die freien Schwingungen (also Lösungen von Gl. (50)), die im Prinzip noch auftreten könnten, sind zur Erfüllung der Randbedingungen bei der unendlich großen Platte nicht notwendig; sie würden auch dem Energieprinzip widersprechen.

Wegen des Superpositionsprinzips kann das eben gewonnene Ergebnis sofort auf Summen und Integrale von Funktionen der Form (69) erweitert werden. Ist insbesondere die örtliche Verteilung der Anregung durch

$$\underline{p}(x, z) = \frac{1}{4\pi^2}\iint\limits_{-\infty}^{+\infty} \check{p}(k_x, k_z)\, e^{j k_x x}\, e^{j k_z z}\, dk_x\, dk_z \tag{71}$$

gegeben, dann können wir jede „Teilwelle“ mit der Amplitude $\check{p}(k_x, k_x)$ genau so behandeln wie Gl. (69). Wir erhalten also „Schnelleteilwellen“

der Form (70), deren Summation die vollständige Schnelleverteilung

$$\underline{v}(x, z) = \frac{j}{\pi^2 Z_0} \iint\limits_{-\infty}^{+\infty} \left(\frac{1}{k_x^2 + k_z^2 - k_B^2} - \frac{1}{k_x^2 + k_z^2 + k_B^2} \right) \check{p}(k_x, k_z)\, e^{j k_x x}\, e^{j k_z z}\, dk_x\, dk_z \tag{72}$$

ergibt (s. Gl. 63).

Auf den ersten Blick mag die obige Rechnung relativ uninteressant wirken, denn die Anregung einer Platte durch ebene Wellen tritt in der Praxis nur sehr selten auf. Tatsächlich jedoch stellt Gl. (72) die Schnelle einer Platte bei beliebiger vorgegebener Anregung dar; denn Gl. (71) ist nichts anderes als die zweidimensionale Fourier-Transformation, die bekanntlich für jede praktisch realisierbare Funktion existiert. Man braucht also „nur" das zu einer vorgegebenen Anregefunktion $\underline{p}(x, z)$ gehörende Fourier-Integral $\check{p}(k_x, k_z)$ zu bestimmen und das Ergebnis in Gl. (72) einzusetzen um die erzeugte Schnelle zu erhalten. Formal bereitet diese Rechnung keine Schwierigkeiten, da in Analogie zur eindimensionalen Fourier-Transformation (s. Gl. (15), wobei Zeit und Kreisfrequenz als Variable auftreten) in zwei Dimensionen folgendes Gleichungspaar die notwendigen Beziehungen herstellt.

$$\underline{p}(x, z) = \frac{1}{4\pi^2} \iint\limits_{-\infty}^{+\infty} \check{p}(k_x, k_z)\, e^{j k_x x}\, e^{j k_z z}\, dk_x\, dk_z \tag{73a}$$

$$\check{p}(k_x, k_z) = \iint\limits_{-\infty}^{+\infty} \underline{p}(x, z)\, e^{-j k_x x}\, e^{-j k_z z}\, dx\, dz\,. \tag{73b}$$

Da es sich im vorliegenden Fall um ein räumliches Problem handelt, treten natürlich nicht Zeit und Frequenz, sondern Ort und Wellenzahl als Variable auf.

Nachdem wir nun die zwei wichtigsten Methoden zur Berechnung von Schnelleverteilungen auf Platten behandelt haben, bleibt nur noch die Frage offen, ob man in beiden Fällen auch tatsächlich zum gleichen Ergebnis kommt; d. h. ob sich Gl. (72) in Gl. (66) überführen läßt. Um dies zu beweisen setzen wir Gl. (73b) in (72) ein, wobei wir — um die Integrationsvariablen unterscheiden zu können — in Gl. (73b) x und z durch x_0 und z_0 ersetzen. Wir erhalten also

$$\underline{v}(x, z) = \frac{j\,\omega}{8\pi^2 B' k_B^2} \iiiint\limits_{-\infty}^{+\infty} \left(\frac{1}{k_x^2 + k_z^2 - k_B^2} - \frac{1}{k_x^2 + k_z^2 + k_B^2} \right)$$

$$\times\, \underline{p}(x_0, z_0)\, e^{j k_x (x - x_0)}\, e^{j k_z (z - z_0)}\, dk_x\, dk_z\, dx_0\, dz_0\,. \tag{74}$$

Die Integration nach k_x läßt sich nach der Residuenmethode ohne weiteres durchführen und ergibt

$$\underline{v}(x, z) = \frac{j\,\omega}{8\,\pi\, B'\, k_B^2} \iiint\limits_{-\infty}^{+\infty} \left[\frac{e^{-\sqrt{k_z^2 - k_B^2}(x - x_0)}}{\sqrt{k_z^2 - k_B^2}} - \frac{e^{-\sqrt{k_z^2 + k_B^2}(x - x_0)}}{\sqrt{k_z^2 + k_B^2}} \right] \times e^{j k_z (z - z_0)}\, \underline{p}(x_0, z_0)\, dk_z\, dx_0\, dz_0 \,.$$

Macht man nun noch von der folgenden Integraldarstellung[1] für HANKEL-Funktionen Gebrauch

$$H_0^{(2)}(\alpha\sqrt{\beta^2 + \gamma^2}) = \frac{j}{\pi} \int\limits_{-\infty}^{+\infty} \frac{e^{-\beta\sqrt{\delta^2 - \alpha^2}}}{\sqrt{\delta^2 - \alpha^2}}\, e^{j\gamma\delta}\, d\delta \,,$$

so erhält man mit $\alpha = k_B$, bzw. $\pm j\, k_B$, $\beta = x - x_0$, $\gamma = z - z_0$, $\delta = k_z$

$$\underline{v}(x, z) = \frac{1}{Z_0} \iint\limits_{-\infty}^{+\infty} \Big[H_0^{(2)}\big(k_B \sqrt{(x - x_0)^2 + (z - z_0)^2}\big) - H_0^{(2)}\big(\pm j\, k_B \sqrt{(x - x_0)^2 + (z - z_0)^2}\big) \Big]\, \underline{p}(x_0, z_0)\, dx_0\, dz_0 \,. \quad (75)$$

Das ist, wenn man die schon aus Energiegründen einzig mögliche Vorzeichenwahl $-j\, k_B$ trifft, identisch mit Gl. (66).

Übrigens kann man aus Gl. (74) sofort die Punktimpedanz erhalten. Man braucht dazu nur zu bedenken, daß Anregeort und Aufpunkt zusammenfallen, also $x - x_0 = 0$, $z - z_0 = 0$ und daß die anregende Kraft $F = p(x_0, z_0)\, dx_0\, dz_0$ ist. Man erhält dann in Übereinstimmung mit dem früheren Ergebnis:

$$\underline{v}(x_0, z_0) = \frac{j\,\omega\, \underline{F}}{8\,\pi\, B'\, k_B^2} \int\limits_{-\infty}^{+\infty} \left[\frac{1}{\sqrt{k_z^2 - k_B^2}} - \frac{1}{\sqrt{k_z^2 + k_B^2}} \right] dk_z = \underline{F}\, \frac{\omega}{8\, B'\, k_B^2} \,.$$

(Da hier über eine Unendlichkeitsstelle integriert wird, ist der CAUCHY-sche Hauptwert zu nehmen.)

f) Der Biegewelleneingangswiderstand von dicken Platten

Die einfache Biegewellentheorie, wie sie in den Abschn. IV, d) und e) benutzt wurde, stellt — wie bereits mehrfach erwähnt — eine Näherung dar, die um so genauer ist, je dünner die jeweilige Platte ist. Es muß daher bei einem Vergleich der oben angegebenen Formeln mit Meßwerten

---

[1] MAGNUS, W. u. F. OBERHETTINGER: Formeln und Sätze für die speziellen Funktionen der mathematischen Physik, Kap. III, 5, Berlin: Springer 1948.

stets gefordert werden, daß die Plattendicke klein ist, sowohl verglichen mit der jeweiligen Biegewellenlänge als auch mit den Abmessungen der Fläche, auf die die anregende Kraft wirkt. Im Grunde genommen beinhaltet die zweite Forderung einen Widerspruch, denn sie besagt, daß die „Punktkraft" eine endliche Ausdehnung haben muß. Diese Schwierigkeit kann vermieden werden, wenn man bei der Ableitung der Biegewellengleichung die Drehträgheit der Plattenelemente und die Schubdeformation berücksichtigt. Die entsprechende Theorie für den eindimensionalen Fall des Stabes wurde in Abschn. II, 3b abgeleitet. Es ergab sich dabei eine Differentialgleichung vierter Ordnung, die jedoch auch gemischte Glieder enthält (Gl. (II, 106)).

Für den zweidimensionalen Fall der Platte wurde die Biegewellengleichung unter Berücksichtigung der Drehträgheit und der Schubdeformation von MINDLIN[1] abgeleitet. Sie lautet

$$B' \Delta\Delta \underline{v} + \omega^2 \left(\frac{B' \varrho}{G^*} + \frac{\varrho h^3}{12}\right) \Delta \underline{v} - \varrho h \omega^2 \left(1 - \omega^2 \frac{\varrho h^2}{12 G^*}\right) \underline{v}$$

$$= j \omega \left(1 - \omega^2 \frac{\varrho h^2}{12 G^*}\right) \underline{p} - j \omega \frac{B'}{G^* h} \Delta \underline{p} . \qquad (76)$$

Dabei ist B' die Biegesteife je Breiteneinheit, ϱ die Dichte, h die Dicke der Platte. (S. II, 100). G^* ist der durch die Schubverteilungszahl modifizierte Schubmodul. Bei homogenen Platten ist G^* je nach POISSON-Zahl um 10 bis 20% kleiner als der übliche Schubmodul, der mit G bezeichnet wird. Wie man sieht, hat Gl. (76) für $\underline{p} = 0$ genau dieselbe Form, wie die entsprechende Gleichung für Stäbe. Man braucht in Gl. (II, 106) lediglich die zweite Ableitung nach der Ortskoordinate durch den LAPLACEschen Operator zu ersetzen. Es wird daher an dieser Stelle darauf verzichtet, Gl. (76) noch eigens abzuleiten; außerdem erscheint es nicht notwendig die Physik der Vorgänge und den Geltungsbereich der Formeln noch einmal zu erläutern.

Den Biegewelleneingangswiderstand gewinnt man aus Gl. (76) wiederum durch Anwendung der Methode der FOURIER-Transformation. Man setzt also wieder

$$\underline{p}(x, z) = \frac{1}{4 \pi^2} \iint\limits_{-\infty}^{+\infty} \check{p}(k_x, k_z)\, e^{j k_x x}\, e^{j k_z z}\, dk_x\, dk_z$$

$$\underline{v}(x, z) = \frac{1}{4 \pi^2} \iint\limits_{-\infty}^{+\infty} \check{v}(k_x, k_z)\, e^{j k_x x}\, e^{j k_z z}\, dk_x\, dk_z .$$

[1] MINDLIN, R. P.: J. appl. Mech. 18 (1951) 31.

Damit ergibt sich aus Gl. (76)

$$\underline{v}(x, z)$$

$$= \frac{j\,\omega}{4\,\pi^2} \int\limits_{-\infty}^{+\infty}\!\!\int \frac{\check{p}(k_x, k_z)\left[\left(1 - \omega^2 \frac{\varrho\, h^2}{12 G^*}\right) + \frac{B'}{G^*\, h}(k_x^2 + k_z^2)\right] e^{j\,k_x x}\, e^{j\,k_z z}\, dk_x\, dk_z}{B'(k_x^2 + k_z^2)^2 - \omega^2 \left(\frac{B'\,\varrho}{G^*} + \frac{\varrho\, h^3}{12}\right)(k_x^2 + k_z^2) - \omega^2\, \varrho\, h \left(1 - \omega^2 \frac{\varrho\, h^2}{12 G^*}\right)}. \tag{77}$$

Für den Fall der Punktkraft, bei dem $\check{p}(k_x, k_z) = \underline{F}_0$ ist, kann man mit der Substitution $k_x = k_r \sin\varphi$, $k_z = k_r \cos\varphi$ die Integration durchführen und erhält

$$\underline{v}(0) = \underline{F}_0 \left[\frac{j\,\omega \ln\infty}{8\,\pi\, G^*\, h} + \frac{1}{8\sqrt{\varrho\, h\, B'}} \frac{1 + \frac{\omega^2\, \varrho\, h^2}{24\, G^*}\left(\frac{12\, B'}{h^3\, G^*} - 1\right)}{\sqrt{1 + \frac{\omega^2\, \varrho\, h^5}{24 \cdot 24\, B'}\left(\frac{12\, B'}{h^3\, G^*} - 1\right)^2}}\right]. \tag{78}$$

Führt man hier die Biegewellenzahl $k^4 = \omega^2\, \varrho\, h / B'$ ein und berücksichtigt, daß $B' = E\, h^2/12\,(1 - \mu^2)$, dann ergibt sich

$$\underline{v}(0) = \underline{F}_0 \left[\frac{j\,\omega \ln\infty}{8\,\pi\, G^*\, h} + \frac{1}{8\sqrt{\varrho\, h\, B'}} \frac{1 + \left(\frac{k^2\, h^2}{24}\right)^2 \frac{2\,E}{G^*\,(1 - \mu^2)}\left(\frac{E}{G^*\,(1 - \mu^2)} - 1\right)}{\sqrt{1 + \left(\frac{k^2\, h^2}{24}\right)^2 \left(\frac{E}{G^*\,(1 - \mu^2)} - 1\right)^2}}\right]. \tag{78a}$$

Auf den ersten Blick sind Gln. (78) und (78a) überraschend, denn sie besagen, daß an der Anregestelle die Schnelle einen unendlich großen Wert annimmt. Tatsächlich bedeutet es jedoch nichts anderes, als daß bei ideal punktförmiger Anregung, d. h. bei Vorhandensein eines beliebig hohen Drucks auf einer beliebig kleinen Fläche, beliebig hohe Schubdeformationen auftreten. (Durch eine ideale Punktkraft würde ein Loch in die Platte gedrückt.) Man könnte diese Unschönheit in den obigen Formeln beseitigen, indem man die entsprechende Rechnung für eine auf eine endliche Fläche wirkende Kraft durchführt. Es ist jedoch zweifelhaft, ob es sich lohnt, diese komplizierte Rechnung zu machen — bei der das Ergebnis in Form von hypergeometrischen Reihen auftritt —, denn sie würde kaum zu einer wesentlich neuen Erkenntnis führen. Gln. (78) und (78a) besagen nämlich bereits, daß der Eingangswiderstand einer Platte bei Berücksichtigung der Schubspannungen aus der Parallelschaltung eines Federungsanteils (erstes Glied) mit einem reellen Widerstand (zweites Glied) besteht. Für den Idealfall der Punktkraft wird der Federungsanteil zwar unendlich — dem entspricht eine verschwindende Federsteife —, man kann sich jedoch leicht klarmachen, daß bei einer angeregten Fläche endlicher Größe dieser Grenzfall nicht eintritt und daß stattdessen der Federungsanteil von der Schubsteife und der Dicke der Platte, sowie von der Größe der angeregten Fläche abhängt. Glücklicherweise ist jedoch der Federungsanteil für die Anregung der Platte nur von untergeordneter Bedeutung, da er nur das Verhalten eines örtlich sehr eng begrenzten Gebietes in der Nähe der Anregestelle beschreibt; entscheidend für die übertragene Leistung und damit für die Amplituden in einigem Abstand von der Anregestelle ist der Realteil von Gln. (78) bzw. (78a). Wie man sieht, geht für $k\,h < 1$ dieser Teil in $1/8\sqrt{\varrho\,h\,B'}$ über. Er wird also identisch mit dem entsprechenden Ergebnis bei Platten ohne Berücksichtigung der Schubspannung (s. Gl. (63)).

Bemerkenswert in diesem Zusammenhang ist noch, daß der Biegewelleneingangswiderstand eines dicken Stabes (s. Gl. II, 106), der, — wie hier nicht weiter bewiesen werden soll — durch

$$\frac{1}{z} = \frac{k}{2\,\omega\,m'\,(1+j)} \frac{\left(\sqrt{1 - \frac{E}{G^*}\frac{k^4\,h^4}{144}} + j\,\frac{E}{G^*}\frac{k^2\,h^2}{12}\right)}{\sqrt{\sqrt{1 - \frac{E}{G^*}\frac{k^4\,h^4}{12}} + j\left(\frac{E}{G^*}+1\right)\frac{k^2\,h^2}{24}}} \tag{78b}$$

gegeben ist —, einen endlichen Imaginärteil aufweist. Es besteht also ein fundamentaler Unterschied zwischen Stab und Platte, wenn Drehträgheit und Schubdeformationen berücksichtigt werden. Ein ähnlicher Unterschied tritt übrigens auch zwischen Saiten und Membranen auf; während bei Saiten das Verhältnis zwischen Schnelle und Kraft rein reell ist, führt eine ideale Punktkraft bei Membranen zu unendlich großen Auslenkungen[1]. Der fundamentale Unterschied bei der Betrachtung von Ausbreitungsproblemen in zwei Dimensionen verglichen mit einer oder drei Dimensionen tritt auch in vielen anderen Fällen auf[2].

Zusammenfassend kann man also sagen, daß bei Anregung durch eine Punktkraft die Berücksichtigung der Schubdeformationen und der Drehträgheit einer Platte zu einem Nahfeld mit Federungscharakter führt. Die übertragene Leistung wird jedoch kaum beeinflußt, solange $k\,h < 1$, d. h. solange die Biegewellenlänge mindestens sechsmal größer ist, als die Plattendicke. Selbst für $k\,h = 1$ beträgt der Unterschied gegenüber der einfachen Formel (63) nur ca. 2,5%, er steigt dann allerdings sehr rasch an. Der asymptotische Wert, den Gl. (78a) für sehr hohe Fre-

---

[1] Morse, P. M.: Vibration and Sound, Kap. V, 17, New York: McGraw Hill 1948.

[2] Courant, R. u. D. Hilbert: Methoden der mathematischen Physik, Band II, Berlin: Springer 1937.

quenzen, d. h. für $k\,h \gg 1$ erreicht, ist

$$\underline{v}(0) \approx \frac{\omega\,\underline{F}_0}{8\,G^*\,h}\left(1 + \frac{j}{\pi}\ln\infty\right). \tag{78c}$$

Es muß jedoch darauf geachtet werden, daß dieser Wert nur dann gilt, wenn Transversalwellen nullter Ordnung (die sogenannte T_0-Welle in Abb. II/24) angeregt werden. Nur für diesen Wellentyp ist nämlich Gl. (76) anwendbar. Werden bei der punktförmigen Anregung auch andere Wellentypen in der Platte, insbesondere Longitudinalwellen, angeregt, dann ist Gl. (78) nicht mehr zutreffend. In diesem Fall ist eine Platte als dreidimensionales Kontinuum zu betrachten, dessen Eingangsimpedanz eine ziemlich komplizierte und mit der Frequenz schnell sich ändernde Funktion[1, 2] ist.

g) Momentenimpedanzen

Die bisher berechneten Eingangsimpedanzen bei Anregung durch Punktkräfte stellen zwar einen für die Anwendung sehr wichtigen Fall dar, sie erfassen aber selbst dann, wenn die Anregung auf einer sehr kleinen Fläche erfolgt, nicht die Gesamtheit der auftretenden Möglichkeiten. Das ist darauf zurückzuführen, daß bei Biegewellenanregung neben Kräften und Schnellen auch Momente und Winkelgeschwindigkeiten auftreten. Es liegt also nahe, die Frage zu stellen, wie ein gegebenes System gegenüber einem anregenden Moment reagiert. Um diese Frage zu beantworten, definieren wir in Analogie zu Gl. (IV, 1) eine sogenannte Momentenimpedanz $\underline{W}$, die das Verhältnis zwischen anregendem Moment M und erzeugter Winkelgeschwindigkeit w angibt.

$$\underline{W} = \frac{\underline{M}}{\underline{w}}. \tag{79}$$

Wie Gl. (IV, 1), ist auch diese Definitionsgleichung nur dann sinnvoll, wenn die auftretenden Größen rein periodisch sind, so daß der Zeitfaktor entfällt. Die Dimension der Momentenimpedanz ist in $c\,g\,s$ Einheiten dyn cm sec bzw. g cm^2 sec^{-1}, während die Kraftimpedanz die Dimension dyn sec cm^{-1} bzw. g sec^{-1} hat. Die beiden Impedanzen unterscheiden sich also um das Quadrat einer Länge. Man wird also erwarten, daß sich die beiden Typen von Impedanzen um das Quadrat der Wellenlänge bzw. der Wellenzahl unterscheiden.

Von praktischem Interesse ist die Kenntnis der Momentenimpedanz beispielsweise bei der Berechnung der Übertragung von einem zu Biegewellen angeregten Stab auf eine Platte (s. Kap. V/7b).

---

[1] Lyon, R. H.: J. acoust. Soc. Amer. 27 (1955) 259.

[2] Mindlin, R. D.: Structural Mechanics, S. 199; London, New York, Paris: Pergamon Press 1960.

Da in der Kraft- und Momentenimpedanz alle vier für Biegewellen wichtigen Größen vorkommen, könnte man geneigt sein anzunehmen, daß durch die Angabe dieser beiden Größen das Verhalten eines Systems bei Anregung durch eine beliebige Kombination von anregenden Kräften und Momenten vollkommen bestimmt sei. Insbesondere könnte man vermuten, daß die mit Hilfe der beiden Impedanzen bzw. ihrer Reziprokwerte ermittelten Leistungen bei Kraft- bzw. Momentenanregung sich zur gesamten übertragenen Leistung addieren. Das ist jedoch nicht immer der Fall; bereits beim halbunendlichen Stab, der an einem Ende angeregt wird, kann man nämlich durch eine angreifende Kraft auch eine Winkelgeschwindigkeit und durch ein Moment eine Schnelle erzeugen.

Man kann sogar durch geeignete Kombination einer Kraft und eines Moments die fortlaufende Biegewelle vollständig unterdrücken, so daß nur das exponentiell abnehmende Nahfeld übrig bleibt und dementsprechend keine mechanische Leistung übertragen wird. Wie man aus den Gln. (24) und (25) ersehen kann, tritt dieser interessante Spezialfall bei dem $\underline{v}_+ = 0$ wird, gerade für $\underline{F} = \underline{M}\, k$ ein. Ohne Beweis sei noch angegeben, daß nach den Untersuchungen von EICHLER[1] für dasselbe Verhältnis von Kraft und Moment die Übertragung von Biegewellenenergie in eine Platte verringert werden kann, wenn die Anregung an einer Kante erfolgt. Wie man sieht, besteht bei punktförmig angeregten Stäben und Platten die interessante Möglichkeit, durch das zusätzliche Anbringen eines geeigneten Moments bzw. einer geeigneten Kraft (beispielsweise mit Hilfe eines elektrischen Körperschallsenders) die übertragene Biegewellenenergie zu reduzieren. Die Wichtigkeit dieses Zusammenwirkens wird uns noch bei den Dämmproblemen in Kap. V, 3b und V, 4b begegnen.

Wollte man die Biegewellenanregung durch das gleichzeitige Wirken von Kräften und Momenten ganz allgemein betrachten, dann müßte man die Leitwertsmatrix bzw. deren Reziprokwert — die Widerstandsmatrix — einführen und schreiben

$$\left.\begin{aligned} \underline{v} &= \frac{1}{\underline{Z}}\underline{F} + \frac{1}{\underline{W}'}\underline{M} \\ \underline{w} &= \frac{1}{\underline{W}'}\underline{F} + \frac{1}{\underline{W}}\underline{M}\,. \end{aligned}\right\} \tag{80}$$

Es tritt also neben den Kraft- und Momentenimpedanzen $\underline{Z}$ und $\underline{W}$ auch ein Kopplungsglied auf, das im Fall des halbunendlichen Stabes die Größe $W' = -B\,k^2/\omega$ hat.

Wir wollen uns jedoch hier nicht weiter mit Fragen der Leitwertsmatrix bzw. Widerstandsmatrix beschäftigen, sondern uns im folgenden auf die Berechnung von Momentenimpedanzen beschränken. Das oben

[1] EICHLER, E.: J. acoust. Soc. Amer. 36 (1964) 344.

gesagte sollte nur ein Hinweis darauf sein, daß Kraft- und Momentenimpedanz das Anregeproblem nicht vollständig beschreiben. Man muß sich also in jedem Einzelfall davon überzeugen, daß nur eine Kraft oder nur ein Moment vorhanden ist, bzw. daß keine Kopplung zwischen anregender Kraft und erzeugter Winkelgeschwindigkeit oder anregendem Moment und Schnelle erfolgt. Die letztere Möglichkeit, bei der die Leitwertsmatrix nur aus Diagonalelementen besteht, tritt dann ein, wenn ein unendlich großes System in der „Mitte" angeregt wird.

Sehr einfach wird die Berechnung der Momentenimpedanz beim unendlich langen Stab. Man kann in diesem Fall nämlich die Rechnung nach derselben Methode durchführen, wie bei der Bestimmung der bisher behandelten Kraftimpedanz (s. Gl. (29)). Es sind nur etwas andere Randbedingungen einzusetzen. Wie man sich leicht überlegen kann, muß bei Momentenanregung des unendlich langen Stabes die Schnelle am Anregeort verschwinden und es muß die Hälfte des anregenden Moments mit dem Biegemoment einer Stabhälfte übereinstimmen. Das zu lösende Gleichungssystem lautet also

$$\underline{v}(0) = \underline{v}_+ + \underline{v}_{-j} = 0\,,\ \underline{w}(0) = -\,j\,k\,\underline{v}_+ - k\,\underline{v}_{-j}\,,\ \frac{\underline{M}(0)}{2} = \frac{B\,k^2}{j\,\omega}\,(\underline{v}_+ - \underline{v}_{-j})\,.$$

Daraus ergibt sich unmittelbar

$$\underline{W} = \frac{\underline{M}(0)}{\underline{w}(0)} = \frac{2\,B\,k}{\omega}\,(1-j) = \frac{2\,B}{c_B}\,(1-j) = \frac{2\,m'\,c_B}{k^2}\,(1-j)\,. \qquad (81)$$

Die Momentenimpedanz unterscheidet sich also um einen Faktor k^{-2} von der Kraftimpedanz (Gl. 31). Allerdings ist auch das Vorzeichen des Imaginärteils des Widerstandes verschieden. Der Widerstand hat also Federungscharakter, wofür auch spricht, daß er mit der Wurzel aus der Frequenz abnimmt.

Mit Hilfe von Gl. (81) läßt sich nun auch die von einem Moment übertragene Leistung ermitteln. Es gilt hier nach Gl. (II, 91)

$$P = \frac{1}{2}\,\mathrm{Re}\,\{\underline{M}\,\underline{w}^*\} = \frac{1}{2}\,|\underline{M}|^2\,\mathrm{Re}\left\{\frac{1}{\underline{W}}\right\} = \frac{1}{8}\,\frac{\omega}{B\,k}\,|\underline{M}|^2\,. \qquad (82)$$

Vergleicht man diese Gleichung mit Gl. (35), so sieht man, daß bei einem konstanten Moment die übertragene Leistung (k ist proportional der Wurzel der Frequenz) mit der Wurzel der Frequenz zunimmt. Die Anregung durch Momente spielt also hauptsächlich bei höheren Frequenzen eine größere Rolle.

Für das nächste Beispiel, die Bestimmung der Momentenimpedanz einer Platte, wollen wir eine etwas andere Berechnungsmethode benutzen. Wir denken uns eine Platte an den nahe beieinanderliegenden Punkten $x = a$ und $x = -\,a$ durch zwei entgegengesetzte Punktkräfte $\underline{F}$ und $-\underline{F}$

angeregt (Abb. IV/12). Das anregende Moment ist also $\underline{M} = 2\,a\,\underline{F}$; die resultierende Kraft verschwindet. Das von diesem System erzeugte Schnellefeld ergibt sich nach Gl. (63a) zu

$$\underline{v}(x, z) = \frac{\underline{F}\,\omega}{8\,B'\,k^2}\left[\Pi(k r_1) - \Pi(k\,r_2)\right]. \quad (83)$$

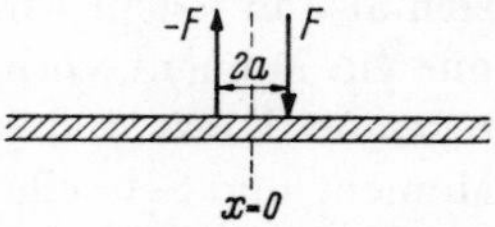

Abb. IV/12. Momentenanregung bei der Platte

Dabei ist Π wieder die durch die beiden HANKEL-Funktionen gegebene Ausbreitungsfunktion. r_1 bzw. r_2 sind die Abstände vom „Aufpunkt" x, z zum jeweiligen Anregepunkt. Hinsichtlich des allgemeinen Charakters dieses „Dipolfeldes" s. Kap. V, 7b. Da wir uns hier nur für Punkte auf der x-Achse interessieren, wird

$$\Pi(k\,r_1) = H_0^{(2)}\left[k\,(x-a)\right] - H_0^{(2)}\left[-j\,k\,(x-a)\right]$$

$$\Pi(k\,r_2) = H_0^{(2)}\left[k\,(x+a)\right] - H_0^{(2)}\left[-j\,k\,(x+a)\right].$$

Führen wir nun die Entwicklung für kleine Argumente durch, so müssen wir auch noch höhere Glieder als auf S. 255 berücksichtigen und erhalten

$$\Pi(k\,r_1) \approx 1 + 2\,k^2\,(x-a)^2\left[\alpha_1 + \alpha_2 \ln\frac{1}{2}\gamma\,k\,(x-a) - \frac{1}{2}\alpha_2 \ln(-j)\right]$$

$$\Pi(k\,r_2) \approx 1 + 2\,k^2\,(x+a)^2\left[\alpha_1 + \alpha_2 \ln\frac{1}{2}\gamma\,k\,(x+a) - \frac{1}{2}\alpha_2 \ln(-j)\right].$$

Die beiden Koeffizienten sind dabei

$$\alpha_1 = -\frac{1}{4} - \frac{j}{2\pi}; \quad \alpha_2 = \frac{j}{2\pi}.$$ Außerdem ist $\gamma = 1{,}781$.

Differenziert man nun Gl. (83) nach x um die x-Komponente der Winkelgeschwindigkeit zu erhalten, so ergibt sich mit den oben benutzten Reihenentwicklungen für $a \to 0$ nach einigen Umformungen an der Stelle $x = z = 0$

$$\underline{w}(0) = \frac{\underline{F}\,a\,\omega\,k^2}{8\,B'\,k^2}\left(1 - j\frac{4}{\pi}\ln\frac{1}{2}\gamma\,k\,a\right) = \frac{\underline{M}\,\omega}{16\,B'}\left(1 - j\frac{4}{\pi}\ln\frac{1}{2}\gamma\,k\,a\right) \quad (84)$$

und damit

$$\underline{W} = \frac{16\,B'}{\omega}\,\frac{1}{1 - j\dfrac{4}{\pi}\ln\dfrac{1}{2}\gamma\,k\,a} = \frac{2\,Z_0}{k^2}\,\frac{1}{1 + j\dfrac{4}{\pi}\ln\left(\dfrac{1{,}1}{k\,a}\right)}. \quad (84\text{a})$$

Wir erhalten einen Realteil des Leitwerts[1], der sich um den Faktor $k^2/2$ vom Leitwert bei Anregung durch eine Punktkraft unterscheidet, und deshalb proportional mit der Frequenz wächst. Wie bei Stäben ist also auch bei Platten die Momentenübertragung nur bei hohen Frequenzen von Bedeutung.

---

[1] CREMER, L.: Acustica 4 (1954) 273.

Tabelle IV/1. Zusammenstellung von Impedanzformeln

Stab, longitudinal		$Z = S\sqrt{E\,\varrho} = \varrho\, S\, c_L = \omega\, \varrho\, S\, \frac{\lambda_L}{2\pi}$
Stab, dünn, Biegung		$Z = \frac{1}{2}\, \varrho\, S\, c_B\,(1+j)$ $\approx 0{,}67\, \varrho\, S \sqrt{c_L\, h\, f}\,(1+j)$ $\approx \omega\, \varrho\, S\, \frac{\lambda_B\,(1+j)}{4\pi}$
Stab, dünn, Biegung		$Z = 2\, \varrho\, S\, c_B\,(1+j)$ $\approx 2{,}67\, \varrho\, S \sqrt{c_L\, h\, f}\,(1+j)$ $\approx \omega\, \varrho\, S\, \frac{\lambda_B(1+j)}{\pi}$
Platte, dünn, isotrop	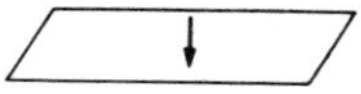	$Z = 8\sqrt{B'\,\varrho\, h} \approx 2{,}3\, c_L\, \varrho\, h^2 \approx \omega\, \varrho\, h\, \frac{\lambda_B^2}{5}$
Platte, dünn, isotrop		$Z = 3{,}5\sqrt{B'\,\varrho\, h} \approx c_L\, \varrho\, h^2 \approx \omega\, \varrho\, h\, \frac{\lambda_B^2}{11{,}5}$
Stab, dick, Biegung	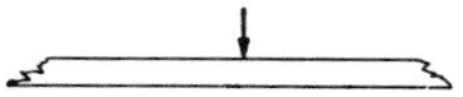	$\frac{1}{Z}$ siehe Gl. (78b)
Platte, dick, Biegung	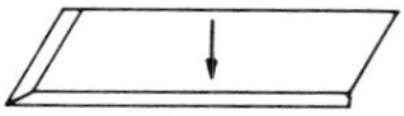	$\frac{1}{Z}$ (siehe Gl. (78a)
Stab, dünn, Biegung	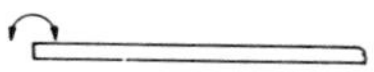	$W = \frac{1}{2}\, \varrho\, S\, c_B\, \frac{(1-j)}{k_B^2}$ $\approx 0{,}03\, \varrho\, S \sqrt{c_L^3\, h^3}\, \frac{(1-j)}{\sqrt{f}}$
Stab, dünn, Biegung	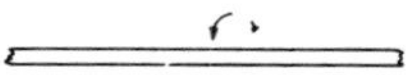	$W = 2\, \varrho\, S\, c_B\, \frac{(1-j)}{k_B^2}$ $\approx 0{,}12\, \varrho\, S \sqrt{c_L^3\, h^3}\, \frac{(1-j)}{\sqrt{f}}$
Platte, dünn, isotrop	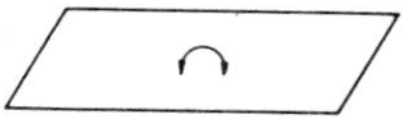	$\frac{1}{W} = \left(1 - \frac{4j}{\pi} \ln 0{,}9\, k\, a\right) \frac{\omega}{16\, B'}$ $\approx \left(1 - \frac{4j}{\pi} \ln 0{,}9\, k\, a\right) \frac{4{,}8\, f}{c_L^2\, \varrho\, h^3}$
Platte, dünn, isotrop	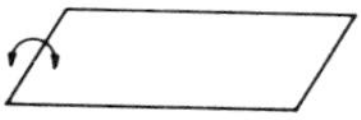	$\frac{1}{W} = (1 - 1{,}46\, j \ln 0{,}9\, k\, a)\, \frac{\omega}{5{,}3\, B'}$

Hinsichtlich des Imaginärteils ist die Momentenimpedanz eigentlich unbestimmt, denn es geht der willkürliche Abstand a zwischen den beiden das Paar bildenden Kräften ein; außerdem geht der Imaginärteil in Gl. (84) mit $a \to 0$ gegen unendlich. Man hat es hier also ähnlich wie bei der Anregung einer dicken Platte durch eine Punktkraft (s. Gl. (78))

mit einem Nahfeld zu tun, das im Grenzfall unendlich hohe Werte annehmen würde.

h) Zusammenstellung der Impedanzformeln

Der einfacheren Übersicht wegen sind in der Tab. IV/1 die verschiedenen Impedanzformeln für unendlich ausgedehnte Systeme zusammengestellt. Es handelt sich hier zum Teil um eine Wiederholung der in den vorhergehenden Abschnitten angegebenen Formeln, zum Teil um Ergebnisse, die aus der Literatur[1,2] entnommen wurden. In der Tabelle sind die meisten Formeln in drei verschiedenen Versionen angegeben. Bei der ersten Version handelt es sich um die in der Literatur allgemein übliche; bei der jeweils danebenstehenden Schreibweise wird der Widerstand durch die Materialdichte ϱ, die Longitudinalwellengeschwindigkeit c_L im jeweiligen Material*, durch die Frequenz f und die Stab- oder Plattendicke h ausgedrückt. S bedeutet jeweils die Querschnittsfläche eines Stabes. Diese Form dürfte für numerische Berechnungen am geeignetsten sein; außerdem läßt sie den Frequenzganz deutlich erkennen. Die dritte

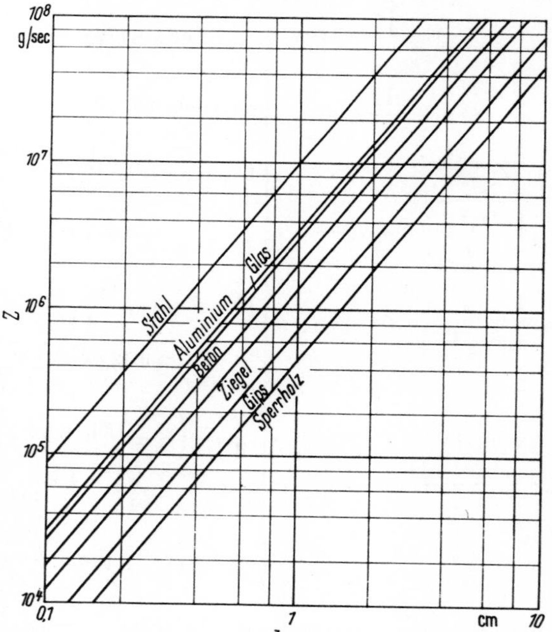

Abb. IV/13. Biegewelleneingangswiderstände von Platten der Dicke h aus verschiedenen Materialien. Gerechnet nach Gl. (63)

[1] Eichler, E.: J. acoust. Soc. Amer. 36 (1964), 344.

[2] Lamb, G. L. jr.: J. acoust. Soc. Amer. 33 (1961), 628.

* Dabei ist auch eine Unterscheidung zwischen c_L, $c_{L\,\mathrm{I}}$ und $c_{L\,\mathrm{II}}$ verzichtet.

Darstellungsweise soll verdeutlichen, daß die Kraftimpedanz stets proportional dem äquivalenten Trägheitswiderstand der Masse eines Gebietes ist, dessen Abmessungen durch die jeweilige Wellenlänge gegeben sind, bei stabförmigen Gebilden tritt also das Produkt aus Masse pro Längeneinheit und Wellenlänge auf, bei plattenförmigen Gebilden das Produkt aus Masse pro Flächeneinheit und Quadrat der Wellenlänge.

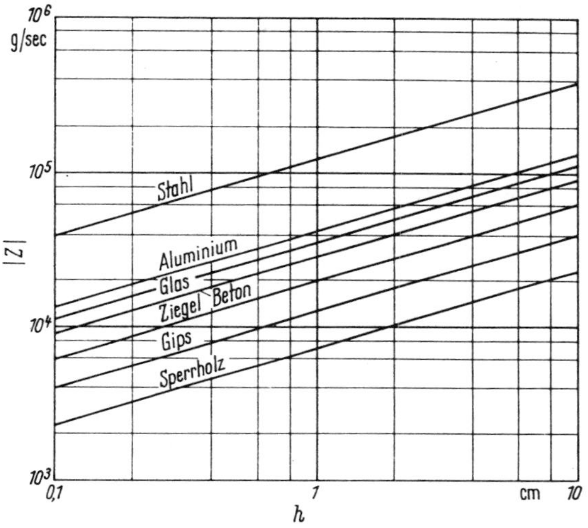

Abb. IV/14. Absolutbetrag des Biegewelleneingangswiderstandes von halbunendlichen, quadratischen Stäben der Seitenlänge h bei einer Frequenz von 1000 Hz. Gerechnet nach Gl. (31)

Einige Beispiele von berechneten Kraftimpedanzen sind in Abb. IV/13 und IV/14 eingetragen. Vergleicht man die dort eingetragenen numerischen Werte, so sieht man, daß sie — besonders bei hohen Frequenzen — im Vergleich zu Widerständen von reinen Massen relativ klein sind. Beispielsweise ist der Widerstand einer nur 10 kg schweren Masse, der bei 1000 Hz $6{,}28 \cdot 10^7$ g/sec beträgt, bereits größer als der Eingangswiderstand einer 5 cm dicken Ziegelwand. Man kann also bei hohen Frequenzen schon mit relativ kleinen aufgesetzten Massen die Schwingungen eines Kontinuums beeinflussen. Von dieser Möglichkeit macht man in der Praxis manchmal durch Anbringen von Zusatzmassen Gebrauch.

4. Punktförmige Anregung von endlichen Systemen

Die Schwingungen von Systemen endlicher Ausdehnung stellen ein Gebiet dar, das in früheren Jahrhunderten immer wieder das Interesse der größten Geister der Physik anzog und das befruchtend auf viele Zweige der Physik wirkte. Es sei hier nur daran erinnert, daß die Theorie der mechanischen Wellen, wie sie von BERNOULLI, D'ALAMBERT, LAGRANGE, CHLADNI, RAYLEIGH, RITZ und anderen entwickelt wurde, entscheidend zur Förderung des Verständnisses der elektromagnetischen Wellen beitrug und auch bei der Entwicklung der Wellenmechanik Hilfestellung leistete. Als Beispiel sei nur erwähnt, daß die elektrischen Wellen in Hohlleitern eng verwandt sind mit den mechanischen Wellen in Stäben, und daß selbst die KLEIN-GORDONsche Gleichung, die gewisse Eigenschaften der Mesonen beschreibt, in ihrer einfachsten Form fast identisch ist mit der Bewegungsgleichung einer Saite, die in ein elastisches Medium eingebettet ist.

In den letzten Jahrzehnten hat zwar gleichzeitig mit dem rapiden Ausbau der übrigen Gebiete der Physik das Interesse an mechanischen Schwingungen und Wellen nachgelassen — während man früher elektrische Vorgänge durch mechanische Analoga anschaulich machte, werden heute manchmal umgekehrt, mechanische Vorgänge durch elektrische Schaltbilder, etc. beschrieben —, aber es ist trotzdem immer noch so, daß an Hand der mechanischen Wellen Begriffe wie Eigenwerte, Orthogonalität, etc. am leichtesten erklärt und verstanden werden können. Davon wollen wir im folgenden Gebrauch machen und zuerst die allgemeinen Eigenschaften schwingender Systeme darlegen und dann auf einige für die Praxis interessanten Energiebetrachtungen übergehen. Wir werden dabei nicht streng mathematisch vorgehen, sondern auf Grund von einfachen physikalischen Überlegungen die einzelnen Ergebnisse darlegen. Insbesondere den Satz von der „Darstellbarkeit der Schwingungen als Summe von Eigenfunktionen" werden wir nicht als Problem aus der Theorie der Integralgleichungen oder der selbstadjungierten Differentialgleichungen oder der Variationsrechnung beweisen, sondern ihn aus einfachen Energiebetrachtungen plausibel machen. Leser, die an exakten mathematischen Darstellungen interessiert sind, werden auf die entsprechende Literatur[1] verwiesen.

a) Allgemeine Eigenschaften

Bereits bei der Untersuchung der Wellenausbreitung auf Stäben endlicher Länge (Kap. II, 4) stellten wir fest, daß bei jedem Stab gewisse diskrete Frequenzen, die sogenannten Eigenfrequenzen, bevorzugt sind. Praktisch äußert sich das in zwei wohlbekannten Phänomenen. Wird ein Stab (z. B. Stimmgabel) kurzzeitig angeregt und dann sich selbst überlassen, dann schwingt er mit einem für ihn typischen Klang aus, der aus einer oder mehreren Eigenfrequenzen besteht. Wird dagegen der Stab durch einen Körperschallsender oder dgl. angeregt, dann ergeben

[1] Als klassische Darstellung auf diesem Gebiet gilt: COURANT, R. u. D. HILBERT: Methoden der mathematischen Physik, 1. Band, Berlin: Springer 1931.

sich Amplituden, die sehr stark von der anregenden Frequenz abhängen. Die höchsten Amplituden werden erreicht, wenn die anregende Frequenz mit einer Eigenfrequenz (daher auch häufig Resonanzfrequenz genannt) übereinstimmt (s. Abb. III/5a u. III/7a).

Die Lage der einzelnen Eigenfrequenzen richtet sich nach der Art des verwendeten Materials, den Stababmessungen, insbesondere der Länge und — wie die Beispiele des freien und des drehbar gelagerten Stabes zeigen — den Randbedingungen. Außerdem zeigte sich, daß die Eigenfrequenzen eine nach oben unbegrenzte Folge bilden, die nur in Ausnahmefällen aus ganzzahligen Vielfachen einer Grundfrequenz bestehen.

Gehen wir nun zu komplizierteren Körpern, also etwa Platten, Ringen, Schalen etc. über, so brauchen wir nur an Glocken, Gongs, oder auch die kreischenden Räder einer Straßenbahn in manchen Kurven zu denken, um uns klarzumachen, daß auch bei beliebig geformten Körpern Eigenfrequenzen auftreten. Wie stark sich diese Eigenfrequenzen bemerkbar machen, hängt natürlich von der jeweiligen Dämpfung und auch von der Art der Anregung ab, aber an ihrer Existenz ist nicht zu zweifeln.

Wir können also festhalten, daß auch beliebig geformte Körper Eigenfrequenzen aufweisen und daß diese — genauso wie bei Stäben — vom Material, von den Abmessungen und von den Randbedingungen abhängen. Allerdings bilden die Eigenfrequenzen nicht — wie bei Stäben — einfache Reihen, die mit n oder n^2 (s. Kap. II, 4) ansteigen, sie sind stattdessen wesentlich unregelmäßiger verteilt.

Eine weitere sehr wesentliche Eigenschaft von endlichen Platten, Schalen etc. ist — genauso wie bei Stäben — das Auftreten der zu den Eigenfrequenzen gehörenden Eigenschwingungsformen, in der Mathematik oft Eigenfunktionen genannt. Wie bereits die klassischen Untersuchungen von Chladni zeigten, können diese Eigenschwingungsformen sehr kompliziert sein und zu Bildern von geradezu faszinierender Schönheit führen. Die detaillierte Deutung der Eigenschwingungsformen ist jedoch meistens äußerst schwierig und eine exakte Vorherberechnung ist nur in wenigen einfachen Fällen möglich. Glücklicherweise ist das bei den uns hier interessierenden Problemen auch gar nicht notwendig. Wir wollen lediglich die Tatsache benutzen, daß zu jeder Eigenfrequenz mindestens eine Eigenfunktion gehört und daß die Eigenfunktionen gewisse allgemeine Eigenschaften haben.

Die als dimensionslos angenommenen Eigenfunktionen wollen wir im folgenden mit $\varphi_n(x, z)$ bezeichnen, die dazugehörigen Schnelleamplituden mit v_n und die Eigenfrequenzen mit ω_n.

Die wichtigste Eigenschaft der Eigenfunktionen ist die Orthogonalität. Darunter versteht man folgendes:

Wenn $\varphi_n(x, z)$ und $\varphi_m(x, z)$ zwei Eigenfunktionen des gleichen Systems sind und m'' der eventuell vom Ort abhängige Massenbelag, dann gilt

$$\int_S m'' \varphi_n(x, z) \varphi_m(x, z) \, dx \, dz = 0 \text{ für } m \neq n , \tag{85}$$

wobei die Integration über die gesamte Fläche S der interessierenden Platte, Schale, etc. erstreckt wird.

Um diese sehr weitreichende Behauptung physikalisch zu begründen, denken wir uns ein System so angeregt, daß es gerade in der n-ten Eigenschwingung schwingt. Die gesamte kinetische Energie ist also

$$E_{\text{kin}} = \frac{1}{2} \int_S v_n^2 \, m'' \, \varphi_n^2(x, z) \, dx \, dz . \tag{86a}$$

Analog erhalten wir die kinetische Energie bei der m-ten Eigenschwingung zu

$$E_{\text{kin}} = \frac{1}{2} \int_S m'' \, v_m^2 \, \varphi_m^2 (x, z) \, dx \, dz . \tag{86b}$$

Nehmen wir nun an, daß beide Eigenschwingungen gleichzeitig angeregt werden und daß die Anregung genauso erfolgt wie bei der Einzelanregung, dann muß — falls die beiden Eigenschwingungen voneinander unabhängig sind — die Gesamtenergie gleich der Summe der Einzelenergien sein; andernfalls wäre ja Energie verloren gegangen oder aus dem Nichts hinzugewonnen worden.

Es muß also gelten

$$\frac{1}{2} \int_S m'' \, v_n^2 \, \varphi_n(x, z) \, dx \, dz + \frac{1}{2} \int_S m'' \, v_m^2 \, \varphi_m^2(x, z) \, dx \, dz$$
$$= \frac{1}{2} \int_S m'' \, [v_n \, \varphi_n(x, z) + v_m \, \varphi_m(x, z)]^2 \, dx \, dz .$$

Offensichtlich kann diese Gleichung nur erfüllt sein, wenn

$$\int_S m'' \varphi_n(x, z) \varphi_m(x, z) \, dx \, dz = 0 \quad \text{für} \quad m \neq n . \tag{87}$$

(S. Gl. (85)).

In sehr vielen Fällen, bei denen der Massenbelag m'' ortsunabhängig ist, bei denen also Dichte und Dicke über die ganze Fläche konstant sind, vereinfacht sich (87) zu

$$\int_S \varphi_n(x, z) \varphi_m(x, z) \, dx \, dz = 0 \quad \text{für} \quad m \neq n .$$

Eine wichtige Tatsache, die man aus dem obigen Beweis noch schließen kann, ist die, daß die Orthogonalitätsrelation nicht mehr erfüllt zu sein braucht, wenn das betrachtete System nicht „abgeschlossen“ ist. Sobald nämlich Energie nach außen abwandern kann, gilt die oben benutzte Energierelation nicht mehr und meistens ist dann auch die Orthogonalität verletzt. Man muß bei der Benutzung der Orthogonalität sich also immer vergewissern, ob ein System auch wirklich abgeschlossen ist. Abgeschlossenheit liegt sicher vor, wenn die Ränder vollkommen frei oder starr eingespannt sind; auch bei Belastung mit Massen oder anderen reinen „Blindwiderständen“ wird keine Energie entzogen. Nicht abgeschlossen ist ein System sicher dann, wenn es mit einem anderen verbunden ist; beispielsweise bildet eine Stahlplatte kein abgeschlossenes System mehr, wenn sie an einem Teil ihres Randes in Sand oder dergleichen gebettet ist.

Um die bisher gewonnenen Ergebnisse auch anwenden zu können, gehen wir zunächst von einer ganz allgemeinen, zweidimensionalen Bewegungsgleichung der Form

$$L[v(x, z)] - m'' \omega^2 v(x, z) = j \omega p(x, z) \tag{88}$$

aus. Dabei ist $L[\ldots]$ ein Differentialoperator — im Fall der homogenen, dünnen Platte also der doppelte LAPLACE-Operator —, ω die Kreisfrequenz, m'' der Massenbelag, $v(x, z)$ der Zeiger der Schnelle und $p(x, z)$ der Zeiger des anregenden Drucks*.

Die Tatsache, daß es Eigenfrequenzen und Eigenschwingungen gibt, bedeutet, daß auch nach dem Aufhören einer Anregung, also für $p(x, z) = 0$, die obige Gleichung noch Lösungen hat; allerdings hat sie das nur für gewisse diskrete Werte von ω und nur für gewisse Funktionen. Die Eigenfrequenzen ω_n und die Eigenfunktionen φ_n sind also definiert durch

$$L[\varphi_n(x, z)] - m'' \omega_n^2 \varphi_n(x, z) = 0 \tag{89}$$

zusammen mit den jeweiligen Randbedingungen. Falls darüber hinaus die Randbedingungen noch derart sind, daß keine Energie abgeleitet werden kann, dann gilt zusätzlich noch die Orthogonalitätsrelation (85) bzw. (87).

Aus dem bisher gesagten kann man einen sehr wichtigen Satz über die Schwingungen endlicher Systeme bei beliebiger Anregung ableiten. Ersetzt man nämlich eine beliebige Lösung $v(x, z)$ der inhomogenen Gl. (88) durch eine Summe von Eigenfunktionen, schreibt man also

$$v(x, z) = \sum_{n=1}^{\infty} v_n \varphi_n(x, z) , \tag{90}$$

dann ergibt sich durch Einsetzen in Gl. (88)

$$\sum_{n=1}^{\infty} \{v_n L[\varphi_n(x, z)] - v_n m'' \omega^2 \varphi_n(x, z)\} = j \omega p(x, z) .$$

* Wir verzichten im Folgenden darauf, den Zeigercharakter durch Unterstreichung besonders zu kennzeichnen.

Subtrahiert man hiervon Gl. (89), so folgt

$$\sum_{n=1}^{\infty} v_n \, m'' \, (\omega_n^2 - \omega^2) \, \varphi_n(x, z) = j \, \omega \, p(x, z) \, .$$

Multipliziert man diese Gleichung mit $v_m \, \varphi_m(x, z)$ und integriert über den ganzen Bereich, so verschwinden auf der linken Seite wegen der Orthogonalitätsrelation alle Glieder mit Ausnahme desjenigen, für das $n = m$ ist.

Wir erhalten also

$$v_n \, (\omega_n^2 - \omega^2) \int_S m'' \, \varphi_n^2(x, z) \, dx \, dz = \int_S j\omega \, p(x, z) \, \varphi_n(x, z) \, dx \, dz \, .$$

Führt man hier die sogenannte Norm

$$\Lambda_n = \int_S m'' \, \varphi_n^2(x, z) \, dx \, dz$$

ein, dann ergibt sich schließlich aus (90)

$$v(x, z) = \sum_{n=1}^{\infty} \frac{\varphi_n(x, z)}{\Lambda_n \, (\omega_n^2 - \omega^2)} \int_S j \, \omega \, p(x, z) \, \varphi_n(x, z) \, dx \, dz \, . \qquad (91)$$

Gl. (91) ist der berühmte Entwicklungssatz, der besagt, daß man mit Hilfe der Eigenfunktionen und den Eigenfrequenzen für jede beliebige Anregung die Bewegung berechnen kann.

Bevor wir jedoch diesen Satz anwenden, sollen die Voraussetzungen, die Gl. (90) bzw. (91) zugrunde liegen, kurz diskutiert werden. Die erste Voraussetzung ist, daß es überhaupt unendlich viele Eigenschwingungen gibt, um die unendliche Summe bilden zu können. Das ist nicht in Widerspruch mit der Erfahrung; denn alle Experimente zeigen, daß es keine obere Grenze für die Eigenfrequenzen gibt und es ist auch kein Grund hierfür denkbar. Wesentlich weniger einleuchtend ist, daß durch eine Summe der Form (90) jede beliebige Schwingungsform dargestellt werden kann. Zur Beantwortung dieser nicht sehr einfachen Frage wird auf die einschlägige mathematische Literatur[1] verwiesen. Es wird dort gezeigt, daß die Eigenfunktionen ein „vollständiges" Orthogonalsystem bilden und daß demzufolge jede beliebige Funktion — auch wenn sie nicht denselben Randbedingungen genügt wie die Eigenfunktionen — als Summe von Eigenfunktionen dargestellt werden kann. Es kann dabei allerdings vorkommen, daß an einigen Punkten, insbesondere an den Rändern, die unendliche Summe und die Ausgangsfunktion nicht übereinstimmen, das mittlere Fehlerquadrat — und nur darauf kommt es bei physikalischen Problemen an — ist jedoch beliebig klein.

[1] Courant, R. u. D. Hilbert: Methoden der mathematischen Physik, 1. Band, Berlin: Springer 1931.

Die Erweiterung der bisher erhaltenen Ergebnisse auf mehr als zwei Dimensionen, sowie auf Bewegungen mit mehreren Komponenten bereitet keine Schwierigkeiten mehr. Im Rahmen dieses Buches ist jedoch diese Verallgemeinerung nicht notwendig.

b) Anwendungsbeispiele

Das einfachste Beispiel für die Anwendung der oben erhaltenen Ergebnisse stellen die Schwingungen einer dünnen rechteckigen Platte dar, die an den Rändern aufgestützt ist (s. Abb. II/17). Die Lineardimensionen der Platte seien l_1 und l_2; die Ränder sind also durch $x = 0$, $x = l_1$, $z = 0$, $z = l_2$ gegeben. Entlang dieser Geraden soll genauso wie im eindimensionalen Fall (Gl. (II, 125b)) die Schnelle und ihre zweite Ableitung verschwinden. Die Eigenfunktionen müssen also diese Randbedingungen erfüllen und außerdem der homogenen Biegewellengleichung (s. Gl. (50))

$$B' \Delta\Delta\, \varphi_n(x, z) - \omega_n^2\, m''\, \varphi_n(x, z) = 0 \tag{92}$$

genügen.

Man kann sich leicht davon überzeugen, daß die Funktionen

$$\varphi_n(x, z) = \sin \frac{n_1 \pi x}{l_1} \sin \frac{n_2 \pi z}{l_2} \tag{93}$$

die geforderten Eigenschaften haben, und daß die Eigenfrequenzen durch

$$\omega_n = \sqrt{\frac{B'}{m''}} \left[\left(\frac{n_1 \pi}{l_1}\right)^2 + \left(\frac{n_2 \pi}{l_2}\right)^2 \right] \tag{93a}$$

gegeben sind. Dabei steht der Index n für den Doppelindex n_1, n_2.

Mit Hilfe dieser Eigenfunktionen können wir nun die allgemeine Lösung der inhomogenen Biegewellengleichung (52)

$$B' \Delta\Delta\, v(x, z) - m''\, \omega^2\, v(x, z) = j\, \omega\, p(x, z)$$

für die obigen Randbedingungen finden. Aus dem Entwicklungssatz (91) ergibt sich nämlich

$$v(x, z) = \frac{4\, j\, \omega}{m''\, l_1\, l_2} \sum_{n=1}^{\infty} \frac{\sin \frac{n_1 \pi}{l_1} x \sin \frac{n_2 \pi}{l_2} z}{\omega_n^2 - \omega^2} \int p(x, z) \sin \frac{n_1 \pi}{l_1} x \sin \frac{n_2 \pi}{l_2} z\, dx\, dz\,. \tag{94}$$

Dabei wurde bereits für die Norm der sich aus (93) ergebende Wert $\Lambda_n = l_1\, l_2\, m''/4$ eingesetzt.

Für den uns hier hauptsächlich interessierenden Spezialfall der punktförmigen Anregung mit der Kraft $F = p(x, z)\, dx\, dz$ an der Stelle

x_0, z_0 wird der Integrationsbereich in (94) so klein, daß man die Sinusfunktionen vor das Integral ziehen kann. Damit wird

$$\int p(x, z) \sin \frac{n_1 \pi}{l_1} x \sin \frac{n_2 \pi}{l_2} z \, dx \, dz = F \sin \frac{n_1 \pi}{l_1} x_0 \sin \frac{n_2 \pi}{l_2} z_0 \, . \quad (94\text{a})$$

Die Schnelle an der Anregestelle einer punktförmig angeregten, rechteckigen, aufgestützten Platte ist also

$$v(x_0, z_0) = \frac{4 j \omega F}{m'' l_1 l_2} \sum_{n=1}^{\infty} \frac{\sin^2 \frac{n_1 \pi}{l_1} x_0 \sin^2 \frac{n_2 \pi}{l_2} z_0}{\omega_n^2 - \omega^2} \, . \quad (95)$$

Für eine Platte mit $\frac{\pi}{l_1^2} \sqrt{\frac{B'}{m''}} = 6$ und dem Längenverhältnis $l_1 : l_2 = \sqrt{3} : 1$ ist diese Funktion für zwei verschiedene Anregeorte in Abb. IV/15a und IV/15b eingezeichnet. Man sieht, daß $v(x_0, z_0)$ und

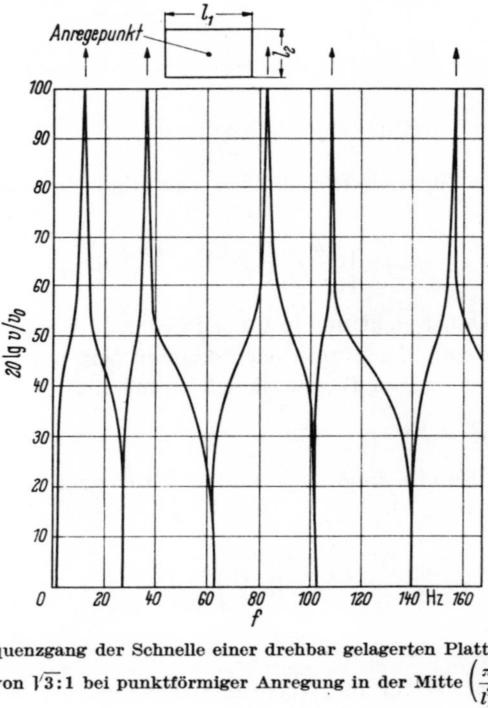

Abb. IV/15a. Frequenzgang der Schnelle einer drehbar gelagerten Platte mit dem Seitenverhältnis von $\sqrt{3}:1$ bei punktförmiger Anregung in der Mitte $\left(\frac{\pi}{l_1^2} \sqrt{\frac{B'}{m''}} = 6\right)$

damit auch die Eingangsimpedanz sehr viel kompliziertere Funktionen der Frequenz und des Anregeorts sind, als im Fall unendlicher Platten.

Aus diesem Grunde liefern auch Messungen des Eingangswiderstandes an endlichen Systemen meistens sehr unübersichtliche und mit der Frequenz und dem Anregeort stark schwankende Ergebnisse (Abb. IV/5, Kurve b u. d). Wir werden aber später noch zeigen, daß trotzdem der Eingangswiderstand für unendliche Platten die für die Leistungsübertragung und damit die mittlere Schnelle entscheidende Größe ist.

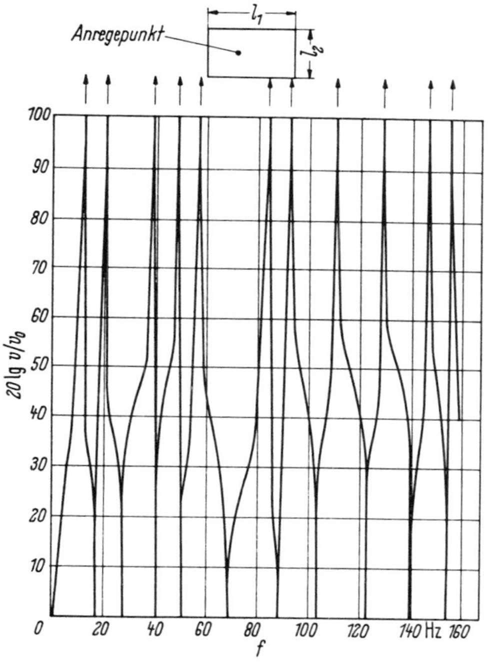

Abb. IV/15b. Wie Abb. 15a, jedoch bei außermittiger Anregung

Die größten Amplituden treten in Abb. IV/15a und IV/15b — wie nicht anders zu erwarten — bei den Eigenfrequenzen auf. Allerdings zeigt der Vergleich der beiden Kurven auch, daß manche Eigenfrequenzen an einem Ort angeregt werden und am anderen nicht. Die Erklärung hierfür ist, daß eine Eigenschwingung sicher nicht angeregt werden kann, wenn die anregende Kraft in einem Schwingungsknoten angreift. Dieser Effekt tritt — wie das ausgerechnete Beispiel zeigt — besonders häufig bei Anregung in der Mitte auf.

Es kann übrigens nicht nur vorkommen, daß einige Eigenfrequenzen nicht angeregt werden, es können auch mehrere verschiedene Eigenfunktionen die gleiche Eigenfrequenz haben. Man sieht dies, wenn man nach Gl. (93a) die Eigenfrequenzen des vorliegenden Beispiels ausrechnet. Es ergeben sich dabei folgende Werte:

n_1	1	2	3	4	5	6	7	8	9	
n_2										
1	12	21	36	57	84	117	156	201	252	Hz
2	39	48	63	84	111	144	183	288	297	Hz
3	84	93	108	129	156	192	228	273		Hz
4	147	156	171	192	219	262	291			Hz
5	219	228	243	264	288					Hz

Es gehören also zur Eigenfrequenz 84 Hz, die Eigenschwingungen

$$\sin \frac{5\pi}{l_1} x \sin \frac{\pi}{l_2} z\,, \quad \sin \frac{4\pi}{l_1} x \sin \frac{2\pi}{l_2} z \quad \text{und} \quad \sin \frac{\pi}{l_1} x \sin \frac{3\pi}{l_2} z\,.$$

Bei den Frequenzen 156, 219, 228 ist es ähnlich.

Das Zusammentreffen von mehreren Eigenfrequenzen, das bei Stäben prinzipiell nicht vorkommen kann, wird als ,,Entartung“ bezeichnet. Es tritt in besonderem Maße bei quadratischen Platten auf, ist aber, wie unser Beispiel zeigt, auch bei Platten mit irrationalem Seitenverhältnis nicht unmöglich. Erst wenn das Quadrat des Seitenverhältnisses irrational ist, sind theoretisch alle Eigenfrequenzen verschieden.

Das Zusammentreffen der Eigenfrequenzen und die verschwindende Anregung an den Knotenlinien spielt in der Praxis eine Rolle, wenn man versucht, durch Auszählen der Spitzen in einem Spektrum die Anzahl der Eigenschwingungen zu erhalten. Offensichtlich findet man bei dieser Methode prinzipiell eine zu kleine Zahl. Bei unserem Beispiel ist das ganz deutlich; denn es treten nur 11 Spitzen in Abb. IV/15b auf, während die Tab. 20 Eigenschwingungen unter 160 Hz gibt. Man muß also mit Schlußfolgerungen aus derartigen Messungen selbst bei tiefen Frequenzen sehr vorsichtig sein; bei hohen Frequenzen kommt noch hinzu, daß eventuell sehr nahe aneinanderliegende Eigenfrequenzen nicht mehr als getrennte Spitzen wahrgenommen werden können. Das ist besonders dann der Fall, wenn das Meßobjekt innere Dämpfung aufweist.

Damit sind wir bei einer Frage angelangt, die wir bisher noch nicht erwähnten. Es handelt sich um den Einfluß der inneren Dämpfung. Zur Charakterisierung wollen wir genau wie in Kap. III den Verlustfaktor η benutzen. Damit wird Gl. (92)

$$B' (1 + j\,\eta)\, \Delta\Delta\, \varphi_n(x, z) - m''\, \underline{\omega}_n^2\, \varphi_n(x, z) = 0\,. \tag{96}$$

(Entsprechendes gilt für die Differentialgleichungen anderer Systeme.)

Gl. (96) kann nur erfüllt sein, wenn dem Imaginärteil im ersten Term ein entsprechender Imaginärteil im zweiten Term gegenübersteht; d. h. $\underline{\omega}_n^2$ muß komplex sein. Die innere Dämpfung führt also zu komplexen Eigenfrequenzen der Form $\underline{\omega}_n = \omega_n \sqrt{1 + j\,\eta} \approx \omega_n (1 + j\,\eta/2)$; dabei ist ω_n die Eigenfrequenz ohne Dämpfung. Im übrigen ist der Gang der Rechnung vollkommen gleich; insbesondere auf den Entwicklungssatz hat es keinen Einfluß, ob $\underline{\omega}_n$ reell oder komplex ist. Statt (91) erhält man

$$v(x, z) = \sum_{n=1}^{\infty} \frac{\varphi_n(x, z)}{[\omega_n^2 (1 + j\,\eta) - \omega^2]\,\Lambda_n} \int j\,\omega\,p(x, z)\,\varphi_n(x, z)\,dx\,dz\,. \tag{97}$$

Gl. (97) besagt, daß die Plattenbewegungen durch eine Summe von gedämpften Schwingungen dargestellt werden können, während die einzelnen Summanden in Gl. (91) ungedämpften Schwingungen entsprechen. Demzufolge stellen sich auch die unendlich hohen Werte an den Resonanzstellen nicht mehr ein, vielmehr ergeben sich von der Dämpfung abhängige Maxima.

c) Leistungsbetrachtungen

In den beiden vorhergehenden Abschnitten wurde gezeigt, wie die Schwingungen von Platten, Schalen und ähnlichen Gebilden allgemein behandelt werden können. Allerdings ist es nur selten möglich, die erhaltenen Formeln in der oben angegebenen Form auf Körperschallprobleme anzuwenden, da nur in einigen wenigen Fällen die Eigenfrequenz und Eigenfunktionen durch einfache Funktionen dargestellt werden können. Man kann zwar mit Hilfe von Näherungsmethoden — beispielsweise mit der Rayleigh–Ritz-Methode — die Eigenfrequenzen und Eigenfunktionen für beliebige Randbedingungen mit ziemlich guter Genauigkeit erhalten, aber der damit verbundene Rechenaufwand ist so groß, daß man von diesem Verfahren nur bei den untersten zwei oder drei Eigenfrequenzen[1] — also meist außerhalb des beim Körperschall interessierenden Frequenzbereiches — Gebrauch macht. Bei den höheren Frequenzen, wie wir sie hier betrachten, lohnt der mit den Näherungsmethoden verbundene Rechenaufwand im allgemeinen nicht mehr. Man verzichtet daher im Rahmen des Körperschalls meist darauf, die Schwingungen eines Systems in allen Details, insbesondere bezüglich ihrer genauen örtlichen Verteilung, zu kennen und begnügt sich damit, geeignete Mittelwerte — also das ungefähre Verhalten — zu bestimmen. Dieser Verzicht fällt um so leichter, als sehr häufig die Art der Randeinspannung eines Systems gar nicht genau genug bekannt ist, um eine exakte Berechnung der Eigenschwingungsformen vorzunehmen.

Der physikalisch wichtigste Mittelwert ist natürlich das örtliche Mittel des Schnellequadrats. Diese Größe, die mit $\overline{v^2}$ bezeichnet sei, erhält man, indem man den gesamten Energieinhalt durch die gesamte Masse $S\,\overline{m''}$ des Systems dividiert. Unter Benutzung von

---

[1] S. z. B. Timoshenko, S.: Schwingungsprobleme der Technik, Kap. I, 14 und IV, 49, Berlin: Springer 1932.

Gl. (90) kann man also schreiben:

$$\bar{v}^2 = \frac{E_{\text{kin}}}{S\,\overline{m''}} = \frac{1}{S\,\overline{m''}} \int m''\,|v(x,z)|^2\,dx\,dz$$

$$= \frac{1}{S\,\overline{m''}} \sum_{n,m} |v_n\,v_m| \int m''\,\varphi_n(x,z)\,\varphi_m(x,z)\,dx\,dz = \frac{1}{S\,\overline{m''}} \sum_n |v_n|^2\,\Lambda_n\,. \tag{98}$$

Die dabei auftretende Doppelsumme, die über alle Kombinationen von m und n zu erstrecken ist, geht wegen der Orthogonalität wieder in eine Einfachsumme über; es setzt sich also das mittlere Schnellequadrat additiv aus den Schnellequadraten der einzelnen Eigenschwingungen zusammen. Dieses Ergebnis ist nicht gerade überraschend, denn die Unabhängigkeit der Eigenschwingungen wurde in Abschn. IV, 4a dazu benutzt, die Orthogonalität zu beweisen.

Für die weitere Rechnung benötigen wir die Größen v_n, die nach Gl. (97) bei Vorhandensein einer inneren Dämpfung durch

$$v_n = \frac{j\,\omega}{[\omega_n^2\,(1 + j\,\eta) - \omega^2]\,\Lambda_n} \int p(x,z)\,\varphi_n(x,z)\,dx\,dz \tag{99}$$

gegeben sind.

Für den uns hier hauptsächlich interessierenden Fall, bei dem eine „Punktkraft“ F an der Stelle x_0, z_0 auf eine infinitesimal kleine Fläche wirkt, so daß $p(x_0, z_0)\,dx_0\,dz_0 = F$ ist, kann man — genau so wie bei Gl. (94a) — $\varphi_n(x, z)$ innerhalb des Integrationsbereiches als konstant ansehen und erhält

$$v_n = \frac{j\,\omega\,F\,\varphi_n(x_0, z_0)}{[\omega_n^2\,(1 + j\,\eta) - \omega^2]\,\Lambda_n}\,. \tag{99a}$$

Damit wird Gl. (98)

$$\bar{v}^2 = \frac{F^2}{S\,\overline{m''}} \sum_n \frac{\omega^2\,\varphi_n^2(x_0, z_0)}{[(\omega_n^2 - \omega^2)^2 + \eta^2\,\omega_n^4]\,\Lambda_n}\,. \tag{100}$$

Für Platten konstanter Dicke und dgl., bei denen der Massenbelag m'' unabhängig vom Ort ist, kann man Gl. (100) noch vereinfachen, wenn man nicht einen bestimmten Anregeort $x_0\,z_0$ betrachtet, sondern über alle möglichen Anregeorte mittelt. Diese zweite Mittelwertsbildung, die durch eine zweite Überstreichung angedeutet sei, führt auf die Gleichung

$$\bar{\bar{v}}^2 = \frac{1}{S} \int \bar{v}^2\,dx\,dz = \frac{\omega^2\,F^2}{S^2\,m''} \sum_n \frac{1}{(\omega_n^2 - \omega^2)^2 + \eta^2\,\omega_n^4}\,. \tag{101}$$

Man sieht also, daß bei punktförmiger Anregung das mittlere Schnellequadrat nur eine Funktion der anregenden Kraft, der gesamten Masse, der Dämpfung und der jeweiligen Lage der anregenden Frequenz im Vergleich zu den einzelnen Eigenfrequenzen ist. Die Ortsabhängigkeit der Eigenfunktionen ist dagegen belanglos. Man kann also die einzelnen Eigenschwingungen als unabhängige Energiespeicher betrachten, die im Mittel alle gleichmäßig, d. h. mit gleicher Leistung, angeregt werden. Je nach Lage der anregenden Frequenz im Verhältnis zu den Eigenfrequenzen ergibt sich dann eine mehr oder weniger große Schnelle. Es sei allerdings darauf hingewiesen, daß nur bei punktförmig wirkenden Kräften alle Eigenschwingungen gleichmäßig angeregt werden. In anderen Fällen, beispielsweise wenn die Anregung einer Platte durch Schallwellen erfolgt, ist die in die einzelnen Eigenschwingungen übertragene Leistung sehr unterschiedlich und es spielt auch die Ortsabhängigkeit der Eigenfunktionen eine wesentliche Rolle.

In der Praxis erfolgt die Anregung meist durch Kräfte, die nicht auf eine einzige Frequenz beschränkt, sondern auf ein mehr oder weniger breites Frequenzband verteilt sind. In derartigen Fällen ist dann nicht nur die gesamte wirkende Kraft sondern auch das Kraftquadrat F_Δ^2 innerhalb eines Frequenzbandes der Breite $\Delta\omega$ gegeben. Man kann also auch nach Gl. (101) das Schnellequadrat v_Δ^2 innerhalb des Frequenzbereiches $\Delta\omega$ erhalten, indem man die entsprechende Mittelwertbildung vornimmt. Dabei wird nur vorausgesetzt, daß der von ω_1 bis ω_2 sich erstreckende Bereich so groß ist, daß er wenigstens fünf Eigenresonanzen enthält. Es gilt also für das Schnellequadrat innerhalb des Frequenzbandes $\omega_1 - \omega_2 = \Delta\omega$

$$v_\Delta^2 = \frac{1}{\Delta\omega}\int\limits_{\omega_1}^{\omega_2} \bar{v}^2\,d\omega = \frac{F_\Delta^2}{S^2\,m''^2}\sum_n \frac{1}{\Delta\omega}\int\limits_{\omega_1}^{\omega_2} \frac{\omega^2\,d\omega}{(\omega_n^2-\omega^2)^2+\eta^2\,\omega_n^4}\,. \tag{102}$$

Betrachtet man eines der Integrale in (102), so sieht man, daß es sehr davon abhängt, ob die jeweilige Eigenfrequenz ω_n innerhalb oder außerhalb des Integrationsbereiches liegt. Ist $\omega_n < \omega_1$ oder $\omega_n > \omega_2$, dann nimmt das Integral einen sehr kleinen, von der Dämpfung unabhängigen Wert an. Ist dagegen $\omega_1 < \omega_n < \omega_2$, dann kann man bei kleiner Dämpfung die Näherung $\omega_n^2 - \omega^2 = (\omega_n + \omega)\,(\omega_n - \omega) \approx 2\,\omega\,(\omega_n - \omega)$ benutzen und erhält

$$\int\limits_{\omega_1}^{\omega_2} \frac{\omega^2\,d\omega}{(\omega_n^2-\omega^2)^2+\eta^2\,\omega_n^4} \approx \int\limits_{\omega_1}^{\omega_2} \frac{d\omega}{4\,(\omega_n-\omega)^2+\eta^2\,\omega_n^2}$$

$$= \frac{1}{2\,\eta\,\omega_n}\left[\operatorname{arctg}\frac{2(\omega_2-\omega_n)}{\eta\,\omega_n} - \operatorname{arctg}\frac{2(\omega_1-\omega_n)}{\eta\,\omega_n}\right]. \tag{102a}$$

Drückt man hier η durch die Halbwertsbreite der jeweiligen Resonanz aus (s. Tab. III/1), so sieht man, daß die beiden arctg-Funktionen dem

Wert $+\pi/2$ bzw. $-\pi/2$ bis auf wenigstens 10% nahe kommen, wenn die Resonanzfrequenz ω_n wenigstens drei Halbwertsbreiten von der nächstgelegenen Integrationsgrenze entfernt ist. Man macht sicher keinen allzu großen Fehler, wenn man bei Vorhandensein mehrerer Eigenfrequenzen im Bereich ω_1 bis ω_2 die Gl. (102a) durch $\pi/2\,\eta\,\omega_n$ annähert und statt (102) schreibt

$$v_\Delta^2 = \frac{F_\Delta^2}{S^2\, m''^2\, \Delta\omega} \sum_{n=N_1}^{N_2} \frac{\pi}{2\,\eta\,\omega_n} + \text{Rest}\,. \tag{103}$$

Dabei ist N_1 die Ordnungszahl der tiefsten und N_2 der höchsten Eigenfrequenz im Integrationsbereich. $N_2 - N_1 = \Delta N$ ist also die Anzahl der Resonanzfrequenzen im Bereich $\Delta\omega$.

Vernachlässigt man nun noch den kleinen Rest und ersetzt die Eigenfrequenzen ω_n durch die Mittenfrequenz ω des interessierenden Bandes, erhält man schließlich

$$v_\Delta^2 \approx \frac{F_\Delta^2}{S^2\, m''^2} \frac{\pi}{2\,\eta\,\omega} \frac{\Delta N}{\Delta\omega}\,. \tag{104}$$

Für den Spezialfall der homogenen Platte wird daraus unter Benutzung der in Tab. IV/2 angegebenen Formel

$$v_\Delta^2 \approx \frac{F_\Delta^2\, k_B^2}{8\,\omega^2\, m''^2\, S\,\eta}\,. \tag{104a}$$

Wie man sieht, enthält Gl. (104) weder die Eigenfunktionen noch die Eigenfrequenzen; die mittlere Schnelle bei Geräuschanregung ist also unabhängig von den Randbedingungen, sie ist nur mehr eine Funktion der gesamten Masse $S\,m''$, des Verlustfaktors η, der Frequenz und der Anzahl der Resonanzfrequenzen.

Dieses Ergebnis kann man noch etwas veranschaulichen, wenn man zum Vergleich ein einfaches Masse-Federsystem mit der Masse m, der Resonanzfrequenz ω_0 und der Dämpfung η betrachtet. Die Bewegungsgleichung ist in diesem Fall

$$-\,\omega^2\, v + \omega_0^2\,(1 + j\,\eta)\, v = \frac{j\,\omega\, F}{m}\,.$$

Denkt man sich ein derartiges System mit einem breitbandigen Geräusch angeregt, dann ergibt dieselbe Integration wie oben

$$v_\Delta^2 = \frac{1}{\Delta\omega}\int_{\omega_1}^{\omega_2} |v^2|\, d\omega = \frac{F_\Delta^2}{m^2\,\Delta\omega}\int_{\omega_1}^{\omega_2} \frac{\omega^2\, d\omega}{(\omega_0^2-\omega^2)^2+\eta^2\,\omega_0^4} \approx \frac{F_\Delta^2}{m^2\,\Delta\omega}\,\frac{\pi}{2\,\eta\,\omega_0}\,. \tag{104b}$$

Vergleicht man diesen Ausdruck mit (104), so sieht man, daß das mittlere Schnellequadrat eines einfachen Schwingers mit der Masse $S\,m''$, multipliziert mit der Anzahl der Eigenfrequenzen ΔN gerade Gl. (104) ergibt. Man kann sich also die einzelnen Eigenschwingungen als unabhängige Energiespeicher vorstellen, die bei punktförmiger Anregung im Mittel denselben Energieinhalt haben. Für die Gesamtenergie in einem Frequenzband ist dann nur noch die Anzahl der Resonanzfrequenzen entscheidend.

Neben dem mittleren Schnellequadrat stellt die Leistung eine für die Praxis sehr wichtige Größe dar. Ganz allgemein erhält man die Leistung, die in ein System übertragen wird, aus dem Realteil des Produktes der Druck- und konjugiert komplexen Schnellezeiger, also bei Darstellung der Schnelle als Summe von Eigenfunktionen nach der Gleichung

$$P = \frac{1}{2} \operatorname{Re}\left\{\int\limits_S p(x, z)\, v^*(x, z)\, dx\, dz\right\}$$
$$= \frac{1}{2} \operatorname{Re}\left\{\sum v_n^* \int\limits_S p(x, z)\, \varphi_n(x, z)\, dx\, dz\right\}. \quad (105)$$

Geht man hier wieder zu einer Punktkraft F an der Stelle x_0, z_0 über, dann ist der Wert des Integrals $F\, \varphi_n(x_0, z_0)$. Setzt man hier v_n nach Gl. (99a) ein, so ergibt sich

$$P = \frac{F_\Delta^2\, \eta\, \omega}{2} \sum_n \frac{\omega_n^2\, \varphi_n^2(x_0, z_0)}{[(\omega_n^2 - \omega^2)^2 + \eta^2\, \omega_n^4]\, \Lambda_n}. \quad (106)$$

Wie man sieht, hat die Summe in Gl. (106) dieselbe Form wie in Gl. (100); es ist lediglich ω^2 durch ω_n^2 ersetzt. Dieser Unterschied spielt jedoch keine Rolle, wenn es sich um ein schwach gedämpftes System handelt und wenn die Anregung sich über ein Frequenzband erstreckt, das mehrere Eigenfrequenzen umfaßt. Dieselbe Integration über die Frequenz und über alle Anregeorte ergibt dann

$$P = \frac{|F_\Delta|^2}{2} \frac{\pi}{2\, S\, m''} \frac{\Delta N}{\Delta\omega}. \quad (107)$$

(P ist die Leistung, die auf ein gegebenes Frequenzband entfällt, beispielsweise Leistung pro Hertz oder pro Oktave, je nachdem wie F_Δ gegeben ist.)

Dieses Ergebnis ist in dreifacher Hinsicht interessant. Erstens zeigt sich auch hier wieder, daß die Eigenschwingungen wie eine Reihe von unabhängigen einfachen Masse–Feder Systemen betrachtet werden können. Die durch Gl. (107) gegebene Leistung ist nämlich gegeben durch die Leistung, die von einem einfachen Schwinger der Masse $S\, m''$ aufgenommen wird, multipliziert mit der Anzahl der angeregten Eigenschwingungen. Als zweites erhält man durch Kombination von Gl. (107) mit (104)

$$P = \frac{1}{2} S\, m''\, \omega\, \eta\, v_\Delta^2, \quad (108)$$

also einen sehr einfachen Zusammenhang zwischen eingespeister Leistung und erzeugter mittlerer Schnelle. Als drittes kann man schließlich aus (107) auch den Realteil der „mittleren" Eingangsadmittanz Y berechnen. Benutzt man nämlich die bekannte Gleichung (s. Gl. (64))

$$P = \frac{1}{2}\,|F|^2\,\mathrm{Re}\left\{\frac{1}{Z}\right\} = \frac{1}{2}\,|F|^2\,\mathrm{Re}\,\{Y\}\,,$$

dann folgt für die Admittanz, d. h. den reziproken Eingangswiderstand

$$\mathrm{Re}\,\{Y\} = \mathrm{Re}\left\{\frac{1}{Z}\right\} = \frac{\pi}{2\,S\,m''}\,\frac{\Delta N}{\Delta\omega}\,. \tag{109}$$

Gl. (109) ist von besonderem Interesse, da sie gestattet, eine Beziehung mit den in Abschn. IV, 3 berechneten Impedanzformeln herzustellen[1]. Man kann nämlich davon ausgehen, daß bei sehr großen Platten, Stäben, etc. bei denen die Begrenzungen sehr weit vom Anregeort entfernt sind, die Leistungsübertragung fast genauso erfolgt wie beim entsprechenden unendlich großen System; im Grenzfall ist also der in Gl. (109) vorkommende Eingangswiderstand Z identisch mit dem eines unendlichen Systems. Man kann also den Realteil der Eingangsadmittanz aus dem Grenzwert von $\Delta N/\Delta\omega$ und umgekehrt bestimmen, wobei sich auf Grund der gemachten physikalischen Überlegungen von selbst ergibt, daß $\Delta N/\Delta\omega$ proportional der Fläche (bzw. Länge oder Volumen bei ein- oder dreidimensionalen Gebilden) und unabhängig von den Randbedingungen sein muß[2].

An einem einfachen Beispiel wollen wir die Anwendung von Gl. (109) veranschaulichen. Für eine homogene, dünne Platte ist nach (63) der Eingangswiderstand $Z = 8\sqrt{B'\,m''}$, daraus ergibt sich

$$\frac{\Delta N}{\Delta\omega} = \frac{S\,m''}{4\,\pi\sqrt{B'\,m''}} = \frac{S}{4\,\pi}\sqrt{\frac{m''}{B'}}\,.$$

Im Grenzfall ist also die Anzahl der Eigenschwingungen innerhalb eines Frequenzbereichs bei Platten konstant. Die Gesamtzahl bis zu einer Frequenz ω_1 ist demnach

$$N = \int_0^{\omega_1} \frac{\Delta N}{\Delta\omega}\,d\omega = \frac{S\,\omega_1}{4\,\pi}\sqrt{\frac{m''}{B'}}\,.$$

Von der Richtigkeit dieser Formel kann man sich bei Platten mit unterstützten Rändern anhand einer einfachen geometrischen Überlegung

---

[1] Von ähnlichen Überlegungen machte auch C. Zener, Phys. Rev. 59 (1942), 669, bei der Berechnung des Eingangswiderstandes von Platten Gebrauch.

[2] Der mathematisch strenge Beweis hierfür ist bei Courant, R. u. D. Hilbert: Methoden der mathematischen Physik, Erster Band, Kapitel VI, Berlin: Springer 1931 zu finden.

überzeugen. Dazu benutzen wir das sogenannte „Eigentonnetz", das in Abb. IV/16 dargestellt ist. Es besteht aus Maschen der Breite $\pi/l_1 \sqrt[4]{B'/m''}$ und der Länge $\pi/l_2 \sqrt[4]{B'/m''}$. Das Abstandsquadrat von einem Maschenpunkt zum Ursprung ist also

$$\left(\frac{n_1 \pi}{l_1}\right)^2 \sqrt{\frac{B'}{m''}} + \left(\frac{n_2 \pi}{l_2}\right)^2 \sqrt{\frac{B'}{m''}}.$$

Wie ein Vergleich mit Gl. (93a) zeigt, ist dieses Abstandsquadrat gleich dem Wert der zu n_1, n_2 gehörigen Eigenfrequenz. Daraus ergibt sich, daß die unter einer gewissen Grenze ω_1 liegenden Eigenfrequenzen innerhalb eines Viertelkreises mit dem Radius $\sqrt{\omega_1}$ liegen müssen. Da zu jedem Maschenpunkt ein Flächenstück der Größe $\pi^2 \sqrt{B'/m''}/ l_1 l_2$ gehört, ist — wenn man die Randpunkte vernachlässigt — die Gesamtzahl der unter ω_1 liegenden Eigenfrequenzen durch

$$N = \frac{\pi}{4} \omega_1 \frac{l_1 l_2}{\pi^2} \sqrt{\frac{m''}{B'}} = \frac{S\, \omega_1}{4\pi} \sqrt{\frac{m''}{B'}}$$

gegeben. Dabei werden Eigenfrequenzen, die mehrfach auftreten, auch mehrfach gezählt. Es handelt sich hier also um die Anzahl der verschiedenen Eigenfunktionen (s. S. 284). Wie man sieht, stimmen die auf zwei ganz verschiedenen Wegen gefundenen Formeln für N überein.

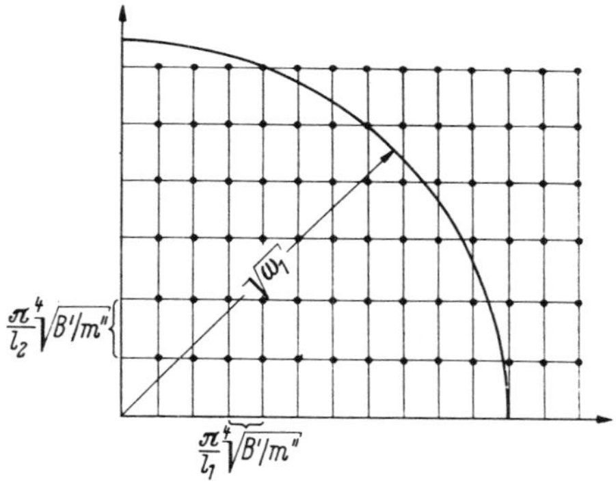

Abb. IV/16. Das Eigentonnetz einer Platte

Als letztes wollen wir in diesem Abschnitt noch den Zusammenhang zwischen Leistung und Schnellequadrat (s. Gl. (108)) auf einem anderen Wege und unter allgemeineren Voraussetzungen ableiten. Wir gehen dabei davon aus, daß der Verlustfaktor durch $\eta = E_v/2\pi E_R$, also durch das Verhältnis der innerhalb einer Schwingung verlorengegangenen Energie zur wiedergewinnbaren Energie gegeben ist (s. Gl. (III, 22)). Bei kleinen Dämpfungen kann man die wiedergewinnbare Energie durch die Gesamtenergie ersetzen, für die man in einem Flächenelement $dx\, dz$ näherungsweise $m''\, v^2\, dx\, dz/2$ erhält.

Die innerhalb einer Schwingungsperiode in Wärme umgesetzte Energie ist demnach $m''\, v^2\, 2\pi\, \eta\, dx\, dz/2$. Aus diesem Ausdruck ergibt sich durch Division mit der Periodendauer $T = 1/f$, wobei f die Frequenz in Hertz ist, die innerhalb einer Zeiteinheit (Sekunde) umgewandelte Energie $m''\, v^2\, \omega\, \eta\, dx\, dz/2$.

Daraus folgt für die auf der gesamten Fläche S in Wärme umgesetzte Energie pro Zeiteinheit, d. h. Leistung

$$P_v = \frac{1}{2}\,\omega\,\eta \int\limits_S m''\,v^2\,dx\,dz = \frac{1}{2}\,\omega\,\eta\,m''\,S\,\overline{v}^2\,. \tag{110}$$

Dabei ist $\overline{v}^2$ das mittlere Schnellequadrat, von dem vorausgesetzt ist, daß es sinnvoll definiert und gemessen werden kann. (Beispielsweise wäre das nicht der Fall, wenn eine Platte so groß und gedämpft ist, daß sich die Schnellen an verschiedenen Stellen um mehr als eine Größenordnung unterscheiden.)

Im stationären Zustand muß die in Wärme umgewandelte Leistung P_v genau so groß sein, wie die an der Anregung zugeführte. Daraus folgt, daß die Gln. (108) und (110) identisch sind. Gl. (110) wurde jedoch ohne die einschränkende Voraussetzung abgeleitet, daß die Anregung durch eine Punktkraft erfolgt; sie stellt also eine Verallgemeinerung für beliebige Anregungsarten dar.

5. Spezielle Probleme

a) Trittschallerzeugung

Eine der wichtigsten Fragen der Bauakustik ist die Trittschallerzeugung und -dämmung. Das Problem selbst und seine häufig unangenehmen Folgen sind — insbesondere den Bewohnern von schlecht gebauten, mehrgeschossigen Häusern — hinlänglich bekannt. Physikalisch betrachtet handelt es sich bei der Trittschallerzeugung um eine fast punktförmige Anregung einer endlichen Platte (Decke). Wir können also die in diesem Kapitel gewonnenen Ergebnisse anwenden. Die einzige Schwierigkeit ist, daß ein auf den Boden fallender Hammer und erst recht ein beim Gehen oder Laufen aufsetzender Fuß nicht nur eine Kraft ausübt, sondern gleichzeitig die Decke belastet. Man kann dieser Schwierigkeit dadurch aus dem Wege gehen, daß man — genau so wie in den Abschn. 3a u. 3b — den Widerstand des Anregemechanismus dem Widerstand der Decke vorschaltet, selbst wenn nur im Moment des Aufpralls ein unmittelbarer Kontakt besteht. Die im Frequenzmittel in die Platte übertragene Körperschalleistung ist also

$$P = \frac{1}{2}\,|F|^2\,\mathrm{Re}\left\{\frac{1}{\underline{Z} + \underline{Z}_a}\right\}.$$

Dabei ist $\underline{Z}$ der Eingangswiderstand der Platte, der bei homogenen Decken frequenzunabhängig ist (Zahlenwerte s. Abb. IV/15). $\underline{Z}_a$ ist der Widerstand der Geräuschquelle; bei einem auf den Boden fallenden Hammer ist er gegeben durch die Masse, beim menschlichen Fuß kann man in etwa damit rechnen[1], daß bei sehr tiefen Frequenzen eine Masse von 15—20 kg und bei höheren Frequenzen (200—2000 Hz) von ca. 200 g wirksam ist.

Aus der übertragenen Leistung kann man sofort das mittlere Schnellequadrat einer Decke der Fläche S ermitteln. Mit Hilfe von Gl. (110) ergibt sich nämlich

$$\overline{v}^2 = \frac{|F|^2}{\omega\, m''\, \eta\, S}\, \mathrm{Re}\left\{\frac{1}{\underline{Z} + \underline{Z}_a}\right\}. \tag{111}$$

Mit dieser Gleichung kann man eine relativ gute Abschätzung der zu erwartenden Schnellen erhalten. Zwei Beispiele hierfür zeigt Abb. IV/17. Es handelt sich dabei um Messungen an einer 12 cm dicken Betondecke und an einem 2,1 cm dicken Asphaltestrich. Beide Platten wurden mit dem gebräuchlichen Trittschallhammerwerk[2] angeregt, bei dem fünf Hämmer von je 500 g im freien Fall aus einer Höhe von 4 cm je zweimal pro Sekunde auf das Prüfobjekt fallen. Die Schlagfrequenz ist also $f_S = 10$ Hz, der Impuls

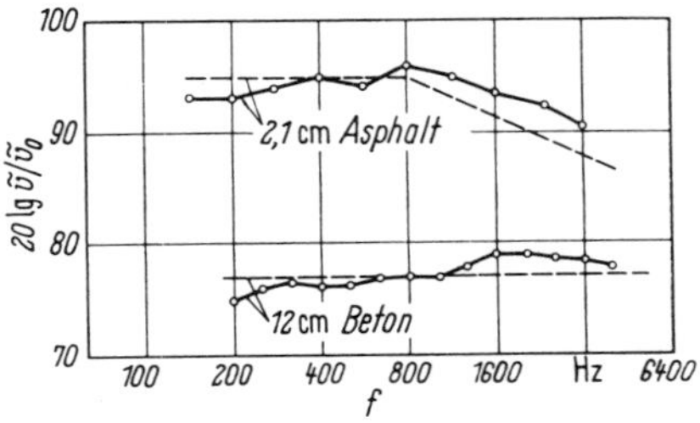

Abb. IV/17. Mittleres Schnellequadrat einer 12 cm Betondecke und eines 2,1 cm Asphaltestriches bei Anregung mit dem genormten Trittschallhammerwerk

$I = m\, v_0 = m\sqrt{2\, g\, h} = 4{,}5 \cdot 10^4$ g cm/sec (g=Erdbeschleunigung). Nach Gl. (3)—(4) ist also die Kraft innerhalb eines Frequenzbandes Δf durch

$$|F_\Delta|^2 = 4\, f_S\, I^2\, \Delta f$$

gegeben. Für den häufigsten Fall, bei dem die Bandbreite eine Oktave mit der Mittenfrequenz f ist, gilt $\Delta f = f/\sqrt{2}$ und damit

$$|F_{\text{okt}}|^2 = 2\, f\sqrt{2}\, I^2 f_S \approx 5{,}6 \cdot 10^{10}\, f\, [\text{dyn}^2] = 5{,}6\, f\, [\text{N}^2]\,. \tag{112}$$

Setzt man diesen Wert zusammen mit den Materialdaten in (111) ein, so erhält man die angegebenen Kurven. Wie man sieht, ist die Übereinstimmung mit den Meßergebnissen, die durch Mittelwertbildung von wenigstens sechs verschiedenen Meßorten erhalten wurden, durchaus befriedigend.

Gl. (111) kann nicht nur dazu benutzt werden, die Schnelle von homogenen Decken zu ermitteln, sie zeigt auch einige der Faktoren, durch die die Trittschallerzeugung beeinflußt werden kann. Wie zu erwarten, ist die Schnelle einer Decke um so kleiner, je größer das Flächen-

[1] Watters, B. G.: J. acoust. Soc. Amer. 38 (1965) 619.

[2] Dieses Hammerwerk ist in DIN Norm 52210 beschrieben.

gewicht und der Verlustfaktor sind. Dabei ist jedoch zu beachten, daß der Verlustfaktor sowohl die Wirkung der Materialdämpfung als auch der Energieableitung in die umgebenden Bauteile erfassen muß. Mit Ausnahme von stark gedämpften Stoffen — wie Asphalt — wird also meistens $\eta \approx 2 \cdot 10^{-2}$ sein. Hinsichtlich der Deckenfläche würde sich aus Gl. (111) ergeben, daß eine Vergrößerung von Vorteil wäre. Das ist jedoch meist nicht der Fall, da die abgestrahlte Schalleistung proportional mit der Fläche zunimmt.

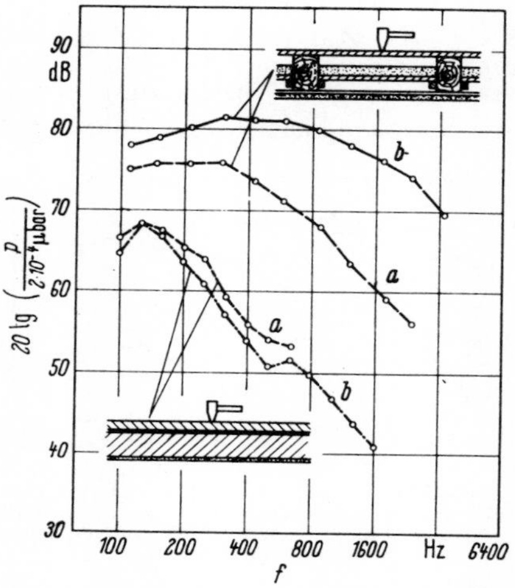

Abb. IV/18. Einfluß der Hammermasse auf die Trittschallanregung, nach Messungen von K. Gösele

a) 500 g schwere Hämmer; b) 20 g schwere Hämmer, jedoch bei gleichem Impuls

Außerdem zeigt Gl. (111), daß die mittlere Schnelle einer Decke auch vom Widerstand $\underline{Z}_a$ der Trittschallquelle abhängt. Es ist also durchaus möglich, daß zwei verschiedene Anregemechanismen trotz gleicher Kraft verschiedene Schnellen erzeugen. Nehmen wir beispielsweise an, daß die vom oben beschriebenen Hammerwerk und die beim Gehen oder Laufen mehrerer Personen erzeugten Impulse gleich wären, die Trittschallerzeugung wäre verschieden.

Besonders deutlich macht sich der Einfluß des Widerstandes der Trittschallquelle natürlich bei Böden mit kleinem Eingangswiderstand bemerkbar. Man kann dies sehr gut an den in Abb. IV/18 eingezeichneten Meßergebnissen erkennen. Es handelt sich hierbei um Trittschallmessungen, die von Gösele[1] mit Hammerwerken von 500 g bzw. 20 g — jedoch bei gleichem Impuls — vorgenommen wurden. Die eine der untersuchten Decken war eine Holzbalkendecke, bei der der Eingangswiderstand zwischen zwei Balken etwa 10^4 g/sec betrug und deshalb schon bei 500 Hz kleiner war, als der Widerstand eines 500 g Hammers. Die zweite Decke bestand aus einer 3,5 cm Betonplatte ($Z \approx 2 \cdot 10^7$ g/sec), die über eine Kokosfaserschicht auf einer 12 cm Betondecke aufgelegt war. Gemessen wurde nicht direkt die Schnelle, sondern die im Raum unter der Decke erzeugten Schalldrücke. Da der Schalldruck proportional der Schnelle der abstrahlenden Fläche ist, entsprechen die in Abb. IV/18

[1] Gösele, K., Reiher, H., Jehle, R.: Schalltechnische Untersuchungen an Holzbalkendecken. Berichte aus der Bauforschung, Heft 14, Berlin: Wilhelm Ernst & Sohn 1960.

angegebenen Unterschiede an gleicher Platte auch den Unterschieden der Schnellen. Wie man sieht, hat die Masse des Hammers bei der Betondecke fast keinen Einfluß, während bei der Holzbalkendecke Unterschiede bis zu 20 dB auftreten.

Die Tatsache, daß die Trittschallerzeugung vom Eingangswiderstand der Quelle abhängt, bedeutet, daß die Ergebnisse von Trittschallmessungen nur dann vergleichbar sind, wenn sowohl Impuls als auch Eingangswiderstand des zur Messung benutzten Mechanismus gleich sind. Man hat daher das oben beschriebene Hammerwerk mit 500 g schweren, freifallenden Stahl- oder Messinghämmern international genormt. Zwar wird damit die Charakteristik von Gehgeräuschen nicht besonders gut nachgebildet, da jedoch in der Praxis Trittschall nicht nur durch Gehen und Laufen, sondern auch durch Klopfen und fallende Gegenstände erzeugt wird, stellt das genormte Hammerwerk einen — wie die Praxis gezeigt hat — sehr brauchbaren Kompromiß dar.

Zum Schluß unserer Betrachtungen über den Trittschall müssen wir noch eine sehr wichtige Maßnahme zur Verringerung der Trittschallerzeugung behandeln, es ist dies die Verwendung eines weichen Gehbelags (Teppich, etc.). (Der Einfluß eines schwimmenden Estrichs auf die Trittschalldämmung wird in Kap. V, 7a untersucht.) Bei dieser Anordnung befindet sich zwischen dem anregenden Hammer oder dgl. und der angeregten Decke eine mehr oder weniger weiche Feder (Abb. IV/19). Das bewirkt, daß jedenfalls bei höheren Frequenzen die auf die Decke wirkende Kraft verkleinert ist. Man sieht, das am einfachsten aus folgenden Gleichungen

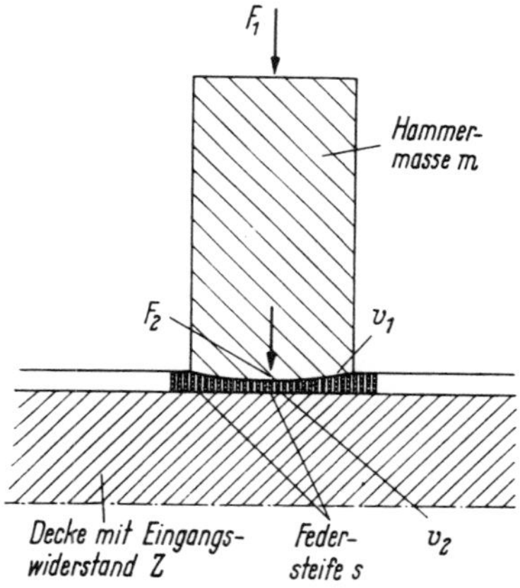

Abb. IV/19. Kräfte und Schnellen bei einem weichen Gehbelag

$$F_1 - F_2 = j\,\omega\, m\, v_1; \quad v_1 - v_2 = \frac{j\,\omega\, F_2}{s}; \quad F_2 = Z\, v_2$$

aus denen sich

$$F_2 = F_1 \Big/ \left(1 - \frac{\omega^2 m}{s} + \frac{j\,\omega\, m}{Z}\right) \tag{113}$$

ergibt. Dabei ist m die Hammermasse, s die Steife der Feder, $\underline{Z}$ der Eingangswiderstand der Decke, F_1, F_2, v_1 und v_2 sind die Kräfte und Schnellen, die aus Abb. IV/19 erkenntlich sind. Setzt man nun (113) in (111) ein, so erhält man die mittlere Schnelle einer Decke mit weichem Gehbelag. Für einige Beispiele ist diese Rechnung in Abb. IV/20 vorgenommen und mit Meßergebnissen verglichen. Auch hier ist nicht die Schnelle der Decke, sondern der nach den Normvorschriften gemessene Schalldruck im darunterliegenden Raum angegeben. Da bei einer dicken Betondecke diese beiden Größen einander proportional sind, gilt für den abgestrahlten Schalldruck dasselbe, wie für die mittlere Schnelle. Dabei zeigte sich, daß bei tiefen Frequenzen ($\omega \ll s/m$) durch den Gehbelag keine Verbesserung erzielt wird. In der Nähe der Resonanzfrequenz, die durch die Masse des Hammers und die Steife des Gehbelags gegeben ist ($\omega \approx s/m$), zeigt die Rechnung sogar eine Erhöhung der Deckenschnelle und damit der Trittschallpegel. Bei den Messungen tritt diese Überhöhung nur ganz selten auf, da die meisten weichen Gehbeläge mit hohen inneren Verlusten behaftet sind. In Gl. (113) wurde dieser Einfluß der Einfachheit halber nicht berücksichtigt. Bei höheren Frequenzen ($\omega \gg s/m$) macht sich dann die verbessernde Wirkung der weichen Schicht bemerkbar; sie führt zu einer mit dem Quadrat der Frequenz abnehmenden Schnelle bzw. zu einer Pegelabnahme von 12 dB pro Oktave.

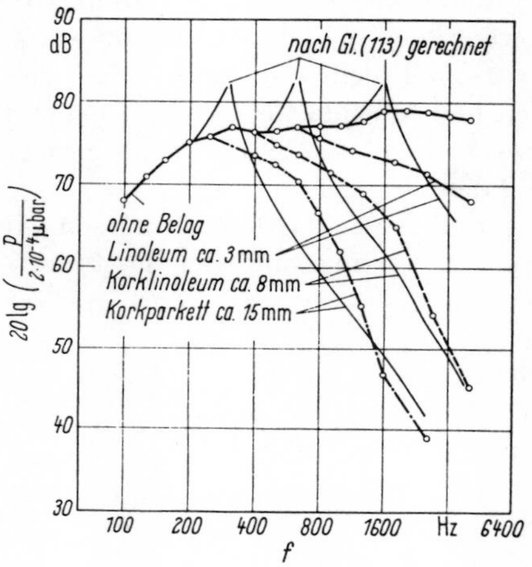

Abb. IV/20. Trittschallpegel einer 12 cm Betondecke mit verschiedenen Gehbelägen

Leider ist in der Praxis die Bestimmung der für die Dämmwirkung entscheidenden Resonanzfrequenz nicht leicht, da die Steife s nicht nur vom Elastizitätsmodul des Materials, sondern auch von der schwer feststellbaren Größe der „Kontaktfläche" abhängt. Man definiert daher weiche Gehbeläge nicht durch ihren Elastizitätsmodul und durch ihre Dicke sondern durch die Trittschallverbesserung, die sie ergeben. Der mathematische Ausdruck für diese Verbesserung ist Gl. (113), die angibt, um wieviel die auf die Decke wirkende Kraft durch die Zwischenschaltung des weichen Gehbelags verringert wird. Man sieht, daß stets dann, wenn unterhalb der Resonanzfrequenz $|\underline{Z}| > \omega\, m$ und oberhalb davon $|\underline{Z}| > s/\omega$ ist — und das ist fast immer der Fall —, die Verbesserung fast unabhängig von der darunter befindlichen Decke ist. Man kann also aus den Trittschallpegeln einer sogenannten „Leerdecke" und aus der an irgendeiner anderen Decke gemessenen „Verbesserung" eines weichen Gehbelags sofort die Trittschallpegel der Kombination von beiden ermitteln. In der Praxis macht man von diesem Verfahren sehr häufig

Gebrauch. Zu beachten ist dabei lediglich, daß der Krümmungsradius der Schlagfläche der Hämmer gleich ist, so daß auch die ,,Kontaktfläche" gleich ist. Außerdem ist zu berücksichtigen, daß schon eine Staubschicht oder dgl. auf Grund ihrer — nicht quantitativ erfaßbaren — Federung zu Verfälschungen der Messung bei den höchsten Frequenzen führen kann.

b) Punktförmig angeregte, stark gekoppelte Systeme

Die Berechnung des mittleren Schnellequadrates in Abschn. 4c ergab, daß man ein endliches System als eine Anzahl von Eigenschwingungen betrachten kann und daß bei Anregung durch ein Geräusch der Bandbreite $\Delta\omega$ alle angeregten Eigenschwingungen denselben Beitrag zur Gesamtenergie liefern, so daß man nur die Anzahl der Eigenschwingungen zu kennen braucht, um die Gesamtenergie und daraus die mittlere Schnelle zu ermitteln. Die Gleichverteilung der Energie auf die einzelnen Eigenschwingungen — die übrigens auch bei gewissen Problemen der Thermodynamik eine Rolle spielt — kann man auch dazu benutzen, die Schnelleverteilung in Systemen zu berechnen, die aus mehreren stark gekoppelten Teilen bestehen[1]. Beispiele hierfür sind Platten, die aus mehreren Teilen von verschiedener Dicke bestehen oder Rohre, die durch Ringe versteift sind, etc.

Da die Rechnung in Abschn. 4c für beliebige Formen und Abmessungen gilt, können wir sie auch auf Konstruktionen, die aus mehreren Teilen bestehen, anwenden und erhalten im Mittel für die Gesamtenergie bei Anregung durch ein breitbandiges Geräusch

$$E = E_0 \Delta N = E_0 \Delta N_1 + E_0 \Delta N_2 + E_0 \Delta N_3 + \cdots.$$

Dabei ist E_0 der Energieinhalt einer Eigenschwingung und ΔN die Gesamtzahl der Eigenschwingungen im interessierenden Frequenzband; $\Delta N_1, \Delta N_2 \ldots$ sind die Anzahl der Eigenschwingungen der einzelnen Teile. Nun sind aber $E_0 \Delta N_1$, $E_0 \Delta N_2 \ldots$ nichts anderes als die Energien der einzelnen Teile für sich betrachtet. Es gilt also, wenn die Einzelteile einigermaßen homogen sind (genauso wie bei Gl. 101—104 sind Platten und Stäbe mit variablem Querschnitt und dgl. ausgeschlossen)

$$E_0 \Delta N_1 = \frac{1}{2} m_1 \overline{v_1^2}, \quad E_0 \Delta N_2 = \frac{1}{2} m_2 \overline{v_2^2}, \ldots \tag{114}$$

wobei m_1, m_2, $\overline{v_1^2}$, $\overline{v_2^2} \ldots$ die Massen bzw. die mittleren Schnellequadrate der Einzelteile sind. Durch Division der einzelnen Gln. (114) erhält man schließlich für das Verhältnis der Schnellen der Einzelteile

$$m_1 \overline{v_1^2} : m_2 \overline{v_2^2} : m_3 \overline{v_3^2} \cdots = \Delta N_1 : \Delta N_2 : \Delta N_3 \ldots \tag{115}$$

[1] Lyon, R. H. and G. Maidanik: J. acoust. Soc. Amer. 34 (1962), 623.

Eine Aufstellung der $\Delta N/\Delta\omega$-Werte für die wichtigsten Fälle enthält Tab. IV/2.

Unter Benutzung von Gl. (109), die einen Zusammenhang zwischen dem Eingangswiderstand $\underline{Z}$ des entsprechenden unendlichen Systems und der Anzahl der Eigenresonanzen herstellt, kann man Gl. (115) auch schreiben

$$\overline{v_1^2} : \overline{v_2^2} : \overline{v_3^2} \cdots = \mathrm{Re}\left\{\frac{1}{\underline{Z}_1}\right\} : \mathrm{Re}\left\{\frac{1}{\underline{Z}_2}\right\} : \mathrm{Re}\left\{\frac{1}{\underline{Z}_3}\right\}. \tag{116}$$

Man hat also in Gl. (115) und (116) eine einfache Methode, die Schwingungen einer gewissen Klasse von komplizierteren Systemen abzuschätzen. Es handelt sich dabei allerdings um eine relativ grobe Schätzung, denn die Voraussetzung der Gleichverteilung der Energie auf alle Eigenschwingungen ist oft nicht in Strenge erfüllt. Die Bedingung der Gleichverteilung ist nämlich gleichbedeutend damit, daß zwischen den einzelnen Teilen ein Energiegleichgewicht herrscht; d. h. die in einen Teil des Gesamtsystems eingeleitete Leistung muß etwa gleich der Leistung sein, die von diesem Teil wieder in die Umgebung abwandert; die durch Dämpfung in Wärme umgewandelte Leistung darf demgegenüber keine Rolle spielen. Daraus folgt, daß Gl. (115) und (116) nur für schwach gedämpfte Teile gelten, die stark miteinander gekoppelt sind.

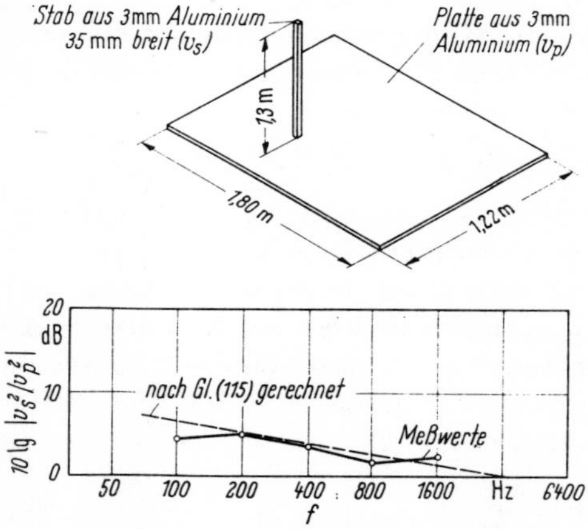

Abb. IV/21. Schnelleverhältnisse auf einer Stab-Platte-Kombination

Ein einfaches Beispiel für die Anwendung von Gl. (115) zeigt Abb. IV/21. Es handelt sich hier um Messungen[1] an einer Aluminiumplatte, an die ein dünner Stab angeklebt war. Gemessen wurde bei Anregung durch Rauschen von Oktavbandbreite die mittlere Schnelle des Stabes und der Platte.

Ein zweites Beispiel, bei dem zwar die Übereinstimmung mit der Theorie nicht so gut ist, das aber wesentlich praxisnaher ist, zeigt Abb. IV/22. Es handelt sich hier um Messungen an Modellen von Hohlkörperdecken, also an Decken, die aus einem relativ schweren tragenden Teil und einer leichten Putzschale bestehen.

---

[1] Lyon, R. H. and E. Eichler: J. acoust. Soc. Amer. 36 (1964), 1344.

Derartige Decken haben eine schlechtere Schalldämmung als gleich schwere Einfachdecken, da, wie GÖSELE schon vor längerer Zeit feststellte, die Resonanzschwingungen der leichten Putzschale zu einer Erhöhung der Schwingungsamplituden führen. Eine derartige Erscheinung wäre nach Gl. (116) auch zu erwarten; denn der Eingangswiderstand der Putzschale ist wesentlich kleiner als der der Rohdecke.

In Abb. IV/22 sind nun die Ergebnisse aufgetragen, die sich bei Anregung der schweren Decke durch Luftschall ergaben[1]. Wie man sieht, sind die gemessenen Schnelleverhältnisse oberhalb von 1600 Hz in ziemlich guter Übereinstimmung mit der Theorie, wenn man davon ausgeht, daß der Eingangswiderstand der Betondecke etwa $4 \cdot 10^8$ g/sec und der der Putzschale etwa $8 \cdot 10^6$ g/sec beträgt.

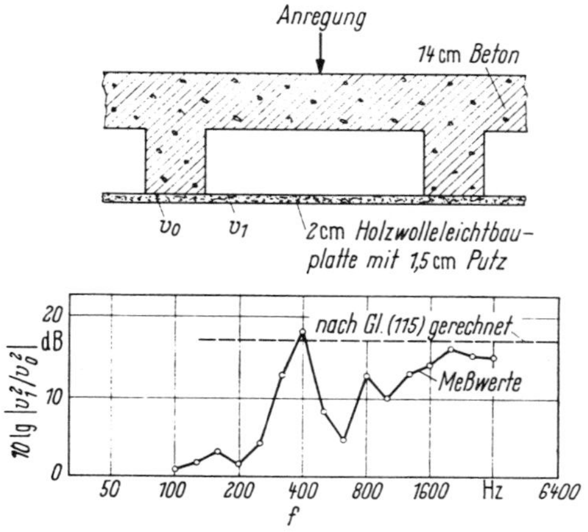

Abb. IV/22. Schnelleverhältnisse auf einer Hohlkörperdecke

Bei tieferen Frequenzen ist die Übereinstimmung nicht mehr so gut, da die Abmessungen der Putzschale bereits zu klein sind verglichen mit der Biegewellenlänge.

In der Baupraxis tritt die Verschlechterung der Schalldämmung durch eine an vielen Punkten starr befestigte, dünne Vorsatzschale übrigens nicht nur bei Hohlkörperdecken ein; es kann auch manchmal die Schalldämmung von Wänden verschlechtert werden, wenn eine an sehr vielen Punkten befestigte Vorsatzschale angebracht wird. Die Verschlechterung der Schalldämmung ist zwar nicht so groß wie die Erhöhung der Körperschallpegel, aber man wird trotzdem in derartigen Fällen auf eine möglichst lose Kopplung und auf das Vorhandensein von Dämpfung zu achten haben; außerdem wird man Vorsatzwände benutzen, die den Körperschall nur sehr wenig als Luftschall abstrahlen.

Die hier in Gl. (116) erhaltene Energieverteilung stellt eine sehr einfache allgemeine Behandlung von Dämmproblemen dar, die aber nur unter den gemachten Voraussetzungen hinsichtlich der Gleichverteilung gültig ist. Würde sie immer gelten, so wäre diese Energieverteilung durch keinerlei Dämm-Maßnahmen zu verhindern. Welche Abweichun-

[1] GÖSELE, K.: Erhöhung der Schall-Längsleitung durch bestimmte Hohlkörperdecken; Berichte aus der Bauforschung, Heft 35, Berlin: Wilhelm Ernst & Sohn 1964.

gen hiervon im Einzelfall auftreten können, kann nur eine spezielle Behandlung der einzelnen Probleme zeigen, wie sie im nächsten Kapitel durchgeführt wird.

Tabelle IV/2. Anzahl der Eigenschwingungen

Stab, londitudinal	$N = k_L\, l/\pi = \omega\, l/c_L\, \pi$	$\Delta N/\Delta\omega = l/c_L\, \pi$
Stab, Biegung	$N = k_B\, l/\pi = \sqrt{\omega}\; l/1{,}7\sqrt{c_L\, h}$	$\Delta N/\Delta\omega = k_B\, l/2\,\pi\,\omega$ $= l/3{,}4\sqrt{c_L\, h}\sqrt{\omega}$
Platte, Biegung	$N = k_B^2\, S/4\,\pi = \omega\, S/3{,}6\, c_L\, h$	$\Delta N/\Delta\omega = k_B^2\, S/4\,\pi\,\omega$ $= S/3{,}6\, c_L\, h$
Raum, Luftschall	$N = k_0^3\, V/6\,\pi^2 = \omega^3\, V/6\,\pi^2\, c_0^3$	$\Delta N/\Delta\omega = k_0^2\, V/2\,\pi^2\, c_0$ $= \omega^2\, V/2\,\pi^2\, c_0^3$
Ring, radial angeregt	$N = 2\, k_B\, a = 3{,}7\sqrt{\omega}\; a/\sqrt{c_L\, h}$	$\Delta N/\Delta\omega = k_B\, a/\omega$ $= 1{,}9\, a/\sqrt{c_L\, h}\sqrt{\omega}$
Dünnwandiges Rohr[1] für $\nu < 1$	$N \approx 3\sqrt{3}\; l\, \nu^{3/2}/2\,\pi\, h$	$\Delta N/\Delta\omega = 2\sqrt{\omega}\, a^{3/2}\, l/1{,}6\, h\, c_L^{3/2}$
Dünnwandiges Rohr für $\nu > 1$	$N \approx \sqrt{3}\; l\, a\, \omega/c_L\, h$	$\Delta N/\Delta\omega \approx \sqrt{3}\; l\, a/c_L\, h$

k_L, c_L = Wellenzahl und Schallgeschwindigkeit für Longitudinalwellen;
k_0, c_0 = Wellenzahl und Schallgeschwindigkeit für Luftschall;
k_B, c_B = Wellenzahl und Schallgeschwindigkeit für Biegewellen;
l = Länge, h = Dicke bzw. Wandstärke, S = Fläche, V = Volumen, a = Radius, $\nu = \omega\, a/c_L$

V. Dämmung von Körperschall

1. Material- und Querschnitt-Wechsel

Nachdem wir im letzten Kapitel die wichtigsten Anregungsfälle von Schallwellen in Baukonstruktionen kennengelernt haben, gehen wir nun dazu über, ihr weiteres Schicksal zu verfolgen. In jedem Falle treffen die Wellen bald auf Stellen, wo sich entweder das Material oder die Bauart der Platte bzw. des Stabes ändert oder gar beides. Jede solche Unstetigkeit aber führt zu einer Reflexion. Dadurch aber wird die über sie hinwegtretende Energie kleiner als die aufgefallene. Die Unstetigkeit bildet somit einen gewissen Damm. Die Kenntnis solcher Dämmwirkungen, und zwar sowohl solcher, die jede Baukonstruktion von vornherein aufweist, als auch solcher, die man evtl. zu diesem Zweck eigens einführt, bildet vielleicht den praktisch wichtigsten Teil der Lehre von

[1] Heckl, M.: J. acoust. Soc. Amer. 34 (1962) 1553.

den Schallwellen in Baukonstruktionen, dem wir uns nun in diesem Kapitel zuwenden.

Es ist kaum möglich, alle Variationen praktisch vorkommender Randbedingungen zu erfassen. Wir werden uns damit begnügen, die grundlegendsten und typischsten Fälle herauszugreifen. Leider kann aus ihnen nicht ohne weiteres auf anscheinend ähnlich gelagerte Fälle geschlossen werden, denn es wird sich zeigen, daß oft kleine Variationen in den Randbedingungen große Änderungen in den Dämmwirkungen hervorrufen können. Immerhin dürften die in diesem Kapitel zusammengestellten Berechnungen einen Überblick geben, der zeigt, wie auch darin nicht behandelte Fälle in Angriff zu nehmen sind.

Für diesen ersten Versuch mag es genügen, daß wir aus der Fülle der in Kap. II behandelten verschiedenen Wellenarten nur die beiden wichtigsten betrachten, die (quasi-)longitudinale Welle und die reine Biegewelle, und zwar beide sowohl im Stab als auch in der Platte.

a) Dämmung von Longitudinalwellen

Solange wir nicht Probleme mit schrägem Einfall behandeln, können wir ja die Verhältnisse in der Platte, wie wir das schon in Kap. II getan haben, auch an denen des Stabes studieren. Nur bei Zahlenbeispielen haben wir dann wieder darauf zu achten, daß alle Größen an der Platte auf die Breiteneinheit reduziert sind und daß wegen der einseitig verhinderten Querkontraktion der etwas höhere Elastizitätsmodul $E/(1-\mu^2)$ (statt E) zu verwenden ist. (Hinsichtlich der Longitudinalwelle, worunter wir im folgenden auch die Quasilongitudinalwelle verstehen wollen, könnten wir formal auch die unendlich breite reine Longitudinalwelle mit beiderseits verhinderter Querkontraktion einbeziehen. Doch kommt dieser Fall praktisch in Baukonstruktionen nicht vor.) Im übrigen unterscheiden sich die mit und ohne Querkontraktion anzusetzenden Elastizitätskonstanten bei den meisten Baumaterialien so wenig, daß die Größenordnungen der Transmissionsgrade erhalten bleiben.

Wenn durch einen Mediumwechsel eine gute Dämmung zustandekommen soll, so muß ein sehr erheblicher Unterschied in Steife und Dichte vorliegen. Bei seitlich begrenzten Konstruktionselementen, Stab und Platte, ist nun außer dem Mediumwechsel auch ein Wechsel im Querschnitt und der Dicke möglich. Das Hinzukommen eines solchen erhöht aber die Reflexionswirkung; ja, es leuchtet ein, daß solche Querschnittswechsel an sich schon zu gewissen Reflexionen führen. Von den für gleiche Querschnitte geltenden Randbedingungen bleibt in diesem Falle die Gleichheit der Schnelle rechts und links der Trennfläche erhalten:

$$v_1 = v_2 \,. \tag{1}$$

Wohl würde in der Trennfläche auch die Gleichheit der Spannungen gelten, aber dieselben verteilen sich in dem größeren Querschnitt in einer geringen Entfernung bereits auf dem ganzen Querschnitt und sinken dadurch ab. Dagegen bleibt die gesamte übertragende Druckkraft erhalten. Die zweite Randbedingung lautet somit:

$$F_1 = -\sigma_1 S_1 = F_2 = -\sigma_2 S_2 , \quad (2)$$

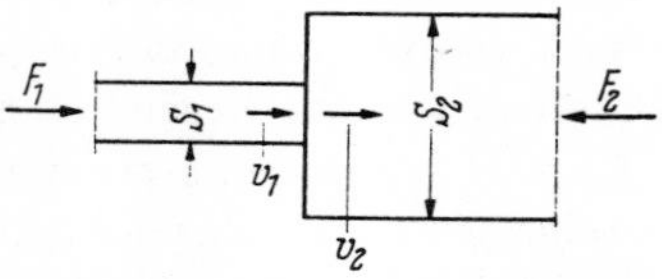

Abb. V/1. Skizze zu den Randbedingungen für die Longitudinalwellenübertragung am Querschnittssprung eines Balkens

worin S_1 und S_2 die Querschnitte vor und hinter der Trennstelle bedeuten, ferner σ_1 die mittlere Zugspannung in der Trennfläche und σ_2 diejenige, die im Gebiet der gleichmäßigen Spannungsverteilung über dem größeren Querschnitt auftritt (s. Abb. V/1).

Die Verhältnisse sind hier ganz analog wie bei den Querschnittsänderungen von Röhren, in denen sich Luftschallwellen ausbreiten; nur ist dort der Druck der gleiche, während gerade die Schnelle im weiteren Querschnitt absinkt. Auch dabei kann man die Übergangsverhältnisse in erster Näherung richtig erfassen, indem man als zweite Randbedingung die Gleichheit des Produktes von Querschnittsfläche und Schnelle ansetzt. Wir wissen andererseits aber gerade von den dort sehr genau studierten Verhältnissen her, daß diese Rechnungsweise nur richtig ist, sofern die Querschnittsunterschiede nicht zu groß und die Querabmessungen klein zur Wellenlänge sind. Andernfalls sind sogenannte Mündungskorrekturen einzuführen. Dasselbe gilt sinngemäß auch hier, wenn auch die Feldgleichungen im festen Körper anders und zwar noch verwickelter sind. Wir dürfen daher die aus der einfachen Randbedingung (2) sich ergebenden Formeln nicht auf beliebige Querschnittsverhältnisse und auf beliebig hohe Frequenzen übertragen. Wenn wir im folgenden gelegentlich trotzdem solche Überschreitungen der schwer zu ermittelnden Gültigkeitsgrenzen wagen, so ist dies als eine Abschätzung der zu erwartenden Größenordnungen zu betrachten, deren Ungenauigkeit durch die Einfachheit der Formeln in gewissem Sinne aufgewogen wird.

Teilen wir die Größen auf der Seite des Schalleinfalls in ankommende und reflektierte Anteile auf, so ergibt die zweite Randbedingung unter Einführung der Impedanzen für longitudinale Wellen in Stäben nach Gl. (IV, 11):

$$F_1 = F_{1+} + F_{1-} = Z_1 (v_{1+} - v_{1-}) = F_2 = Z_2 v_{2+} ,$$

bzw.

$$(v_{1+} - v_{1-}) = (Z_2/Z_1)\, v_{2+} . \quad (3)$$

Durch Addition der ersten Randbedingung:

$$v_{1+} + v_{1-} = v_{2+} \quad (4)$$

läßt sich der reflektierte Anteil v_{1-} eliminieren, und wir erhalten:

$$v_{2+} = v_{1+} \frac{2\,Z_1}{Z_1 + Z_2}. \tag{5}$$

Bedenkt man noch, daß einfallende und durchgelassene Leistung gegeben sind durch:

$$P_{1+} = Z_1\,\tilde{v}_{1+}^2\,, \qquad P_{2+} = Z_2\,\tilde{v}_{2+}^2\,, \tag{6}$$

so folgt für das Verhältnis der zweiten durch die erste, das als Transmissionsgrad τ bezeichnet wird:

$$\tau = \frac{Z_2}{Z_1}\left(\frac{2\,Z_1}{Z_1 + Z_2}\right)^2 = \frac{4}{\left(\sqrt{\frac{Z_1}{Z_2}} + \sqrt{\frac{Z_2}{Z_1}}\right)^2}. \tag{7}$$

Man kann übrigens die letzten Formeln auch dadurch ableiten, daß man aus (3) und (4) durch Quotientenbildung v_{2+} eliminiert und das Verhältnis v_{1-}/v_{1+} bildet, das hier wie in III, 3 als Reflexionsfaktor r eingeführt sei. (Beim Luftschall ist es gebräuchlich, das entsprechende Schalldruckverhältnis p_{1-}/p_{1+} als Reflektionsfaktor einzuführen, welches sich von der hier gewählten, bei Körperschallproblemen geeigneteren Definition durch das Vorzeichen unterscheidet. In Kap. II, 9 wiederum hatten wir das Verhältnis der Amplituden zweier Potentialfunktionen durch einen „Reflexionsfaktor" gekennzeichnet.)

Für den so definierten Reflexionsfaktor ergibt sich:

$$r = \frac{Z_1 - Z_2}{Z_1 + Z_2}. \tag{8}$$

Das Quadrat dieses Ausdrucks stellt den Quotienten aus reflektierter Energie zur auffallenden dar, der, wie bereits in Kap. II, 9 erwähnt, als Reflexionsgrad ϱ bezeichnet wird:

$$\varrho = |r|^2\,. \tag{9}$$

Da aber bei den vorliegenden Problemen die nichtreflektierte Energie zugleich die durchgelassene sein muß, läßt sich der Transmissionsgrad hier auch errechnen aus:

$$\tau = 1 - \varrho = 1 - |r|^2\,, \tag{10}$$

was ebenso auf Formel (7) führt.

Die Beziehung (10) gilt aber keineswegs bei allen Dämmproblemen, nämlich dann nicht, wenn es sich um Zwischenstücke handelt mit inneren Verlusten. Dann ist die nichtreflektierte oder „absorbierte" Energie aufzuteilen in die durchgelassene und in eine im Innern des Zwischenstücks in Wärme umgesetzte. Man hat daher auch noch die Begriffe „Absorptionsgrad α" und „Dissipationsgrad δ" geprägt, die jeweils die Quotienten der absorbierten (im Sinne von nichtreflektierten) und der in Wärme umgesetzten Energie zur aufgefallenen bezeichnen.

Wir wollen uns noch klarmachen, wie wenig ein einfacher Querschnittswechsel in der Lage ist, zu einer nennenswerten Dämmung zu führen. Führen wir für das Querschnittsverhältnis den Parameter

$$\sigma = S_2/S_1 \quad \text{(für Balken)} \tag{11a}$$

bzw.

$$\sigma = h_2/h_1 \quad \text{(für Platten)} \tag{11b}$$

ein, und setzen wir im übrigen Gleichheit des Materials voraus, so vereinfacht sich die Formel (7) zu:

$$\tau = \frac{4}{(\sigma^{-1/2} + \sigma^{1/2})^2} \tag{12}$$

bzw. für das durch

$$R = 10 \lg (1/\tau) \text{ dB} \tag{13}$$

definierte Schalldämmaß ergibt sich:

$$R = 20 \lg [(\sigma^{-1/2} + \sigma^{1/2})/2] \text{ dB}\,. \tag{14}$$

Hiernach bringt ein Querschnittsverhältnis von 1:2 die kaum merkliche Dämmung von 1/2 dB; selbst ein solches von 1:10 würde erst ein Schalldämmaß von 5 dB ergeben. Erst ein Verhältnis von 1:100 würde nach Formel (14), die dann freilich durch Übergangskorrekturen zu verbessern wäre, ein R von 14 dB liefern, was im Rahmen der Bauakustik erst eine beachtenswerte Dämmung darstellen würde. Diese Überschläge lassen bereits erkennen, wie wenig wir bei Baukonstruktionen damit rechnen dürfen, daß selbst konstruktiv beachtliche Querschnittswechsel zu einer erheblichen Dämmung führen.

Von dieser Frage des Energieübertritts ist aber zu unterscheiden der Wechsel der beobachtbaren Feldgrößen, z. B. von Schnelle und Spannung. Diese sinken nach (5) z. B. bei einem Querschnittswechsel von 1:100 auf ein Fünfzigstel, also oft unter die Meßbarkeit. Man darf aber nicht übersehen, daß dies auch damit zusammenhängt, daß sich die Energie auf einen breiteren Querschnitt verteilt. Wenn dieser an späterer Stelle sich wieder verschmälert, können auch die Feldgrößen wieder ansteigen, wobei dann die geringe energetische Dämmung deutlich zutage tritt.

b) Dämmung von Biegewellen

Wir wollen nun die entsprechenden Übergänge für Biegewellen betrachten. Hier können wir uns nicht auf analoge Beziehungen aus der Luftschall-Lehre stützen. Dies zeigt sich schon in den anzusetzenden Randbedingungen, deren Zahl, wie wir schon in Kap. II, 7 dargelegt haben, von 2 auf 4 gestiegen ist. Nicht nur müssen (s. Abb. V/2) die diesmal transversal gerichteten Schnellen und Kräfte rechts und links der Sprungstelle gleich sein:

$$v_{y1} = v_{y2}, \quad (15)$$

$$F_{y1} = F_{y2}, \quad (16)$$

sondern auch die Winkelgeschwindigkeiten und die Momente:

$$w_{z1} = w_{z2}, \quad (17)$$

$$M_{z1} = M_{z2}. \quad (18)$$

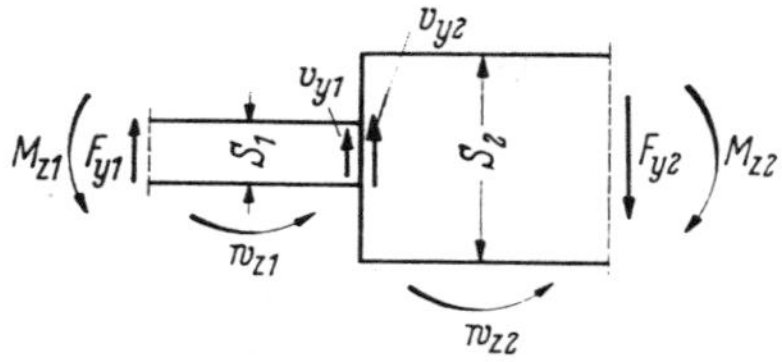

Abb. V/2. Skizze zu den Randbedingungen für die Biegewellenübertragung am Querschnittssprung einer Platte

Um diese 4 Randbedingungen zu erfüllen, muß daher unser Lösungsansatz 4 noch zu bestimmende Größen enthalten. Nun hatten wir bereits in Kap. II, 7 bei der Frage der vollständigen Reflexion von Biegewellen dargelegt, daß die dabei auftretenden Verhältnisse nur durch Zerlegung eines Zeitverlaufes in seine sinusförmigen Bestandteile behandelt werden können und daß hierbei außer abgehenden Wellen auch quasistationär mitschwingende Nahfelder als Lösungsform in Erscheinung treten. Entsprechend haben wir hier eine von $x < 0$ kommende einfallende Sinuswelle anzusetzen mit:

$$v_{1+}\, e^{-j k_1 x}\,.*$$

Diese Welle löst nun im Bereich $x < 0$ sowohl eine reflektierte Welle

$$v_{1-}\, e^{+j k_1 x} = r\, v_{1+}\, e^{+j k_1 x}$$

aus, wobei wir wieder den Begriff des Reflexionsfaktors r ins Komplexe erweitern, d. h. zulassen, daß er sowohl eine Änderung der Amplitude wie des Phasenwinkels bedeutet, als auch ein abklingendes Nahfeld, das wir analog zu den Bezeichnungen in Kap. II, 7 mit

$$v_{1j}\, e^{k_1 x} = r_j\, v_{1+}\, e^{k_1 x}$$

einführen. Die resultierende Schnelle im Bereich $x < 0$ ist also gegeben durch

$$v_1(x) = v_{1+}\,(e^{-j k_1 x} + r\, e^{+j k_1 x} + r_j\, e^{k_1 x})\,. \quad (19)$$

Entsprechend setzt sich das Feld auf der rechten Seite der Trennfläche $x > 0$ zusammen aus einer mit anderer Wellenzahl in positiver x-Richtung weiterlaufenden durchgelassenen Welle:

$$v_{2+}\, e^{-j k_2 x} = v_{1+}\, t\, e^{-j k_2 x}\,,$$

* Wir werden in diesem Kapitel nicht nur die den sinusförmigen Zeitverlauf beschreibenden Zusätze weglassen, sondern auch die Kennzeichnung komplexer Größen durch Unterstreichung. Die angegebenen Feldgrößen beziehen sich wie bisher auf den Koordinatenursprung, wenn nicht ausdrücklich die Abhängigkeit von der Koordinate angegeben ist.

wobei wir die Konstante t als Transmissionsfaktor einführen, und aus dem Nahfeld:

$$v_{2j}\, e^{-k_2 x} = v_{1+}\, t_j\, e^{-k_2 x}\,.$$

Für das resultierende Feld hinter der Sprungstelle gilt also:

$$v_2(x) = v_{1+}\,(t\, e^{-j k_2 x} + t_j\, e^{-k_2 x})\,. \tag{20}$$

r, r_j, t und t_j sind also die gesuchten aus den 4 Randbedingungen zu bestimmenden 4 Größen, von denen im folgenden vor allem t interessiert.

Die erste der obigen Randbedingungen liefert für diese Größen die einfache Beziehung:

$$1 + r + r_j = t + t_j\,. \tag{21}$$

Mit Hilfe der unter Kap. II, 5 abgeleiteten Differentialbeziehungen, die hier nochmals kurz in komplexer Form ihrem Zyklus entsprechend zusammengestellt seien:

$$w = \frac{dv}{dx} \tag{22a}$$

$$M = -\frac{B}{j\,\omega}\frac{dw}{dx} \tag{22b}$$

$$F = -\frac{dM}{dx} \tag{22c}$$

$$v = -\frac{1}{j\,\omega\, m'}\frac{dF}{dx} \tag{22d}$$

lassen sich aus den Ansätzen (19) und (20) schrittweise auch die anderen Randbedingungen entwickeln. Man erhält dabei zunächst statt (17):

$$k_1\,(-j + j\,r + r_j) = k_2\,(-\,j\,t - t_j)\,, \tag{23}$$

dann statt (18):

$$-\frac{k_1^2\,B_1}{j\,\omega}(-\,1 - r + r_j) = -\frac{k_2^2\,B_2}{j\,\omega}(-\,t + t_j) \tag{24}$$

und schließlich statt (16):

$$\frac{k_1^3\,B_1}{j\,\omega}(j - j\,r + r_j) = \frac{k_2^3\,B_2}{j\,\omega}(j\,t - t_j)\,. \tag{25}$$

Während beim Longitudinalwellenproblem der Energieübertritt nur durch eine Konstante, nämlich den Quotienten der mechanischen Wellenwiderstände Z_2/Z_1 gekennzeichnet ist, treten beim Biegewellenproblem stets zwei charakteristische Verhältniszahlen auf, z. B. in der obigen Gleichungsgruppe die Quotienten

$$\varkappa = \frac{k_2}{k_1} = \sqrt[4]{\frac{m_2'\,B_1}{m_1'\,B_2}} \tag{26}$$

und davon getrennt B_2/B_1. Der erste Quotient kennzeichnet zugleich das Verhältnis der Wellenlängen

$$\varkappa = \frac{\lambda_1}{\lambda_2} \tag{26a}$$

und hat insofern eine unmittelbar anschauliche Bedeutung. Statt des Quotienten aus den Biegesteifen wollen wir im Folgenden den in (24) auftretenden Ausdruck

$$\frac{k_2^2\, B_2}{k_1^2\, B_1} = \sqrt{\frac{m_2'\, B_2}{m_1'\, B_1}} = \psi \tag{27}$$

einführen. Die hier im Zähler und Nenner auftretenden Größen $\sqrt{m'\, B}$ besitzen für die Biegewellen eine ähnliche kennzeichnende Bedeutung, wie sie den Kenn-Impedanzen bei den Longitudinalwellen zukamen. Sie seien daher als „Biegewellenimpedanzen" bezeichnet:

$$W'_{B1} = \sqrt{m_1'\, B_1}\,, \qquad W'_{B2} = \sqrt{m_2'\, B_2}\,. \tag{28}$$

Die Analogie zur Longitudinalwelle trifft nur insofern nicht zu, als diese Biegewellen-Impedanzen nicht den Quotienten aus Querkraft und Schnelle einer in positiver x-Richtung fortschreitenden Welle darstellt. Dieser ist vielmehr, wie auch aus (22d) hervorgeht, auch hier gleich dem Produkt aus Masse und Phasengeschwindigkeit:

$$F_+/v_+ = \omega\, m'/k = m'\, c\,. \tag{29}$$

Da aber die letztgenannte hier mit der Wurzel aus der Frequenz wächst, wäre dieser Quotient nicht allein abhängig von der konstruktiven Beschaffenheit des betreffenden Balkens, bzw. der Platte. Außerdem kommt bei den Biegewellen dem Quotienten aus Moment und Winkelgeschwindigkeit, der in Kap. IV, 3g als „Momenten-Impedanz" eingeführt wurde, die gleiche Bedeutung zu. Für diese würde aber aus (22b) ebenfalls eine frequenzabhängige Größe mit umgekehrter Tendenz folgen:

$$\frac{M_+}{w_+} = \frac{B}{\omega}\, k = \frac{B}{c}\,. \tag{30}$$

Der Ausdruck in (28) ist nichts weiter, als das geometrische Mittel aus diesen Quotienten, das den Vorteil hat frequenzunabhängig zu sein. Schließlich sei daran erinnert, daß bei der punktförmigen Anregung einer unendlichen Platte bei der Berechnung des zugehörigen Eingangswiderstandes (s. Gl. (VI, 63)) bereits der Ausdruck $\sqrt{m''\, B'}$ auftrat, also die Biegewellenimpedanz der Platte.

Mit den Parametern (26) und (27) läßt sich die Gleichungsgruppe (21), (23), (24), (25) auch auf die Form bringen:

$$\left.\begin{aligned} r + r_j - t - t_j &= -1\,, \\ j\,r + r_j + j\,\varkappa\,t + \varkappa\,t_j &= +j\,, \\ -r + r_j + \psi\,t - \psi\,t_j &= +1\,, \\ -j\,r + r_j - j\,\varkappa\,\psi\,t + \varkappa\,\psi\,t_j &= -j\,, \end{aligned}\right\} \tag{31}$$

und hieraus lassen sich durch Bildung der entsprechenden Zähler- und Nenner-Determinanten in bekannter Weise die gesuchten 4 Konstanten ermitteln. Z. B. ergibt sich r aus:

$$r = \begin{vmatrix} -1 & 1 & -1 & -1 \\ j & 1 & j\varkappa & \varkappa \\ 1 & 1 & \psi & -\psi \\ -j & 1 & -j\varkappa\psi & \varkappa\psi \end{vmatrix} : \begin{vmatrix} 1 & 1 & -1 & -1 \\ j & 1 & j\varkappa & \varkappa \\ -1 & 1 & \psi & -\psi \\ -j & 1 & -j\varkappa\psi & \varkappa\psi \end{vmatrix}$$

zu

$$r = \frac{2\,\psi\,(1 - \varkappa^2) - j\,\varkappa\,(1 - \psi)^2}{\varkappa(1 + \psi)^2 + 2\,\psi\,(1 + \varkappa^2)}\,. \tag{32}$$

Und ebenso erhält man für den die Schnelle-Amplitude der quasistationären Bewegung vor der Sprungstelle kennzeichnenden Faktor r_j:

$$r_j = \frac{\varkappa\,(1 - \psi^2) - j\,\varkappa\,(1 - \psi^2)}{\varkappa\,(1 + \psi)^2 + 2\,\psi\,(1 + \varkappa^2)}\,, \tag{33}$$

ferner für den Transmissionsfaktor

$$t = \frac{2\,(1 + \varkappa)\,(1 + \psi)}{\varkappa\,(1 + \psi)^2 + 2\,\psi\,(1 + \varkappa^2)} \tag{34}$$

und schließlich für den die quasistationäre Bewegung hinter der Sprungstelle kennzeichnenden Faktor

$$t_j = \frac{2\,(1 - \psi) - j\,2\,\varkappa\,(1 - \psi)}{\varkappa\,(1 + \psi)^2 + 2\,\psi\,(1 + \varkappa^2)}\,. \tag{35}$$

Uns interessiert wieder vor allem der Transmissionsgrad. Hierzu haben wir entweder $1 - |r|^2$ zu bilden, oder t^2 mit dem Quotienten

$$\frac{m_2'\,c_2}{m_1'\,c_1} = \varkappa\,\psi$$

zu multiplizieren, denn die Produkte $m'\,c$ bestimmen nach (II, 93) bei gegebener Schnelle-Amplitude die Leistung. Auf beiden Wegen ergibt sich:

$$\tau = \left[\frac{2\,\sqrt{\varkappa\,\psi}\,(1 + \varkappa)\,(1 + \psi)}{\varkappa\,(1 + \psi)^2 + 2\,\psi\,(1 + \varkappa^2)}\right]^2. \tag{36}$$

Wir wollen uns hier damit begnügen, diese Formel für den Fall gleicher Stoffe, aber für einen Sprung in der Querschnitts- bzw. Plattendicke zu diskutieren. Dann ist mit Einführung des Parameters σ nach (11) $\varkappa$ durch $\sigma^{-1/2}$ und ψ durch σ^2 zu ersetzen. Führt man dies in (36) ein, so ergibt sich wieder ein Ausdruck von reziprok-symmetrischer Form, nämlich:

$$\tau = \left[\frac{\sigma^{-5/4} + \sigma^{-3/4} + \sigma^{3/4} + \sigma^{5/4}}{1/2\,\sigma^{-2} + \sigma^{-1/2} + 1 + \sigma^{1/2} + 1/2\,\sigma^2}\right]^2. \tag{37}$$

In Abb. V/3 ist das zu diesem Ausdruck gehörige Schalldämm-Maß über dem logarithmisch gestuften Querschnittsverhältnis als ausgezogene Linie eingezeichnet. Im Vergleich ist ferner das nach (14) bei Longitudinalwellen sich ergebende Schalldämm-Maß gestrichelt eingetragen.

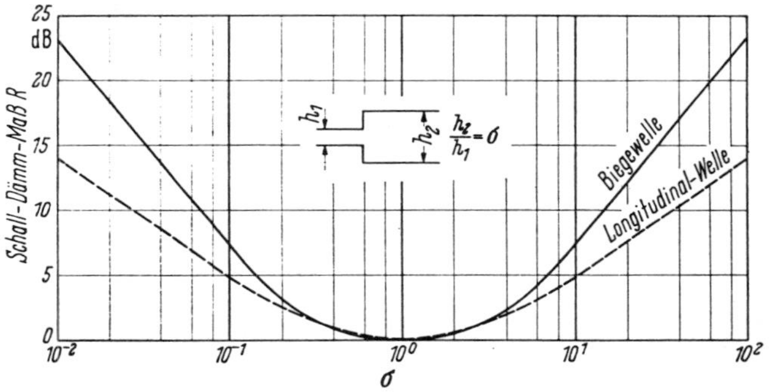

Abb. V/3. Schalldämm-Maß am Querschnittssprung in Abhängigkeit des Dickenverhältnisses

Während bei geringen Dickenunterschieden der Übertritt der Biegewellen noch ungehinderter sich vollzieht, werden sie bei den größeren Unterschieden doch etwas stärker gedämmt. So ergibt sich für $\sigma = 100$ (vorausgesetzt, daß hier nicht bereits „Übergangskorrekturen" wesentlich werden) immerhin ein Wert von 23 dB. Derartige starke Dickenunterschiede treten aber praktisch kaum auf. Bei gleichen Baustoffen dürften kaum größere Werte als $\sigma = 5$ bzw. kleinere als 0,2 vorkommen. In diesem Bereich aber bedeutet der Querschnittssprung höchstens eine Dämmung von 3 dB, also einen Wert, der nur bei sehr häufiger Wiederholung zu nennenswerten Dämmungen führen könnte.

Messungen an hinreichend langen Stäben oder Platten, die die Formel (37) bestätigen, wurden von MUGIONO[1] durchgeführt. Auch hat sie sich für Abschätzungen sogenannter Nebenwege auf bauakustischen Prüfständen, bei denen die Prüfwand in die Öffnung einer dickeren Trennwand eingesetzt wird, bewährt[2].

---

[1] MUGIONO: Acustica 5 (1955), 185, Abb. 6.

[2] GÖSELE, K.: Acustica 14 (1965), 320.

2. Rechtwinklige Ecken und Verzweigungen

Praktisch noch wichtiger als die bisher behandelten Sprünge im Material und Querschnitt sind die Übergänge zwischen Konstruktionsteilen, die rechtwinklig aneinandergrenzen, wie dies von den Nachbarwänden eines Zimmers oder von den auf den Stützmauern ruhenden Decken, aber auch von den meisten aus Profileisen zusammengesetzten Rahmenkonstruktionen gilt. Um einen Einblick in die dabei auftretenden Erscheinungen zu gewinnen, wollen wir eine einfache Ecke bestehend aus zwei Balken (oder Platten) von evtl. sogar verschiedenem Material und verschiedener Dicke betrachten, die so aneinander befestigt sein mögen, daß sie ein Biegemoment von 1 auf 2 übertragen können

$$M_{z1} = M_{z2} \tag{38}$$

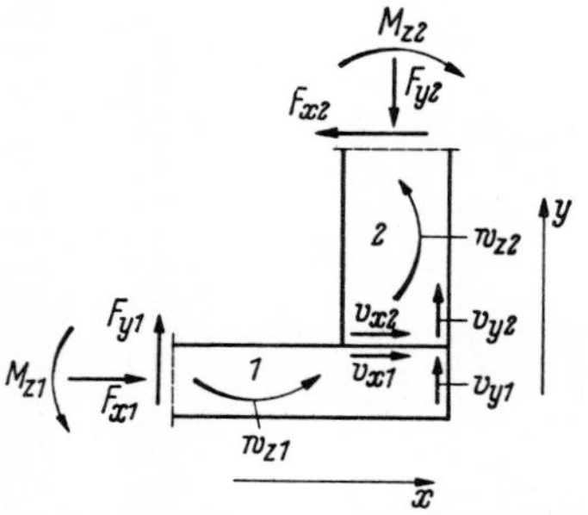

Abb. V/4. Skizze zu den Randbedingungen an der biegesteifen Ecke

und daß beiderseits die gleichen Winkelgeschwindigkeiten herrschen:

$$w_{z1} = w_{z2}\,. \tag{39}$$

Kurzum, wir können zwei Randbedingungen des letzten Abschnitts beibehalten.

Ebenso können wir wie dort für den Schenkel 1, auf welchem die Biegewelle eintrifft (in Abb. V/4 ist dies der Bereich $x < 0$ auf der x-Achse) wieder das resultierende Biegewellenfeld aus den drei Anteilen, nämlich einfallende und reflektierte Welle und quasistationäres Nahfeld, zusammensetzen:

$$v_{y1}(x) = v_{y1+}\,(e^{-jk_1 x} + r\,e^{+j\,k_1 x} + r_j\,e^{k_1 x})\,. \tag{40}$$

Und schließlich haben wir auch in dem anderen Schenkel 2 eine abgehende Biegewelle und ein abklingendes Nahfeld zu erwarten:

$$v_{x2}(y) = v_{y1+}\,(t\,e^{-j\,k_2 y} + t_j\,e^{-k_2 y})\,. \tag{41}$$

In Einklang mit der veränderten räumlichen Richtung haben wir hier die Ortsvariable y eingeführt. Da wir die positive v_x-Richtung im Sinne des Koordinatennetzes beibehalten wollen, ergibt sich in bezug auf die Bildung von w_{z2} aus v_{x2} gegenüber früher ein Vorzeichenwechsel, in dem gilt:

$$w_{z2} = -\frac{dv_{x2}}{dy}\,; \tag{42}$$

und im gleichen Sinne ergibt sich:

$$M_{z2} = -\frac{B_2}{j\,\omega}\frac{dw_{z2}}{dy} = \frac{B_2}{j\,\omega}\frac{d^2v_{x2}}{dy^2}\,. \tag{43}$$

Indem wir im übrigen die Parameter $\varkappa$ und ψ des letzten Abschnitts beibehalten, ergeben die beiden genannten Randbedingungen:

$$j\, r + r_j - j\, \varkappa\, t - \varkappa\, t_j = j \tag{44}$$

und

$$-r + r_j - \psi\, t + \psi\, t_j = 1\,. \tag{45}$$

Völlig anders geartet sind dagegen die beiden anderen Randbedingungen. Wir haben sicher mit dem Auftreten einer Querkraft F_{y1} zu rechnen. Dieselbe hat aber hier mit der Biegewelle im zweiten Schenkel nichts zu tun; sie bewirkt vielmehr dort eine gleich große Längskraft

$$F_{y2} = F_{y1} \tag{46}$$

und wird im allgemeinen durch diese eine sekundäre longitudinale Welle auslösen. Ihre Schnelle-Amplitude, die zugleich die transversale Schnelle in Schenkel 1 bedeutet, ist dann gegeben durch:

$$v_{y1} = v_{y2} = \frac{\mathrm{F}_{y2}}{c_{L2}\, m_2'}\,. \tag{47}$$

Wir erhalten also durch Zusammenfassung der Randbedingungen (46) und (47) und durch Bildung der Kraft $F_{y1}(x)$ aus $v_{y1}(x)$ gemäß der Beziehung (22d)

$$F_{y1} = -\, j\, \omega\, m_1' \int v_{y1}\, dx \tag{48}$$

eine Gleichung zwischen r und r_j:

$$1 + r + r_j = \left[\frac{c_{B1}\, m_1'}{c_{L2}\, m_2'}\right](1 - r - j\, r_j)\,. \tag{49}$$

Hier tritt ein neuer Parameter auf, der für die Entstehung einer Longitudinalwelle in Schenkel 2 kennzeichnend ist und mit β_2 bezeichnet sei:

$$\beta_2 = \frac{c_{B1}\, m_1'}{c_{L2}\, m_2'}\,. \tag{50}$$

Derselbe wächst, wie die im Zähler stehende Biegewellengeschwindigkeit, mit der Wurzel aus der Frequenz. Er verschwindet also bei sehr tiefen Frequenzen, wodurch (48) in diejenige Beziehung übergeht, die für

$$v_{y1} = 0 \tag{51}$$

gelten würde. Andererseits kann β_2 keine beliebig hohen Werte annehmen, wenn wir im Rahmen unserer einfachen Biegewellendarstellung bleiben wollen, denn diese verlangt, daß auch bei der höchsten damit erfaßbaren Frequenz c_{B1} immer noch klein gegen c_{L1} ist, und β_2 stellt den Quotienten dieser Geschwindigkeiten multipliziert mit dem meist von 1 nicht allzu verschiedenen Verhältnis der Longitudinalwellenwiderstände dar.

Jedenfalls gestattet uns die Bedingung (49) r_j zu eliminieren:

$$r_j = \frac{-1 + \beta_2 - r(1 + \beta_2)}{1 + j\beta_2}. \tag{52}$$

Das gleiche Problem ergibt sich hinsichtlich der in Schenkel 1 zurücklaufenden Longitudinalwelle. Diese verdankt ihre Entstehung gewissermaßen erst dem Vorhandensein der sekundären Biegewelle, durch welche auch eine Kraft F_{x2} auftritt. Diese aber bewirkt eine gleich große Gegenkraft

$$F_{x1} = F_{x2} \tag{53}$$

im Schenkel 1, und diese erzeugt eine Schnelle v_{x1}, die sich aus dem Longitudinalwellenwiderstand des ersten Schenkels ergibt und gleich der transversalen Schnelle im zweiten Schenkel sein muß:

$$v_{x1} = -\frac{F_{x1}}{m_1' c_{L1}} = v_{x2}. \tag{54}$$

Das negative Vorzeichen kennzeichnet den in negativer x-Richtung erfolgenden Leistungstransport. Mit Benutzung des Ansatzes (41) und der (48) entsprechenden Beziehung:

$$F_{x2} = -j\omega m_2' \int v_{x2}\, dy \tag{55}$$

erhalten wir schließlich eine Gleichung zwischen t und t_j

$$-[t + t_j] = \left[\frac{c_{B2} m_2'}{c_{L1} m_1'}\right][t + j t_j]. \tag{56}$$

Hier tritt ein weiterer, wie β_2 gebauter, aber davon im allgemeinen verschiedener, Parameter β_1 auf:

$$\beta_1 = \frac{c_{B2} m_2'}{c_{L1} m_1'}, \tag{57}$$

dessen Index 1 darauf hinweisen soll, daß er für eine im 1. Schenkel sich ausbreitende Welle kennzeichnend ist. Auch dieser Parameter verschwindet mit abnehmender Frequenz, und auch er unterliegt einer oberen Begrenzung. Namentlich ist es für den weiteren Rechnungsgang wichtig zu wissen, daß das Produkt

$$\beta_1 \beta_2 = \frac{c_{B1} c_{B2}}{c_{L1} c_{L2}} \tag{58}$$

im Rahmen unserer Darstellung jedenfalls als klein gegen 1 anzusehen ist, so daß man dasselbe bei den nachfolgenden Auswertungen der obigen Gleichungen vielfach weglassen kann.

Bei sehr tiefen Frequenzen nähert sich (55) der Randbedingung

$$v_{x2} = 0. \tag{59}$$

Aber auch bei beliebiger Frequenz erlaubt (56), t_j zu eliminieren und durch t auszudrücken:

$$t_j = \frac{1 + \beta_1}{-1 - j\,\beta_1}\, t\,. \tag{60}$$

Führt man (52) und (60) in (44) und (45) ein, so ergeben sich zwei Gleichungen für r und t und aus diesen schließlich der Reflexionsfaktor

$$r = \frac{[\psi\,(1 - 2\,\beta_2 - \beta_1\,\beta_2) + \varkappa\,(1 + 2\,\beta_1 - \beta_1\,\beta_2)] + j\,[\psi\,(1 + \beta_1 - \beta_1\,\beta_2) + \varkappa\,(-1 + \beta_2 + \beta_1\,\beta_2])}{[\psi\,(-1 - \beta_1 - 2\,\beta_2 - \beta_1\,\beta_2) + \varkappa\,(-1 - 2\,\beta_1 - \beta_2 - \beta_1\,\beta_2)] + j\,[(\psi + \varkappa)\,(1 - \beta_1\,\beta_2)]} \tag{61}$$

und der Transmissionsfaktor

$$t = \frac{2\,(\beta_1 + \beta_2) - j\,2\,(1 - \beta_1\,\beta_2)}{[\psi\,(-1 - \beta_1 - 2\,\beta_2 - \beta_1\,\beta_2) + \varkappa\,(-1 - 2\,\beta_1 - \beta_2 - \beta_1\,\beta_2)] + j\,[(\psi + \varkappa)\,(1 - \beta_1\,\beta_2)]}\,. \tag{62}$$

Das Quadrat des Absolutwertes von r kennzeichnet wieder das Verhältnis der reflektierten Biegewellenenergie zur aufgefallenen. Das Quadrat des Absolutwertes von t ist ferner wieder mit $\varkappa\,\psi$ zu multiplizieren, um den Quotienten aus durchgelassener Biegewellenenergie zur aufgefallenen zu ergeben. Der so definierte Reflexions- und Transmissionsgrad ergänzen sich aber diesmal nicht zu 1, weil es ja auch noch eine reflektierte longitudinale und eine durchgelassene longitudinale Welle gibt. Wir versehen daher die entsprechenden Reflexions- und Transmissionsgrade mit Doppelindizes, die den anregenden und den erhaltenen Wellencharakter kennzeichnen. Da die Anregung im vorliegenden Fall von einer Biegewelle ausgeht, ist der erste Index durchweg B. Wir setzen also:

$$\varrho_{B\,B} = |r|^2\,, \tag{63}$$

$$\tau_{B\,B} = \varkappa\,\psi |t|^2\,. \tag{64}$$

Bei der Berechnung des Verhältnisses der Longitudinalwellenanteile zu der einfallenden Biegewellenenergie haben wir zu beachten, daß die Leistung einer Longitudinalwelle gegeben ist durch

$$P_L = m'\,c_L\,\tilde{v}_L^2\,, \tag{65}$$

diejenige einer Biegewelle dagegen nach (II, 92) und (II, 93) durch

$$P_B = 2\,m'\,c_B\,\tilde{v}_B^2\,. \tag{66}$$

In unserem Falle ist also die einfallende Energie anzusetzen:

$$P_{B+} = 2\,m_1'\,c_{B1}\,\tilde{v}_{1+}^2\,. \tag{67}$$

Demnach ergibt sich:

$$\varrho_{B\,L} = \frac{c_{L\,1}}{2\,c_{B\,1}}\,|t + t_j|^2\,, \tag{68}$$

$$\tau_{B\,L} = \frac{1}{2\,\beta_2}\,|1 + r + r_j|^2\,. \tag{69}$$

Die Aufteilung der einfallenden Energie auf diese 4 Wellentypen ergibt die zur Rechenkontrolle geeignete Beziehung:

$$\varrho_{BB} + \varrho_{BL} + \tau_{BB} + \tau_{BL} = 1\,. \tag{70}$$

Wir beginnen die Diskussion der umfangreichen Ausdrücke in (61) und (62) mit dem Grenzfall sehr tiefer Frequenzen, also mit

$$\beta_1 = \beta_2 = 0\,. \tag{71}$$

Dann gibt es nur eine reflektierte und eine durchgelassene Biegewelle. Es genügt also, daß wir den Transmissionsgrad, den wir hierbei wieder einfach mit τ bezeichnen wollen, nach (64) errechnen, und der hier auf die einfache Formel führt:

$$\lim_{f\to 0} \tau = \frac{2\,\varkappa\,\psi}{(\varkappa + \psi)^2} = \frac{2}{\left(\sqrt{\frac{\psi}{\varkappa}} + \sqrt{\frac{\varkappa}{\psi}}\right)^2}\,. \tag{72}$$

In diesem Falle ist also nur noch ein Parameter maßgebend, nämlich das Verhältnis

$$\frac{\psi}{\varkappa} = \sqrt[4]{\frac{m_2'\,B_2^3}{m_1'\,B_1^3}} = \frac{\left(\frac{B_2}{c_{B\,2}}\right)}{\left(\frac{B_1}{c_{B\,1}}\right)}\,. \tag{73}$$

Daß hier die Quotienten der jeweiligen Momenten-Kenn-Impedanzen auftreten, leuchtet insofern ein, als nur noch Moment und Winkelgeschwindigkeit an der Energieübertragung beteiligt sind. Wie wir dies bereits bei der im letzten Paragraphen abgeleiteten Formel für den Durchlaßgrad bei longitudinalen Wellen kennenlernten, ist auch hier der Höchstwert bei bester Anpassung

$$\left(\frac{B_2}{c_{B\,2}}\right) = \left(\frac{B_1}{c_{B\,1}}\right) \tag{74}$$

zu erwarten. Nur beträgt dieser Höchstwert

$$\tau_{\max} = 50\%\,, \tag{75}$$

und nicht wie früher 100%, da ja eine derartige Ecke keinen reflexionsfreien Übergang ergeben kann. Es ist vielmehr erstaunlich, daß sie bei der genannten Anpassung keine stärkere Reflexion bedingt.

Hierbei sei darauf hingewiesen, daß dieses leicht zu merkende Ergebnis auch für einen anderen Übergang gilt, der zunächst äußerlich damit gar keine Ähnlichkeit zu haben scheint. Wenn wir uns nämlich die Frage vorlegen, wieviel Biegewellenenergie bei einem an einer Stelle aufgestützten, unendlich langen Balken über den Stützpunkt hinweggeht, so werden wir auf genau die gleichen Randbedingungen, nämlich Gleichheit der Winkelgeschwindigkeiten und der Biegemomente und Verschwinden der transversalen Schnelle an der Übergangsstelle, geführt. Also muß auch bei diesem praktisch gelegentlich auftretenden Fall gelten, daß 50% der ankommenden Energie reflektiert und 50% durchgelassen werden.

In Abb. V/5 ist wieder das Schalldämm-Maß über dem logarithmisch gestuften Anpassungsparameter $\psi/\varkappa$ aufgetragen. Dabei ist die Beschriftung der Abszisse auch für den Spezialfall eingetragen, daß es sich um Balken (Platten) gleichen Materials, aber verschiedenen Querschnittes, bzw. verschiedener Plattenhöhe h handelt. In diesem Falle ist wieder $\psi = \sigma^2$ und $\varkappa = \sigma^{-1/2}$ (s. (11)) zu setzen. Die Formel (72) geht dann über in:

$$\tau = \frac{2}{(\sigma^{-5/4} + \sigma^{5/4})^2}, \tag{76}$$

bzw. für das Schalldämm-Maß würde gelten:

$$R = [20 \lg (\sigma^{-5/4} + \sigma^{5/4}) - 3] \text{ dB} . \tag{77}$$

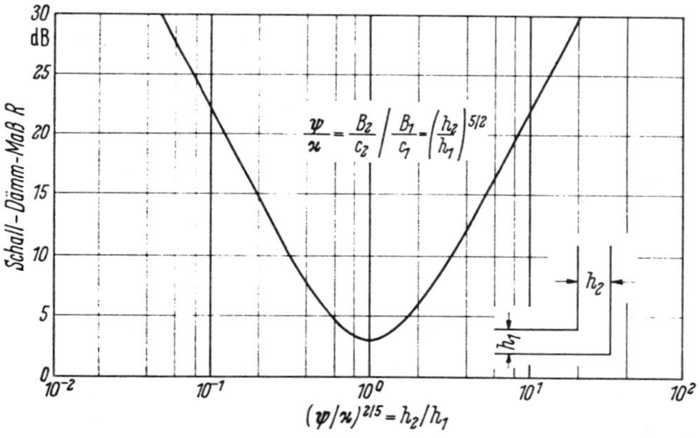

Abb. V/5. Schalldämm-Maß der reinen Biegewellenübertragung an einer Ecke in Abhängigkeit des Dickenverhältnisses

Wir wollen nun die bei höheren Frequenzen auftretende Longitudinalwellenbildung diskutieren. Wir wählen hierzu den Spezialfall optimaler Anpassung, der eine doppelte Vereinfachung bedeutet, nämlich Gleichheit von ψ und $\varkappa$, aber auch von β_1 und β_2, wofür wir schlechthin β schreiben werden. Dann ergibt sich aus (62) und (64) für den Transmissionsgrad der Biegewellen:

$$\tau_{BB} = \frac{1 + 2\beta^2}{2 + 6\beta + 9\beta^2}, \tag{78}$$

wobei wir die Potenzen von β mit dem quadratischen Gliede abgebrochen haben.

Der höchste auftretende β-Wert, für den die vorliegende Darstellung noch Gültigkeit beanspruchen kann, ergibt sich daraus, daß nach (II, 107)

$$\lambda_B > 6\,h \tag{79}$$

bleiben soll. Nun läßt sich die Beziehung für die Biegewellengeschwindigkeit (s. Gl. (II, 85a)) für einen Balken mit rechteckigem Querschnitt (oder eine Platte) angenähert schreiben:

$$c_B = \sqrt{\frac{2\,\pi f c_L h}{\sqrt{12}}} \approx \sqrt{2\,c_L\,h\,f} \tag{80}$$

oder hiernach auch umgekehrt c_L in Beziehung zu c_B gemäß

$$c_L = \frac{c_B^2}{2\,h f} \tag{81}$$

setzen, und hiermit läßt sich β auf die Form bringen:

$$\beta = \frac{c_B}{c_L} = \frac{2\,h}{\lambda_B}\,. \tag{82}$$

Dieser Quotient kann aber höchstens den Wert 1/3 annehmen.

Die für die durchgelassene longitudinale Energie wesentliche Schnelle v_{y2} ergibt sich zunächst aus (52) und (60) zu:

$$\frac{v_{y2}}{v_{1+}} = 1 + r + r_j = \beta\,\frac{-3\,(1+\beta) + j\,(1-\beta)}{-(1+3\,\beta+\beta^2) + j\,(1-\beta^2)}\,; \tag{83}$$

und damit errechnet sich nach (69):

$$\tau_{BL} = \frac{5\,\beta + 8\,\beta^2}{2 + 6\,\beta + 9\,\beta^2}\,. \tag{84}$$

Im Gegensatz zu dem durchgelassenen longitudinalen Energieanteil, der bei höheren Frequenzen den Biegewellenanteil sogar überwiegt, bleibt der reflektierte longitudinale Anteil stets verhältnismäßig klein. Zunächst ergibt sich aus (60) und (62) für die Schnelle-Amplitude v_{1x}:

$$\frac{v_{1x}}{v_{1+}} = (t + t_j) = \beta\,\frac{(1-\beta) + j\,(1+\beta)}{-(1+3\,\beta+\beta^2) + j\,(1-\beta^2)}\,. \tag{85}$$

Damit folgt nach (68) unter Vernachlässigung von höheren als in β quadratischen Gliedern für den entsprechenden Reflexionsgrad:

$$\varrho_{BL} = \frac{\beta}{2 + 6\,\beta + 9\,\beta^2}\,. \tag{86}$$

Schließlich folgt aus (61) und (63) für die wieder als Biegewelle reflektierte Energie:

$$\varrho_{BB} = \frac{1 - \beta^2}{2 + 6\,\beta + 9\,\beta^2}\,. \tag{87}$$

Man überzeugt sich leicht, daß die Summation der Ausdrücke in (78), (84), (86) und (87) den Wert 1 ergibt.

In Abb. V/6 sind die zugehörigen Frequenzgänge (in Abhängigkeit von β^2) so eingetragen, daß die Ordinate unter der untersten Kurve τ_{BB} bedeutet, der Ordinatenabschnitt zwischen dieser und der nächsten τ_{BL}, der nächste Abschnitt ϱ_{BL} und der letzte bis 1 reichende ϱ_{BB}. Die Ordinate unter dieser obersten Kurve kennzeichnet den nicht als Biegewelle reflektierten Anteil, den wir auch als Biegewellen-Absorptionsgrad bezeichnen könnten. Es bleibt aber auch ein kleiner Anteil in der Platte 1 als Longitudinalwelle zurück. Die Ordinate unter der mittleren Kurve kennzeichnet die gesamte übertretende Energie. Diese wächst sogar mit der Frequenz, verlagert sich dabei aber immer mehr auf den longitudinalen Anteil, während der Biegewellenanteil absinkt.

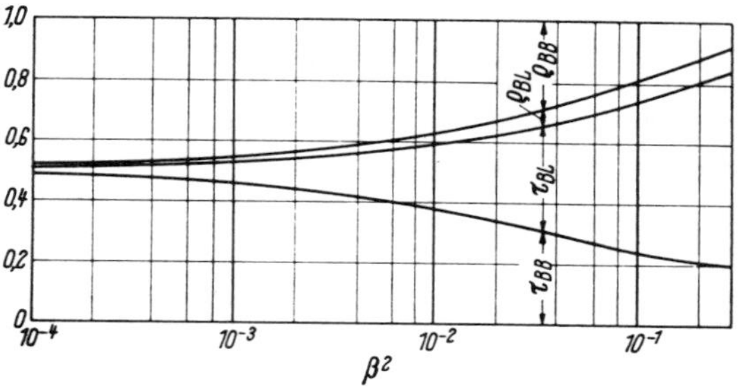

Abb. V/6. Energieverteilung beim Auftreffen einer Biegewelle auf eine Ecke mit gleichen Schenkeln unter Berücksichtigung der sekundären Longitudinalwellen (der Parameter β^2 nach Gl. (82) wächst mit der Frequenz)

Wir haben bisher angenommen, daß die primär gegebene Welle eine Biegewelle ist, wie das auch den häufigsten Anregungen von Schallwellen in Baukonstruktionen entspricht. Da aber, wie wir nun festgestellt haben, bei höheren Frequenzen in dem rechtwinklig angrenzenden Element starke Longitudinalwellen ausgelöst werden, interessiert schon aus diesem Grunde die Frage, welche Reflexionsverhältnisse für diese vorliegen, wenn der ersten Ecke im Abstand einiger Wellenlängen eine zweite folgt, wie das ja praktisch immer der Fall ist. Es tritt dann die primäre Welle in $v_{x1}(x)$ auf und entfällt in $v_{y1}(x)$, und alle — zweckmäßig mit Doppelindizes zu kennzeichnenden — Reflexions- und Transmissionsfaktoren sind auf diese zu beziehen:

$$v_{x1} = v_{x1+} (e^{-jk_{L_1}x} + r_{LL}\, e^{+jk_{L_1}x}) \tag{88}$$

$$v_{y1} = v_{x1+} (r_{LB}\, e^{jk_{B_1}x} + r_{jLB}\, e^{k_{B_1}x}) \tag{89}$$

$$v_{x2} = v_{x1+} (t_{LB}\, e^{-jk_{B_2}y} + t_{jLB}\, e^{-k_{B_2}y}) \tag{90}$$

$$v_{y2} = v_{x1+}\, t_{LL}\, e^{-jk_{L_2}y}\,. \tag{91}$$

An den Randbedingungen hat sich nichts geändert, weshalb darauf verzichtet sei, die Ansätze (88) bis (91) in diese einzusetzen und die einzelnen Reflexions- und Transmissionsfaktoren anzugeben[1]. Doch seien die Formeln für die Reflexions- und Transmissionsgrade für den Fall gleichartiger Schenkel angegeben. Zwei davon ergeben sich bereits aus dem Reziprozitätsgesetz, nämlich

$$\tau_{LB} = \tau_{BL} = \frac{5\beta + 8\beta^2}{2 + 6\beta + 9\beta^2}, \tag{92}$$

$$\varrho_{LB} = \varrho_{BL} = \frac{\beta}{2 + 6\beta + 9\beta^2}. \tag{93}$$

Damit ist zugleich die Summe der sekundären Longitudinalwellenanteile gegeben:

$$\varrho_{LL} + \tau_{LL} = 1 - \varrho_{LB} - \tau_{LB} = \frac{2 + \beta^2}{2 + 6\beta + 9\beta^2}, \tag{94}$$

und da physikalisch zu erwarten ist, daß die senkrecht zur primären abgehende Longitudinalwelle schwach ist und daß $\beta^2 \ll 2$ ist, würde man vermuten dürfen, daß

$$\varrho_{LL} = \frac{2}{2 + 6\beta + 9\beta^2} \tag{95}$$

zumindest eine gute Näherung darstellt. Die genaue Rechnung zeigt, daß (95) der strengen Lösung entspricht, und daß folglich τ_{LL} durch

$$\tau_{LL} = \frac{\beta^2}{2 + 6\beta + 9\beta^2} \tag{96}$$

gegeben ist.

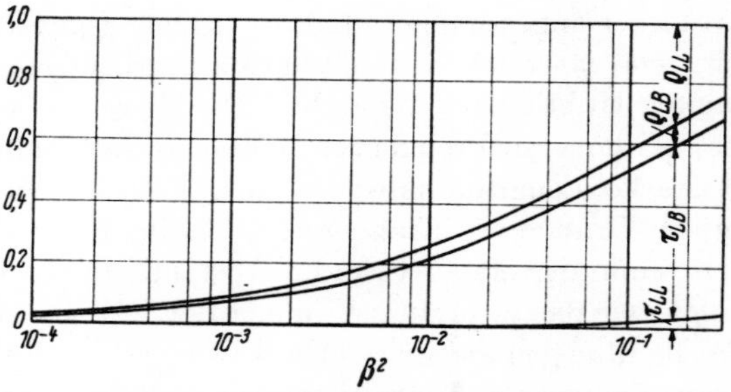

Abb. V/7. Wie Abb. V/6a, aber beim Auftreffen einer Longitudinalwelle

Diese Ergebnisse finden sich in Abb. V/7 (analog zur Abb. V/6) in Kurvenform dargestellt. Der Wert τ_{LL} löst sich nur ganz wenig von der Abszisse. Der darüber aufgebaute Wert τ_{LB} bildet den Hauptanteil der durchgelassenen Energie, die durch die mittlere Kurve begrenzt ist. Darüber ist ϱ_{LB} ($= \varrho_{BL}$) aufgetragen; die Summe der bisher genannten Größen kennzeichnet den Longitudinalwellen-Absorptionsgrad; den

[1] Sie finden sich in Cremer, L.: Propagation of Structure-borne Sound, § 17.

Rest bis zur Ordinate 1 nimmt ϱ_{LL}, also die longitudinal reflektierte Energie ein. Sie entspricht bei tiefen Frequenzen ($\beta = 0$) einer Totalreflexion. Die transversale Bewegung des senkrecht angrenzenden Schenkels verlangt im stationären Grenzfall keine Kraft; der primäre Schenkel ist hier als „frei“ anzusehen.

Jedenfalls zeigt diese Betrachtung, inwieweit man, namentlich bei höheren Frequenzen, damit rechnen muß, daß die sekundär ausgelösten longitudinalen Wellen wieder in Biegewellen umgesetzt werden und so schließlich an die umgebende Luft abgestrahlt werden können.

Da der Schallübergang bei tiefen Frequenzen ausschließlich auf Grund der Momenten-Übertragung an der Ecke erfolgt, ist zu vermuten, daß derselbe erheblich geringer ist, wenn die beiden Schenkel nur gelenkig miteinander verbunden sind, wie das für eine auf den Stützmauern nur aufliegende Decke gelten würde (s. Abb. V/8). In diesem Falle folgt zunächst aus dem Verschwinden der Momente und aus dem auch hier geltenden Ansatz (19) für das primäre Biegewellenfeld:

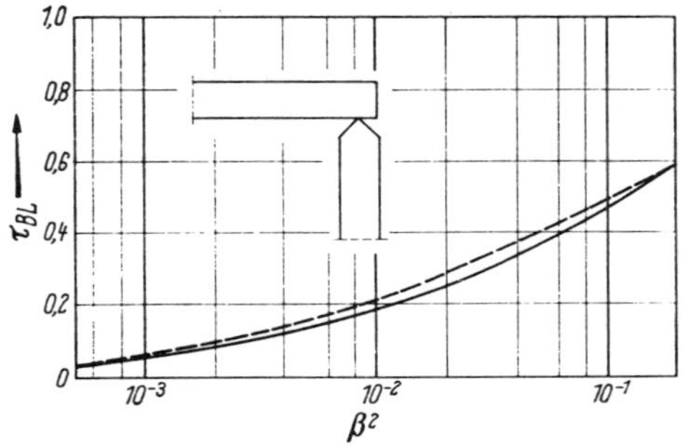

Abb. V/8. Transmission einer auftreffenden Biegewelle in eine abgehende Longitudinalwelle bei gelenkiger Ecke (gestrichelte Linie aus Abb. V/7)

$$M_1 = 0: \quad 1 + r - r_j = 0\,. \tag{97}$$

Im übrigen bleibt die Beziehung (49) erhalten, welche besagte, daß der Quotient aus F_1 und v_1 gleich dem Longitudinalwellenwiderstand $c_{L2}\, m_2'$ des zweiten Schenkels ist:

$$\frac{F_1}{v_1} = c_{L2}\, m_2': \qquad \frac{1 - r - j\, r_j}{1 + r + r_j} = \frac{1}{\beta_2}\,. \tag{98}$$

Aus der Kombination beider Gleichungen ergibt sich für den Reflexionsfaktor:

$$r = \frac{2 - \beta_2 + j\,\beta_2}{-\,2 - \beta_2 - j\,\beta_2} \tag{99}$$

und somit für den Reflexionsgrad:

$$\varrho_{BB} = \frac{2 - 2\,\beta_2 + \beta_2^2}{2 + 2\,\beta_2 + \beta_2^2}\,. \tag{100}$$

Bei tiefen Frequenzen ($\beta_2 \to 0$) nähern wir uns, wie erwartet, einer Totalreflexion.

Da in diesem Falle im zweiten Schenkel keine Biegewelle und im ersten keine Longitudinalwelle angeregt wird, können wir hieraus gleich auf die in 2 abgehende Longitudinalwelle schließen. Dieselbe ist, wie der hieraus sich ergebende Transmissionsgrad

$$\tau_{BL} = 1 - \varrho_{BB} = \frac{4\,\beta_2}{2 + 2\,\beta_2 + \beta_2^2} \qquad (101)$$

im Vergleich mit (84) zeigt, etwa von gleicher Größe wie bei einer biegesteifen Verbindung beider Schenkel. (Abb. V/8 zeigt ausgezogen den aus (101) folgenden Frequenzgang und gestrichelt den bereits in Abb. V/6 und V/7 enthaltenen nach Gleichung (84).)

Damit ist uns auch wieder das Verhältnis der im ersten Schenkel abgehenden Biegewellenenergie zur Energie einer im zweiten Schenkel ankommenden Longitudinalwelle gegeben. Und schließlich brauchen wir nur β_2 durch β_1 zu ersetzen, wenn wir den entsprechenden L—B-Übergang von 1 auf 2 kennenlernen wollen:

$$\tau_{LB} = \frac{4\,\beta_1}{2 + 2\,\beta_1 + \beta_1^2}\,. \qquad (102)$$

Häufiger noch als die reine Ecke sind im Bau rechtwinklige Verzweigungen von Platten und Stabelementen, wie sie in die Abb. V/9 und V/10 eingetragen sind. Die an Hand der einfachen Ecke aufgestellten Beziehungen lassen sich aber unschwer auf solche Fälle erweitern. Für den dabei zunächst interessierenden Grenzfall tiefer Frequenzen läßt sich sogar die Formel (72) mit kleiner Abänderung heranziehen. Der darin aufgetretene Quotient $\psi/\varkappa$ ist, wie wir schon an Hand von Gl. (73) erwähnten, kennzeichnend für den dort auftretenden Quotienten aus Biegemoment und Winkelgeschwindigkeit. Wir wollen dies hier noch näher ausführen: Nehmen wir nämlich eine beliebige Dreh-Belastung an einem transversal festgehaltenen Knotenpunkt an, die wir dann durch den Quotienten M_1/w_1 kennzeichnen können, so ergibt sich für die primäre Seite aus

$$v_1 = 0\colon\quad 1 + r + r_j = 0 \qquad (103)$$

für den Quotienten aus M_1 und w_1, d. h. für die Momenten-Impedanz der Verzweigung

$$W_1 = \frac{M_1}{w_1} = \frac{-1 - r + r_j}{-1 + r - j\,r_j}\,\frac{B_1}{c_{B1}} = \frac{2\,(1 + r)}{(1 - j) - (1 + j)\,r}\,\frac{B_1}{c_{B1}}\,. \qquad (104)$$

Wir gewinnen hieraus zunächst eine allgemeine Form für den Reflexionsfaktor:

$$r = \frac{(1 - j)\,W_1\,(c_{B1}/B_1) - 2}{(1 + j)\,W_1\,(c_{B1}/B_1) + 2}\,. \qquad (105)$$

Wir können hieraus aber noch keine allgemeine Formel für den Transmissionsgrad ableiten, da ja die Impedanz W_1 im allgemeinen nicht reell sein wird, wie sie das in einer freien Biegewelle ist. Dies zeigt sich auch hier bei dem festgehaltenen Ausgangspunkt der sekundären Biegewelle. Hier folgt für jeden Biegewellenträger mit dem Ansatz (20) zunächst:

$$v_2 = 0: \quad t + t_j = 0 \tag{106}$$

und hiermit für den Quotienten M_2/w_2:

$$\frac{M_2}{w_2} = (1 - j)\frac{B_2}{c_{B2}} = W_1 . \tag{107}$$

Setzt man dies in (105) ein, so ergibt sich

$$r = \frac{\left[-j\left(\frac{(B_2 c_{B1})}{(B_1 c_{B2})}\right) - 1\right]}{\left[\frac{(B_2 c_{B1})}{(B_1 c_{B2})} + 1\right]} \tag{108}$$

und hieraus folgt unter Benutzung von (73) die frühere Formel:

$$\tau = \frac{2}{(\chi^{-1/2} + \chi^{1/2})^2} , \tag{109}$$

worin wir $\psi/\varkappa$ im Hinblick auf die folgende Erweiterung durch χ ersetzt haben. Die neue Ableitung gestattet uns nämlich, diejenigen Fälle einzuschließen, in denen an die Stelle von M_2 mehrere Teilmomente treten, die zu verschiedenen Biegewellenträgern gehören:

$$W = \frac{M_1}{w_1} = \frac{M_2}{w_2} + \frac{M_3}{w_3} + \frac{M_4}{w_4} = (1 - j)\left[\frac{B_2}{c_{B2}} + \frac{B_3}{c_{B3}} + \frac{B_4}{c_{B4}}\right]. \tag{110}$$

Wir können somit die frühere Formel (72) auch dahin erweitern, daß wir für $\psi/\varkappa$ einsetzen:

$$\chi = \frac{c_{B1}}{B_1}\left[\frac{B_2}{c_{B2}} + \frac{B_3}{c_{B3}} + \frac{B_4}{c_{B4}}\right]. \tag{111}$$

(109) liefert dann die insgesamt übertretende Biegewellenenergie. Da die Winkelgeschwindigkeit allen sekundären Biegewellenträgern gemeinsam ist, verteilt sich diese Energie auf die einzelnen im Verhältnis:

$$P_2 : P_3 : P_4 = \frac{B_2}{c_{B2}} : \frac{B_3}{c_{B3}} : \frac{B_4}{c_{B4}} . \tag{112}$$

Handelt es sich um gleiche Baustoffe und die verschiedenen Dicken h_2, h_3 und h_4, so geht (112) über in:

$$P_2 : P_3 : P_4 = h_2^{5/2} : h_3^{5/2} : h_4^{5/2} , \tag{113}$$

d. h. der stärkste Biegewellenträger würde am meisten, der dünnste am wenigsten Energie aufnehmen. Die für die Abstrahlung entscheidenden transversalen Schnellen würden sich, da die Winkelgeschwindigkeiten gleich sind, verhalten wie:

$$v_2 : v_3 : v_4 = h_2^{1/2} : h_3^{1/2} : h_4^{1/2} . \tag{114}$$

In den meisten Fällen sind die in gleicher Richtung liegenden Stäbe (bzw. Platten) gleichartig. Dabei verringert sich die Variationsmöglichkeit der konstruktiven Daten genau so wie bei der einfachen Ecke auf einen Parameter

$$\frac{\psi}{\varkappa} = \frac{B_2 c_{B1}}{B_1 c_{B2}}, \tag{115}$$

der im Falle gleicher Baustoffe und bei rechteckigen Balken gleicher Breite oder bei Platten gleicher Dicke wieder in

$$\frac{\psi}{\varkappa} = \sigma^{5/2} = \left(\frac{h_2}{h_1}\right)^{5/2} \tag{116}$$

übergeht.

Da die Verhältnisse beim Wandkreuz infolge zweifacher Symmetrie auf einfacher zu übersehende Beziehungen führen, sei mit diesem begonnen. Hier ist

$$\left.\begin{aligned} \chi &= 1 + 2\left(\frac{\psi}{\varkappa}\right) \\ \text{bzw.} \quad &= 1 + 2\,\sigma^{5/2}. \end{aligned}\right\} \tag{117}$$

(109) liefert somit für die Summe der Transmissionsgrade

$$\tau_{12} + \tau_{13} + \tau_{14} = \frac{2}{((1 + 2\,\psi/\varkappa)^{-1/2} + (1 + 2\,\psi/\varkappa)^{1/2})^2}, \tag{118}$$

und diese verhalten sich wieder wie

$$\tau_{12} : \tau_{13} : \tau_{14} = \left(\frac{\psi}{\varkappa}\right) : \; 1 : \left(\frac{\psi}{\varkappa}\right). \tag{119}$$

Hieraus folgt für τ_{13}:

$$\left.\begin{aligned} \tau_{13} &= \frac{0{,}5}{1 + 2\;(\psi/\varkappa) + (\psi/\varkappa)^2} \\ \text{bzw.} \quad &= \frac{0{,}5}{1 + 2\;\sigma^{5/2} + \sigma^5} \end{aligned}\right\} \tag{120}$$

oder für das entsprechende, in Abb. V/9 gestrichelt eingezeichnete Schalldämm-Maß

$$R = \left[10 \lg\left(1 + 2\,\frac{\psi}{\varkappa} + \left(\frac{\psi}{\varkappa}\right)^2\right) + 3\right] \text{dB}\,. \tag{121}$$

Auch bei sehr dünner kreuzender Platte ($\psi/\varkappa \ll 1$) bleibt nach unserer idealisierten Rechnung die Verhinderung der transversalen Schnelle erhalten, also die seitliche „Abstützung", und deshalb sinkt das Dämm-Maß nicht unter 3 dB. Mit dicker werdender kreuzender Platte wächst die Dämmung monoton an und nähert sich immer mehr den Verhältnissen starrer Einspannung. Bei Gleichheit der Platten beträgt das Dämm-Maß 9 dB; ist $h_2 = 2\,h_1$, kreuzt also beispielsweise eine vollsteinstarke Ziegelmauer eine halbsteinstarke, so ist hiernach ein Dämm-Maß von 20 dB (!) zu erwarten.

Die ausgezogene Linie in Abb. V/9 bezieht sich auf den „Über-Eck“ geltenden Transmissionsgrad τ_{12}, bzw. das entsprechende Schalldämm-Maß R_{12}, für welche sich errechnet:

$$\left.\begin{aligned} \tau_{12} = \tau_{14} &= \frac{0{,}5}{\left(\sqrt{\frac{\psi}{\varkappa}} + \sqrt{\frac{\varkappa}{\psi}}\right)^2} \\ \text{bzw.} \quad &= \frac{0{,}5}{(\sigma^{5/4} + \sigma^{-5/4})^2} \end{aligned}\right\} \tag{122}$$

$$R_{12} = \left[20 \lg\left(\sqrt{\frac{\psi}{\varkappa}} + \sqrt{\frac{\varkappa}{\psi}}\right) + 3\right] \mathrm{dB}\,. \tag{123}$$

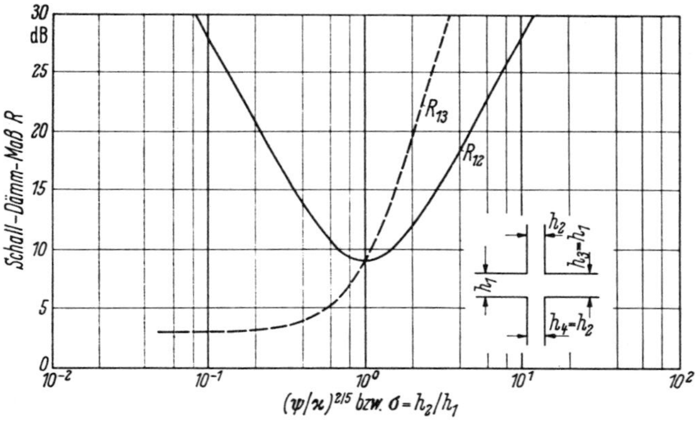

Abb. V/9. Schalldämm-Maße für reine Biegewellenübertragungen an einem Wandkreuz in Abhängigkeit des Dickenverhältnisses

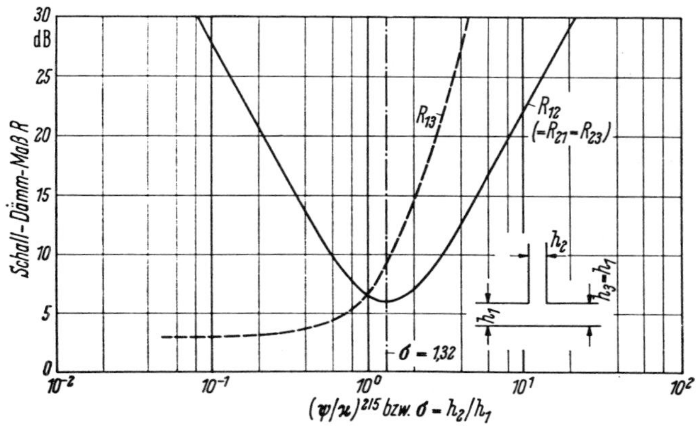

Abb. V/10. Schalldämm-Maße der reinen Biegewellenübertragungen an einer Wandabzweigung in Abhängigkeit des Dickenverhältnisses

Da nach dem Reziprozitätsgesetz der für den Übergang von 1 nach 2 geltende Transmissionsgrad τ_{12} gleich dem für den umgekehrten Übergang geltenden τ_{21} sein muß, dabei aber ψ und $\varkappa$, bzw. σ ihre Kehrwerte annehmen, mußte der Verlauf in $(\psi/\varkappa)$ reziprok symmetrisch sein. Die niedrigste Schalldämmzahl R_{12} liegt bei $(\psi/\varkappa) = 1$, wozu auch Plattengleichheit gehört, und liefert — wie zu erwarten — denselben Wert wie in diesem Falle R_{13}, nämlich 9 dB. Ein Dickenwechsel auf das Doppelte, wie auf die Hälfte, führt zu einer Erhöhung des Dämm-Maßes um weitere 3 dB.

Es sei aber auch hier nochmals ausdrücklich darauf hingewiesen, daß diese Gleichheit bei Verdopplung und Halbierung sich nur auf die Leistungsübertragung nicht aber auf die meist gemessenen und für die Abstrahlung maßgebenden Schnellen bezieht. Die Differenz der Schnellepegel (bezogen auf die Anteile der auftreffenden und durchgelassenen Biegewelle) aber läßt sich aus R_{12} leicht errechnen zu:

$$\Delta L_{v+} = 20 \lg \left|\frac{v_{1+}}{v_{2+}}\right| \mathrm{dB} = R_{12} - 10 \lg \frac{m_1' \, c_{B1}}{m_2' \, c_{B2}} \mathrm{dB} \tag{124}$$

$$= R_{12} + 10 \lg (\psi \varkappa) \, \mathrm{dB} \tag{124a}$$

Da das Korrekturglied die Parameter ψ und $\varkappa$ im Produkt und nicht als Quotient enthält, läßt sich die Ein-Parameter-Darstellung hierauf nicht mehr für beliebige Baustoffe anwenden. R_{13} dagegen kennzeichnet auch die entsprechende Schnellepegeldifferenz.

Auch bei der in Abb. V/10 behandelten Wandabzweigung wollen wir mit dem Übertritt in gleicher Richtung, also der Diskussion der gestrichelten Kurve R_{13}, beginnen. Hier ist in (109)

$$\left.\begin{aligned} \chi &= \left(1 + \frac{\psi}{\varkappa}\right) \\ \text{bzw.} \quad &= (1 + \sigma^{5/2}) \end{aligned}\right\} \tag{125}$$

einzusetzen, und es bleibt nur die Verteilung des Gesamt-Transmissionsgrades im Verhältnis

$$\tau_{12} : \tau_{13} = \frac{\psi}{\varkappa} \quad \text{bzw.} \quad = \sigma^{5/2} \tag{126}$$

übrig. Damit folgt für τ_{13}:

$$\left.\begin{aligned} \tau_{13} &= \frac{1}{2 + 2\,\psi/\varkappa + 1/2(\psi/\varkappa)^2} \\ \text{bzw.} \quad &= \frac{1}{2 + 2\,\sigma^{5/2} + 1/2\,\sigma^5} \end{aligned}\right\} \tag{127}$$

und für das Schalldämm-Maß, das hierbei wieder zugleich die Differenz des Schnellepegels darstellt:

$$R_{13} = 10 \lg\left(2 + 2\left(\frac{\psi}{\varkappa}\right) + 1/2\left(\frac{\psi}{\varkappa}\right)^2\right) \text{dB} . \tag{127a}$$

Wieder erhalten wir eine mit 3 dB beginnende, monoton ansteigende Kurve, die aber bei Plattengleichheit nur den Wert 6,5 dB und bei Dickenverdopplung nur den Wert 15 dB erreicht.

Schließlich ergibt sich für die R_{12} wieder ein — bei logarithmischer Abszissenskala — symmetrischer Verlauf. Doch liegt die vertikale Symmetrieachse nicht bei $\psi/\varkappa = 1$, sondern bei $\psi/\varkappa = 2$, bzw. bei $\sigma = 1{,}32$. Hier ergibt sich nämlich für τ_{12}:

$$\tau_{12} = \frac{1}{\left(\sqrt{\frac{2\varkappa}{\psi}} + \sqrt{\frac{\psi}{2\varkappa}}\right)^2}, \tag{128}$$

und dementsprechend für R_{12}:

$$R_{12} = 20 \lg\left(\sqrt{\frac{2\varkappa}{\psi}} + \sqrt{\frac{\psi}{2\varkappa}}\right) \text{dB} . \tag{128a}$$

Die Frage, bei welchem $\psi/\varkappa$, bzw. bei welchem σ, der größte Energieübertritt von 1 nach 2 erfolgt, unterliegt zwei entgegengesetzten Tendenzen. Der gesamte Transmissionsgrad wird am größten, nämlich 1, wenn $\sigma = 0$ wird. Der Anteil an der insgesamt dem primären Stab verlorengehenden Energie, wird um so großer, je größer σ ist.

R_{12} kennzeichnet aber auch die untereinander gleichen Schalldämm-Maße R_{21} und R_{23}, die für den Übertritt aus der Abzweigung 2 in die als ein Stab, bzw. eine Platte auffaßbaren Schenkel 1 und 3 maßgebend sind. In allen diesen Fällen erhält man die Differenz der Schnellepegel wieder mit Hilfe von Formel (124).

Wegen ihrer großen praktischen Bedeutung für den Hochbau sind die oben abgeleiteten Formeln für die Transmissionsgrade τ_{BB} und τ_{BL} (78) und (84) und für die Reflexionsgrade ϱ_{BL} und ϱ_{BB} (86) und (87) von KURTZE, TAMM und VOGEL experimentell nachgeprüft worden[1], und zwar, um die Voraussetzungen der Rechnung möglichst gut zu erfüllen bei aneinander geklebten Stäben aus Plexiglas von 3×3 cm² Querschnitt. Die Enden der im übrigen frei aufgehängten Stäbe waren zugespitzt und auf 2,5 m Länge in ein Sand–Sägemehlgemisch gebettet, so daß das Wellenfeld nicht durch von dort rückkehrende Reflexionen kompliziert wurde[2]. Auf diese Weise gab es hinter der Ecke außerhalb

---

[1] KURTZE, G., K. TAMM u. S. VOGEL: Acustica 5 (1955),226.

[2] Mit der optimalen Gestaltung solcher reflexionsfreier Abschlüsse hat sich S. VOGEL, Acustica 6 (1956), 51, noch besonders befaßt.

des Nahfeldes nur die fortschreitenden Anteile v_{2B+} und v_{2L+}. Ebenso war bei primär erzeugter Biegewelle auch vor der Ecke außerhalb des Nahfeldes nur die „reflektierte" Longitudinalwelle mit ihrer Schnelle v_{1L-} zu erwarten.

Dagegen bestand dort das Biegewellenfeld immer noch aus der Überlagerung des hineilenden Anteils v_{1B+} und des rückeilenden Anteils v_{1B-}, die, wie dies von den Luftschallfeldern in Rohren bekannt ist, sich entsprechend ihrer Phasenverschiebung örtlich periodisch zu maximalen und minimalen Werten zusammensetzen. Aus dem Mittelwert beider konnte auch hier auf die einfallende Welle

$$|v_{B+}| = \frac{1}{2}\left(|v_{B\,\max}| + |v_{B\,\min}|\right), \tag{129}$$

aus der Differenz auf die reflektierte geschlossen werden:

$$|v_{B-}| = \frac{1}{2}\left(|v_{B\,\max}| - |v_{B\,\min}|\right). \tag{130}$$

(Näheres s. Kap. V, 4, S. 352ff.)

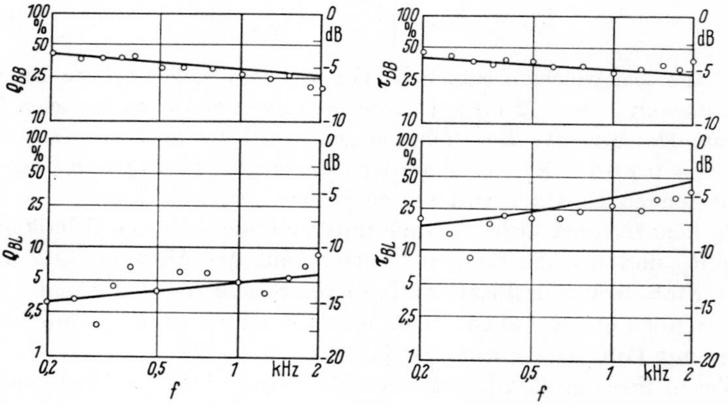

Abb. V/11. Vergleich der berechneten Transmissions- und Reflexionsgrade (ausgezogene Linie nach Abb. V/6) mit gemessenen Werten (Kreise) (nach KURTZE, TAMM und VOGEL)

Zur Anregung wurde ein elektromagnetisches System benutzt, wobei auf den Stab seitlich ein Eisenblättchen geklebt wurde. Die Abtastung erfolgte elektrodynamisch, indem eine quadratische Induktionsspule so aufgesetzt wurde, daß einer ihrer Schenkel im Felde eines feststehenden Magneten schwang. Durch Wahl der Richtung von Spulenschenkel und Magnetfeld konnte zwischen den jeweiligen v_B und v_L zuverlässig unterschieden werden.

Abb. V/11 zeigt die so gemessenen Transmissions- und Reflexionsgrade, die — in Anbetracht der gewählten logarithmischen Ordinatenverzerrung — eine erstaunlich gute Übereinstimmung mit der Rechnung erkennen lassen.

Es soll aber nicht verschwiegen werden, daß bei den Messungen anderer Autoren, besonders bei solchen an Stabverzweigungen und Stabkreuzen, auch gelegentlich größere Abweichungen auftraten. Bedenkt man, daß die Biegewellentransmission bei einer gelenkigen Ecke völlig unterbunden ist, so leuchtet ein, daß bereits die kleinsten Abweichungen von einer idealen biegesteifen Verbindung zu großen Änderungen im τ_{BB}-Wert führen können. Diese Abweichungen können sogar als ein sehr empfindliches Kriterium für die Art der Verbindung verwendet werden; dies gilt besonders für den Hochbau, wo meist der Putz alle Ausführungsfehler zudeckt.

3. Elastische Zwischenlagen

Die beiden letzten Abschnitten hatten uns gezeigt, daß die in jedem Bau stets vorhandenen Wechsel zwischen Material, Dicke und selbst der Richtung des Konstruktionsteiles keine sehr großen Hindernisse für die Schallausbreitung darstellen. Dies entspricht auch der Erfahrung, namentlich bei Betonbauten.

Will man größere Dämmungen erzielen, so muß man zu besonderen Maßnahmen greifen. Die praktisch am meisten angewandte besteht in der Einschaltung elastischer Zwischenschichten. Ihr liegt der bereits aus Formel (8) sich ergebende Gedanke zugrunde, daß zu einer wirkungsvollen Reflexion ein möglichst krasser Wechsel in den Schallwiderständen auftreten muß. Da die primären Medien, Mauerwerk, Stahlträger usw., bereits sehr „schallhart" sind, kommen als Dämmstoffe hier sehr „schallweiche" in Frage. Die beste Trennung zweier fester Körper besteht daher in der Zwischenschaltung eines Luftraumes. Ein solcher ist natürlich nur dort anwendbar, wo keine Lasten übertragen werden müssen, z. B. bei der Trennung zweier aufgehender Mauern. Man darf aber auch hierbei die dynamische Elastizität eines solchen Luftpolsters nicht unterschätzen. Wenn vom statischen Standpunkt ein Luftzwischenraum praktisch einem Vakuum gleichzusetzen ist, so liegt das daran, daß die Luft stets Gelegenheit hat, bei einer Verschiebung, sei es seitlich oder durch die Poren des Mauerwerkes selbst, zu entweichen. Bei den schnellen Richtungswechseln des Schallfeldes entfallen diese Möglichkeiten, und die Steife der Luft nimmt die Größenordnung an, wie sie etwa hinter einem in einem Zylinder eingeschliffenen Kolben auftritt. Diese aber ist sehr groß; jedenfalls groß genug, um zu erheblichen Schallübertragungen zu führen.

Für die Übernahme von Lasten, z. B. im aufgehenden Mauerwerk, muß man zu schallweichen festen Stoffen greifen. Ein vorzügliches

Material in dieser Hinsicht ist Kork. Seine akustischen Daten sind etwa gegeben mit:

Dichte $\varrho = 0{,}25\ \mathrm{g\ cm^{-3}}$
Elastizitätsmodul $E_2 = 3 \cdot 10^8\ \mathrm{g\ cm^{-1}\ s^{-2}}$

(gemessen an 314 cm² großen, 2 cm dicken Platten[1]).

Die spezifische Longitudinalwellen-Impedanz liegt also mit $Z'' = 8700\ \mathrm{g\ cm^{-2}\ s^{-1}}$ um etwa 2 Zehnerpotenzen unter derjenigen von Beton mit ihren $730000\ \mathrm{g\ cm^{-2}\ s^{-1}}$. Daher kommt es, daß bereits verhältnismäßig kleine Schichten merkliche Wirkungen ausüben.

a) Dämmung von Longitudinalwellen

Bezüglich der Dämmung von Longitudinalwellen zwischen zwei — unendlich lang gedachten — Betonmauern läßt diese Wirkung sich leicht ausrechnen. Wir können dabei sogar auf jede Einschränkung hinsichtlich der Länge (Dicke) l der elastischen Zwischenschicht verzichten und an den Gedanken der Fehlanpassung zwischen der vor und hinter dem Zwischenstück geltenden Kenn-Impedanz Z_1 und dem für dieses geltenden Z_2 anknüpfen. Nach Formel (5) wird die Schnelle v_{1+} einer ankommenden Welle nach Überschreiten der ersten Trennfläche in

$$v_{2\infty} = v_{1+} \frac{2\,Z_1}{Z_1 + Z_2} \tag{131}$$

umgewandelt. Der Index ∞ soll andeuten, daß diese Formel aus Kap. V, 1 nur für unendliche Ausdehnung des zweiten Mediums gilt. Fällt diese primäre Welle auf das Ende der Zwischenschicht, so löst sie dort in gleicher Weise eine sie verlassende Welle aus, wobei Z_1 und Z_2 ihre Rollen vertauschen:

$$v_{3\infty} = v_{2\infty} \frac{2\,Z_2}{Z_1 + Z_2} = v_{1+} \frac{4\,Z_1 Z_2}{(Z_1 + Z_2)^2}\,. \tag{132}$$

Der zugehörige Transmissionsgrad für diesen primären Durchtritt wäre, entsprechend der Hintereinanderschaltung zweier gleichartiger Sprungstellen, das Quadrat des für eine geltenden (s. Gl. (7)). Es wäre aber sicher verfehlt, mit diesem zu rechnen, was schon daraus hervorgeht, daß die Länge l der elastischen Schicht gar nicht eingeht. Man muß vielmehr berücksichtigen, daß die primär in die Schicht eingedrungene Welle, entsprechend dem Reflexionsfaktor

$$r = \frac{Z_2 - Z_1}{Z_2 + Z_1}\,, \tag{133}$$

sowohl am Ende wie am Anfang immer wieder unter Verlusten reflektiert wird, so daß die schließlich sich aufbauende in positiver x-Richtung

[1] Costadoni, C.: Z. f. Techn. Physik 17 (1936), 108.

fortschreitende Welle aus einer unendlichen Reihe von Teilwellen zusammengesetzt ist, deren gegenseitige Phasenlage sich aus dem mit der Geschwindigkeit c_2 durchlaufenen Hin- und Rückweg und eventuellen Phasensprüngen bei den Reflexionen ergibt:

$$v_{2+} = v_{2\infty}\,(1 + r^2\,e^{-j\,2\,k_2\,l} + r^4\,e^{-j\,4\,k_2\,l} + \cdots)\,, \tag{134}$$

wofür wir, da $r^2 < 1$ ist, auch schreiben können (siehe auch S. 176):

$$v_{2+} = \frac{v_{2\infty}}{1 - r^2\,e^{-j\,2\,k_2\,l}}\,. \tag{134a}$$

Erst auf diese resultierende, auf das Ende der Zwischenschicht auffallende Welle können wir die frühere Formel (5) unter sinngemäßer Vertauschung von Z_2 mit Z_1 erneut anwenden, und wir erhalten so für die hinter der Zwischenschicht weiterlaufende Welle:

$$v_{3+} = v_{2+}\,e^{-j\,k_2\,l}\,\frac{2\,Z_2}{Z_1 + Z_2}\,. \tag{135}$$

Die Kombination der Gln. (131), (133), (134) und (135) liefert für den gesuchten Transmissionsgrad:

$$\tau = \left|\frac{v_{3+}}{v_{1+}}\right|^2 = \left|\frac{4\,Z_1\,Z_2\,e^{-j\,k_2\,l}}{(Z_1 + Z_2)^2 - (Z_2 - Z_1)^2\,e^{-j\,2\,k_2\,l}}\right|^2$$

$$= \frac{1}{\cos^2 k_2\,l + \dfrac{1}{4}\left(\dfrac{Z_1}{Z_2} + \dfrac{Z_2}{Z_1}\right)^2 \sin^2 k_2\,l}\,. \tag{136}$$

Diese auf beliebige Zwischenschichten anwendbare Formel lehrt uns, daß es nicht nur im Falle völliger Anpassung, also bei

$$Z_1 = Z_2\,, \tag{137}$$

eine frequenzabhängige totale Transmission ($\tau = 1$) gibt, sondern daß dies auch bei beliebiger Fehlanpassung möglich ist, nämlich an den Nullstellen des Sinus

$$k_2\,l = n\,\pi\,, \tag{138}$$

die zugleich die freien Schwingungen des Zwischenstücks kennzeichnen. Wir hatten diese Eigenfrequenzen in Kap. II, 7 aus dem Prinzip des geschlossenen Wellenzyklus abgeleitet, an welches die hier gewählte Art der Berechnung von v_{2+} aus $v_{2\infty}$ erinnern sollte.

Formel (136) lehrt aber auch, daß der Transmissionsgrad sogar niedriger sein kann, als es den primären Wellen entspricht, nämlich an den Nullstellen des Cosinus

$$k_2\,l = (2\,n + 1)\,\pi\,, \tag{139}$$

wo sich ergibt

$$\tau = \frac{4\,(Z_1\,Z_2)^2}{(Z_1^2 + Z_2^2)^2}\,. \tag{140}$$

Für $Z_2 \ll Z_1$ oder $Z_1 \ll Z_2$ bedeutet das aber nur ein Viertel des Wertes, der sich aus (132) ergeben würde, also ein um 6 dB höheres Schalldämmaß.

Im allgemeinen sind Zwischenschichten so schmal, daß man $\cos k_2 l = 1 - \frac{1}{2}(k_2 l)^2$ und $\sin k_2 l = k_2 l$ setzen kann. Dies würde z. B. für eine Korkschicht von 3 cm Dicke, wie wir sie als Beispiel diskutieren wollen, im ganzen bauakustisch interessierenden Frequenzbereich gelten, da die Longitudinalwellengeschwindigkeit in Kork, wie sich aus den obigen Daten für E_2 und ϱ_2 ergibt, sich kaum von der in Luft geltenden unterscheidet:

$$c_{L2} = \sqrt{\frac{E_2}{\varrho_2}} = 34600 \text{ cm s}^{-1}.$$

Für schmale Schichten aber nimmt (136) zunächst die Form an:

$$\tau = \frac{1}{1 + \frac{1}{4}\left[\left(\frac{Z_1}{Z_2}\right) - \left(\frac{Z_2}{Z_1}\right)\right]^2 (k_2 l)^2}. \tag{141}$$

Hier fällt der Transmissionsgrad, wie zu erwarten, mit wachsender Schichtdicke l, und da jede Länge im Wellenfeld im Verhältnis zur interessierenden Wellenlänge zu bewerten ist und diese beim Longitudinalwellenproblem der Frequenz umgekehrt proportional ist, ist die Abhängigkeit von der Dicke die gleiche wie die von der Frequenz. Dabei spielt es zunächst keine Rolle, ob Z_2 größer oder kleiner als Z_1 ist, also bei Materialgleichheit nicht, ob der Querschnitt des Zwischenstücks größer oder kleiner ist.

Im Falle der elastischen Schicht — oder einer Querschnittsverkleinerung — ist immer, wie auch im interessierenden Beispiel: Kork zwischen Beton, Z_2 so klein gegen Z_1, daß (141) sich weiter vereinfacht zu:

$$\tau = \frac{1}{1 + \left(\frac{Z_1 k_2 l}{2 Z_2}\right)^2}, \tag{142}$$

was sich auch auf die Form:

$$\tau = \frac{1}{1 + \left(\frac{\omega Z_1}{2 E_2 S_2/l}\right)^2} = \frac{1}{1 + \left(\frac{\omega Z_1}{2 s_2}\right)^2} \tag{142a}$$

bringen läßt, aus der man übersieht, daß es nur auf die Steife

$$s_2 = \frac{E_2 S_2}{l} \tag{143}$$

der Zwischenschicht ankommt.

Man hätte diese Formel auch einfacher ableiten können, indem man a priori nur die Haupteigenschaften der Zwischenschicht, nämlich die, als Federung zu wirken, in Betracht gezogen hätte. In diesem Falle gilt zunächst auf beiden Seiten Gleichheit der Kräfte

$$F_1 = F_{1+} + F_{1-} = F_3\,. \tag{144}$$

Diese Kraft bedingt eine Zusammendrückung der Schicht, die kinematisch durch $(v_1 - v_3)/j\,\omega$ gegeben ist. Die Größe dieser Zusammendrückung wird durch die Steife s_2 der Schicht bestimmt:

$$\frac{v_1 - v_3}{j\,\omega} = \frac{1}{s_2} F_3\,. \tag{145}$$

Bedenken wir, daß wieder

$$v_1 = v_{1+} + v_{1-} = \frac{1}{Z_1}(F_{1+} - F_{1-}) \tag{146}$$

und

$$v_3 = \frac{F_3}{Z_1} \tag{147}$$

ist, so läßt sich (145) auch überführen in

$$F_{1+} - F_{1-} = F_3\left(1 + \frac{j\,\omega\,Z_1}{s_2}\right). \tag{148}$$

Durch Addition von (144) und (148) läßt sich der reflektierte Anteil eliminieren, und man erhält:

$$2\,F_{1+} = F_3\left(1 + \frac{j\,\omega\,Z_1}{s_2}\right), \tag{149}$$

und hieraus für den Transmissionsgrad denselben Wert wie oben in (142a).

In Abb. V/12 ist das zugehörige Schalldämm-Maß

$$R = 10\lg\left(1 + \left(\frac{\omega\,Z_1}{2\,s_2}\right)^2\right)\mathrm{dB} \tag{150}$$

für das gewählte Beispiel über logarithmischer Frequenzskala aufgetragen; man erhält den gleichen Anstieg mit 6 dB je Oktave, wie er für die Luftschalldämmung durch die träge Masse einer Trennwand gilt, und wie das nach der auf beide Fälle anwendbaren Formel (141) auch zu erwarten ist. Dabei beträgt das Dämmaß bei 100 Hz nur 8 dB, erreicht aber bei 1000 Hz immerhin 27 dB.

Wollte man höhere Dämmungen erreichen, müßte man zu größeren Schichtdicken übergehen, würde aber dabei den nach (138) zu erwartenden Totaldurchgang mehr und mehr in den interessierenden Frequenzbereich bringen.

Wegen der inneren Dämpfung, die gerade den elastischeren Baustoffen, wie Kork oder gar Gummi, eigen ist, äußern sich die „Dicken-Resonanzen" der Schicht nie in einem Totaldurchgang. Bei Berücksichtigung des in Gl. (III, 7) eingeführten Verlustfaktors η haben wir in (136) k_2 gemäß (III, 10) angenähert durch die komplexe Wellenzahl

$$\underline{k}_2 \approx k_2\left(1 - \frac{j\,\eta}{2}\right) \tag{151}$$

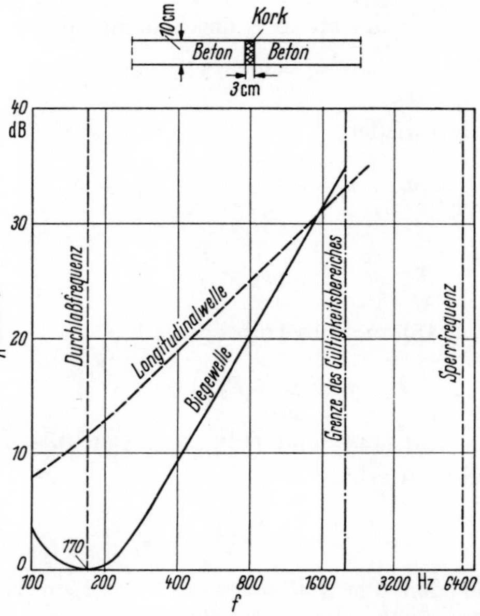

Abb. V/12. Schalldämmaß einer elastischen Zwischenschicht in Abhängigkeit der Frequenz

zu ersetzen, für welche der Sinus bei der tiefsten Dickenresonanz nicht verschwindet, sondern den Wert

$$\sin \underline{k}_2\, l = -\, j \sinh\left(\frac{\pi\,\eta}{2}\right) \approx -\, j\,\frac{\pi\,\eta}{2}$$

annimmt, wodurch das Schalldämmaß nur auf den Wert

$$R_{\min} \approx 20 \lg\left(\frac{\pi\,\eta\, Z_1}{4\, Z_2}\right) \mathrm{dB} \tag{152}$$

sinkt. Im obigen Beispiel, dem etwa ein Verlustfaktor von 0,13 zuzuordnen wäre, bedeutet das ein Absinken auf 19 dB.

Ein noch schallweicheres und mit etwa gleich großem Verlustfaktor versehenes Material stellt Gummi dar, welches in der Form des sogenannten „Schwingmetalls“, d. h. einer festen Verbindung der Gummimasse mit Montageflächen aus Stahl, besonders bei der elastischen Aufstellung von Maschinen heute eine große Rolle spielt[1]. Da einerseits die Dichte höher als bei Kork, nämlich mit etwa $\varrho = 1{,}1\ \mathrm{g\,cm^{-3}}$ anzusetzen ist, der Elastizitätsmodul andererseits bei genügend schmalen Stücken, deren seitliche Ausweichung ungehindert ist, nur etwa $5\times 10^7\ \mathrm{g\,cm^{-1}\,s^{-2}}$ beträgt[2], erhält man eine Longitudinalwellengeschwindigkeit von nur $6700\ \mathrm{cm\,s^{-1}}$. Bei Schichtdicken von nur 5 cm liegt die erste Dickenresonanz bereits bei 670 Hz, die zweite bei 1340 Hz usw. Wegen des wenigstens mit 0,1 anzusetzenden Verlustfaktors treten aber die Durchlaßstellen selten in Erscheinung.

b) Dämmung von Biegewellen

Wir untersuchen nun die Dämmwirkung einer schmalen elastischen Schicht gegenüber Biegewellen. Wir übernehmen von dem Longitudinalwellenproblem die Erkenntnis, daß eine solche Schicht bei nicht zu hohen Frequenzen — und nur für solche gilt die einfache Biegewellendarstellung — als reine zwischengeschaltete Federung aufzufassen ist. Dann herrscht, wie in (16) und (18) Gleichheit der Querkräfte und Momente. Nehmen wir außerdem Gleichheit der Platten oder Balken (Pfeiler) zu beiden Seiten der Schicht an, so vereinfachen sich die früheren Randbedingungsgleichungen (24) und (25) zu:

$$M_{z1} = M_{z3}: \quad (-1 - r + r_j) = (-t + t_j) \tag{153}$$

$$F_{y1} = F_{y3}: \quad (j - j\,r + r_j) = (j\,t - t_j)\,. \tag{154}$$

Die kinematischen Größen zu beiden Seiten der elastischen Trennschicht unterscheiden sich dagegen um deren Deformationen, die ihrerseits den Kräften, bzw. Momenten proportional sind:

$$v_{y1} - v_{y3} = \frac{j\,\omega\,F_{y3}}{K}, \tag{155}$$

$$w_{z1} - w_{z3} = \frac{j\,\omega\,M_{z3}}{C}\,. \tag{156}$$

Die hier eingeführten Federkonstanten K und C sind bei einer homogenen Zwischenschicht von der Dicke l nicht unabhängig voneinander. K ergibt sich, indem wir die Kraft durch die Schubspannung ersetzen:

$$F_y = \int \tau\,dS\,,$$

die Deformation durch den Schiebungswinkel ausdrücken:

$$\frac{(v_{y1} - v_{y3})}{j\,\omega} = \gamma\,l$$

[1] Göbel, E. F.: Gummifedern, Berlin: Springer 1945.

[2] Costadoni, C.: Z. f. Techn. Physik 17 (1936) 108. (Gemessen an einer Gummiprobe von 170 cm² Flächengröße, zu 30% mit Löchern von 6 mm Durchmesser durchsetzt.)

und beide durch die Grundbeziehung

$$\tau = G\gamma$$

verbinden zu:

$$K = \frac{G_2 S_2}{\varkappa l}, \tag{157}$$

worin $\varkappa$ wie in Kap. II, 6 einen Zahlenfaktor darstellt, der auf die Verteilung der Schubspannungen Rücksicht nimmt. Wenn für diese auch nicht die dortigen Werte übernommen werden können, weil es sich nicht um eine Korrektur an schlanken Stäben oder Platten, sondern um schmale Schichten handelt, so dürften wir doch auch hier keinen für unsere Abschätzungen ins Gewicht fallenden Fehler begehen, wenn wir $\varkappa \approx 1$ setzen.

Die Konstante C ergibt sich entsprechend, indem wir M durch die Spannungen ausdrücken:

$$M = \int \sigma\, y\, dS$$

und ebenso die Deformation auf Grund des Hookeschen Gesetzes:

$$\frac{(w_{z1} - w_{z3})}{j\omega} = \frac{\sigma y}{l E}$$

zu:

$$C = \frac{E_2 I_2}{l}. \tag{158}$$

(Der Unterschied zwischen E und $E/(1 - \mu^2)$, also zwischen Balken und Platte, kann wieder als unwesentlich angesehen werden.)

Das Verhältnis der beiden Konstanten ist also gekennzeichnet durch das Verhältnis aus dem Elastizitätsmodul und dem Schubmodul und durch das Quadrat des Trägheitsradius:

$$\frac{C}{K} = \left(\frac{E_2}{G_2}\right)\left(\frac{I_2}{S_2}\right) = \left(\frac{E_2}{G_2}\right)\left(\frac{h^2}{12}\right). \tag{159}$$

Der erste, aus II, 2a sich ergebende Quotient kann bei festen Körpern, selbst bei Einbezug der Extremwerte für die Querkontraktionszahl $\mu = 0$ und $\mu = 0{,}5$ nur zwischen 2 und 3 schwanken. Dabei muß allerdings beachtet werden, daß dieser Quotient bei schmalen Schichten bis zu 6 und darüber steigen kann, da die Nähe der Begrenzungen bei der Druckbeanspruchung, aus welcher E bestimmt wird, die Querkontraktion stark behindert, so daß der gemessene E-Wert gegenüber dem wirklichen überhöht wird. Falls diese Verhältnisse auch auf die dynamische Beanspruchung im Schallfrequenzbereich anwendbar sind, könnte der Quotient C/K das doppelte des hier angenommenen Wertes betragen, was aber immer noch keine grundsätzliche Änderung der im folgenden abgeleiteten Beziehungen bedingen würde. Außerdem ist die Behinderung der Querkontraktion bei porigen Stoffen, oder solchen, die konstruktive Hohlräume enthalten, verringert. Für nachgiebige Schalldämmstoffe kann man dabei nahezu mit $\mu = 0{,}5$ rechnen, so daß der in (159) auftretende Quotient etwa mit

$$\frac{C}{K} \approx \frac{h^2}{4} \tag{160}$$

anzusetzen ist.

Setzt man, wie in (153) und (154) die Ansätze für das Wellenfeld vor und hinter der Trennschicht in die neuen Randbedingungen ein, so ergibt sich aus (155):

$$1 + r + r_j - t - t_j = \frac{j\,\omega\, c_1\, m_1'}{K}\,[t + j\,t_j] \tag{161}$$

und aus (156):

$$-j + j\,r + r_j + j\,t + t_j = \frac{B_1\, k_1}{C}\,[t - t_j]\,. \tag{162}$$

Die hier auf den rechten Seiten neu auftretenden Parameter enthalten beide die Frequenz, und zwar wächst der obere mit $\omega^{3/2}$, der untere mit $\omega^{1/2}$. Da es für die Diskussion der Ergebnisse zweckmäßig ist, die Frequenz nur in einem Parameter auftreten zu lassen, wählen wir hierzu den unteren, indem wir einführen:

$$\nu = \frac{2\,\pi\, B_1}{\lambda_1\, C}\,, \tag{163a}$$

d. h. für homogene Zwischenstücke

$$\nu = \frac{2\,\pi\, l\, B_1}{\lambda_1\, B_2} \tag{163b}$$

und schließlich für Zwischenschichten von gleicher Breite h wie bei den angrenzenden Biegewellenträgern

$$\nu = \frac{2\,\pi\, l}{\lambda_1}\,\frac{E_1}{E_2}\,. \tag{163c}$$

Den oberen Parameter drücken wir durch diesen aus, indem wir setzen:

$$\frac{\omega\, c_1\, m_1'}{K} = \varepsilon^2\, \nu^3\,, \tag{164}$$

wodurch wir einen neuen rein konstruktiven Parameter definiert haben als:

$$\varepsilon = \left(\frac{C}{B_1}\right)\sqrt{\frac{C}{K}} \tag{165a}$$

$$= \left(\frac{B_2}{B_1\, l}\right)\sqrt{\frac{3\, I_2}{S_2}} \tag{165b}$$

$$= \left(\frac{E_2}{E_1}\right)\left(\frac{h}{2\, l}\right). \tag{165c}$$

Die hier untereinander aufgeführten Umformungen bedeuten wieder wie bei (163) eine zunehmende Spezialisierung.

Die Randbedingungen führen somit auf das Gleichungsschema:

$$\left.\begin{array}{l} -r + r_j + t - t_j = 1 \\ -j\,r + r_j - j\,t + t_j = -j \\ r + r_j - t\,(1 + j\,\varepsilon^2\,\nu^3) - t_j\,(1 - \varepsilon^2\,\nu^3) = -1 \\ j\,r + r_j + t\,(j - \nu) + t_j\,(1 + \nu) = j \end{array}\right\} \tag{166}$$

und seine Auflösung ergibt für die Reflexions- und Durchlaßfaktoren:

$$r = \frac{(-\nu + \varepsilon^2\,\nu^3 + \varepsilon^2\,\nu^4/2)}{(\nu + \varepsilon^2\,\nu^3) - j\,(4 + \nu - \varepsilon^2\,\nu^3 - \varepsilon^2\,\nu^4/2)}, \tag{167}$$

$$r_j = \frac{(\varepsilon^2\,\nu^3 + \varepsilon^2\,\nu^4/2) - j\,(\nu - \varepsilon^2\,\nu^4/2)}{(\nu + \varepsilon^2\,\nu^3) - j\,(4 + \nu - \varepsilon^2\,\nu^3 - \varepsilon^2\,\nu^4/2)}, \tag{168}$$

$$t = \frac{-j\,(4 + \nu - \varepsilon^2\,\nu^3)}{(\nu + \varepsilon^2\,\nu^3) - j\,(4 + \nu - \varepsilon^2\,\nu^3 - \varepsilon^2\,\nu^4/2)}, \tag{169}$$

$$t_j = \frac{-\varepsilon^2\,\nu^3 - j\,\nu}{(\nu + \varepsilon^2\,\nu^3) - j\,(4 + \nu - \varepsilon^2\,\nu^3 - \varepsilon^2\,\nu^4/2)}. \tag{170}$$

Vergleicht man diese Ausdrücke mit denen des analogen Longitudinalwellenproblems, bei welchem sich r aus Division von (144) durch (148) ergibt zu:

$$r = \frac{v_{1-}}{v_{1+}} = -\frac{F_{1-}}{F_{1+}} = \frac{-j\,(\omega\,Z_1/2\,s_2)}{1 + j\,(\omega\,Z_1/2\,s_2)} \tag{171}$$

und andererseits t unmittelbar aus (149) zu:

$$t = \frac{v_3}{v_{1+}} = \frac{F_3}{F_{1+}} = \frac{1}{1 + j\,(\omega\,Z_1/2\,s_2)}, \tag{172}$$

worin nur ein zugleich die Frequenz enthaltender Parameter auftritt, so wird wieder deutlich, wieviel weniger übersichtlich die Formeln für den Biegewellendurchtritt sind. Und doch lassen sich auch bei ihnen einige allgemeine Eigenschaften sofort übersehen, die sie mit denen des Longitudinalwellenproblems gemeinsam haben.

Zunächst einmal kann man sich leicht davon überzeugen, daß in beiden Fällen

$$|r|^2 + |t|^2 = 1 \tag{173}$$

ist. Diese einfache Beziehung folgt aus dem Energievergleich zwischen den beiden abgehenden und der ankommenden Welle unter der Voraussetzung, daß zu beiden Seiten des Hindernisses der gleiche Wellenträger sich anschließt und daß im Innern desselben keine Energievernichtung stattfindet. Die gleichen Voraussetzungen bedingen aber auch eine andere an den Ausdrücken unmittelbar abzulesende Eigenschaft, nämlich die, daß die Operatoren r und t aufeinander senkrecht stehen:

$$r \perp t\,. \tag{174}$$

Denken wir uns nämlich von beiden Seiten je eine Welle mit der Schnelle-Amplitude 1 auflaufen, so geht nach jeder Seite eine Welle von der resultierenden Amplitude $|r + t|$ ab. Die Energiebilanz liefert also in diesem Falle

$$2\,|r + t|^2 = 2\,.$$

Diese Beziehung ist aber mit (173) nur verträglich, wenn r und t die Katheten eines rechtwinkligen Dreiecks sind, dessen Hypotenuse dementsprechend durch die Zeigersumme $|r + t|$ gegeben ist.

Ferner ergibt sich in beiden Fällen, daß die Dämmwirkung mit abnehmender Frequenz, also wachsender Wellenlänge schließlich ganz erlischt, was daran zu erkennen ist, daß

$$\lim_{\omega \to 0} t = 1 \tag{175}$$

ist. Schließlich verschwinden in beiden Fällen die Transmissionsgrade bei sehr hohen Frequenzen. In (172) wächst der allein sich ändernde Nenner mit ω, in (169) ist die höchste Potenz von ν im Zähler von t um einen Grad niedriger als im Nenner, so daß sich ergibt:

$$\lim_{\omega \to \infty} (\nu\, t) = 2\,; \tag{176}$$

das Schalldämmaß nähert sich somit asymptotisch der einfachen Gesetzmäßigkeit

$$R = 20 \lg \left(\frac{\nu}{2}\right) \mathrm{dB}\,. \tag{176a}$$

Da ν nur der Wurzel aus der Frequenz proportional ist, bedeutet das einen geringeren Anstieg als bei den Longitudinalwellen.

Zwischen diesen beiden Grenzbereichen besteht aber beim Biegewellenproblem kein monotoner Übergang. Hier stellt weder der Grenzfall $\nu = 0$ den einzigen Fall eines Totaldurchganges, noch der Grenzfall $\nu = \infty$ den einzigen Fall einer Totalsperrung dar.

Jeder Totaldurchgang ist am Verschwinden von r zu erkennen, und dieser Fall ist in (167) gleichbedeutend damit, daß der Zähler des dortigen Ausdrucks verschwindet. Dies tritt nicht nur auf, wenn $\nu = 0$ wird, sondern auch wenn,

$$\nu^3 + 2\,\nu^2 - \frac{2}{\varepsilon^2} = 0 \tag{177}$$

ist. Diese Gleichung hat aber stets eine positive reelle Wurzel. Es gibt also stets eine endliche Frequenz, bei welcher energetisch die Sperrschicht so wirkt, als ob sie gar nicht da wäre. Das besagt nicht, daß die

Feldgrößen dort die gleichen sind wie in einer ungestörten Welle, daß also jede Störung verschwindet. Daß dies nicht der Fall ist, erkennt man z. B. daran, daß unter den gleichen Bedingungen keineswegs r_j und t_j verschwinden. Die quasistationären Nahfelder treten also in Erscheinung, aber bei der durch (177) gegebenen Frequenz genügt dieses Nahfeld auf der Reflexionsseite, um den Unterschied zwischen den wirklichen Feldgrößen und denen einer ungehinderten Wellenbewegung auszugleichen.

Diesem — vom Standpunkt der Dämmung — unerwünschten Durchlaßeffekt steht andererseits die Möglichkeit gegenüber, daß bei einer ebenfalls endlichen Frequenz eine Totalsperrung auftreten kann. Auch dieser für das Biegewellenproblem charakteristische Sperreffekt ist durch das Auftreten der quasistationären Nahfelder möglich. Die energetische Sperrung verlangt nicht, daß an der elastischen Schicht die Unterschiede der Kräfte und Momente verschwinden, sondern nur, daß ihr Zusammenwirken gerade so ist, daß hinter der Trennschicht nur ein Nahfeld erregt, aber keine Welle abgestrahlt wird. Die Tatsache einer solchen energetischen Sperrung aber ergibt sich aus dem Verschwinden des Zählers in (169):

$$4 + \nu - \varepsilon^2 \nu^3 = 0 \,. \tag{178}$$

Auch diese Gleichung dritten Grades hat stets eine positive, reelle Lösung. Denkt man sich ferner die beiden Gln. (177) und (178) dadurch graphisch gelöst, daß man $\varepsilon^2 \nu^3$ einmal mit der Parabel $(2 - 2\,\varepsilon^2 \nu^2)$ und einmal mit der Geraden $4 + \nu$ zum Schnitt bringt, so erkennt man außerdem, daß die Parabel stets unterhalb der Geraden liegt, und daß damit der Schnittpunkt der Parabel mit der kubischen Parabel bei kleineren ν-Werten erfolgt, als derjenige mit der Geraden. Die Durchlaßfrequenz liegt also stets unter der Sperrfrequenz.

Wo diese Frequenz im einzelnen Fall liegt, hängt im allgemeinen sowohl von den Daten der Schicht als auch von denen des durch sie unterbrochenen Wellenträgers ab. Wir wollen daher die Verhältnisse an einem Beispiel studieren und wählen dazu (s. Abb. V, 12) wieder eine 3 cm-starke Korkschicht, die quer durch eine homogene Betonmauer gelegt sei. Wir müssen dann hier noch eine Wahl hinsichtlich der Dicke der Betonmauer treffen. Wir wollen sie als verhältnismäßig schmal annehmen, damit die einfache Biegewellendarstellung noch bis ins Gebiet höherer Frequenzen reicht. Wählen wir beispielsweise $h = 10$ cm, so reicht der nach (II, 107) durch

$$\lambda_1 > 6\,h$$

eingegrenzte Frequenzbereich unter Benutzung von (80) bis:

$$f = \frac{2\,c_{L_1} h}{\lambda_1^2} < \frac{c_{L_1}}{18\,h} = \frac{316\,000}{180}\,\text{Hz} = 1750\ \text{Hz}\,.$$

Es wird dann:

$$\nu = 5{,}75 \sqrt{\frac{f}{\mathrm{Hz}}}\,.$$

In diesem Falle ist selbst bei 100 Hz ν so groß, daß der Summand 4 dagegen vernachlässigt werden kann. Ähnliche Verhältnisse dürften bei den meisten elastischen Schichten anzunehmen sein, denn wenn sie eine nennenswerte Wirkung ausüben sollen, muß E_1 groß gegen E_2 sein. Insbesondere kann mit dieser Vernachlässigungsmöglichkeit im Bereich der stets hochgelegenen Sperrfrequenz gerechnet werden.

Bei Wegfall des Summanden 4 in (178) ergibt sich aber für die Sperrfrequenz die einfache Beziehung:

$$\nu_S = \frac{1}{\varepsilon} \tag{178a}$$

oder unter Beachtung der Definitionen (163) und (165):

$$\lambda_S = 2\,\pi \sqrt{\frac{C}{K}} \tag{178b}$$

$$= 2\,\pi \sqrt{\frac{3\,I}{S_2}} \tag{178c}$$

$$= \pi\, h\,. \tag{178d}$$

Für das durch die letzte Beziehung gekennzeichnete Beispiel einer homogenen Zwischenschicht von Mauerbreite heißt das, daß die Lage der Sperrfrequenz erstaunlicherweise ganz unabhängig von der Dicke oder Steife der Zwischenschicht ist. Wie diese auch sei, immer wird sich bei einer nur durch das Verhältnis von Breite und Wellenlänge gekennzeichneten Frequenz das Spiel der Momente und Kräfte gerade so einstellen, daß hinter der Schicht nur ein quasistationäres Nahfeld erzeugt wird. Ferner aber ist zu beachten, daß die Sperrfrequenz erst etwa drei Oktaven oberhalb des Gültigkeitsbereiches unserer Darstellung liegt, die ja durch die Ungleichung (II, 107) beschränkt ist. In unserem Beispiel wird $f_S = 6400$ Hz. Die gegen dieselbe anwachsende Dämmung kann sich aber sehr wohl in dem für die Rechnung zulässigen Frequenzbereich auswirken.

Vom Standpunkt der Dämmung wäre es gut, die Sperrfrequenz möglichst tief zu legen, also nach Konstruktionen zu suchen, deren Steife gegen Schub K klein ist gegenüber der Steife gegen Verbiegung C. Die Aufgabe der Lastübertragung und die Forderung fabrikatorischer Einfachheit und Billigkeit läßt leider wenig Spielraum für derartige Sonderkonstruktionen.

Wir suchen nun nach der Durchlaßfrequenz, indem wir für die gegebenen Zahlwerte Gl. (177) auflösen. Auch hier ergibt sich eine Vereinfachung, indem meist, jedenfalls aber in unserem Zahlenbeispiel, der mittlere Summand vernachlässigt werden kann. Bedenken wir nämlich, daß bei der Sperrfrequenz etwa $\nu\,\varepsilon = 1$ ist, die Durchlaßfrequenz aber stets tiefer liegt, dort also $\nu\,\varepsilon < 1$ ist, so leuchtet ein, daß meist $(\nu\,\varepsilon)^2 \ll 1$ gesetzt werden kann. Damit ergibt sich die Durchlaßfrequenz aus

$$\nu_D = \sqrt[3]{\frac{2}{\varepsilon^2}}\,, \tag{179}$$

oder mit Einführung der Definitionen (163) und (165) aus:

$$\lambda_D = 2\,\pi \sqrt[3]{\frac{B_1}{2\,K}} \tag{179a}$$

$$\approx 2\,\pi \sqrt[3]{\frac{3\,E_1\,I_1\,l}{2\,E_2\,S_2}} \tag{179b}$$

$$= \pi \sqrt[3]{\frac{E_1\,h^2\,l}{E_2}}\,. \tag{179c}$$

In unserem Beispiel bedeutet das $f_D = 170$ Hz.

In Abb. V/12 ist der gesamte Frequenzgang des Schalldämmaßes für das gewählte Zahlenbeispiel als ausgezogene Kurve aufgetragen, wie es sich aus der Formel ergibt:

$$R = 10 \lg \frac{(\nu + \varepsilon^2\,\nu^3)^2 + (4 + \nu - \varepsilon^2\,\nu^3 - \varepsilon^2\,\nu^4/2)^2}{(4 + \nu - \varepsilon^2\,\nu^3)^2}\,\mathrm{dB}\,. \tag{180}$$

Führt man in diese Formel die Vernachlässigung ein, die wir bei der Vereinfachung der Gln. (175) und (176) bereits benutzt haben, nämlich $4 \ll \nu$ und $(\varepsilon\,\nu)^2 \ll 1$, so läßt sich der obige Ausdruck auch vereinfachen zu:

$$R = 10 \lg \left[1 + \left(\frac{1 - \varepsilon^2\,\nu^3}{2}\right)^2\right]\mathrm{dB}\,, \tag{180a}$$

was bei dem vorliegenden Beispiel nur an den Rändern des Frequenzbereiches 100—1700 Hz zu unbedeutenden Abweichungen führt, d. h. aber der Kurvenverlauf in Abb. V/12 kann als repräsentativ für alle Fälle gelten, in denen die genannten Vernachlässigungen zutreffen.

Wie der Vergleich der beiden in V/12 eingezeichneten Kurven zeigt, ist die Biegewellendämmung der Longitudinalwellendämmung im ganzen Bereich unterlegen. Dies liegt vor allem an dem im tiefen Frequenzbereich auftretenden Durchlaßeffekt. Auch der sich bei höheren Frequenzen anschließende steilere Anstieg, den man angenähert richtig erfaßt, wenn man in (180a) nur die höchste Potenz von ν berücksichtigt, also setzt:

$$R = 20 \lg \left[\frac{\varepsilon^2\,\nu^3}{2}\right]\mathrm{dB} = \text{konst.} + 30 \lg f\,\mathrm{dB}\,, \tag{180b}$$

und der die Annäherung an den Sperreffekt vorbereitet, holt diesen Unterschied nicht mehr ein.

Man muß sich also bemühen, die Durchlaßfrequenz möglichst unter den interessierenden Bereich zu legen. Dies kann nach (179) dadurch geschehen, daß man ein Material von kleiner Steife verwendet und daß man die Dicke der Schicht vergrößert. Eine Verdopplung der Schichtdicke oder Halbierung des Elastizitätsmoduls würde diese Frequenz aber nur um eine Quinte senken.

Die Dämmwirkung elastischer Zwischenschichten in einem Biegewellenträger wurde von EXNER und BÖHME[1] experimentell nachgeprüft. Dabei vermieden auch sie (s. Kap. V, 2, S. 325) Reflexionen vom Ende des verwendeten Stabes (Duraluminium Querschnitt 4×4 cm²), indem sie ihn dort spitz auslaufen ließen und in Sand betteten. Auf der Sendeseite erschien dies nicht nötig, da hier keine sekundären Longitudinalwellen gemessen werden mußten und hinsichtlich der Biegewellen ohnehin eine Überlagerung von hineilender und reflektierter Welle zu erwarten war. Zur Anregung diente ein elektrodynamischer Sender, zur Abtastung ein piezoelektrischer Beschleunigungsaufnehmer nach OBERST[2]. Abb. V/13 zeigt als Beispiel die bei einer 20 mm starken Zwischenschicht aus Preßkork ($E = 235$ kp/cm², $G = 115$ kp/cm²) gemessenen Dämmaße im Vergleich mit den nach (180) berechneten Werten.

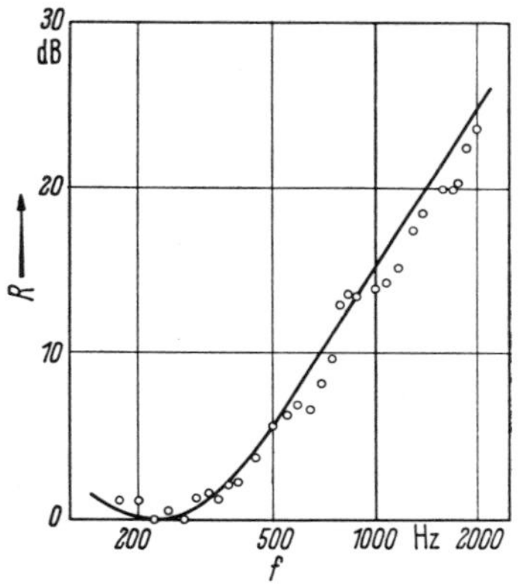

Abb. V/13. Vergleich gemessener Schalldämmaße für Biegewellen an einer elastischen Schicht (Kreise) mit der Rechnung (ausgezogene Linie) nach Abb. V/12 (nach EXNER und BÖHME)

Die erwähnte Arbeit enthält auch Messungen an so dicken Zwischenschichten, daß sie nicht mehr als klein zur Biegewellenlänge angesehen werden können. Dabei machen sich Resonanzschwingungen bemerkbar, deren quantitative Auswirkung wiederum stark vom Verlustfaktor abhängt.

In der im Vorwort erwähnten Monographie: „The Propagation of Structure-borne Sound" findet sich auch der praktisch noch wichtigere Fall einer Wandecke mit elastischer Zwischenschicht unter Berücksichtigung der sekundären Longitudinalwellen behandelt. Da in diesem Falle die Ergebnisse der Rechnung nicht durch Messungen bestätigt

[1] EXNER, M. L. u. W. BÖHME: Acustica, 3 (1953), 105.
[2] OBERST, H. u. W. PISCHEL: DSIR-Bericht 1950.

werden konnten, — was darauf schließen läßt, daß die in der Rechnung angenommenen Randbedingungen nicht realisiert werden konnten —, sei stattdessen in Abb. V/14 zwei Beispiele aus den Messungen von KURTZE, TAMM und VOGEL wiedergegeben, die mit der gleichen Versuchsanordnung gewonnen wurde, wie die in Abb. V/11 enthaltenen

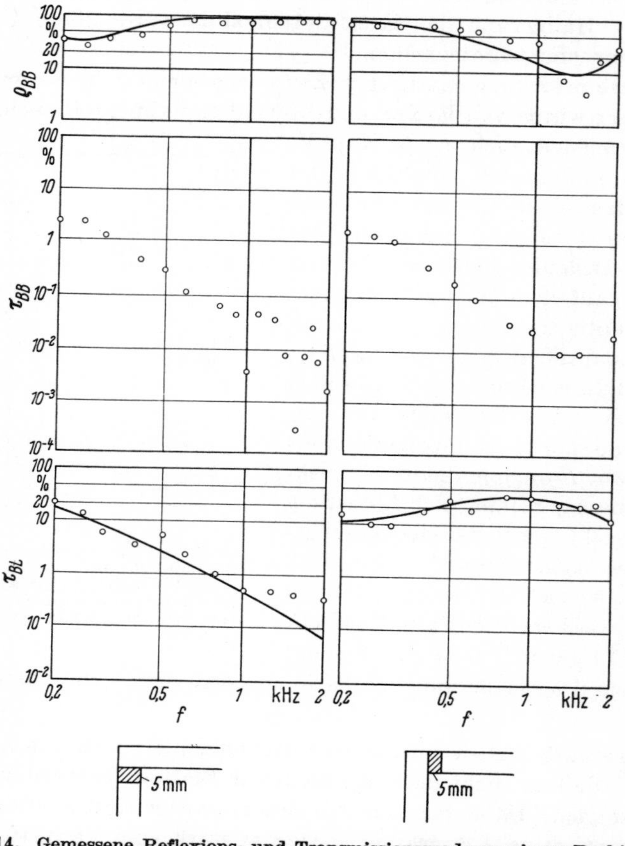

Abb. V/14. Gemessene Reflexions- und Transmissionsgrade an einem Rechteck mit elastischer Zwischenlage (nach KURTZE, TAMM und VOGEL)

Reflexions- und Transmissionsgrade bei starrer Ecke. Die Stäbe bestanden wieder aus Plexiglas (3×3 cm^3), die 5 mm dicke Zwischenschicht aus Gummi (bezeichnet als „28 Grau", $E = 54 \cdot 10^6$ N/m^2, $\eta = 0{,}2$ bis 0,35). Bei den links gezeigten ϱ- und τ-Werten befindet sich diese Schicht vor, bei den rechts gezeichneten hinter der Ecke, ein Unterschied, der von der erwähnten Rechnung gar nicht erfaßt wurde. Wie nach dem Reziprozitätsgesetz zu erwarten, ergaben sich für τ_{BB} im Rahmen der unvermeidlichen Streuungen in beiden Fällen die gleichen Werte. Das Dämmaß R_{BB} steigt zwischen 200 und 2000 Hz von 20 auf 40 dB.

Die Gleichheit beider Fälle ist dagegen für ϱ_{BB} und auch für τ_{BL} nicht zu erwarten. Es leuchtet insbesondere ein, daß die für das Verhältnis der resultierenden Querkraft zur transversalen Schnelle maßgebende Steife der Zwischenschicht ganz verschieden und zwar im zweiten Fall höher ist, weshalb dort τ_{BL} größer ist. Die ausgezogenen Linien entsprechen einer von den genannten Verfassern abgeleiteten, näherungsweisen Berechnung. Dabei sind auch die inneren Verluste in der elastischen Schicht berücksichtigt.

4. Sperrmassen

So wirkungsvoll die Einschaltung elastischer Zwischenlagen in Baukonstruktionen auch sein kann, so bringt sie doch auch einen schweren Nachteil mit sich: sie gefährdet die statische Stabilität. Die elastischen Schichten sind notwendigerweise nachgiebiger gegenüber allen Kräften als die übrigen Konstruktionsteile; so fallen z. B. elastisch gelagerte Deckenbalken für die Versteifung eines Gebäudes aus. Sobald man aber parallel zur elastischen Schicht irgend eine starre Verbindung, und sei es nur einen Nagel oder eine Schraube, anbringt, ist wiederum die dämmende Wirkung größtenteils aufgegeben.

Noch bedenklicher wäre das Mittel der elastischen Schicht bei den Wandungen von Schiffen, die ja abgesehen von der statischen Festigkeit auch noch wasserdicht sein müssen. Hier wird ein ununterbrochener Stahlkörper verlangt. Nun ist bekannt, daß z. B. Rohrleitungen eine sehr gute Körperschall-Übertragung ergeben, was u. a. auf die geringe innere Dämpfung im Eisen zurückzuführen ist. Man wäre daher geneigt anzunehmen, daß zwischen Bug und Heck eines Schiffes eine sehr gute Körperschall-Verbindung besteht. Erstaunlicherweise zeigten nun die Beobachtungen, daß das, jedenfalls bei den höheren Frequenzen, nicht der Fall ist. Die immer wiederkehrenden Unterbrechungen der Schiffshaut durch die Spanten ergeben offenbar immer wieder Reflexionsstellen, so daß teilweise sehr beachtliche Dämmungen zustande kommen.

Diese Spanten bedeuten für alle Schallwellen, die senkrecht auf dieselben auffallen, zwischengeschaltete Massen, die wir, da sie gewisse Sperrwirkungen auf die Schallwellen auszuüben imstande sind, allgemein als Sperrmassen bezeichnen wollen.

a) Dämmung von Longitudinalwellen

Die Wirkungen von Sperrmassen gegenüber Longitudinalwellen lassen sich an Hand der für beliebige Material- und Querschnittswechsel geltenden Formel (141) schnell übersehen. Wir haben lediglich diesmal Z_2 als groß gegen Z_1 anzusehen, wodurch (141) übergeht in:

$$\tau = \frac{1}{1 + \left(\frac{Z_2 k_2 l}{2 Z_1}\right)^2}, \tag{181}$$

was aber auch geschrieben werden kann

$$\tau = \frac{1}{1 + \left(\frac{\omega m}{2 Z_1}\right)^2} \tag{181a}$$

unter Einführung der Masse des Zwischenstücks, eben der „Sperrmasse“, mit

$$m = \frac{Z_2 l}{c_2} = \varrho S l . \tag{182}$$

Wir wollen diese Formel aber auch hier unmittelbar ableiten, indem wir a priori davon ausgehen, daß das Zwischenstück eine starre Masse ist, wie das bei der Behandlung der Luftschalldämmung durch träge Wandmassen üblich ist[1]. Wieder sind zunächst die Schnellen v_1 und v_3 zu beiden Seiten der Masse gleich, und dieser resultierende Wert läßt sich vor der Masse in einen ankommenden und einen rückeilenden Anteil zerlegen:

$$v_1 = v_{1+} + v_{1-} = v_3 . \tag{183}$$

Dagegen entsteht an der Masse eine Differenz der Kräfte, welche die Massenbeschleunigung aufbringt:

$$F_1 - F_3 = j \omega m v_3 . \tag{184}$$

(Wir verzichten wieder darauf, Balken und Platten in den Ableitungen zu unterscheiden und begnügen uns damit, bei der Diskussion von Beispielen die jeweils in Frage kommenden Werte, also $E S$ oder $E h/(1-\mu^2)$ sowie m oder m', d. h. einen Massenbelag je Längeneinheit, einzusetzen.)

Auch die resultierende Kraft auf der Vorderseite kann in einen hineilenden und rückeilenden Anteil zerlegt werden:

$$F_1 = F_{1+} + F_{1-} \tag{185}$$

und zwischen diesen und den Schnellen v_{1+}, v_{1-} bestehen wieder die Proportionalitäten:

$$F_{1+} = Z_1 v_{1+}, \qquad F_{1-} = - Z_1 v_{1-} . \tag{186}$$

Mit Einführung von (185) und (186) nimmt (184) die Form an:

$$v_{1+} - v_{1-} = v_3 \left(1 + \frac{j \omega m}{Z_1}\right) \tag{187}$$

---

[1] S. z. B. Cremer, L.: Wellentheoretische Raumakustik, Leipzig: S. Hirzel 1950.

und aus der Summation von (183) und (187) ergibt sich für den Transmissionsfaktor:

$$t = \frac{v_3}{v_{1+}} = \frac{1}{1 + j\,\omega\, m/2\, Z_1}\,, \tag{188}$$

bzw. für den Transmissionsgrad, wie in (181a)

$$\tau = \frac{1}{1 + (\omega\, m/2\, Z_1)^2} \tag{189}$$

und schließlich für das Schalldämmaß:

$$R = 10 \lg\left(1 + \left(\frac{\omega\, m}{2\, Z_1}\right)^2\right) \mathrm{dB}\,. \tag{190}$$

Da es hier um die Dämmung von Schall in festen Körpern durch feste Körper geht, so sind sehr viel kleinere Schalldämm-Maße zu erwarten, insbesondere dann, wenn die träge Zwischenschicht seitlich nicht über das unterbrochene Bauelement hinausragt. Würden wir beispielsweise in eine Betonmauer beliebiger Dicke h eine 3 cm starke Eisenplatte einschalten, so hätten wir $Z_1 = 730000 \cdot h \cdot b$ g cm^{-2} s^{-1} und $m = 23{,}4 \cdot h \cdot b$ g cm^{-2} (b Breite) einzusetzen, und wir würden erhalten:

$$R = 10 \lg\,(1 + 10^{-8} f^2)\ \mathrm{dB}\,,$$

d. h. erst bei 10000 Hz würde sich eine merkbare Dämmung von nur 3 dB ergeben. Vergleichen wir damit die in Abb. V/13 eingezeichnete Wirkung einer 3 cm starken Korkschicht, so erscheint der große Vorteil elastischer Schichten gegenüber trägen Schichten für den Hochbau evident.

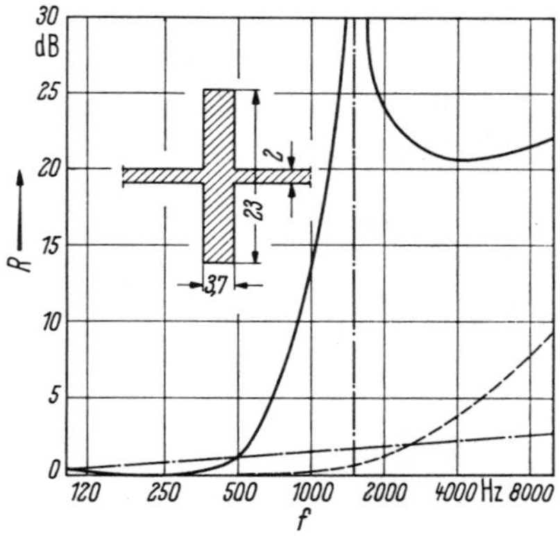

Abb. V/15. Dämm-Maß eines Spants
——— gegenüber Biegewellen
— · — desgl. bei drehbar aufgesetzter Masse
- - - - gegenüber Longitudinalwellen

Nun kann freilich die Sperrmasse auch seitlich herausragen. Dies ist der Fall bei den eingangs erwähnten Spanten, wobei andererseits noch gar nicht einmal eine Materialverschiedenheit vorzuliegen braucht. In Abb. V/15 ist ein Beispiel gezeichnet, das — unter Wahl einer einfachen und symmetrischen Form — Verhältnissen aus dem Schiffsbau angepaßt wurde. Eine 2 cm dicke Stahlplatte wird durch eine ebenfalls stählerne Querschiene (als Repräsentant eines Spants) von 3,7 cm

Dicke und 23 cm Höhe unterbrochen. Hier gilt für das Schalldämm-Maß

$$R = 10 \lg \left(1 + 7 \cdot 10^{-8} \left(\frac{f}{Hz}\right)^2\right) \mathrm{dB}\,,$$

d. h. es wird immerhin erst bei 3800 Hz eine Dämmung von 3 dB und bei 10000 Hz auch nur eine solche von 9 dB erreicht. (S. die gestrichelte Kurve in Abb. V/15.) Bedenkt man noch, welche Dimensionen solche Massen im Hochbau annehmen müßten, um auch nur diese Wirkung zu erzielen, so erscheint der Weg, Schall in Baukonstruktionen durch Einschaltung von Sperrmassen zu dämmen, wenig erfolgversprechend.

b) Dämmung von Biegewellen

Dieses ungünstige Bild ändert sich aber, wenn wir die Dämmung der Biegewelle betrachten. Hierbei kann eine einzelne Sperrmasse bereits eine sehr erhebliche Dämmwirkung im Hörfrequenzbereich ergeben. Dies beruht wieder auf der den Biegewellen eigentümlichen, im letzten Paragraphen als „Sperreffekt" bezeichneten Möglichkeit, daß die Anregung einer Welle jenseits des Hindernisses völlig unterbunden sein kann, obschon an demselben endliche Bewegungen oder Kräfte auftreten. Aber auch das umgekehrte, die Unterdrückung einer reflektierten Welle, der sog. „Durchlaßeffekt", tritt bei tieferen Frequenzen auf, so daß die einzelne Sperrmasse den Charakter eines sog. Tiefpasses hat, d. h. eines Frequenzsiebes, das tiefe Frequenzen passieren läßt, hohe dagegen nicht.

Genau wie die Dämmung der Longitudinalwellen durch eine träge Masse und durch eine elastische Schicht auf Endformeln von gleicher Frequenzabhängigkeit führt, weist auch das Biegewellenproblem in beiden Fällen einen analogen Formelaufbau auf. Dies ist bereits an den Randbedingungen zu erkennen.

Während dieselben in (153) bis (156) lauteten:

$$M_{z1} = M_{z3}$$

$$F_{y1} = F_{y3}$$

$$v_{y1} - v_{y3} = \frac{j\,\omega\,F_{y3}}{K}$$

$$w_{z1} - w_{z3} = \frac{j\,\omega\,M_{z3}}{C}$$

sind sie bei dem Sperrmassen-Problem anzusetzen mit

$$v_{y1} = v_{y3} \tag{191}$$

$$w_{z1} = w_{z3} \tag{192}$$

$$M_{z1} - M_{z3} = j\,\omega\,\Theta\,w_{z3} \tag{193}$$

$$F_{y1} - F_{y3} = j\,\omega\,m\,v_{y3}\,. \tag{194}$$

Dabei bedeutet Θ das Massen-Trägheitsmoment der aufgesetzten Sperrmasse, bzw. den entsprechenden Wert je Längeneinheit.

Das untere Gleichungssystem würde also einfach aus dem oberen hervorgehen, wenn man die M mit den v und die F mit den w vertauscht. Dabei tritt dann noch

$$\left.\begin{array}{ll} & \Theta \text{ an die Stelle von } \dfrac{1}{K} \\ \text{und} & m \text{ an die Stelle von } \dfrac{1}{C} \end{array}\right\}. \tag{195}$$

Diese Vertauschung würde aber nur dann auf das Vorhandensein einer vollständigen Analogie zu schließen gestatten, wenn dieselbe Vertauschung auch in den Feldgleichungen der Biegewellen möglich wäre, die wir bereits unter (22) in der Form ausführten:

$$\begin{gathered} w_z = \frac{dv_y}{dx} \\ v_y = \frac{-1}{j\,\omega\,m'}\,\frac{dF_y}{dx} \qquad\qquad M_z = \frac{-B}{j\,\omega}\,\frac{dw_z}{dx} \\ F_y = -\frac{dM_z}{dx}\,. \end{gathered} \tag{196}$$

Hierin würde aber die oben angeführte Vertauschung beim Übergang von der obersten zu der untersten Gleichung den vorhandenen Vorzeichenwechsel nicht vollziehen können. Führt man aber stattdessen eine Vertauschung

$$\left.\begin{array}{ll} & \text{zwischen } v_y \text{ und } -j\,M_z \\ \text{und} & \text{zwischen } w_z \text{ und } j\,F_y \end{array}\right\} \tag{197}$$

ein, so geht der Zyklus in (196) über, wenn man schließlich noch

$$m' \text{ durch } \frac{1}{B} \tag{198}$$

ersetzt. Da aber auch diese Vertauschungsregel den Übergang der Randbedingungsgruppe, die zur elastischen Zwischenschicht gehört, in diejenige, die zur Sperrmasse gehört, vollzieht, ist die völlige Analogie zwischen beiden Problemen erwiesen, und wir können uns die mühsame Ausrechnung der aus den neuen Randbedingungen folgenden Determinanten ersparen.

Wir haben nur noch zu beachten, daß wir bisher die Faktoren r, r_j, t und t_j aus den Ansätzen für die transversalen Schnellen

$$\begin{aligned} v_{y1}(x) &= v_{1+}\,(e^{-jkx} + r\,e^{+jkx} + r_j\,e^{kx}) \\ v_{y3}(x) &= v_{1+}\,(t\,e^{-jkx} + t_j\,e^{-kx}) \end{aligned}$$

definiert haben, während die früher abgeleiteten Formeln (167) bis (170) sich nunmehr auf diejenigen Reflexions-, Durchlaß- und Nahfeld-Faktoren beziehen würden, die in den entsprechenden Ausdrücken für

$-j\,M_{z1}$, bzw. $-j\,M_{z2}$, auftreten würden. Bei Übernahme der alten Definitionen würden aber diese Faktoren auftreten in der Form:

$$-\,j\,M_{z1}(x) = \frac{B}{\omega}\,\frac{d^2 v_{y1}}{dx^2} = -\,\frac{k^2\,B}{\omega}\,[e^{-jkx} + r\,e^{+jkx} - r_j\,e^{kx}]$$

$$-j\,M_{z3}(x) = \frac{B}{\omega}\,\frac{d^2 v_{y3}}{dx^2} = -\,\frac{k^2\,B}{\omega}\,[t\,e^{-jkx} - t_j\,e^{-kx}]\,.$$

Die vor den Klammern auftretende Konstante spielt dabei keine Rolle, weil sie sich aus allen Randbedingungsgleichungen herauskürzen läßt. Aber es bleibt zu beachten, daß die hier auftretenden Faktoren vor den sekundären Wellen mit gleichen Vorzeichen wie oben auftreten, diejenigen, welche die Nahfelder kennzeichnen, dagegen ihr Vorzeichen gewechselt haben.

Schließlich gilt es klarzustellen, welche Bedeutung die früher eingeführten Parameter ν und ε annehmen. Aus der Definition (163) für ν und den Vertauschungsregeln (195) und (198) folgt, daß statt ν ein neuer Parameter

$$\mu = \frac{2\,\pi}{\lambda_1}\,\frac{m}{m'} \tag{199}$$

einzuführen ist, in welchen statt der Steifigkeiten die Massenverhältnisse eingehen. Aber auch μ ist der Wurzel aus der Frequenz proportional. Der durch (165) definierte konstruktive Parameter ε ist ebenfalls zu ersetzen durch einen neuen Parameter

$$\vartheta = \frac{m'}{m}\,\sqrt{\frac{\Theta}{m}}\,, \tag{200}$$

in welchem auch ein Trägheitsradius auftritt, nämlich derjenige der Sperrmasse.

Mit diesen Einführungen und unter Beachtung der erwähnten Vorzeichenwechsel ergeben sich aus den früheren Gleichungen (167) bis (171) die Beziehungen für r, r_j, t, t_j:

$$r = \frac{-\,\mu + \vartheta^2\,\mu^3 + \vartheta^2\,\mu^4/2}{(\mu + \vartheta^2\,\mu^3) - j\,(4 + \mu - \vartheta^2\,\mu^3 - \vartheta^2\,\mu^4/2)} \tag{201}$$

$$r_j = \frac{(-\,\vartheta^2\,\mu^3 - \vartheta^2\,\mu^4/2) + j\,(\mu - \vartheta^2\,\mu^4/2)}{(\mu + \vartheta^2\,\mu^3) - j\,(4 + \mu - \vartheta^2\,\mu^3 - \vartheta^2\,\mu^4/2)} \tag{202}$$

$$t = \frac{-\,j\,(4 + \mu - \vartheta^2\,\mu^3)}{(\mu + \vartheta^2\,\mu^3) - j\,(4 + \mu - \vartheta^2\,\mu^3 - \vartheta^2\,\mu^4/2)} \tag{203}$$

$$t_j = \frac{\vartheta^2\,\mu^3 + j\,\mu}{(\mu + \vartheta^2\,\mu^3) - j\,(4 + \mu - \vartheta^2\,\mu^3 - \vartheta^2\,\mu^4/2)}\,. \tag{204}$$

Am meisten interessiert uns wieder die Frage des Wellendurchganges, also der Transmissionsfaktor t. Wieder können wir seinen Frequenzgang, bzw. den des zugehörigen Schalldämm-Maßes, kennzeichnen durch die 4 Angaben:

1. daß mit verschwindender Frequenz jede Dämmwirkung verschwindet:

$$\lim_{\mu \to 0} t = 1 , \tag{205}$$

2. daß der Frequenzgang bei sehr hohen Frequenzen sich asymptotisch der Gesetzmäßigkeit nähert:

$$\lim_{\mu \to \infty} (t\,\mu) = 2 , \tag{206}$$

3. daß zwischen diesen Grenzgebieten einmal eine Stelle totaler Durchlässigkeit auftritt, nämlich wenn der Zähler von r verschwindet, d. h. wenn gilt:

$$\mu_D^3 + 2\,\mu_D^2 - \frac{2}{\vartheta^2} = 0 \tag{207}$$

4. und daß oberhalb dieser Frequenz eine Stelle totaler Sperrung auftritt, wenn der Zähler von t verschwindet, also wenn gilt:

$$4 + \mu_S - \vartheta^2\,\mu_S^3 = 0 . \tag{208}$$

Die letzte Gleichung hatten wir früher auch unter der häufig gegebenen Vernachlässigungsmöglichkeit des Summanden 4 diskutiert, woraus sich der einfache Näherungswert

$$\mu_S \approx \frac{1}{\vartheta} \tag{208a}$$

ergibt.

Namentlich interessiert uns die Lage der zuletzt genannten Sperrfrequenz. Im Gültigkeitsbereich der Näherungsgleichung (208a) würde sie sich als unabhängig von der absoluten Größe der eingeschalteten trägen Masse und nur als abhängig von deren Form erweisen, indem die zugehörige Sperrwellenlänge einfach dem Trägheitsradius proportional wäre:

$$\lambda_S \approx 2\,\pi \sqrt{\frac{\Theta}{m}} . \tag{208b}$$

Man wäre hiernach also in der Lage, wirkungsvolle Sperrmassen zu konstruieren, auch ohne große Gewichte in Kauf nehmen zu müssen, einfach durch die Einschaltung von Gebilden mit großem Trägheitsradius. Dieser Möglichkeit sind natürlich praktisch Grenzen gesetzt. Nicht nur, weil damit die Gültigkeit der Näherungsgleichung (208a) unterschritten wird, denn große Trägheitsradien bedeuten große ϑ und diese würden nach (208a) kleine μ_S ergeben, so daß schließlich 4 nicht mehr klein gegen μ_S ist. Vor allem müssen wir auch bei unseren Berechnungen annehmen, daß die Sperrmasse starr ist und somit die vom Drehpunkt entferntesten Teile gezwungen sind, die Drehbewegung mitzumachen. Leichte Gebilde von großem Trägheitsradius würden aber nicht mehr als starre Körper wirken, sondern zu Eigenschwingungen angeregt werden, und wir werden unten noch ausführlich darauf eingehen, wie wesentlich solche das Ergebnis beeinflussen können.

Von dem in Abb. V/15 gezeichneten Gebilde kann man immerhin noch die nötige Starrheit voraussetzen. Der Trägheitsradius betrug dort 6,7 cm und der Parameter ϑ ergibt $\vartheta = 0{,}157$. Der Kehrwert hiervon ist aber nicht genügend groß gegenüber 4, um die einfache Formel (208a) heranziehen zu können. Die Lösung der Gl. (208) führt auf $\mu_S = 7{,}85$, d. h. nach (199) auf eine Sperrwellenlänge von 34 cm. Dieser Wert ist aber wesentlich größer als die 6fache Plattendicke, so daß die Sperrstelle hier noch in den Gültigkeitsbereich der einfachen Biegewellendarstellung fällt. Die Sperrfrequenz liegt bei 1470 Hz (s. den in Abb. V/15 als ausgezogene Kurve eingetragenen Frequenzgang), die Gültigkeitsgrenze liegt etwa erst bei 13000 Hz. Auf diese Weise spielt auch noch das Gebiet oberhalb der Sperrfrequenz eine Rolle, wo die Dämmung zwar wieder etwas, aber praktisch nicht sehr wesentlich abfällt, weil sich nun der durch (206) gekennzeichnete asymptotische Anstieg

$$R = 20 \lg\left(\frac{\mu}{2}\right) \mathrm{dB} = \left(10 \lg\left(\frac{f}{\mathrm{Hz}}\right) + \mathrm{konst.}\right) \mathrm{dB}$$

bemerkbar macht, dem sich der Frequenzgang schließlich nähern muß.

Auf der anderen Seite fällt der Sperrgipfel steil ab, weil hier nur 2 Oktaven entfernt die Durchlaßfrequenz auftritt, die sich aus (207) mit den gegebenen Daten errechnet zu 360 Hz.

Unterhalb der Durchlaßfrequenz bleiben die Dämmwerte so klein, daß man diesen ganzen Bereich als einen Durchlaßbereich ansprechen kann. Hier nähert sich die Kurve derjenigen Gesetzmäßigkeit, die man erhält, wenn man in dem Ausdruck für das Schalldämm-Maß

$$R = 10 \lg \frac{(\mu + \vartheta^2 \mu^3)^2 + (4 + \mu - \vartheta^2 \mu^3 - \vartheta^2 \mu^4/2)^2}{(4 + \mu - \vartheta^2 \mu^3)^2} \mathrm{dB} \qquad (209)$$

nur die niedrigsten Potenzen von μ und die konstanten Glieder beibehält:

$$R = 10 \lg\left[1 + \frac{\mu^2}{(4 + \mu)^2}\right] \mathrm{dB}\,. \qquad (209\mathrm{a})$$

Dies ist aber zugleich derjenige Ausdruck, den man erhält, wenn man

$$\vartheta = 0 \qquad (210)$$

setzt, und dies ist wieder gleichbedeutend damit, daß man

$$\Theta = 0 \qquad (210\mathrm{a})$$

annimmt; dieser Grenzfall ist durchaus relalisierbar, er verlangt nicht die Verwendung eines Körpers mit vernachlässigbarem Trägheitsmoment, sondern nur die Ausschaltung der Drehträgheit, indem die betreffende Masse gelenkig aufgesetzt ist, also nur gezwungen wird, an den transversalen Bewegungen teilzunehmen, aber nicht gezwungen wird, sich zu drehen. Auch für diesen Fall ist in Abb. V/15 das aus (209a) sich errechnende Schalldämm-Maß als strichpunktierte Linie eingetragen. Es bleibt im ganzen Frequenzbereich unter 3 dB, dem Grenzwert, dem es mit wachsender Frequenz asymptotisch zustrebt. In diesem Grenzfall bleibt die träge Masse in Ruhe; er entspricht also dem bereits in Kap. V, 2 diskutierten Fall eines an einer Stelle aufgestützten Balkens, bei welchem trotz dieser Verhinderung der transversalen Bewegung an einer Stelle durch die dort auftretenden Momente und Winkelgeschwindigkeiten 50% der ankommenden Energie übertragen werden.

Der gewaltige Unterschied zwischen dieser strichpunktierten Kurve und der ausgezogenen, die sich beim Hinzukommen der Drehträgheit ergibt, zeigt, wie sehr es auf das Zusammenwirken der einzelnen Randbedingungen ankommt, und daß nicht etwa die Trägheit der Masse als solche bereits zu den erstaunlich hohen Dämmwerten im Sperrbereich führt.

Das beschriebene Verhalten von Sperrmassen gegenüber Biegewellen wurde an Hand eines eigens hierfür entwickelten Modellaufbaues quantitativ bestätigt*. Abb. V/16 zeigt das Prinzip dieser Apparatur: ein Flacheisen A von 2 m Länge, 2 cm Breite und 2,7 mm Stärke ist hochkant an den Enden gelenkig gelagert. Das rechte Ende wird durch Vermittlung eines Hebels von dem Tauchspulensystem eines sehr kräftigen Lautsprechers B aus periodisch geschwenkt. Etwa in der Mitte des Stabes ist die Sperrmasse C befestigt. D stellt einen rückwirkungsfreien elektrostatischen Abtaster nach dem Prinzip eines Niederfrequenz-Kondensator-Mikrophones dar, dessen eine geerdete Elektrode der Stab selbst ist. Da es für die Größe der Anzeige dabei sehr auf den Abstand der Gegenelektrode ankommt, der Abtaster aber ständig den Meßort wechseln können muß, ist eine besondere Eichvorrichtung vorgesehen. Sie besteht darin, daß eine bei der Messung kurzgeschlossene, dem 50-Periodennetz entnommene Eichspannungsquelle E mit dem aus Stab und Gegenelektrode bestehenden Kondensator und dem sehr hochohmigen Gitterwiderstand des ersten Rohres in Reihe geschaltet wird. Jede Abstandsänderung ändert zugleich die vorliegende Spannungsteilung und somit die Eingangsspannung am Verstärker F. Die Verstellung des Abstandes auf stets gleichen Wert war durch Lagerung des Abtasters in einem fein verstellbaren Support ermöglicht. Schließlich war an dem

* Die in folgendem beschriebenen Versuche wurden von L. Cremer während des Winters 1944/45 im Phonolabor Starnberg durchgeführt. Die angegebene Versuchseinrichtung war der verständnisvollen Unterstützung von Herrn W. Willms zu verdanken.

Verstärkerausgang noch ein Anzeigegerät *G* angeschlossen, als welches wahlweise ein Pegelschreiber oder ein Kathodenstrahl-Oszillograph Verwendung fanden.

Die prinzipielle Abweichung dieser, soweit den Verfassern bekannt, ersten Anordnung zur Messung von Biegewellendämmungen gegenüber den in Kap. V, 2 und V, 3 beschriebenen Verhältnissen besteht vor allem darin, daß hinter der Masse nicht nur eine abgehende, sondern infolge der Reflexion am linken Stabende auch eine zur Masse zurückkehrende Welle auftritt. Wohl wurde auch hier, um diese möglichst herabzudrücken, das letzte Stück des Stabes mit einem Dissipationsbelag (Antivibrin, einer teerartigen Masse) bestrichen. Die früher erwähnte Bettung der Stäbe in Sand war damals noch nicht erprobt. Wie die in Abb. V/16

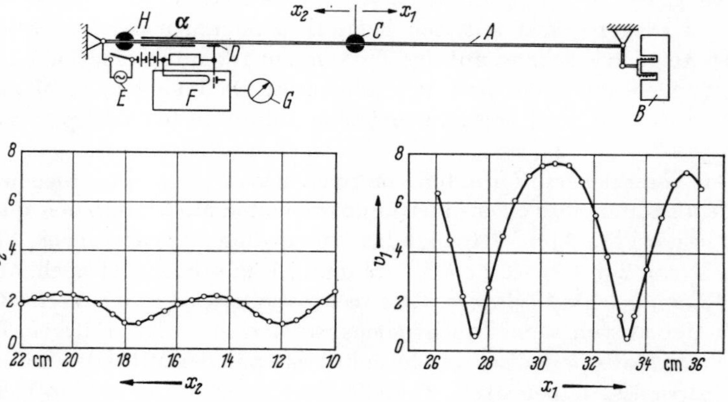

Abb. V/16. Anordnung zur Messung der Biegewellendämmung an Sperrmassen
A Stab 2 × 0,27 cm, 2 m lang, gelenkig gelagert; α Dissipationsbelag (Antivibrin); *B* Elektrodynamischer Sender; *C* Sperrmasse; *D* Elektrostatischer Abtaster; *E* Eichspannung 50 Hz; *F* Verstärker; *G* Anzeigegerät (Neumann-Schreiber bzw. Braunsches Rohr); *H* Abstimm-Masse

unten eingezeichneten periodisch schwankenden Schnelleverteilungen zeigen, reichte aber der Dämpfungsbelag nicht aus, um die reflektierte Welle v_{2-} zu unterdrücken. Wohl kann man auch hinter der Sperrmasse die hineilenden und rückeilenden Anteile durch Bildung von Summe und Differenz der Maxima und Minima dem Betrag nach ermitteln:

$$|v_{2+}| = \frac{1}{2}\left(|v_{2\,\max}| + |v_{2\,\min}|\right), \tag{211}$$

$$|v_{2-}| = \frac{1}{2}\left(|v_{2\,\max}| - |v_{2\,\min}|\right); \tag{212}$$

man muß aber jetzt damit rechnen, daß die von dem Trennobjekt weglaufenden Wellen sich auf beiden Seiten aus einer reflektierten und einer durchgelassenen zusammensetzen:

$$v_{2+} = t\, v_{1+} + r\, v_{2-} \tag{213}$$

$$v_{1-} = r\, v_{1+} + t\, v_{2-}\,. \tag{214}$$

Man könnte nun auch diese Gleichungen nach r und t auflösen, müßte aber dann die v_+- und v_--Werte nicht nur der Größe, sondern auch der Phase nach kennen. An sich wäre es mit den heutigen Mitteln leicht möglich, auch die Phasenbeziehungen zu messen, diejenigen zwischen v_{1-} und v_{1+}, sowie zwischen v_{2-} und v_{2+} würden sich auch, wie von den Luftschallmessungen in Rohren bekannt[1], aus der Lage der Maxima und Minima ermitteln lassen, doch wäre die Auswertung mühsam und das Ergebnis den jeweiligen Beträgen von $v_{1\,\max}$ und $v_{2\,\max}$ nur schwer anzusehen.

Der Hauptnachteil eines nicht reflexionsfreien Abschlusses besteht nämlich darin, daß es sehr darauf ankommt, ob das Stabende hinter dem Trennobjekt zur Resonanz erregt wird oder nicht. Nach dem auch zur Ableitung von (134a) verwendeten Prinzip vom geschlossenen Wellenzyklus heißt das, ob die primär durchgelassene Welle:

$$v_{2\,\infty} = t\, v_{1+} \tag{215}$$

nach Durchlaufen des folgenden Stabteiles von der Länge l_2 in beiden Richtungen unter Einschluß der Phasensprünge sich gleichphasig zur primären Welle addiert oder nicht.

Bezeichnen wir den am Ende geltenden Reflexionsfaktor mit r_2, der auch gleichzeitig den Einfluß des Dissipationsbelages erfassen möge und der andererseits definiert ist durch:

$$r_2 = \frac{v_{2-}}{v_{2+}}\, e^{j\,2\,k\,l_2}\,, \tag{216}$$

und drücken wir demgemäß in (213) v_{2-} durch v_{2+} aus, so erhalten wir direkt:

$$v_{2+} = \frac{t\, v_{1+}}{1 - r\, r_2\, e^{-j\,2\,k\,l_2}}\,. \tag{217}$$

Zu der gleichen Beziehung führt uns auch hier die Überlegung, daß v_{2+} aus einer unendlichen Reihe von Teilwellen zusammengesetzt gedacht werden kann, die aus der primär durchgelassenen Welle nach (215) entstehen, indem diese immer wieder die Strecke l_2 durchlaufen und mit r am Trennobjekt, mit r_2 am Stabende reflektiert werden:

$$v_{2+} = t\, v_{1+}\, (1 + r\, r_2\, e^{-j\,2\,k\,l_2} + (r\, r_2)^2\, e^{-j\,4\,k\,l_2} + \cdots)\,. \tag{217a}$$

[1] S. z. B. Cremer, L.: Wellentheoretische Raumakustik § 13, Leipzig: S. Hirzel 1950.

Im Resonanzfall, d. h. bei gleichphasiger Addition der Teilglieder, kann es sogar vorkommen, daß

$$v_{2+} = \frac{t\, v_{1+}}{1 - |r|\, |r_2|} \tag{217b}$$

größer als v_{1+} wird. Dies zunächst paradox anmutende Ergebnis widerspricht in keiner Weise dem Energieprinzip, denn es gilt für den eingeschwungenen Zustand, bis zu dessen Erreichung das Resonanzsystem mehr Energie in sich aufgenommen haben kann, als die zu ihm führenden Zwischenträger. Im stationären Zustand sind nur noch die u. U. sehr kleinen Verluste zu decken. Man findet oft in Bauten oder auf Schiffen den Fall, daß eine Körperschallausbreitung, die zwischendurch schon fast unmerklich klein geworden ist, an einem von der Erregung weit entfernten Objekt plötzlich stark in Erscheinung tritt.

Sind umgekehrt die Glieder der Reihe in (217a) alle gegenphasig, ein Zustand, den man auch als „Antiresonanz“ bezeichnet, so nimmt v_{2+} ihren kleinsten Wert an:

$$v_{2+} = \frac{t\, v_{1+}}{1 + |r|\, |r_2|}, \tag{217c}$$

der immer kleiner ist als die Schnelle-Amplitude der primär durchgelassenen Welle.

Handelt es sich um sehr kleine Durchlaßfaktoren, wie sie hauptsächlich interessieren, so kann man $|r| = 1$ setzen und erhält

$$t = \frac{v_{2+}\,(1 + |r_2|)}{v_{1+}}. \tag{217d}$$

Hierbei ist aber der Zähler auf der rechten Seite dem Betrage nach nichts anderes als

$$|v_{2+}| \cdot (1 + |r_2|) = |v_{2\,\max}|, \tag{218}$$

unabhängig von r_2, auf dessen Bestimmung in diesem Falle ganz verzichtet werden kann. Da dabei außerdem:

$$|v_{1\,\max}| \approx 2\, |v_{1+}| \tag{219}$$

gesetzt werden kann, läßt sich auch ansetzen:

$$|t| = \frac{2\, |v_{2\,\max}|}{|v_{1\,\max}|} \tag{220}$$

oder für das Schalldämm-Maß

$$R = \left(20 \lg \left|\frac{v_{1\,\max}}{v_{2\,\max}}\right| - 6\right) \mathrm{dB}. \tag{220a}$$

Diese einfache Beziehung gilt praktisch bis herab zu Schalldämm-Maßen von 6 dB.

Aber auch, wenn nicht $|r| \approx 1$ gesetzt werden kann, gestattet die Messung bei Antiresonanz bei dem vorliegenden Trennobjekt eine einfache Elimination von r_2. Zunächst ergibt sich aus (214) mit (216) und (217) der resultierende Reflexionsfaktor r_1 vor der Sperrmasse zu:

$$r_1 = \frac{v_{1-}}{v_{1+}} = r + \frac{t^2\, r_2\, e^{-j k l_2}}{1 - r\, r_2\, e^{-j k l_2}}. \tag{221}$$

Im Falle der Antiresonanz nimmt nicht nur der Nenner wieder die reelle Form $1 + |r|\,|r_2|$ an, sondern auch der Zähler gestattet eine Umformung, so daß

$$r_1 = r\left[1 - \frac{t^2}{r^2}\,\frac{|r|\,|r_2|}{1 + |r|\,|r_2|}\right] \tag{221a}$$

geschrieben werden kann. Jetzt machen wir davon Gebrauch, daß nach den Ausführungen auf S. 337 $r \perp t$ ist, womit wird:

$$-\frac{t^2}{r^2} = \frac{|t|^2}{|r|^2}. \tag{222}$$

Der zweite Summand in der Klammer ist somit ebenfalls reell und kann algebraisch zum ersten addiert werden. Bringen wir dabei beide Summanden auf gleichen Nenner und bedenken wir, daß außerdem bei verlustlosen Trennobjekten $|r|^2 + |t|^2 = 1$ ist, so folgt:

$$|r_1| = \frac{|r| + |r_2|}{1 + |r|\,|r_2|}. \tag{223}$$

Kombiniert man diese Gleichung mit der ebenfalls für Antiresonanz geltenden Gl. (217c), so ergibt sich für den bei den Abtastungen leicht zu ermittelnden Quotienten $v_{2\,\max}/v_{1\,\max}$:

$$\left|\frac{v_{2\,\max}}{v_{1\,\max}}\right| = \frac{|v_{2+}|\,(1 + |r_2|)}{|v_{1+}|\,(1 + |r_1|)} = \frac{|t|}{1 + \sqrt{1 - |t|^2}}; \tag{224}$$

es fällt also auch in diesem Falle der Wert r_2 aus der Rechnung heraus. Aus (224) folgt aber durch Umkehrung:

$$|t| = \frac{2}{\left[\left|\frac{v_{1\,\max}}{v_{2\,\max}}\right| + \left|\frac{v_{2\,\max}}{v_{1\,\max}}\right|\right]} \tag{225}$$

oder

$$R = \left(20 \lg\left[\left|\frac{v_{1\,\max}}{v_{2\,\max}}\right| + \left|\frac{v_{2\,\max}}{v_{1\,\max}}\right|\right] - 6\right) \mathrm{dB}. \tag{226}$$

Mit kleinen $\frac{v_{2\,\max}}{v_{1\,\max}}$-Werten geht diese Gleichung über in (220a). Während aber (220a) für beliebige Trennobjekte gilt, sofern das Schalldämm-Maß nur 6 dB übersteigt, gilt (226) nur für verlustlose Objekte.

Um nun bei jeder Frequenz hinter dem Stab die günstigen Verhältnisse der Antiresonanz erzeugen zu können, ist bei der in Abb. V/16 gezeigten Anordnung eine verschiebbare Hilfsmasse H aufgesetzt. Man erkennt diesen Zustand immer daran, daß er für verschiedene Stellungen der Hilfsmassen den Kleinstwert aller $v_{2\max}$ ergibt. Dies geht für stark dämmende Objekte aus (217) hervor, weil wir dann mit keiner Rückwirkung auf v_{1+} zu rechnen brauchen, diesen Wert also als gegeben ansehen können. Aber auch wenn mit einer solchen Rückwirkung gerechnet werden muß, so ist sie doch stets geringer als der unmittelbare Einfluß der Phasenbeziehungen auf die resultierende Schnelle hinter dem Trennobjekt. Dies geht am deutlichsten daraus hervor, daß die Antiresonanz auch dann zu den kleinsten Amplituden führt, wenn man die Sperrmasse ganz heraus nimmt. Nur muß man dann im ganzen Bereich bei Antiresonanz arbeiten und demgemäß auf die Aufschaukelung großer Amplituden vor dem Trennobjekt verzichten.

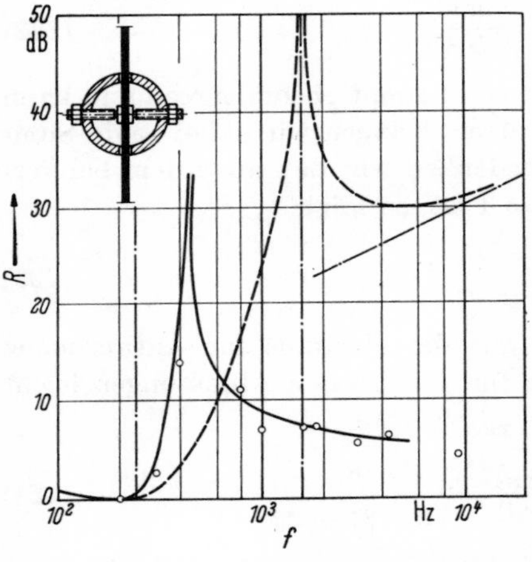

Abb. V/17. Gemessene Werte der Biegewellendämmung an einer elastisch befestigten Sperrmasse (ausgezogene Linie) in Vergleich mit der Rechnung für eine starr befestigte Sperrmasse (gestrichelte Linie)

Mit der beschriebenen Apparatur und Methode aber wurde zunächst der in Abb. V/17 oben gezeichnete Fall untersucht. Auf das in der Zeichnung schwarz ausgetuschte Flacheisen wurde eine zylindrische Sperrmasse aus Messing aufgesetzt, die zur Erzielung eines möglichst großen Trägheitsradius von einer Seite becherförmig ausgedreht war. Der in Abb. V/17 schraffierte Mantel dieses Bechers enthielt außerdem Schlitze zur berührungsfreien Durchführung des Flacheisens. Die Verbindung zwischen diesem und der Sperrmasse erfolgte beiderseits an den Berührungsflächen der angepreßten Schrauben. Das Gewicht der Sperrmasse betrug 220 g, ihr Trägheitsradius 2,2 cm. Hieraus und aus den oben genannten Daten des Flacheisens wäre nach (209) der in Abb. V/17 gestrichelt eingetragene Frequenzgang zu erwarten gewesen. Stattdessen ergaben sich die als Kreise markierten Meßpunkte, die wohl ein Durchlaßgebiet bei tiefen Frequenzen und einen plötzlichen Anstieg erkennen lassen. Dieser aber erfolgt zwei Oktaven zu tief, und die darüber erhaltenen Schalldämm-Maße liegen um 20 dB unter den erwarteten. Wenn nun auch mit einem gewissen Zurückbleiben der erzielten Schalldämm-Maße hinter den am Idealfall ermittelten zu rechnen war, so war dieser Unterschied doch zu groß, um als unvermeidliche Abweichung in Kauf genommen zu werden. Es tauchte daher die Vermutung auf, daß die ringförmige Masse infolge der Durchfederung der Halteschrauben bei den hohen Frequenzen eine geringere Winkelgeschwindigkeit w_4 aufweist als die Winkelgeschwindigkeit $w_1 = w_3$ des Flacheisens an der Berührungsstelle. Die frühere Randbedingung (193) ist daher zu ersetzen durch:

$$M_1 - M_3 = j\,\omega\,\Theta\,w_4\,. \tag{227}$$

Um hierin wieder w_4 durch w_3 ersetzen zu können, drücken wir die von den Schrauben übertragene Momentendifferenz durch die bewirkte Deformation aus, die jedenfalls der Winkeldifferenz $(w_4 - w_3)/j\,\omega$ proportional ist. Wir erhalten so:

$$-\frac{K}{j\,\omega}(w_4 - w_3) = j\,\omega\,\Theta\,w_4\,. \tag{228}$$

Führen wir hierin noch die Eigenkreisfrequenz derjenigen Drehschwingung ein, deren die Ringmasse bei festgehaltenem Flacheisen fähig ist,

$$\omega_0 = \sqrt{\frac{K}{\Theta}}\,, \tag{229}$$

so kann die Beziehung (228) zwischen w_4 und w_3 auch geschrieben werden:

$$w_4 = \frac{w_3}{1 - (\omega/\omega_0)^2}\,, \tag{230}$$

und indem man dies in (227) einführt, ergibt sich statt (193) die neue Randbedingung:

$$M_1 - M_3 = \frac{j\,\omega\,\Theta}{1 - (\omega/\omega_0)^2}\,w_3\,. \tag{231}$$

Alle übrigen Randbedingungen bleiben unverändert. Aber auch die Abänderung von (193) läuft nur darauf hinaus, daß das Trägheitsmoment Θ durch den frequenzabhängigen Ausdruck

$$\Theta^* = \frac{\Theta}{1 - (\omega/\omega_0)^2} \tag{232}$$

und somit der bisher rein konstruktive Parameter ϑ durch den frequenzabhängigen Parameter

$$\vartheta^* = \frac{\vartheta}{\sqrt{1 - (\omega/\omega_0)^2}} = \frac{\vartheta}{\sqrt{1 - (\mu/\mu_0)^4}} \tag{233}$$

zu ersetzen ist. Unter μ_0 ist hierbei sinngemäß derjenige Wert des durch (199) definierten Parameters μ zu verstehen, den man erhält, wenn man darin die durch (229) gegebene Eigenkreisfrequenz einsetzt, also:

$$\mu_0 = \sqrt[4]{\frac{m'\,K}{B\,\Theta}}\left(\frac{m}{m'}\right). \tag{234}$$

Weit unterhalb der durch $\omega = \omega_0$ gekennzeichneten Resonanz ändert dieser Ersatz nichts; hier sind die gleichen Ergebnisse zu erwarten, wie bei einem starren Körper. Oberhalb derselben ist dagegen ein starkes Absinken der Dämmwirkung zu vermuten. An der Resonanzstelle selbst wird jede Drehung verhindert, was aber keine Sperrung der Biegewellen bedeutet, da ja der Leistungstransport über die transversale Bewegungsfreiheit erhalten bleibt. Andererseits gibt es aber auch in diesem Falle eine Sperrstelle. Sie errechnet sich nach Einführung von (233) in (208) aus:

$$4 + \mu_s - \vartheta^2 \mu_s^3 - \frac{4\mu_s^4}{\mu_0^4} - \frac{\mu_s^5}{\mu_0^4} = 0\,. \tag{235}$$

Da hierin die beiden höchsten Potenzen mit negativem Vorzeichen neu hinzugetreten sind, folgt, daß die Sperrstelle jedenfalls, wie beobachtet, tiefer liegen muß; denn wir haben nunmehr zur Lösung der Gl. (235) die Gerade $4 + \mu_s$ nicht mehr wie früher mit der kubischen Parabel $\vartheta^2 \mu_s^3$ zum Schnitt zu bringen, sondern mit einer jedenfalls darüber liegenden Kurve. Ebenso folgt, da ϑ^2 meist eine sehr kleine Größe ist, daß die Sperrstelle nur wenig unterhalb der Resonanzstelle liegt.

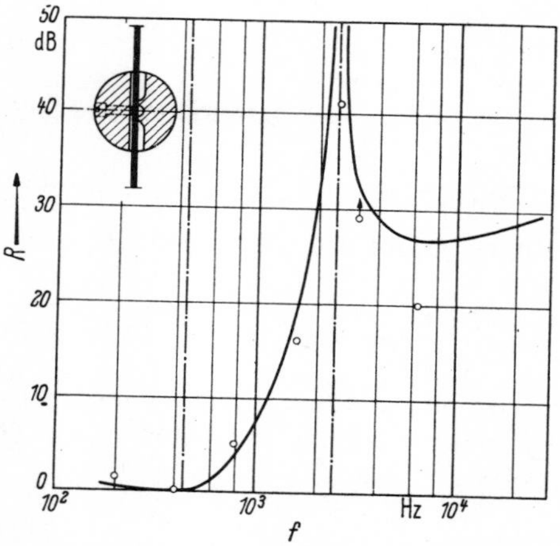

Abb. V/18. Messungen der Biegewellendämmung an einer starr befestigten Sperrmasse (Kreise) im Vergleich mit der Rechnung (ausgezogene Linie)

Diese kann aus den konstruktiven Daten ermittelt werden. Im vorliegenden Falle errechnete sich etwa

$$f_0 = \omega_0/2\,\pi = 500 \text{ Hz}.$$

Die ausgezogene Kurve in Abb. V/17 bezieht sich auf den mit diesem Wert nach (209) mit (233) zu erwartenden Frequenzgang. Die Übereinstimmung mit den Meßpunkten ist so gut, daß sie im Hinblick auf die Unsicherheit in Rechnung und Versuch bis zu gewissem Grade als zufällig anzusehen ist. Sicher aber ist die Abweichung gegenüber der zum idealen starren Körper gehörigen gestrichelten Kurve richtig erklärt worden.

Nach dieser Erfahrung wurden die weiteren Sperrmassen nach Art der in Abb. V/18 gezeichneten konstruiert, bei welcher trotz ebenfalls verhältnismäßig kleiner Einspannbreite durchfedernde Zwischenstücke möglichst vermieden sind. In der Tat ergaben sich dabei in den von der Theorie für den Idealfall errechneten Frequenz-Grenzgebieten bereits sehr beachtliche Dämmwirkungen. Als Beispiel hierfür sind in Abb. V/18 diejenigen Meßpunkte eingetragen, die an einer so konstruierten Sperrmasse aus Aluminium erzielt wurden. Die ausgezogene Kurve stellt den berechneten Frequenzgang des Schalldämmaßes dar. In Übereinstimmung mit dieser zeigen die Meßpunkte deutlich die Durchlaßstelle, den starken Anstieg oberhalb derselben und einen Abfall jenseits der Sperrfrequenz, der freilich beim letzten Meßpunkt stärker ist, als nach der Theorie zu erwarten. Der Idealfall einer völligen Sperrung war freilich nicht zu erreichen. Es darf bereits als sehr beachtlich bezeichnet werden, daß das Schalldämmaß bei der errechneten Sperrfrequenz bis über 40 dB ansteigt. Dabei wog die Aluminiummasse nur 115 g, d. h. nur soviel, wie ein 27 cm langes Stück des durch sie unterbrochenen Flacheisens.

Die Übereinstimmung zwischen Experiment und der für den Idealfall durchgeführten Rechnung ist in Abb. V/18 in gewissem Sinne sogar besser als vom Standpunkt der Theorie erwartet werden konnte; denn auch die in Abb. V/18 eingezeichnete Konstruktion der Sperrmasse weicht noch in einem wesentlichen Punkte von dem idealen Gebilde ab, für welches wir die Randbedingungen angesetzt hatten. Bei der Aufstellung derselben hatten wir nämlich eine trotz der Beteiligung an der Drehbewegung nur punktförmige Befestigung der Sperrmasse angenommen. Eine gewisse Einspannbreite ist aber nie zu vermeiden und auch bei der in Abb. V/18 wiedergegebenen Konstruktion vorhanden. So lange diese genügend klein zur Biegewellenlänge ist, müssen die bisher abgeleiteten Formeln gelten. Andererseits aber ist sicher bei höheren Frequenzen, die trotzdem noch im Gültigkeitsbereich der einfachen Biegewellendarstellung liegen, mit Abweichungen zu rechnen. Entsprechende Erweiterungen der Rechnungen und Messungen[1] an breit aufliegenden Sperrmassen haben gezeigt, daß auch diese Nichteinhaltung der idealen Randbedingungen zu einer erheblichen Verringerung der Dämmwirkung führt.

Als ein Beispiel für die Anwendung von Sperrmassen ist in Abb. V/19 der Fall einer $^3/_4$ Zoll-Rohrleitung gezeichnet mit dem Quadranten einer dicken Kreisscheibe als Sperrmasse. Diese exzentrische Form ist hier gewählt, weil Rohrleitungen meist entlang von Raumkanten geführt werden. Daß die Sperrmasse den erwarteten Dämm-Effekt bringt, zeigen die von Müller[2] bei reflexionsfreiem Rohrende mit Piezo-Aufnehmern erhaltenen Meßwerte der Differenzen der mittleren Schnellepegel vor und hinter der Sperrmasse. Die Anregung erfolgte in diesem Falle teils mit einem elektrodynamischen Wandler, teils mit einem Hammerwerk, wie es zur Beurteilung des Trittschallschutzes verwendet wird. (s. Kap. V, 7). Im letzten Falle erfolgte die Frequenztrennung durch elektrische Siebung im Empfangssystem. Die dabei als Kreuze ein-

[1] Cremer, L.: Propagation of Structure-borne Sound, S. 137.

[2] Müller, H. L.: Frequenz 11 (1957), S. 350.

getragenen Meßpunkte gruppieren sich noch einigermaßen um die gestrichelte Linie.

Viel größere Streuungen ergeben sich, wie zu erwarten, wenn das Rohrende einen reflektierenden Abschluß hat. Die Meßpunkte sind hier als Kreise markiert, der schraffierte Streubereich ist durch die ausgezogenen Linien markiert. Die Pegeldifferenzen können bei den Antiresonanzen auch hierbei wieder um 6 dB höher sein. Wie viel tiefer sie bei den Resonanzen des anschließenden Rohrstücks liegen, hängt von der jeweiligen Dämpfung ab. Man erkennt daran, wie wichtig es ist, den Biegewellenträger mit einem Dissipationsbelag zu versehen.

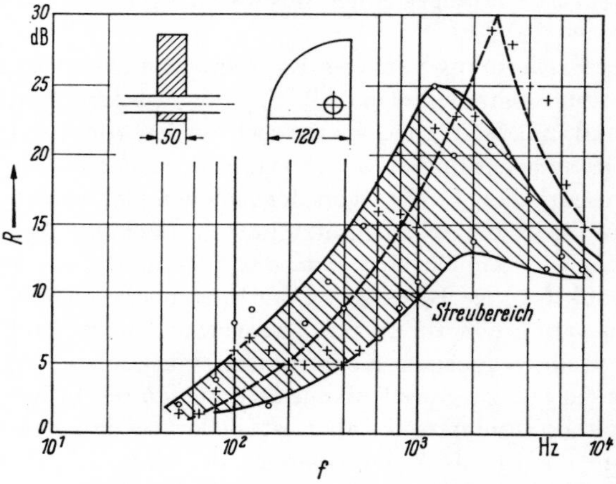

Abb. V/19. Gemessene Schalldämmaße einer exzentrischen Sperrmasse auf einer Wasserleitung
+ bei reflexionsfreiem Rohrende; ○ bei reflektierenden Rohrenden (nach H. L. MÜLLER)

c) Kopplung von Longitudinal- und Biegewellen

Die exzentrische Sperrmasse unterscheidet sich in einem Punkte wesentlich von einer, deren Schwerpunkt in der Symmetrieachse des Biegewellenträgers liegt. Bei exzentrischem Schwerpunkt führt jede durch die Biegewellen erzwungene Drehbeschleunigung der Sperrmasse zu axial gerichteten Translations-Beschleunigungen, diese zu axialen Stützkräften und diese zu sekundären Longitudinalwellen. Auch dieser Effekt wurde von MÜLLER[1] experimentell mittels des in Abb. V/20 gezeigten Aufbaues untersucht, und zwar an Hand des reziproken Vorganges, der Auslösung sekundärer Biegewellen bei ankommender Longitudinalwelle, der zudem experimentell leichter bestimmbar ist. Da nämlich bei

[1] MÜLLER, H. L.: Frequenz 11 (1957), S. 347, Bild 11.

primärer Biegewelle zu setzen ist

$$\tau_{BL} = \frac{c_L\, v_{2\,L+}^2}{2\, c_B\, v_{1\,B+}^2}, \tag{236}$$

dagegen für den gleich großen Transmissionsgrad bei primärer Longitudinalwelle

$$\tau_{LB} = \frac{2\, c_B\, v_{2\,B+}^2}{c_L\, v_{1\,L+}^2}, \tag{237}$$

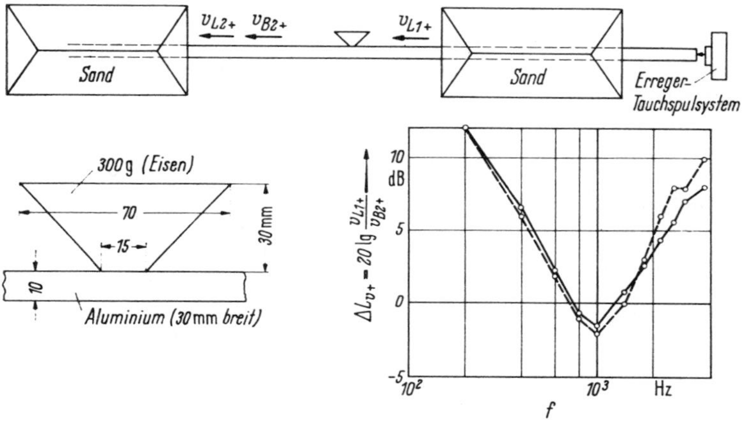

Abb. V/20. Meßtechnischer Nachweis der Wellentypumwandlung an exzentrischer Einzelsperrmasse (nach H. L. Müller)

folgt, daß die gemessenen Differenzen der zugehörigen Schnellepegel im ersten Falle mit

$$[\Delta L_{v+}]_{BL} = 20 \lg \frac{v_{1\,B+}}{v_{2\,L+}}\,\text{dB} = R_{BL} + 10 \lg \frac{c_L}{2\, c_B}\,\text{dB} \tag{238}$$

viel größer sind, als im zweiten Falle, wo gilt:

$$[\Delta L_{v+}]_{LB} = 20 \lg \frac{v_{1\,L+}}{v_{2\,B+}}\,\text{dB} = R_{LB} - 10 \lg \frac{c_L}{2\, c_B}\,\text{dB}, \tag{239}$$

wobei

$$R_{BL} = 10 \lg \frac{1}{\tau_{BL}}\,\text{dB} = R_{LB} = 10 \lg \frac{1}{\tau_{LB}}\,\text{dB} \tag{240}$$

ist. Im zweiten Falle erreichen primäre longitudinale Schnelle $v_{1\,L+}$ und sekundäre Biegeschnelle $v_{2\,B+}$ sogar die gleiche Größenordnung, während im ersten Falle die sekundäre longitudinale Schnelle im Störpegel untergehen kann. Auch dieses Beispiel zeigt den großen Nutzen des Reziprozitätsgesetzes für die Meßtechnik.

Aber auch für die Rechnung erweist sich das zweite Problem als übersichtlicher. Zunächst sind die einfachen Beziehungen (183) bis (187) für die longitudinale Anregung einer symmetrischen Sperrmasse nur dahin zu ändern, daß in (183) die Schnelle im Fußpunkt

$$v_1 = v_{1+} + v_{1-} = v_3 \,, \tag{241}$$

in (184) aber die Schnelle im Schwerpunkt v_S einzusetzen ist:

$$F_1 - F_3 = j\,\omega\,m\,v_S \,. \tag{242}$$

Beide aber unterscheiden sich, sobald eine Winkelgeschwindigkeit w hinzukommt:

$$v_S = v_3 - r_S\,w \,, \tag{243}$$

wobei r_S den Abstand Schwerpunkt–Fußpunkt bezeichnet. Wir erhalten so statt (187):

$$v_{1+} - v_{1-} = \left(1 + \frac{j\,\omega\,m}{Z_1}\right) v_3 - r_S \frac{j\,\omega\,m}{Z_1}\,w \tag{244}$$

und nach Addition von (241):

$$2\,v_{1+} = \left(2 + \frac{j\,\omega\,m}{Z_1}\right) v_3 - r_S \frac{j\,\omega\,m}{Z_1}\,w \,. \tag{245}$$

Die Größe der Winkelgeschwindigkeit w ergibt sich aus dem Momentensatz, den wir, wie beim Problem der Biegewellendämmung, auf die Momente um den Fußpunkt anwenden wollen. Für ein mit v_3 bewegtes Bezugssystem ist dieser Punkt in Ruhe, dafür greift im Schwerpunkt die Scheinkraft $-j\,\omega\,m\,v_3$ an, die in bezug auf den Fußpunkt ein positives Moment ausübt, das eine endliche Momenten-Impedanz W zu überwinden hat:

$$j\,\omega\,m\,r_S\,v_3 = W\,w \,. \tag{246}$$

Diese Momenten-Impedanz setzt sich additiv aus dem der Drehträgheit entsprechenden Anteil $j\,\omega\,\Theta$ und der Momenten-Impedanz zusammen, welche nach (IV, 81) die Rückwirkung eines langen Stabes auf ein irgendwo in der Mitte angreifendes Moment kennzeichnet:

$$W = j\,\omega\,\Theta + \frac{2\,B}{c_B}(1 - j) \,. \tag{247}$$

(246) erlaubt v_3 in (245) zu eliminieren, so daß wir aus (245) das Verhältnis (v_{1+}/w) gewinnen können:

$$\frac{v_{1+}}{w} = \left(1 + \frac{j\,\omega\,m}{2\,Z_1}\right) \frac{W}{j\,\omega\,m\,r_S} - \frac{j\,\omega\,m}{2\,Z_1}\,r_S \,. \tag{248}$$

Andererseits kennzeichnet der halbe Realteil des zweiten Summanden, und damit der von W in (247), zugleich bei gegebener Winkelgeschwindigkeit w, die nach einer Seite abgehende sekundäre Biegewellenleistung:

$$P_{2\,B+} = \frac{1}{2}\,\mathrm{Re}\,\{W\}\,\tilde{w}^2 \,. \tag{249}$$

Für den gesuchten Transmissionsgrad kann daher geschrieben werden:

$$\tau_{LB} = \frac{1}{2} \operatorname{Re} \left\{ \frac{W}{Z_1} \right\} \frac{1}{\left| \left(1 + \frac{j\,\omega\, m}{2\, Z_1}\right) \frac{W}{j\,\omega\, m\, r_S} - \frac{j\,\omega\, m}{2\, Z_1}\, r_S \right|^2} . \tag{250}$$

In Abb. V/20 sind auch die an der gezeichneten Anordnung gemessenen Differenzen der Schnellepegel

$$\Delta L_{v+} = 20 \lg \frac{v_{L1+}}{v_{B2+}} \,\mathrm{dB}$$

im Diagramm gestrichelt eingetragen. Die ausgezogene Linie bezieht sich auf eine Näherungsrechnung von MÜLLER[1], die hier offenbar ausreicht, um die Ergebnisse richtig zu beschreiben.

5. Kettenleiter

Die Spanten der Schiffshäute, deren Dämmwirkung Veranlassung für die Untersuchung der Sperrmassen war, kehren periodisch wieder. Auch im Hochbau trifft man solche periodischen Strukturen vielfach an, z. B. bei den Rippendecken. Es interessiert also die Frage, inwieweit die wiederholte Anbringung von Sperrmassen die Dämmwirkung verbessert oder evtl. durch Resonanzen der Zwischenstücke verschlechtert.

Die rechnerische Erfassung solcher periodischer Strukturen ist der Nachrichtentechnik, veranlaßt durch das Problem einer Leitung mit periodisch eingeschalteten Spulen (Pupin-Spulen), besonders durch die grundlegenden Arbeiten von WAGNER[2] seit langem geläufig. Da es dabei darum geht, inwieweit solche kettenartigen Übertragungssysteme Wellenbewegungen weiterleiten, hat sich dort der auch für die Überschrift dieses Abschnitts gewählte Ausdruck „Kettenleiter" eingebürgert.

a) Dämmung bzw. Übertragung longitudinaler Wellen

Daß sich zu den elektrischen Kettenleitern für diejenigen Wellenarten, die wie die elektromagnetische Welle der einfachen Wellengleichung genügen, mechanische Analogien entwickeln lassen, ist ebenfalls seit langem bekannt[3].

---

[1] MÜLLER, H. L.: Frequenz 11 (1957), 344 ff.
Die erwähnte Näherung besteht darin, daß H. L. MÜLLER sowohl bei der Berechnung von τ_{BL} wie von τ_{LB} die Feldgrößen des primären Wellenfeldes aus den Formeln für nicht-exzentrische Sperrmassen übernimmt, also den Energieentzug durch sekundäre Wellen der anderen Art immer als klein ansieht.

[2] WAGNER, K. W.: Arch. f. Elektrotechn. 8 (1919) 61.

[3] WIGGE, H.: Z. f. techn. Physik 2 (1921) 302.

Als bekanntestes Beispiel eines „longitudinalen Kettenleiters“ ist in Abb. V/21 ein Stab mit periodischen Querschnittsänderungen gezeigt. So lange die Wellenlänge λ_L groß gegen die Teillängen l_m und l_s ist, wirken die Teile mit den größeren Querschnitten als Massen, die mit den kleineren als Federn. Der Kettenleiter kann somit auch unter Verwendung der im ersten Kapitel eingeführten mechanischen Schaltelemente durch eine Kette aus in Reihe geschalteten Federn und davon abgezweigten Massehebeln dargestellt werden, die auch topologisch die Analogie zur „Spulenleitung“ oder „Drosselkette“ erkennen läßt. (Die Federn sind dabei durch Spulen, die Massehebel durch Kondensatoren zu ersetzen.)[1]

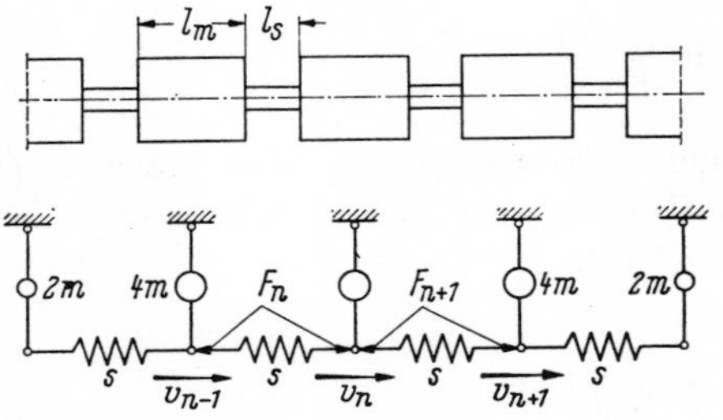

Abb. V/21. Mechanischer Tiefpaß für Längs- und Torsionsschwingungen und zugehöriges mechanisches Schaltbild

Während die Behandlung eines solchen Kettenleiters mit einer endlichen Zahl womöglich ungleicher Glieder auf ebenso viele dynamische und kinematische Beziehungen führt, wie unabhängige Feldgrößen auftreten, und damit zu sehr umfangreichen Rechnungen, läßt sich das Problem der Ausbreitung über eine unendliche Kette aus gleichen Gliedern verhältnismäßig einfach behandeln. Man kann dabei unmittelbar an die Feldgleichungen kontinuierlicher Systeme, wie wir sie im zweiten Kapitel kennengelernt haben, anknüpfen, nur erhält man statt der Differentialgleichungen Differenzengleichungen.

Im vorliegenden Falle ist das die dynamische Beziehung für die Masse m:

$$F_n - F_{n+1} = j\,\omega\,m\,v_n \tag{251}$$

und die gemischte kinematisch-dynamische Beziehung für die Feder mit der Steife s:

$$v_{n-1} - v_n = \frac{j\,\omega}{s} F_n\,. \tag{252}$$

Wie bei den analogen Wellenproblemen benutzen wir zur Lösung einen Exponentialansatz, der in diesem Falle bedeutet, daß das Verhältnis gleicher Feldgrößen an Ein- und Ausgang jedes Gliedes stets dasselbe bleibt:

$$F_{n+1} = F_n\,e^{g}; \qquad v_{n-1} = v_n\,e^{-g}\,. \tag{253}$$

[1] Bei Vertauschung dieser Elemente erhält man die „Kondensatorleitung“ und ihr mechanisches Analogon (s. Cremer, L. u. K. Klotter: Ing. Arch. 28 (1959) 27).

Damit können (251) und (252) in zwei lineare Gleichungen zwischen F_n und v_n verwandelt werden:

$$\left.\begin{aligned} (1 - e^g)\, F_n - j\,\omega\, m\, v_n &= 0 \\ -\frac{j\,\omega}{s}\, F_n + (e^{-g} - 1)\, v_n &= 0\,, \end{aligned}\right\} \tag{254}$$

die nur dann miteinander verträglich sind, wenn die Determinante

$$\Delta = \begin{vmatrix} (1 - e^g) & -j\,\omega\, m \\ -j\dfrac{\omega}{s} & (e^{-g} - 1) \end{vmatrix} = e^g + e^{-g} - 2 + \frac{\omega^2 m}{s} = 0 \tag{255}$$

ist; diese Bedingungsgleichung für g kann auch geschrieben werden:

$$\cosh g = 1 - \frac{2\,\omega^2}{\omega_g^2}\,, \tag{255a}$$

wobei wir

$$2\sqrt{\frac{s}{m}} = \omega_g \tag{256}$$

setzen. Die so eingeführte „Grenz-Kreisfrequenz" ω_g, bzw. die zugehörige Grenzfrequenz f_g, trennt zunächst mathematisch in (255a) Gebiete, in denen entweder

$$\left.\begin{aligned} &\omega < \omega_g \quad |\cosh g| < 1 \\ \text{oder}\quad & \\ &\omega > \omega_g \quad |\cosh g| > 1 \end{aligned}\right\} \tag{257}$$

ist. Da unser Ansatz (253) keine Einschränkung hinsichtlich des Exponenten enthält, der in der Nachrichtentechnik als „Ausbreitungsmaß" bezeichnet wird, haben wir diesen zunächst als komplexe Größe anzusetzen:

$$g = a + j\,b \tag{258}$$

und somit für (255a) zu schreiben:

$$\cosh a \cos b + j \sinh a \sin b = 1 - \frac{2\,\omega^2}{\omega_g^2}\,. \tag{259}$$

Da die rechte Seite keinen imaginären Anteil enthält, muß auch der imaginäre Anteil der linken verschwinden, also entweder das sog. „Dämpfungsmaß"*

$$a = 0 \tag{260a}$$

sein oder das sogenannte „Phasenmaß"

$$b = n\,\pi; \quad n = 0, 1, 2, \ldots \tag{260b}$$

* Wir haben hier die in der Nachrichtentechnik leider eingebürgerte Bezeichnung „Dämpfungsmaß" übernommen, obschon hier keinerlei Umwandlung von Wellenenergie in Wärme vorliegt, und auch der Problemstellung nach die Bezeichnung „Dämm-Maß" richtiger wäre.

Das erste ist aber nur unterhalb, das zweite nur oberhalb der Grenzfrequenz möglich.

Im ersten Bereich, der auch als „Durchlaßbereich“ bezeichnet wird, ändert sich nur die Phase zwischen aufeinanderfolgenden Gliedern und zwar, wie das Einsetzen von (260a) in (259) ergibt, gemäß:

$$b = \operatorname{arc\,cos}\left(1 - \frac{2\,\omega^2}{\omega_g^2}\right) = 2\operatorname{arc\,sin}\left(\frac{\omega}{\omega_g}\right). \tag{261}$$

Diese Beziehung geht hinreichend weit unterhalb der Grenzfrequenz in die lineare Beziehung:

$$b = \frac{2\,\omega}{\omega_g} = \omega\sqrt{\frac{m}{s}} \tag{261a}$$

über. Ein mit der Frequenz wachsendes Phasenmaß bedeutet aber nichts anderes als eine konstante Phasen- und somit Ausbreitungs-Geschwindigkeit:

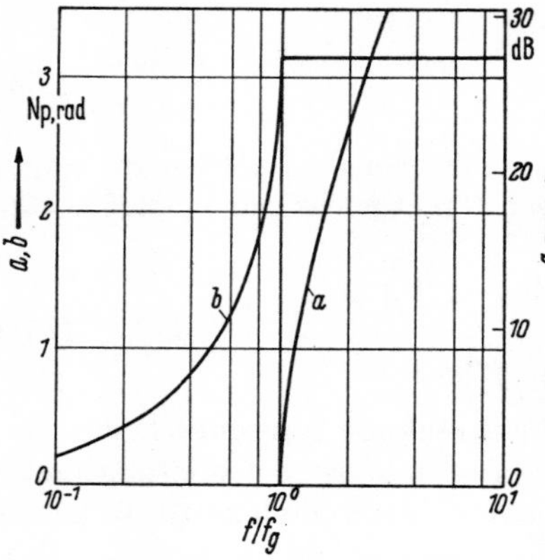

Abb. V/22. Phasen- und Dämpfungsmaß eines Tiefpasses

$$c = \frac{\omega}{b}\,(l_m + l_s) = \omega_q\,\frac{(l_m + l_s)}{2}$$

$$= \sqrt{\frac{s}{m}}\,(l_m + l_s)\,. \tag{262}$$

Gegen die Grenzfrequenz hin wird das Anwachsen stärker und erreicht bei der Grenzfrequenz den Wert π, den es dann im anschließenden Bereich beibehält; d. h., von da ab sind die Feldgrößen benachbarter Glieder stets in Gegenphase (s. Abb. V/22).

Dafür wächst in diesem „Sperrbereich“ das Dämpfungsmaß a steil an, und zwar, wie das Einsetzen von (260b) und (259) zeigt, mit:

$$a = \operatorname{ar\,cosh}\left(\frac{2\,\omega^2}{\omega_g^2} - 1\right) = 2\operatorname{ar\,cosh}\frac{\omega}{\omega_g}\,. \tag{263}$$

Wegen dieser hohen Dämmung oberhalb der Grenzfrequenz und des ungehinderten Energiedurchtritts unterhalb derselben wird ein System nach Abb. V/21, wie vor allem auch sein elektrisches Analogon, als „Tiefpaß“ bezeichnet.

Im Interesse der Dämmung ist es gut, wenn die Grenzfrequenz möglichst tief gelegt werden kann. Dies ist bei gleichem und vorgegebenem Material für Massen und Federn nur durch große Querschnittssprünge und große Teillängen erreichbar. Mit

$$m = \varrho\,S_m\,l_m \tag{264}$$

und

$$s = \frac{E\,S_s}{l_s} \tag{265}$$

nimmt (256) die Form an:

$$\omega_g = 2\,c_L \sqrt{\frac{S_s}{S_m}}\,\frac{1}{\sqrt{l_m\,l_s}}\,, \tag{266}$$

die im Falle zylindrischer Stücke mit den Durchmessern D und d übergeht in:

$$\omega_g = 2\,c_L \frac{d}{D}\,\frac{1}{\sqrt{l_m\,l_s}}\,. \tag{266a}$$

Die Verlängerung der Elemente bedeutet dabei, daß wir uns der Gültigkeitsgrenze unserer Voraussetzung, daß $\lambda_L \gg l_m, l_s$ ist, nähern; und wir wissen von den Betrachtungen an einmaligen Zwischenschichten, die länger als die halbe Wellenlänge sind (s. Kap. V, 3, Gl. (136)), daß hier sogar wieder Totaldurchgänge auftreten können, wenn die zwischen den Enden hin- und herreflektierten Teilwellen sich gegenphasig addieren, d. h. praktisch, wenn sie die Dicke einer halben Wellenlänge annehmen. Aber auch der Wirkung einer Verringerung des Durchmesserverhältnisses d/D sind Grenzen gesetzt. Wird D zu groß, so ist die tellerförmige Masse eventuell nicht mehr als starrer Körper, sondern selbst, wie die Sperrmasse in Abb. V/17, als schwingungsfähiges Gebilde anzusehen.

Etwas günstiger liegen die Verhältnisse bei Torsionswellen. Wie zu allen Beziehungen für Longitudinalwellenprobleme lassen sich auch hier analoge für Torsionswellen aufstellen; man hat nur

die Längskraft F mit dem Drehmoment M
die Schnelle v mit der Winkelgeschwindigkeit w
die Masse m mit dem Trägheitsmoment Θ (hier $= (\pi/32)\,\varrho\,D^4\,l_m$)
die Steife s mit der Torsionssteife T (hier $= (\pi/32)\,G\,d^4/l_s$)

zu vertauschen.

Damit ergibt sich die Grenzfrequenz zu:

$$\omega_g = 2\sqrt{\frac{T}{\Theta}} = 2\,c_T \left(\frac{d}{D}\right)^2 \frac{1}{\sqrt{l_m\,l_s}}\,. \tag{267}$$

Sie kann nicht nur deshalb tiefer gelegt werden, weil $c_T < c_L$ ist, sondern vor allem, weil das Durchmesserverhältnis im Quadrat auftritt.

Wenn wir diesmal das analoge Torsionswellenproblem erwähnen, so deshalb, weil die mechanischen Kettenleiter nicht nur für die negative Aufgabe der Schalldämmung, sondern auch für die positive Aufgabe der Nachrichtenübertragung von Bedeutung sind. Die mechanischen Systeme haben gegenüber den analogen elektrischen zwei Vorteile; einmal weisen sie eine viel geringere Dämpfung im Sinne geringerer Verluste auf, zum anderen haben sie viel niedrigere Eigen- und Grenzfrequenzen und damit Ausbreitungsgeschwindigkeiten. Das letzte ist von besonderer Bedeutung, wenn man mit Hilfe einer solchen Kette Signale verzögern will. Man kann hierbei gerade mit Torsionskettenleitern sehr niedrige Phasengeschwindigkeiten erreichen, nämlich nach (262) und (267) solche von:

$$c = c_T \left(\frac{d}{D}\right)^2 \frac{l_m + l_s}{\sqrt{l_m l_s}}. \tag{268}$$

Nimmt man für l_m/l_s den günstigsten Wert, nämlich 1, an, und für d/D den konstruktiv noch vertretbaren Wert 1:10, so erhält man $^1/_{50}$ der Transversalwellengeschwindigkeit des betreffenden Materials; das bedeutet selbst bei Stahl nur 6200 cm s^{-1}, also $^1/_5$ der Schallgeschwindigkeit in Luft.

Nun ist man beim Problem der Signalübertragung — im Gegensatz zur Dämmung — an einer sehr hohen Grenzfrequenz interessiert. Das bedeutet eine Aufteilung der Kette in sehr feine Glieder. Bei der in Abb. V/23 gezeigten, von BOERGER[1] entwickelten Anordnung werden hierzu abwechselnd große und kleine Scheiben auf eine dünne Stahlsaite aufgereiht. Der mechanische Kontakt wird durch eine axiale Verspannung erzielt. Die tellerartige Form der kleinen Scheiben erniedrigt die Torsionssteife bei dem gewählten Durchmesser, der andererseits dadurch gegeben war, daß die großen Scheiben noch als starre Körper wirken mußten. BOERGER gelang es auf diese Weise eine Kette mit einer Phasengeschwindigkeit von etwa 20 ms^{-1} bei einer Grenzfrequenz von 11 kHz herzustellen. Einen fast reflexionsfreien Abschluß erzielte er durch Anschluß einer gleichartigen Kette aus einem Kunststoff mit großem Verlustfaktor.

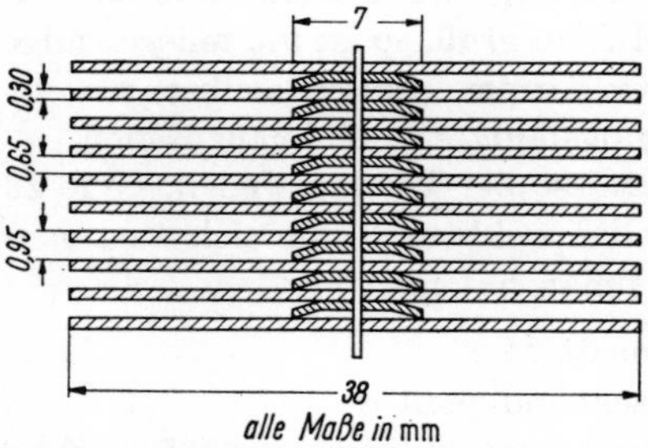

Abb. V/23. Elemente eines Torsionskettenleiters für Verzögerungszwecke (nach BOERGER und CREMER)

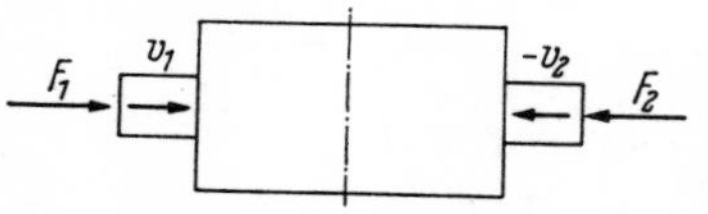

Abb. V/24. Glied eines mechanischen, longitudinalen Kettenleiters

Wir wollen nun noch die (255a) entsprechende Beziehung für einen beliebigen „longitudinalen Kettenleiter" angeben. Bei seiner schematischen Darstellung in Abb. V/24 haben wir mit Rücksicht auf die später zu behandelnden Biegeprobleme und im Gegensatz zu den mechanischen

[1] BOERGER, G. u. L. CREMER: Proceedings of the Fourth International Congress on Acoustics, Copenhagen (1962) N 15.

Vierpolen in Kapitel 1 Eingang und Ausgang durch kurze Stabstücke dargestellt. Außerdem haben wir diesmal die Richtungen der Kräfte F_1 und F_2 und der Schnellen v_1 und $(-v_2)$ durch einfache Pfeile gekennzeichnet, voraussetzend, daß es sich immer um Abstützungen gegen ein unverschiebbares Gehäuse und um Bewegungen gegenüber diesem handelt.

Wenn wir nun die Kräfte als lineare Funktionen der Schnellen ausdrücken, erhalten wir eine Beziehung der Form

$$\begin{pmatrix} F_1 \\ F_2 \end{pmatrix} = \begin{pmatrix} Z_{11} & Z_{12} \\ Z_{21} & Z_{22} \end{pmatrix} \begin{pmatrix} v_1 \\ -v_2 \end{pmatrix}, \tag{269}$$

in der zunächst eine Widerstandsmatrix mit im allgemeinsten Fall vier unabhängigen Elementen auftritt. (Das Vorzeichen von v_2 ist im Sinne der fortlaufenden Kette angesetzt, aber (269) und Abb. V/24 sind auf symmetrischen Feldgrößen aufgebaut, d. h. auf v_1 und $-v_2$.)

Nun haben wir bei den Körperschallproblemen ausschließlich mit sogenannten passiven Systemen, d. h. solchen ohne äußere Energiezufuhr und ohne Wandler zu tun, für die das Reziprozitätsgesetz gilt; d. h . aber hier, daß sein muß:

$$\left(\frac{F_1}{-v_2}\right)_{v_1=0} = \left(\frac{F_2}{v_1}\right)_{v_2=0}, \tag{270}$$

woraus die Gleichheit der Elemente der Nebendiagonale

$$Z_{12} = Z_{21} \tag{270a}$$

folgt, die man in der Vierpoltheorie als „Kernwiderstand" bezeichnet. Wir haben es also immer nur mit 3 unterschiedlichen Elementen zu tun.

Ist das Kettenglied sogar symmetrisch, reduziert sich die Zahl auf 2, da dann auch gilt

$$\left(\frac{F_1}{v_1}\right)_{v_2=0} = \left(\frac{F_2}{-v_2}\right)_{v_1=0} \tag{271}$$

und somit

$$Z_{11} = Z_{22}\,. \tag{271a}$$

Mit dem (253) entsprechenden Ansatz:

$$F_2 = F_1\, e^g\,, \quad v_2 = v_1\, e^g \tag{272}$$

erhalten wir auch bei beliebigem passivem Kettenglied zwei lineare Gleichungen, beispielsweise:

$$\left.\begin{aligned} F_1 - (Z_{11} - Z_{12}\, e^g)\, v_1 &= 0 \\ e^g F_1 - (Z_{12} - Z_{22}\, e^g)\, v_1 &= 0 \end{aligned}\right\} \tag{273}$$

und gewinnen aus der Bedingung des Verschwindens der Koeffizienten-Determinante die allgemeine Beziehung:

$$\cosh g = \frac{Z_{11} + Z_{22}}{2\, Z_{12}} \tag{274}$$

bzw. im symmetrischen Falle:

$$\cosh g = \frac{Z_{11}}{Z_{12}}. \tag{274a}$$

Wir wollen diese Formeln nun auf den — für Spanten auf Schiffshäuten sicher interessierenden — Fall anwenden, daß zwischen den Sperrmassen jeweils ein Stabstück liegt, das nicht mehr kurz zur Wellenlänge ist. Für dieses Stabstück allein ergeben seine in (III, 41) angegebenen Kettenbeziehungen die Widerstände:

$$Z_{11} = Z_{22} = \frac{m' c}{j} \operatorname{ctg} k l, \quad Z_{12} = \frac{m' c}{j \sin k l}. \tag{275}$$

Ein Einsetzen dieser Werte in (274a) liefert, wie zu erwarten, $g = j k l$. Schalten wir jetzt die Sperrmasse davor, so ändert sich nur Z_{11} in:

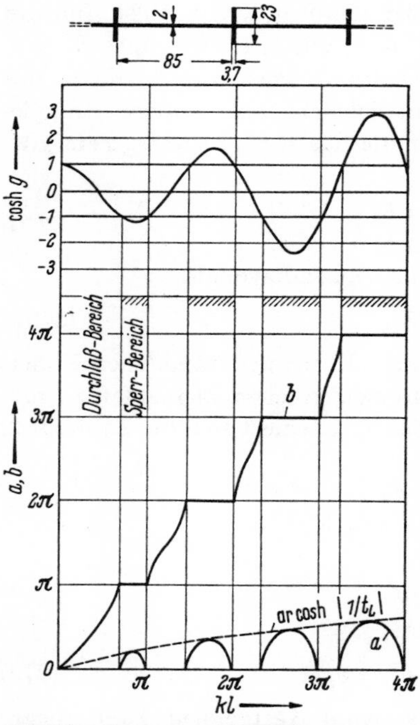

Abb. V/25. Dämpfungsmaß für longitudinale Ausbreitung auf einem Stab mit periodisch aufgesetzten Sperrmassen

$$Z_{11} = \frac{m' c}{j} \operatorname{ctg} k l + j \omega m, \tag{275a}$$

denn die anderen Größen werden ja mit $v_1 = 0$, also bei festgehaltener Masse, gewonnen. Wir erhalten somit:

$$\cosh g = \cos (k l) - \frac{m}{2 m' l} (k l) \sin (k l). \tag{276}$$

Für kleine $(k l)$-Werte geht diese Beziehung in (255a) über. Die Kette beginnt also in jedem Falle mit einem Durchlaßbereich. Ferner können wir, da die rechte Seite auch hier reell ist (wie übrigens immer bei Vernachlässigung der Verluste), von dem einfachen Tiefpaß-Problem übernehmen, daß Durchlaßbereiche, d. h. $a = 0$, dort auftreten, wo $|\cosh g| < 1$ ist, und Sperrbereiche, d. h. $b = n \pi$, dort, wo $|\cosh g| > 1$ ist. Da die rechte Seite aber diesmal nicht eine monoton ausweichende, sondern eine mit wachsender Amplitude oszillierende Funktion darstellt (s. das in Abb. V/25 wiedergegebene, der Abb. V/15 mit $l = 85$ cm angepaßte Beispiel), haben wir diesmal mit einer unendlichen Folge von Durchlaß- und Sperrbereichen zu rechnen. Dabei beginnen Durchlaßbereiche jedesmal an den Stellen

$$k l = n \pi, \quad n = 0, 1, 2, 3 \ldots, \tag{277}$$

also bei Durchschreitung der longitudinalen Eigenfrequenzen der unveränderten Stabteile, wo wir nach den Rechnungen für eine einzige Zwischenschicht auch Totaldurchgänge erwartet haben. Wie weit die Durchlaßbereiche jeweils reichen, hängt von dem Parameter $(m/m' l)$ ab. Je größer die Sperrmasse im Verhältnis zur Masse der Zwischenstücke ist, um so steiler werden die Bereiche $-1 < \cosh g < +1$ durchschritten, um so schmaler sind die Durchlaßbereiche.

Ferner sei darauf hingewiesen, daß das Phasenmaß in den Durchlaßbereichen immer nur steigen kann. Am einfachsten erkennt man das aus den Phasendrehungen an den durch (277) gekennzeichneten Resonanzstellen, die sich entsprechend der wachsenden Zahl der Knotenstellen auf dem Zwischenstück jedesmal um π unterscheiden, sich aber in den vorangegangenen Sperrbereichen nicht geändert haben können.

Schließlich kann auch hier gezeigt werden, daß bei Gegenresonanz, d. h. bei

$$k\,l = (2\,n + 1)\,\pi/2 \tag{278}$$

das Verhältnis gleichartiger Größen vor und hinter einer Masse doppelt so groß ist wie bei einer Einzelmasse, nämlich:

$$\frac{v_n}{v_{n+1}} = e^a \approx 2 \cosh a = \frac{m\,k}{m'} = \frac{\omega\,m}{m'\,c}, \tag{279}$$

während nach (188) das Amplitudenverhältnis der bei der Einzelmasse einander entsprechenden Werte v_{1+} und v_3 nur:

$$\frac{1}{t} = \frac{v_{1+}}{v_3} \approx \frac{\omega\,m}{2\,m'\,c}$$

beträgt. Überhaupt kann in (276) der Betrag des reziproken Durchlaßfaktors $1/|t|$ als symmetrisches Hüllkurvenpaar der auf der rechten Seite stehenden Funktion angesehen werden, was man an der möglichen Umformung:

$$\cosh g = \mathrm{Re}\left\{\frac{1}{t}\right\} \cos k\,l - \mathrm{Im}\left\{\frac{1}{t}\right\} \sin k\,l = \mathrm{Re}\left\{\frac{1}{t}\,e^{j\,k\,l}\right\} \tag{280}$$

erkennt.

Nennenswert höhere Dämpfungsmaße, als sie (279) entsprechen, sind daher nicht zu erwarten.

Den allgemeinen Charakter der Formel (280), die uns unten (s. (293a)) auch bei Biegewellenproblemen begegnen wird, übersieht man am besten an dem Grenzfall, daß die Ausbreitung im Stab so gedämpft ist, daß wir die Rückwirkung der reflektierten Welle vernachlässigen können. In diesem Falle haben wir zu erwarten, daß

$$\frac{v_{1+}}{v_{2+}} = e^g = e^{a+j\,b} = \frac{1}{t}\,e^{j k^{\perp} l + k^{\perp\perp} l}$$

ist. Gerade das aber ergibt sich aus (280), indem dann

$$\cos k\,l = \frac{1}{2}\, e^{j k^{\perp} l + k^{\perp\!\perp} l}\,,\ \sin k\,l = \frac{1}{2}\, e^{j k^{\perp} l + k^{\perp\!\perp} l}\ \text{ und }\ \cosh g = \frac{1}{2}\, e^{g}$$

wird.

Formel (280) läßt sich auch allgemein aus den Formeln (213) und (214) ableiten, welche die Schnelle-Amplituden der auf beiden Seiten auftreffenden und reflektierten Wellenzüge miteinander verknüpft, wobei wir im Sinne der Bezeichnungen dieses Abschnittes unter v_{2+} und v_{2-} die phasenverschobenen Werte vor der nächsten Masse verstehen wollen. Die Beziehungen lauten dann:

$$v_{2+}\, e^{j k l} = t\, v_{1+} + r\, e^{-j k l}\, v_{2-}\,,$$

$$v_{1-} = r\, v_{1+} + t\, e^{-j k l}\, v_{2-}\,.$$

Zwischen den so definierten Schnelle-Amplituden an gleichen Stellen folgender Kettenglieder aber gilt wieder:

$$v_{2+} = v_{1+}\, e^{g}\,,$$

$$v_{2-} = v_{1-}\, e^{g}\,.$$

Wir erhalten dann zwei homogene Gleichungen für v_{1+} und v_{1-}:

$$v_{1+}\,(t - e^{g + j k l}) + v_{1-}\, r\, e^{g - j k l} = 0\,,$$

$$v_{1+}\, r + v_{1-}\,(t\, e^{g - j k l} - 1) = 0\,.$$

Die Bedingung, daß die Determinante aus den Koeffizienten verschwinden muß, läßt sich zunächst auf die Form bringen:

$$\cosh g = \frac{1}{2}\left(\frac{1}{t}\, e^{j k l} + \frac{t^2 - r^2}{t}\, e^{-j k l}\right). \tag{280a}$$

Nun ist, wie bereits in (173) und (174) ausgeführt, bei verlustlosen Trennobjekten

einerseits $|r|^2 = 1 - |t|^2$, andererseits $r \perp t$;

beides zusammen ergibt:

$$r^2 = -\frac{t^2}{|t|^2}\,(1 - |t|^2)$$

und somit:

$$\frac{t^2 - r^2}{t} = \frac{t}{|t|^2} = \frac{1}{t^*}\,;$$

die rechte Seite in (280a) stellt also den Mittelwert zweier konjugiert komplexer Größen dar und dieser ist stets gleich ihrem Realteil, womit wir (280) erhalten haben:

$$\cosh g = \frac{1}{2}\left(\frac{1}{t}\, e^{j k l} + \frac{1}{t^*}\, e^{-j k l}\right) = \operatorname{Re}\left\{\frac{1}{t}\, e^{j k l}\right\}. \tag{280b}$$

b) Biege-Kettenleiter

Das Biegewellenproblem unterscheidet sich wieder dadurch, daß am Eingang und Ausgang vier Größen auftreten, oder anders ausgedrückt, daß im Gegensatz zu (269) vier dynamische Größen F_1, F_2, M_1, M_2 als lineare Funktionen von vier kinematischen Größen v_1, v_2, w_1, w_2 darzustellen sind. Die Vorzeichenwahl für die Feldgrößen sei dabei wieder der Kettenbedingung:

$$\frac{F_1}{-F_2} = \frac{M_1}{M_2} = \frac{v_1}{v_2} = \frac{w_1}{-w_2} = e^g \qquad (281)$$

angepaßt; in der folgenden Gleichung und in Abb. V/26 treten dann im Interesse der Symmetriebetrachtungen diesmal $(-F_2)$ und $(-w_2)$ in Erscheinung. Außerdem empfiehlt sich aus Gründen des symmetrischen Aufbaus eine Anordnung, bei der die Kräfte und Schnellen zu den äußeren Zeilen und Spalten gehören:

$$\begin{pmatrix} F_1 \\ M_1 \\ M_2 \\ -F_2 \end{pmatrix} = \begin{pmatrix} Z_{11} & U_{12} & Y_{12} & Z_{12} \\ U_{21} & W_{11} & W_{12} & X_{12} \\ Y_{21} & W_{21} & W_{22} & V_{12} \\ Z_{21} & X_{21} & V_{21} & Z_{22} \end{pmatrix} \begin{pmatrix} v_1 \\ w_1 \\ -w_2 \\ v_2 \end{pmatrix}. \qquad (282)$$

Diesmal hätte die Impedanz-Matrix sogar im allgemeinen Falle 16 unterschiedliche Elemente.

Auf Grund des Reziprozitätsgesetzes sind dabei sogar 6 Paare einander gleich. Man findet sie wieder, indem man unter Ausnutzung aller Kombinationsmöglichkeiten jeweils 2 kinematische Freiheiten aufgibt. Wir beginnen damit, die Drehungen zu verhindern, und erhalten so das in Abb. V/26b skizzierte System mit geführten Enden. Der Biege-Kettenleiter entartet dabei zu einem einfachen Vierpol, der durch die Widerstandsmatrix

$$\begin{pmatrix} Z_{11} & Z_{12} \\ Z_{21} & Z_{22} \end{pmatrix}$$

beschrieben werden kann und für den folglich gilt:

$$Z_{12} = Z_{21}\,. \qquad (283\,a)$$

In gleicher Weise beschreibt die Teilmatrix in der Mitte, deren Elemente Momenten-

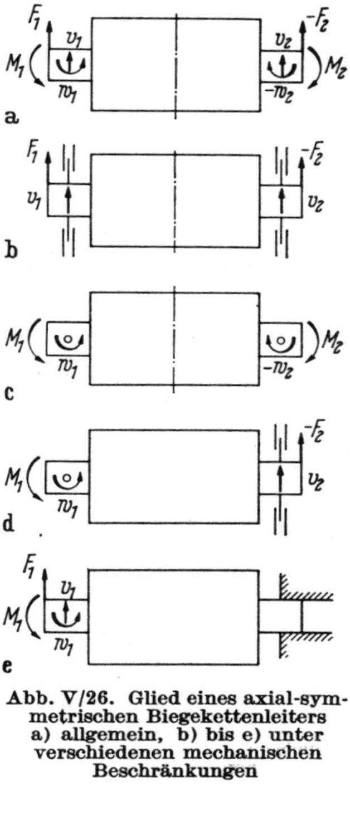

Abb. V/26. Glied eines axial-symmetrischen Biegekettenleiters a) allgemein, b) bis e) unter verschiedenen mechanischen Beschränkungen

impedanzen darstellen:

$$\begin{pmatrix} W_{11} & W_{12} \\ W_{21} & W_{22} \end{pmatrix},$$

die in Abb. V/26c gezeigte Entartung, bei der die Verschiebungen verhindert sind und bei der gilt:

$$W_{21} = W_{12}\,. \tag{283b}$$

Es ist aber auch möglich, auf einer Seite die Verschiebung auf der anderen die Drehbewegung zu verhindern, wie das in Abb. V/26d gezeigt ist. Hierzu gehört die Teilmatrix

$$\begin{pmatrix} W_{11} & X_{12} \\ X_{21} & Z_{22} \end{pmatrix}$$

in der

$$X_{12} = X_{21} = X \tag{283c}$$

sein muß. Läßt man dabei beide Enden ihre Rollen vertauschen, so erhält man ebenso

$$Y_{21} = Y_{12} = Y\,. \tag{283d}$$

Schließlich kann eine Seite fest eingespannt, also beispielsweise wie in Abb. V/26e: $v_2 = w_2 = 0$ sein. Dann bleibt die Teilmatrix

$$\begin{pmatrix} Z_{11} & U_{12} \\ U_{21} & W_{11} \end{pmatrix}$$

übrig mit

$$U_{12} = U_{21} = U\,, \tag{283e}$$

wozu bei Vertauschung von linkem und rechtem Ende gehört:

$$V_{12} = V_{21} = V\,. \tag{283f}$$

Kurzum, das Reziprozitätsgesetz macht auch in diesem Falle die Matrix symmetrisch zur Hauptdiagonalen.

Eine weitere Reduktionsmöglichkeit liefert die Symmetrie des Kettenleiters, die wir bei diesem ohnehin komplizierteren Problem voraussetzen wollen. Es leuchtet ohne weiteres ein, daß dann

$$Z_{11} = Z_{22} \tag{284a}$$

und

$$W_{11} = W_{22} \tag{284b}$$

sein muß. Aber auch zwischen den unsymmetrischen Gebilden 26d und 26e und ihren nicht gezeichneten Spiegelbildern bestehen Symmetriebedingungen, nämlich

$$\left(\frac{M_1}{v_2}\right)_{v_1=w_1=w_2=0} = \left(\frac{M_2}{v_1}\right)_{v_2=w_1=w_2=0}$$

sowie

$$\left(\frac{F_1}{-w_2}\right)_{v_1=v_2=w_1=0} = \left(\frac{-F_2}{w_1}\right)_{v_1=v_2=w_2=0};$$

sie führen mit Hinblick auf (283c) und (283d) auf die gleiche Bedingung, nämlich

$$X = Y\,; \tag{284c}$$

und schließlich ergeben auch die Möglichkeiten

$$\left(\frac{M_1}{v_1}\right)_{r_2=w_1=w_2=0} = \left(\frac{M_2}{v_2}\right)_{r_1=w_1=w_2=0}$$

und

$$\left(\frac{F_1}{w_1}\right)_{r_1=r_2=w_2=0} = \left(\frac{-F_2}{-w_2}\right)_{r_1=r_2=w_1=0}$$

auch nur eine Bedingung, nämlich

$$U = V\,. \tag{284d}$$

Bei der gewählten Schreibweise heißt das, die Symmetrie des Kettenleiters macht die Matrix zusätzlich symmetrisch zur Nebendiagonale.

Die allgemeine Form der Impedanz-Matrix des symmetrischen Biegekettenleiters enthält somit nur noch 6 unabhängige Größen:

$$\begin{pmatrix} F_1 \\ M_1 \\ M_2 \\ -F_2 \end{pmatrix} = \begin{pmatrix} Z_{11} & U & X & Z_{12} \\ U & W_{11} & W_{12} & X \\ X & W_{12} & W_{11} & U \\ Z_{12} & X & U & Z_{11} \end{pmatrix} \begin{pmatrix} v_1 \\ w_1 \\ -w_2 \\ v_2 \end{pmatrix}, \tag{285}$$

Mit dem Ansatz (281) lassen sich hieraus wieder 4 homogene lineare Gleichungen, beispielsweise zwischen den 4 Eingangsgrößen gewinnen. Das Verschwinden ihrer Koeffizienten-Determinate, oder einfacher die Bildung und Gleichsetzung des Quotienten v_1/w_1 aus den beiden Gleichungen für die Kräfte und denen für die Momente, führt diesmal auf die Bestimmungsgleichung für das Ausbreitungsmaß:

$$(\cosh^2 g - 1)\, X^2 = (Z_{12} \cosh g + Z_{11})\,(W_{12} \cosh g - W_{11})\,\text{[1]}, \tag{286}$$

welche deutlich zwei Lösungen für $\cosh g$, also 4 Werte für g erkennen läßt. Die Kopplungskonstante U geht in die Endformel gar nicht ein, was offenbar damit zusammenhängt, daß U Feldgrößen auf gleicher Seite miteinander in Beziehung setzt. Setzt man die andere Kopplungskonstante $X = 0$, zerfällt (286) in zwei Gleichungen, die beide den gewöhnlichen Vierpolen entsprechen, zu denen die Teilmatrizen zu (283a) und (283b) gehören und die sich kettenartig aneinanderreihen lassen.

Bei diesen entarteten, d. h. aber besonders einfach zu behandelnden, Biegekettenleitern, ist der Rechnungsgang derselbe, wie bei den longitudinalen (s. z. B. (259)). Die — ohne Verluste stets reellen — Funktionen $(-Z_{11}/Z_{12})$ bzw. (W_{11}/W_{12}) werden in Abhängigkeit der Frequenz aufgetragen; dort wo der Betrag dieser Funktion kleiner als 1 ist, haben wir einen Durchlaßbereich mit einem um π wachsenden Phasenmaß vor

---

[1] Cremer, L. u. H. O. Leilich: Arch. d. elektr. Übertr. 7 (1953) 261.

uns, wo er größer als 1 ist, einen Sperrbereich mit konstantem Phasenmaß.

Als einfaches und doch praktisch wichtiges Beispiel für einen solchen Kettenleiter wollen wir (s. Abb. V/27) einen unendlich langen Stab betrachten, der in regelmäßigen Abständen an seiner Translation gehindert ist, beispielsweise durch Aufstützung, oder wie in Abb. V/28 gezeigt, durch Stifte.

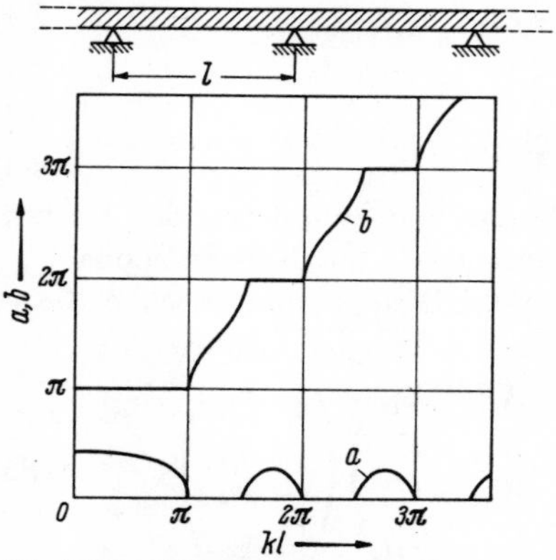

Abb. V/27. Frequenzgang von Phasenmaß a und Dämpfungsmaß b eines in Abständen l an der Verschiebung gehinderten Stabes (nach L. CREMER und H. O. LEILICH)

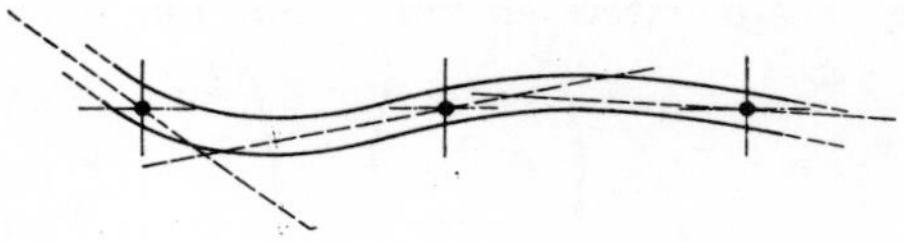

Abb. V/28. Deformation eines in Abständen l an der Verschiebung gehinderten Stabes bei Aufbringung eines zeitlich konstanten Biegemomentes am Anfang (nach L. CREMER und H. O. LEILICH)

Formt man die schon unter (III, 46) angegebenen Gleichungen zwischen den Feldgrößen bei $x = l$ und denen bei $x = 0$ in die Matrizengleichung (285) um, so ergeben sich für die Elemente der Impedanzmatrix beim Stab die Werte[1]:

$$\left.\begin{aligned} Z_{11} &= -\frac{j\,W'k\,(S\,C - s\,c)}{N} \\ Z_{12} &= \frac{j\,W'\,k\,S}{N} \\ W_{11} &= \frac{j\,W'(C\,s - S\,c)}{(k\,N)} \\ W_{12} &= \frac{j\,W'\,s}{(k\,N)} \\ X &= \frac{j\,W'\,c}{N} \\ U &= \frac{j\,W'(s^2 - C\,c)}{N} \\ \text{mit}\quad N &= c^2 - S\,s\,. \end{aligned}\right\} \qquad (287)$$

[1] CREMER, L. u. H. O. LEILICH: Arch. d. elektr. Übertr. 7 (1953) 265.

Dabei bedeuten C, S, c und s wie in (III, 46) Abkürzungen für

$$\left.\begin{aligned} C &= \frac{1}{2}\left(\cosh(k\,l) + \cos(k\,l)\right) \\ S &= \frac{1}{2}\left(\sinh(k\,l) + \sin(k\,l)\right) \\ c &= \frac{1}{2}\left(\cosh(k\,l) - \cos(k\,l)\right) \\ s &= \frac{1}{2}\left(\sinh(k\,l) - \sin(k\,l)\right) \end{aligned}\right\} \tag{288}$$

und W' den in (28) eingeführten Biegewellenwiderstand des Stabes.

Für das in Abb. V/27 gezeigte Problem, bei welchem $v_1 = v_2 = 0$ ist, reduziert sich Gl. (285) auf

$$\begin{pmatrix} M_1 \\ M_2 \end{pmatrix} = \begin{pmatrix} W_{11} & W_{12} \\ W_{12} & W_{11} \end{pmatrix} \begin{pmatrix} w_1 \\ -w_2 \end{pmatrix}; \tag{289}$$

wir benötigen also nur W_{11} und W_{12} und gewinnen das Ausbreitungsmaß aus:

$$\cosh g = \frac{W_{11}}{W_{12}} = \frac{C\,s - S\,c}{s} = \frac{\cos(k\,l)\sinh(k\,l) - \sin(k\,l)\cosh(k\,l)}{\sinh(k\,l) - \sin(k\,l)}. \tag{290}$$

In Abb. V/27 sind die hieraus sich ergebenden Frequenzgänge von Dämpfungsmaß a und Phasenmaß b eingetragen. Es beginnt bei niedrigen Frequenzen mit einem Sperrbereich und Phasenumkehr von Glied zu Glied, d. h. auch ein am Eingang zeitlich konstant wirkendes Biegemoment deformiert den periodisch durch Stifte befestigten Balken zu einer mit einem Dämpfungsmaß $a(0) = \operatorname{ar}\cosh 2$ abnehmenden Schlangenlinie, deren Ausweichung von Glied zu Glied das Vorzeichen umkehrt. Das erste Sperrgebiet ist dort zu Ende, wo die Länge l der halben Biegewelle entspricht, also bei $k\,l = \pi$. $\cosh g$ überschreitet hier den Wert -1. Es leuchtet ein, daß eine stehende Wellenbewegung, bei der die Befestigungsstellen zu Knoten werden können, ungeschwächt sich ausbreiten kann. Der Durchlaßbereich ist aber wieder nicht nur auf diesen Spezialfall beschränkt, er erstreckt sich bis $k\,l \approx 3/2\,\pi$, d. h. etwa bis zu dem Wert, der einem beiderseits eingespannten Balken entspricht. Dann schließt sich wieder ein Sperrbereich bis $k\,l = 2\,\pi$ an, dann wieder ein Durchlaßbereich bis $k\,l \approx 5/2\,\pi$ und so fort, ohne daß in den Sperrbereichen das maximale Dämpfungsmaß von etwa 0,9 Np sich erhöht. Es ist hier ja auch das zu einer einmaligen Abstützung gehörige Dämmaß von 3 dB frequenzunabhängig. Die Maxima werden wieder bei Gegenresonanz der Stababschnitte erreicht, d. h. hier bei $k\,l = (4\,n + 1)\,\pi/4$; $(n = 1, 2, 3\,\ldots)$. Infolge der unvollständigen Reflexion an den Stützpunkten bleibt im Gegensatz zum Problem der

Abb. V/25 die resultierende Schnelleamplitude (v_{2+}) dabei größer als die halbe primäre $(v_{2\infty})$, das Dämpfungsmaß überragt daher hier das oben genannte Dämmaß um weniger als 6 dB.

Wenn wir jetzt die Stifte in Gedanken herausziehen, bedeutet das im Rahmen der Kettenleiterdarstellung, daß wir von (289) zur vollständigen Matrizengleichung (285) überzugehen haben und somit von (290) zu (286). Physikalisch heißt das aber nichts anderes als den Übergang zum unendlichen Balken, und in der Tat führt ein Einsetzen der Werte aus (287) in (286) auf die Gleichung:

$$\big(\cosh g - \cosh (k\,l)\big)\big(\cosh g - \cos (k\,l)\big) = 0; \qquad (291)$$

wir erhalten die zwei Ausbreitungsmaße des Balkens, von denen das eine stets reell, das andere stets imaginär ist.

Beim allgemeinen Biegekettenleiter müssen wir aber damit rechnen, daß beide Lösungen ihre Durchlaß- und Sperrbereiche haben, müssen also die Diagramme in (V/25) und (V/27) durch zwei ersetzen, wobei — falls wir an der Dämmung interessiert sind — besonders das niedrigere Dämpfungsmaß interessiert. Ferner braucht, da die quadratische Gleichung (286) für $\cosh g$ auch bei reellen Koeffizienten, d. h. bei Vernachlässigung der Verluste, komplexe Lösungen haben kann, die bisherige Trennung in reine Durchlaßbereiche mit stets wachsendem Phasenmaß und Sperrbereiche mit konstantem Phasenmaß nicht mehr zu gelten. Daß die Rechnungen überhaupt sehr viel komplizierter sind als bei den Longitudinalwellenproblemen bedarf keines Beweises.

Bisher ist nur ein nicht entarteter Biege-Kettenleiter durchgerechnet worden[1, 2], nämlich der — den Spanten auf der Schiffshaut angepaßte — Balken mit periodisch aufgesetzten Sperrmassen. Wenn wir diese Massen in Gedanken in der Mitte durchschneiden, erhalten wir symmetrische Glieder, wobei sich von den Werten in (287) nur Z_{11} und W_{11} um die Trägheitswiderstände der halben Sperrmassen unterscheiden:

$$\left.\begin{aligned} Z_{11} &= -\frac{j\,W'\,k\,(S\,C - s\,c)}{N} + \frac{j\,\omega\,m}{2}, \\ W_{11} &= \frac{j\,W'(C\,s - S\,c)}{(k\,N)} + \frac{j\,\omega\,\Theta}{2}. \end{aligned}\right\} \qquad (292)$$

Praktisch interessieren dabei nur Abstände der Sperrmassen, die größer als eine Biegewelle sind. Das bedeutet aber eine große Vereinfachung, indem die Biege-Nahfelder das Ergebnis nicht mehr beeinflussen. Damit verbunden ist die Tatsache, daß eines der Ausbreitungsmaße des Kettenleiters ein so hohes Dämpfungsmaß darstellt, daß es außer acht bleiben kann.

---

[1] Cremer, L. u. H. O. Leilich: Arch. d. elektr. Übertr. 7 (1953) 261.

[2] Müller, H. L.: Frequenz 11 (1957) 325.

Mathematisch äußert sich das darin, daß alle in (287) und (292) auftretenden Hyperbelfunktionen durch die gleiche Exponentialfunktion ersetzt werden können

$$\cosh k\,l \approx \sinh k\,l \approx \frac{1}{2}\,e^{k\,l}$$

und daß nach Durchdividieren von (286) durch deren Quadrat viele Summanden vernachlässigt werden können. HECKL erhielt so für das Ausbreitungsmaß eines Balkens mit in regelmäßigen Abständen aufgesetzten Sperrmassen die Beziehung:

$$\cosh g = \frac{4 + \mu - \vartheta^2\,\mu^3 - \vartheta^2\,\mu^4/2}{4 + \mu - \vartheta^2\,\mu^3}\cos k\,l - \frac{\mu + \vartheta^2\,\mu^3}{4 + \mu - \vartheta^2\,\mu^3}\sin k\,l\,, \quad (293)$$

worin μ und ϑ die für die Dämmung der einzelnen Sperrmasse kennzeichnenden durch (199) und (200) definierten Parameter bedeuten. Führt man den dort in (203) angegebenen Transmissionsfaktor t_B ein, so kann man statt (293), wie oben in (280), noch einfacher schreiben[1]:

$$\begin{aligned}\cosh g &= \mathrm{Re}\left\{\frac{1}{t_B}\right\}\cos k\,l - \mathrm{Im}\left\{\frac{1}{t_B}\right\}\sin k\,l \\ &= \mathrm{Re}\left\{\frac{1}{t_B}\,e^{j\,k\,l}\right\} = \frac{1}{|t_B|}\cos(k\,l + \varphi_t)\,. \qquad (293\,\mathrm{a})\end{aligned}$$

wobei φ_t den Phasenwinkel von t_B bedeutet. In der Funktion auf der rechten Seite kommt die Frequenz in zwei Parametern vor, einmal in μ, d. h. vor allem im Frequenzgang des durch $1/|t_B|$ gegebenen Hüllkurvenpaares, andererseits in der Phasendifferenz $k\,l$, die dem Wandern einer Biegewelle von einer Sperrmasse zur nächsten entspricht. Da aber im Argument des Cosinus auch noch φ_t vorkommt, ist die Periode der zwischen den Hüllkurven pendelnden Funktion nicht nur durch $k\,l$ gegeben. Jedenfalls aber werden, obschon $1/t_B$ sehr große Werte annehmen kann, immer wieder die zwischen $+1$ und -1 gelegenen Gebiete, also Durchlaßgebiete, durchstoßen. Da bei höheren Frequenzen

$$\mathrm{Re}\left\{\frac{1}{t_B}\right\} \gg \mathrm{Im}\left\{\frac{1}{t_B}\right\} \quad \text{also} \quad \varphi_t \approx 0$$

ist, liegen die Durchlaßgebiete dort in der Nähe der Nullstellen des Cosinus, das sind aber zugleich die Eigenfrequenzen für den beiderseits eingespannten Stab, also für eine Bewegungsform, bei der die Sperrmassen in Ruhe bleiben können.

Dazwischen sind wieder Antiresonanzen zu erwarten, bei denen die Schnelle hinter der Sperrmasse halb so groß ist, wie bei ungehinderter Ausbreitung, bei denen also wieder ein um 6 dB höheres Dämpfungsmaß in der unendlichen Kette zu erwarten ist, als es dem Dämmaß der Einzel-

[1] Siehe MÜLLER, H. L.: Frequenz 11 (1957), Formel (30a).

masse entspricht. In der Tat erhalten wir bei den Berührungspunkten mit der Hüllkurve für große $(1/t_B)$-Werte:

$$\left.\begin{aligned} \cosh g &\approx \frac{1}{2}\, e^a = \frac{1}{|t_B|}\,; \\ a &= \ln\frac{2}{|t_B|}\,\mathrm{Np} = \left[10\lg\frac{1}{\tau_B} + 6\right]\mathrm{dB}\,. \end{aligned}\right\} \qquad (294)$$

Abb. V/29a zeigt als gestrichelte Kurve das von MÜLLER[1] für die abgebildete symmetrische Sperrmassenanordnung errechnete, um 6 dB

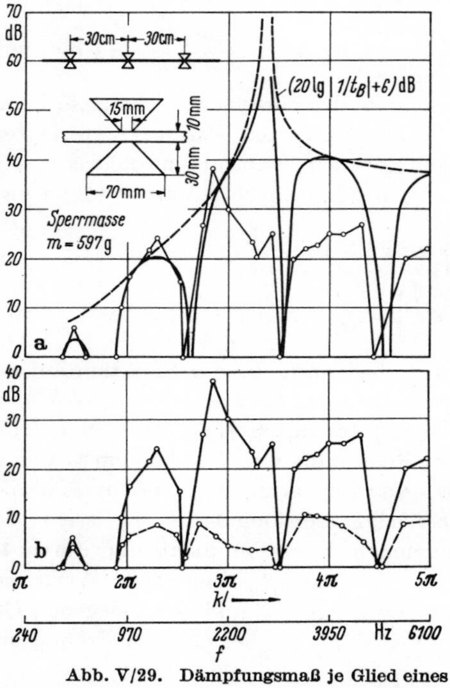

a) berechnete Werte (dick ausgezogen) im Vergleich mit dem um 6 dB erhöhten Schalldämmaß einer einzelnen Sperrmasse (gestrichelt) und mit Messungen nach H. L. MÜLLER (Kreise mit dünnen Linien verbunden)

b) Messungen des Dämpfungsmaßes je Glied hinter dem ersten Glied (dick ausgezogen), hinter dem sechsten Glied (dünn ausgezogen) (nach H. L. MÜLLER)

Abb. V/29. Dämpfungsmaß je Glied eines Stabes mit gleichen Abständen

erhöhte Dämmaß: $(R_B + 6\,\mathrm{dB})$ und darunter als ausgezogene Linie das Dämpfungsmaß a eines Kettenleiters (ebenfalls in dB) bei sich mit 30 cm Abstand wiederholenden Sperrmassen. Außerdem sind die von ihm hinter dem ersten Glied gemessenen Werte eingetragen. In Abb. V/29b sind diese Meßwerte mit geraden Linien verbunden und außerdem sind — gestrichelt verbunden — die Dämpfungsmaße je Glied eingetragen, die sich aus einer Messung hinter dem 6. Glied ergeben. Während die Messung hinter dem ersten Glied sich noch gut mit der Rechnung deckt, kann diese bei 6 Gliedern eigentlich nur noch die Nullstellen voraussagen. Nun ist andererseits auch kaum zu erwarten, daß

[1] MÜLLER, H. L.: Frequenz 11 (1957), 343, Bild 6.

eine schon bei einem Glied auftretende Pegeldifferenz von 20 oder gar 30 dB sich noch versechsfachen kann. Wie überall bei Schalldämmproblemen machen sich Nebenwege um so stärker bemerkbar, je höher der Hauptweg gedämmt ist. Ein solcher Nebenweg ergibt sich aus der Erzeugung sekundärer Longitudinalwellen bei jeglicher — fast unvermeidbarer — Exzentrizität des Schwerpunktes. Nach Näherungsrechnungen und Messungen von MÜLLER[1] kann die an der ersten Sperrmasse ausgelöste Longitudinalwelle und ihre Rückumwandlung in Biegewellen an den folgenden Massen den Pegel hinter diesen bereits beherrschen.

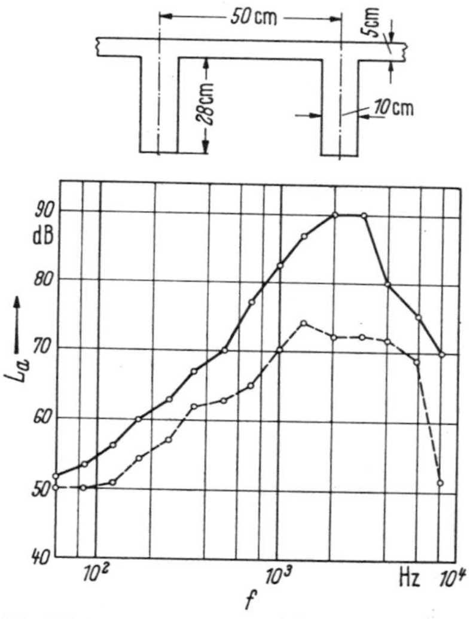

Abb. V/30. Mit Oktavfiltern gemessener Beschleunigungspegel einer Rippendecke in 1 m Abstand vom anregenden Hammerwerk gemessen
ausgezogene Kurve parallel zu den Rippen; gestrichelte Kurve senkrecht zu den Rippen (nach H. L. MÜLLER)

Noch geringer ist die Übereinstimmung mit der hier durchgeführten eindimensionalen Rechnung bei zweidimensionalen Anordnungen, also bei Spanten und Rippendecken. Wohl ist, wie Abb. V/30 zeigt[2], in gleichem Abstand vom Erreger (Hammerwerk) der Pegel hinter der zweiten Rippe merklich kleiner als in etwa gleicher Entfernung parallel zu den Rippen, aber der Unterschied erscheint im Vergleich mit der unter idealisierten Bedingungen aufgestellten Rechnung gering. Bei diesen zweidimensionalen Problemen kommt allerdings hinzu, daß die Schallwellen die Rippe auch unter schrägen Einfallswinkeln treffen.

6. Probleme des schrägen Einfalls

a) Allgemeine Betrachtungen zur Bewertung schrägen Einfalls

Wir wollen nun dazu übergehen, die Biegewellen in Platten schräg auf die Trenngeraden einfallen zu lassen. Diese Erweiterung ist für die praktische Anwendung der Berechnung sicher sehr wichtig, weil bei allen flächenartigen Gebilden wie Decken, Wänden, Schiffshäuten und dgl. der senkrechte Einfall ja nur einen seltenen Spezialfall darstellt. Findet beispielsweise, wie beim Trittschall, eine punktförmige Erregung einer Platte statt, so geht von der Erregungsstelle in jeder Flächen-

[1] MÜLLER, H. L.: Frequenz 11 (1957), 347, ff.
[2] Aus MÜLLER, H. L.: Zit., Abb. 16c.

richtung die gleiche Energie aus. Eine rechteckige Begrenzung wird also — teilweise nach mehrfachen Reflexionen — unter allen Einfallswinkeln getroffen.

Im Gegensatz zu dem von der statistischen Raumakustik bekannten räumlichen Verteilungsproblem ist bei der flächenhaften Verteilung der streifende Einfall nicht häufiger als jede andere Richtung, also auch nicht häufiger als der senkrechte. Dagegen bleibt erhalten, daß ein gewisses Element der Trenngeraden, dessen Ausdehnung durch die Teillänge l gekennzeichnet ist, nur die Projektion $l \cos \vartheta$ aus der einfallenden Welle herausschneidet (s. Abb. V/31). Aus diesem Grunde kommt hier dem senkrechten Einfall die größte Bedeutung zu. Ist das betreffende Element für den betreffenden Einfallswinkel durch einen Transmissionsgrad τ gekennzeichnet und wäre die Energie je Flächeneinheit W'' (erg/cm²) auf alle Richtungen gleichmäßig verteilt, käme also auf den Winkelbereich $d\vartheta$ der Anteil $d\vartheta/2\pi$, so ergibt sich für den durch das Element der Länge l durchgelassenen Leistungsanteil:

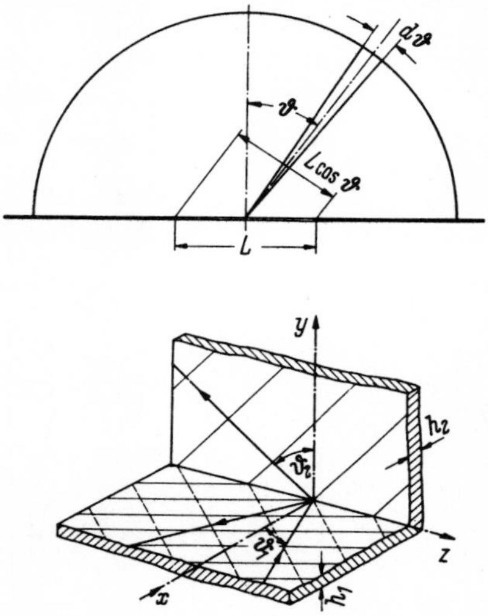

Abb. V/31. Skizze zur Gewichtbildung bei der Mittelung über verschiedene Einfallswinkel

$$P = \frac{C\,W''\,l}{2\,\pi} \int\limits_{-\pi/2}^{+\pi/2} \tau(\vartheta) \cos\vartheta\, d\vartheta = \frac{C\,W''\,l}{2\,\pi} \int\limits_{-1}^{+1} \tau(\vartheta)\, d(\sin\vartheta)\,, \qquad (295)$$

wobei C die Gruppengeschwindigkeit der Biegewellen darstellt. Die letzte Umformung weist darauf hin, daß es sich empfiehlt, den Transmissionsgrad in Abhängigkeit von $\sin\vartheta$ auszudrücken und aufzutragen, damit der Flächenmittelwert unter der betreffenden Kurve zugleich ein Maß für den „mittleren" Transmissionsgrad darstellt:

$$\tau_m = \frac{\int_0^1 \tau\, d(\sin\vartheta)}{\int_0^1 d(\sin\vartheta)} = \int_0^1 \tau\, d(\sin\vartheta)\,. \qquad (296)$$

Ganz entsprechend vollzieht sich die Mittelwertbildung hinsichtlich des Absorptionsgrades α:

$$\alpha_m = \int_0^1 \alpha\, d(\sin\vartheta)\,, \qquad (296\,\text{a})$$

dessen Bedeutung für die Dämpfung von Platten wir bereits in III, 7a kennenlernten.

Man kann sich dabei auch, wie in der statistischen Raumakustik, die Frage vorlegen, welche Energie je Fläche W'' in einer Decke oder Wand von der Fläche S bei ständiger Zuführung einer Leistung P_0 erzeugt wird. Vernachlässigen wir einmal die Verluste während der Ausbreitung, so muß diese Leistung gleich der Summe der an der Umrandung verlorengehenden Leistungen sein, die sich aus (295) ergeben, wobei statt des Transmissionsgrades der Absorptionsgrad einzusetzen ist, bzw. dessen Mittelwert über alle Einfallswinkel nach (296a). Diese Leistungsbilanz ergibt dann:

$$P_0 = \frac{C\,W''}{\pi} \sum l_k\,\alpha_{m\,k}\,, \tag{297}$$

d. h. die stationäre Energie je Fläche ergibt sich hier aus zugeführter Leistung und den Eigenschaften des Randes zu:

$$W'' = \frac{\pi\,P_0}{C\,\Sigma\,l_k\,\alpha_{m\,k}}\,. \tag{298}$$

Ebenso kann man auch das An- und Abschwellen der Energie je Fläche erfassen, welches auftritt in den Zeitmomenten, in denen die Energie je Fläche nicht den durch (297) gegebenen Wert hat, sondern in welchem eine Differenz zwischen der linken und der rechten Seite dieser Gleichung auftritt. Diese Differenz führt dann zu einem entsprechenden Anwachsen oder Abnehmen der Gesamtenergie $W''\,S$ in der Platte:

$$P_0 - \frac{C\,W''}{\pi} \sum l_k\,\alpha_{m\,k} = S\,\frac{dW''}{dt}\,. \tag{299}$$

Insbesondere ergibt sich für den schon in III, 7a benutzten Nachhallvorgang, der sich an eine plötzliche Abschaltung der Leistungszufuhr ($P_0 = 0$) anschließt:

$$W'' = W_0''\,e^{-(C\,t\,\Sigma\,l_k\,\alpha_{m\,k}/\pi S)}\,. \tag{300}$$

Die durch einen Abfall um 60 dB gekennzeichnete Nachhallzeit

$$T = 6\ln 10\left(\frac{\pi\,S}{C\,\Sigma\,l_k\,\alpha_{m\,k}}\right) \tag{301}$$

wäre also der Fläche proportional und der Summe

$$\sum l_k\,\alpha_{m\,k} = a \tag{302}$$

umgekehrt proportional, die wir ihrer Dimension nach als „äquivalente Absorptionslänge“ a definieren können. Führt man noch eine örtliche Mittelwertbildung des Absorptionsgrades ein:

$$\bar{\alpha}_m = \frac{\Sigma\,l_k\,\alpha_{m\,k}}{\Sigma\,l_k}\,, \tag{303}$$

sowie den Umfang des Randes mit

$$\sum l_k = L\,, \tag{304}$$

so kann man Formel (301) auch umformen in

$$T = \frac{13{,}8}{C}\,\frac{\pi S}{L}\,\frac{1}{\bar{\alpha}_m}\,. \tag{305}$$

Vergleicht man diese Formel mit der bekannten Formel für die Nachhallzeit in einem Raume vom Volumen V und der Oberfläche S:

$$T = \frac{13{,}8}{c}\,\frac{4\,V}{S}\,\frac{1}{\bar{\alpha}_m}\,, \tag{306}$$

so wird deutlich, daß hier nicht nur an die Stelle des Raumvolumens sinngemäß die Plattenfläche, an die Stelle der Oberfläche des Raumes ebenso der Plattenumfang getreten ist, sondern daß auch bei diesem Übergang vom dreidimensionalen zum zweidimensionalen Problem der Zahlenfaktor sich geändert hat. Während bei den Räumen die mittlere freie Weglänge durch

$$l_m = \frac{4\,V}{S} \tag{307}$$

gekennzeichnet ist, beträgt sie bei den Flächen:

$$l_m = \frac{\pi S}{L}\,. \qquad (308)^{1}$$

Man könnte daran denken, unter Benutzung der hier abgeleiteten Formeln aus Nachhallversuchen in einer Platte auf die Energieübergänge am Rande zu schließen. Hält man sich aber die Erfahrungen und theoretischen Erkenntnisse hinsichtlich der Gültigkeit der statistischen Nachhallgesetze aus der Raumakustik vor Augen, so entstehen freilich große Zweifel, ob in den praktisch interessierenden plattenartigen Gebilden überhaupt Verhältnisse auftreten, die derartige statistische Betrachtungen rechtfertigen.

Einmal erwähnten wir bereits verschiedentlich, daß erfahrungsgemäß der Nachhall in den Baukonstruktionsteilen sehr kurz ist. Dies liegt zum Teil daran, daß auch während der Ausbreitung mit einer gewissen Dämpfung gerechnet werden muß. Diese Dissipation macht es fraglich, ob die vorausgesetzte gleichmäßige Verteilung der Schallenergie auf alle Punkte und Richtungen der Platte für statistische Betrachtungen hinreichend gewährleistet ist. Aber auch, wenn die kurze Nachhallzeit durch verhältnismäßig hohe Absorptionsgrade am Rande bedingt ist, gilt das. Auch in einem stark gedämpften Raum ist keine gleichmäßige Schallverteilung mehr zu erwarten.

---

[1] Eine sehr elegante Ableitung stammt von C. W. Kosten, Acustica 10 (1960), 245.

Eine weitere Schwierigkeit erkennen wir, wenn wir an die Beschränkung der Nachhalltheorie vom wellentheoretischen Standpunkt denken. Hiernach setzt sich der Nachhallvorgang aus einzelnen abklingenden Eigenschwingungen zusammen, und die statistischen Betrachtungen können jedenfalls erst dann Gültigkeit beanspruchen, wenn auf das jeweils angeregte oder beobachtete Frequenzintervall Δf eine große Zahl von Eigentönen fallen. Nun gilt bei einem Raum vom Volumen V angenähert, daß die Zahl N der unter einer bestimmten Frequenz f liegenden Eigenfrequenzen gegeben ist durch den Ausdruck[1]

$$N = \frac{4}{3}\pi V \frac{f^3}{c^3}. \tag{309}$$

Auf das Intervall Δf fällt somit der Anteil:

$$\frac{\Delta N}{\Delta f} \approx \frac{4\pi V f^2}{c^3}. \tag{310}$$

Bei der Platte ist dieser Anteil sehr viel geringer, das liegt einmal daran, daß wir entsprechend dem zweidimensionalen Gebilde nur eine zweifach unendliche Schar von Eigenfrequenzen haben. Bei den Biegewellen kommt aber noch die Dispersion hinzu, die auch dazu führt, daß die Eigentöne weiter auseinanderrücken. Dies zeigt die folgende Rechnung:

In Kap. IV, 4c hatten wir an Hand von Abb. IV/16 gezeigt, daß die Zahl N der unter einer gewissen Frequenz f liegenden Eigenfrequenzen gegeben ist durch das Verhältnis der Quadrantenfläche vom Radius $\sqrt{\omega}$, nämlich $\pi\,\omega/4$, zur Fläche einer Masche

$$\pi^2 \sqrt[2]{\frac{B'}{m''}}\,\frac{1}{l_x l_y} = \pi^2 \sqrt[2]{\frac{B'}{m''}}\,\frac{1}{S}. \tag{311}$$

Dieses Verhältnis beträgt aber nur:

$$N = \frac{S}{2}\sqrt{\frac{m''}{B'}}\,f; \tag{312}$$

die auf das Intervall Δf kommende Eigenfrequenzzahl

$$\frac{\Delta N}{\Delta f} = \frac{S}{2}\sqrt{\frac{m''}{B'}} \tag{313}$$

ist somit völlig unabhängig von der Frequenz, sie wächst also nicht mit derselben oder gar wie in (310) mit deren Quadrat an. Ist beispielsweise eine 12 qm große Betondecke von 10 cm Stärke gegeben, so errechnet sich der mittlere Abstand der Eigenfrequenzen unter Einsetzung der entsprechenden Daten etwa zu: $\frac{\Delta f}{\Delta N} = 15{,}3$ Hz. Selbst in einem mitt-

[1] Weyl, H.: Math. Ann. 71 (1912) 441; s. auch Courant, R. u. D. Hilbert: Methoden der math. Physik I, Bln. 1931, VI, § 4.

leren Oktavbereich, wie etwa dem von 400 bis 800 Hz, kommen nur 26 Eigenfrequenzen vor; das ist eigentlich zu wenig, um mit statistischen Verhältnissen rechnen zu können. Man stelle diesem Ergebnis etwa gegenüber, daß in einem unter dieser Decke befindlichen Raum, der bei einer Deckenhöhe von 2,5 m nur 30 m³ umfassen möge, im gleichen Oktavbereich etwa 1400 Eigenfrequenzen des Luftraumes auftreten.

Wohl kann man bei sehr dünnen Platten, wie sie KUHL[1] zur Verhallung von Tonaufzeichnungen herangezogen hat, einen Eigenfrequenzabstand erzielen, der bei tiefen Frequenzen dem sehr großer Räume gleichkommt. Bei hohen Frequenzen aber übertrifft die Eigenfrequenzdichte selbst eines sehr kleinen Hallraumes sehr bald die einer Platte.

Nun wäre auch bei den räumlichen Luftschallproblemen trotz dieser verhältnismäßig großen Zahl der beteiligten Eigenschwingungen keine so gute Übereinstimmung mit der einfachen statistischen Nachhalltheorie zu erwarten, wenn nicht beim Luftschall noch eine besondere Eigenart der meisten Wandbeläge hinzukäme, die, wie wir noch sehen werden, bei den entsprechenden Körperschallproblemen keineswegs zutrifft. Diese Eigenschaft beruht darauf, daß der Absorptionsgrad meist mit schrägem Einfall zunimmt. Dadurch wird die Verringerung der Projektionsfläche zum Teil kompensiert. Es kommt für die absorbierende Wirkung eines Wandelementes nicht so sehr darauf an, unter welchen Winkeln es getroffen wird, und somit auch nicht darauf, ob die Verteilung des Schalles auf alle Richtungen im Raume gleichmäßig ist.

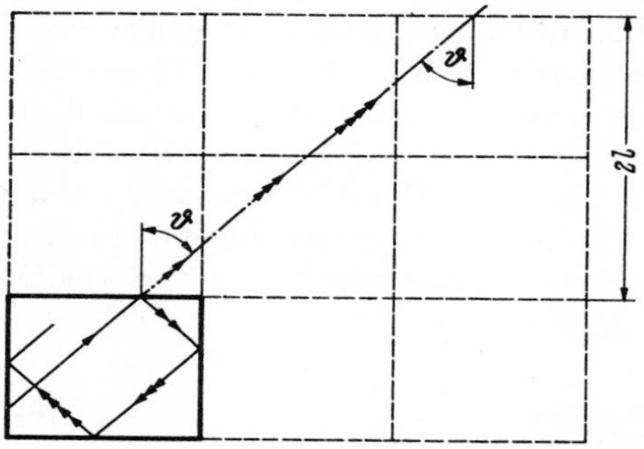

Abb. V/32. Skizze der „Strahlengänge" in einer Rechteckplatte

Man kann sich die Wichtigkeit dieser Gesetzmäßigkeit auch in etwas anderer Betrachtungsweise an Hand eines Rechteckes klarmachen, d. h. derjenigen Form, die nicht nur bei Raumgrundrissen, sondern auch bei Decken und Wänden die häufigste ist. Eine einfache Schallstrahlen-Verfolgung unter Annahme regulärer Reflexionen zeigt hier zunächst, daß jede Wand von einem bestimmten Strahl immer wieder unter demselben Winkel getroffen wird (s. Abb. V/32; diese Abbildung kann zwar nur die Projektion des Strahles in einem Raume wiedergeben; wenn derselbe aber auch im Längsschnitt Rechteckgestalt hat, so gelten folgende

[1] KUHL, W.: Rundfunktechn. Mitt. 2 (1958) 111.

Aussagen für jede zusätzliche Neigung des Strahles gegenüber dem Boden.) Wenn nun eine bevorzugte Absorption bei bestimmten Einfallswinkeln stattfindet, so fällt die betreffende Strahlrichtung schneller als andere aus. Man erkennt diese Richtungsregelmäßigkeit übrigens am deutlichsten, wenn man nicht den Strahl jedesmal an den Wänden spiegelt, sondern wenn man, was auf dasselbe hinauskommt, den Strahl in die gespiegelten Rechtecke weiterwandern läßt. (In Abb. V/32 sind die entsprechenden Strahlabschnitte durch Vielfachpfeile gekennzeichnet.) Dabei erkennt man auch, daß die gleiche Wand, die von ihrem Gegenüber um l entfernt sei und unter dem Einfallswinkel ϑ getroffen werde, erst nach Durchlaufen der Strecke $2\,l/\cos\vartheta$ wieder getroffen wird. Sie wird also in der Zeit t, in welcher der Schall die Strecke $c\,t$ zurücklegt

$$n = \frac{c\,t\cos\vartheta}{2\,l} \tag{314}$$

mal getroffen. Jedesmal wird nun der Bruchteil α absorbiert, verringert sich also die Intensität J auf $J\,(1-\alpha)$. In der Zeit t hat somit eine Schwächung von J_0 auf

$$J_t = J_0(1-\alpha)^{c\,t\cos\vartheta/2\,l} = J_0\,e^{\ln(1-\alpha)\,c\,t\cos\vartheta/2\,l} \tag{315}$$

stattgefunden. Wirken auch die übrigen Wände absorbierend, so kommen von diesen ähnliche Anteile hinzu. Ein von der Einfallsrichtung unabhängiges Abklingen kommt nur zustande, wenn die Winkelabhängigkeit des Absorptionsgrades die Verlängerung der freien Weglänge mit schrägerem Einfall kompensiert, so daß gilt:

$$\ln(1-\alpha)\cdot\cos\vartheta = \text{konst.} \tag{316}$$

Für niedrige Absorptionsgrade ist übrigens angenähert

$$\ln(1-\alpha) = -\alpha\,,$$

so daß dann auch die Bedingung (316) geschrieben werden kann:

$$\alpha = \frac{\alpha(0)}{\cos\vartheta}\,. \tag{317}$$

Die Beziehung (316) ist nun bei den meisten Luftschallschluckanordnungen in einem großen Winkelbereich erfüllt. Findet dagegen umgekehrt eine Abnahme des Absorptionsgrades mit wachsendem Einfallswinkel statt (— wie das für streifenden Einfall schließlich auch beim Luftschall gilt —), so überwiegen im Laufe der Zeit die schräger auffallenden Wellen und die statistische Verteilung wird immer mehr verletzt.

b) Allgemeine Folgerungen aus den Randbedingungen

Wir wollen uns im folgenden darauf beschränken, daß die einfallende Welle eine Biegewelle ist. Ihre Ausbreitungsebene möge die x—z-Ebene sein. Die durch $x = 0$ gekennzeichnete z-Achse möge die Trenngerade darstellen, längs derer ein Wechsel eintritt. Auf diese Gerade falle die Biegewelle unter dem Einfallswinkel ϑ_1 aus dem zweiten Quadranten ($x < 0$, $z > 0$) ein. Ihre Wellenzahl sei mit k_1 bezeichnet und ihre Schnelle-Amplitude bei $x = 0$: $\underline{v}_{1+}$ als Bezugsgröße betrachtet. Die Schnelle der ankommenden Biegewelle wird also durch den Zeiger beschrieben:

$$\underline{v}_{1+}(x) = \underline{v}_{1+}\, e^{-j k_1 \cos\vartheta_1 x + j k_1 \sin\vartheta_1 z} \,. \tag{318}$$

Die tangentiale Periodizität längs der Trenngeraden ist allen durch diese primäre Welle ausgelösten sekundären Wellen gemeinsam. Wir können daher auf die Angabe des Faktors

$$e^{j k_1 \sin\vartheta_1 z}$$

genau so verzichten, wie auf die des Zeitfaktors $e^{j\omega t}$. Wir kürzen daher den Ausdruck (318) nochmals ab in:

$$\underline{v}_{1+}(x) = \underline{\underline{v}}_{1+}\, e^{-j k_1 \cos\vartheta_1 x}, \tag{318a}$$

wobei die doppelten Striche unter v_{1+} besagen soll, daß hier zwei Exponenten hinzukommen. Wir vermerken, daß jede Differentiation nach z einer Multiplikation mit dem Faktor ($j\, k_1 \sin\vartheta_1$) gleichkommt.

Diese primäre Biegewelle wird einmal an der Trenngeraden eine reflektierte Biegewelle auslösen, außerdem aber auch ein Nahfeld. Die reflektierte Welle unterscheidet sich von der aufgefallenen einmal dadurch, daß sie dieser in x-Richtung mit gleicher „Lotgeschwindigkeit" $c_1/\cos\vartheta_1$ entgegenläuft, und andererseits dadurch, daß an der Trenngeraden ein durch den komplexen Reflexionsfaktor r gekennzeichneter Amplituden- und Phasensprung aufgetreten ist:

$$\underline{v}_{1-}(x) = \underline{\underline{v}}_{1-}\, e^{+j k_1 \cos\vartheta_1 x} = r\, \underline{\underline{v}}_{1+}\, e^{+j k_1 \cos\vartheta_1 x}. \tag{319}$$

Nicht so unmittelbar ergibt sich der Ausdruck für das Nahfeld: $\underline{\underline{v}}_{1j}(x)$. Es wäre falsch anzunehmen, daß auch hier einfach der Faktor j im Exponenten zu streichen ist. Das Nahfeld ist diesmal nur in bezug auf die x-Richtung quasistationär, während es ja in der tangentialen z-Richtung wie alle anderen Größen eine Wellenbewegung mit der Spurgeschwindigkeit $c_1/\sin\vartheta_1$ darstellt. Man erhält es vielmehr als Lösung der Differentialgleichung (IV, 53b):

$$\Delta \underline{v}_{1j}(x) - k_1^2\, \underline{v}_{1j}(x) = 0\,, \tag{320}$$

die hier unter Berücksichtigung der gegebenen z-Abhängigkeit überzuführen ist in

$$\frac{d^2\, \underline{\underline{v}}_{1j}(x)}{dx^2} - k_1^2\,(1 + \sin^2\vartheta_1)\, \underline{\underline{v}}_{1j}(x) = 0\,. \tag{321}$$

Von den beiden Lösungstypen, die diese Differentialgleichung für $\underline{\underline{v}}_{1j}(x)$ bietet, kommt physikalisch nur diejenige in Frage, die zu einem Abklingen des Nahfeldes von der Trenngeraden führt. Seine Amplitude bei $x = 0$ sei wieder durch $r_j\,\underline{\underline{v}}_{1+}$ gekennzeichnet. Der gesuchte Ausdruck lautet also:

$$\underline{\underline{v}}_{1j}(x) = r_j\,\underline{\underline{v}}_{1+}\,e^{k_1\sqrt{1+\sin^2\vartheta_1}\,x}\,. \tag{322}$$

Die resultierende Schnelle vor den Trenngeraden setzt sich somit zusammen aus:

$$\underline{\underline{v}}_1(x) = \underline{\underline{v}}_{1+}\left(e^{-j k_1 \cos\vartheta_1 x} + r\,e^{j k_1 \cos\vartheta_1 x} + r_j\,e^{k_1\sqrt{1+\sin^2\vartheta_1}\,x}\right). \tag{323}$$

Würde sich nach der Trenngeraden ein plattenartiger Biegewellenträger in der x—z-Ebene anschließen, der zu einer Wellenzahl k_2 führen würde, so wäre dort wie früher mit einer abgehenden Welle mit der Amplitude $t\,\underline{\underline{v}}_{1+}$ und einem Nahfeld mit einer Amplitude $t_j\,\underline{\underline{v}}_{1+}$ zu rechnen. Der Ausfallswinkel ϑ_2 der abgehenden Welle ist dabei durch das Snelliussche Brechungsgesetz gegeben, welches sich aus der Gleichheit der tangentialen Spurwellenlängen ergibt:

$$\frac{\lambda_1}{\sin\vartheta_1} = \frac{\lambda_2}{\sin\vartheta_2}\,; \quad \sin\vartheta_2 = \frac{k_1}{k_2}\sin\vartheta_1\,. \tag{324}$$

Wir können daher auch die x-Abhängigkeit der durchgelassenen Welle

$$\underline{\underline{v}}_{2+}(x) = t\,\underline{\underline{v}}_{1+}\,e^{-j k_2 \cos\vartheta_2 x} \tag{325}$$

durch den primär gegebenen Einfallswinkel ϑ_1 und die Brechzahl (s. V, 26)

$$\varkappa = \frac{k_2}{k_1} = \frac{c_1}{c_2} \tag{326}$$

ausdrücken:

$$\underline{\underline{v}}_{2+}(x) = t\,\underline{\underline{v}}_{1+}\,e^{-j k_1\sqrt{\varkappa^2-\sin^2\vartheta_1}\,x}\,. \tag{327}$$

Schließlich ergibt sich das Nahfeld $\underline{\underline{v}}_{2j}(x)$ hinter der Trenngeraden aus der zu (321) analogen Differentialgleichung

$$\frac{d^2\underline{\underline{v}}_{2j}(x)}{dx^2} = (k_2^2 + k_1^2\sin^2\vartheta_1)\,\underline{\underline{v}}_{2j}(x) = k_1^2\,(\varkappa^2 + \sin^2\vartheta_1)\,\underline{\underline{v}}_{2j}(x) \tag{328}$$

zu:

$$\underline{\underline{v}}_{2j}(x) = t_j\,\underline{\underline{v}}_{1+}\,e^{-k_1\sqrt{\varkappa^2+\sin^2\vartheta_1}\,x}\,. \tag{329}$$

Genau wie bei den in Kap. II, 9 diskutierten Fällen hört auch hier jeder Energietransport hinter der Trenngeraden auf, wenn

$$\sin\vartheta_1 > \varkappa = \frac{c_1}{c_2} \tag{330}$$

ist. Wir haben dann in dem dadurch gekennzeichneten Winkelbereich Totalreflexionen zu erwarten, eine Erscheinung, die bei senkrechtem Einfall nur ganz ausnahmsweise bei bestimmten Frequenzen möglich war.

Nehmen wir beispielsweise an, daß längs der Trenngeraden zwei Platten aneinandergrenzen, deren Dicken h_2 zu h_1 sich wie $5:1$ verhalten, so haben wir bei senkrechtem Einfall laut Abb. V/3 nur eine Dämmung von 3 dB zu erwarten, bei schrägem Einfall aber jenseits des Grenzwinkels

$$\vartheta = \arc \sin \varkappa = \arc \sin \sqrt{\frac{1}{5}} \approx 26^\circ$$

bereits eine totale Reflexion.

Diese Schlußfolgerung läßt sich freilich nicht auf beliebige gegenseitige Lagen der Platten übertragen, weil dann die Erfüllung der Randbedingungen auch noch zur Auslösung anderer Wellenarten führen kann.

Wir kommen damit zu der Frage, ob die vier Größen r, r_j, t und t_j ausreichen, die Randbedingungen zu erfüllen.

Es hat nun zunächst den Anschein, als ob die Zahl der Randbedingungen bei schrägem Einfall um 2 gewachsen ist; denn es sind diesmal an der Energieübertragung bereits 3 kinematische Größen beteiligt, nämlich einmal die Schnelle v und die Winkelgeschwindigkeit w_z um die z-Achse wie bei senkrechtem Einfall, aber es kommt diesmal auch die Winkelgeschwindigkeit um die x-Achse w_x hinzu. Ebenso hat sich die Zahl der dynamischen Größen um eine erweitert. Wie zu v die Querkraft und zu w_z das Moment M'_{xz} gehören, ist die durch w_x gegebene Energieübertragung noch an das Vorhandensein des verwindenden Momentes M'_{xx} um die x-Achse gebunden. Die Zahl der an den Randbedingungen beteiligten Feldgrößen scheint also auf 6 gestiegen zu sein.

Nun ist aber mit dem längs der Trenngeraden gegebenen Verlauf von v zugleich auch

$$\underline{\underline{w}}_x = -\frac{\partial \underline{\underline{v}}}{\partial z} = -j\, k_1 \sin \vartheta_1\, \underline{\underline{v}} \tag{331}$$

festgelegt. Dagegen stellt

$$\underline{\underline{w}}_z = \frac{\partial \underline{\underline{v}}}{\partial x} \tag{332}$$

eine von v unabhängige Größe dar. Eine Aussage über w_z legt aber wiederum die zeitliche Änderung der Verwindung

$$\frac{\partial^3 \underline{\underline{\eta}}}{\partial t\, \partial x\, \partial z} = \frac{\partial^2 \underline{\underline{v}}}{\partial x\, \partial z} = j\, k_1 \sin \vartheta_1 \frac{\partial \underline{\underline{v}}}{\partial x} \tag{333}$$

fest und damit nach (IV, 45) das übertragene Torsionsmoment je Breiteneinheit

$$\underline{\underline{M}}'_{xx} = \frac{B'(1-\mu)}{\omega} k_1 \sin \vartheta_1 \frac{\partial \underline{\underline{v}}}{\partial x}. \qquad (334)$$

Dagegen ist bei M'_{xz}, welches sich aus (IV, 43) errechnet, nur der zweite Summand bereits durch den tangentiellen Verlauf von v gegeben, während der erste, der die zweite Ableitung nach x enthält, noch zur Bestimmung der sekundären Felder etwas beitragen kann:

$$\underline{\underline{M}}'_{xz} = -\frac{B'}{j\,\omega}\left[\frac{\partial^2 \underline{\underline{v}}}{\partial x^2} - \mu\,(k_1 \sin \vartheta_1)^2\, \underline{\underline{v}}\right]. \qquad (335)$$

Ebenso ist auch die aus (IV, 46) bestimmbare Querkraft je Breite Q_x noch nicht festgelegt, weil in ihr noch die dritte Ableitung von v nach x auftritt:

$$\underline{\underline{Q}}_x = \frac{B'}{j\,\omega}\left[\frac{\partial^3 \underline{\underline{v}}}{\partial x^3} - (k_1 \sin \vartheta_1)^2 \frac{\partial \underline{\underline{v}}}{\partial x}\right]. \qquad (336)$$

Es stehen also in der Tat nur vier voneinander unabhängige Feldgrößen zur Verfügung.

Dies besagt nun andererseits, daß wir am Rande einer Platte gar nicht die drei dynamischen Größen M'_{xx}, M'_{xz} und Q_x unabhängig voneinander in beliebiger Weise einwirken lassen können. Beispielsweise würde man zunächst erwarten, daß sie alle drei am freien Rande verschwinden. Dieses Dilemma findet darin seine Lösung, daß die von den vertikalen Schubspannungen herrührende Querkraft Q_x und das von den über und unter der Plattenmitte entgegengesetzten horizontalen Schubspannungen herrührende Torsionsmoment M'_{xx} zu einer resultierenden Wirkung zusammenzufassen sind. Dies entspricht dem auch sonst von uns bei der Aufstellung der Randbedingung befolgten Prinzip von St. Venant, welches besagt, daß sich erst in einer Entfernung von einigen Plattendicken vom Rande die Spannungsverteilungen so einstellen, wie wir sie der einfachen Biegelehre zugrunde legen, daß es aber andererseits in diesen entfernteren Bereichen gleichgültig ist, wie die Spannungsverteilung am Rande über dem Plattenquerschnitt im einzelnen aussieht. Von diesem Prinzip machten wir bereits Gebrauch, als wir bei sprungweiser Änderung der Querschnitte nur die Gleichheit der Biegemomente ins Auge faßten, ohne uns darüber Gedanken zu machen, daß in unmittelbarer Nähe der Sprungstelle — jedenfalls im größeren Querschnitt — noch nicht eine von der neutralen Faser aus anwachsende lineare Spannungsverteilung vorliegen kann. In einer mit der Plattenstärke vergleichbaren Entfernung würde sie sich dagegen einstellen. Daher hat auch die ganze vorliegende Darstellung der Randbedingungen nur Sinn, solang die Wellenlängen groß zur Plattenstärke sind. Dies gilt andererseits aber auch für die zugrunde gelegte Biegewellengleichung.

Im Rahmen der vorliegenden Darstellung sind daher die durch horizontale Spannungen erzeugten Torsionsmomente, wie sie in Abb. V/33 oben eingezeichnet sind, gleichwertig solchen, die durch entsprechende vertikale Spannungen hervorgerufen werden, wie sie in der Mitte eingetragen sind. Dabei heben sich aber die einander entgegengesetzten benachbarten Spannungen auf bis auf ihre differentiellen Unterschiede, d. h. aber, die Torsionsmomente können hervorgerufen und ausgeglichen werden durch zusätzliche Vertikalkräfte je Längeneinheit, die bei der gegebenen Vorzeichenwahl mit $-\partial M'_{xx}/\partial z$ anzusetzen sind, und durch an den seitlichen Randpunkten übrig bleibende Einzelkräfte, die aber im vorliegenden Falle keine Rolle spielen, da wir ja seitlich mit beliebig großer Ausdehnung rechnen.

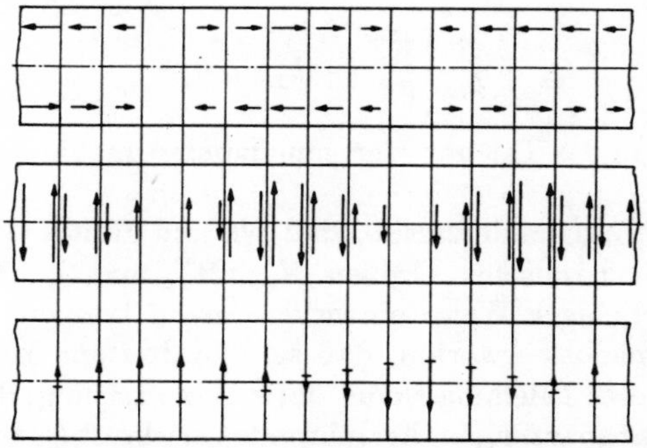

Abb. V/33. Zusammensetzung der Stützkräfte (unten) aus Torsionsmomenten (oben) und Querkräften (mitte)

Für alle äußeren Kräfte, und somit auch für die in den Randbedingungen auftretenden, ist daher auch nicht die Querkraft, sondern die (z. B. bei einer aufgestützten Platte auftretende) Stützkraft je Breiteneinheit maßgebend:

$$\underline{\underline{F'_x}} = \underline{\underline{Q_x}} - \frac{\partial \underline{\underline{M'_{xx}}}}{\partial z} = \frac{B'}{j\,\omega}\left(\frac{\partial^3 \underline{\underline{v}}}{\partial x^3} - (2-\mu)\,(k_1 \sin\vartheta_1)^2 \frac{\partial \underline{\underline{v}}}{\partial x}\right). \tag{337}$$

Der einfachste Reflexionsfall ergibt sich, wie schon beim senkrechten Einfall, bei der längs des Randes $x = 0$ aufgestützten Platte. Die Anwendung der ersten Randbedingung

$$x = 0; \qquad v_1 = 0$$

auf den Ansatz (323) liefert

$$r + r_j = -1\,. \tag{338}$$

Die Anwendung der zweiten Randbedingung

$$x = 0; \qquad M'_{xz} = 0$$

ergibt ferner, indem man (323) in (335) einsetzt und durch die gemeinsamen Faktoren dividiert:

$$-(\cos^2\vartheta_1 + \mu\sin^2\vartheta_1)\,r + \big(1 + (1-\mu)\sin^2\vartheta_1\big)\,r_j = \cos^2\vartheta_1 + \mu\sin^2\vartheta_1 .$$

Es ist sofort zu übersehen, daß beide Gleichungen auf einen Widerspruch führen, wenn nicht

$$r_j = 0 \tag{339a}$$

ist. Unter dieser Annahme aber führen beide Gleichungen auf

$$r = -1\,, \tag{339b}$$

d. h. es verschwindet das Nahfeld und es findet eine vollständige Reflexion mit Phasenumkehr statt. Die Verhältnisse sind in diesem Ausnahmefall genau so einfach wie bei einer gespannten Membrane oder wie bei der Reflexion von Luftschall an starrer Wand. Daher ist auch die Eigen-Schwingungsform $\underline{\eta}(x, z)$ bei einer überall am Rande aufgestützten rechteckigen Platte wie bei einer gespannten rechteckigen Membrane gegeben durch:

$$\underline{\eta}(x,z) = \underline{\eta}_{\max}\sin\frac{n_x\pi x}{l_x}\sin\frac{n_z\pi z}{l_z}\,, \tag{340}$$

wofür das in Abb. IV/16 gezeigte Eigenton-Netz streng gilt.

c) Zweidimensionale Erweiterung der rechtwinkligen Wandecke

Bei der nun folgenden quantitativen Behandlung bestimmter Fälle müssen wir uns noch mehr als in den vorangegangenen Abschnitten beschränken. Es geht uns auch hier mehr um die Art und Weise, wie sich solche Probleme behandeln lassen. Andererseits wird es sich bei den ausgewählten Problemen durchaus um solche handeln, deren Inangriffnahme durch Interessen der Praxis bestimmt worden war.

Als erstes sei die zweidimensionale Erweiterung der in (V, 2) behandelten rechteckigen Wandecke betrachtet, die im Hochbau von besonderem Interesse ist. Wir wollen dabei die früheren Koordinaten und Bezeichnungen (s. Abb. V/4) übernehmen; das bedeutet, daß wir das Biegewellenfeld hinter der Ecke beschreiben durch:

$$\underline{v}_{x2}(y) = \underline{v}_{1+}\,[t\,e^{-jk_1\sqrt{\varkappa^2-\sin^2\vartheta_1}\,y} + t_j\,e^{-k_1\sqrt{\varkappa^2+\sin^2\vartheta_1}\,y}]\,. \tag{341}$$

Wir wollen diesmal mit der Beschränkung auf dünne Platten im Verhältnis zur Wellenlänge, also auf tiefe Frequenzen, beginnen. Das heißt wieder, daß wir, wie in (51) $v_{y1} = 0$ setzen, womit wir (338) übernehmen können, und daß wir ebenso an der Ecke $v_{x2} = 0$ setzen, wodurch wir auch t_j eliminieren können:

$$t_j = -t\,. \tag{342}$$

Damit lassen sich die verbleibenden Randbedingungen:

$$w_{z1} = w_{z2}\,, \tag{343}$$

$$M'_{xz1} = M'_{yz2} \tag{344}$$

als Bedingungsgleichungen für r und t schreiben, die sich aus Einsetzen der Ansätze (323) und (341) in (332) und (335) und mit Übernahme des Parameters ψ aus (27) ergeben zu:

$$\left(j\cos\vartheta_1 - \sqrt{1+\sin^2\vartheta_1}\right) r + \left(-j\sqrt{\varkappa^2 - \sin^2\vartheta_1} + \sqrt{\varkappa^2+\sin^2\vartheta_1}\right) t = j\cos\vartheta_1 + \sqrt{1+\sin^2\vartheta_1}\,, \tag{345}$$

$$-r - \psi t = 1; \tag{346}$$

und hieraus folgt für den Reflexionsfaktor:

$$r = \frac{\left(-\sqrt{\varkappa^2+\sin^2\vartheta_1} - \psi\sqrt{1+\sin^2\vartheta_1}\right) + j\left(\sqrt{\varkappa^2-\sin^2\vartheta_1} - \psi\cos\vartheta\right)}{\left(\sqrt{\varkappa^2+\sin^2\vartheta_1} + \psi\sqrt{1+\sin^2\vartheta_1}\right) - j\left(\sqrt{\varkappa^2-\sin^2\vartheta_1} + \psi\cos\vartheta\right)}\,, \tag{347}$$

sowie für den Transmissionsfaktor:

$$t = \frac{2\,j\cos\vartheta_1}{\left(\sqrt{\varkappa^2+\sin^2\vartheta_1} + \psi\sqrt{1+\sin^2\vartheta_1}\right) - j\left(\sqrt{\varkappa^2-\sin^2\vartheta_1} + \psi\cos\vartheta\right)}\,. \tag{348}$$

Wieder kann der Transmissionsgrad τ entweder aus $1 - |r|^2$ oder aus

$$\tau = \varkappa\,\psi\,\frac{\cos\vartheta_2}{\cos\vartheta_1}\,|t|^2 = \frac{\psi\sqrt{\varkappa^2-\sin^2\vartheta_1}}{\cos\vartheta_1}\,|t|^2 \tag{349}$$

gewonnen werden, wobei hier noch, wie in Abb. II/20, berücksichtigt werden muß, daß eine Breiteneinheit der Trenngeraden andere Projektionslängen aus einfallender und durchgelassener Welle ausschneidet. Auf beiden Wegen ergibt sich:

$$\tau = \frac{2\,\psi\sqrt{\varkappa^2-\sin^2\vartheta_1}\,\cos\vartheta_1}{\psi^2 + \psi\left[\sqrt{(\varkappa^2+\sin^2\vartheta_1)(1+\sin^2\vartheta_1)} + \sqrt{(\varkappa^2-\sin^2\vartheta_1)}\,\cos\vartheta_1\right] + \varkappa^2}\,, \tag{350}$$

was auch, wenn wir die Abhängigkeit vom Einfallswinkel gemäß den Überlegungen zu (296) nur durch $\sin\vartheta_1$ ausdrücken und dafür kurz s setzen, geschrieben werden kann:

$$\tau = \frac{2\,\psi\sqrt{\varkappa^2-s^2}\,\sqrt{1-s^2}}{\psi^2 + \psi\left[\sqrt{(\varkappa^2+s^2)(1+s^2)} + \sqrt{(\varkappa^2-s^2)(1-s^2)}\right] + \varkappa^2}\,. \tag{350a}$$

Wir überzeugen uns zunächst, daß diese Formel mit

$$\sin\vartheta_1 = s = 0$$

in (72) übergeht.

Außerdem ergibt sich ein sehr einfaches Ergebnis in dem Falle, daß zwei gleichartige Platten aneinandergrenzen, daß also

$$\psi = \varkappa = 1 \tag{351}$$

ist, nämlich:

$$\tau = \frac{1}{2} \cos^2 \vartheta_1 = \tau(0) \cos^2 \vartheta_1 . \tag{350b}$$

(S. Kurve a in Abb. V/34.)

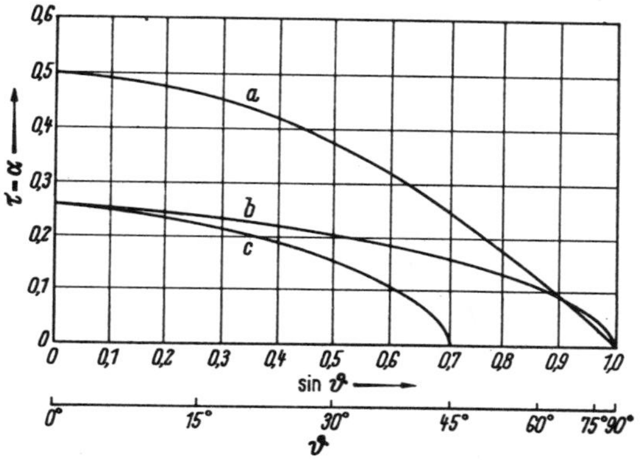

Abb. V/34. Biegewellentransmissionsgrad in Abhängigkeit vom Einfallswinkel bei schrägem Einfall auf eine Rechtecke
a) $h_2 = h_1$; b) $h_2 = h_1/2$; c) $h_2 = 2\,h_1$

Diese einfache Winkelabhängigkeit ergibt sich übrigens bereits, wenn nur

$$\varkappa = 1 \tag{351a}$$

gilt. Wir erhalten dann immer:

$$\tau = \frac{2\,\psi}{(\psi + 1)^2} \cos^2 \vartheta_1 = \tau(0) \cos^2 \vartheta_1 . \tag{350c}$$

Damit sind zugleich die Fälle erfaßt, in denen es sich um eine Wandabzweigung oder ein Wandkreuz mit gleicher Beschaffenheit aller Teilwände handelt. Im ersten Falle ist (344) zu ändern in

$$M'_{xz1} = M'_{yz2} + M'_{xz3} = 2\, M'_{yz2} , \tag{352a}$$

im zweiten Falle in

$$M'_{xz1} = M'_{yz2} + M'_{xz3} + M'_{yz4} = 3\, M'_{yz2} , \tag{352b}$$

was aber nur darauf hinauskommt, daß wir in (346) $\psi = 2$, bzw. $\psi = 3$ zu setzen haben.

Schon dieses erste Beispiel zeigt, daß der beim Luftschall meist geltende Anstieg des Absorptions- bzw. Transmissionsgrades mit wachsendem Einfallswinkel, wie er für eine Gleichverteilung auf alle Richtungen nach (316) günstig wäre, hier nicht vorliegt[1]. Der mittlere Transmissionsgrad ist hier nach (296) kleiner als der für senkrechten Einfall geltende, nämlich

$$\tau_m = \tau(0) \int_0^1 \cos^2 \vartheta \, d\,(\sin \vartheta) = \frac{2}{3}\,\tau(0)\,, \tag{353}$$

das zuzuordnende mittlere Dämm-Maß also etwas größer:

$$R_m = R_0 + \left(10 \lg\left(\frac{3}{2}\right)\right) \mathrm{dB} = R_0 + 1{,}8 \ \mathrm{dB}\,. \tag{353a}$$

Für den mit logarithmischen Skalen bewerteten Schallschutz ist ein Unterschied von 1,8 dB so gering, daß man die für den senkrechten Einfall geltenden einfacheren Formeln zu einer Abschätzung des sicher Erreichbaren heranziehen kann. Dies ist um so zweckmäßiger, als es der Abfall des Absorptionsgrades mit dem Einfallswinkel gar nicht zur Gleichverteilung auf alle Richtungen kommen läßt.

Sobald wir die durch (351a) gegebene Vereinfachung fallen lassen, wird die Winkelabhängigkeit nicht nur komplizierter, es entfällt vor allem die bei senkrechtem Einfall mögliche Einparameter-Darstellung. ψ und $1/\varkappa$ haben hier völlig verschiedene Einflüsse auf die Winkelabhängigkeit. Auch ist es nicht gleichgültig, ob $h_1 : h_2$ oder $h_2 : h_1$ einen bestimmten Wert annimmt. Dies zeigen die in Abb. V/34 als Kurven b und c eingezeichneten Transmissionsgrade für $\sigma = h_2/h_1 = 1/2$ und $\sigma = 2$. Sie beginnen bei senkrechtem Einfall mit dem gleichen Wert. Im zweiten Falle aber ist die Biegewellengeschwindigkeit im zweiten Schenkel größer, und zwar um das $\sqrt{2}$-fache, als im ersten. Daher wird bei arc sin $(1/\sqrt{2})$ $= 45°$ der Grenzwinkel der Totalreflexion erreicht. Jenseits dieses Winkels ist in (347) $j\sqrt{\varkappa^2 - \sin^2 \vartheta_1}$ durch $\pm \sqrt{\sin^2 \vartheta_1 - \varkappa^2}$ zu ersetzen; damit aber wird $|r| = 1$, d.h. die Totalreflexion bleibt (wie bei den in (II, 6 $a\,\delta$) behandelten Problemen) für alle größeren Winkel erhalten.

Hinsichtlich des Phänomens der Totalreflexion muß noch darauf aufmerksam gemacht werden, daß die obigen Formeln — genau wie die bekannten FRESNELschen Formeln der Optik — unter der Annahme unendlich breiter Wellenfronten und unendlich breiter Trenngeraden abgeleitet sind. Bei endlicher Breite — oder beim Auftreffen von Zylinderwellen — entstehen an den Rändern Strahlverbreiterungen, die beim Grenzwinkel der Totalreflexion sehr erheblich sein können. Das kann sich darin äußern, daß ein Energieanteil, der unter dem Grenzwinkel auf die Trenngerade aufläuft, an ihr entlang läuft unter fort-

[1] Dies konnte von G. MERKEL (Dissertation TU Dresden 1964) auch experimentell nachgewiesen werden. Dort finden sich ferner theoretische und experimentelle Untersuchungen zum Problem der Winkelabhängigkeit beim reinen Querschnittssprung.

gesetzter seitlicher Abstrahlung in Richtung des Ausfallswinkels, und daß auf diese Weise von dem Sendepunkt A zum Empfängerpunkt B der Schall schneller gelangen kann als auf direktem Wege (s. Abb. V/35). Diese bei seismischen Versuchen ausführlich von v. SCHMIDT[1] untersuchte Erscheinung ist übrigens in Einklang mit dem FERMATschen Prinzip, denn der in Abb. V/35 skizzierte Weg stellt eine schnellste Verbindung unter allen Nachbarwegen dar.

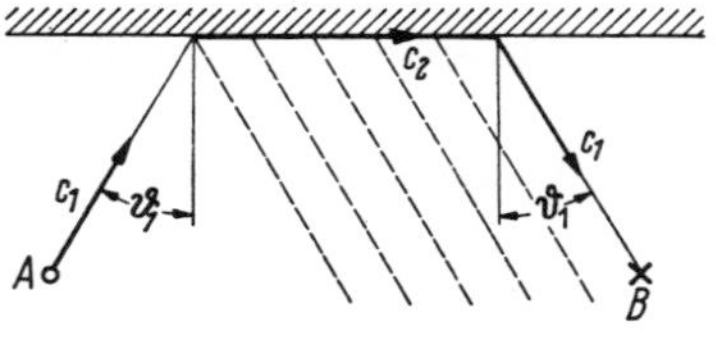

Abb. V/35. Strahlenwege beim Grenzwinkel der Totalreflexion

Ein Spezialfall der Wandverzweigungen sei noch erwähnt, da er auch nur eine kleine Abänderung der Randbedingungen bedeutet, nämlich der, daß die erste Platte an eine zweite stößt, die nach beiden Seiten gleichartig abzweigt. Auch hierbei ist (344) durch (352a) zu ersetzen, aber ohne daß deshalb Beschränkungen hinsichtlich ψ und $\varkappa$ auferlegt sind. Wir haben in den Endformeln nur ψ durch 2ψ zu ersetzen, erhalten also:

$$\tau_{12} = \frac{4\psi\sqrt{\varkappa^2 - s^2}\sqrt{1 - s^2}}{4\psi^2 + 2\psi\left[\sqrt{\varkappa^2 + s^2}\sqrt{1 + s^2} + \sqrt{\varkappa^2 - s^2}\sqrt{1 - s^2}\right] + \varkappa^2}. \qquad (354)$$

Wenn wir hierin wieder $\sin\vartheta_1 = s = 0$ setzen, werden wir auf die frühere Formel (128) geführt, wobei allerdings zu beachten ist, daß wir dort ψ und $\varkappa$ im Sinne des reziproken Übertritts eingeführt haben, daß wir also noch ψ und $\varkappa$ mit ihren Reziprokwerten zu vertauschen haben.

Wir wollen nun noch, wie beim senkrechten Einfall, die infolge der Kräfte

$$F_{y1} = F_{y2} \qquad (355\,a)$$

und

$$F_{x1} = F_{x2} \qquad (355\,b)$$

zu erwartenden kleinen Werte der Schnellen v_{x1} und v_{y2} zu berücksichtigen versuchen, wobei wir uns von vornherein auf das Problem einer Rechtecke aus gleichartigen Platten beschränken wollen. In V, 2 führte diese Berücksichtigung bei hohen Frequenzen zu sekundären Quasi-Longitudinalwellen. Solche sind auch hier zu erwarten, und wir können aus der Gleichheit der Spurwellenlängen

$$\frac{\lambda_L}{\sin\vartheta_L} = \frac{\lambda_1}{\sin\vartheta_1} \qquad (356)$$

[1] SCHMIDT, O. v.: Zeitschr. f. Geophysik 10 (1934) 378; s. auch SOMMERFELD, A.: Ann. d. Physik VI, 28 (1909) 665; JOOS, G. u. J. TELTOW, Physik. Zeitschr. 40 (1939) 289; SCHUSTER, K.: Akust. Zeitschr. 4 (1939) 325; CREMER, L.: Arch. Elek. Übertr. 1 (1947) 28; SCHOCH, A.: Schallreflexion, Ergebnisse d. exakt. Naturwissenschaften XXIII (1950) 158—170.

auf die Richtung der abgehenden Longitudinalwellen schließen:

$$\vartheta_L = \arc \sin\left(\frac{\lambda_L \sin \vartheta_1}{\lambda_1}\right) = \arc \sin\left(\frac{\sin \vartheta_1}{\varkappa_L}\right). \tag{356a}$$

(Der Index L bezeichnet hier eine quasi-longitudinale Welle mit einseitig verhinderter Querkontraktion, wäre also, wenn Verwechslungen zu befürchten wären, in L I zu erweitern.) Weil diese longitudinale Welle nun schräg liegt zur freien Kante $y = 0$, in ihr aber in dieser schrägen Schnittlinie Schubspannungen auftreten, die an der freien Oberfläche nicht auftreten können, werden zusätzlich sekundäre Transversalwellen ausgelöst, die unter dem Winkel

$$\vartheta_T = \arc \sin\left(\frac{\lambda_T \sin \vartheta_1}{\lambda_1}\right) = \arc \sin\left(\frac{\sin \vartheta_1}{\varkappa_T}\right) \tag{357a}$$

abgehen. Da die entsprechenden Brechzahlen

$$\varkappa_L = \frac{k_L}{k_1} < \varkappa_T = \frac{k_T}{k_1} < 1$$

sind, wird immer zunächst bei wachsendem ϑ_1 ein Grenzwinkel

$$\vartheta_{Lg} = \arc \sin \varkappa_L \tag{356b}$$

erreicht, bei dem das longitudinale Wellenfeld den Charakter einer Oberflächenwelle annimmt, bei dem also

$$\tau_{BL} = 0 \qquad \text{und} \qquad \varrho_{BL} = 0$$

wird, und dann ein Grenzwinkel

$$\vartheta_{Tg} = \arc \sin \varkappa_T\,, \tag{357b}$$

bei dem dasselbe mit den sekundären Transversalwellen geschieht, also

$$\tau_{BT} = 0 \qquad \text{und} \qquad \varrho_{BT} = 0$$

wird.

Hinsichtlich der ziemlich umständlichen Berechnung dieser Anteile und der vor allem interessierenden entsprechend verkleinerten Werte von

$$\tau_{BB} \qquad \text{und} \qquad \varrho_{BB}$$

sei auf die frühere Monographie[1] verwiesen. (Wie hierbei grundsätzlich vorzugehen ist, ist außerdem an den verwandten Problemen in (II, 9), wo ebenfalls longitudinale und transversale Wellen gekoppelt sind, gezeigt worden.)

In Abb. V/36 sind die dort als Beispiel berechneten Winkelabhängigkeiten der einzelnen Reflexions- und Transmissionsgrade für zwei gleichartige Platten wiedergegeben, wobei, um die Longitudinal- und Transversalanteile groß zu machen, die höchste Frequenz gewählt wurde, für die die einfache Biegewellendarstellung noch Gültigkeit hat, nämlich

[1] Cremer, L.: Propagation of Structure-borne Sound, DSIR Report Nr. 1, Series B, S. 150 ff.

$\lambda_1 \equiv \lambda_B = 6\,h$; d. h. aber nach (80), daß

$$\varkappa_L = \frac{c_1}{c_L} \equiv \frac{c_B}{c_L} = \frac{1}{3}$$

gesetzt wurde. Mit $\mu = 0{,}3$ bedeutet das $\varkappa_T = 0{,}57$.

Die einzelnen Anteile sind wie in Abb. V/6 übereinander getürmt, wobei zwischen τ_{BL} und ϱ_{BL} noch τ_{BT} und ϱ_{TB} eingeschoben sind. Die Reihenfolge von unten nach oben entspricht also der Gleichung:

$$\tau_{BB} + \tau_{BL} + \tau_{BT} + \varrho_{BT} + \varrho_{BL} + \varrho_{BB} = 1\,. \qquad (358)$$

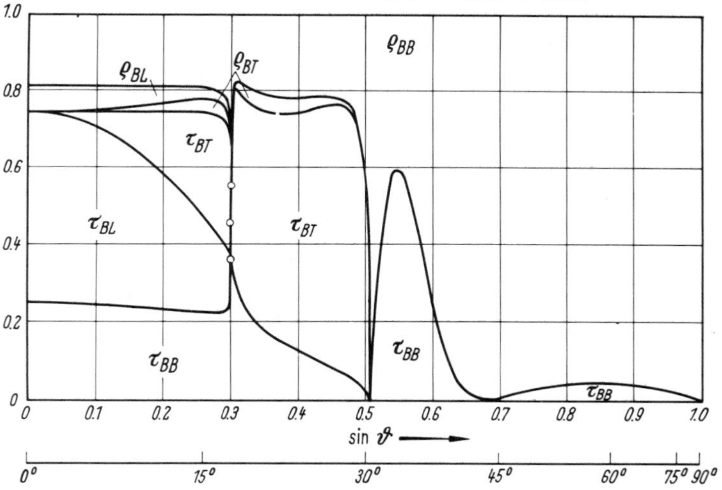

Abb. V/36.* Winkelabhängigkeit der Transmissions- und Reflexionsgrade unter Berücksichtigung der sekundären Longitudinal- und Transversalwellen

Die Werte bei senkrechtem Einfall können Abb. V/6 für $\beta^2 = (1/3)^2 = 0{,}11$ entnommen werden, nämlich

$$\tau_{BB} = 0{,}248; \quad \tau_{BL} = 0{,}492; \quad \varrho_{BL} = 0{,}068\,; \quad \varrho_{BB} = 0{,}192\,.$$

In dem anschließenden Winkelbereich nehmen die longitudinalen Anteile zu Gunsten der neu hinzutretenden transversalen ab. Beide Anteile verschwinden bei dem durch (356b) gegebenen, wegen der Dispersion der Biegewellen frequenzabhängigen Grenzwinkel ϑ_L, wobei hier für τ_{BB} der sonst nur für tiefe Frequenzen gültige Wert nach (350b) sehr selektiv erreicht wird. Da dieser Grenzfall einer zur Kante parallel verlaufenden Longitudinalwelle entspricht und eine solche keine Schubspannungen in Richtung der freien Oberfläche aufweist, leuchtet ein, daß hier auch die Transversalwellen verschwinden, und ferner, daß die zur Kante nor-

* Diese Abbildung wurde gegenüber der ersten Ausgabe von F. Pesko neu errechnet, nachdem erkannt war, daß die mit $F_{1z} = F_{2z} = O$ angenommenen Randbedingungen durch $F_{1z} = F_{2z}$ und $v_{1z} = v_{2z}$ zu ersetzen waren.

malen Schnellekomponenten wie im Idealfall gleich Null sind. Nach Überschreitung dieses Grenzwinkels bis zum Erreichen des nächsten, durch (357 b) gegebenen ϑ_{Tq} treten ϱ_{BT} und τ_{BT} wieder in Erscheinung, wobei τ_{BT} beachtlich hohe Werte annimmt. Wenn auch diese transversalen Anteile nicht abgestrahlt werden, so muß man doch bedenken, daß sie sich an der nächsten Ecke wieder in Biegewellen umsetzen können. Nach Überschreitung des zweiten Grenzwinkels wächst τ_{BB} nochmals an.

d) Platte mit Spant

Als zweites Beispiel wollen wir die linienmäßige Erweiterung von Sperrmassen zu Spanten, bzw. Rippen, Trägern oder wie immer man die in Abb. V/37 gezeigte Anordnung bezeichnen will, betrachten. Dabei beschränken wir uns auf den in Abschn. V, 4 zunächst behandelten Idealfall, daß der Spant symmetrisch angeordnet ist, sein Profil als starr angesehen werden darf, dasselbe andererseits bei seiner Verbindung mit der Platte so schmal ist, daß die kinematischen Randbedingungen einfach angesetzt werden können als:

$$v_1 = v_2 \tag{359}$$

(der Index y kann künftig wegfallen, da nur v_y-Werte interessieren) und

$$w_{z1} = w_{z2}\,. \tag{360}$$

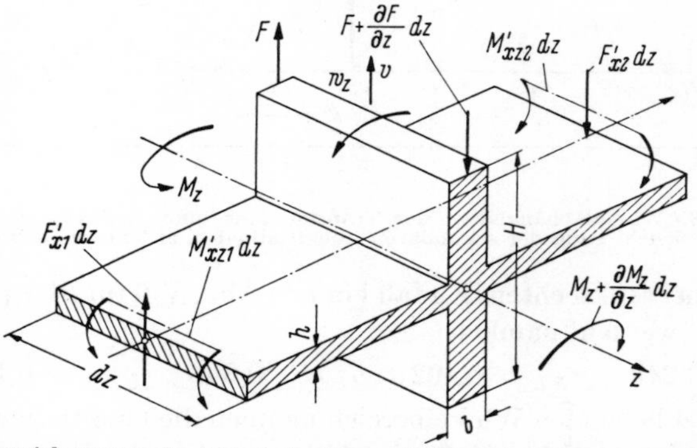

Abb. V/37. Bezeichnungen der kinematischen und dynamischen Größen an einem Spant

Das Einsetzen der hier in Frage kommenden Ansätze (323), (327) und (329) — letzter mit $\varkappa = 1$, da vor und hinter dem Spant die Platte gleich sein soll — in (359) liefert wie bei senkrechtem Einfall die einfache Beziehung:

$$r + r_j - t - t_j = -1\,. \tag{361}$$

Dagegen geht in die zweite Randbedingung der Einfallswinkel ein. Durch Einführung des nur vom Winkel abhängigen Parameters

$$\alpha = \frac{\cos\vartheta}{\sqrt{1+\sin^2\vartheta}} \tag{362}$$

erhalten wir aus (360):

$$j\,\alpha\,r + r_j + j\,\alpha\,t + t_j = j\,\alpha\,. \tag{363}$$

Als dritte Randbedingung hatten wir bei senkrechtem Einfall die hier auf die Breiteneinheit zu beziehende und mit den hier gewählten Indizes zu versehende Gl. (193), welche aussagte, daß die Momentendifferenz die notwendige Drehbeschleunigung für die Sperrmasse bewirken muß. Die längs der Trenngeraden phasenverschobenen Winkelgeschwindigkeiten w_{z2} führen aber zu Verwindungen des Spantes und somit zu Torsionsmomenten M_z in demselben, deren Differenz, bzw. deren differentieller Unterschied bei einem schmalen Element, wie es in Abb. V/37 gezeichnet ist, ebenfalls treibend oder hemmend auf die Winkelgeschwindigkeit w_{z2} des Spantes wirkt. Wir erhalten so statt (193) als dritte Randbedingung

$$\underline{\underline{M}}'_{xz1} - \underline{\underline{M}}'_{xz2} - \frac{\partial \underline{\underline{M}}_z}{\partial z} = j\,\omega\,\Theta' \underline{\underline{w}}_{z2}\,. \tag{364}$$

Ganz ebenso kommt zu der Differenz der Stützkräfte je Breiteneinheit $F'_{x1} - F'_{x2}$ noch der Differentialquotient der seitlichen Querkräfte F im Spant hinzu, die durch die Verbiegung des Spantes in der yz-Ebene ausgelöst werden. Daher tritt an die Stelle von (194) als vierte und letzte Randbedingung

$$\underline{F}'_{x1} - \underline{F}'_{x2} - \frac{\partial \underline{F}}{\partial z} = j\,\omega\,m'\,\underline{v}_2\,. \tag{365}$$

Wir können nun die seitlichen Kopplungskräfte bzw. -momente durch die kinematischen Größen ausdrücken, deren seitliche Abhängigkeit durch die Spurgeschwindigkeit gegeben ist. So gilt einerseits:

$$\underline{\underline{M}}_z = -\frac{T}{j\,\omega}\frac{\partial \underline{\underline{w}}_{z2}}{\partial z} \tag{366}$$

und somit:

$$\frac{\partial \underline{\underline{M}}_z}{\partial z} = -j\frac{T}{\omega}k^2 \sin^2\vartheta\, \underline{\underline{w}}_{z2}\,. \tag{366a}$$

Hierin bedeutet T die in (II, 56) eingeführte Torsionssteife, die z. B. für ein schmales Rechteck der Breite b und der Höhe H, wie es in Abb. V/37 angenommen wurde, den in (II, 64a) angegebenen Wert

$$T = \frac{1}{3}G b^3 H$$

annehmen würde.

Mit (366a) kann (364) auch geschrieben werden:

$$\underline{\underline{M}}'_{xz1} - \underline{\underline{M}}'_{xz2} = \left(j\,\omega\,\Theta' - j\frac{T k^2 \sin^2\vartheta}{\omega}\right)\underline{\underline{w}}_{z2}\,. \tag{367}$$

In dieser Gleichung kann die rechte Seite bei einer bestimmten Kombination von Frequenz und Einfallswinkel verschwinden, indem die von Drehträgheit und Torsionssteife herrührenden Anteile des Ausdrucks in der Klammer sich kompensieren. Diese Kompensation tritt auf bei Übereinstimmung der Spurgeschwindigkeit der einfallenden Biegewelle mit der in Abschn. II, 2b behandelten Torsionswellengeschwindigkeit:

$$\frac{c}{\sin \vartheta_k} = \sqrt{\frac{T}{\Theta'}} = c_{T\,I}\,. \tag{368}$$

Die dämmungsmindernde Wirkung solcher Übereinstimmungen der Spurgeschwindigkeit (oder Spurwellenlänge) einer einfallenden Welle mit der Ausbreitungsgeschwindigkeit (oder Wellenlänge) einer freien Welle im Trennobjekt war zuerst an Hand des Problems der Luftschalldämmung durch biegesteife Wände erkannt worden[1]. In Anbetracht der allgemeinen Bedeutung dieser Erscheinung, die man als ein räumliches Analogon zur Resonanz, bei der die Periodendauer einer Erregung mit der Periodendauer einer freien Schwingung zusammenfällt, darstellen kann, wurde der in (368) in Erscheinung tretenden Bedingung eine eigene Bezeichnung gegeben, nämlich „Koinzidenz"[1], in welcher Miteinanderübereinstimmen in der Silbe „Ko" und Einfallen in „Inzidenz" anklingen, und die sich inzwischen international eingeführt hat. Da in der Physik der Ausdruck Koinzidenz aber vorwiegend für das zeitliche Zusammenfallen von Ereignissen verwendet wird, wurde später der den Sachverhalt noch besser kennzeichnende Ausdruck „Spuranpassung"[2] vorgeschlagen.

Da die Biegewelle dispergierend ist, ist die Bedingung (368) frequenzabhängig. Dabei gibt es nur bei tiefen Frequenzen stets einen Koinzidenzwinkel. Hat aber die Biegewellengeschwindigkeit die Torsionswellengeschwindigkeit erreicht, so ist ϑ_c bereits auf 90° gestiegen. Bei noch höheren Frequenzen ist keine Spuranpassung mehr möglich. Die durch

$$f_g = \frac{0{,}55\,T}{(\Theta'\,h\,c_L)} \tag{369}$$

gekennzeichnete Grenzfrequenz begrenzt den Spuranpassungsbereich von oben her.

Auch die zweite dynamische Randbedingung führt auf eine Spuranpassung. Hier rühren die Kräfte F von einer Verbiegung her. Ihr Zusammenhang mit der Schnelle ist somit gegeben durch:

$$\underline{F} = \frac{B}{j\,\omega}\frac{\partial^3 \underline{v}}{\partial z^3}\,. \tag{370}$$

(B bedeutet hier die Biegesteifigkeit des Spantes, nicht diejenige der Platte, die oben mit B' bezeichnet wurde und sich von B in der Dimension durch Division durch die Breiteneinheit und durch $(1-\mu^2)$ unterscheidet.) Die Einführung dieser Beziehung liefert also:

$$\underline{\underline{F}}'_{x1} - \underline{\underline{F}}'_{x2} = \left[j\,\omega\,m' - j\,\frac{B\,k^4 \sin^4\vartheta}{\omega}\right]\underline{\underline{v}}_2\,. \tag{371}$$

---

[1] Cremer, L.: Akust. Z. 7 (1942) 81.

[2] Cremer, L. u. A. Eisenberg: Baupl. und Bautechn. 2 (1948) 235.

Die Kompensationsbedingung lautet hier: Gleichheit der Spurgeschwindigkeit der einfallenden Biegewelle mit der stets größeren Biegewellengeschwindigkeit im Spant:

$$\frac{c}{\sin \vartheta_k} = \sqrt{\omega}\,\sqrt[4]{\frac{B}{m'}} = c_B\,. \tag{372}$$

Da hier die linke und die rechte Seite die gleiche Frequenzabhängigkeit aufweisen, ist diese Beziehung frequenzunabhängig.

Wir müssen nun auf die Gln. (335) und (337) zurückgreifen, um die Momenten- und Kräftedifferenzen auszurechnen. Dabei können wir auf die Ausrechnung des jeweils zweiten Summanden verzichten, weil dieser bei der Differenzbildung wegen der Gleichheit der Schnellen bzw. der Winkelgeschwindigkeiten jeweils herausfällt.

Man kann sogar den Ausdruck für die Momentendifferenz noch weiter vereinfachen, indem man die nach (359) verschwindende Differenz:

$$-\,j\,\frac{B'\,k^2 \sin^2 \vartheta}{\omega}\,(v_1 - v_2) = 0$$

hinzufügt und erhält:

$$\underline{\underline{M}}'_{xz1} - \underline{\underline{M}}'_{xz2} = \frac{j\,B'\,k^2}{\omega}\,(-\,1 + r + r_j + t - t_j)\,\underline{v}_{1-}\,.$$

Mit Einführung des von Frequenz und Winkel abhängigen Parameters

$$\beta = \frac{k\sqrt{1 + \sin^2 \vartheta}}{\sqrt{B'\,m''}}\left(\omega\,\Theta' - \frac{T\,k^2 \sin^2 \vartheta}{\omega}\right)$$

$$= \zeta^2\,\mu^3\,\sqrt{1 + \sin^2 \vartheta}\left(1 - \left(\frac{c_{T\,I} \sin \vartheta}{c}\right)^2\right) \tag{373}$$

liefert die Randbedingung (367):

$$-\,r + r_j + (1 + j\,\alpha\,\beta)\,t + (-\,1 + \beta)\,t_j = 1\,. \tag{374}$$

μ und ζ bedeuten die bei dem Sperrmassenproblem in (199) und (200) eingeführten Parameter, die sich hier aus den auf die Breiteneinheit bezogenen Größen ergeben:

$$\mu = \frac{2\,\pi}{\lambda}\,\frac{m'}{m''}\,; \qquad \zeta = \frac{m''}{m'}\sqrt{\frac{\Theta'}{m'}}\,.$$

Ebenso führen wir schließlich zur Vereinfachung der Kräftebedingung noch den dritten Parameter

$$\gamma = \frac{\omega\,m' - B\,k^4 \sin^4 \vartheta/\omega}{k\sqrt{B'\,m''}\,\sqrt{1 + \sin^2 \vartheta}} = \frac{\mu\,(1 - (c_B \sin \vartheta/c)^4)}{\sqrt{1 + \sin^2 \vartheta}} \tag{375}$$

ein und erhalten so aus der Randbedingung (371) die letzte der Amplitudengleichungen:

$$-\,j\,\alpha\,r + r_j + (-\,j\,\alpha + \gamma)\,t + (1 + \gamma)\,t_j = -\,j\,\alpha\,. \tag{376}$$

Die Auswertung der Gln. (361), (363), (374) und (376) liefert für den Reflexionsfaktor den Ausdruck:

$$r = \frac{\gamma - \alpha^2\beta - \frac{1}{4}\beta\gamma(1+\alpha^2)}{j\alpha\left[4+\gamma-\beta-\frac{1}{2}\beta\gamma\right] - \left[\gamma+\alpha^2\beta-\frac{1}{4}\beta\gamma(1-\alpha^2)\right]} \tag{377}$$

und für den Transmissionsfaktor den Ausdruck:

$$t = \frac{j\alpha[4+\gamma-\beta]}{j\alpha\left[4+\gamma-\beta-\frac{1}{2}\beta\gamma\right] - \left[\gamma+\alpha^2\beta-\frac{1}{4}\beta\gamma(1-\alpha^2)\right]}\,. \tag{378}$$

Da hier zu beiden Seiten gleichartige Platten angrenzen sollen, wird der Transmissionsgrad sowohl durch $1 - |r|^2$ als auch durch $|t|^2$ gekennzeichnet.

Eine allgemeine Diskussion der Ergebnisse würde auch hier die Berechnung eines umfangreichen Atlanten erfordern. Wir begnügen uns damit, dasselbe Zahlenbeispiel näher zu untersuchen, welches wir bei der Behandlung des senkrechten Einfalls zur Berechnung des Diagramms in Abb. V/15 zugrundegelegt hatten, und das in der Größenordnung der Abmessungen, wenn auch nicht in der konstruktiven Gestalt, Verhältnissen angepaßt war, wie sie bei schweren Schiffskonstruktionen vorkommen.

Die Ergebnisse der mit diesen Daten durchgeführten Rechnungen sind in den Abb. V/38 und V/39 enthalten. Und zwar ist in Abb. V/38 jeweils der Transmissionsgrad über $\sin\vartheta$ aufgetragen, so daß gemäß unseren Ausführungen zu (296) der artihmetische Mittelwert der Kurven den bei statistischer Verteilung zu erwartenden mittleren Durchlaßgrad bedeutet. Derselbe ist jeweils gestrichelt eingetragen. Als Frequenzen sind die Werte 112,5, 225, 450, 900, 1800 und 3600 Hz gewählt. In Abb. V/39 sind diese Ergebnisse noch einmal in einer Karte über einer $\log f - \sin\vartheta$-Ebene zusammengefaßt. Darin sind besonders die Gebiete durch Strichelung markiert, in denen das Schalldämmaß größer als 10 dB ist, ferner die Stellen totalen Durchgangs, die Stellen totaler Sperrung und die Linien, auf welchen infolge Spuranpassung jeweils die Momenten- oder die Kräftedifferenz verschwindet.

Das in Abb. V/39 landkartenartig dargestellte „R-Gebirge" zeigt folgende Tendenzen, deren allgemeiner Charakter sich aus den Formeln (377) und (378) ergibt:

1. Mit kleiner werdenden β und γ, d. h. aber mit abnehmender Frequenz, verschwindet R:

$$f \to 0; \qquad R \to 0\,. \tag{379}$$

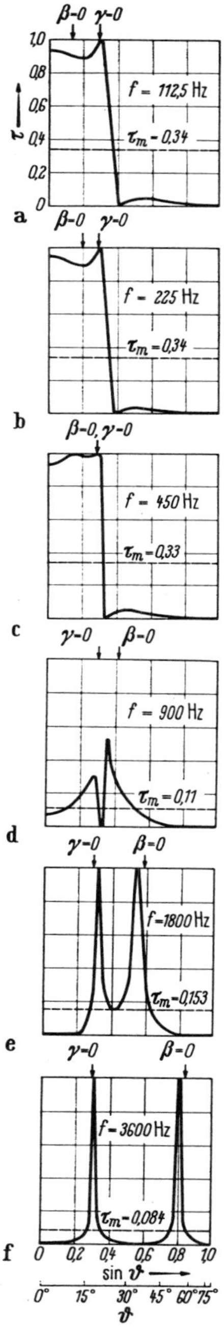

2. Mit wachsenden β und γ, d. h. aber mit wachsender Frequenz, wird schließlich der Transmissionsfaktor immer kleiner, also R immer größer:

$$f \to \infty; \qquad R \to \infty . \tag{380}$$

3. Zu diesen schon beim Sperrmassenproblem aufgetretenen Tendenzen kommt hier hinzu, daß mit Annäherung des Einfallswinkels ϑ an 90° der Winkelparameter α verschwindet, während β und γ endlich bleiben. Mit α verschwindet aber t, wird also R beliebig groß:

$$\vartheta \to 90°; \qquad R \to \infty . \tag{381}$$

4. R kann aber, wie schon bei der Sperrmasse, auch bei endlicher Frequenz zu Null werden, nämlich, wenn der Zähler in (377) verschwindet:

$$\gamma - \alpha^2 \beta - \frac{1}{4} \beta \gamma (1 + \alpha^2) = 0; \qquad R = 0 . \tag{382}$$

Das ist sicher dort der Fall, wo β und γ gleichzeitig verschwinden, d. h. wo beide Spuranpassungen gleichzeitig auftreten. (In (Abb. V/39) ist das bei 17,5° und 450 Hz der Fall.) Da α aber nur zwischen 0 und 1 schwanken kann, kann (382) auch dann erfüllt werden, wenn β oder γ klein sind, d. h. der Durchlaßeffekt tritt bei hohen Frequenzen in der

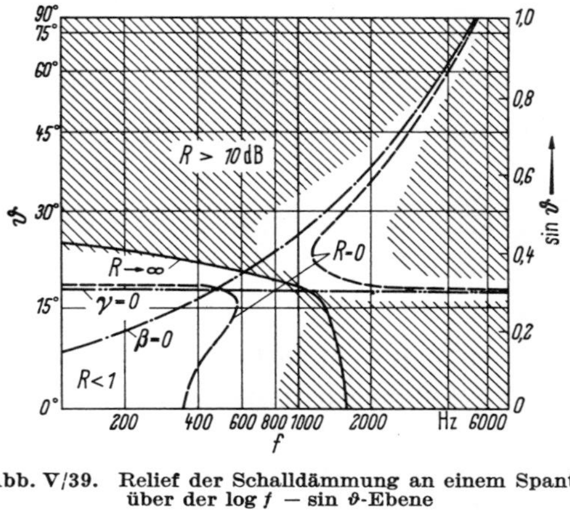

Abb. V/39. Relief der Schalldämmung an einem Spant über der log f — sin ϑ-Ebene

◀ **Abb. V/38.** Winkelabhängigkeit des Transmissionsgrades bei einem Spant nach Abb. V/15 für verschiedene Frequenzen

Nähe der Spuranpassungen auf. In Abb. V/38e) und f) treten diese Stellen totalen Durchgangs als schmale Gipfel in Erscheinung. Eine Oktave höher würde nur noch ein Gipfel zu sehen sein. Man kann durch die Vorausberechnung dieser Winkelgebiete planmäßig die Durchlaßfähigkeit bei bestimmten Einfallswinkeln zulassen oder vermeiden; insbesondere dürfte es vorteilhaft sein, wenn man große Dämmungen erzielen will und hierzu mehrere Spanten zur Verfügung hat, diese verschieden zu gestalten.

Bei niedrigen Frequenzen verbreitert sich das Gebiet niedriger Dämmungen zu einem breiten Tal.

5. Dieses ist aber von steilen Abhängen umgeben, die davon herrühren, daß der von den Sperrmassen her bekannte Sperreffekt die Durchlaßgebiete in 2 Teile teilt. (In Abb. V/38d schneidet er den sich andeutenden Gipfel der hier zur Verschmelzung tendierenden Spuranpassungen entzwei.)

Das dichte Nebeneinanderliegen von Durchlaß- und Sperrbereichen könnte freilich eine Eigenart unseres Zahlenbeispiels sein. Immerhin lehrt dasselbe, daß es auf diese Weise möglich ist, die filterartige Ausblendung eines größeren Winkelbereiches zu erzielen, wie dies in Abb. V/38a) bis c) zum Ausdruck kommt.

Allgemein ergibt sich die Sperrbedingung aus dem Verschwinden des Zählers in (378), d. h., da der Fall $\alpha = 0$, der des streifenden Einfalls, schon erwähnt worden war, aus:

$$4 + \gamma - \beta = 0; \qquad R \to \infty\,. \tag{383}$$

Vergleichen wir an Hand des spez. Zahlenbeispiels die bei den gewählten Frequenzen

$$f = 112{,}5 \quad 225 \quad 450 \quad 900 \quad 1800 \quad 3600\,\text{Hz}$$

und bei senkrechtem Einfall sich ergebenden Schalldämm-Maße

$$R_0 = \ 0{,}3 \quad 0{,}2 \quad 0{,}3 \quad 11 \quad 28 \quad 21\,\text{dB}$$

mit den bei statistischer Verteilung der Einfallswinkel sich errechnenden Werten

$$R_m = \ 4{,}7 \quad 4{,}7 \quad 4{,}8 \quad 9{,}6 \quad 8{,}2 \quad 10{,}6\,\text{dB}\,,$$

so zeigt sich, daß wohl auch bei den Mittelwerten der Tiefpaßcharakter noch in Erscheinung tritt, daß er aber gemildert ist, indem der Durchlaßbereich bei den tiefen Frequenzen durch die „Ausblendung" der schrägeren Einfallswinkel eingeschränkt wird, und indem der Bereich hoher Frequenzen von den Spuranpassungstälern durchschnitten wird.

Schließlich noch ein Hinweis auf die zusätzlichen Effekte, die bei kettenleiterartiger Wiederholung der Spanten, wie sie praktisch meist auftritt, zu erwarten sind.

Auch bei schrägem Einfall gelten die Voraussetzungen, die zu der einfachen Beziehung (280 b) geführt haben, nämlich, daß bei verlustlosen Trennobjekten nicht nur $|r|^2 + |t|^2 = 1$, sondern auch $r \perp t$ ist. (Vgl. auch (377) und (378).) Die bei Biegewellenfeldern hinzukommende Bedingung, daß die Nahfelder nie bis zum nächsten Trennobjekt reichen dürfen, ist bei schrägem Einfall sogar noch leichter zu erfüllen, weil der Exponent der Nahfelder mit $\sqrt{1 + \sin^2 \vartheta}$ wächst. Das einzige, was in (280 b) zu ändern ist, ist der Ersatz der Wellenzahl k durch die für die Phasenänderung senkrecht zu den Trennobjekten maßgebende Lotwellenzahl $k \cos \vartheta$:

$$\cosh g = \operatorname{Re}\left\{\frac{1}{t(\vartheta)}\, e^{j k l \cos \vartheta}\right\}. \tag{384}$$

Entsprechend liegen auch die durch Resonanzen der Teilplatten bedingten Totaldurchgänge für jeden Einfallswinkel bei verschiedenen Frequenzen. Anders ausgedrückt: Der Schall findet oberhalb der tiefsten Eigenfrequenzen der Teilplatten bei jeder Frequenz einen Winkel totaler Transmission. Dies bedeutet eine weitere Herabsetzung der resultierenden Dämmwirkung von Spanten und macht auch die bei Abb. V/30 erwähnten enttäuschenden Meßergebnisse an Rippendecken verständlich.

7. Dämmung zwischen parallelen Platten

a) Kontinuierliche Kopplung durch elastische Zwischenschicht (Schwimmender Estrich)

Bei allen doppelschaligen Wand- und Deckenkonstruktionen, bei allen zweischaligen Ummantelungen von Maschinen treten Platten auf, deren Mittelebenen einander parallel sind. Dabei ist es meist unvermeidbar, daß die eine konstruktiv mit der anderen durch Stege, gemeinsame Rahmen oder dgl. verbunden ist. Aber auch wenn die eine durch eine hochelastische Zwischenschicht von der anderen getrennt ist, wie das bei den auf einer Leerdecke* über einer Fasermatte vergossenen „schwimmenden Estrichen" der Fall ist (s. Abb. V/40, oben), ist eine Kopplung vorhanden. Selbst, wenn der Zwischenraum nur Luft enthält, ist diese Kopplung zu berücksichtigen, ja, sie ist, wie wir noch feststellen werden, dabei sogar stärker, als wenn der Luftraum eine Matte enthält.

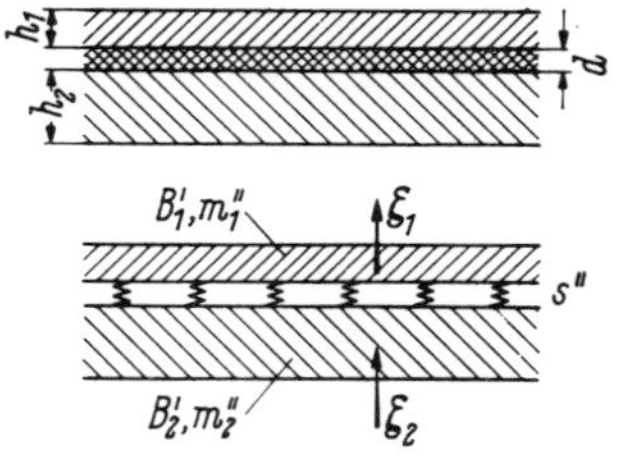

Abb. V/40. Einfaches Schema einer Rohdecke mit schwimmendem Estrich

* Der Ausdruck „Leerdecke" ist hier an Stelle des vielfach verwendeten Ausdrucks „Rohdecke" benutzt, weil im Bauwesen unter Rohdecke nur eine unterseitig unverputzte Decke verstanden wird, was hier keine Rolle spielt.

Im letzten Falle können wir uns die Matte immer durch viele nebeneinander liegende, unabhängig voneinander zusammendrückbare Federn ersetzt denken (s. Abb. V/40, unten), vorausgesetzt natürlich, daß die Schichtdicke klein ist. Hinsichtlich der lockeren Struktur der Matte leuchtet das sofort ein. Die Steife je Fläche s'' der Zwischenschicht setzt sich aber aus zwei Teilen zusammen, der Steife des „Skeletts" der Matte s''_S und der in ihren Poren eingeschlossenen Luft s''_L

$$s'' = s''_S + s''_L \,. \tag{385}$$

Die letzte errechnet sich aus

$$s''_L = \frac{K}{\sigma\, d}\,, \tag{386}$$

wobei K den Volumenkompressionsmodul der Luft, σ die meist nur wenig von 1 verschiedene Porosität

$$\sigma = \frac{\text{Porenvolumen}}{\text{Gesamtvolumen}} \tag{387}$$

und d die Dicke der Schicht bedeuten. Wenn die Verdichtung isotherm erfolgt, was bei den hauptsächlich interessierenden tiefen Frequenzen wegen der Wärmeleitung und Wärmekapazität der Fasern auch angenommen werden kann, ist K gleich dem statischen Druck der Luft, also etwa gleich 10^6 μb. Bei hohen Frequenzen erfolgt die Verdichtung adiabatisch, was eine Erhöhung von K um den Faktor 1,4 bedeutet, ein Unterschied, der für unsere nachfolgenden Betrachtungen keine wesentliche Rolle spielt.

Daß auch die Kompression der Luft bei Anwesenheit der Matte ohne seitliche Kopplung erfolgt, liegt daran, daß jede Strömung durch die Matte durch deren Strömungswiderstand behindert ist, entsprechend der Gleichung:

$$-\frac{dp}{dx} = \Xi\, v_x \,. \tag{388}$$

Die Materialkonstante Ξ wird als „längenspezifischer Strömungswiderstand" bezeichnet. Es genügen bereits niedrige Ξ-Werte von 20 g cm^{-3} s^{-1} (oder Rayl/cm), um die seitliche Kopplung zu verhindern.

Zweifellos ist man beim Schallschutz an sehr niedrigen s''-Werten interessiert. Es erschien daher zweckmäßig, die Matten so elastisch wie möglich zu machen. Da man aber die resultierende Steife nie unter die der eingeschlossenen Luft senken kann, ergibt sich, daß es kaum lohnt, mit s''_S unter s''_L zu gehen. Andererseits ist es technisch vorteilhaft, wenn die Matte nicht zu locker gefügt ist.

Ergänzen wir den Differentialquotienten der Querkräfte je Breite in beiden Platten durch den geringen Druck $s''|\zeta_1 - \zeta_2|$ der vom elastischen

Zwischenraum ausgeht, so erhalten wir mit den Bezeichnungen der Abb. V/40 und unter Beschränkung auf sinusförmigen Zeitverlauf für die Zeiger der Verschiebungen $\underline{\zeta}_1$ und $\underline{\zeta}_2$ die „gekoppelten" Biegewellengleichungen[1]:

$$\left.\begin{aligned} -B_1' \Delta\Delta\underline{\zeta}_1 - s''(\underline{\zeta}_1 - \underline{\zeta}_2) &= -\omega^2 m_1'' \underline{\zeta}_1 \\ -B_2' \Delta\Delta\underline{\zeta}_2 - s''(\underline{\zeta}_2 - \underline{\zeta}_1) &= -\omega^2 m_2'' \underline{\zeta}_2 . \end{aligned}\right\} \tag{389}$$

Unter Einführung der für die ungekoppelten Platten geltenden Wellenzahlen k_1 und k_2, und der Eigenkreisfrequenzen

$$\omega_1 = \sqrt{\frac{s''}{m_1''}} \qquad \text{und} \qquad \omega_2 = \sqrt{\frac{s''}{m_2''}}, \tag{390}$$

die für die vertikalen Schwingungen der beiden Platten gegenüber der Zwischenschicht gelten würden, wenn die jeweils andere Platte festgehalten wäre, lassen sich die Gln. (389) umformen zu:

$$\left.\begin{aligned} \left[\Delta\Delta - k_1^4\left(1 - \left(\frac{\omega_1}{\omega}\right)^2\right)\right]\underline{\zeta}_1 - k_1^4\left(\frac{\omega_1}{\omega}\right)^2 \underline{\zeta}_2 = 0 \\ -k_2^4\left(\frac{\omega_2}{\omega}\right)^2 \underline{\zeta}_1 + \left[\Delta\Delta - k_2^4\left(1 - \left(\frac{\omega_2}{\omega}\right)^2\right)\right]\underline{\zeta}_2 = 0 . \end{aligned}\right\} \tag{391}$$

Hier ist davon Gebrauch gemacht, daß man den Differentialoperator Δ wie einen Faktor behandeln kann. Die Zusammenfassung der Gl. (391) führt auf eine Differentialgleichung 8. Ordnung, nämlich:

$$\left\{\Delta\Delta\Delta\Delta - \left[k_1^4\left(1 - \left(\frac{\omega_1}{\omega}\right)^2\right) + k_2^4\left(1 - \left(\frac{\omega_2}{\omega}\right)^2\right)\right]\Delta\Delta \right.$$
$$\left. + k_1^4 k^4\left(1 - \left(\frac{\omega_1}{\omega}\right)^2 - \left(\frac{\omega_2}{\omega}\right)^2\right)\right\}(\underline{\zeta}_{1,2}) = 0 , \tag{392}$$

die aber auch auf die Form gebracht werden kann:

$$\{(\Delta\Delta - k_{\mathrm{I}}^4)(\Delta\Delta - k_{\mathrm{II}}^4)\}(\underline{\zeta}_{1,2}) = 0 , \tag{393}$$

d. h. aber — im Falle positiver Werte für k_{I}^4 und k_{II}^4 —: Es gibt je zwei Biegewellen- und Biegenahfelder, wie sie in den beiden Platten allein möglich sind, aber mit den veränderten Biegewellenzahlen k_{I} und k_{II}, die sich aus dem Vergleich von (392) und (393) ergeben zu:

$$k_{\mathrm{I,II}}^4 = \frac{1}{2}\left[k_1^4\left(1 - \left(\frac{\omega_1}{\omega}\right)^2\right) + k_2^4\left(1 - \left(\frac{\omega_2}{\omega}\right)^2\right)\right]$$
$$\pm \sqrt{\frac{1}{4}\left[k_1^4\left(1 - \left(\frac{\omega_1}{\omega}\right)^2\right) - k_2^4\left(1 - \left(\frac{\omega_2}{\omega}\right)^2\right)\right]^2 + k_1^4 k_2^4 \frac{\omega_1^2 \omega_2^2}{\omega^4}} . \tag{394}$$

[1] CREMER, L.: Acustica 2 (1952) 167 ff.

Im Falle, daß beide Platten gleich sind, führt das auf die einfachen Beziehungen:

$$k_{\mathrm{I}} = k_1; \quad k_{\mathrm{II}} = k_1 \sqrt[4]{1 - 2\left(\frac{\omega_1}{\omega}\right)^2}. \tag{394a}$$

Hier tritt als eine Lösung die Wellenzahl der ungekoppelten Platten auf.

Wir stoßen bei den Problemen gekoppelter Wellen auf gleichgebaute Formeln, wie sie bei der Kopplung zweier einfacher Schwingungssysteme, z. B. zweier elastisch gekoppelter Pendel, auftreten. Genau wie es dort zwei Eigenfrequenzen gibt, die sich bei loser Kopplung nur wenig von denen unterscheiden, die den ungekoppelten Schwingungssystemen zukommen, genau so ergeben sich hier zwei Wellenzahlen, die mit verschwindender Federsteife, d. h. aber mit $\omega_1 = \omega_2 = 0$ in die Wellenzahlen k_1 und k_2 der ungekoppelten Platten übergehen. Da aber ω_1 und ω_2 immer nur im Verhältnis zu ω auftreten, wird derselbe Übergang auch mit wachsender Frequenz erreicht.

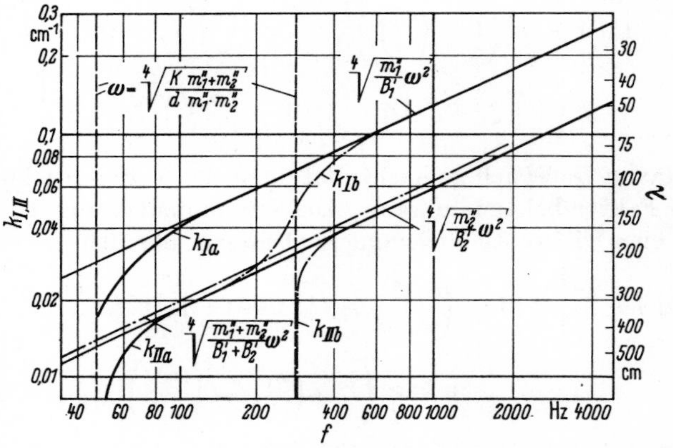

Abb. V/41. Frequenzgang der Kopplungswellenzahlen k_{I} und k_{II} bei Annahme einer 20 cm dicken Betondecke, eines 4 cm dicken Betonestrichs und einer 2 cm dicken Isolierschicht

a) aus einer Fasermatte ($K = 1{,}5 \cdot 10^6\ \mathrm{g\ cm^{-1}\ s^{-2}}$);
b) aus einer Weichfaserplatte ($K = 50 \cdot 10^6\ \mathrm{g\ cm^{-1}\ s^{-2}}$)

In Abb. V/41 sind die aus (394) sich ergebenden Frequenzgänge der resultierenden Wellenzahlen — bei logarithmischen Skalen in Abszisse und Ordinate — für zwei praktisch interessierende Beispiele eingetragen. Bei beiden ist angenommen, daß ein 4 cm dicker Estrich in 2 cm Abstand über einer 20 cm dicken Leerdecke liegt, wobei die Zwischenschicht im Falle a) so locker mit Faserstoff gefüllt ist, daß die resultierende Federsteife fast ausschließlich von der eingeschlossenen Luft bestimmt wird und mit $s'' = 0{,}75 \cdot 10^6\ \mathrm{g\ cm^{-2}\ s^{-2}}$ angesetzt ist, während sie im Falle b) von einer Weichfaserplatte mit $s'' \approx s_S'' = 25 \cdot 10^6\ \mathrm{g\ cm^{-2}\ s^{-2}}$ ausgefüllt ist. Da in beiden Fällen die Daten der Platten die gleichen sind, gehen die Kurven für k_{I} und k_{II} durch Verschiebung längs der Asymptoten $k_{\mathrm{I}} = k_1$ und $k_{\mathrm{II}} = k_2$ ineinander über. Diese Asymptoten werden — von hohen Frequenzen kommend — erst mit der Annäherung an eine Grenzfrequenz verlassen, bei der die kleinere der Wellenzahlen k_{II} sogar verschwindet. Sie ergibt sich daraus, daß dabei der dritte Summand in (392) Null wird, zu:

$$\omega_{12}^2 = \omega_1^2 + \omega_2^2 = \sqrt{s''\left(\frac{1}{m_1''} + \frac{1}{m_2''}\right)}\,, \tag{395}$$

stellt also die Eigenfrequenz der „Tonpilzschwingung" beider Platten gegeneinander dar.

Unterhalb dieser Eigenfrequenz nähert sich k_{I} der hier dicht neben $k = k_{\mathrm{II}}$ verlaufenden Asymptote:

$$\lim_{\omega \to 0} k_{\mathrm{I}}^4 = \frac{m_1'' + m_2''}{B_1' + B_2'}\,\omega^2\,. \tag{396}$$

Es ergibt sich also eine Biegewelle, für die die Summe der Massen und die Summe der Biegesteifen maßgebend ist, weil sich die ζ-Werte nicht mehr unterscheiden, die beliebig steif wirkende Schicht also nicht mehr zusammengedrückt wird. Da diese andererseits — im Rahmen unseres Schemas, das hierin sicher mit dem Verhalten lockerer Matten sich deckt —, keine Schubspannungen übertragen kann, ist nicht die Biegesteife einer Platte von der gemeinsamen Höhe $(h_1 + h_2)$ maßgebend.

Für k_{II} finden sich unterhalb der Eigenkreisfrequenz ω_{12} keine Werte eingetragen, weil hier k_{II}^4 negativ wird; das bedeutet, daß hier konjugiert komplexe Wellenzahlen:

$$\pm\,(1 + j)\,|k_{\mathrm{II}}| \qquad \text{und} \qquad \pm\,(1 - j)\,|k_{\mathrm{II}}|$$

auftreten, die zu abklingenden „stehenden Wellen", also zu einer besonderen Art quasistationärer Nahfelder gehören.

Für die praktische Anwendung sind die Frequenzgebiete unter ω_{12} uninteressant, weil hier von vornherein die Dämmwirkung der Schicht als gering anzusehen ist.

Genau so, wie sich die Schwingungen gekoppelter Systeme aus Anteilen beider Eigenschwingungen zusammensetzen, setzen sich hier die Ausschläge beider Platten im allgemeinen aus Anteilen zusammen, die Lösungen der beiden in (393) multiplikativ auftretenden Biegewellengleichungen sind und die mit $\zeta_{1\,\mathrm{I}}, \zeta_{1\,\mathrm{II}}$, sowie $\zeta_{2\mathrm{I}}, \zeta_{2\,\mathrm{II}}$ bezeichnet seien.

Da diese Paare für sich die Gln. (389), bzw. (391) erfüllen müssen, folgt, daß die jeweils zu k_{I} und zu k_{II} gehörigen Feldverteilungen die gleichen sein müssen, und daß die diese Feldverteilungen an irgend einer

Stelle charakterisierenden Zeiger $\underline{\zeta}_{1\,\mathrm{I}}$, $\underline{\zeta}_{2\,\mathrm{I}}$ einerseits und $\underline{\zeta}_{1\,\mathrm{II}}$, $\underline{\zeta}_{2\,\mathrm{II}}$ andererseits über die Gleichungen zusammenhängen:

$$\frac{\underline{\zeta}_{2\,\mathrm{I}}}{\underline{\zeta}_{1\,\mathrm{I}}} = \frac{\left(\frac{\omega_2}{\omega}\right)^2}{\frac{k_{\mathrm{I}}^4}{k_2^4} - 1 + \left(\frac{\omega_2}{\omega}\right)^2} = \varepsilon_{\mathrm{I}}\,, \tag{397$_\mathrm{I}$}$$

$$\frac{\underline{\zeta}_{1\,\mathrm{II}}}{\underline{\zeta}_{2\,\mathrm{II}}} = \frac{\left(\frac{\omega_1}{\omega}\right)^2}{\frac{k_{\mathrm{II}}^4}{k_1^4} - 1 + \left(\frac{\omega_1}{\omega}\right)^2} = -\,\varepsilon_{\mathrm{II}}\,. \tag{397$_\mathrm{II}$}$$

Die hier eingeführten Hilfsgrößen ε_{I} und $\varepsilon_{\mathrm{II}}$ sind so definiert, daß sie bei loser Kopplung, also bei hohen Frequenzen, zu kleinen positiven Größen werden. (Dabei ist außerdem jeweils diejenige der Gln. (391) herangezogen, die das Auftreten der Differenzen annähernd gleicher Größen vermeidet.)

Im Falle gleichartiger Platten wird mit (394a):

$$\varepsilon_{\mathrm{I}} = 1 \qquad \text{und} \qquad \varepsilon_{\mathrm{II}} = 1\,,$$

d. h. beim Feldtyp I schwingen beide Platten nach gleicher, beim Feldtyp II nach entgegengesetzter Seite. Es leuchtet damit auch ein, daß im ersten Falle, bei welchem die Zwischenschicht gar keine Zusammendrückung erfährt, die Wellenzahl der ungekoppelten Platten auftritt, und daß im zweiten Falle, dem der aufeinander zugerichteten Bewegungen, die Tonpilzeigenfrequenz eine entscheidende Grenze darstellt.

Alle weiteren Angaben über das jeweilige Feldbild hängen von den speziellen Anregungs- und Randbedingungen ab. Als praktisch wichtigstes Beispiel wählen wir den Fall, daß nur die obere Platte angeregt wird und zwar durch eine punktförmig angreifende Wechselkraft $\underline{F}_0$, wodurch auch das bereits in Kap. IV, 5a angeschnittene Problem der Trittschallerzeugung und seine in der Bauakustik genormte Nachbildung durch fallende Hämmer von 500 g Gewicht miterfaßt ist. Wir wollen das Problem freilich noch dadurch idealisieren, daß wir entweder unendliche Ausdehnung der beiden Platten annehmen oder zumindest, daß die von den Rändern ausgehenden Reflexionen vernachlässigt werden können. Das Feldbild ist dann rotationssymmetrisch, und die Abhängigkeit der Verschiebung von der Entfernung r vom Anregungspunkt wird, wie bei der punktförmigen Anregung einer einzigen unendlichen Platte in Kap. IV, 3d gezeigt, durch die Funktionen-Kombination:

$$H_0^{(2)}(k\,r) - H_0^{(2)}(-\,j\,k\,r) = \Pi(k\,r)$$

beschrieben.

Bei dem vorliegenden Problem gekoppelter Platten treten lediglich zwei solche Feldverteilungen mit den Argumenten $(k_I\, r)$ und $(k_{II}\, r)$ auf:

$$\left.\begin{aligned} \underline{\zeta}_1(r) &= \underline{\zeta}_{1I}\, \Pi(k_I\, r) + \underline{\zeta}_{1II}\, \Pi(k_{II}\, r) \\ \underline{\zeta}_2(r) &= \underline{\zeta}_{2I}\, \Pi(k_I\, r) + \underline{\zeta}_{2II}\, \Pi(k_{II}\, r)\,. \end{aligned}\right\} \qquad (398)$$

Dieser Ansatz enthält aber nur zwei unabhängige Konstanten und kann gemäß (397) auch umgeformt werden in:

$$\underline{\zeta}_1(r) = \underline{\zeta}_{1I}\, \Pi(k_I\, r) - \underline{\zeta}_{2II}\, \varepsilon_{II}\, \Pi(k_{II}\, r)\,, \qquad (398\,a)$$

$$\underline{\zeta}_2(r) = \underline{\zeta}_{1I}\, \varepsilon_I\, \Pi(k_I\, r) + \underline{\zeta}_{2II}\, \Pi(k_{II}\, r)\,. \qquad (398\,b)$$

Wie in IV an Hand der Formeln (61) und (62) gezeigt, gehört zur Erzeugung des rotationssymmetrischen Feldes

$$\underline{\zeta}_{20}\, \Pi(k_2\, r)\,,$$

wie es bei Anregung der Leerdecke auftreten würde, eine Kraft F_0 bei $r = 0$ von der Größe:

$$\underline{F}_0 = 8\, j\, B_2'\, k_2^2\, \underline{\zeta}_{20}\,. \qquad (399)$$

In gleicher Weise verlangen die entsprechenden Feldanteile in (398) das Vorhandensein entsprechender Kräfte im Nullpunkt, die sich beim Estrich zu der gegebenen Erregerkraft F_0 zusammensetzen, in der Leerdecke, wo eine solche resultierende Kraft fehlt, sich kompensieren müssen:

$$\underline{F}_0 = 8\, j\, B_1'\, [k_I^2\, \underline{\zeta}_{1I} - \varepsilon_{II}\, k_{II}^2\, \underline{\zeta}_{2II}]\,, \qquad (400\,a)$$

$$0 = 8\, j\, B_2'\, [\varepsilon_I\, k_I^2\, \underline{\zeta}_{1I} + k_{II}^2\, \underline{\zeta}_{2II}]\,. \qquad (400\,b)$$

Aus diesen Randbedingungen folgt zunächst für den Zeiger des Ausschlagsanteils vom Typ I im Estrich:

$$\underline{\zeta}_{1I} = \frac{\underline{F}_0}{8\, j\, B_1'\, k_I^2\, (1 + \varepsilon_I\, \varepsilon_{II})}\,. \qquad (401)$$

Wie schon bemerkt, interessiert die Auswertung des Ergebnisses nur oberhalb der Tonpilzeigenfrequenz, d. h. in Gebieten, wo

$$k_I^2 = k_1^2 \qquad \text{und} \qquad \varepsilon_I\, \varepsilon_{II} \ll 1$$

gesetzt werden können. Dort vereinfacht sich (401) zu:

$$\underline{\zeta}_{1I} = \frac{\underline{F}_0}{8\, j\, B_1'\, k_1^2}\,, \qquad (401\,a)$$

d. h. aber zu dem Wert, den man bei Anregung des freien Estrichs erhalten würde. Die dabei sich ergebende Ausschlagsamplitude ist zunächst größer als die bei Anregung der Leerdecke sich ergebende und zwar im umgekehrten Verhältnis der in (IV, 63) gegebenen Punktimpedanzen der beiden Platten:

$$\frac{\zeta_{1\,\mathrm{I}}}{\zeta_{20}} = \frac{B_2' k_2^2}{B_1' k_1^2} = \frac{\sqrt{B_2' m_2''}}{\sqrt{B_1' m_1''}} = \frac{Z_2}{Z_1}. \tag{402}$$

Dagegen aber beträgt die durch die Anregung des Estrichs bewirkte, zum Typ I gehörige Ausschlagsamplitude der Leerdecke nach (397_{I}) nur noch

$$\zeta_{2\,\mathrm{I}} = \varepsilon_{\mathrm{I}}\, \zeta_{1\,\mathrm{I}} \tag{403}$$

bzw. mit $k_1^4 \gg k_2^4$ angenähert:

$$\zeta_{2\,\mathrm{I}} \approx \left(\frac{\omega_2}{\omega}\right)^2 \left(\frac{k_2}{k_1}\right)^4 \zeta_{1\,\mathrm{I}}. \tag{403a}$$

Ferner ergibt sich für die Ausschlagsamplituden des Typs II einmal aus (400b) die in der Leerdecke auftretende Amplitude zu

$$\underline{\zeta_{2\,\mathrm{II}}} = -\,\varepsilon_{\mathrm{I}} \frac{k_{\mathrm{I}}^2}{k_{\mathrm{II}}^2} \underline{\zeta_{1\,\mathrm{I}}} = -\frac{k_{\mathrm{I}}^2}{k_{\mathrm{II}}^2} \underline{\zeta_{2\,\mathrm{I}}} \tag{404}$$

und schließlich die im Estrich nach (397_{II}) zu erwartende mit:

$$\underline{\zeta_{1\,\mathrm{II}}} = -\,\varepsilon_{\mathrm{II}}\, \underline{\zeta_{2\,\mathrm{II}}} = \varepsilon_{\mathrm{I}}\, \varepsilon_{\mathrm{II}} \frac{k_{\mathrm{I}}^2}{k_{\mathrm{II}}^2} \underline{\zeta_{1\,\mathrm{I}}}. \tag{405}$$

Die letzte kann wegen des Auftretens des Produktes beider ε-Werte als klein gegen den Ausschlagsanteil des ersten Typs $\zeta_{1\,\mathrm{I}}$ angesehen werden, was die Aussage von (401a) vollends dahin abrundet, daß das im Estrich erzeugte Wellenfeld in jeder Beziehung dem des freien Estrichs entspricht.

Dagegen ist in der Leerdecke der ihr verwandte Typ II gemäß (404) stärker vertreten, und zwar im Verhältnis

$$\left|\frac{\zeta_{2\,\mathrm{II}}}{\zeta_{2\,\mathrm{I}}}\right| = \frac{k_{\mathrm{I}}^2}{k_{\mathrm{II}}^2} \approx \frac{k_1^2}{k_2^2} = \sqrt{\frac{m_1'' B_2'}{m_2'' B_1'}} \qquad \left(= \frac{h_2}{h_1}\right). \tag{404a}$$

Da die Leerdecke mindestens das 3-fache der Estrichdecke ausmacht, würde es unter Annahme gleich guter Abstrahlungsbedingungen für beide Typen nur einen Fehler von $10\lg\left(\frac{9+1}{9}\right) = 0{,}5\,\mathrm{dB}$ bedeuten, wenn wir die vom Typ I zusätzlich in den Empfangsraum abgestrahlte Energie vernachlässigen. Wie wir aber im nächsten Kapitel noch sehen werden, ist außerdem damit zu rechnen, daß der kurzwelligere estricheigene Feldtyp zu schlechterer Abstrahlung führt.

Die Möglichkeit der Beschränkung auf den leerdeckeneigenen Wellentyp hat aber den weiteren Vorteil, daß wir die von GÖSELE[1] durch die

[1] GÖSELE, K.: Gesundheitsing. 70 (1949) 66.

Differenz der Schalldruckpegel im Empfangsraum — bei einmal unmittelbar beklopfter Leerdecke und zum anderen bei Beklopfung des schwimmenden Estrichs — definierte „Verbesserung des Trittschallschutzes" ohne Kenntnis des Abstrahlungsvorgangs und der Eigenschaften des Empfangsraumes aus dem Vergleich von ζ_{20} mit $\zeta_{2\,\mathrm{II}}$ errechnen können:

$$\Delta L = 20 \lg \frac{\zeta_{20}}{\zeta_{2\,\mathrm{II}}} \,\mathrm{dB}\,. \tag{406}$$

Dabei fallen beim Einsetzen der Werte aus (399), (401 a), (403 a) und (404 a) die Größen B_2' und m_2'', also die Eigenschaften der Leerdecke, aber auch B_1' heraus, und es bleibt der erstaunlich einfache Ausdruck übrig:

$$\Delta L = 40 \lg \left(\frac{\omega}{\omega_1}\right) \mathrm{dB} = 40 \lg \left(\frac{f}{f_1}\right) \mathrm{dB}\,. \tag{406a}$$

Trotz der bei der Ableitung gemachten Vernachlässigungen und Vereinfachungen hat sich Formel (406 a) für die Abschätzung der Wirkung eines schwimmenden Estrichs im entscheidenden Frequenzbereich $\omega_1 < \omega < 4\,\omega_1$ sehr bewährt. Abb. V/42 zeigt an zwei Beispielen den Vergleich der errechneten Verbesserung mit der gemessenen, und zwar oben für einen Zementestrich, unten für einen Asphaltestrich. Es verwundert nicht, daß die Übereinstimmung im letzten Fall besser ist, da ja der große Verlustfaktor des Asphaltes der Vernachlässigung reflektierter Wellen besser entspricht. Auch ist kaum zu erwarten, daß der nach (406 a) sich errechnende Anstieg der Verbesserung mit 12 dB/Oktave beliebig gegen höhere Frequenzen hin erhalten bleiben kann. Der Vergleich mit (406 a) hat den Charakter der Bewertung des praktisch Erreichbaren an einem Idealfall.

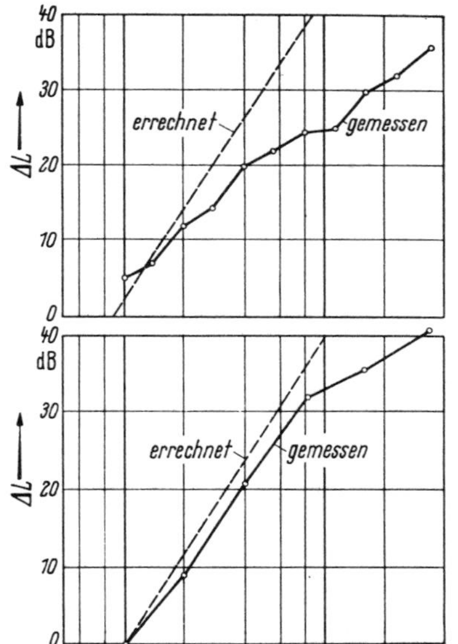

Abb. V/42. Verbesserung des Trittschallschutzes durch schwimmende Estriche
oben: 3,5 cm Zementestrich über Glasfaserplatte (1000 g/m²) über 13 cm Stahlbetondecke
unten: 2,5 cm Asphalt-Estrich über Glasfaser-Matte (1000 g/m²) über 20 cm Hohlkörperdecke mit 5 cm Aufbeton

Es gibt eine Ausnahme, bei der sogar höhere Verbesserungen erreicht werden, der aber gar nicht mit den Dämmeigenschaften der Deckenkonstruktion, sondern mit der erwähnten Wahl des Fallhammergewichtes von 500 g zusammenhängt. Die Hammermasse m_0 geht nur so lange nicht in das Meßergebnis ein, als die durch ihre Trägheit bedingte innere Impedanz des Senders $j\,\omega\,m_0$ klein ist gegen die Punktimpedanz Z der Platte. Bei der Beklopfung der Leerdecke kann das im ganzen bauakustisch interessierenden Frequenzbereich als gültig angenommen werden. Dagegen kann bei der Beklopfung des Estrichs oberhalb einer durch

$$\omega_2 = \frac{Z_1}{m_0} \tag{407}$$

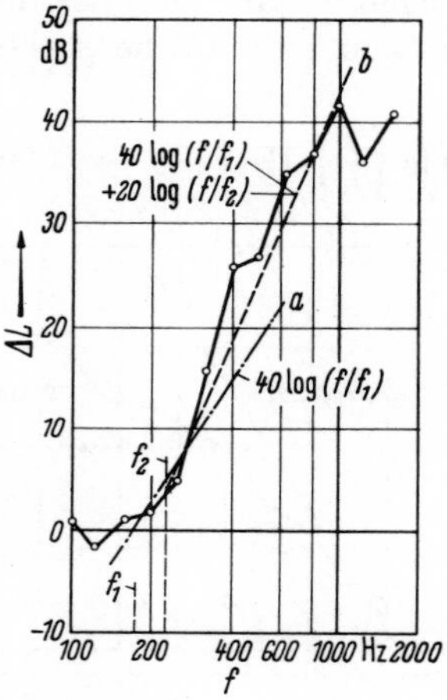

Abb. V/43. Gemessene Verbesserung des Trittschallschutzes durch Holzplatte über Glaswolle (ausgezogen) in Vergleich mit der Rechnung
a) ohne,
b) mit Berücksichtigung der Massenträgheit des Fallhammers

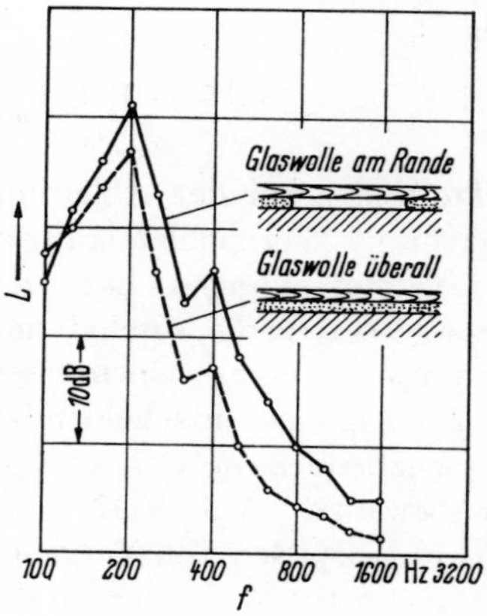

Abb. V/44. Vergleich der Trittschallpegel unter einer Betondecke
a) mit einer nur am Rande,
b) mit einer überall
auf Glaswolle
verlegten Holzplatte

gegebenen Grenzfrequenz die Massenträgheit überwiegen; das bedeutet nach den in Kap. IV, 3 a angestellten Überlegungen über Stoßerregungen, daß dann die gemäß spektraler Zerlegung auf den Estrich wirkende Erregerkraft im Verhältnis

$$\frac{\underline{F}_0}{\underline{F}_{00}} = \frac{Z_1}{Z_1 + j\,\omega\,m_0} = \frac{1}{1 + j\,\dfrac{\omega}{\omega_2}} \tag{408}$$

geschwächt ist. Damit liefert die Messung eine scheinbare Verbesserung von:

$$\Delta L = \left[40 \lg\left(\frac{f}{f_1}\right) + 10 \lg\left(1 + \left(\frac{f}{f_2}\right)^2\right)\right] \text{dB}\,. \tag{409}$$

Abb. V/43 zeigt ein Beispiel[1], bei dem dieser Effekt besonders ausgeprägt ist, weil als Modell eines Estrichs eine nur 1,2 cm dicke Holzplatte diente. Die Grenzfrequenz f_2 liegt dadurch bereits bei 223 Hz. Die Übereinstimmung mit (409) reicht bis zu Werten von $L = 40$ dB!

Von diesem Fall abgesehen sind nur Abweichungen von (406a) bekannt, die zu kleineren „Verbesserungen" führen. Dies gilt oberhalb ω_1 auch bei Berücksichtigung von Verlusten in der Trennschicht. Wohl zeigte sich bei den in Abb. V/43 bereits erwähnten Versuchen an der Holzplatte, daß der Pegel im Empfangsraum höher wird, wenn die Fasermatte die Platte nur am Rande unterstützt, im größten Teil der Fläche dagegen die elastische Verbindung nur durch das freie Luftpolster gegeben ist (Abb. V/44)[2]. Der Unterschied beruht aber nicht auf Verlusten, denn gerade die überall unterlegte Platte entspricht den ohne Verluste berechneten Ergebnissen von Abb. V/43; er beruht vielmehr auf nun auftretenden seitlichen Verschiebungen in der Luftschicht.

Um das verstehen zu können, wollen wir die Verschiebungen der unteren Platte als vernachlässigbar und die der oberen Platte als durch den Ansatz:

$$\underline{\zeta}_1(x) = \underline{\zeta}_1\, e^{-j k_1 x} = \underline{\underline{\zeta}}_1\,, \tag{410}$$

also als gerade Biegewelle, gegeben ansehen. Dann weisen auch Druck p und tangentiale Verschiebung ξ im Luftpolster die gleiche Phasenänderung auf. Infolge dieser Phasenänderung aber ist die frühere Beziehung

$$\underline{p} = \frac{K}{d}\,\underline{\zeta}$$

zu erweitern in:

$$\underline{p} = \frac{K}{d}\left(\underline{\zeta} - d\,\frac{\partial \underline{\xi}}{\partial x}\right) \tag{411}$$

bzw.

$$\underline{\underline{p}} = \frac{K}{d}\left(\underline{\underline{\zeta}}_1 + j\, k_1\, d\, \underline{\underline{\xi}}\right). \tag{411a}$$

Zwischen p und ξ besteht andererseits die dynamische Beziehung:

$$-\frac{\partial \underline{p}}{\partial x} = -\,\omega^2\,\varrho_0\,\underline{\xi}\,, \tag{412}$$

bzw.

$$\underline{\underline{\xi}} = \frac{-j\,k_1}{\omega^2\,\varrho_0}\,\underline{\underline{p}}\,, \tag{412a}$$

wobei ϱ_0 die Dichte der Luft bedeutet. Damit läßt sich $\underline{\underline{\xi}}$ in (411a) eliminieren, und wir erhalten unter Einführung der für die Ausbreitung im

[1] CREMER, L.: Acustica 2 (1952), S. 178, Abb. 5.

[2] S. auch GÖSELE, K.: Acustica 6 (1956) 67.

Luftpolster geltenden Wellenzahl

$$k_0 = \frac{\omega}{c_0} = \omega \sqrt{\frac{\varrho_0}{K}} : \tag{413}$$

$$\underline{\underline{p}} = \frac{K/d}{1 - (k_1/k_0)^2} \underline{\underline{\zeta_1}} . \tag{414}$$

Da $k_1 \sim \sqrt{\omega}$, dagegen $k_0 \sim \omega$ wächst, ist der Nenner frequenzabhängig. Dabei kann auch hier eine Spuranpassung eintreten, bei der

$$c_1 = c_0 \quad \text{bzw.} \quad \lambda_1 = \lambda_0 \tag{415}$$

ist und der Nenner verschwindet, was einer scheinbar unendlich großen Steife entsprechen würde. Natürlich wäre es in diesem Falle nicht mehr möglich, $\zeta_1(x)$ als gegebene, durch das Luftpolster unbeeinflußte Biegewelle anzusehen. Dasselbe gilt auch für tiefere Frequenzen, wo der Nenner negativ wird. Aber im Frequenzbereich über der durch die Spuranpassung gegebenen Grenzfrequenz können wir sagen, daß die seitliche Kopplung im Luftraum wie eine Erhöhung seiner Steife wirkt und sich damit die schlechtere Dämmung erklären läßt.

Ebenso läßt sich an diesem vereinfachten Schema zeigen, daß diese Erhöhung wegfällt, wenn im Luftpolster ein hinreichend hoher Strömungswiderstand auftritt und damit an die Stelle von (412) die Gl. (388) tritt. Wir erhalten dann statt (414):

$$\underline{\underline{p}} = \frac{K/d}{1 + j\,(K\,k_1^2)/(\omega\,\Xi)} \underline{\underline{\zeta_1}} = \frac{K/d}{1 + j\,(K\sqrt{m_1''})/(\sqrt{B_1'}\,\Xi)} \underline{\underline{\zeta_1}} . \tag{416}$$

Mit $K = 1{,}4 \cdot 10^6 \text{ g cm}^{-1}\text{ s}^{-2}$ und den für einen 4 cm starken Zementestrich geltenden Werten $m_1'' = 9{,}2 \text{ g cm}^{-2}$, $B_1' = 1{,}3 \cdot 10^{12} \text{ g cm}^2\text{ s}^{-2}$ ergibt sich, daß der zweite Summand selbst bei einem längenspezifischen Strömungswiderstand von nur $20 \text{ g cm}^{-3}\text{ s}^{-1}$ erst 18% des ersten beträgt, die Änderung im Absolutwert also vernachlässigbar ist.

Die entsprechende Berücksichtigung der radialen Luftverschiebungen bei der punktförmigen Anregung des Estrichs ist natürlich komplizierter. Insbesondere verlangt auch hier die Erfüllung der Randbedingung fehlender Einzelkraft, d. h. endlicher Schalldrücke, bei $r = 0$ das Hinzukommen einer dem Luftpolster eigenen „freien" Welle mit der Wellenzahl k_0 [1].

Auch hinsichtlich der meisten der übrigen experimentell beobachteten Abweichungen[2] von (406a) und der Versuche, diese rechnerisch zu erfassen oder auch nur grundsätzlich zu erklären, muß auf die Literatur verwiesen werden.

---

[1] Cremer, L. u. M. Heckl: Acustica 9 (1959) 200.

[2] Gösele, K.: Aucustica 6 (1956) 67.

Nur einer Erscheinung sei hier noch nachgegangen, weil sie oft nicht nur eine gewisse Verringerung der dämmenden Wirkung ergab, sondern fast ihre Aufhebung. Es trat nämlich im Anfang der Anwendung dieses Prinzips häufig auf, daß die Matten vor dem Vergießen des Estrichs verletzt wurden, dabei Löcher entstanden, in diese der Estrich bis zur Leerdecke eindrang und so nach dem Abbinden eine starre „Schallbrücke" bildete.

b) Punktweise Schallbrücken

Punktweise, d. h. aus kleinen Stäben bestehende Brücken können aber nicht nur als Herstellungsfehler auftreten, sie können zur gegenseitigen Befestigung oder Versteifung zweier Platten, wie eingangs bereits angedeutet, sogar konstruktiv notwendig sein. Wir fragen uns daher, welche Körperschallübertragung ist von der Platte 1 auf die Platte 2 zu erwarten, wenn, wie in Abb. V/45 skizziert, beide Platten durch ein Stabstück mit der Länge d und dem Querschnitt S verbunden sind.

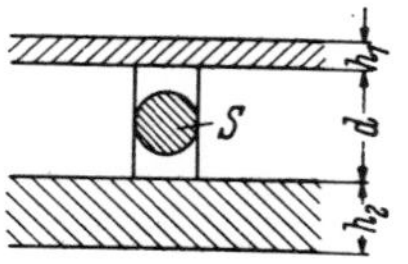

Abb. V/45. Kopplung zweier Platten durch einen Stab

Wenn in der ersten Platte eine Biegewelle über diese Verbindungsstelle läuft, sind zwei Wirkungen zu erwarten. Einmal kann an dieser Stelle die zur primären Biegewelle gehörige Schnelle v_{10} nicht auftreten. Daraus ergibt sich eine auf die Brücke wirkende Längskraft F_1, die der Differenz der primären Schnelle und der tatsächlich auftretenden proportional ist (Vgl. (I, 12)):

$$F_1 = Z_1 (v_{10} - v_1) , \qquad (417)$$

wobei die Proportionalitätskonstante gleich der Impedanz der Platte ist:

$$Z_1 = 8 \sqrt{B_1' m_1''} . \qquad (418)$$

Zum anderen wird aber auch das Auftreten der der primären Biegewelle eigenen Winkelschnelle

$$w_{10} = - j k_1 v_{10} \qquad (419)$$

behindert, und die Differenz dieser und der wirklich auftretenden erzeugt ein auf die Brücke einwirkendes Moment:

$$M_1 = W_1 (w_{10} - w_1) , \qquad (420)$$

wobei W_1 die in (IV, 84) abgeleitete Momenten-Impedanz bedeutet.

Da beide Wirkungen sich unabhängig voneinander superponieren lassen, betrachten wir zunächst nur die einfachere und — wie sich herausstellen wird — wichtigere longitudinale Anregung der Brücke.

In der primären Platte erzeugt die Kraft F_1 ein von dem Brückenort ausgehendes sekundäres, sozusagen „reflektiertes" Feld, das im Fernfeld

Kreiswellencharakter annimmt:

$$v_{1r} = -\frac{F_1}{Z_1}\Pi(k_1 r), \tag{421}$$

wie es zu jeder Anregung der Platte durch eine Punktkraft gehört. Dieses Feld entzieht der primären Biegewelle die Leistung:

$$P_{1r} = \frac{F_1^2}{2 Z_1}. \tag{422}$$

Nehmen wir den Grenzfall an, daß die Brücke wie eine unverrückbare Abstützung wirkt, dann gilt:

$$P_{1r} = \frac{Z_1}{2} v_{10}^2. \tag{422a}$$

Wenn aber die Brücke zu einer zweiten Platte vergleichbarer Dicke führt, ist der Brückenpunkt auch dann als nachgiebig anzusehen, wenn die Brücke so kurz ist, daß wir ihre Elastizität vernachlässigen, also

$$v_1 = v_2 \tag{423}$$

setzen können. Vernachlässigen wir konsequenterweise auch ihre Trägheit, so gilt zusätzlich:

$$F_1 = F_2, \tag{424}$$

und damit wird

$$\frac{F_1}{v_1} = \frac{F_2}{v_2} = Z_2 = 8\sqrt{B_2' m_2''}. \tag{425}$$

Dies ergibt in (423) eingesetzt:

$$v_1 = v_2 = v_{10}\frac{Z_1}{Z_1 + Z_2}. \tag{426}$$

Hieraus wiederum folgt für die reflektierte Leistung in der ersten Platte:

$$P_{1r} = \frac{1}{2} Z_1 (v_{10} - v_1)^2 = \frac{1}{2} Z_1 \left(\frac{Z_2}{Z_1 + Z_2}\right)^2 v_{10}^2, \tag{427}$$

und für die in die zweite Platte übergehende:

$$P_2 = \frac{1}{2} Z_2 \left(\frac{Z_1}{Z_1 + Z_2}\right)^2 v_{10}^2. \tag{428}$$

Das Biegewellenfeld in der zweiten Platte besteht nur aus dem von der Punktanregung ausgehenden rotationssymmetrischen Feld:

$$v_2(r) = \frac{F_2}{Z_2}\Pi(k_2 r). \tag{429}$$

Da die Punktimpedanzen beider Platten frequenzunabhängig sind, gilt das auch für die longitudinale Leistungsübertragung bei kurzen Brücken.

Eine Frequenzabhängigkeit kommt erst herein, wenn wir die endliche Länge d der Brücke betrachten, wobei wir allgemein zwischen den

Eingangsgrößen v_1, F_1 und den Ausgangsgrößen v_2, F_2 die „Vierpolgleichungen" (III, (41 a)) einzusetzen haben:

$$\left.\begin{aligned} v_1 &= v_2 \cos k_L d + F_2 \left(\frac{j \sin k_L d}{Z_L}\right) \\ F_1 &= v_2 (j Z_L \sin k_L d) + F_2 \cos k_L d , \end{aligned}\right\} \tag{430}$$

worin k_L die Wellenzahl der quasilongitudinalen Wellen im Stab bedeutet:

$$k_L = \omega \sqrt{\frac{m'}{E S}} \tag{431 a}$$

und Z_L den zugehörigen Wellenwiderstand:

$$Z_L = \sqrt{E S m'} . \tag{431 b}$$

Die Gln. (430) enthalten wieder die Möglichkeit, daß einige Koeffizienten bei Resonanz- oder Antiresonanzstellen des Stabstückes verschwinden, daß also Frequenzen besonders guter und besonders schlechter Übertragung auftreten können. Bei den meisten festen Brücken sind aber die longitudinalen Schallgeschwindigkeiten so groß und die Abmessungen so kurz, daß wir bis zu den höchsten interessierenden Frequenzen $k_L d \ll 1$ setzen können. Dann vereinfachen sich die Gln. (430) zu:

$$\left.\begin{aligned} v_1 &= v_2 + j \frac{k_L d}{Z_L} F_2 = v_2 + \frac{j \omega d}{E S} F_2 \\ F_1 &= j Z_L k_L d\, v_2 + F_2 = j \omega m' d\, v_2 + F_2 , \end{aligned}\right\} \tag{432}$$

d. h. die Schnellen unterscheiden sich um die zeitliche Änderung der durch die Kraft F_2 bewirkten Zusammendrückung der Brücke, die Kräfte um die aus der Beschleunigung ihrer Masse sich ergebende Trägheitskraft.

Eliminieren wir F_2 durch den nach wie vor geltenden zweiten Teil der Gln. (425):

$$F_2 = Z_2 v_2$$

und setzen wir die so durch v_2 ausgedrückten Größen

$$v_1 = v_2 \left(1 + \frac{j \omega d Z_2}{E S}\right)$$

$$F_1 = v_2 (j \omega m' d + Z_2)$$

in (417) ein, so ergibt sich für die Schnelle v_2 statt (426):

$$v_2 = \frac{v_{10}}{\left(1 + \frac{Z_2}{Z_1}\right) + j \omega d \left(\frac{Z_2}{E S} + \frac{m'}{Z_1}\right)} = \frac{v_{10}}{N} \tag{433}$$

und für die in die zweite Platte übertragene Leistung:

$$P_2 = \frac{Z_2 v_{10}^2}{2|N|^2}. \tag{434}$$

Da wir interessiert sind, P_2 möglichst klein zu halten, müssen wir uns fragen, wie wir den Nenner N in (433) möglichst groß machen können. Der erste Summand ist durch die zu verbindenden Platten selbst gegeben. Erst der zweite enthält die konstruktiven Daten der Brücke, und da er mit deren Länge wächst, muß er, — da diese Länge mit der longitudinalen Wellenlänge zu vergleichen ist —, auch mit der Frequenz wachsen. In den folgenden Faktor gehen Nachgiebigkeit und Masse je Längeneinheit in gleicher Weise ein. Was jeweils überwiegt, hängt von der Ungleichung:

$$\frac{Z_2}{E S} \gtrless \frac{m'}{Z_1} \tag{435}$$

ab. Den kleinsten — also ungünstigsten — Wert für die Summe erhält man, wenn beide Anteile gleich sind, d. h. aber wenn der longitudinale Wellenstand des Stabes gleich dem geometrischen Mittel aus den Eingangsimpedanzen beider Platten ist:

$$Z_L = \sqrt{Z_1 Z_2}. \tag{436}$$

Daß diese Anpassungsbedingung von allgemeiner Bedeutung ist, zeigt der Grenzfall einer unendlich langen Brücke. Der Energieübertritt einer longitudinalen Welle in eine der angrenzenden Platten vollzieht sich, — da die Punktimpedanzen der Platten reell sind — nach der gleichen einfachen Formel (7), die für den longitudinalen Übertritt von einem Stab in einen anschließenden gilt und die hier jeweils lauten würde:

$$\left.\begin{aligned} \tau_{L1} &= \frac{4}{\left(\sqrt{\frac{Z_L}{Z_1}} + \sqrt{\frac{Z_1}{Z_L}}\right)^2} \\ \tau_{L2} &= \frac{4}{\left(\sqrt{\frac{Z_L}{Z_2}} + \sqrt{\frac{Z_2}{Z_L}}\right)^2}. \end{aligned}\right\} \tag{437}$$

In beiden Fällen ergibt sich totale Transmission bei Anpassung der Wellenwiderstände:

$$Z_L = Z_1; \quad Z_L = Z_2. \tag{438}$$

Da nach dem Reziprozitätsgesetz auch der umgekehrte Energieübertritt dieselben Anpassungsmerkmale enthalten muß und da beide Reflexionsstellen am Gesamtübertritt über die Brücke beteiligt sind, leuchtet ein, daß an die Stelle der Formeln (438) ihre multiplikative Zusammenfassung (436) tritt.

Interessant ist, daß diese hier ungünstige Anpassung nicht nur im Bereich des Möglichen liegt, sondern in vielen Fällen etwa dem konstruktiv Zweckmäßigen entspricht. Nehmen wir an, daß zwei gleichartige Platten der Dicke h mit einer Brücke aus gleichem Material verbunden sein sollen, so besagt Formel (436), daß Anpassung vorliegt, wenn gilt:

$$\left.\begin{aligned} S\sqrt{E\,\varrho} &\approx 8\sqrt{\frac{E\,\varrho}{12}}\,h^2 \\ S &\approx 2{,}3\,h^2\,. \end{aligned}\right\} \qquad (439)$$

Im Falle kreisförmigen Querschnitts vom Durchmesser D heißt das:

$$D \approx 1{,}7\,h\,. \qquad (439\text{a})$$

Es ist daher keineswegs immer so, daß es günstig ist, den Brückenquerschnitt möglichst klein, allgemein ausgedrückt, die Brücke möglichst elastisch zu machen. Bei Verbindung leichter Schalen kann eine Drahtbrücke der Anpassung näher kommen, als ein dicker und schwerer Steg. Daher hatte auch E. MEYER[1] bereits 1937 experimentell gefunden, daß Eisenstäbe zwischen Holzplatten besser dämmen als Holzstäbe, und er hatte dies bereits durch die schlechtere Anpassung der Eisenstäbe erklärt.

Bei den belastbaren Deckenelementen im Bau ist freilich die rechte Seite in (436) so groß, daß es aussichtslos ist, $Z_L > \sqrt{Z_1 Z_2}$ machen zu wollen. Es gilt daher die obere Ungleichung in (435); d. h. aber die Brücken sind hier immer nur nach ihrer Elastizität zu werten. Die Abhilfsmaßnahmen bestehen daher hier in der Verwendung oder zusätzlichen Zwischenlegung hochelastischer Materialien, wie unten noch an Hand von Experimenten gezeigt werden soll.

Wir wollen nun, in gleichen Schritten vorgehend, die Biegemomenteneinwirkung auf die Brücke behandeln. Zunächst ist festzustellen, daß hierbei in beiden Platten ein völlig anderes Feldbild ausgelöst wird, nämlich das in (IV, 83) angegebene Dipolfeld, bei dem das Moment M durch zwei entgegengesetzte Kräfte vom Betrage $M/2\,a$ im Abstand $2\,a$ ersetzt wird. Wir erhalten also im Falle der Platte 1:

$$v = \frac{-M_1}{2\,a\,Z_1}\left[\Pi(k_1 r_+) - \Pi(k_1 r_-)\right], \qquad (440)$$

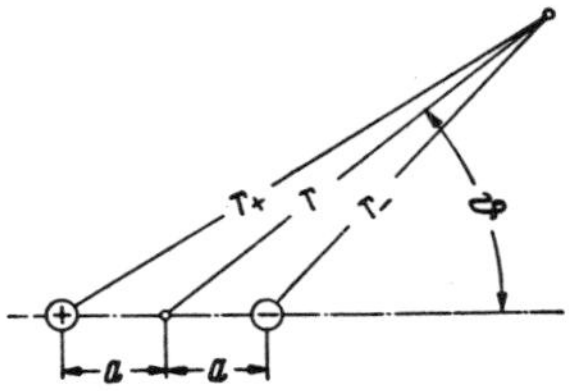

Abb. V/46. Bezeichnungen zum Dipolfeld

was man mit (s. Abb. V/46) $r_+ \approx r + a\cos\vartheta$; $r_- \approx r - a\cos\vartheta$ auch umschreiben kann in die übliche Dipolform:

$$v = \frac{-M_1 k_1}{Z_1}\cos\vartheta\,\frac{d}{d(k_1 r)}\left(\Pi(k_1 r)\right), \qquad (440\text{a})$$

[1] MEYER, E.: Akust. Z. 2 (1937) 74.

welche zeigt, daß auch das hinsichtlich der Entfernungsabhängigkeit dem Kreiswellenfeld gleichartig verlaufende Fernfeld:

$$v = j\,\frac{M_1\,k_1\cos\vartheta}{Z_1}\sqrt{\frac{2}{\pi\,k_1\,r}}\;e^{-j(k_1 r-\pi/4)} \tag{440b}$$

sich durch den Richtfaktor $\cos\vartheta$ von jenem unterscheidet.

Wie auch immer die Brücke im einzelnen wirken mag, auch die zweite Platte wird durch ein Moment angeregt und weist daher ein Biege-Dipolfeld auf, das hinsichtlich seiner Abstrahlung mit dem bisher erhaltenen Biege-Monopolfeld gar nicht ohne weiteres vergleichbar ist.

Das zunächst betrachtete Dipolfeld der ersten Platte nimmt die Leistung auf:

$$P_{1rM} = \frac{1}{2}\,\mathrm{Re}\,\{\,Y_1''\}\,|M_1|^2\,. \tag{441}$$

Dabei bedeutet Y_1'' den Kehrwert der in (IV, 84) abgeleiteten Momenten-Impedanz, also die zugehörige Admittanz, deren Einführung sich wegen der einfacheren Aufteilung in Real- und Imaginärteil empfiehlt:

$$\begin{aligned} Y_1'' = \frac{1}{W_1} &= \frac{\omega}{16\,B_1'}\left(1 - j\,\frac{4}{\pi}\ln\,(0{,}9\,k_1\,a)\right)\\ &= \frac{k_1^2}{2\,Z_1}\left(1 + j\,\frac{4}{\pi}\ln\left(\frac{1{,}1}{k_1\,a}\right)\right). \end{aligned} \tag{442}$$

Der hierin enthaltene Hebelarm a ergibt sich aus dem Moment, das die Zug- und Druckspannungen jeweils gegenüber der neutralen Faser ausüben, stellt also den Flächen-Trägheitsradius des Brückenquerschnitts dar, für einen kreisrunden Stab vom Durchmesser D also: $a = D/4$.

Wir wollen zunächst die in der ersten Platte auf Grund des Momentes M_1 reflektierte Leistung P_{1rM} mit der auf Grund der Kraft F_1 reflektierten P_{1rF} unter der Annahme vergleichen, daß die Brücke sowohl jede Verschiebung wie jede Schräglage verhindert, d. h. daß gilt:

$$M_1 = \frac{w_{10}}{Y_1''} = \frac{-\,j\,k_1\,v_{10}}{Y_1''}\,. \tag{443}$$

Es ergibt sich dann:

$$\frac{P_{1rM}}{P_{1rF}} = \frac{\mathrm{Re}\,\{\,Y_1''\}\,k_1^2}{|Y_1''|^2\,Z_1} = \frac{2}{1+\left(\dfrac{4}{\pi}\ln\left(\dfrac{1{,}1}{k_1\,a}\right)\right)^2}\,. \tag{444}$$

Dieses Verhältnis hängt somit nur von dem Verhältnis des Hebelarmes a zur Biegewellenlänge λ_1 ab. Je kleiner a, um so eher läßt sich die jeweils verlangte Schrägstellung mit beliebig kleinem Moment erreichen, bzw. die der primären Welle zukommende w_{10} an dieser einen Stelle verhindern. Die Tatsache, daß bei kleinem Abstand noch Schubdeformationen hinzukommen[1], macht die im Imaginärteil der Admittanz zum Ausdruck kommende elastische Nachgiebigkeit nur noch größer, das Moment nur noch kleiner.

Unter praktischen Verhältnissen bleibt freilich dieser imaginäre Anteil in endlichen Grenzen. Auch ist die Frequenzabhängigkeit seines Verhältnisses zum Realteil gering. Nehmen wir beispielsweise an, daß eine Zementbrücke mit $D = 2$ cm einen $h_1 = 4$ cm dicken Estrich aus Zement ($c_{LI} = 370000 \text{ cm s}^{-1}$) am Neigen hindert, so erhalten wir bei

	$f =$	100 Hz	1000 Hz
d. h. bei	$\lambda_1 =$	170 cm	54 cm:
	$\frac{4}{\pi} \ln\left(\frac{1{,}1}{k_1 a}\right) =$	5,2	3,7
	$\frac{P_{1rM}}{P_{1rF}} =$	7,2%	13,6% .

Dieses Beispiel zeigt auch, daß der Betrag der Admittanz angenähert durch den Imaginärteil gegeben ist.

Für die Frage der Dämmung interessiert das entsprechende Verhältnis:

$$\frac{P_{2M}}{P_{2F}} = \frac{\operatorname{Re}\{Y_2''\}\,|M_2|^2}{Z_2\,|v_2|^2}\,. \tag{445}$$

Bei der Abschätzung dieses Verhältnisses wollen wir in Analogie zu (423) und (424) zunächst annehmen, daß

$$w_1 = w_2 \quad \text{und} \quad M_1 = M_2 \tag{446}$$

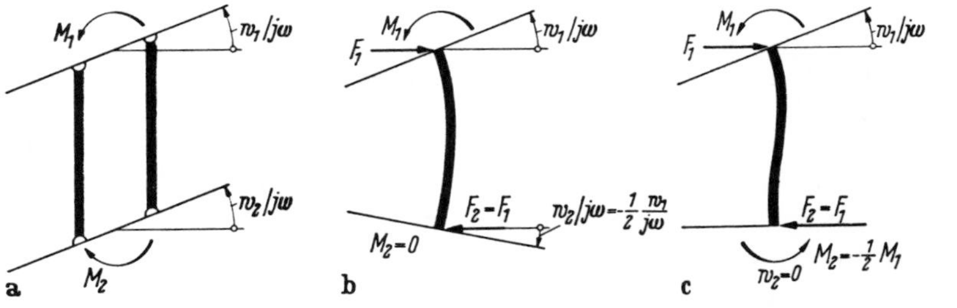

Abb. V/47. Deformation von Brücken unter Einwirkung eines Biegemomentes
a) bei zwei gelenkigen parallelen Brücken: b) bei einer eingespannten Brücke, wenn kein Moment; c) desgl., wenn keine Neigung am unteren Ende auftritt

ist, was allerdings nur gilt, wenn die entgegengesetzten Punktkräfte des Dipols über zwei getrennte, noch dazu als gelenkig gelagert anzusehende Brücken übertragen werden (s. Abb. V/47a). An der Übertragung durch Längskräfte ändert diese Aufteilung in zwei parallele Brücken nichts.

[1] DYER, I.: JASA 32 (1960) 1290.

In diesem Falle würde sich aus (420) — analog zu (426) — ergeben:

$$M_2 = \frac{w_{10}}{Y_1'' + Y_2''} = \frac{-j\,k_1\,v_{10}}{Y_1'' + Y_2''} \tag{447}$$

und damit für das gesuchte Leistungsverhältnis:

$$\frac{P_{2M}}{P_{2F}} = \frac{k_1^2\,k_2^2}{2}\,\frac{\left(\frac{1}{Z_1} + \frac{1}{Z_2}\right)^2}{|Y_1'' + Y_2''|^2}\,. \tag{448}$$

Bei gleichartigen Platten wäre dieses Verhältnis dasselbe wie bei den reflektierten Wellen in (444). Sind sie dagegen unterschiedlich, so ist dieses Leistungsverhältnis nochmals kleiner als das frühere.

Haben wir aber nur eine einzige biegesteife Brücke, welcher die Platten an den Enden keine seitliche Auslenkung gestatten, so kommt hinzu, daß sie ohne Deformation gar keine Leistung übertragen kann, ja, daß Moment und Neigung sogar ihren Richtungssinn wechseln müssen.

Die Anwendung der statischen Biegelehre auf einen beiderseits aufgestützten Stab, aber auch die in III unter (46) aufgeführten allgemeinen „Acht-Pol"-Gleichungen eines Stabes führen mit

$$v_1 = v_2 = 0 \qquad \text{und} \qquad k\,d \ll 1$$

und unter Anpassung an die hier gewählten Vorzeichen auf die „Vierpol"-Gleichungen:

$$\left.\begin{aligned} w_1 &= -2\,w_2 - \frac{j\,\omega\,d}{2\,B} M_2 \\ M_1 &= \frac{-6\,B}{j\,\omega\,d}\,w_2 - 2\,M_2\,. \end{aligned}\right\} \tag{449}$$

Um den Inhalt dieser statischen Gleichungen, in denen die Frequenz nur auftritt, weil die Deformation durch die Winkelschnellen dargestellt ist, anschaulich zu machen, sind in Abb. V/47b) und c) die Verbiegungen der Brücke für die beiden Grenzfälle, daß $M_2 = 0$ und daß $w_2 = 0$ ist, angedeutet. Am ersten Fall versteht man, daß w das Vorzeichen wechseln muß, am zweiten, daß M_2 in gleichem Drehsinn wie M_1 wirken muß, wenn die im ersten Fall vorhandene Neigung rückgängig gemacht werden soll. In beiden Fällen treten erhebliche Stützkräfte auf. Sie wiederum können — ähnlich wie beim Ecken-Problem — zu sekundären Longitudinalwellen in beiden Platten führen, die dabei ebenfalls Dipolcharakter haben.

Eliminieren wir in (449) das Moment M_2 durch Berücksichtigung der Ausgangsbelastung der Brücke:

$$M_2 = \frac{w_2}{Y_2''}\,, \tag{450}$$

und setzen wir die erhaltenen Ausdrücke in (420) ein, so ergibt sich die zu (433) analoge Beziehung:

$$w_2 = \frac{-w_{10}}{(2 + 2\,Y_1''/Y_2'') + j\,\omega\,d/(2\,B\,Y_2'') + 6\,B\,Y_1''/(j\,\omega\,d)}\,. \tag{451}$$

Wie bei dem Nenner N in (433) hängen auch hier die letzten beiden der vier Summanden, die — abgesehen von den in den Y enthaltenen und wenig sich ändernden Logarithmen — frequenzunabhängig sind, von den Daten der Brücke ab. Aber diesmal verschwinden nicht beide mit kürzer werdender Brücke, vielmehr wird der letzte mit $d/B \to 0$ beliebig groß, zeigt also, daß eine sehr kurze und biegesteife Brücke jede Winkelschnelle w_2 verhindern würde. Dieser Grenzfall ist praktisch jedoch kaum realisierbar. Selbst wenn die Brückenhöhe bei dem erwähnten Beispiel ($h_1 = 4$ cm, $h_2 = 17$ cm, $D = 2$ cm) nur 1 cm beträgt, ist der letzte Summand vernachlässigbar klein gegen den dritten, der aber um so mehr überwiegt, je nachgiebiger die Brücke ist.

Da in den Admittanzen Y_1'' und Y_2'' die Imaginärteile überwiegen, haben diese beiden komplexen Summanden praktisch die gleiche Richtung, können sich also nicht etwa kompensieren. Aber es ist auch hier eine „Anpassung" möglich, bei der beide Beträge gleich groß werden.

Man kann nun (451) in (450) und beides in (445) einsetzen. Wir wollen uns hier mit der Feststellung begnügen, daß bei unserem — für schwimmende Estriche typischen — Beispiel der Anteil durch Momenteneinwirkung an der Leistungsübertragung nur 0,017% des Anteils der Krafteinwirkung beträgt, also bei weitem vernachlässigbar ist.

Außerden gibt es sicher viele Fälle, in denen es auch konstruktiv nur auf die von der Brücke zu übertragende Längskraft ankommt, wo man also die Brücke so gelenkig machen kann, daß jegliche Momentenübertragung entfällt.

Da das durch die Längskraft in der Brücke ausgelöste bei weitem überwiegende Monopolfeld den gleichen Feldverlauf aufweist, den eine unmittelbare Punktkraft-Anregung der Leerdecke hat, sowie auch die entsprechende Anregung über einen darüber verlegten schwimmenden Estrich erzeugt, kann die — durch die Brücke verringerte — Verbesserung des Trittschallschutzes aus den Körperschalleistungen berechnet werden, ohne auf die Umsetzung in Luftschall eingehen zu müssen. Wird der Estrich im Abstand r_1 von der Brücke angeregt, so beträgt die primäre Schnelle v_{10} am Brückenpunkt:

$$v_{10} = \frac{F_0}{Z_1}\,\Pi(k_1\,r_1) \tag{452}$$

und somit die über die Brücke in die Leerdecke eingespeiste Leistung:

$$P_2 = \frac{1}{2}\,\frac{Z_2\,|\Pi(k_1\,r_1)|^2}{Z_1^2\,|N|^2}\,F_0^2\,. \tag{453}$$

Diese addiert sich, wenn r_1 groß genug ist, um für breitbandige Betrachtungen beide Punkt-Sender als inkohärent anzusehen, zu der über die elastische Schicht übertragenen, die nach (406a) gesetzt werden kann:

$$P_{2\,\mathrm{II}} = \left(\frac{\omega}{\omega_1}\right)^4 P_{20}\,, \tag{454}$$

wobei

$$P_{20} = \frac{F_0^2}{2\,Z_2} \tag{455}$$

die bei unmittelbarer Erregung der Leerdecke eingespeiste Leistung bedeutet. Für die resultierende Verbesserung ergibt sich somit:

$$\Delta L = 10\,\lg \frac{P_{20}}{P_{2\,\mathrm{II}} + P_2}\,\mathrm{dB} = 10\,\lg \frac{1}{\left(\frac{\omega_1}{\omega}\right)^4 + \left(\frac{Z_2}{Z_1}\right)^2 \frac{|\Pi|^2}{|N|^2}}\,\mathrm{dB}\,[1]. \tag{456}$$

Da in dieser Formel, wie bei der Ableitung von (406a), Reflexionen vom Rande vernachlässigt sind, ist auch hier zu erwarten, daß sie bei Asphaltestrichen mit ihrer hohen Verlustzahl besser erfüllt ist, als bei Zementestrichen. Bei den Asphaltestrichen muß man andererseits ihre Dämpfung bei der Berechnung von v_{10} berücksichtigen, d. h. das Argument von Π komplex ansetzen (s. (III, 12b)):

$$\underline{k}_1\, r_1 \approx k_1\, r_1\, (1 - j\,\eta/4)\,.$$

Π nimmt damit im Fernfeld den Wert an:

$$|\Pi| = \sqrt{\frac{2}{\pi\, k_1\, r_1}}\; e^{-\eta\, k_1\, r_1/4}\,. \tag{457}$$

Diese Dämpfung erlaubt sogar unter Asphaltestrichen an Stellen, wo sie schwer belastet sind, planmäßig Brücken zur Leerdecke anzubringen, die die Lasten aufnehmen, ohne daß deshalb der in genügender Entfernung erzeugte Trittschall erhöht wird[2].

In Abb. V/48 sind berechnete Werte der Verbesserung mit gemessenen verglichen[3]. Die Brücke bestand dabei aus Eisen, hatte die Höhe $d = 1{,}1$ cm, die Querschnittsfläche $S = 16\ \mathrm{cm}^2$ und verband einen 2 cm dicken Asphaltestrich mit einer schweren Leerdecke, deren Punkt-Impedanz am Brückenort gesondert gemessen und entsprechend in die Rechnung eingesetzt wurde. Die Übereinstimmung ist nicht nur in größeren Entfernungen, sondern auch noch bei $r_1 = 0$ gut, obwohl hier beide Übertragungswege nicht mehr als inkohärent anzusehen sind; das liegt daran, daß hier die Übertragung über die Brücke bei weitem überwiegt.

---

[1] Cremer, L.: Acustica 4 (1954) 273.
[2] Cremer, L.: Bitumen (1963), Heft 5.
[3] Heckl, M.: Acustica 5 (1955) 112.

Wie weit diese Übertragung durch die Wahl eines elastischeren Brückenmaterials verringert werden kann, zeigen die in Abb. V/49 wiedergegebenen Beispiele von Brücken ($d = 1{,}9$ cm, $S = 20$ cm^2) aus Kork ($E_1 = 1{,}3 \cdot 10^8$ g cm^{-1} s^{-2}) und Gummi ($E_1 = 1{,}1 \cdot 10^7$ g cm^{-1} s^{-2}).

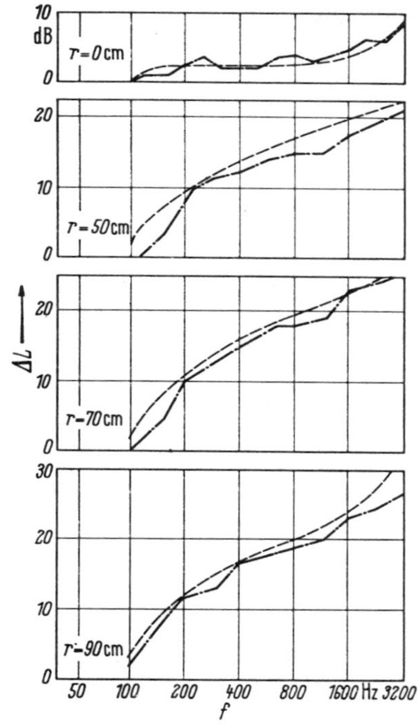

Abb. V/48. Vergleich der gemessenen (—·—) und der berechneten (- - -) Verbesserung des Trittschallschutzes bei Vorhandensein einer Eisenbrücke in verschiedenen Abständen vom Anregungsort (nach Heckl)

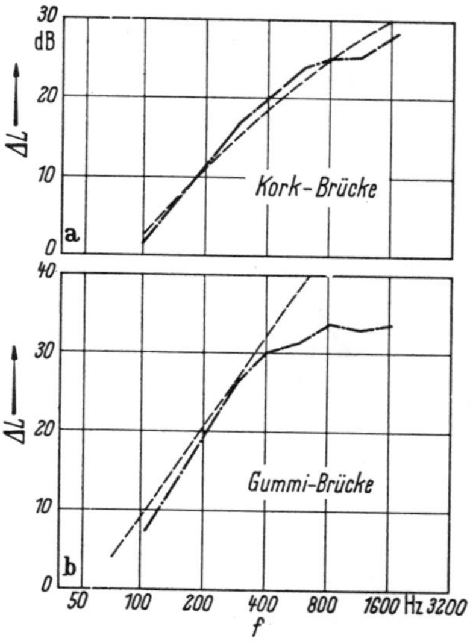

Abb. V/49. Vergleich der gemessenen (—·—) und der berechneten (- - -) Verbesserung des Trittschallschutzes bei Vorhandensein a) einer Korkbrücke; b) einer Gummibrücke unter der Anregungsstelle (nach Heckl)

Im letzten Falle ist die Brücke erst oberhalb $4\,\omega_1$ spürbar, obwohl die Anregung unmittelbar über ihr erfolgt. Die auf inkohärenter Energieaddition beruhende Formel (456) führt hier zur richtigen Beschreibung, weil diesmal die andere Übertragung, die über die elastische Schicht, überwiegt. Die über 400 Hz eintretende Abweichung dürfte damit zusammenhängen, daß dann die longitudinale Wellenlänge nicht mehr groß zur Brückenhöhe ist. Bei etwa 800 Hz wäre sogar die erste Dickenresonanz zu erwarten, die nur wegen der großen inneren Dämpfung im Gummi nicht als solche in Erscheinung tritt.

Aber auch wenn nur ein Teil der Brücke hinreichend elastisch ist, kann dies zur Wiederherstellung der vollen Wirkung eines schwimmenden Estrichs ausreichen. Gösele[1] konnte sogar zeigen (s. Abb. V/50) und

[1] Gösele, K.: Schalltechnik 20 (1960), Heft 39/40, S. 5.

mit Hilfe von (456) erklären, daß eine 1 mm dicke Wollfilzpappe über der Leerdecke genügen würde, um selbst 10 Schallbrücken aus Zement von je 3 cm Durchmesser und 1 cm Höhe unschädlich zu machen, wenn diese Pappe unverletzt bleibt und die Klopfstelle hinreichend entfernt ist.

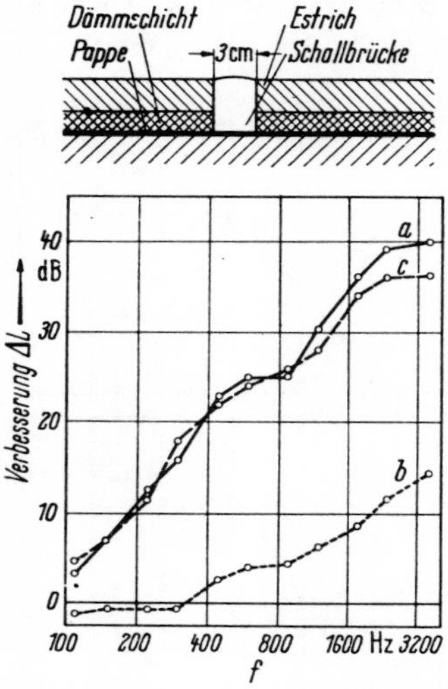

Abb. V/50. Unterdrückung der Wirkung von Schallbrücken bei schwimmenden Estrichen durch eine auf der Leerdecke aufgelegte Wollfilzpappe
a) Verbesserung ohne Schallbrücken; b) desgl. mit 10 fest mit der Leerdecke verbundenen Zementbrücken; c) wie b) bei Abdeckung der Leerdecke mit einer 1 mm dicken Wollfilzpappe (nach GÖSELE)

Unter der Annahme der Inkohärenz lassen sich die Leistungsbeiträge verschiedener Schallbrücken addieren. Sind n gleiche und von der Anregungsstelle gleich entfernte Brücken vorhanden, so bedeutet das nur, daß in (456) P_2 durch $n\ P_2$ zu ersetzen ist.

Dies gilt aber auch bei unterschiedlicher Entfernung, wenn man die Reflexionen am Rande berücksichtigt, die dazu führen, daß sich in einigem Abstand von der Anregungsstelle ein mittlerer Schnellepegel einstellt. Da der Rand schwimmender Estriche, gerade um Brücken zu vermeiden, keine Verbindung mit dem Mauerwerk aufweist, also frei und die Reflexion vollständig ist, hängt die mittlere Schnelle, wie in Abschn. IV, 4c abgeleitet, nur noch von den Verlusten während der Ausbreitung ab. Dabei ergibt sich nach Gl. (IV, 108) bzw. (110) für die Amplitude der primären Schnelle an jeder Brücke statt (452) der Wert:

$$v_{10} = \sqrt{2\,\overline{v_{10}^2}} = \frac{F_0}{\sqrt{S_1 Z_1 m_1'' \omega \eta}}\,. \tag{458}$$

Der Verlustfaktor η braucht hierbei nicht nur dem der inneren Dämpfung im Estrichmaterial zu entsprechen, er kann auch von Verlusten in der elastischen Schicht herrühren, ist also fallweise experimentell zu ermitteln.

Das entfernungsabhängige $|\Pi|$ ist somit in (456) durch $\sqrt{Z_1/(S_1\, m_1''\, \omega\, \eta)}$ zu ersetzen. Für n gleichartige Brücken ergibt sich dann:

$$\Delta L = 10 \lg \frac{1}{\left(\frac{\omega_1}{\omega}\right)^4 + \frac{n\, Z_2^2}{S_1\, m_1''\, \omega\, \eta\, |N|^2 Z_1}}\ \mathrm{dB}\,. \tag{459}$$

Welchen Einfluß punktweise Brücken auf die Luft-Schalldämmung haben, kann ohne Kenntnis der Abstrahlungsbedingungen nicht ausgesagt werden, denn hierbei stellen nur die von den Brücken ausgehenden Wellen wie bisher Kreiswellen dar, die über die elastische Schicht übertragenen dagegen, wie die primären, gerade Wellen, die anderen Abstrahlungsgesetzen gehorchen.

VI. Abstrahlung von Körperschall

Die Behandlung von Körperschallproblemen wäre ohne eine ausführliche Untersuchung der Schallabstrahlung gänzlich unvollständig; denn bei sehr vielen Fragen der Praxis interessiert nicht so sehr, wie groß die Schwingungen eines Körpers sind, wie sie übertragen werden und wie sie verteilt sind, sondern wie laut das Geräusch ist, das in die Umgebung abgestrahlt wird. Die Antwort auf diese Frage ist jedoch nur dann mit einiger Sicherheit möglich, wenn man die Schwingungsamplituden als Funktion der Frequenz und ihre örtliche Verteilung kennt. Bei der Abstrahlung in ein relativ dichtes Medium wie z. B. Wasser spielt darüberhinaus auch noch die Belastung des schwingenden Körpers durch das umgebende Medium eine nicht zu unterschätzende Rolle. Man muß also relativ viele Details — von der Art wie sie in den früheren Kapiteln behandelt wurden — kennen, um die Abstrahlung von Körperschall bestimmen zu können.

Wir werden im folgenden nach einigen allgemeinen Bemerkungen, ausgehend von den einfachsten Konfigurationen (Kugelstrahler, unendlich große Platte) die Abstrahlung von etwas komplizierteren Körpern (endliche Platten, etc.) ohne Berücksichtigung der Strahlungsbelastung untersuchen und dann auch den Einfluß der Strahlungsdämpfung kurz behandeln. Dabei werden wir uns, im Einklang mit den Bedürfnissen der Praxis der Lärmbekämpfung, auf die Berechnung der abgestrahlten Leistung konzentrieren und Fragen der Richtungsverteilung des abgestrahlten Schalls nur am Rande erwähnen.

1. Messung der abgestrahlten Leistung

Die von einem Körper abgestrahlte Schalleistung kann am einfachsten nach dem Hallraumverfahren ermittelt werden. Zu diesem Zweck bringt man das Meßobjekt, dessen Abstrahlung bestimmt werden soll, in einen Raum, dessen Volumen V und Nachhallzeit T bekannt sind. Für die meisten Fälle genügt ein Raumvolumen von etwas mehr als 50 m^3. Lediglich wenn Frequenzen unter 180 Hz interessieren, muß der Raum größer sein; in derartigen Fällen ist meist aber auch das Meßobjekt für einen 50 m^3 großen Raum zu groß. Für die Meßgenauigkeit ist es am günstigsten, einen Raum mit schrägen Wänden oder eingehängten Streukörpern zu benutzen und eine Nachhallzeit von ca. 2 s anzustreben.

Die abgestrahlte Luftschalleistung P erhält man aus dem an 5 bis 10 Punkten gemessenen Mittelwert des Schalldruckquadrats $\tilde{p}^2$ (Effektivwert) nach der Gleichung

$$P = 13{,}8 \frac{V}{\varrho\, c^2\, T} \tilde{p}^2 . \tag{1}$$

Dabei sind ϱ und c die Dichte bzw. Schallgeschwindigkeit in Luft.

Setzt man hier den Schalldruck in Newton/m², das Volumen in m³, die Nachhallzeit in s, die Dichte in kg/m³ und die Schallgeschwindigkeit in m/s ein, so ergibt sich P in Watt; benutzt man statt dessen die cgs-Einheiten dyn/cm², cm³, s, g/cm³, cm/s, so ergibt sich die Leistung in erg/s. Für die Anwendung wesentlich bequemer als die Angabe in Watt oder erg/s ist die Angabe eines sogenannten Leistungspegels. Diese Größe ist definiert als

$$L_P = 10 \lg \frac{P}{P_0}\, \mathrm{dB}\, , \tag{2}$$

wobei man zweckmäßigerweise für den Bezugswert $P_0 = 10^{-12}$ Watt* wählt.

Der Vorteil des durch (2) definierten Leistungspegels zeigt sich, wenn — wie das allgemein üblich ist — der durch

$$L_p = 10 \lg \frac{\tilde{p}^2}{\tilde{p}_0^2}\, \mathrm{dB} \tag{3}$$

definierte Schalldruckpegel gemessen wird. Dabei ist nach internationaler Vereinbarung der Bezugswert für Luftschall $\tilde{p}_0 = 2 \cdot 10^{-4}\, \mu$ bar $= 2 \cdot 10^{-4}$ dyn/cm² $= 2 \cdot 10^{-5}$ Newton/m² (Effektivwert).

Eine Beziehung zwischen den Bezugswerten für Leistung und Druck ergibt sich, wenn man die von einer ebenen Luftschallwelle durch eine senkrecht zur Wellenausbreitung stehende Fläche S übertragene Leistung betrachtet. Bekanntlich gilt hierfür

$$P = \frac{\tilde{p}^2\, S}{\varrho\, c} . \tag{4}$$

Setzt man hier den Bezugswert für den Druck $\tilde{p}_0$, die Fläche $S_0 = 1$ m², sowie den für Luft gültigen Wert von $\varrho\, c = 41$ dyn s/cm³ $= 410$ N s/m³ ein, so ergibt sich etwa 10^{-12} Watt. Das heißt, wenn die von einer Schallquelle mit dem Leistungspegel L_P ausgehende akustische Leistung durch eine Fläche von 1 m² übertragen wird, dann sind Leistungspegel und Schalldruckpegel zahlenmäßig gleich; wenn die Leistung durch eine Fläche von S[m²] übertragen wird, dann gilt entsprechend

$$L_p = L_P - 10 \lg \left[\frac{S}{m^2}\right] \mathrm{dB}\, . \tag{5}$$

---

* In der englischen und amerikanischen Literatur wird sehr häufig der Bezugswert $P_0 = 10^{-13}$ Watt benutzt. Falls die Entfernungen in feet gegeben sind, ist in diesem Fall die Umrechnung auf Schalldruckpegel einfacher.

Diese Formel bewährt sich insbesondere wenn eine Schallquelle mit konstantem Leistungspegel im Freien aufgestellt ist. In diesem Fall ist — allseitig gleichmäßige Schallausbreitung vorausgesetzt — der Schalldruckpegel im — nicht zu kleinen — Abstand R durch

$$L_p = L_P - 10 \lg \left[\frac{2\pi R^2}{\mathrm{m}^2}\right] \mathrm{dB} \tag{5a}$$

gegeben, wobei $2\pi R^2$ die Oberfläche der Halbkugel ist, durch die der Schall in der Entfernung R übertragen wird.

Auch bei der Berechnung des Schalldruckes in halligen Räumen führt der oben definierte Leistungspegel zu zahlenmäßig einfachen Ausdrücken. Schreibt man nämlich Gl. (1) in der Form

$$L_P = 10 \lg \frac{P}{P_0} \mathrm{dB} = \left[10 \lg \frac{13{,}8\, V}{c\, T\, S_0} + 10 \lg \frac{\tilde{p}_0^2\, S_0}{\varrho\, c\, P_0} + 10 \lg \frac{\tilde{p}^2}{\tilde{p}_0^2}\right] \mathrm{dB}\,,$$

so ist der dritte Term gerade der Schalldruckpegel, während der zweite Term fast verschwindet, wenn man $S_0 = 1\ \mathrm{m}^2$ setzt. Der im ersten Term auftretende Quotient 13,8 V/c T, der die Dimension einer Fläche hat, ist — wie aus der Raumakustik bekannt[1] — ein Viertel der sogenannten äquivalenten Absorptionsfläche A. Setzt man also A in die letzte Gleichung ein, so gilt

$$L_P \approx L_p + 10 \lg \frac{A}{4\ \mathrm{m}^2} \mathrm{dB}\,. \tag{6}$$

Man kann also auch in halligen Räumen Schalldruck- und Schalleistungspegel sehr leicht ineinander überführen, wenn die Schluckfläche bekannt ist. Es sei jedoch darauf hingewiesen, daß die Ausdrücke (5), (5a) und (6) nur für Luft von normaler Temperatur und für die getroffene Wahl von Bezugswerten gelten. Bei der Wasserschallabstrahlung ergeben sich beispielsweise ganz andere Bezugswerte; außerdem müßte in Wasser wegen der größeren Wellenlänge auch das Hallraumvolumen wesentlich höher sein.

Die Genauigkeit, mit der nach der eben beschriebenen Methode Schalleistungen bestimmt werden können, hängt ab vom Volumen, der Form und der Nachhallzeit des Hallraumes, der Anzahl der Meßpunkte und insbesondere von der Art des Geräusches. Handelt es sich um ein gleichmäßiges, breitbandiges Geräusch, das in Terz- oder Oktavschritten gemessen wird, dann kann man die Leistung auf etwa $\pm 20\%$ genau, den Leistungspegel auf etwa ± 1 dB genau messen. Handelt es sich dagegen um ein schwankendes Geräusch oder um ein Geräusch in dem einige Frequenzen (beispielsweise die Umdrehungszahl einer Maschine oder Harmonische davon) besonders stark vertreten sind, dann können die Meßfehler um ein mehrfaches größer sein.

[1] S. z. B. Cremer, L.: Statistische Raumakustik, § 7, Stuttgart: S. Hirzel 1961.

Eine zweite Methode zur Bestimmung der von einem Körper abgestrahlten Schalleistung besteht darin, das Meßobjekt im Freien oder in einem „schalltoten Raum" aufzustellen und den Schalldruck $\tilde{p}_n^2$ an vielen Stellen in einem Abstand R zu messen. Dieser Abstand muß wesentlich größer sein, als die Abmessungen des Prüfobjekts. Die abgestrahlte Leistung ist dann

$$P = \frac{1}{\varrho c} \sum \tilde{p}_n^2 S_n . \tag{7}$$

Dabei ist S_n die Teilfläche, die zu dem am n-ten Meßpunkt erhaltenen Schalldruck $\tilde{p}_n^2$ gehört. Die Summe aller Teilflächen muß die Oberfläche einer Halbkugel bzw. Kugel (je nachdem das Meßobjekt auf einer schallharten Fläche steht oder nicht) mit dem Radius R ergeben. Sind also beispielsweise alle Meßpunkte gleichmäßig auf einer Halbkugel verteilt, dann gilt

$$P = \frac{2\pi R^2}{\varrho c} \frac{1}{N} \sum_{n=1}^{N} \tilde{p}_n^2 = \frac{2\pi R^2}{\varrho c} \bar{p}^2 , \tag{7a}$$

wobei $\bar{p}^2$ das mittlere Schalldruckquadrat ist, das man eventuell auch durch Mittelwertbildung der von einem gleichmäßig umlaufenden Mikrophon gemessenen Schalldruckquadrate erhalten kann.

Wie man sieht, ist die Leistungsbestimmung im Freifeld oder im schalltoten Raum etwas umständlicher als die Hallraummessung, insbesondere wenn es sich um eine Messung an einem Körper handelt, bei dem der Schall sehr unregelmäßig nach den verschiedenen Richtungen abgestrahlt wird und bei dem man demzufolge viele Meßpunkte benötigt; außerdem steht sehr oft kein schalltoter Raum zur Verfügung und auch die Freifeldmessung hat wegen der Witterungsabhängigkeit Nachteile.

Interessiert man sich jedoch für die Richtungsverteilung des abgestrahlten Schalls, dann stellt eine Messung im Freien oder im schalltoten Raum die einzig brauchbare Meßmethode dar. Man benutzt zur Aufzeichnung der Richtcharakteristik entweder schwenkbare Mikrophone oder man montiert das Meßobjekt auf einen Drehtisch und läßt das Richtdiagramm direkt auf einem geeignet angekoppelten Pegelschreiber registrieren.

2. Definition und Messung des Abstrahlgrades

Mit der Kenntnis der abgestrahlten Leistung ist im allgemeinen das Interesse an der Körperschallabstrahlung noch nicht erschöpft. Sehr häufig möchte man auch noch den Zusammenhang zwischen den Körperschallschwingungen und der abgestrahlten Schalleistung kennen. Ein in sehr vielen Fällen geeignetes Maß hierfür ist der sog. Abstrahlgrad, der meistens mit σ bezeichnet wird. Die Definitionsgleichung des Abstrahlgrades lautet[1]

$$\sigma = \frac{P}{\varrho\, c\, S\, \tilde{v}^2}\,. \tag{8}$$

Dabei ist P die von einem Körper mit der Oberfläche S abgestrahlte Schalleistung, wenn $\tilde{v}$ der Effektivwert der mittleren Schnelle der strahlenden Fläche ist.

Eine sehr einfache Form nimmt der Abstrahlgrad an, wenn es sich um die Strahlung von einer konphas schwingenden ebenen Fläche (Kolbenmembran) handelt, deren Abmessungen wesentlich größer sind, als die Wellenlänge im umgebenden Medium. In diesem Falle ist ein seitliches Ausweichen der Luft nicht möglich; die Schallschnelle der Luft ist also auch außerhalb der unmittelbaren Nachbarschaft der strahlenden Fläche identisch mit der Schnelle der Fläche. Da außerdem die Abstrahlung in Richtung der Flächennormalen erfolgt, ist der erzeugte Luftschalldruck durch

$$p = \varrho\, c\, v \tag{9}$$

gegeben. Die abgestrahlte Schalleistung ist also $P = S\,\tilde{p}\,\tilde{v} = S\,\varrho\, c\,\tilde{v}^2$.

Im Falle der konphas schwingenden großen Fläche ist also $\sigma = 1$. Man kann demnach auch sagen, daß der Abstrahlgrad angibt, um wieviel weniger Leistung (in Ausnahmefällen auch mehr) ein gegebener Körper abstrahlt, als eine große konphas schwingende Fläche entsprechender Größe.

Geht man in Gl. (8) zu logarithmischen Größen über, dann erhält man das sog. Abstrahlmaß, für das man schreiben kann

$$10 \lg \sigma \,\mathrm{dB} = \left[10 \lg \frac{P}{P_0} + 10 \lg \frac{P_0}{\varrho\, c\, S_0\, \tilde{v}_0^2} - 10 \lg \frac{S}{S_0} - 10 \lg \frac{\tilde{v}^2}{\tilde{v}_0^2}\right] \mathrm{dB}\,. \tag{10}$$

Diese Gleichung wird sehr einfach, da das erste Glied gerade der oben definierte Leistungspegel ist und das letzte Glied dem durch Gl. (I, 38) gegebenen Schnellepegel entspricht. Das zweite Glied in Gl. (10) verschwindet, da bei einer Bezugsfläche von $S_0 = 1\,\mathrm{m}^2$, einer Bezugsschnelle von $\tilde{v}_0 = 5 \cdot 10^{-8}$ m/s und einer Bezugsleistung von $P_0 = 10^{-12}$ Watt Zähler und Nenner etwa gleich sind. Wir erhalten also

$$10 \lg \sigma \,\mathrm{dB} = L_P - L_v - 10 \lg \left[\frac{S}{\mathrm{m}^2}\right] \mathrm{dB}\,. \tag{11}$$

Das Abstrahlmaß ist also der Unterschied zwischen Leistungs- und Schnellepegel, wenn die strahlende Fläche gerade 1 m² beträgt. Wie man sieht, erhält man mit Hilfe der Leistungs-Schalldruck- und Schnellepegel

[1] Gösele, K.: Acustica 3 (1953) 243.

sehr einfache und für praktische Messungen sehr geeignete Formeln. So ergibt sich beispielsweise durch Kombination von Gln. (6) und (11)

$$10 \lg \sigma \, \mathrm{dB} = L_p - L_v + 10 \lg \frac{A}{4\,S} \mathrm{dB} \,. \tag{12}$$

Man braucht also nur den mittleren Schalldruckpegel in einem Hallraum, den Schnellepegel der strahlenden Fläche und die Absorptionsfläche (bzw. die Nachhallzeit) zu messen, um den Abstrahlgrad zu erhalten. Man muß jedoch beachten, daß die angegebenen Pegelgleichungen nur für die Bezugswerte $P_0 = 10^{-12}$ Watt, $\tilde{p}_0 = 2 \cdot 10^{-5}$ N/m², $\tilde{v}_0 = 5 \cdot 10^{-8}$ m/sec und bei Angabe der Flächen in m² gültig sind. Das heißt, sie können nur beim Luftschall und bei normalen Temperaturen angewandt werden.

Für die Messung der mittleren Schnellequadrate bzw. des Schnellepegels benutzt man meist einen absolut geeichten piezoelektrischen Wandler, der so leicht sein muß, daß er die strahlende Fläche nicht merklich belastet. In der Bauakustik hat sich auch die Schnellemessung mit Hilfe eines Mikrophons mit vorgeschalteter Druckkammer bewährt. Dieses Verfahren, das in Abschn. I, 4 (Abb. I/20) beschrieben ist, hat den Vorteil, daß man dasselbe Mikrophon zur Messung des Schalldruckes und der Körperschallschnelle benutzen kann. Bei dieser wie bei allen anderen Methoden zur Messung der Körperschallschnelle ist noch zu beachten, daß fast alle Körperschallaufnehmer auch durch Luftschall etwas angeregt werden. Aus diesem Grunde empfiehlt es sich, Körperschallmessungen prinzipiell nicht auf der „lauten Seite“ einer durch Luftschall angeregten Wand vorzunehmen.

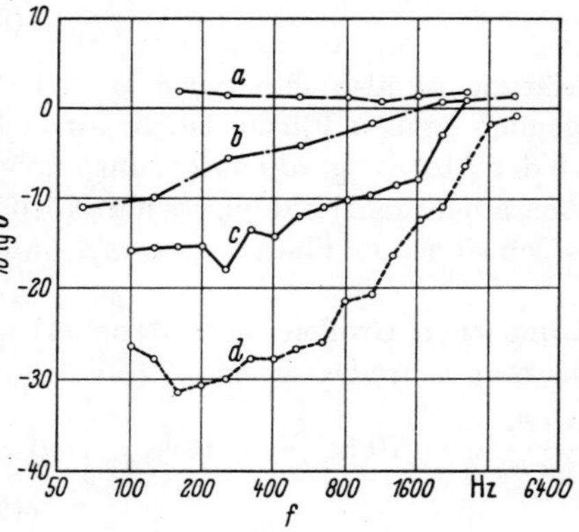

Abb. VI/1. Beispiele von gemessenen Abstrahlgraden
a) 14 cm Betondecke; b) Motorenblock verschiedener Dieselmotoren; c) 13 mm Gipskartonplatte auf Lattenrost; d) Stahlrohr von 72 cm Durchmesser und 1,3 mm Wandstärke

Einige Beispiele von gemessenen Abstrahlgraden sind in Abb. VI/1 aufgetragen. Es handelt sich hier um Platten, die in einen Mauerausschnitt eingebaut waren, sowie um ein frei im Raum stehendes Stahlrohr, die durch einen oder mehrere Körperschallsender angeregt wurden. Bei der Messung an Dieselmotoren wurden die Schnellepegel an verschiedenen Stellen der elastisch aufgestellten Motoren gemessen und die abgestrahlte Leistung bestimmt. Luftansaugung und Auspuff erfolgten natürlich über isolierte Rohre in einem anderen Raum, da sonst das Meßergebnis, das ja nur die Abstrahlung vom Motorenblock erfassen sollte, verfälscht worden wäre[1].

Die Genauigkeit mit der Abstrahlgrade gemessen werden können beträgt unter günstigen Umständen etwa $\pm 0{,}5$ dB. Sie hängt hauptsächlich davon ab, wie genau das mittlere Schnellequadrat bestimmt werden kann. Bei homogenen, schwach gedämpften Platten, etc. ist das meist sehr gut möglich. Bei inhomogenen oder stark gedämpften Konstruktionen ergeben sich jedoch Schwierigkeiten, da sich die Schnelle von Ort zu Ort eventuell sehr stark unterscheidet, so daß keine genaue Mittelwertsbildung mehr möglich ist. Bei sehr starker Dämpfung und punktförmiger Anregung kann das sogar soweit gehen, daß eine sinnvolle Mittelung und damit Bestimmung des Abstrahlgrades nicht mehr möglich ist. Man sollte daher den Abstrahlgrad nur dann messen, wenn die strahlende Fläche eine einigermaßen gleichmäßige Schnelleverteilung aufweist.

3. Der Strahlungsverlustfaktor

Zur Charakterisierung der Abstrahleigenschaften können neben dem Abstrahlgrad auch andere Größen verwendet werden. So ist es beispielsweise möglich, das Verhältnis von abgestrahlter Luft- oder Wasserschallleistung P_S zu eingespeister Körperschalleistung P_K als Strahlungswirkungsgrad

$$\zeta = \frac{P_S}{P_K} \tag{13}$$

zu bezeichnen. Leider bereitet die Messung dieser sehr anschaulichen Größe, die naturgemäß immer kleiner als eins sein muß, einige Schwierigkeiten, da die Bestimmung der Körperschalleistung meistens nicht einfach ist. Wir werden daher diesen Wirkungsgrad nur im Zusammenhang mit der punktförmig angeregten, unendlich großen Platte bestimmen.

Eine weitere interessante Größe ist der Strahlungsverlustfaktor η_S, der ein Maß dafür ist, wie weit die Schwingungen eines Systems durch die Leistungsabgabe in Form von Strahlung gedämpft werden. Der Strahlungsverlustfaktor ist vollkommen analog dem üblichen Verlustfaktor (s. Gl. (III, 22)) durch

$$\eta = \frac{W_S}{2\pi W_K} \tag{14}$$

definiert.

---

[1] Die Messung *b* ist einer Arbeit von W. PFLAUM und W. HEMPEL (CIMAC Bericht, London 1965) entnommen. Es handelt sich hierbei um den Mittelwert der durch Messung an mehreren schnellaufenden Dieseln im Bereich 100—2000 PS erhalten wurde.

Dabei ist W_S die pro Schwingungsperiode abgestrahlte — also für den Körperschall verlorengegangene — Energie und W_K die reversible Körperschallenergie. Zu einer etwas anderen Form von Gl. (14) kommt man, wenn man berücksichtigt, daß W_S gleich ist der abgestrahlten Schallleistung P_S multipliziert mit der Periodendauer $T = 1/f$ (f = Frequenz). Es gilt also

$$\eta_S = \frac{P_S}{2\pi f W_K} = \frac{P_S}{\omega W_K}. \tag{15}$$

Für die uns hier hauptsächlich interessierenden Platten, Stäbe und Schalen, die Biegeschwingungen ausführen, ist $W_S = m'' S \tilde{v}^2$. Wir erhalten also zusammen mit Gl. (8)

$$\eta_S = \frac{\varrho c S \tilde{v}^2 \sigma}{\omega m'' S \tilde{v}^2} = \frac{\varrho c \sigma}{\omega m''}. \tag{16}$$

Der Strahlungsverlustfaktor ist also proportional dem Abstrahlgrad und umgekehrt proportional der Masse pro Flächeneinheit des abstrahlenden Systems. Zu beachten ist noch, daß Gl. (16) für den Fall gerechnet wurde, daß die Abstrahlung nur nach einer Seite erfolgt. Das wäre beispielsweise dann der Fall, wenn sich auf der Vorderseite einer Platte Luft, auf der Rückseite Vakuum befände. Für Systeme, die vollkommen von Luft oder Wasser umgeben sind, wäre Gl. (16) noch mit einem Faktor zwei zu multiplizieren, da die strahlende Fläche (Vorder- und Rückseite) verdoppelt ist.

Für die Messung des Strahlungsverlustfaktors eignen sich die im dritten Kapitel beschriebenen Verfahren, insbesondere die Messung der Abklingzeit. Der Vorteil der Meßmethode ist, daß eine Bestimmung des mittleren Schnellequadrats nicht notwendig ist und daß daher die Messung auch bei ungleichmäßiger Schnelleverteilung — etwa durch Inhomogenitäten — noch sinnvoll ist. Eine wesentliche Voraussetzung bei der Messung des Strahlungsverlustfaktors aus der Abklingzeit oder dgl. ist natürlich, daß die Verluste durch innere Reibung sehr gering sind. Falls die Abstrahlung in Luft erfolgt, ist das meistens nicht der Fall, so daß die Messung von η_S nur in Ausnahmefällen möglich ist. Anders ist es bei der Abstrahlung in Wasser, bei der wegen des wesentlich höheren Wellenwiderstandes der Strahlungsverlustfaktor wesentlich höher ist. (Die Wellenwiderstände von Luft und Wasser verhalten sich etwa wie 1:3500.)

Zwei Beispiele von Strahlungsverlustfaktoren sind in Abb. VI/2 eingezeichnet. In einem Fall handelt es sich um die Wasserschallabstrahlung von einer 10 mm dicken, mit Spanten versehenen Stahlplatte, im zweiten Fall um die Luftschallabstrahlung von einer 4 mm Stahlplatte mit Versteifungen. Wie man sieht, kann die Wasserschallabstrahlung auch bei relativ dicken Platten zu deutlich merkbarer Dämpfung führen.

Mit Hilfe des Strahlungsverlustfaktors kann man übrigens auch den durch Gl. (13) gegebenen Wirkungsgrad ausdrücken. Die gesamte eingespeiste Körperschalleistung muß nämlich identisch sein mit der Summe aus abgestrahlter Leistung P_s und in Wärme umgewandelte Leistung P_W. Für diese wiederum gilt nach Gl. (IV, 110),

$$P_W = \omega\,\eta\,W_K\,.$$

Dabei ist η der Verlustfaktor, der angibt welcher Anteil der Energie in Wärme umgewandelt wird.

Gl. (13) nimmt nun unter Benutzung von Gl. (15) die Form an

$$\zeta = \frac{P_S}{P_S + P_W} = \frac{1}{1 + \omega\,\eta\,W_K/P_S} = \frac{1}{1 + \eta/\eta_S}\,. \tag{17}$$

Der Wirkungsgrad der Schallabstrahlung ist also durch das Verhältnis der Verlustfaktoren bestimmt. Wie zu erwarten, nimmt Gl. (17) für $\eta \ll \eta_s$, also für sehr kleine innere Dämpfung im Vergleich zur Strahlungsdämpfung, den Wert eins an; d. h. die gesamte eingespeiste Leistung wird als Schall abgestrahlt. Bei der Luftschallabstrahlung tritt dieser Fall — vom Standpunkt der Lärmbekämpfung aus glücklicherweise — nie ein. Bei der Wasserschallabstrahlung ist es dagegen durchaus möglich, daß die gesamte Körperschallenergie abgestrahlt wird.

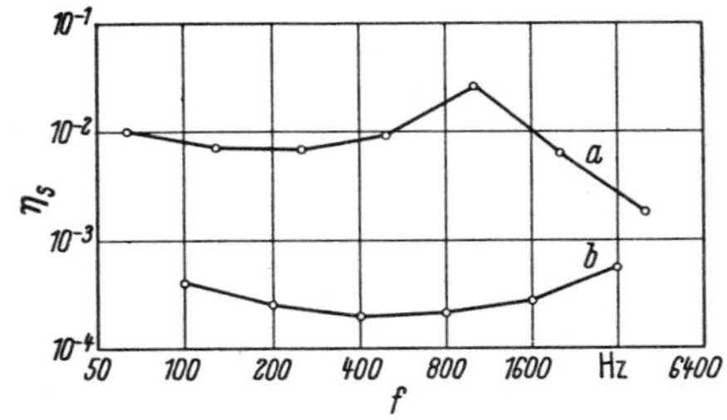

Abb. VI/2. Beispiele von gemessenen Strahlungsverlustfaktoren
a) 10 mm Stahlplatte (mit Versteifungen) in Wasser gemessen; b) 4 mm Stahlplatte (mit Versteifungen) in Luft gemessen

4. Die Elementarstrahler

a) Der Kugelstrahler

Die Berechnung der Schallabstrahlung ist am einfachsten bei einer Kugel, deren Volumen sich zeitlich ändert. Diese auch als Strahler nullter Ordnung oder als atmende Kugel bezeichnete Schallquelle kommt zwar in der Praxis kaum vor, sie ist jedoch vom theoretischen Standpunkt aus sehr wichtig, da man sich häufig komplizierte Schallquellen aus einer sehr großen Anzahl von Kugel- (bzw. Halbkugel-)Strahlern aufgebaut denken kann.

Der zeitliche Verlauf des Radius einer periodisch mit der Kreisfrequenz atmenden Kugel ist durch

$$a + \operatorname{Re}\{\hat{\underline{\xi}}_1\, e^{j\omega t}\}$$

gegeben (s. Abb. VI/3). Die Schnelle der Kugeloberfläche ist also

$$v_1(t) = \mathrm{Re}\{j\,\omega\,\hat{\underline{\xi}}_1\,e^{j\omega t}\} = \mathrm{Re}\{\hat{v}_1\,e^{j\omega t}\}\,. \tag{18*}$$

Diese Schnelle muß natürlich identisch sein mit der Schnelle v_1 des umgebenden Mediums an der Grenzfläche $r = a$. Mathematisch gesehen lautet also unsere Aufgabe, eine Lösung der Schallwellengleichung

$$\Delta p + k^2\,p = 0 \tag{19}$$

zu finden, wobei die Randbedingung ist, daß an der Kugeloberfläche $r = a$ die Normalkomponente der Schallschnelle und die Kugelschnelle identisch sind. Hierbei ist $k = \omega/c$ die Schallwellenzahl, und p der (skalare) Schalldruck, aus dem sich bei periodischen Vorgängen die einzelnen Komponenten des Schallschnellevektors $\mathfrak{v}$ nach der Gleichung

$$\mathfrak{v} = -\frac{1}{j\,\omega\,\varrho}\,\mathrm{grad}\,p \tag{20}$$

ergeben (ϱ = Dichte).

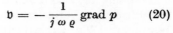

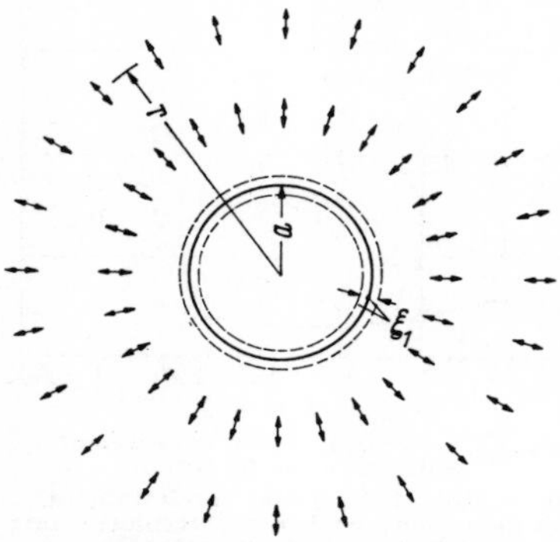

Abb. VI/3. Abstrahlung von einem Kugelstrahler

Bei dem uns hier interessierenden Fall, bei dem Radialsymmetrie vorliegt, können wir für den örtlichen Verlauf des Schalldrucks den Ansatz

$$p(r) = \frac{C}{r}\,e^{-jkr} \tag{21}$$

machen, wobei C eine vorläufig noch unbekannte Größe ist. Wir erhalten sie, wenn wir auf die Radialkomponente (die übrigen Komponenten verschwinden im vorliegenden Fall) der Schnelle

$$v_r = -\frac{C}{j\,\omega\,\varrho}\left(-\frac{1}{r^2} - \frac{j\,k}{r}\right)e^{-jkr} \tag{22}$$

übergehen und darauf die Randbedingung an der Stelle $r = a$ anwenden. Damit ergibt sich

$$v_1 = v_a = \frac{C\,(1 + j\,k\,a)\,e^{-jka}}{j\,\omega\,\varrho\,a^2} \quad \text{bzw.} \quad C = \frac{j\,\omega\,\varrho\,a^2}{1 + j\,k\,a}\,v_a\,e^{jka}\,. \tag{23}$$

Für die örtliche Verteilung der Schnelle und des Schalldrucks erhalten wir also

$$\left.\begin{aligned} v_r &= v_a\,\frac{a^2}{1 + j\,k\,a}\,\frac{1 + j\,k\,r}{r^2}\,e^{-jk(r-a)} \\ p_r &= v_a\,\frac{j\,\omega\,\varrho\,a^2}{1 + j\,k\,a}\,\frac{1}{r}\,e^{-jk(r-a)}\,. \end{aligned}\right\} \tag{24}$$

* Auch in diesem Kapitel wird im Folgenden auf die besondere Kennzeichnung der Zeiger durch Überdachung und Unterstreichung verzichtet.

Daraus ergibt sich die abgestrahlte Leistung zu

$$P = \frac{1}{2}\,\mathrm{Re}\left\{\int_s p\, v_r^*\, dS\right\} = v_a^2 \frac{4\pi r^2}{2}\,\mathrm{Re}\left\{\frac{j\,\omega\,\varrho\,a^2}{(1+j\,k\,a)\,r\,(1-j\,k\,a)}\,\frac{a^2}{}\,\frac{(1-j\,k\,r)}{r^2}\right\}$$

$$= 2\,\pi\,v_a^2\,\frac{\omega\,\varrho\,a^4\,k}{1+k^2\,a^2} = 2\,\pi\,a^2\,v_a^2\,\varrho\,c\,\frac{k^2\,a^2}{1+k^2\,a^2}\,. \qquad (25)$$

Die hier notwendige Integration ist über eine Kugeloberfläche im beliebigen Abstand r zu erstrecken; da die Abstrahlung radialsymmetrisch erfolgt, kann die Integration durch Multiplikation mit $4\,\pi\,r^2$ ersetzt werden.

Den Abstrahlgrad für die atmende Kugel kann man nun sofort aus Gl. (8) und (25) ermitteln. Wenn man dabei berücksichtigt, daß in Gl. (8) der Effektivwert der Schnelle einzusetzen ist, so folgt

$$\sigma = \frac{k^2\,a^2}{1+k^2\,a^2}\,. \qquad (26)$$

Der Abstrahlgrad von Kugeln steigt also für $k\,a \ll 1$, d. h. bei tiefen Frequenzen und kleinen Kugeln, mit dem Quadrat der Frequenz an und mündet dann in den Wert $\sigma = 1$ ein.

Für das Folgende ist noch der Spezialfall der sehr kleinen Kugel, bei der $k\,a \ll 1$ ist, von großer Bedeutung. Nach Gl. (24) gilt für diese als Punktstrahler bezeichnete Schallquelle

$$p = j\,\omega\,\varrho\,\frac{v_a\,a^2}{r}\,e^{-j\,k\,r} = j\,\omega\,\varrho\,\frac{q_0}{4\,\pi\,r}\,e^{-j\,k\,r}\,. \qquad (27)$$

Dabei bedeutet q_0 den sogenannten Schallfluß, also das Produkt aus Schnelle und Oberfläche des Strahlers.

Die Einführung des Schallflusses hat den Vorteil, daß man nun das Ergebnis auf Punktstrahler beliebiger Form anwenden kann. Für die Schallabstrahlung ist es nämlich bei kleinen Quellen gleichgültig, ob sie die Form einer Kugel, einer Ellipse oder irgendeine andere haben; entscheidend ist, welches Volumen verdrängt wird, also wie groß q_0 ist. Die übrigen Formeinflüsse spielen nur in einer kleinen Umgebung der wiederum sehr kleinen Quelle eine Rolle; sie können daher ohne Bedenken vernachlässigt werden.

b) Die unendliche Platte

Ähnlich wie der eben behandelte Punktstrahler stellt auch die zu Transversalschwingungen angeregte unendlich große Platte einen Idealfall dar, der es gestattet, durch geeignete Summation bzw. Integration auch die Abstrahlung von komplizierteren Systemen zu berechnen.

Betrachten wir also die in Abb. VI/4 skizzierte Platte, deren Schnelle durch

$$v(x) = v_0 \, e^{-j k_B x} \tag{28}$$

gegeben sei, so liegt es nahe, für den Schalldruck den Ansatz

$$p(x, y) = p_0 \, e^{-j k_B x} \, e^{-j k_y y} \tag{29}$$

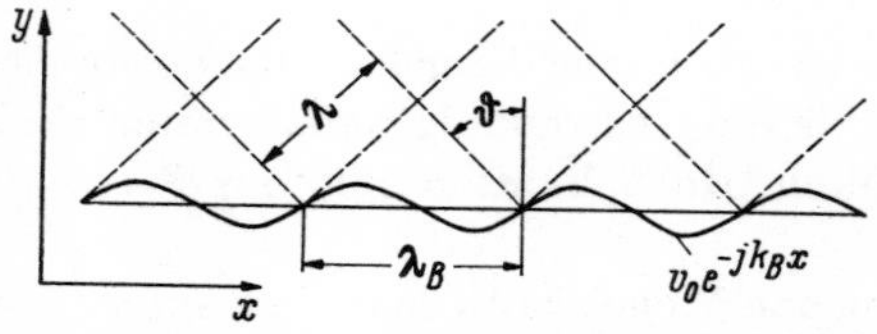

Abb. VI/4. Abstrahlung von einer unendlich großen Platte

zu machen. Dabei ist k_B die Wellenzahl der Plattenschwingungen; d. h. $\lambda_B = 2\pi/k_B$ ihre Wellenlänge. Von dem Ansatz für den Schalldruck müssen wir wie oben fordern, daß er eine Lösung der Wellengleichung (19) darstellt und daß die aus (29) berechnete Normalkomponente der Schallschnelle an der Grenzfläche $y = 0$ mit der Plattenschnelle übereinstimmt. Durch Einsetzen von (29) und (19) erhält man

$$p_0 \, (-k_B^2 - k_y^2) \, e^{-j k_B x} \, e^{-j k_y y} + p_0 \, k^2 \, e^{-j k_B x} \, e^{-j k_y y} = 0 \, .$$

Die erstgenannte Bedingung ist also erfüllt, wenn

$$k_y^2 = k^2 - k_B^2 \tag{30}$$

ist, wobei k wieder die Wellenzahl im umgebenden Medium bedeutet. Die zweite Bedingung führt nach Gl. (20) auf

$$v_{y=0} = -\frac{1}{j\,\omega\,\varrho} \left(\frac{\partial p}{\partial y}\right)_{y=0} = \frac{p_0 \, k_y}{\omega\,\varrho} \, e^{-j k_B x} \, . \tag{30a}$$

Daraus ergibt sich

$$p_0 = \frac{v_0 \, \omega \, \varrho}{k_y} = \frac{v_0 \, \varrho \, c \, k}{k_y} \, . \tag{31}$$

Der Schalldruck im Halbraum vor der Platte ist also durch

$$p(x, y) = \frac{v_0 \, \varrho \, c}{\sqrt{1 - k_B^2/k^2}} \, e^{-j k_B x} \, e^{-j \sqrt{k^2 - k_B^2}\, y} \tag{32}$$

gegeben.

Man kann Gl. (32) noch etwas anschaulicher machen, indem man den Winkel ϑ einführt[1], unter dem der Schall abgestrahlt wird. Dieser Winkel muß so beschaffen sein, daß Plattenschwingung und Schallwelle dieselbe x-Abhängigkeit haben; es muß also die „Spur", die die Schallwelle hinterläßt, die Wellenlänge der Platte haben. Wie man aus Abb. VI/4 sieht,

[1] Cremer, L.: Die wissenschaftlichen Grundlagen der Raumakustik, Bd. III, § 62. Leipzig: S. Hirzel 1950.

liegt diese Spurgleichheit gerade dann vor, wenn $\lambda/\lambda_B = \sin\vartheta$, also $k_B/k = \sin\vartheta$ ist. Damit ergibt sich

$$p(x, y) = \frac{v_0\,\varrho\,c}{\cos\vartheta}\,e^{-j k_B x}\,e^{-j k y \cos\vartheta} \quad \text{für} \quad \lambda_B > \lambda\,. \tag{33}$$

Diese Schreibweise hat jedoch nur dann Sinn, wenn die Schallwellenlänge kleiner ist, als die Wellenlänge der Wandschwingung. Ist das nicht der Fall, dann gibt es auch keinen reellen Winkel mehr, unter dem die Abstrahlung erfolgt.

Stattdessen ergibt sich ein mit wachsender Entfernung von der Wand abnehmender Schalldruck, für den nach Gl. (32) gilt

$$p(x, y) = \frac{j\,v_0\,\varrho\,c}{\sqrt{\frac{k_B^2}{k^2} - 1}}\,e^{-j k_B x}\,e^{-\sqrt{k_B^2 - k^2}\,y} \quad \text{für} \quad \lambda_B < \lambda\,. \tag{34}$$

Wie man sieht, erhält man ein Oberflächen-Wellenfeld (vgl. II, 6bα); die im Prinzip auch noch mögliche Lösung der Form $e^{+\sqrt{k_B^2 - k^2}\,y}$ ist aus Energiegründen auszuschließen.

Es sind also bei der Abstrahlung von der unendlich großen Platte zwei voneinander grundsätzlich verschiedene Gebiete zu unterscheiden:

Ist die Wellenlänge der Wandschwingung größer als die Wellenlänge im umgebenden Medium, dann wird eine ebene Schallwelle abgestrahlt, deren Richtung durch das Verhältnis der Wellenlängen gegeben ist. Plattenschnelle und Schalldruck in unmittelbarer Umgebung sind in Phase. Der Abstrahlgrad ist, wie eine einfache Rechnung zeigt

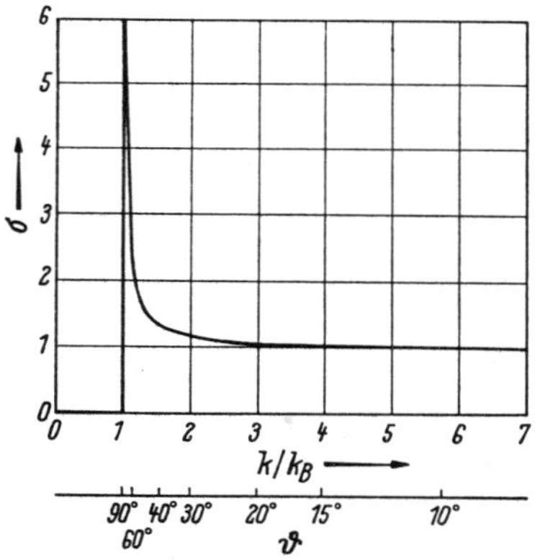

Abb. VI/4a. Abstrahlgrad einer unendlich großen Platte

$$\sigma = \frac{1}{\cos\vartheta} = \frac{k}{\sqrt{k^2 - k_B^2}} \quad \text{für} \quad k_B < k \quad \text{d. h.} \quad \lambda_B > \lambda\,. \tag{35}$$

Ist die Wellenlänge der Wandschwingungen kleiner als die Wellenlänge im umgebenden Medium, dann bildet sich ein Nahfeld aus, das um so schneller abklingt, je größer der Unterschied der beiden Wellenlängen ist. Plattenschnelle und Schalldruck sind um 90° phasenverschoben, es wird also keine Schalleistung abgestrahlt. Der Abstrahlgrad ist Null (s. Abb. VI/4a). Die Abnahme des Schalldrucks im Nahfeld erfolgt sehr rasch. Beispielsweise ist für $\lambda_B = 0{,}7\,\lambda$ der Schalldruck bereits auf 20% des Ausgangswertes (d. h. um 14 dB) abgesunken, wenn die Entfernung von der strahlenden Wand die Hälfte der Plattenwellenlänge beträgt. Da die praktisch interessierenden Biegewellenlängen in der Größenordnung von etwa einem Meter oder darunter liegen, bedeutet das, daß man das Nahfeld der Abstrahlung auch dann vernachlässigen kann, wenn man sich nicht für die Schalleistung sondern für den Schalldruck interessiert. Eine der wenigen Ausnahmen bei denen das Nahfeld interessiert, wird in Abschnitt VI, 6 behandelt.

An der bisher ausgeschlossenen Stelle $k_B = k$, an der die beiden Wellenlängen übereinstimmen, würde nach der Theorie der Abstrahlwinkel $\vartheta = 90°$ und damit der Schalldruck beliebig groß. In der Praxis bleibt der Schalldruck natürlich endlich, da auch die Fläche endlich ist und da zudem an dieser Stelle die Belastung der schwingenden Fläche so groß ist, daß es gar nicht möglich wäre, die notwendige Schwingungsform herzustellen[1]. Es bleibt jedoch die Tatsache, daß die Abstrahlung sehr groß wird. Von diesem Effekt wird bei einer Anzahl von Wasserschallstrahlern Gebrauch gemacht. Derartige Strahler, bei denen der erforderliche Schnelleverlauf der strahlenden Fläche durch entsprechende Wandler erzeugt wird, strahlen eine sehr hohe Schallenergie ab, die stark gebündelt, fast streifend austritt.

Interessant ist auch der Unterschied der Bewegung der Luftteilchen bei Nahfeld- und Fernfeldabstrahlung. Während für $\lambda_B > \lambda$ die Luftteilchen in einer Geraden hin- und herschwingen, deren Richtung mit der Schallaustrittsrichtung zusammenfällt, sind für $\lambda_B < \lambda$ die x- und y-Komponente der Schnelle, die sich aus Gl. (34) zu

$$\left.\begin{aligned} v_x &= \frac{j\,k_B\,v_0}{\sqrt{k_B^2 - k^2}}\, e^{-j k_B x}\, e^{-\sqrt{k_B^2 - k^2}\,y} \\ v_y &= v_0\, e^{-j k_B x}\, e^{-\sqrt{k_B^2 - k^2}\,y} \end{aligned}\right\} \tag{36}$$

ergeben, um 90° phasenverschoben. Die Bewegungen der Luftteilchen sind also im allgemeinen Ellipsen[2], wie sie in Abb. VI/5 skizziert sind. Diese Ellipsenbewegung läßt sich auch so deuten, daß die Luftteilchen einer Kompression — wie sie zur Entstehung einer Schallwelle notwendig ist — dadurch entgehen, daß sie seitlich ausweichen, so daß im Endeffekt nur eine Luftverschiebung (hydrodynamischer Kurzschluß) von Wellenberg zu Wellental übrig bleibt.

Man kann sich durch eine einfache Rechnung noch leicht davon überzeugen, daß bei Wandschwingungen, die die Form von stehenden Wellen haben — also etwa $v = v_0 \cos k_B x$ — das Abstrahlverhalten genau so ist, wie bei den durch Gl. (28) gegebenen fortschreitenden Wellen. Der

[1] Kurtze, G., and R. H. Bolt: Acustica 9 (1959) 238.
[2] Brillouin, J.: Acustica 2 (1952) 65.

einzige Unterschied liegt in einer etwas anderen Bewegung der Luftteilchen vor der Wand. Wir können also zusammenfassen, daß ebene Wellen auf einer unendlich großen Wand nur dann abgestrahlt werden, wenn ihre Wellenlänge größer ist, als die des Schalles im umgebenden Medium.

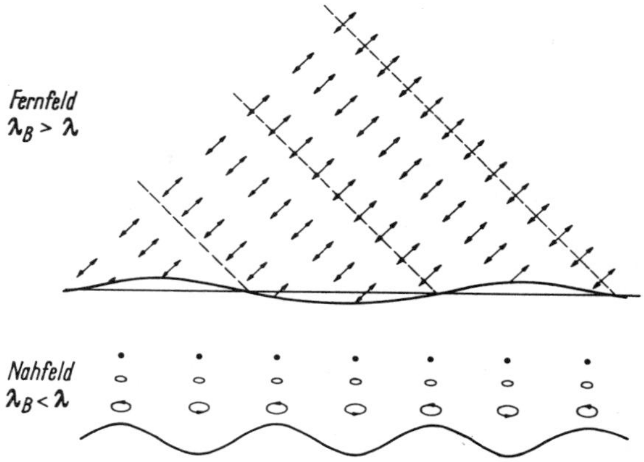

Abb. VI/5. Teilchenbewegung bei Fernfeld- und Nahfeldabstrahlung

5. Der ebene Strahler als Summe von Punktquellen

Wie bereits mehrfach erwähnt, kann man durch geeignete Kombination der im vorigen Abschnitt behandelten Elementarstrahler die Schallabstrahlung von den für die Praxis sehr wichtigen ebenen oder beinahe ebenen Flächen berechnen. Betrachten wir als einfachsten Fall zunächst eine sehr kleine (Punkt-)Schallquelle in einer großen Wand, so kann man sich leicht davon überzeugen (s. Abb. VI/6), daß wegen der

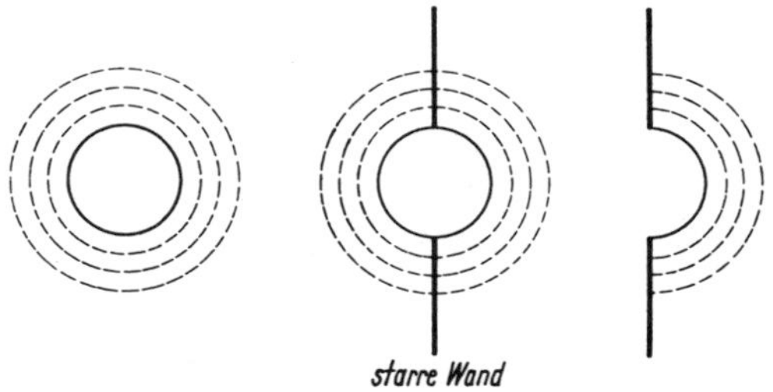

Abb. VI/6. Übergang vom Kugelstrahler zur Punktschallquelle in einer starren Wand

Symmetrie und wegen der reinen Radialbewegung diese Anordnung einem Kugelstrahler entspricht. Es ist lediglich zu berücksichtigen, daß die Punktschallquelle in der Wand nur die Hälfte des Volumenflusses einer freistehenden Quelle hat, aber trotzdem vor der Wand denselben Schalldruck erzeugt.

Der Schalldruck vor der Wand im Abstand r von der Schallquelle ist also nach Gl. (27) durch

$$p = j\,\omega\,\varrho \frac{q_0}{2\,\pi\,r}\,e^{-j\,k\,r} \tag{37}$$

gegeben. Dabei ist $q_0 = S_0\,v_0$ wieder der Schallfluß.

Die von einer derartigen Quelle abgestrahlte Leistung ist

$$P = \frac{\varrho\,c\,k^2}{4\,\pi}\,q_0^2\,. \tag{37a}$$

Hat man nun nicht nur eine sondern mehrere Punktschallquellen — ein Fall der bei Lautsprecherzeilen oder bei Strahlergruppen von Sonargeräten auftritt —, dann braucht man nur die von den einzelnen Quellen erzeugten Schalldrücke zu addieren, um den Gesamtschalldruck zu erhalten. Betrachten wir also einen Punkt, der von der ersten Schallquelle den Abstand r_1, von der zweiten den Abstand $r_2 \ldots$, von der n-ten den Abstand r_n hat (s. Abb. VI/7), dann ergibt sich

$$\begin{aligned} p &= \frac{j\,\omega\,\varrho}{2\,\pi}\left[\frac{q_1}{r_1}\,e^{-j\,k\,r_1} + \frac{q_2}{r_2}\,e^{-j\,k\,r_2} \ldots + \frac{q_n}{r_n}\,e^{-j\,k\,r_n} \ldots\right] \\ &= \frac{j\,\omega\,\varrho}{2\,\pi} \sum \frac{q_n}{r_n}\,e^{-j\,k\,r_n}\,. \end{aligned} \tag{38}$$

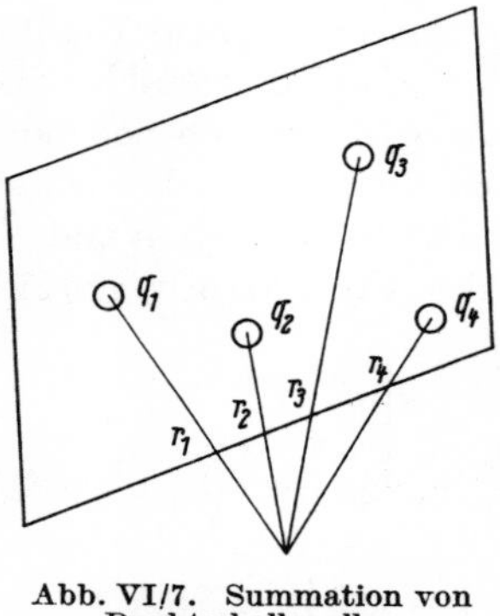

Abb. VI/7. Summation von Punktschallquellen

Es ist nun nurmehr ein kleiner Schritt zur Berechnung der Abstrahlung von einer ebenen Fläche mit kontinuierlicher Schnelleverteilung. Wir können nämlich jedes Flächenelement dS mit der Schnelle $v(S)$ als eine Punktschallquelle mit dem Schallfluß $dq(S) = v(S)\,dS$ betrachten und erhalten dann durch Summation über alle Flächenelemente der strahlenden Gesamtfläche S aus Gl. (38) (wobei natürlich die Summation durch eine Integration zu ersetzen ist)

$$p = \frac{j\,\omega\,\varrho}{2\,\pi} \int\limits_S \frac{v(S)\,e^{-j\,k\,r}}{r}\,dS\,. \tag{39}$$

Diese auf Lord Rayleigh zurückgehende Formel sieht zwar relativ einfach aus, doch ist es häufig nicht leicht, daraus ein Schallfeld explizit zu berechnen. Das ist vor allen Dingen darauf zurückzuführen, daß der Abstand r zwischen den verschiedenen Punkten der strahlenden Fläche und dem interessierenden Beobachtungspunkt im allgemeinen Fall eine ziemlich komplizierte Funktion ist.

Eine wesentliche Vereinfachung läßt sich erzielen, wenn man sich auf das Schallfeld in einer so großen Entfernung beschränkt, daß man den Abstand r im Nenner von Gl. (39) vor das Integral ziehen kann. Diese Näherung ist stets dann berechtigt, wenn der kleinste Abstand zwischen Schallquelle und Beobachtungspunkt wesentlich größer ist als die Dimensionen des Schallstrahlers. Beträgt beispielsweise bei einem runden Strahler mit dem Durchmesser D der Abstand zum Beobachtungspunkt das zehnfache des Durchmessers, dann kann r äußerstenfalls zwischen 9,5 D und 10,5 D liegen; man macht also höchstens einen Fehler von 10% (im Mittel ist der Fehler sogar viel kleiner), wenn man die eben beschriebene Näherung macht. Für den Exponenten in Gl. (39) ist natürlich nicht dieselbe Näherung möglich, da bereits sehr kleine relative Änderungen in r zu großen Schwankungen der Exponentialfunktion führen können. Wir erhalten also, wenn wir den Abstand zwischen dem Beobachtungspunkt und dem „Mittelpunkt" der strahlenden Fläche mit R bezeichnen, statt (39)

$$p = \frac{j\,\omega\,\varrho}{2\,\pi\,R} \int_S v(S)\, e^{-jkr}\, dS \qquad \text{für } R \text{ sehr groß} \tag{40}$$

und entsprechend statt (38)

$$p = \frac{j\,\omega\,\varrho}{2\,\pi\,R} \sum q_n\, e^{-jkr_n} \qquad \text{für } R \text{ sehr groß}\,. \tag{40a}$$

Es sei an dieser Stelle daran erinnert, daß wir im Kap. IV bei der Berechnung der Biegewellenanregung von dünnen Platten eine Gl. (IV, 67) von fast derselben Form erhielten; auch bei dieser Gelegenheit hatten wir eine beliebige Anregung durch eine Integration über eine Verteilung von Punktquellen ersetzt.

a) Einzelstrahler in gitterförmiger Anordnung

Die in der Praxis hauptsächlich interessierenden Schallquellen bestehen aus Platten, Schalen etc. mit einer ziemlich komplizierten Schwingungsverteilung. Da in diesen Fällen die Berechnung der Schallabstrahlung relativ schwierig ist, wollen wir erst eine wesentlich einfachere Anordnung, nämlich eine gitterförmige Verteilung von einzelnen Punktquellen in einer starren Wand untersuchen. Dabei wollen wir noch zusätzlich annehmen, daß benachbarte Punktquellen gleich stark, aber gegenphasig sind; das heißt, wenn eine Quelle gerade ihren Maximalausschlag in positiver Richtung hat, dann haben die nächstgelegenen Quellen ihren Maximalausschlag in negativer Richtung. (Für andere Phasenbeziehungen wäre die Rechnung fast genau so durchzuführen, doch soll uns dieser Fall hier nicht interessieren.) Ein derartiges System, wie es in Abb. VI/8 skizziert ist, stellt eine ganz brauchbare Näherung für die

Biegewellenabstrahlung von rechteckigen Platten dar, wenn man die einzelnen Teilbereiche, in die die Platte durch die Knotenlinien aufgeteilt wird, als Punktquellen betrachtet. Der Volumenfluß dieser Ersatzpunktquellen ist $a\,b\,v$, wobei v die mittlere Schnelle ist (s. Abb. VI/9). Offensichtlich ist diese Näherung um so besser, je enger die Knotenlinien verlaufen, je kürzer also die Biegewellenlänge ist. In jedem Fall wird man aber ein qualitativ richtiges Ergebnis erwarten können.

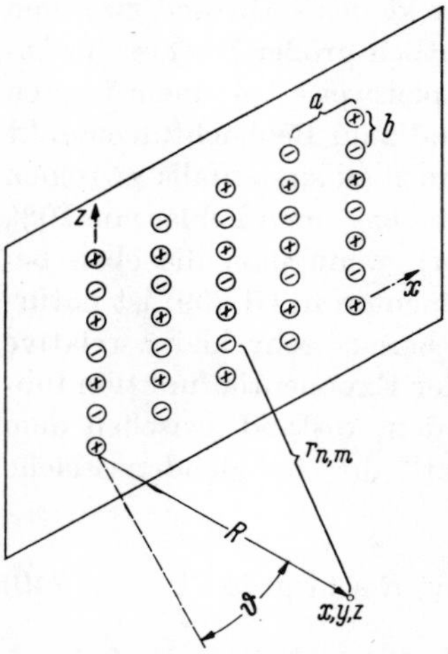

Abb. VI/8. Gitterförmige Anordnung von gegenphasigen Punktschallquellen in einer starren Wand

Bevor wir nun Gl. (40a) anwenden, empfiehlt es sich noch eine Näherungsrechnung hinsichtlich der Entfernungen zwischen Strahler und „Aufpunkt" vorzunehmen. Wir wollen annehmen, daß die Gitterabstände a und b heißen und daß der Ursprung des Koordinatensystems mit dem Eckpunkt der Strahlergruppe zusammenfalle. Der Abstand den ein beliebiger Raumpunkt x, y, z vom Ursprung hat, ist also $R = \sqrt{x^2 + y^2 + z^2}$ und von einem der Punktstrahler $r_{n,m} = \sqrt{(x - n\,a)^2 + (z - m\,b)^2 + y^2}$. Dabei geben die Zahlen n und m an, in welcher Zeile bzw. Reihe sich der Strahler befindet. Ist nun der Aufpunkt soweit entfernt, daß $n\,a \ll x$ und $m\,b \ll y$ ist, dann kann man quadratische Glieder vernachlässigen und erhält

$$r_{n,m} = \sqrt{(x - n\,a)^2 + (z - m\,b)^2 + y^2} \approx \sqrt{R^2 - 2\,n\,a\,x - 2\,m\,b\,z}$$

$$\approx R\left(1 - \frac{m\,b\,z}{R^2} - \frac{n\,a\,x}{R^2}\right).$$

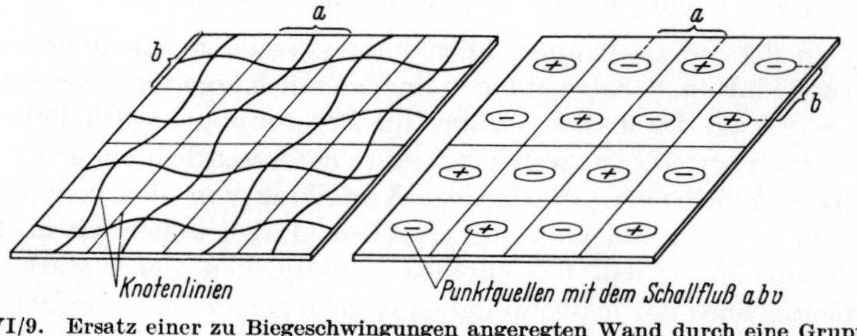

Abb. VI/9. Ersatz einer zu Biegeschwingungen angeregten Wand durch eine Gruppe von gegenphasigen Einzelstrahlern

Berücksichtigt man nun noch, daß wegen der angenommenen Gegenphasigkeit der Schallfluß der einzelnen Quellen durch

$$q_{n,m} = q(-1)^n\,(-1)^m = q\,e^{j\pi(n+m)}$$

beschrieben werden kann, dann geht Gl. (40a) in

$$p(x, y, z) = \frac{j\,\omega\,\varrho}{2\,\pi\,R} q\, e^{-j k R} \sum_{n=0,\, m=0}^{n_1-1,\, m_1-1} (-1)^n\,(-1)^m\, e^{j k a \frac{n x}{R}}\, e^{j k b \frac{m z}{R}}$$

$$= \frac{j\,\omega\,\varrho}{2\,\pi\,R} q\, e^{-j k R} \sum_{n=0}^{n_1-1} \left[e^{j\left(k a \frac{x}{R}+\pi\right)}\right]^n \sum_{m=0}^{m_1-1} \left[e^{j\left(k b \frac{z}{R}+\pi\right)}\right]^m \qquad (41)$$

über. Dabei ist noch zu beachten, daß die Gesamtzahl der Zeilen und Reihen n_1 bzw. m_1 ist; da jedoch die Zählung mit $m, n = 0$ beginnt, ist die Summation nur bis $n_1 - 1$ und $m_1 - 1$ zu erstrecken.

Aus Gl. (41) kann man sofort die Abstrahlung für folgende Spezialfälle angeben. Es werden dabei der Einfachheit halber gleich die der Messung unmittelbar zugänglichen Absolutbeträge angegeben.

α) Monopol $n_1 = m_1 = 1$: $\quad |p| = \dfrac{\omega\,\varrho\,q}{2\,\pi\,R}$. $\qquad$ (41a)

β) Dipol $n_1 = 2,\ m_1 = 1$: $\quad |p| = \dfrac{\omega\,\varrho\,q}{2\,\pi\,R}\, 2 \left|\sin \dfrac{k\,a\,x}{2\,R}\right|$

$$\approx \frac{\omega\,\varrho\,q}{2\,\pi\,R}\, k\,a \frac{x}{R} \quad \text{für} \quad k\,a \ll 1\,, \qquad (41\text{b})$$

γ) Longitudinaler Quadrupol $n_1 = 4,\ m_1 = 1$

$$|p| = \frac{\omega\,\varrho\,q}{2\,\pi\,R}\, 4 \left|\sin \frac{k\,a\,x}{2\,R}\right| \left(1 - 2\cos^2 \frac{k\,a\,x}{2\,R}\right)$$

$$\approx \frac{\omega\,\varrho\,q}{2\,\pi\,R}\, 2\,k\,a \frac{x}{R} \quad \text{für} \quad ka \ll 1\,, \qquad (41\text{c})$$

δ) Lateraler Quadrupol $n_1 = 2,\ m_1 = 2$

$$|p| = \frac{\omega\,\varrho\,q}{2\,\pi\,R}\, 4 \left|\sin \frac{k\,a\,x}{2\,R}\right| \left|\sin \frac{k\,b\,z}{2\,R}\right|$$

$$\approx \frac{\omega\,\varrho\,q}{2\,\pi\,R}\, k\,a \frac{x}{R}\, k\,b \frac{z}{R} \quad \text{für} \quad k\,a \ll 1\,. \qquad (41\text{d})$$

Die zu diesen Formeln gehörenden Richtcharakteristiken sind zusammen mit einigen anderen in Abb. VI/10 skizziert. Lediglich die Richtcharakteristik eines lateralen Quadrupols, die durch Multiplikation von zwei Dipolcharakteristiken entsteht, wurde nicht gezeichnet, da sie sich nur dreidimensional darstellen läßt. Dabei wurde die Rechnung jeweils für $k\,a = 1/2$, also für Maschenweiten, die wesentlich kleiner sind als eine halbe Wellenlänge im umgebenden Medium und für $k\,a = 4{,}5$, also für Maschenweiten, die größer sind, als eine halbe Wellenlänge, durchgeführt.

Wie man sieht, ist bei kleinen Abständen, also bei $k\,a \ll 1$, die Abstrahlung nicht größer als die von einer einzigen Punktquelle, unabhängig davon, aus wievielen Strahlern das Gitter besteht. Der physikalische Grund hierfür ist wieder in dem „hydrodynamischen Kurzschluß" zu

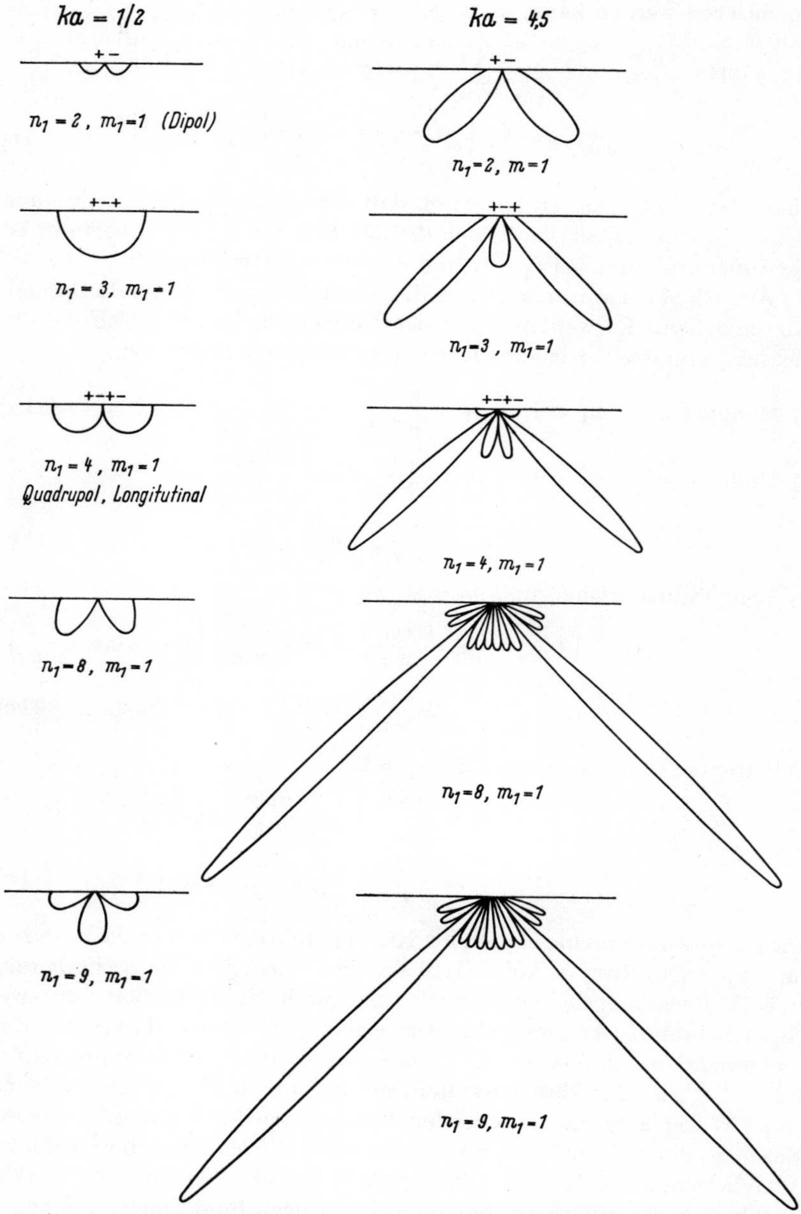

Abb. VI/10. Richtcharakteristik von Punktstrahlern in einer Reihe

suchen, der bereits bei der in Kap. VI, 4b behandelten unendlichen Platte auftrat, dort allerdings zu einer vollkommen verschwindenden Abstrahlung führte. Bei der endlichen Gitteranordnung wird die Abstrahlung zwar sehr klein, sie bleibt aber endlich, da der Kurzschluß, insbesondere bei einer ungeraden Anzahl von Punktquellen, nicht vollständig sein kann.

Aus den Skizzen auf der rechten Seite von Abb. VI/10 erkennt man, daß für $k\,a \gg 1$ und dementsprechend auch für $k\,b \gg 1$ die Abstrahlung wesentlich stärker ist und eine Richtwirkung aufweist, die um so ausgeprägter ist, je mehr Punktquellen vorhanden sind. Es macht sich also der hydrodynamische Kurzschluß nicht mehr bemerkbar, da die Abstände zwischen den einzelnen Punktquellen zu groß sind, um ein ungehindertes Hin- und Herströmen der Luft (ohne Kompression) zu ermöglichen.

Man kann das eben Gesagte auch allgemein auf Grund von Gl. (41) beweisen, wenn man die Summen — die die Form von einfachen geometrischen Reihen haben — ausrechnet. Es ergibt sich dann nach Umformung der Exponentialfunktionen in trigonometrische Funktionen

$$|p(x, y, z)| = \frac{\omega\,\varrho\,q}{2\,\pi\,R} \left|\frac{\sin\frac{n_1}{2}\left(\frac{k\,a\,x}{R} + \pi\right)}{\sin\frac{1}{2}\left(\frac{k\,a\,x}{R} + \pi\right)}\right| \cdot \left|\frac{\sin\frac{m_1}{2}\left(\frac{k\,b\,z}{R} + \pi\right)}{\sin\frac{1}{2}\left(\frac{k\,b\,z}{R} + \pi\right)}\right| . \tag{42}$$

Für $k\,a \ll 1$, $k\,b \ll 1$ ist wegen $x \ll R$ erst recht $k\,a\,x/R \ll 1$ und $k\,b\,z/R \ll 1$; man kann daher

$$\sin\frac{1}{2}\left(\frac{k\,a\,x}{R} + \pi\right) \approx \sin\frac{\pi}{2} = 1$$

setzen und die entsprechende Näherung für $k\,b$ machen, so daß sich

$$|p(x, y, z)| = \frac{\omega\,\varrho\,q}{2\,\pi\,R} \left|\sin\frac{n_1}{2}\left(\frac{k\,a\,x}{R} + \pi\right)\right| \left|\sin\frac{m_1}{2}\left(\frac{k\,b\,z}{R} + \pi\right)\right|$$

ergibt. Offensichtlich ist dieser Wert immer kleiner oder gleich dem durch Gl. (41a) gegebenen. Es verbleibt also bestenfalls so viel Abstrahlung wie von einer Punktquelle.

Für größere Werte von $k\,a$ und $k\,b$ ist Gl. (42) eine relativ komplizierte Funktion des Ortes. Es wurde daher in Abb. VI/11 nur die x-Abhängigkeit für $n_1 \leq 10$ skizziert. Man sieht daraus, daß für $k\,a\,x/R = \pi$ ein Maximum auftritt, das um so stärker ist, je mehr Strahler vorhanden sind. Der Wert, den der Schalldruck an dieser Stelle annimmt, ist — wie Gl. (42) nach Anwendung der Hospitalschen Regel zeigt —

$$|p| = \frac{\omega\,\varrho\,q}{2\,\pi\,R}\, n_1\, m_1 .$$

Offensichtlich entspricht dieses Maximum der Hauptabstrahlrichtung in den Kurven auf der rechten Seite von Abb. VI/10. Den dazugehörigen

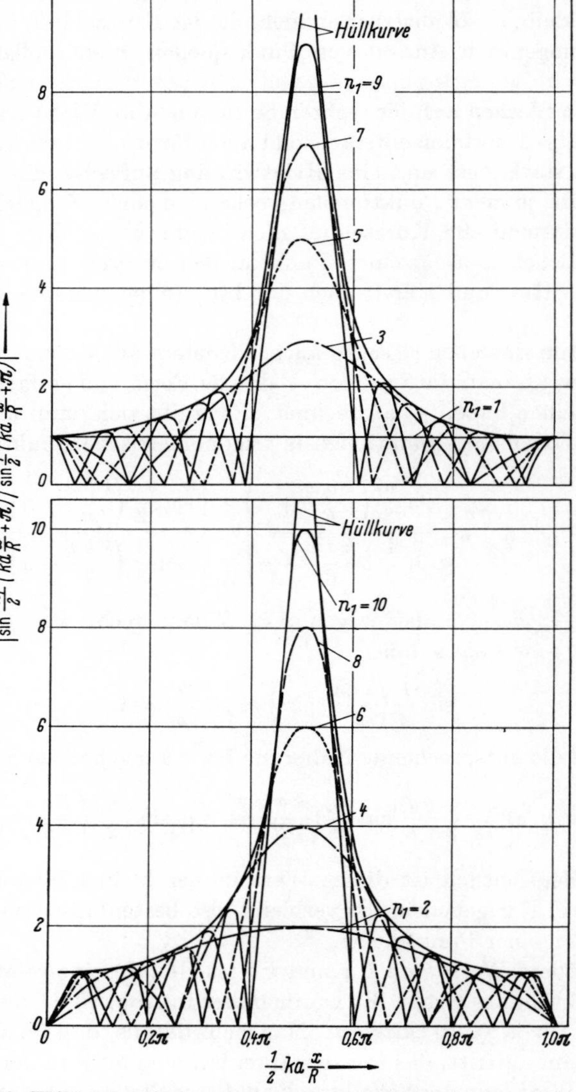

Abb. VI/11. Ortsabhängigkeit von Punktstrahlern in einer Reihe

Abstrahlungswinkel ϑ erhält man, wenn man berücksichtigt, daß $x/R = \sin\vartheta$ (s. Abb. VI/8) ist. Es folgt also $\sin\vartheta = \pi/(k\,a) = \lambda/(2\,a)$. Auch hier macht sich also wieder die Analogie mit der unendlichen Platte bemerkbar. Man kann übrigens das Maximum der Abstrahlung und damit auch die Strahlungsrichtung, ähnlich deuten, wie das Auftreten von Beugungsmaxima bei optischen Gittern. Eine einfache Überlegung zeigt nämlich, daß in der Richtung der maximalen Abstrahlung die Phasenverschiebung zwischen zwei benachbarten Quellen gerade 360° beträgt. (180° durch die Gegenphasigkeit und 180° durch die Laufzeitdifferenz). Die von den einzelnen Punktquellen erzeugten Schalldrücke addieren sich also in der Richtung der maximalen Abstrahlung, es ergibt sich dabei ein Wert, der um so größer ist, je mehr Strahler vorhanden sind.

Auf unser Beispiel von der Biegewellenabstrahlung angewandt, ergibt sich also folgendes:

1. Wenn $k\,a \ll \pi$ und $k\,b \ll \pi$, wenn also die Abstände der Knotenlinien wesentlich kleiner sind als eine halbe Luftwellenlänge, dann findet eine fast vollständige Kompensation der einzelnen, gegenphasig schwingenden Plattenteile statt. Es bleibt nur eine kleine Abstrahlung von den sich nicht gegenseitig kompensierenden Plattenteilen. Die verbleibende Abstrahlung ist etwa so groß, wie die von einer Punktquelle mit dem Schallfluß $a\,b\,v$; sie nimmt also nicht mit wachsender Plattenfläche zu.

2. Wenn $k\,a > \pi$ und $k\,b > \pi$, wenn also die Abstände der Knotenlinien größer sind als eine halbe Luftwellenlänge, dann gibt es eine bevorzugte Richtung, in die relativ viel Schall abgestrahlt wird. Da diese Abstrahlung durch Superposition der von allen Plattenteilen erzeugten Schalldrücke zustande kommt, ist sie um so stärker und um so schärfer gebündelt, je größer die Plattenfläche ist.

3. Wenn $k\,a > \pi$ und $k\,b \ll \pi$ (oder umgekehrt), dann erfolgt die Kompensation nur zwischen den Plattenteilen, die weniger als eine halbe Luftwellenlänge voneinander entfernt sind. Es verbleibt also die Abstrahlung von einer nichtkompensierten Reihe oder Zeile von Strahlern. Man wird also eine mit der Kantenlänge anwachsende Abstrahlung zu erwarten haben.

b) Die Membran mit rotations-symmetrischer Schnelleverteilung

Als Beispiel für die Anwendung von Gl. (40) soll im folgenden noch die Abstrahlung von einem rotationssymmetrischen Strahler in einer starren Wand bei kontinuierlicher Schnelleverteilung behandelt werden[1]. In der Praxis hat man diesen Fall in etwa bei einer runden Membran oder Platte, die in der Mitte angeregt sind, aber auch bei einem Lautsprecherkonus, der nicht konphas schwingt.

---

[1] Weitere Anwendungen s. STENZEL, H. u. O. BROSZE: Leitfaden zur Berechnung von Schallvorgängen. Berlin: Springer 1958. — MCLACHLAN, N. W.: Loudspeakers, Theory, Performance, Testing and Design. New York: Dover Publications 1960.

Das zu untersuchende Problem ist in Abb. VI/12, skizziert. Es handelt sich um eine Kreismembran mit der Schnelle

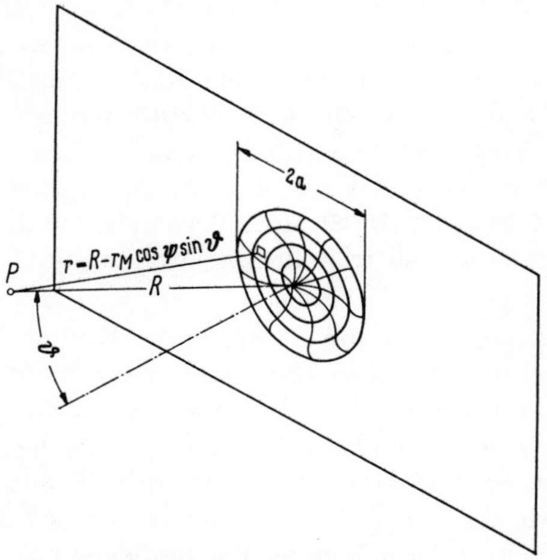

Abb. VI/12. Abstrahlung von runden Membranen

$$v = v_0 \, J_0 \, (k_M \, r_M) \, , \quad (43)$$

wobei r_M der Abstand eines Membranpunktes zum Mittelpunkt ist. $k_M = 2\,\pi/\lambda_M$ ist die Wellenzahl der Membranschwingung, v_0 die Schnelle im Mittelpunkt und J_0 die BESSELsche Funktion nullter Ordnung. Abgesehen vom starren Kolben, bei dem jedoch der Einfluß von Randbedingungen nicht studiert werden kann, ist das die der Rechnung am ehesten zugängliche Schwingungsverteilung.

Setzt man nun Gl. (43) in (40) ein, so erhält man

$$p = \frac{j\,\omega\,\varrho\,v_0}{2\,\pi\,R} \int\limits_S J_0(k_M\,r_M)\, e^{-j\,k\,r}\, dS \, . \quad (44)$$

Geht man zu Kugeloordinaten über, dann ist mit den in Abb. VI/12 benutzten Bezeichnungen

$$dS = r_M\, dr_M\, d\psi \, , \qquad r = R - r_M \cos\psi \sin\vartheta \, .$$

Damit wird aus (44)

$$p(R,\vartheta) = \frac{j\,\omega\,\varrho\,v_0}{2\,\pi\,R}\, e^{-j\,k\,R} \int\limits_0^a \int\limits_0^{2\pi} J_0(k_M\,r_M)\, e^{j\,k\,r_M \cos\psi \sin\vartheta}\, r_M\, dr_M\, d\psi \, . \quad (44\,\mathrm{a})$$

Benutzt man hier die beiden Formeln[1]

$$\int\limits_0^{2\pi} e^{j\,x\cos\psi}\, d\psi = 2\,\pi\, J_0(x)$$

$$\int x\, J_0(\alpha\, x)\, J_0(\beta\, x)\, dx = \frac{\beta\, x\, J_0(\alpha\, x)\, J_1(\beta\, x) - \alpha\, x\, J_1(\alpha\, x)\, J_0(\beta\, x)}{\beta^2 - \alpha^2}$$

[1] JAHNKE, E. u. F. EMDE: Funktionentafeln, Dover New York: Publications 1945.

dann folgt

$$p(R, \vartheta) = \frac{j \omega \varrho v_0 a}{R} e^{-jkR} \cdot \frac{k_M J_0(k a \sin \vartheta) J_1(k_M a) - k \sin \vartheta J_0(k_M a) J_1(k a \sin \vartheta)}{k_M^2 - k^2 \sin^2 \vartheta} . \tag{45}$$

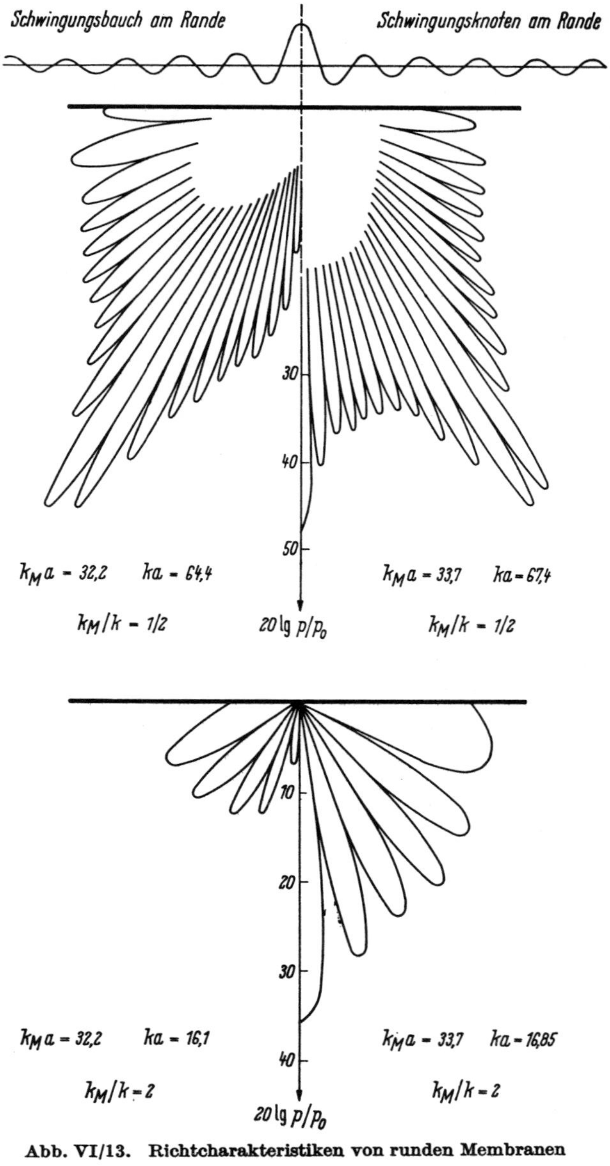

Abb. VI/13. Richtcharakteristiken von runden Membranen

Zur Veranschaulichung des sich aus Gl. (45) ergebenden Schalldrucks sind in Abb. VI/13 die Richtcharakteristiken für vier Fälle aufgetragen. Es wurde dabei jeweils nur die eine Hälfte angegeben; die zweite Hälfte ergibt sich einfach durch Spiegelung. Da die Unterschiede der Schalldrücke relativ groß sind, wurde, um einen besseren Vergleich zu ermöglichen, ein logarithmischer Maßstab gewählt.

Wie man sieht, ist ähnlich wie bei der unendlichen Platte und bei der Gitteranordnung für $k_M/k = \lambda/\lambda_M < 1$, also für Luftwellenlängen, die kleiner sind, als die Membranwellenlänge, die Abstrahlung ziemlich hoch und auch stark gebündelt. Die Richtung der Hauptabstrahlung liegt ganz in der Nähe der Stelle, an der der Nenner in Gl. (45) verschwindet, also bei $\sin\vartheta \approx k_M/k$. Dieses Abstrahlmaximum kann man auch aus dem Meßbeispiel[1] in Abb. VI/13a erkennen. Es handelt sich dabei zwar nicht um eine kreisrunde, sondern um eine rechteckige Platte, aber man erkennt doch eine Richtcharakteristik, die im Prinzip denen in Abb. VI/13 entspricht. Interessant ist noch, daß für $k_M/k < 1$ (odere Bildhälfte der Abb. VI/13) der abgestrahlte Schalldruck relativ unabhängig davon ist, ob die Schnelle der Membran einen Knoten oder einen Bauch am Rande aufweist. Es werden zwar die einzelnen Nebenmaxima der Richtcharakteristik etwas verschoben, aber im großen und ganzen sind die beiden oberen Bilder in Abb. VI/13 sehr ähnlich.

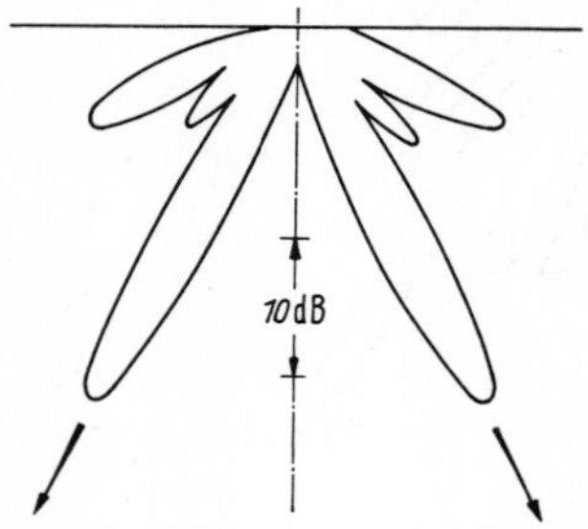

Abb. VI/13a. Gemessene Richtcharakteristiken einer rechteckigen, zu Biegeschwingungen angeregten Aluminiumplatte. (Die Pfeile geben den gerechneten Wert für die Abstrahlrichtung an.)

Ganz anders ist das bei den beiden unteren Bildern, die für $k_M/k = \lambda/\lambda_M = 2$, also eine Luftwellenlänge, die größer ist als die Membranwellenlänge, gerechnet wurden. Man sieht, daß sich die beiden Kurven im Mittel um etwa 15 dB unterscheiden, obwohl die Schnelle der Membran (s. Abb. VI/13, ganz oben) im Inneren fast dieselbe ist und sich nur in der Randzone etwas unterscheidet. Aus Gl. (45) ergibt sich der Unterschied der Randbedingungen für $k_M > k$ ebenfalls, wenn man im Nenner $k^2 \sin^2\vartheta$ vernachlässigt und entweder $J_0(k_M a) = 0$ (Schwingungsknoten am Rande) oder $J_1(k_M a) = 0$ (Schwingungsbauch am Rande) setzt.

Diese Ergebnisse decken sich mit den Schlußfolgerungen, die wir aus der Abstrahlung von Gittern zogen. Es macht sich also auch bei der kontinuierlichen Schnelleverteilung wieder der hydrodynamische Kurzschluß bemerkbar, der zu einer Kompensation der Bewegung im Platten-

[1] Westphal, W.: Acustica 4 (1954) 603.

inneren führt. Es verbleibt wieder nur die Abstrahlung vom Rande; als zusätzliches Ergebnis zeigt aber das Beispiel der Membran noch, daß die Randabstrahlung sehr von den Details der Schwingung in Randnähe abhängt. Man kann also für $k_M/k = \lambda/\lambda_M > 1$ — nicht dagegen für $k_M/k < 1$ — durch relativ kleine Änderungen der Schwingungsform die Abstrahlung sehr beeinflussen.

6. Die Abstrahlung von Biegewellen

a) Die Grenzfrequenz

Die in den letzten Abschnitten erhaltenen Ergebnisse lieferten unter anderem auch einige wichtige Hinweise über die Stärke und Richtung der Biegewellenabstrahlung. Insbesondere zeigte sich, daß — ähnlich wie bei der unendlichen Platte — eine, wenn auch nicht so stark ausgeprägte Richtwirkung auftritt, die für $\lambda_B > \lambda$, das heißt für Biegewellen, die größer sind als die Wellenlänge im umgebenden Medium, zu einer relativ starken Abstrahlung führt.

Wenn dagegen $\lambda_B < \lambda$ ist, dann macht sich der hydrodynamische Kurzschluß bemerkbar und es ergibt sich eine wesentlich kleinere von der Kantenlänge und den Randbedingungen abhängige Abstrahlung. Die Stelle $\lambda = \lambda_B$ stellt also eine in bezug auf die Abstrahlung sehr wichtige Grenze dar. (In den Abb. II/10a bis d entspricht diese Stelle den Schnittpunkten der für die jeweiligen Platten und für Luft geltenden Geraden.)

Da die Biegewellenlänge von homogenen Platten durch

$$\lambda_B = 2\pi \sqrt[4]{\frac{B'}{\omega^2 m''}}$$

(s. Gl. (II, 83)) gegeben ist, also mit der Wurzel der Frequenz abnimmt, die Wellenlänge in Luft oder einem ähnlichen Medium jedoch mit der ersten Potenz der Frequenz nach Gleichung $\lambda = c/f = 2\pi c/\omega$ abnimmt, gibt es für jedes Plattenmaterial und jede Dicke eine, und nur eine Frequenz, die sogenannte Grenzfrequenz, bei der $\lambda = \lambda_B$ ist. Offensichtlich ist diese Grenzfrequenz durch

$$\omega_g = c^2 \sqrt{\frac{m''}{B'}} \qquad \text{bzw.} \qquad f_g = \frac{c^2}{2\pi} \sqrt{\frac{m''}{B'}} \tag{46}$$

gegeben. Dabei ist c die Schallgeschwindigkeit in dem Medium, in das die Abstrahlung erfolgt, m'' die Masse pro Flächeneinheit und B' die Biegesteife der Platte. Man sieht also, daß die Grenzfrequenz um so höher ist, je schwerer und biegeweicher eine Platte ist. Führt man in Gl. (46) statt des Verhältnisses m''/B' die Longitudinalwellengeschwindigkeit c_L im Plattenmaterial und die Plattendicke h ein, dann erhält man für homogene Platten

$$f_g = \frac{c^2}{1{,}8\, c_L\, h}\,. \tag{46a}$$

Eine einfache Methode zur Messung der Grenzfrequenz besteht darin, das Verhältnis von Masse zu Biegesteife aus einem statischen Versuch zu bestimmen. Bekanntlich ist die durch das Eigengewicht verursachte Durchbiegung ζ in der Mitte eines beiderseits aufgestützten Stabs der Länge l durch $\zeta = 5\, m'\, g\, l^4/384\, B$ gegeben (g = Erdbeschleunigung). Daraus folgt für die Grenzfrequenz

$$f_g = \frac{c^2}{2\,\pi\, l^2}\sqrt{\frac{384\,\zeta}{5\,g}} = 5100\,\frac{\sqrt{\zeta/\mathrm{cm}}}{l^2/\mathrm{m}^2}\,\mathrm{Hz} \tag{46b}$$

Die statische Durchbiegung eines horizontal gelagerten einen Meter langen Stabes muß also ca. einen Zentimeter betragen, um zu einer Grenzfrequenz für Luftschallabstrahlung von etwa 5000 Hz zu führen. In der Praxis treten derartig hohe Grenzfrequenzen nicht allzu häufig auf, da eine Durchbiegung von einem Zentimeter bei nur einem Meter freier Länge bei tragenden Konstruktionen aus Festigkeitsgründen wohl kaum zugelassen werden kann. Trotzdem wird man sich immer bemühen, im Rahmen der Lärmbekämpfung die Grenzfrequenz möglichst hoch zu legen, um über einen möglichst großen Frequenzbereich in den Genuß der verringerten Abstrahlung zu kommen. Das gilt insbesondere für Verkleidungen, Vorsatzwände und dergleichen, bei denen die statischen Erfordernisse nicht ausschlaggebend sind. In diesen Fällen lassen sich ohne weiteres Grenzfrequenzen von 3000 Hz und mehr erreichen.

Für einige Plattenmaterialien sind in Abb. VI/14 die Grenzfrequenzen für Abstrahlung in Luft aufgetragen. Die Grenzfrequenzen für Abstrahlung in Wasser sind mindestens zehnmal so hoch. Eine genaue Berechnung ist jedoch in diesem Fall mit Hilfe von Gl. (46) nicht mehr möglich, da sich insbesondere bei dünnen Platten die Belastung durch das Wasser, die sich in einem frequenzabhängigen Zusatz zum Massenbelag m'' äußert, bemerkbar macht und zu einer weiteren Erhöhung der Grenzfrequenz führt.

Neben den bisher behandelten homogenen Platten spielen in der Praxis auch Biegewellen auf Mehrschichtplatten, wie sie im Abschn. III, 6b behandelt wurden, sowie auf anisotropen, also beispielsweise gerippten, gerillten oder gewellten Platten eine Rolle. Für die Mehrschichtplatten, also etwa für die sogenannten sound-shear[1] oder Sandwich-Platten kann man die Grenzfrequenz nach Gl. (46) (nicht jedoch nach (46a) oder (46b)) bestimmen; man hat jedoch zu beachten, daß die

[1] Kurtze, G., and B. G. Watters: J. Acoust. Soc. Amer. 31 (1959) 739.

Biegesteife, die bei dünner Kernschicht durch Gl. (III, 95) oder (III, 100) gegeben ist, sich mit der Frequenz ändert. Bei richtiger Dimensionierung liegt die Grenzfrequenz einer Mehrschichtplatte mindestens doppelt so hoch, wie die einer vergleichbaren, statisch gleich steifen, homogenen

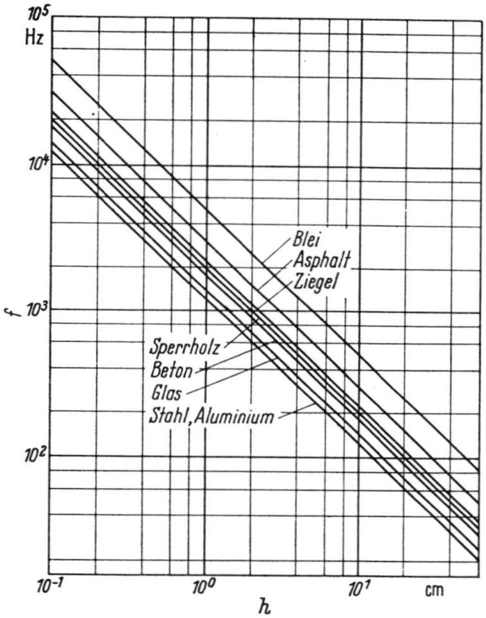

Abb. VI/14. Grenzfrequenzen für Abstrahlung in Luft

Platte. Derartige Platten haben nicht nur die Eigenschaft, den Schall schlecht abzustrahlen, sie besitzen außerdem noch eine relativ gute Schalldämmung, da — wie wir in Abschn. VI, 8 bei der Behandlung der Reziprozität sehen werden, eine Platte oder dergleichen um so schlechter durch Luftschall angeregt wird, je weniger sie abstrahlt. Richtig dimensionierte Mehrschichtplatten eignen sich daher sehr gut für Wände und Verkleidungen, bei denen es auf geringe Schallübertragung ankommt. (Bei den im Flugzeugbau üblichen Sandwichkonstruktionen mit relativ steifer Kernschicht ist das allerdings nicht der Fall.)

Bei kreuzweise gerillten oder gerippten Platten kann man die Grenzfrequenz nach Gl. (46) oder (46b) (jedoch nicht nach (46a)) ermitteln, vorausgesetzt, daß der gegenseitige Abstand der Rillen, Rippen oder Schlitze kleiner ist als eine halbe Biegewellenlänge bei der Grenzfrequenz; außerdem muß die Biegesteife für alle Richtungen etwa gleich sein. Da man durch das Einsägen von Rillen oder umgekehrt durch das Aufsetzen von kleinen Massen das Verhältnis von Masse zu Biegesteife einer Platte und damit die Grenzfrequenz einer Platte vergrößern kann, dient diese Maßnahme[1] häufig zur Verringerung der Schallabstrahlung und damit auch zur Erhöhung der Schalldämmung von Vorsatzwänden und dgl.

Komplizierter liegen die Verhältnisse bei gewellten Platten oder solchen mit Rippen und Rillen, die nur in einer Richtung verlaufen. In diesem Fall hängt die Biegewellenzahl und damit auch die Biegewellenlänge von der Ausbreitungsrichtung ab. In Richtung der größten Steife, also beispielsweise in Richtung der Rippen, ist die Wellenlänge durch $\lambda_{Bx} = 2\pi/\sqrt[4]{B'_x/m''\,\omega^2}$ gegeben. Die dazugehörige Grenzfrequenz liegt demnach bei

$$f_{gx} = \frac{c^2}{2\pi}\sqrt{\frac{m''}{B'_x}}\,.$$

Da B'_x der Maximalwert der Biegesteife ist, stellt f_{gx} eine untere Grenze dar; für Wellen in allen anderen Richtungen ist die Grenzfrequenz höher.

In Richtung der kleinsten Steife, also etwa quer zu den Rippen ist die Grenzfrequenz durch

$$f_{gz} = \frac{c^2}{2\pi}\sqrt{\frac{m''}{B'_z}}$$

gegeben. Oberhalb dieser Frequenz sind die Biegewellen in allen Richtungen länger als die Wellenlänge im umgebenden Medium, wir werden also eine Abstrahlung zu erwarten haben, wie sie der von homogenen Platten oberhalb der Grenzfrequenz entspricht.

Auf die etwas komplizierteren Verhältnisse zwischen den beiden Grenzfrequenzen f_{gx} und f_{gz} wollen wir hier nicht näher eingehen, sondern uns mit dem Hinweis begnügen[2], daß bereits oberhalb von f_{gx} die Abstrahlung fast so stark ist wie oberhalb von f_{gz}. Gewellte Platten sind also relativ starke Schallstrahler und eignen sich dementsprechend nicht besonders gut als schalldämmende Wände. Außerdem folgt aus dem bisher gesagten, daß das Einsägen von Rillen nur dann zu einer Verbesserung der Schalldämmung führt, wenn es in zwei senkrechten Richtungen erfolgt; durch Schlitze in einer Richtung werden zwar die statischen Eigenschaften einer Platte verschlechtert, die Schalldämmung aber kaum beeinflußt.

b) Biegewellen auf Platten endlicher Fläche

Die Abstrahlung von ebenen Biegewellen auf unendlich großen Platten wurde bereits in Abschn. VI, 4b eingehend untersucht. Es ergab sich dabei, daß bei Biegewellenlängen, die größer sind als die Schall-

---

[1] Cremer, L. u. A. Eisenberg: Bauplan u. Bautechnik 2 (1948) 235.

[2] Heckl, M.: Acustica 10 (1960) 109

wellenlängen im umgebenden Medium — also oberhalb der Grenzfrequenz — der Abstrahlgrad immer größer als Eins ist (s. Gl. (35) und Abb. VI/4a), und daß unterhalb der Grenzfrequenz keine Abstrahlung erfolgt. Die in den letzten Abschnitten gerechneten Beispiele lassen erwarten, daß die bei der unendlichen Platte erhaltenen Ergebnisse sich nur weit oberhalb der Grenzfrequenz auf endliche Platten übertragen lassen, daß aber unterhalb der Grenzfrequenz die endlichen Abmessungen und die Randbedingungen von großem Einfluß auf den Abstrahlgrad sind. Um dieser Frage quantitativ nachzugehen werden wir im folgenden die von einem Plattenstreifen abgestrahlte Leistung berechnen. Wir wollen dazu annehmen, daß aus einer unendlich großen Platte ein Streifen der Länge l ausgeschnitten sei und daß auf diesem Streifen ebene Biegewellen ein Wellenfeld bilden (Abb. VI/15). Wir haben es also mit einem

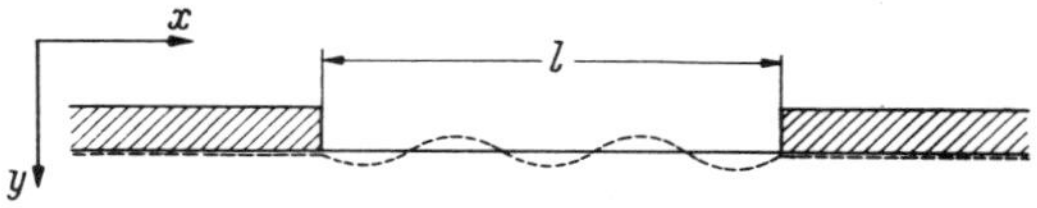

Abb. VI/15. Abstrahlung von einem Plattenstreifen

zweidimensionalen Problem zu tun, bei dem die Abstrahlung in den Halbraum $y > 0$ interessiert, wenn im Bereich $0 < x < l$ die beliebige Schnelleverteilung $v(x)$ vorliegt. Man könnte nun natürlich wieder mit Hilfe von Gl. (40), — bzw. dem zweidimensionalen Analogon hiervon — den Schalldruck und daraus die abgestrahlte Leistung bestimmen[1], aber wesentlich einfacher ist es, die in Abb. VI/15 dargestellte Anordnung als eine unendliche große Platte zu behandeln, auf der eine Anzahl von Wellen verschiedener Länge — also auch verschiedener Wellenzahl — hin- und herlaufen, deren Amplituden und Phasen jedoch so sind, daß ihre Summation wieder die Schnelle $v(x)$ ergibt. Wir suchen also diejenige Verteilung $\check{v}(k_x)$ von ebenen Wellen, deren Summe bzw. Integral im Bereich von $0 < x < l$ die Schnelle $v(x)$ und außerhalb die Schnelle Null ergibt.

Die Verteilung $\check{v}(k_x)$ muß also der Bedingung

$$\frac{1}{2\pi} \int\limits_{-\infty}^{+\infty} \check{v}(k_x)\, e^{-j k_x x}\, dk_x = v(x) \tag{47}$$

genügen. Man sieht sofort, daß $\check{v}(k_x)$ gerade die Fourier-Verteilung der rechts stehenden Funktion ist. Wir wissen also, daß eine derartige Verteilung existiert und daß sie sich nach der Gleichung

$$\check{v}(k_x) = \int\limits_0^l v(x)\, e^{j k_x x}\, dx \tag{47a}$$

errechnet.

[1] Gösele, K.: Acustica 3 (1953) 243.

Damit haben wir unser Problem auf die Behandlung von ebenen fortschreitenden Wellen der Form $\check{v}(k_x)\, e^{-j k_x x}$ zurückgeführt und können somit für jede der Teilwellen genauso wie in Abschn. VI, 4b den dazugehörigen Schalldruck errechnen. Es ergibt sich hierfür analog zu Gl. (31) wegen $k_y^2 = k^2 - k_x^2$

$$\check{p}(k_x) = \check{v}(k_x)\, \frac{\varrho\, c\, k}{\sqrt{k^2 - k_x^2}}.$$

Der Gesamtschalldruck ist

$$p(x, y) = \frac{1}{2\pi} \int\limits_{-\infty}^{+\infty} \frac{\varrho\, c\, k\, \check{v}(k_x)}{\sqrt{k^2 - k_x^2}}\, e^{-j k_x x}\, e^{-j \sqrt{k^2 - k_x^2}\, y}\, dk_x\,. \tag{48}$$

Die pro Breiteneinheit abgestrahlte Leistung ergibt sich daraus zu

$$\begin{aligned} P' &= \frac{1}{2} \operatorname{Re}\left\{\int\limits_0^l p(x, 0)\, v^*(x)\, dx\right\} \\ &= \frac{1}{8\pi^2} \operatorname{Re}\left\{\int\limits_0^l \int\limits_{-\infty}^{+\infty} \int\limits_{-\infty}^{+\infty} \frac{\varrho\, c\, k\, \check{v}(k_x)\, e^{-j k_x x}}{\sqrt{k^2 - k_x^2}}\, \check{v}^*(k_x')\, e^{j k' x}\, dk_x\, dk_x'\, dx\right\}. \end{aligned} \tag{49}$$

Dieses Integral läßt sich leicht auswerten, wenn man berücksichtigt, daß das Einsetzen von (47) in (47a) die Formel

$$\check{v}(k_x) = \frac{1}{2\pi} \int\limits_0^l \int\limits_{-\infty}^{+\infty} \check{v}(k_x')\, e^{-j k_x' x}\, dk_x\, e^{j k_x x}\, dx \tag{50}$$

ergibt. k_x' ist nur eingeführt um die Integrationsvariablen zu unterscheiden.

Durch eine kleine Umstellung läßt sich (49) in eine Form bringen, die die Anwendung von (50) erlaubt. Wir erhalten damit

$$P' = \frac{\varrho\, c\, k}{4\pi} \operatorname{Re}\left\{\int\limits_{-\infty}^{+\infty} \frac{\check{v}(k_x)\, \check{v}^*(k_x)}{\sqrt{k^2 - k_x^2}}\, dk_x\right\} = \frac{\varrho\, c\, k}{4\pi} \int\limits_{-k}^{+k} \frac{|\check{v}(k_x)|^2}{\sqrt{k^2 - k_x^2}}\, dk_x\,. \tag{51}$$

Es wurde hierbei davon Gebrauch gemacht, daß eine Größe multipliziert mit ihrem konjugiert komplexen Wert das Quadrat des Absolutbetrages ergibt und daß $\sqrt{k^2 - k_x^2}$ nur im Bereich $-k < k_x < +k$ reell ist.

Als Ergebnis unserer Rechnungen erhalten wir also eine Formel, die es gestattet, aus der Fourier-Verteilung der Plattenschnelle direkt die abgestrahlte Leistung zu bestimmen. Dabei zeigt sich, daß nur der Bereich der Verteilung (d. h. des Wellenzahlspektrums) von Bedeutung ist, für den $|k_x| < k$ ist.

Bevor wir Gl. (51) auf die endliche Platte anwenden, wollen wir erst die „halbunendliche Platte“ behandeln, da an deren Beispiel die Vorgänge am einfachsten studiert werden können (s. Abb. VI/15a). Wir wollen annehmen, daß auf einer Platte aus dem Unendlichen kommend, Biegewellen der Form $v_0\, e^{j k_B x}$ auf die Stelle $x = 0$ auftreffen und dort reflektiert werden. Um die Formeln so einfach wie möglich zu haben, wollen wir annehmen, daß bei dieser Reflexion keine Nahfelder auftreten, so daß die Plattenschnelle durch

$$v = v_0 \left(e^{j k_B x} + r\, e^{-j k_B x}\right) \quad \text{für} \quad x > 0 \tag{52}$$

gegeben ist.

Dabei ist $r = |r|\, e^{j\gamma}$ der komplexe Reflexionsfaktor und γ der Phasensprung bei der Reflexion. Auf der linken Halbebene ist die Schnelle Null.

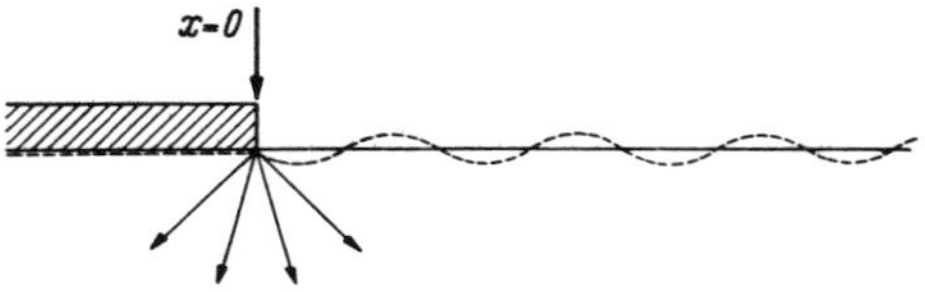

Abb. VI/15a. Abstrahlung von einer halbunendlichen Platte

Setzt man (52) in (47a) so ergibt sich

$$\breve{v}(k_x) = j\, v_0 \left[\frac{1}{k_x + k_B} + \frac{r}{k_x - k_B}\right] = j\, v_0 \frac{k_x - k_B + (k_x + k_B)\, |r|\, e^{j\gamma}}{k_x^2 - k_B^2}. \tag{52a}$$

Bildet man hiervon den Absolutbetrag und setzt ihn in (51) ein, so folgt

$$P' = \frac{v_0^2\, \varrho\, c\, k}{4\pi} \int_{-k}^{+k} \frac{(k_x - k_B)^2 + |r|^2 (k_x + k_B)^2 + 2\, |r| \cos\gamma\, (k_x^2 - k_B^2)}{(k_x^2 - k_B^2)^2 \sqrt{k^2 - k_x^2}}\, dk_x. \tag{52b}$$

Für $k_B < k$, also für Biegewellenlängen, die größer sind als die Wellenlängen im umgebenden Medium hat das Integral eine Unendlichkeitsstelle, die auch zu einem über alle Grenzen wachsenden Integral führt. Oberhalb der Grenzfrequenz strahlt also die halbunendliche Platte eine unendlich große Leistung ab. Wir wollen daher diesen Bereich von unseren Betrachtungen ausschließen und uns auf das wesentlich interessantere Gebiet unterhalb der Grenzfrequenz, bei dem $k_B > k$ ist, beschränken. In diesem Fall liegt die Unendlichkeitsstelle außerhalb des Integrationsbereiches und wir können darüber hinaus die Näherung $k_x^2 \ll k_B^2$ machen. Damit ergibt sich

$$P' \approx \frac{v_0^2\, \varrho\, c\, k}{2\pi} \int_{-k}^{+k} \frac{1 + |r|^2 - 2\, |r| \cos\gamma}{2\, k_B^2 \sqrt{k^2 - k_x^2}}\, dk_x = \frac{v_0^2\, \varrho\, c\, k\, (1 + |r|^2 - 2\, |r| \cos\gamma)}{4\, k_B^2}. \tag{52c}$$

Man erhält also trotz der unendlich großen Fläche nur eine ziemlich geringe Abstrahlung, von der man zusätzlich noch zeigen kann, daß sie die Form einer Zylinderwelle hat, die von der Stelle $x = 0$ ausgeht. Wir haben also das bei den gitterförmig angeordneten Strahlern schon besprochene Verhalten (s. Abschn. VI, 5a): die eigentliche Platte strahlt wegen des hydrodynamischen Kurzschlusses keinen Schall ab, aber von der Unstetigkeitsstelle, bei der im allgemeinen der Kurzschluß nicht mehr vollständig ist, geht eine Schallwelle aus. Besonders interessant ist dabei, daß die Stärke dieser Schallwelle von der Phasenverschiebung bei der Reflexion abhängt. Ähnlich wie bei der in Abschn. VI, 5b behandelten runden Membran hängt also auch bei der Platte unterhalb der Grenzfrequenz die Schallabstrahlung von den Randbedingungen ab. Es überrascht demnach auch nicht, daß sich auch das bisher vernachlässigte Biegewellennahfeld auf die Abstıahlung auswirken kann. Es läßt sich zeigen[1, 2], daß sein Einfluß maximal zu einer Leistung führen kann, die etwa der durch (52c) gegebenen entspricht.

Nach dem bisher gesagten mag es fast aussichtslos erscheinen, für endliche Platten die Abstrahlung zu berechnen, da in diesem Fall an mindestens zwei Begrenzungen der Einfluß der meist nur sehr ungenügend bekannten Randbedingungen beachtet werden müßte. Wenn wir trotzdem die Abstrahlung berechnen und mit Messungen vergleichen, so deswegen, weil in den allermeisten Fällen der Praxis Platten so befestigt sind, daß die Schnelle an den Rändern fast verschwindet. Das bedeutet aber, daß die Phasenverschiebung bei der Reflexion zwischen 90° und 180° liegt; nach Gl. (52c) sind also Unterschiede um etwa einen Faktor 2 zu erwarten. Auf Unterschiede von ähnlicher Größenordnung führen auch die Biegewellennahfelder. Die folgenden Rechnungen sind also auf Platten mit verschwindender Randschnelle anwendbar, vorausgesetzt, daß man sich bei der Abstrahlung unterhalb der Grenzfrequenz mit einer Genauigkeit von etwa 3 dB zufrieden gibt.

Da in der Praxis die Randbedingungen nie genau bekannt sind, benutzen wir für das folgende natürlich den einfachsten Fall verschwindender Randschnelle. Wir legen also unseren Betrachtungen eine an den Rändern drehbar gelagerte Platte der Breite l zugrunde, deren Schnelle durch

$$v = v_n \sin \frac{n \pi}{l} x \tag{53}$$

gegeben ist.

Durch Einsetzen von (53) in (47a) erhält man nach einigen Umformungen

$$|\check{v}(k_x)|^2 = v_n^2 \left(\frac{2 \pi n l}{k_x^2 l^2 - n^2 \pi^2} \right)^2 \sin^2 \frac{k_x l - n \pi}{2} . \tag{53a}$$

[1] Lyon, R. H.: J. Acoust. Soc. Amer. 34 (1962) 1265.
[2] Smith, P. W.: J. Acoust. Soc. Amer. 36 (1964) 1516.

Da wir diese Funktion später noch in verschiedenen Bereichen annähern, ist ihr prinzipieller Verlauf in Abb. VI/16 graphisch dargestellt.

Die pro Breiteneinheit abgestrahlte Leistung ist nach (51)

$$P' = \pi \varrho c k v_n^2 \int_{-k}^{+k} \frac{n^2 l^2}{(k_x^2 l^2 - n^2 \pi^2)^2 \sqrt{k^2 - k_x^2}} \sin^2 \frac{k_x l - n \pi}{2} dk_x . \quad (53\text{b})$$

Die Auswertung dieses Integrals kann leider nicht in geschlossener Form angegeben werden; wir werden daher einige Näherungen benutzen.

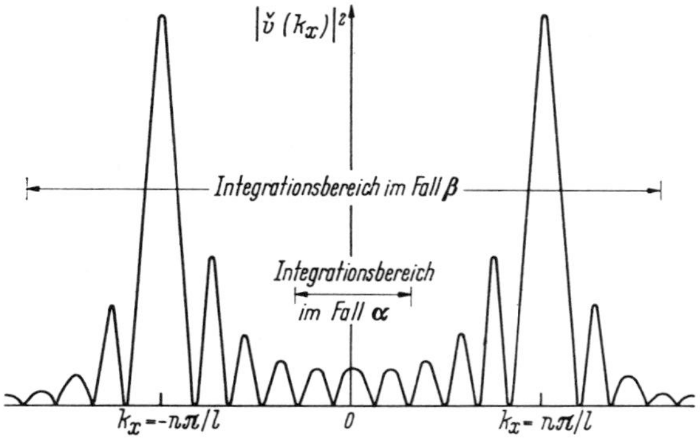

Abb. VI/16. Schematischer Verlauf von Gl. (53a)

α) Wenn $k l \ll n$, also wenn die Knotenabstände wesentlich kleiner sind als die Wellenlänge im umgebenden Medium, dann ist die Integration nur über den durch einen dünnen Pfeil angedeuteten Bereich von Abb. VI/16 zu erstrecken. In diesem Gebiet ist aber — wie man sieht — der Mittelwert von $|\check{v}(k_x)|^2$ durch $2 v_n^2 l^2/n^2 \pi^2$ gegeben. Man erhält also

$$P' \approx \frac{\pi \varrho c k v_n^2 l^2}{2 n^2 \pi^4} \int_{-k}^{+k} \frac{dk_x}{\sqrt{k^2 - k_x^2}} = \frac{\varrho c k v_n^2}{2} \left(\frac{l}{n \pi}\right)^2 \quad \text{für} \quad k l \ll n \pi . \quad (54)$$

Um hieraus den Abstrahlgrad zu erhalten, müssen wir auf den Effektivwert des mittleren Schnellequadrates übergehen. Da hierbei über zeitlich und örtlich periodische Funktionen gemittelt wird, gilt $\tilde{v}^2 = v_n^2/4$. Damit wird der Abstrahlgrad für Schwingungen mit n Knoten auf der Länge l, also mit einer Wellenlänge von $\lambda_B = 2 l/n$

$$\sigma_n = \frac{P'}{\tilde{v}^2 \varrho c l} = \frac{2 k}{l} \left(\frac{l}{n \pi}\right)^2 \quad \text{für} \quad k l \ll n . \quad (54\text{a})$$

β) Wenn $k l \gg n \pi$, also wenn die Knotenabstände wesentlich größer sind als die Wellenlänge im umgebenden Medium, dann ist die Integration in Gl. (53b) über den durch einen anderen Pfeil in Abb. VI/16 gekennzeichneten Teil zu erstrecken. Das bedeutet, daß die Umgebung der Stellen $k_x l = \pm n\pi$ den Hauptbeitrag zum Integral liefern. Man macht also sicher keinen großen Fehler, wenn man in (53b) diesen Wert in der Wurzel einsetzt und dieselbe vor das Integral zieht. Das noch verbleibende Integral, das sich jetzt nur mehr über $|\breve{v}(k_x)|^2$ erstreckt, wird — wie man ebenfalls aus Abb. VI/16 sieht — nur wenig verändert, wenn man die Integrationsgrenzen ins Unendliche verlegt. Die weitere Ausrechnung läßt sich dann leicht vornehmen, da[1]

$$\int_{-\infty}^{+\infty} \left(\frac{2\,n\,\pi\,l}{k_x^2\,l^2 - n^2\,\pi^2}\right)^2 \sin^2 \frac{k_x\,l - n\,\pi}{2}\,dk_x = \pi\,l$$

ist.

Man erhält somit

$$P' \approx \frac{\varrho\,c\,k\,l\,v_n^2}{4\sqrt{k^2 - \left(\frac{n\,\pi}{l}\right)^2}} \approx \frac{\varrho\,c\,l\,v_n^2}{4} \quad \text{für} \quad k\,l \gg n\,\pi\,. \tag{55}$$

Der Abstrahlgrad ist also

$$\sigma_n \approx \frac{1}{\sqrt{1 - \left(\frac{n\,\pi}{k\,l}\right)^2}} \approx 1 \quad \text{für} \quad k\,l \gg n\,\pi\,. \tag{55a}$$

γ) Ohne Beweis[2] sei noch angegeben, daß an der Stelle $k\,l = n\,\pi$ die abgestrahlte Leistung und der Abstrahlgrad durch

$$P' \approx \frac{\varrho\,c\,v_n^2\,l\sqrt{k\,l}}{6\sqrt{\pi}}\,, \qquad \sigma_n \approx \frac{2\sqrt{k\,l}}{3\sqrt{\pi}} \quad \text{für} \quad k\,l = n\,\pi \tag{56}$$

angenähert werden können.

Die Formeln (54)—(56) geben zwar die Abstrahlung für Plattenschwingungen der Form (53) einigermaßen richtig wieder, aber sie können noch nicht unmittelbar auf praktische Verhältnisse angewandt werden, da — wie im Abschn. IV, 4 gezeigt wird — Plattenschwingungen immer aus einer Summe von Eigenschwingungen bestehen, so daß im allgemeinen Fall bei aufgestützten Platten die Schnelle die Form

$$v = \sum v_n \sin \frac{n\,\pi}{l}\,x \tag{57}$$

[1] S. z. B. Gröbner, W. u. N. Hofreiter: Integraltafeln, Wien: Springer 1958.

[2] Lyon, R. H., u. G. Maidanik: J. Acoust. Soc. Amer. 34 (1962) 623.

hat. Man kann nun mit dieser Gleichung genauso verfahren, wie mit Gl. (53), wobei sich zeigt, daß wegen der Orthogonalität der Eigenfunktionen keine gemischten Produkte bei der Bildung von $|\check{v}(k_x)|^2$ auftreten. Physikalisch bedeutet das, daß sich die von den einzelnen Eigenschwingungen abgestrahlten Leistungen unabhängig voneinander addieren. Der Abstrahlgrad für Schwingungen der Form (57) ergibt sich also als das „gewogene Mittel" der Abstrahlgrade der einzelnen Teilschwingungen. Wir erhalten somit

$$\sigma = \frac{\Sigma\,\sigma_n\,v_n^2}{\Sigma\,v_n^2}\,. \tag{58}$$

Im Prinzip besagt Gl. (58), daß die abgestrahlte Leistung nur dann genau bestimmt werden kann, wenn alle Teiltonamplituden v_n und die dazugehörenden Abstrahlgrade bekannt sind. Dabei ist zu beachten, daß nach Abschn. IV, 4 die Teiltonamplituden nicht nur von der Lage der anregenden Frequenz im Vergleich zu den einzelnen Resonanzfrequenzen, sondern auch von der örtlichen Verteilung der Anregung abhängen. Es ist also prinzipiell nicht möglich, allein aus den Abmessungen und Materialeigenschaften einer Platte den Abstrahlgrad zu ermitteln, es muß darüber hinaus auch die Art der Anregung bekannt sein. Leider ist jedoch eine genaue Kenntnis der einzelnen Teiltonamplituden in der Praxis fast nie vorhanden, man ist daher darauf angewiesen, aus allgemeinen Überlegungen Anhaltspunkte zu gewinnen und muß sich mit den damit verbundenen Unsicherheiten, die sich insbesondere unterhalb der Grenzfrequenz bemerkbar machen, zufrieden geben.

Eine der wichtigsten Anregungsarten stellt die Einwirkung einer Punktkraft auf eine Platte dar. In diesem Fall sind — bei kleiner Dämpfung — diejenigen Teiltonamplituden ausschlaggebend, deren Eigenfrequenz in der Nähe der anregenden Frequenz liegen (s. Gl. (IV, 99a)). Da nach Gl. (IV, 93a) für den eindimensionalen Fall die Eigenfrequenzen durch $\omega_n = \left(\frac{n\,\pi}{l}\right)^2 \sqrt{\frac{B'}{m''}}$ gegeben sind, bedeutet das, daß diejenigen Eigenschwingungen entscheidend sind, für die

$$\left(\frac{n\,\pi}{l}\right)^2 \approx \omega \sqrt{\frac{m''}{B'}} = \frac{\omega\,\omega_g}{c^2}$$

ist. Bei schwach gedämpften, punktförmig angeregten, homogenen Platten erhalten wir also aus (54a) bis (56), d. h. für den „eindimensionalen Fall"

$$\sigma \approx \frac{2\,c}{l\,\omega_g} = \frac{\lambda_g}{\pi\,l} \quad \text{für } f \ll f_g\,, \quad \sigma \approx \frac{2}{3}\sqrt{\frac{2\,l}{\lambda_g}} \quad \text{für } f = f_g\,, \quad \sigma \approx 1 \quad \text{für } f \gg f_g\,. \tag{59}$$

Will man die Gl. (59) auf den für die Praxis interessanten zweidimensionalen Fall, also auf Platten mit Knotenlinien in beiden Richtungen erweitern, so empfiehlt es sich, auf die Betrachtungen über gitterförmige Anordnungen von Punktstrahlern zurückzugreifen. Es wurde dabei gezeigt (Abschn. VI, 5a), daß Schwingungen, bei denen die Abstände der Knotenlinien in beiden Richtungen kleiner sind, als eine halbe Wellenlänge, wesentlich schlechter abgestrahlt werden als Schwingungen, bei denen die Abstände der Knotenlinien in einer Richtung kleiner, in der anderen größer als eine halbe Wellenlänge sind. Da diese letztgenannten Schwingungsformen dem eindimensionalen Fall entsprechen, ergibt sich als Schlußfolgerung, daß im zweidimensionalen Fall wegen des zusätzlichen Vorhandenseins von schlechter strahlenden Schwingungstypen der Abstrahlgrad nicht größer sein kann als im eindimensionalen Fall. Die genaue Rechnung[1,2] führt auf folgende Abstrahlgrade von punktförmig angeregten, schwach gedämpften, zweidimensionalen Platten

$$\left.\begin{aligned} \sigma &\approx \frac{1}{\pi^2}\frac{U\lambda_g}{S}\sqrt{\frac{f}{f_g}} && \text{für } f \ll f_g \\ \sigma &\approx 0{,}45\sqrt{\frac{U}{\lambda_g}} && \text{für } f = f_g \\ \sigma &\approx 1 && \text{für } f \gg f_g\,. \end{aligned}\right\} \tag{60}$$

Dabei ist S die Plattenfläche, U der Umfang und λ_g die Wellenlänge bei der Grenzfrequenz. Mit diesen Formeln werden wir die Meßergebnisse in Abschn. VI, 6d vergleichen.

Für die Praxis wichtig ist auch die Anregung durch Luftschall, auf die wir später noch eingehen werden, sowie die Anregung durch die Wirbel in der Grenzschicht eines vorbeiströmenden flüssigen oder gasförmigen Mediums (boundary layer noise). In diesem Fall sind die Verhältnisse besonders kompliziert, da die anregenden Druckschwankungen eine komplizierte örtliche Verteilung haben, die zudem stark von der Strömungsgeschwindigkeit abhängt.

c) Abstrahlung des Biegewellennahfeldes am Erregungspunkt

Bei den im letzten Abschnitt angegebenen Formeln wurde mehrfach betont, daß sie nur für schwach gedämpfte Platten gültig sind. Diese Beschränkung ist notwendig, da nur bei kleiner Dämpfung die Abstrahlung von dem stets vorhandenen Biegewellennahfeld in der Umgebung der Anregestelle vernachlässigt werden kann (s. Abb. VI/17).

---

[1] Lyon, R. H. and G. Maidanik: Zit. S. 466

[2] Maidanik, G.: J. Acoust. Soc. Amer. 34 (1962) 809.

Offensichtlich stellt die Abstrahlung des Biegewellennahfeldes eine untere Grenze für die Schallabstrahlung von punktförmigen Platten dar; wir wollen sie daher für sich allein, das heißt anhand der unendlich großen Platte untersuchen. Wir werden bei dieser Gelegenheit auch eine Formel finden, die es gestattet, direkt aus der auf die Platte wirkenden Kräfte die abgestrahlte Leistung zu ermitteln.

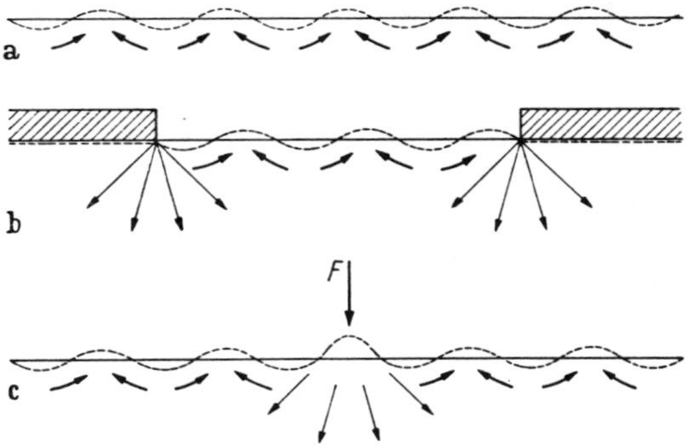

Abb. VI/17. Hydrodynamischer Kurzschluß und Schallabstrahlung unterhalb der Grenzfrequenz
a) unendlich ausgedehnte Platte, ebene Biegewellen (nur hydrodynamischer Kurzschluß); b) endliche Platte, schwach gedämpft (Abstrahlung von den Rändern); c) unendlich ausgedehnte Platte, punktförmige Anregung (Abstrahlung vom Biegewellennahfeld)

Eine punktförmig angeregte unendlich große Platte hat, wie Gl. (IV, 63a) zeigt, eine durch die Summe von zwei Hankel-Funktionen darstellbare Schnelle. Man könnte also dieses Schnellefeld in Gl. (40) einsetzen und die Schalldruckverteilung sowie durch Integration über eine sehr große Halbkugel die Schalleistung bestimmen. Wesentlich einfacher ist es jedoch wieder wie in Abschn. VI, 6b die Methode der Fourier-Transformation zu benutzen. Diese Methode, die für Schnelleverteilungen in zwei Koordinatenrichtungen im Prinzip genauso angewandt werden kann, liefert folgende Gleichung für die abgestrahlte Schalleistung

$$P = \frac{\varrho\, c}{8\,\pi^2} \iint\limits_{-k}^{+k} \frac{k\,|\check{v}(k_x, k_z)|^2}{\sqrt{k^2 - k_x^2 - k_z^2}}\, dk_x\, dk_z\,. \tag{61}$$

Dabei ist $\check{v}(k_x\, k_z)$ die Fourier-Transformierte der vorgegebenen Schnelleverteilung $v(x, z)$. Sie ist (s. auch Gl. IV, 73b) durch

$$\check{v}(k_x, k_z) = \iint\limits_{-\infty}^{+\infty} v(x, z)\, e^{j k_x x}\, e^{j k_z z}\, dx\, dz \tag{62}$$

gegeben. Für den uns hier interessierenden Fall brauchen wir glücklicherweise die Integration (62) nicht durchzuführen, denn wie Gl. (IV, 70) zeigt, besteht ein einfacher Zusammenhang zwischen $\check{v}(k_x, k_z)$ und der anregenden Druckverteilung. Setzt man (IV, 70) in (61), so folgt

$$P = \frac{\varrho\, c\, \omega^2}{8\, \pi^2\, B'^2} \int\limits_{-k}^{+k}\!\!\int \frac{k\, |\check{p}(k_x, k_z)|^2\, dk_x\, dk_z}{[(k_x^2 + k_z^2)^2 - k_B^4]^2 \sqrt{k^2 - k_x^2 - k_z^2}}\,. \tag{63}$$

Dabei ist k_B die Biegewellenzahl der Platte.

Wie Gl. (63) zeigt, kann man bei unendlich großen Platten die abgestrahlte Leistung direkt aus der Druckverteilung berechnen; dabei ist allerdings zu beachten, daß sich im allgemeinen der auf die Platte wirkende Druck aus der äußeren Anregung und aus der Rückwirkung des umgebenden Mediums zusammensetzt. Vorläufig wollen wir jedoch diese Rückwirkung — also die sogenannte Strahlungsbelastung — noch vernachlässigen und nur mit einer anregenden Punktkraft F rechnen. Den davon erzeugten Druck kann man mit Hilfe der Deltafunktion auch in der Form $\hat{p}(x, z) = \hat{F}\, \delta(x)\, \delta(z)$ schreiben und erhält damit nach Gl. (IV, 73) $\check{p}(k_x, k_z) = \hat{F}$. Setzt man diesen Wert in (63) ein, und macht man gleichzeitig die Substitution $k_x = k_r \sin\varphi$, $k_z = k_r \cos\varphi$ — also $dk_x\, dk_z = k_r\, dk_r\, d\varphi$ — so ergibt sich

$$P = \frac{\varrho\, c\, \omega^2\, \hat{F}^2}{8\, \pi^2\, B'^2} \int\limits_0^{2\pi}\!\!\int\limits_0^{k} \frac{k\, k_r\, dk_r\, d\varphi}{[k_r^4 - k_B^4]^2 \sqrt{k^2 - k_r^2}} = \frac{\varrho\, c\, \omega^2\, \hat{F}^2}{4\, \pi\, B'^2} \int\limits_0^{k} \frac{k\, k_r\, dk_r}{[k_r^4 - k_B^4]^2 \sqrt{k^2 - k_r^2}}\,. \tag{64}$$

Für $k \ll k_B$, also für Biegewellenlängen, die wesentlich kleiner sind, als die Wellenlänge im umgebenden Medium — das heißt unterhalb der im vorletzten Abschnitt definierten Grenzfrequenz — kann man $(k_r^4 - k_B^4)^2 \approx k_B^8 = \omega^4\, m''/B'^2$ setzen, da innerhalb des Integrationsbereichs auch $k_r \ll k_B$ gilt. Man erhält somit schließlich für die von einer unendlich großen, punktförmig angeregten Platte abgestrahlte Leistung

$$P = \frac{\varrho\, c\, \omega^2\, \hat{F}^2}{4\, \pi\, B'^2\, k_B^8} \int\limits_0^{k} \frac{k\, k_r\, dk_r}{\sqrt{k^2 - k_r^2}} = \frac{\varrho\, c\, \hat{F}^2\, k^2}{4\, \pi\, \omega^2\, m''^2} = \frac{\varrho\, c\, \tilde{F}^2\, k^2}{2\, \pi\, \omega^2\, m''^2} \quad \text{für } f \ll f_g\,. \tag{65}$$

Da die Wellenzahl k im umgebenden Medium proportional der Frequenz ist, hängt Gl. (65) nicht von der Frequenz ab. Die Abstrahlung des Biegewellennahfeldes führt also unterhalb der Grenzfrequenz zu einer konstanten Leistung, die zudem noch unabhängig von der Biegesteife ist. Das ist darauf zurückzuführen, daß eine höhere Biegesteife zwar zu einer längeren Biegewellenlänge und damit einer besseren Abstrahlung führt, aber gleichzeitig zu einer Verringerung der Anregung. Man erkennt das sehr schön, wenn man Gl. (65) nicht auf die anregende Kraft, sondern auf die Schnelle v_0 am Anregeort bezieht. Nach Gl. (IV, 63) gilt hierfür $\hat{F} = \hat{v}_0\, 8\sqrt{B'\, m''}$ und somit

$$P = \frac{16\,\varrho\, c\, k^2\, B'}{\pi\,\omega^2\, m''}\,\hat{v}_0^2 = \frac{16\,\varrho\, c\, k^2}{\pi\, k_B^4}\,\hat{v}_0^2\,. \tag{65a}$$

Benutzt man nun noch Gl. (46) um das Verhältnis B'/m'' durch die Grenzfrequenz* auszudrücken, dann wird aus (65a)

$$P = \frac{16\,\varrho\, c^3\, \hat{v}_0^2}{\pi\,\omega_g^2} = \frac{4}{\pi^3}\,\varrho\, c\,\hat{v}_0^2\,\lambda_g^2 = \frac{8}{\pi^3}\,\varrho\, c\,\tilde{v}_0^2\,\lambda_g^2\,. \tag{66}$$

($\lambda_g = c/f_g$ ist die Wellenlänge bei der Grenzfrequenz). Man sieht also, daß bei vorgegebener Schnelle am Anregeort die abgestrahlte Leistung um so kleiner ist, je biegeweicher die Platte ist, d. h. je höher die Grenzfrequenz liegt.

Interessant ist es noch, Gl. (65a) mit der Abstrahlung von einer Punktquelle in einer Wand, also mit Gl. (37a) zu vergleichen. Ein derartiger Vergleich zeigt, daß das Biegewellennahfeld ebenso viel Schall abstrahlt, wie eine Punktquelle mit dem Schallfluß $q = 8\, v_0/k_B^2$. Wegen $k_B = 2\,\pi/\lambda_B$ entspricht dem eine Kolbenmembran mit der Schnelle v_0 und einen Radius von $\lambda_B\sqrt{2/\pi^3}$, also etwa einer viertelten Biegewellenlänge.

Man kann dieses erstaunlich einfache Ergebnis dazu benutzen, die Abstrahlung abzuschätzen, wenn die Anregung nicht mehr punktförmig ist, sondern sich auf einen — kleinen — Kreis mit dem Radius a erstreckt. Man wird erwarten, daß in diesem Falle die anregende Fläche und das Biegewellennahfeld wie eine Kolbenmembran mit dem Radius $a + \lambda_B/4$ wirken und damit eine abgestrahlte Leistung der Form

$$P = \frac{\varrho\, c}{4}\, k^2\,\pi\, v_0^2\left(a + \frac{\lambda_B}{4}\right)^4$$

ergeben.

Als letztes wollen wir im Zusammenhang mit der Biegewellennahfeldabstrahlung noch der Frage nachgehen, wie groß der durch Gl. (13) definierte Strahlungswirkungsgrad ist. Wir brauchen dazu nur Gl. (65) durch die eingespeiste Körperschalleistung, die durch Gl. (IV, 64) gegeben ist, dividieren und erhalten

$$\zeta = \frac{\varrho\, c\, F^2\, k^2}{4\,\pi\,\omega^2\, m''^2}\,\frac{16\,\omega\, m''}{F^2\, k_B^2} = \frac{4\,\varrho\, c\, k^2}{\pi\,\omega\, m''\, k_B^2} = \frac{4\,\varrho\, c}{\pi\, m''\,\omega_g} = \frac{2\,\varrho\,\lambda_g}{\pi^2\, m''}\,. \tag{67}$$

Der Wirkungsgrad ist also gegeben durch das Verhältnis der Masse einer Schicht des umgebenden Mediums von der Dicke einer Fünftel-Wellenlänge bei der Grenzfrequenz zur Plattenmasse. In der Praxis ist dieser Wirkungsgrad stets sehr klein. So ergibt sich beispielsweise — wenn die

* Diese Umrechnung ist nur bei homogenen Platten zulässig; bei Mehrschichtplatten und dergleichen würde sie zu einem falschen Ergebnis führen.

Abstrahlung in Luft erfolgt — bei einer Aluminiumplatte von 1 mm Dicke $\zeta \approx 1{,}5 \cdot 10^{-3}$, also ein sehr kleiner Wert. Höhere Werte ließen sich bei Abstrahlung im Wasser erhalten, doch gilt dann wegen der Strahlungsbelastung Gl. (65) nicht mehr.

d) Vergleich mit Messungen

Zum Vergleich mit den Rechnungen des vorletzten Abschnitts eignen sich — wegen der Biegewellennahfeldabstrahlung — Platten, die gemessen an der Biegewellenlänge nicht zu groß sind und die keine hohe Dämpfung aufweisen. Drei Beispiele[1, 2] hierfür sind aus Abb. VI/18 ersichtlich. In allen drei Fällen waren die Prüfobjekte in einem Ausschnitt einer großen, schweren Wand eingebaut. Es handelt sich um eine 24 cm Ziegelwand von 12 m² Fläche, um eine 7 cm Leichtbetonwand von 2×2 m² und um eine 13 mm Gipskartonplatte ebenfalls von 2×2 m² Fläche. Letztere war jedoch durch Holzlatten in Teilflächen von 0,4×2 m² unterteilt; jede dieser Teilflächen wurde durch mindestens einen Körperschallsender angeregt. In der zum Vergleich herangezogenen Gl. (60) wurde daher auch Fläche und Umfang eines Teilstückes herangezogen.

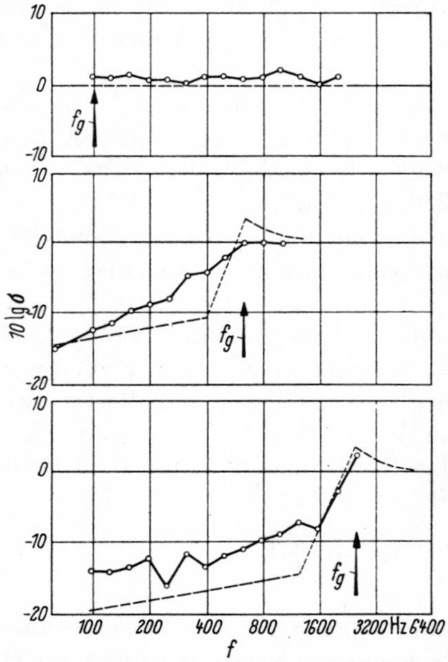

Abb. VI/18. Abstrahlmaße von punktförmig angeregten, schwach gedämpften Platten. (Gestrichelte Werte nach Gl. (60) gerechnet) oben: 24 cm Ziegelwand von 12 m² Fläche; Mitte: 7 cm Leichtbetonwand von 4 m² Fläche; unten: 13 mm Gipskartonwand auf Lattenrost mit Feldern von 0,8 m²

In den beiden unteren Diagrammen wurde der Bereich $0{,}5\, f_g < f < f_g$, der von Gl. (60) nicht erfaßt wird, einfach durch eine gerade Linie (punktiert) überbrückt.

Wie man sieht, ist im allgemeinen die Übereinstimmung von gemessenen und gerechneten Werten befriedigend; lediglich im Gebiet weit unterhalb der Grenzfrequenz liegen die gemessenen Kurven zwar im Frequenzgang richtig, aber um 3 bis 5 dB über den gerechneten. Dieses Ergebnis ist nicht allzu überraschend, wenn man bedenkt, daß

[1] Gösele, K.: Acustica 6 (1956) 94.

[2] Kihlman, T.: Transaction of Chalmers University of Technology, Gothenburg, Schweden, Nr. 254 (1961).

bei den Rechnungen eine ganze Reihe von Vernachlässigungen gemacht werden mußten. Insbesondere sind die angenommenen Randbedingungen, die eine Vernachlässigung aller Nahfelder beinhalten, nicht in Übereinstimmung mit den praktischen Verhältnissen.

Als praktische Schlußfolgerung ergibt sich aus den bisherigen theoretischen und experimentellen Ergebnissen, daß man zur Erzielung einer möglichst geringen Abstrahlung nicht nur ein Material mit möglichst hoher Grenzfrequenz wählen soll; es ist auch erforderlich, Rippen, Streben etc. möglichst zu vermeiden, da derartige Versteifungen den „wirksamen Umfang" (s. Gl. (60)) vergrößern und damit zu einer stärkeren Abstrahlung führen. Diese Frage ist besonders für die durch Spanten und Rippen versteiften Flugzeug- und Schiffswände von Bedeutung.

Ein Meßbeispiel[1] für die Abstrahlung des Biegewellennahfeldes zeigt Abb. VI/19. Es handelt sich hierbei ebenfalls um eine Gipskartonplatte, die jedoch nur ca. 10 mm dick war und auf einer Fläche von 5,1 m² nicht durch Latten versteift war. Diese Platte wurde an einer Stelle durch einen Körperschallsender mit Terzrauschen angeregt. Das dabei erzeugte Schnellefeld nahm mit wachsender Entfernung von der Anregestelle ab, so daß es schon aus diesem Grunde wenig sinnvoll gewesen wäre, ein mittleres Schnellequadrat und einen Abstrahlgrad nach Gl. (8) zu ermitteln.

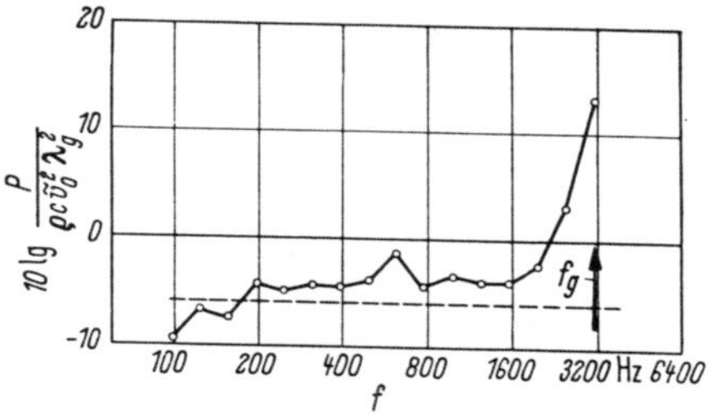

Abb. VI/19. Biegewellennahfeldabstrahlung von einer 10 mm Gipskartonplatte von 1,7 × 3 m² Fläche (Gestrichelte Werte nach Gl. (66) gerechnet)

In Abb. VI/19 ist als Ordinate die Frequenz, als Abszisse der zehnfache Logarithmus des Verhältnisses $P/\varrho\, c\, \tilde{v}_0^2\, \lambda_g^2$ aufgetragen, wobei v_0 die Schnelle am Anregeort ist. Wie man sieht, liegen unterhalb der Grenzfrequenz, die im vorliegenden Fall bei 3200 Hz ist, die gemessenen und nach Gl. (66) gerechneten Werte sehr nahe beisammen.

Interessant ist in diesem Zusammenhang auch die Frage, in wieweit durch zusätzliche Dämpfung die Abstrahlung beeinflußt werden kann. Für Frequenzen oberhalb der Grenzfrequenz ist diese Frage leicht zu beantworten, da in diesem Gebiet der Abstrahlgrad unabhängig vom Verlustfaktor ist und somit die abgestrahlte Leistung in demselben Maße reduziert wird, wie das mittlere Schnellequadrat. Die abgestrahlte Leistung wird also im allgemeinen mit $1/\eta$ (η = Verlustfaktor) abnehmen. In der Nähe der Grenzfrequenz gilt im Prinzip dasselbe, nur ist zu

[1] Heckl, M.: Acustica 9 (1959) 378.

beachten, daß durch einen zusätzlichen Dämpfungsbelag die Biegesteife etwas erhöht und damit die Grenzfrequenz etwas erniedrigt wird. (In der Praxis ergeben sich jedoch ganz selten Verschiebungen der Grenzfrequenz um mehr als 10%). Unterhalb der Grenzfrequenz liegen auch hier wieder die Dinge etwas komplizierter, da sich die gesamte Abstrahlung aus der vom Biegewellennahfeld und der vom Rande verursachten zusammensetzt. Man erhält also, wenn man diese beiden Anteile addiert (s. Gl. (65))

$$P = \frac{\varrho\, c\, k^2\, \tilde{F}^2}{2\,\pi\,\omega^2\, m''^2} + \varrho\, c\, S\, \tilde{v}^2\, \sigma\,. \tag{68}$$

Setzt man hier σ nach Gl. (60) ein und benutzt man den durch (IV, 104a) gegebenen Zusammenhang zwischen anregender Kraft und mittlerer Schnelle, dann folgt

$$P = \frac{\varrho\, c\, k^2\, \tilde{F}^2}{2\,\pi\,\omega^2\, m''^2}\left(1 + \frac{U}{2\, S\, k_B\, \eta}\right) \quad \text{für} \quad f \ll f_g\,. \tag{69}$$

Da nur das zweite Glied dieser Formel vom Verlustfaktor abhängt, kann man folgern, daß die abgestrahlte Leistung nur dann durch zusätzliche Dämpfung reduziert wird, wenn $2\,\eta\, k_B\, S/U < 1$ ist. Für eine quadratische Platte, deren Seitenlänge das zehnfache der Biegewellenlänge beträgt, kann man also damit rechnen, daß es für die Abstrahlung wenig Sinn hat, den Verlustfaktor auf mehr als $3 \cdot 10^{-2}$ zu erhöhen.

Da Platten im eingebauten Zustand (d. h. mit Energieableitung an den Rändern) häufig Verlustfaktoren im Bereich von 10^{-2} haben, macht man in der Praxis des öfteren die Erfahrung, daß eine zusätzliche Dämpfung — etwa durch einen besonderen Belag — zwar die Schnelle einer Platte reduziert, aber die Abstrahlung nicht verringert. Aus diesem Meßresultat wird manchmal der Schluß gezogen, daß Dämpfung „abstrahlfördernd“ sei. Wie Gl. (69) zeigt ist dieser Schluß nicht richtig; vielmehr ist unterhalb der Grenzfrequenz bei vorgegebener anregender Kraft die Dämpfung bestenfalls ohne Einfluß auf die abgestrahlte Leistung.

Als letztes wäre noch zu diskutieren, wie sich der theoretisch gefundene Einfluß der Randbedingungen auf die gemessene Abstrahlung bemerkbar macht. Leider ist es jedoch sehr schwer, die Randbedingungen einer schwingenden Platte in weiten Grenzen zu ändern, ohne daß gleichzeitig Undichtigkeiten am Rande und ähnliche unerwünschte Effekte auftreten. Es gibt daher noch keine systematischen Experimente über den Einfluß der Randbedingungen. Man kann bestenfalls vermuten, daß Unstimmigkeiten der Meßergebnisse an gleichen Platten auf die meist nicht genau definierten Randbedingungen zurückzuführen sind.

7. Anregung von Platten durch Luftschallwellen (Luftschalldämmung)

Im Abschn. 3e des vierten Kapitels wurde im Rahmen der Untersuchungen über Eingangsimpedanzen eine allgemeine Formel (IV, 70) für die Schnelleverteilung auf einer unendlich großen Platte angegeben, wobei die Anregung durch ebene, fortlaufende Druckwellen erfolgte. Wir wollen in diesem Abschnitt diese Formel dazu benutzen, die Schwingungen einer Platte zu berechnen, wenn sie durch ein Luft- oder Wasserschallfeld angeregt wird. Auf den ersten Blick mag es etwas ungewöhnlich erscheinen, daß diese Frage im Kapitel über Abstrahlung behandelt wird; der Grund hierfür ist, daß, wie in Abschn. 8 gezeigt wird, wegen des Reziprozitätsprinzips ein enger Zusammenhang zwischen Anregung und Abstrahlung besteht.

a) Anregung von Einfachwänden

Es sei eine sehr große, ebene, homogene Platte gegeben, auf die eine ebene Schallwelle unter dem Winkel ϑ auffällt (s. Abb. VI/20). Die Schalldruckverteilung der einfallenden Welle kann also durch

$$p_i \, e^{-jky\cos\vartheta} \, e^{-jkx\sin\vartheta} \tag{70}$$

beschrieben werden.

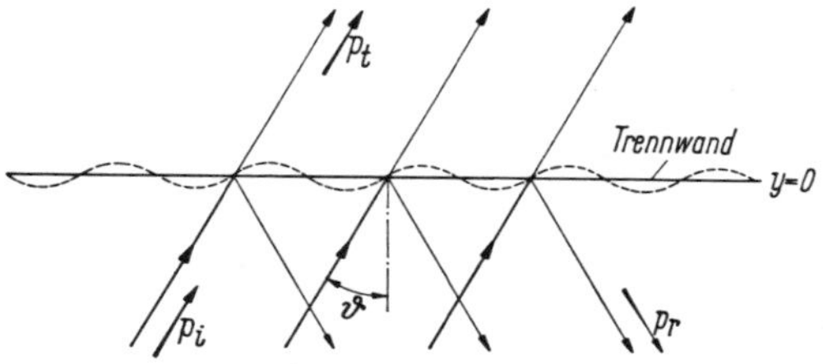

Abb. VI/20. Anregung von Einfachwänden durch ebene Schallwellen

Dabei ist k die Wellenzahl im umgebenden Medium (Luft).

An der Platte wird die einfallende Schallwelle teils reflektiert und teils durchgelassen. Wir haben also noch zusätzliche Wellen der Form

$$p_r \, e^{jky\cos\vartheta} \, e^{-jkx\sin\vartheta} \quad \text{für} \quad y > 0$$

$$p_t \, e^{-jky\cos\vartheta} \, e^{-jkx\sin\vartheta} \quad \text{für} \quad y < 0 \, .$$

Der Vorzeichenwechsel im Exponenten der reflektierten Welle ergibt sich aus den bekannten Reflexionsgesetzen. Die durchgelassene Welle hat dieselbe Richtung wie die einfallende Welle, vorausgesetzt, daß sich vor und hinter der Platte dasselbe Medium befindet.

Der resultierende Druck, der auf die in der Ebene $y = 0$ befindliche Platte wirkt, setzt sich zusammen aus der einfallenden und reflektierten

Welle auf der einen, und der durchgelassenen Welle auf der anderen Seite. Es ist also

$$p = (p_i + p_r - p_t)\, e^{-j k x \sin\vartheta} \quad \text{für} \quad y = 0\,. \tag{71}$$

Diesen Ausdruck kann man unmittelbar in Gl. (IV, 70) einsetzen; dabei ist nur zu beachten, daß man bei ebenen Wellen das Koordinatensystem stets so drehen kann, daß eine Wellenzahl — im vorliegenden Fall k_z — verschwindet. Die Wellenzahlen der Anregung, die in (IV, 70) einzusetzen sind, lauten also $k_x = k \sin\vartheta$, $k_z = 0$. Damit wird die Plattenschnelle

$$v = v_P\, e^{-j k x \sin\vartheta}$$

$$= \frac{j\,\omega\,(p_i + p_r - p_t)}{B'\,(k^4 \sin^4\vartheta - k_B^4)}\, e^{-j k x \sin\vartheta} = \frac{p_i + p_r - p_t}{Z''_\tau}\, e^{-j k x \sin\vartheta}\,. \tag{72}$$

Die Größe Z''_τ ist die sogenannte Trennimpedanz, also das Verhältnis von anregendem Druck zu erzwungener Plattenschnelle.

Eine Vereinfachung des Ausdruckes (72) ergibt sich, wenn man noch die Randbedingungen für die y-Komponente (d. h. die wandnormale Komponente) der Schnellen berücksichtigt. Nach Gl. (30a) ergeben sich für die zu den einzelnen Wellen gehörenden Schallschnellen die Werte

$$v_i = \frac{j\,k \cos\vartheta}{j\,\omega\,\varrho}\, p_i = \frac{\cos\vartheta}{\varrho\, c}\, p_i\,, \quad v_r = -\frac{\cos\vartheta}{\varrho\, c}\, p_i\,, \quad v_t = \frac{\cos\vartheta}{\varrho\, c}\, p_t\,.$$

An der Plattenoberfläche müssen offensichtlich die Schallschnellen zu beiden Seiten mit der Plattenschnelle übereinstimmen. Es muß also

$$v_i + v_r = v_P = v_t$$

gelten. Daraus folgt

$$p_i - p_t = p_r \quad \text{und} \quad v_P = \frac{\cos\vartheta}{\varrho\, c}\, p_t\,.$$

Setzt man diese Ausdrücke in (72) ein, so ergibt sich für die Plattenschnelle

$$v_p = \frac{2\, p_i}{Z''_\tau + 2\,\varrho\, c/\cos\vartheta} \tag{73}$$

und für das Verhältnis von durchgelassenem zu einfallenden Schalldruck

$$\frac{p_t}{p_i} = \frac{1}{1 + \dfrac{Z''_\tau \cos\vartheta}{2\,\varrho\, c}}\,. \tag{73a}$$

Aus (73a) kann man nun auch den sogenannten Transmissionsgrad τ, also das Verhältnis von durchgelassener Schalleistung P_t zu einfallender

Schalleistung P_i und die Luftschalldämmzahl R ermitteln. Es ist

$$\tau = \frac{P_t}{P_i} = \left|\frac{p_t}{p_i}\right|^2 = \frac{1}{\left|1 + \frac{Z''_\tau \cos\vartheta}{2\varrho c}\right|^2}$$

und

$$R = 10 \lg \frac{1}{\tau} \,\text{dB} = 20 \lg \left|1 + \frac{Z''_\tau \cos\vartheta}{2\varrho c}\right| \text{dB}\,. \tag{73b}$$

Wie man sieht, ist in all diesen Gleichungen die Trennimpedanz Z''_τ die entscheidende Größe; wir wollen sie daher etwas näher diskutieren.

Unterhalb der Grenzfrequenz, also wenn die Biegewellenlänge kleiner ist, als die Wellenlänge im umgebenden Medium, gilt $k < k_B$ und somit erst recht $k \sin\vartheta \ll k_B$. Wir können also Z''_τ durch

$$Z''_\tau \approx -\frac{B' k_B^4}{j\omega} = j\omega m'' \tag{74}$$

annähern. Das heißt, unterhalb der Grenzfrequenz ist die Trennimpedanz ein reiner Massenwiderstand, so daß Gl. (73) die Form

$$v_P = \frac{2 p_i}{j\omega m'' + \frac{2\varrho c}{\cos\vartheta}} \quad \text{für} \quad f \ll f_g \tag{75}$$

annimmt. Diese Gleichung besagt, daß unterhalb der Grenzfrequenz der einfallenden Schallwelle der Massenwiderstand der Platte und der Strahlungswiderstand $2\varrho c/\cos\vartheta$ entgegengesetzt wird.

Setzt man Gl. (74) in (73b), dann erhält man das bekannte Massengesetz der Schalldämmung:

$$R = 10 \lg \left(1 + \frac{\omega^2 m''^2 \cos^2\vartheta}{4\varrho^2 c^2}\right) \text{dB} \quad \text{für} \quad f \ll f_g\,. \tag{75a}$$

Die Schalldämmung von Platten unterhalb der Grenzfrequenz ist um so größer, je größer der Massenwiderstand im Vergleich zum Strahlungswiderstand ist; außerdem erkennt man, daß für streifenden Schalleinfall ($\vartheta = 90°$) die Schalldämmung verschwindet. Glücklicherweise spielt bei Platten endlicher Fläche der streifende Schalleinfall keine allzugroße Rolle, so daß man bei Schallwellen, die von allen Richtungen gleichmäßig einfallen in Gl. (75a) näherungsweise mit $\cos\vartheta = 1/2$ rechnen kann. In Abb. VI/21 sind die nach Gl. (75a) für $\cos\vartheta = 1/2$ gerechneten Schalldämmzahlen bei verschiedenen Plattenmassen angegeben. Die in Abb. VI/21 eingezeichneten Werte lassen sich in der Praxis relativ gut realisieren, vorausgesetzt, daß die Frequenz und die Plattendicke derart sind, daß die Grenzfrequenz nicht überschritten wird. Im allgemeinen lassen sich auf Grund der Massendämmung unterhalb der Grenzfrequenz keine Schalldämmzahlen von mehr als 45 dB erzielen. Eine Ausnahme hiervon bilden nur sehr schwere und biegeweiche Materialien, wie Blei oder dergleichen.

Bei Frequenzen oberhalb der Grenzfrequenz hat die Trennimpedanz die Form

$$Z''_\tau = \frac{B'}{j\,\omega}\,(k^4 \sin^4 \vartheta - k_B^4)\,. \tag{76}$$

Dieser Ausdruck verschwindet an der Stelle $\sin\vartheta = k_B/k$. Es gibt also oberhalb der Grenzfrequenz einen Winkel, bei dem die Platte dem Schall keinen Widerstand entgegensetzt, so daß er ungehindert übertragen wird. Dieser Effekt tritt also dann auf, wenn die (freie) Biegewellenlänge λ_B mit der Spurwellenlänge der anregenden Schallwelle $\lambda/\sin\vartheta$ übereinstimmt[1, 2] und wird daher als Spuranpassung bezeichnet (s. V, 6d).

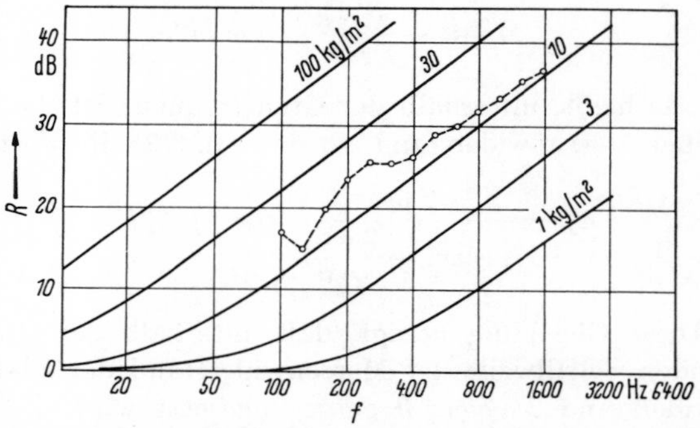

Abb. VI/21. Luftschalldämmung unterhalb der Grenzfrequenz, für Schalleinfall unter 60° gerechnet (gestrichelte Kurve, Meßwerte für eine Platte von 16 kg/m²)

Wir erhalten also das sehr wichtige Ergebnis, daß die Richtungen maximaler Anregung und maximaler Abstrahlung (s. VI, 4b) identisch sind. Daß die hierin enthaltene Reziprozität noch viel weitgehender ist, werden wir im nächsten Abschnitt sehen.

Da man bei homogenen Platten den Spuranpassungswinkel auch durch

$$\sin\vartheta = \frac{k_B}{k} = \sqrt{\frac{f_g}{f}} \tag{76a}$$

ausdrücken kann, ergibt sich, daß mit wachsender Frequenz der Spuranpassungswinkel sich immer mehr dem senkrechten Schalleinfall nähert. Für Winkel die kleiner sind als die durch (76a) gegebene Grenze, wird die Trennimpedanz wieder zu einem Massenwiderstand, während man

---

[1] Cremer, L.: Akustische Z. 7 (1942) 81.

[2] Cremer, L.: Die wissenschaftlichen Grundlagen der Raumakustik, Bd. III, § 62. Leipzig: S. Hirzel 1950.

für größere Winkel die Näherung

$$Z''_\tau = \frac{B' k^4 \sin^4 \vartheta}{j\,\omega} = \frac{\omega^3 B' \sin^4 \vartheta}{j\,c^4}$$

machen kann; das heißt die Trennimpedanz wird ein von der Richtung abhängender Steifigkeitswiderstand, der mit der dritten Potenz der Frequenz ansteigt.

Die Schalldämmung und die Wandschnelle bei gleichmäßigem Schalleinfall aus allen Richtungen sind natürlich im wesentlichen durch das Verhalten in der Nähe von $\sin \vartheta = \sqrt{f_g/f}$ bestimmt. Wir wollen aber die entsprechende Rechnung[1], die nur unter Berücksichtigung der Materialdämpfung sinnvoll ist, nicht durchführen, sondern auf Abschn. VI, 8 verweisen, wo dasselbe Problem aus einer ganz anderen Richtung angegriffen wird.

b) Doppelwände mit Schallbrücken

Neben den homogenen Einfachwänden, deren prinzipielles Verhalten im vorhergegangenen Abschnitt besprochen wurde, sind in der Praxis auch Doppelwände von großer Bedeutung. Wir wollen jedoch hier nicht auf die Vielfalt der damit verbundenen, zum Teil noch ungelösten Probleme eingehen, sondern nur einen wichtigen Spezialfall behandeln, der im wesentlichen eine Anwendung der in Abschn. VI, 6 gefundenen Abstrahlformeln darstellt. Es handelt sich hierbei um eine biegesteife Wand, deren Schalldämmung durch eine vorgesetzte, dünne, biegeweiche Platte verbessert werden soll (s. Abb. VI/22). Von der biegesteifen Wand wird gefordert, daß ihre Grenzfrequenz unterhalb des interessierenden Frequenzbereichs liegt, so daß der Abstrahlgrad — unabhängig davon, ob es sich um Luftschall- oder Körperschallanregung handelt — näherungsweise gleich eins gesetzt werden kann. Die Schalldämmung der biegesteifen Wand sei R_1; sie ergibt sich aus dem Verhältnis der auffallenden Schalleistung P_i zur durchgelassenen Leistung P_{t1} (s. auch Gl. (73b)). Da wegen $\sigma = 1$ die durchgelassene, d. h. von der Wand abgestrahlte Leistung auch durch die Schnelle v_1, die Fläche S und den Strahlungswiderstand $\varrho\, c$ ausgedrückt werden kann, läßt sich die Schalldämmzahl auch in der Form

$$R_1 = 10 \lg \frac{P_i}{P_{t1}} \,\mathrm{dB} = 10 \lg \frac{P_i}{\tilde{v}_1^2\, \varrho\, c\, S} \,\mathrm{dB} \tag{77}$$

schreiben.

Nehmen wir nun an, daß die Übertragung von der biegesteifen Wand auf die biegeweiche Vorsatzschale nur über die punktförmigen Schallbrücken geschieht und daß die Vorsatzschale so groß und gedämpft ist,

[1] Cremer, L.: Akustische Z. 7 (1942) 81.

daß die Biegewellennahfeldabstrahlung überwiegt, dann ist nach Gl. (66) die hiervon abgestrahlte Leistung durch

$$P_{t2} = \frac{8}{\pi^3} \tilde{v}_2^2 \varrho\, c\, n\, \lambda_g^2 \tag{78}$$

gegeben, wobei v_2 die Schnelle an den Brückenorten ist; n bedeutet die Anzahl der Schallbrücken und λ_g die Wellenlänge bei der Grenzfrequenz.

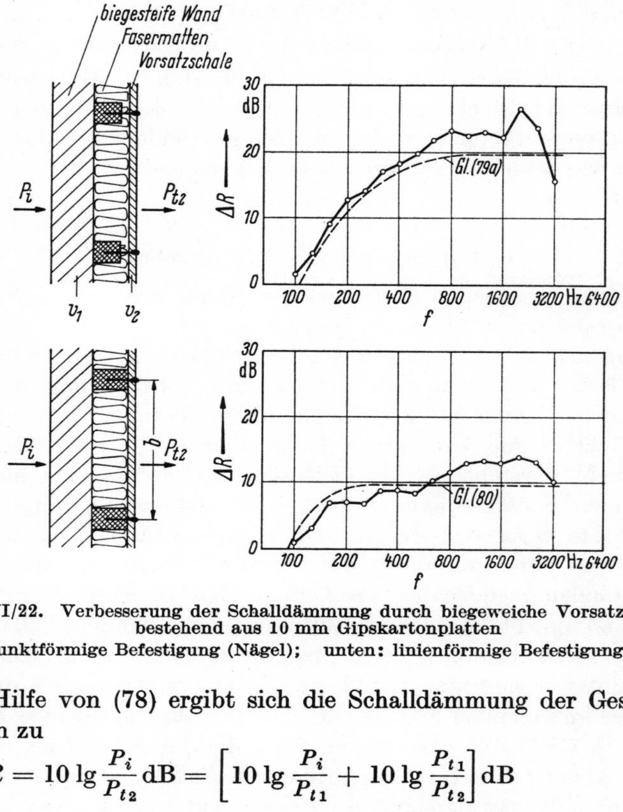

Abb. VI/22. Verbesserung der Schalldämmung durch biegeweiche Vorsatzschalen, bestehend aus 10 mm Gipskartonplatten
oben: punktförmige Befestigung (Nägel); unten: linienförmige Befestigung (Latten)

Mit Hilfe von (78) ergibt sich die Schalldämmung der Gesamtkonstruktion zu

$$R = 10 \lg \frac{P_i}{P_{t2}} \text{dB} = \left[10 \lg \frac{P_i}{P_{t1}} + 10 \lg \frac{P_{t1}}{P_{t2}}\right] \text{dB}$$

$$= R_1 + 10 \lg \frac{\tilde{v}_1^2\, S\, \pi^3}{8\, \tilde{v}_2^2\, n\, \lambda_g^2} \text{dB}\,. \tag{79}$$

Das zweite Glied dieser Gleichung ist offensichtlich die durch die Vorsatzschale bewirkte Verbesserung der Schalldämmzahl. Sie ist um so größer, je nachgiebiger die Brücken sind (d. h. je größer $\tilde{v}_1^2/\tilde{v}_2^2$), je weniger Brücken vorhanden sind und je höher die Grenzfrequenz ist.

Ein Beispiel für die gemessene und gerechnete Verbesserung der Schalldämmung durch eine punktförmig befestigte, biegeweiche Vorsatzschale ist in Abb. VI/22 oben aufgetragen. Es handelt sich in diesem

Fall um eine Befestigung mit starren Brücken ($v_2 \approx v_1$) und um ein Material mit einer Grenzfrequenz von 2800 Hz. Wie man sieht, ist die Übereinstimmung bei den mittleren und hohen Frequenzen relativ gut. Bei tiefen Frequenzen macht sich zusätzlich zur Übertragung über die Brücken auch noch die Übertragung über die eingeschlossene Luft- bzw. Faserschicht bemerkbar, die genauso wie beim schwimmenden Estrich, obschon die Feldverteilungen ebenen Wellen entsprechen, also völlig andere sind, zu einer durch $40 \lg f/f_2$ beschreibbaren Verbesserung führt. Dabei ist f_2 die Resonanzfrequenz des Systems bestehend aus der Federsteife der eingeschlossenen Schicht und der Masse der Vorsatzschale. Wir erhalten also als Endergebnis, daß die Verbesserung ΔR der Schalldämmzahl durch eine punktförmig befestigte, biegeweiche Vorsatzschale durch

$$\Delta R = 40 \lg \frac{f}{f_1}\,\text{dB} \quad \text{oder} \quad \Delta R = 10 \lg \frac{\tilde{v}_1^2\, S\, \pi^3}{8\, \tilde{v}_2^2\, n\, \lambda_g^2}\,\text{dB} \qquad (79\text{a})$$

gegeben ist, wobei stets der kleinere der von den beiden Gleichungen gegebenen Werte zu nehmen ist.

Eine ganz analoge Rechnung kann man auch für linienförmig (also beispielsweise durch Latten) befestigte, biegeweiche Vorsatzschalen durchführen. In diesem Fall ist — was hier ohne Beweis angegeben sei, aber mit den in Abschn. VI, 6 benutzten Methoden leicht nachgerechnet werden kann — die Abstrahlung des Biegewellennahfeldes durch

$$P_{t2} = \frac{2}{\pi}\, \tilde{v}_2^2\, \varrho\, c\, n\, l\, \lambda_g$$

gegeben, wobei wieder v_2 die Schnelle an den Befestigungspunkten und n die Anzahl der Brücken ist. l ist die Länge einer Brücke. Für die Verbesserung der Schalldämmzahl bei linienförmiger Befestigung ergibt sich damit

$$\Delta R = 40 \lg \frac{f}{f_2}\,\text{dB} \quad \text{oder} \quad \Delta R = 10 \lg \frac{\pi\, \tilde{v}_1^2\, S}{2\, \tilde{v}_2^2\, n\, l\, \lambda_g}\,\text{dB} = 10 \lg \frac{\pi\, \tilde{v}_1^2\, b}{2\, \tilde{v}_2^2\, \lambda_g}\,\text{dB}\,. \qquad (80)$$

Dabei ist b der Abstand zwischen zwei Linienbrücken.

Ein Beispiel für die Verbesserung durch starr befestigte Linienbrücken ist aus Abb. VI/22 unten zu ersehen. Man erkennt, daß sich auch hier wieder bei höheren Frequenzen eine konstante Verbesserung ergibt, die allerdings niedriger ist als bei Punktbrücken. Die mit starren Linienbrücken erreichbaren Verbesserungen liegen bei einigermaßen biegeweichen Vorsatzschalen im Bereich von 5—10 dB. Bei biegesteifen Vorsatzschalen sind die Verbesserungen geringer. Es kann sogar — bei Vorhandensein vieler Brücken und bei Verwendung von Materialien mit geringer innerer Dämpfung — vorkommen, daß die Schalldämmung durch eine Vorsatzschale etwas verschlechtert wird. Ein Beispiel hierfür wurde bei der Behandlung von stark gekoppelten Systemen (Kap. IV, 5b) angegeben. Andere Beispiele treten in der Praxis bei biegesteifen Vorsatzschalen, die an vielen Stellen durch Mörtel oder dgl. angeklebt sind, leider nur zu häufig auf.

8. Zusammenhang zwischen Abstrahlung und Anregung

a) Das Reziprozitätsprinzip

Im Zusammenhang mit der Anregung von Platten (Kap. IV, 3d) wurde bereits darauf hingewiesen, daß bei der Berechnung der übertragenen Körperschalleistung fast dieselben Ausdrücke (s. Gl. (IV, 67)) auftreten, wie bei der Bestimmung der Abstrahlung (s. Gl. (VI, 40)). Außerdem zeigte sich auch im vorigen Abschnitt, daß die Richtungen maximaler Anregung und Abstrahlung identisch sind. Diese Analogien sind durchaus nicht zufällig, sie sind vielmehr Ausdruck des in der ganzen Physik immer wieder vorkommenden Reziprozitätsprinzips, von dem auch in den Kap. II und V schon mehrfach Gebrauch gemacht wurde.

Dieses Prinzip kann im Falle der Akustik folgendermaßen formuliert werden: Wenn eine am Ort P_1 angreifende Kraft F_1 am Ort P_2 die Schnelle v_{12} erzeugt, dann erzeugt dieselbe Kraft, wenn sie am Ort P_2 $(F_1 = F_2)$ angreift an der Stelle P_1 wieder die Schnelle $v_{21} = v_{12}$. Wird also Anregeort und Empfangsort vertauscht, dann bleibt das Verhältnis von anregender Kraft zu gemessener Schnelle gleich; dabei ist nur noch zu beachten, daß die Richtungen, in denen in einem Fall die Kraft wirkt und im anderen Fall die Schnelle gemessen wird, übereinstimmen.

Da wir im folgenden aus dem Reziprozitätsprinzip noch weitreichende Schlußfolgerungen ziehen werden, erscheinen einige zusätzliche Bemerkungen angebracht. Hinsichtlich der theoretischen Begründung kann auf Lord Rayleigh[1] verwiesen werden, der zeigen konnte, daß das Reziprozitätsprinzip stets dann gültig ist, wenn die Energie des betrachteten Systems — mit endlich vielen Freiheitsgraden — durch eine symmetrische quadratische Form beschrieben werden kann. Neuere Untersuchungen[2] an gekoppelten kontinuierlichen Systemen mit unendlich vielen Freiheitsgraden geben im Prinzip dasselbe Ergebnis und zwar zeigen die Rechnungen, daß das Reziprozitätsprinzip sicher angewandt werden kann, wenn die Differentialgleichungen der Bewegungen in den Ortsvariablen symmetrisch sind. Nun sind aber, solange die Vorgänge linear sind, die im Rahmen der Akustik vorkommenden Differential-

---

[1] Lord Rayleigh: The Theory of Sound, Vol. I, §§ 104–110, Dover Publ. 1945.

[2] Lyamshev, L. M.: Doklady Akad. Nauk, SSSR, 125 (1959) 6.

gleichungen symmetrisch*; man kann also das Reziprozitätsgesetz bei allen üblicherweise vorkommenden akustischen Problemen anwenden. Hinsichtlich der praktischen Verwendung des Reziprozitätsprinzips ergeben sich manchmal Schwierigkeiten, die jedoch immer darauf zurückzuführen sind, daß die Voraussetzungen für die Gültigkeit nicht exakt erfüllt sind. So kann man zum Beispiel bei Luftschallmessungen Sende- und Empfangsort nur dann vertauschen, wenn sowohl Sender als auch Empfänger die gleiche Charakteristik, z. B. eine Kugelcharakteristik, besitzen. Analog dazu muß man bei Körperschallproblemen stets beachten, daß Reziprozität nur für Punktkräfte (oder wenn man Winkelgeschwindigkeiten mißt, nur für Momente) gilt und daß man die Richtungen von Kraft und Schnelle zu beachten hat. Wir werden im folgenden zur Vermeidung von Unklarheiten das Reziprozitätsprinzip nur in der oben angegebenen einfachen Fassung benutzen.

b) Anregung und Abstrahlung in einem Hallraum

Einen allgemein gültigen Zusammenhang zwischen Anregung und Abstrahlung in einem Hallraum kann man finden, indem man das folgende Gedankenexperiment durchführt. Die interessierende Konstruktion, beispielsweise eine gekrümmte Platte sei in einem Hallraum (gefüllt mit Luft oder einem anderen gasförmigen bzw. flüssigem Medium) eingebaut (Abb. VI/23) und werde durch eine Punktkraft mit dem Effektivwert $\tilde{F}$ angeregt (Gedankenexperiment A). Es ergibt sich also irgendeine Schnelleverteilung, die zu einer entsprechenden Schallabstrahlung führt. Die in den Hallraum abgestrahlte Schalleistung P ist, solange es sich um lineare Bewegungen handelt, proportional dem Schnellequadrat und damit auch proportional dem Quadart der anregenden Kraft. Wir können also schreiben

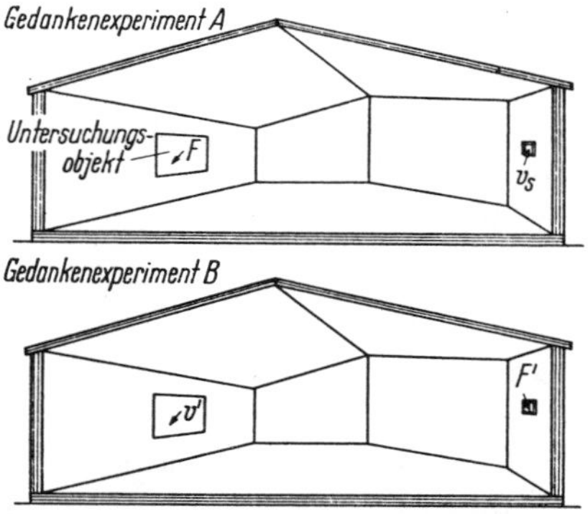

Abb. VI/23. Skizze zur Ableitung von Gl. (82)

$$P = \alpha\, \tilde{F}^2\,, \tag{81}$$

wobei α eine für das Abstrahlverhalten charakteristische Größe ist.

---

* Es gibt allerdings in der Literatur auch unsymmetrische Differentialgleichungen; z. B. für die Bewegungen von Zylinderschalen oder für die Schallausbreitung in porösen Stoffen. Es handelt sich dabei jedoch immer um Näherungsgleichungen, bei denen die Unsymmetrie durch kleine Vernachlässigungen entstand.

Nach Gl. (1) erzeugt die Leistung P in einem Raum mit dem Volumen V und der Nachhallzeit T ein mittleres Schalldruckquadrat der Größe

$$\tilde{p}^2 = \frac{\varrho\, c^2\, T}{13{,}8\; V}\, P\,. \tag{81a}$$

Das Schalldruckquadrat an den Raumbegrenzungsflächen ist, falls diese genügend schwer sind, wegen der Reflexion im Mittel doppelt so hoch, als der durch (81a) gegebene Wert. Nimmt man nun an, daß in einer Wand eine bewegliche Scheibe der Masse m und der Oberfläche S eingesetzt ist, dann ist auch an der Oberfläche dieser Scheibe — falls sie nur genügend schwer ist — das Schalldruckquadrat $2\,\tilde{p}^2$. Macht man nun noch die im Gedankenexperiment wesentlich leichter als in der Praxis durchführbare Voraussetzung, daß für alle vorkommenden Frequenzen die Abmessungen der Scheibe wesentlich kleiner sind, als die Wellenlänge im umgebenden Medium, dann kann man die Scheibe als eine Masse betrachten, auf die der Druck $\sqrt{2\,\tilde{p}^2}$ also die Kraft $S\sqrt{2\,\tilde{p}^2}$ wirkt; das Quadrat ihrer Schnelle ist demzufolge

$$\tilde{v}_S^2 = \frac{2\,\tilde{p}^2\, S^2}{\omega^2\, m^2}\,. \tag{81b}$$

Durch Kombination von (81) bis (81b) ergibt sich

$$\frac{\tilde{v}_S^2}{\tilde{F}^2} = \alpha\,\frac{\varrho\, c^2\, T\, S^2}{6{,}9\; V\,\omega^2\, m^2}\,. \tag{81c}$$

Macht man nun das umgekehrte Gedankenexperiment und regt die bewegliche Scheibe mit der Punktkraft F_1 an (Gedankenexperiment B), dann ist

$$\tilde{v}_{S1}^2 = \frac{\tilde{F}_1^2}{\omega^2\, m^2}\,. \tag{81d}$$

Das Quadrat des erzeugten Schallflusses ist also $\tilde{q}^2 = S^2\,\tilde{v}_{S1}^2$. Da es sich nach Voraussetzung um eine Quelle kleiner Abmessung handelt, ist die abgestrahlte Leistung durch Gl. (37a) gegeben; wobei nur zu beachten ist, daß wir hier mit Effektivwerten rechnen. Wir erhalten somit für die von der kleinen Scheibe abgestrahlten Leistung

$$P_1 = \frac{\varrho\, c}{2\,\pi}\, k^2\, S^2\, \tilde{v}_{S1}^2\,, \tag{81e}$$

wobei k die Wellenzahl im umgebenden Medium ist. Das mittlere Schalldruckquadrat ergibt sich wie oben zu

$$\tilde{p}_1^2 = \frac{\varrho\, c^2\, T}{13{,}8\; V}\, P_1\,. \tag{81f}$$

Dieser so erzeugte Schalldruck regt die Ausgangskonstruktion wieder zu Schwingungen an, die wegen der Linearität proportional der Anregung sind. Wir können also eine die Anregung charakterisierende Größe β einführen und schreiben

$$\tilde{v}_1^2 = \beta \, \tilde{p}_1^2 \,. \tag{81g}$$

Kombiniert man nun (81d) bis (81g), so folgt

$$\frac{\tilde{v}_1^2}{\tilde{F}_1^2} = \frac{\beta}{2\pi} \frac{\varrho^2 c^3 T k^2 S^2}{13{,}8 \, V \omega^2 m^2} \,. \tag{81h}$$

Auf Gl. (81c) und (81h) kann man nun das Reziprozitätsgesetz anwenden, denn bei dem Gedankenexperiment wurden Punktkräfte verwendet und es wurde Anregeort und Beobachtungsort vertauscht. Es kann also (81c) und (81h) gleichgesetzt werden. Damit folgt als Endergebnis[1]

$$\frac{\alpha}{\beta} = \frac{k^2 \varrho c}{4\pi} \,. \tag{82}$$

Diese Gleichung besagt, daß man die Schnelle einer Platte oder dgl. die durch ein statistisch verteiltes Schallfeld angeregt wird, sofort angeben kann, wenn man die Leistung kennt, die dieselbe Konstruktion abstrahlt, wenn eine Punktkraft auf sie wirkt. Man kann also Anregung und Abstrahlung ineinander überführen, vorausgesetzt, daß es sich um ein statistisch (d. h. über alle Einfallsrichtungen gleichmäßig) verteiltes Schallfeld und um eine Punktkraft handelt.

Bevor wir nun Gl. (82) anwenden, soll noch betont werden, daß im allgemeinen Fall die Größen α und β ortsabhängig sind. Beispielsweise ist bei einer mit Rippen versehenen Platte die Größe α, d. h. die abgestrahlte Leistung, sehr verschieden, je nachdem die anregende Kraft auf eine der Rippen oder auf ein dazwischen liegendes Plattenstück wirkt. Analog dazu ist β, d. h. die Schnelle bei Schallfeldanregung, sehr unterschiedlich, je nachdem auf einer Rippe oder dazwischen gemessen wird. Man muß also bei inhomogenen Konstruktionen immer darauf achten, daß die Hilfsgrößen α und β für denselben Punkt gemessen werden. Bei homogenen Konstruktionen liegen die Verhältnisse etwas einfacher, denn in diesem Fall ist — wenn man von einem kleinen Gebiet in der Nähe der Ränder absieht — die von einer Punktkraft erzeugte Schalleistung im Frequenzmittel ziemlich unabhängig vom Anregeort. Demzufolge kann man dann auch Gl. (82) auf das räumliche Mittel des Schnellequadrats anwenden (ähnlich wie auch die Verwendung von Gl. (81a) und (81f) im Grunde genommen eine Mittelung über viele verschiedene Raumformen darstellt). Die Tatsache, daß Gl. (82) für jeden Punkt auf der Begrenzungsfläche eines Hallraums gilt, kann man auch dazu benutzen, diejenigen Stellen eines Raumes zu finden, die am „unempfindlichsten" gegenüber Punktkräften sind. Man braucht dazu nur den fraglichen Raum durch Luftschall anzuregen und durch Körperschallmessungen

[1] Heckl, M.: Frequenz 18 (1964) 299.

den Punkt zu finden, bei dem die Schnelle — und damit auch β — am kleinsten ist. Am selben Punkt ist wegen (82) auch α und damit die von einer Punktkraft abgestrahlte Leistung am geringsten. Der gefundene Punkt eignet sich also als Befestigungsort für körperschallerzeugende Maschinen und dergleichen. Dieses Verfahren empfiehlt sich natürlich besonders dann, wenn die Wände (wie z. B. in einem Schiff) nicht homogen sind.

c) Der Einfluß der Strahlungsbelastung

Wir wollen nun die erhaltenen Formeln dazu benutzen, die Schallabstrahlung von einer punktförmig angeregten, biegeweichen Platte zu untersuchen, wenn der Einfluß des umgebenden Mediums nicht mehr vernachlässigt werden kann. Dieser Fall liegt zum Beispiel bei der Wasserschallabstrahlung von Platten unter der Grenzfrequenz vor. Dabei macht es in den Formeln keinen prinzipiellen Unterschied, ob zu beiden Seiten einer Platte Wasser ist oder — wie bei einer Schiffsaußenhaut — nur auf einer Seite.

Auf Grund von Gl. (82) kann das gestellte Problem als gelöst betrachtet werden, wenn die Schnelle bei Anregung durch ein statistisches Schallfeld bekannt ist. Diese Schnelle läßt sich aber relativ leicht errechnen. Denn nach Gl. (75) ist unterhalb der Grenzfrequenz die Schnelle einer Wand, die durch Schallwellen unter dem Winkel ϑ angeregt wird

$$v_\vartheta = \frac{2\,p_i}{j\,\omega\,m'' + \dfrac{2\,\varrho\,c}{\cos\vartheta}}\,. \tag{83}$$

Dabei ist vorausgesetzt, daß sich zu beiden Seiten der Platte dasselbe Medium mit dem Wellenwiderstand $\varrho\,c$ befindet.

Bei „statistischem" Schalleinfall von der Vorderseite müssen wir über alle möglichen Einfallswinkel im Bereich $0 \leq \vartheta \leq \pi/2$ summieren. Dabei ist zu beachten, daß wir über Raumwinkel zu summieren haben, also das Integral

$$|v_M^2| = \int_0^{\pi/2} |v_\vartheta|^2 \sin\vartheta\,d\vartheta$$

bilden müssen. Setzt man hier Gl. (83) ein, so ergibt sich mit der Substitution $\cos\vartheta = z$ das mittlere Schnellequadrat zu

$$|v_M^2| = |p_i|^2\,\frac{4}{\omega^2\,m''^2}\left[1 - \frac{2\,\varrho\,c}{\omega\,m''}\operatorname{arctg}\frac{\omega\,m''}{2\,\varrho\,c}\right].$$

Nun ist noch zu beachten, daß in einem Hallraum die gesamte Schallenergie zur Hälfte aus einfallenden, zur Hälfte aus reflektierten Wellen besteht; es ist also $|p^2| = 2\,|p_i|^2$, wobei $|p^2|$ das räumliche Mittel des

Schalldruckquadrats ist. Die durch (81 g) definierte Größe β nimmt damit die Form

$$\beta = \frac{2}{\omega^2 m''^2}\left[1 - \frac{2\varrho c}{\omega m''} \operatorname{arctg} \frac{\omega m''}{2\varrho c}\right]$$

an. Damit ist nach (82) auch die Größe α und nach (81) die bei punktförmiger Anregung abgestrahlte Leistung gegeben. Sie ist

$$P = \frac{\varrho c k^2 \tilde{F}^2}{2\pi \omega^2 m''^2}\left[1 - \frac{2\varrho c}{\omega m''} \operatorname{arctg} \frac{\omega m''}{2\varrho c}\right]. \tag{84}$$

Falls sich das dichte Medium (Wasser) nur auf einer Seite der Platte befindet, auf der anderen Seite jedoch ein dünnes (Luft) ist, dann gilt ebenfalls Gl. (84), nur ist in der eckigen Klammer $2\varrho c/\omega m''$ durch $\varrho c/\omega m''$ zu ersetzen.

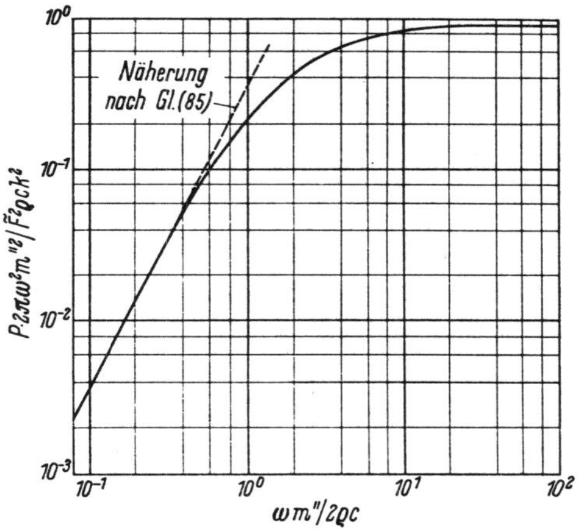

Abb. VI/24. Biegewellennahfeldabstrahlung unter Berücksichtigung der Strahlungsbelastung

Wie zu erwarten, geht Gl. (84) für $2\varrho c \ll \omega m''$, also für Wellenwiderstände die sehr klein sind, verglichen mit dem Massenwiderstand der Platte, in Gl. (65) über.

Bei verschwindender Strahlungsbelastung ergibt also die mit Hilfe des Reziprozitätsprinzips abgeleitete Formel wieder die Biegewellennahfeldabstrahlung. Darüber hinaus zeigt sie aber auch (s. Abb. VI/24), wie mit wachsender Strahlungsbelastung die abgestrahlte Leistung abnimmt. Der Grenzwert, den (84) für $2\varrho c \gg \omega m''$, also für leichte Platten in Flüssigkeiten bei tiefen Frequenzen annimmt, ist wegen $\operatorname{arctg} x = x - x^3/3 + \cdots$:

$$P = \frac{k^2 \tilde{F}^2}{24\pi \varrho c} = \frac{\omega^2 \tilde{F}^2}{24\pi \varrho c^3} \quad \text{für} \quad \omega m'' \ll 2\varrho c. \tag{85}$$

Wie man ebenfalls aus Abb. VI/24 sieht, wird dieser Grenzwert für $\omega m'' = \varrho c$ schon fast erreicht. Während also bei Luft ($\varrho c = 41$ g/cm^2 sec) selbst eine Platte von nur 0,1 g/cm^2 bzw. 1 kg/m^2 oberhalb von 100 Hz nur unmerklich durch die Strahlung belastet wird, ist bei Stahlplatten von weniger als 10 mm Dicke und bei Frequenzen unter 2000 Hz die Biegewellennahfeldabstrahlung in Wasser ($\varrho c = 1{,}4 \cdot 10^5$ g/cm^2 sec) unabhängig von den Platteneigenschaften. Der Grund hierfür ist natürlich, daß in Wasser die Plattenmasse gegenüber der mitbewegten Wassermasse vernachlässigbar ist. Aus demselben Grund ist übrigens auch Gl. (85) identisch mit einer von PHILLIPS[1] angegebenen Formel. (Es besteht lediglich ein Unterschied um einen Faktor 2, der darauf zurückzuführen ist, daß (85) nur die nach einer Seite abgestrahlte Leistung gibt.) Die Formel von PHILLIPS wurde abgeleitet für den Fall, daß — ohne Vorhandensein von strahlenden Platten oder dgl. — hydrodynamische Kräfte, beispielsweise bei der Wirbelablösung an starren Zylindern, direkt auf die Flüssigkeit wirken. Auch die Richtcharakteristik ist in beiden Fällen gleich und zwar ist es eine Dipolcharakteristik (s. Abb. VI/10), da die biegeweiche leichte Wand der sehr kleinen Flüssigkeitsbewegung in der Nähe der Anregestelle praktisch keinen Widerstand entgegensetzt.

d) Schalldämmung und Nebenwegübertragung oberhalb der Grenzfrequenz

Bei der Schalldämmung handelt es sich im Prinzip um zwei Probleme: um die Anregung einer Trennwand durch die einfallenden Schallwellen und um die Abstrahlung der Wandschwingungen. Man kann also auch hierauf Gl. (82) anwenden, denn die „Anregung" wird gerade durch die Größe β charakterisiert. Dieser Tatbestand läßt sich in Formeln ausdrücken, wenn man berücksichtigt, daß in einem Hallraum mit dem mittleren Schalldruckquadrat $\tilde{p}^2$ die auf eine Wand der Fläche S auffallende Leistung durch $P_i = \tilde{p}^2 S/4\,\varrho c$ gegeben ist, während man die von der Wand mit der Schnelle v auf der anderen Seite wieder abgestrahlte Leistung durch $P_t = \tilde{v}^2\,\varrho\, c\, S\, \sigma$ ausdrücken kann. Wir erhalten somit

$$R = 10 \lg \frac{P_i}{P_t}\,\mathrm{dB} = 10 \lg \frac{\tilde{p}^2}{4\,\tilde{v}^2\,\varrho^2 c^2 \sigma}\,\mathrm{dB} = 10 \lg \frac{1}{4\,\varrho^2 c^2 \sigma \beta}\,\mathrm{dB}\,. \quad (86)$$

Dabei ist σ diejenige Größe, über die im allgemeinen am wenigsten bekannt ist; denn — wie bereits mehrfach erwähnt — hängt der Abstrahlgrad von der Art der Anregung ab. Man kann daher nicht ohne weiteres die für Punktkräfte gefundenen Formeln auf das vorliegende Luftschallproblem anwenden. Lediglich in einem Frequenzgebiet ist das doch möglich und zwar oberhalb der Grenzfrequenz, wo sowohl für Anregung

[1] PHILLIPS, O. M.: J. Fluid Mech. 1 (1956) 607.

durch Punktkraft als auch durch Schallwellen der Abstrahlgrad $\sigma \approx 1$ ist. Man erhält also zusammen mit (82)

$$R = 10 \lg \frac{1}{4\,\varrho^2 c^2 \beta} \mathrm{dB} = 10 \lg \frac{k^2}{16\,\pi\,\varrho\,c\,\alpha} \mathrm{dB} \quad \text{für} \quad f > f_g\,. \tag{87}$$

Die Schalldämmung von homogenen Einfachwänden läßt sich demnach sofort angeben, wenn die Abstrahlung bei punktförmiger Anregung bekannt ist. Nun ist aber nach Gl. (IV, 104a) die mittlere Plattenschnelle bei Einwirkung einer Punktkraft

$$\tilde{v}^2 = \frac{\tilde{F}^2 k_B^2}{8\,\omega^2 m''^2 \eta\, S}\,,$$

wobei η der Verlustfaktor ist. Die abgestrahlte Leistung oberhalb der Grenzfrequenz ist (wegen $\sigma = 1$) also

$$P = \alpha\,\tilde{F}^2 = \tilde{v}^2 \varrho\, c\, S = \frac{\varrho\, c\, k_B^2}{8\,\eta\,\omega^2 m''^2}\tilde{F}^2\,. \tag{88}$$

Setzt man das so erhaltene α in (87) ein, so folgt die auf einem ganz anderen Wege ursprünglich über eine andere Ableitung von CREMER[1] gefundene Formel

$$R = 10 \lg \frac{\omega^2 m''^2 k^2 \eta}{2\,\pi\,\varrho^2 c^2 k_B^2} \mathrm{dB} = \left[10 \lg \frac{\omega^2 m''^2}{4\,\varrho^2 c^2} + 10 \lg \frac{2\,\eta}{\pi} + 10 \lg \frac{f}{f_g}\right] \mathrm{dB}$$
$$\text{für} \quad f > f_g\,. \tag{89}$$

Drückt man hier den Verlustfaktor durch die — im eingebauten Zustand gemessene — Körperschallnachhallzeit T_K aus (s. Tab. III/1), so kann man auch schreiben

$$R = \left[20 \lg \frac{\omega\, m''}{2\,\varrho\, c} - 10 \lg f_g\, T_K + 1{,}5\right] \mathrm{dB} \quad \text{für} \quad f > f_g\,. \tag{89a}$$

Einen Vergleich dieser Gleichung mit Meßwerten liefert Abb. (VI/25) die auf Untersuchungen von JOSSE und LAMURE[2] zurückgeht. Die Messung geht dabei so vor sich, daß man im halligen Senderaum durch einen oder mehrere Lautsprecher einen Schalldruck p erzeugt. Dieser Schalldruck, der im allgemeinen an 5 bis 10 Stellen gemessen wird, ist ein Maß für die einfallende Schalleistung P_i. Die in den Empfangsraum abgestrahlte Leistung erhält man aus der Messung des Schalldruckes p_E und der Nachhallzeit T im Empfangsraum. Auch diese Messung wird an 5 bis 10 Stellen vorgenommen. Man braucht nun nur noch das Volumen V des Empfangsraumes und die Prüffläche S zu kennen, um aus den Meßdaten die Schalldämmzahl zu ermitteln. Es gilt (s. Gl. (1)) somit

$$R = 10 \lg \frac{P_i}{P_t} \mathrm{dB} = 10 \lg \frac{\tilde{p}^2 S}{4\,\varrho\, c} \frac{\varrho\, c^2\, T}{\tilde{p}_E^2\, 13{,}8\, V} \mathrm{dB}\,,$$

[1] CREMER, L.: Akustische Z. 7 (1942) 81.
[2] JOSSE, R. u. L. LAMURE: Acustica 14 (1964) 266.

oder wenn man zu Schalldruckpegeln übergeht

$$R = L_S - L_E + 10 \lg \frac{(T/\mathrm{s})\,(S/\mathrm{m}^2)}{0{,}163\,(V/\mathrm{m}^3)}\,\mathrm{dB}\,.$$

Über die an die Raumgröße und die Raumform zu stellenden Anforderungen gilt dasselbe, wie bei der Bestimmung der Schalleistung (s. Kap. VI S. 433).

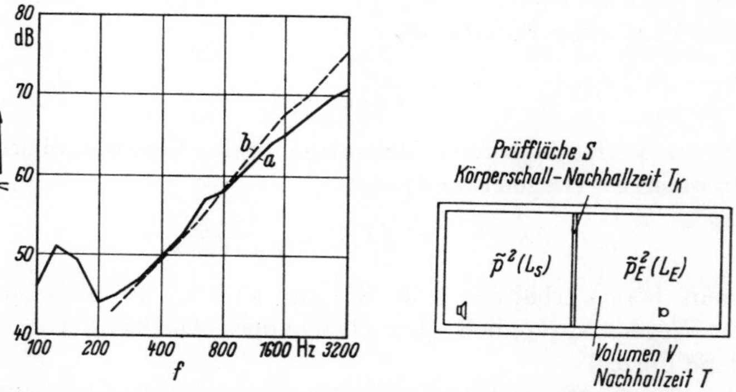

Abb. VI/25. Schalldämm-Maß einer 22 cm Ziegelwand ($m'' = 45$ gr/cm², $f_g = 170$ Hz) a) Meßwerte; b) gerechnete Werte nach Gl. (89a) unter Berücksichtigung der im eingebauten Zustand gemessenen Körperschall-Nachhallzeiten T_K

Interessant für die Praxis ist, daß auch oberhalb der Grenzfrequenz die Schalldämmung mit dem Wandgewicht zunimmt; daneben spielt aber auch noch die Lage der Grenzfrequenz und die Dämpfung eine Rolle. Dieser letztere Einfluß ist es, der es sehr schwierig macht, die Schalldämmung oberhalb der Grenzfrequenz vorherzuberechnen, denn die Dämpfung hängt nicht nur vom Material, sondern auch von der Art der Randbefestigung ab. Es ist daher auch nicht verwunderlich, daß bei extrem verschiedenen Befestigungsarten trotz gleicher Wände bis zu 6 dB verschiedene Schalldämmzahlen gemessen wurden[1].

Hinsichtlich der Lage der Grenzfrequenz kann man aus Gl. (89) folgern, daß sie möglichst weit unterhalb des interessierenden Frequenzbereiches liegen soll, um eine möglichst hohe Schalldämmung zu erzielen. Wenn man also nicht erreichen kann, daß die Grenzfrequenz über dem interessierenden Frequenzgebiet liegt, wenn man also nicht in den Genuß der Massendämmung (s. Abb. VI/21) kommen kann, dann soll man eine Wand so steif machen, daß die Grenzfrequenz möglichst unter dem interessierenden Frequenzbereich liegt. Ganz ungünstig ist es, wenn die Grenzfrequenz gerade in dem für den jeweiligen Zweck wichtigen Frequenzgebiet liegt. In diesem Fall hat man nämlich nicht nur eine gute Abstrahlung, sondern auch wegen der Rezirpozität eine

[1] Gösele, K.: Acustica 16 (1965) 320.

gute Anregung. Die Schalldämmung wird also durch zwei Effekte gleichzeitig reduziert. In Wohnungen, in denen man sich auf die Betrachtung der Frequenzen zwischen 100 und 3200 Hz[1] beschränkt, sollte man also keine homogenen Trennwände mit Dicken zwischen 2 und 10 cm benutzen; denn wie Abb. VI/14 zeigt, liegen die dazugehörigen Grenzfrequenzen bei den üblichen Materialien zwischen 150 und 1500 Hz. Es bleibt also nur die Möglichkeit, die erforderliche Schalldämmung durch relativ dicke, homogene Einfachwände oder durch inhomogene Wände (mit speziellen Maßnahmen zur Erhöhung der Grenzfrequenz) oder durch Doppelwände zu erzielen.

Im Zusammenhang mit der Schalldämmung von Trennwänden muß auf das Problem der Nebenwegübertragung zumindest hingewiesen werden. Es handelt sich dabei darum, daß der Schall auch über die flankierenden Seitenwände übertragen werden kann. Die verschiedenen Übertragungswege sind in Abb. VI/26 skizziert. Offensichtlich handelt es sich bei der Nebenwegübertragung um ein dreifaches Problem: die Anregung durch den Schall im Senderaum, die Übertragung auf die benachbarten Wände und die Abstrahlung hiervon. Das Anregeproblem ist gelöst, wenn die Größe β bekannt ist; es gilt also für die Schnelle v_i einer Seitenwand oberhalb der Grenzfrequenz genauso wie bei einer Trennwand

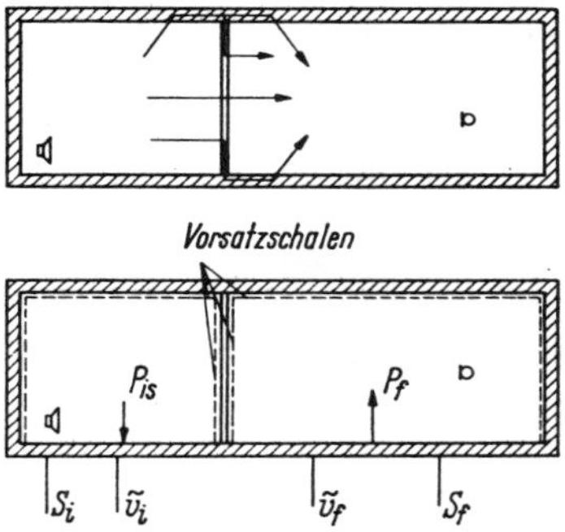

Abb. VI/26. Nebenwegübertragung
oben: die verschiedenen Übertragungswege bei der Luftschalldämmung
unten: zur Definition des Nebenweg-(Flanken) Schalldämm-Maßes. Gl. (90

$$\tilde{v}_i^2 = \beta\, \tilde{p}^2 = \frac{4\,\pi\,\alpha}{\varrho\, c\, k^2}\, \tilde{p}^2 = \frac{\pi\, k_B^2\, \tilde{p}^2}{2\,\omega^2\, m''^2\, \eta\, k^2}\,,$$

oder wenn man den Schalldruck im Senderaum durch die auf die Seitenwand auffallende Schalleistung P_{iS} ersetzt

$$\tilde{v}_i^2 = \frac{2\,\pi\,\varrho\, c\, k_B^2}{\omega^2\, m''^2\, \eta\, S_i\, k^2}\, P_{iS}\,.$$

Dabei ist S_i die Fläche der angeregten Seitenwand. Das Abstrahlproblem ist oberhalb der Grenzfrequenz ebenfalls sehr einfach, denn die von einer Wand mit der Schnelle v_f und der Fläche S_f in den Empfangsraum abgestrahlte Leistung ist

$$P_f = \tilde{v}_f^2\, \varrho\, c\, S_f\,.$$

[1] siehe DIN 4109.

Wir können nun auch eine Schalldämmzahl für die Nebenwegübertragung von einer Wand des Senderaums zu einer Wand des Empfangsraumes bestimmen. Diese Größe, die sinngemaß durch

$$R_f = 10 \lg \frac{P_{iS}}{P_f} \,\mathrm{dB} \tag{90}$$

definiert ist, kann man dadurch messen, daß man im Senderaum und Empfangsraum alle Wände bis auf die beiden interessierenden (mit den Flächen S_i und S_f) abdeckt und in der üblichen Weise die Schalldämmung mißt. Aus den obigen Formeln ergibt sich für das Nebenweg-Schalldämm-Maß von homogenen Wänden oberhalb der Grenzfrequenz (s. auch Gl. (89))

$$R_f = 10 \lg \frac{\omega^2 m''^2 \eta k^2 S_i \tilde{v}_i^2}{2 \pi \varrho^2 c^2 k_B^2 S_f \tilde{v}_f^2} \,\mathrm{dB} = R + \left[10 \lg \frac{S_i}{S_f} + 10 \lg \frac{\tilde{v}_i^2}{\tilde{v}_f^2}\right] \mathrm{dB}\,. \tag{90a}$$

Die Nebenwegübertragung ist also gegeben durch die Schalldämmzahl R der angeregten Wand im Senderaum, durch das Verhältnis der angeregten und der abstrahlenden Fläche und durch die Verringerung der Wandschnelle beim Übergang über die Kreuzungsstelle. Nach Gl. (V, 121) beträgt bei gleichartigen Wänden diese Verringerung 9 dB. In der Praxis ist sie wegen der Reflexion an den folgenden Verzweigungen meist sogar nur ca. 6 dB. Die Nebenwegübertragung über eine gemeinsame Seitenwand oder Decke ist also bei gleichen Wänden nur wenig kleiner als die Übertragung über die eigentliche Trennwand. Will man also die Schalldämmung zwischen zwei Räumen entscheidend verbessern, muß man nicht nur an der Trennwand, sondern auch an den flankierenden Wänden Zusatzmaßnahmen vornehmen oder durch Körperschallsperren (z. B. elastische Schichten) die Nebenwegübertragung unterbinden.

e) Zusammenhang zwischen Luft- und Trittschalldämmung

Als letzte Anwendung der Reziprozitätsbeziehung (82) wollen wir nun noch eine Beziehung zwischen den Schalldämmzahlen und den Trittschallpegeln herleiten[1]. Daß eine derartige Beziehung besteht, ist offensichtlich, denn die Luftschalldämmung ist der typische Fall einer gleichmäßigen Anregung aus allen Richtungen, während beim Trittschall eine Punktkraft auf das Prüfobjekt wirkt. Wir wollen uns der Einfachheit halber auch hier wieder auf das Gebiet oberhalb der Grenzfrequenz beschränken, so daß wir den Abstrahlgrad wieder gleich eins setzen können.

Ähnlich wie wir durch Gl. (87) eine Beziehung zwischen Luftschall-dämm-Maß R und der durch (81 g) definierten Größe β herstellten, können wir auch den Normtrittschallpegel L_N durch die Größe α (s. Gl. (81)) ausdrücken, denn im Grunde genommen wird bei der Trittschallmessung

[1] HECKL, M. u. E. RATHE: J. Acoust. Soc. Amer. 35 (1963) 1825.

die von einer Decke abgestrahlte Leistung bei Anregung durch eine Punktkraft bestimmt. Der Norm-Trittschallpegel ist definiert[1] als

$$L_N = 10 \lg \frac{\tilde{p}_T^2 A}{\tilde{p}_0^2 A_0} \text{dB} . \tag{91}$$

Dabei ist p_T^2 das im Raum unter der Decke gemessene mittlere Schalldruckquadrat, A ist die Absorptionsfläche, die durch eine Nachhallmessung bestimmt wird, p_0 und A_0 sind genormte Bezugswerte. Da sich die von der Decke abgestrahlte Trittschalleistung P_T aus dem erzeugten Schalldruck und der Schluckfläche nach der Gleichung (s. Gl. (1))

$$P_T = \tilde{p}_T^2 \frac{A}{4 \varrho c}$$

ergibt und da nach Gl. (81) $P_T = \alpha \tilde{F}_T^2$ ist, wobei $\tilde{F}_T$ die auf die Decke wirkende Kraft darstellt, kann man (91) auch in der Form

$$L_N = 10 \lg \frac{4 \varrho c P_T}{\tilde{p}_0^2 A_0} \text{dB} = 10 \lg \frac{4 \varrho c \alpha \tilde{F}_T^2}{\tilde{p}_0^2 A_0} \text{dB} \tag{91a}$$

schreiben. Setzt man hier Gl. (82) ein, so ergibt sich unter Benutzung von Gl. (87)

$$L_N = 10 \lg \frac{4 \varrho^2 c^2 k^2 \beta \tilde{F}_T^2}{4 \pi \tilde{p}_0^2 A_0} \text{dB} = - R + 10 \lg \frac{k^2 \tilde{F}_T^2}{4 \pi \tilde{p}_0^2 A_0} \text{dB} . \tag{92}$$

Die Summe aus Luft- und Trittschalldämmzahl ergibt also für jede Frequenz eine Konstante, die oberhalb der Grenzfrequenz nur von der an der Decke angreifenden Kraft abhängt. Die einzige Voraussetzung dabei ist, daß Luft- und Trittschall über dieselbe Decke übertragen werden; bei Decken mit schwimmenden Estrichen ist diese Voraussetzung häufig nicht erfüllt, da in diesem Fall die Luftschallübertragung wegen der Doppelschaligkeit der Trenndecke häufig mehr über die Seitenwände (Nebenwegübertragung) als über die Trenndecke erfolgt.

Eine besonders einfache Form nimmt Gl. (92) bei Decken mit harter Oberfläche (also ohne weichen Gehbelag) an. In diesem Fall ist $\tilde{F}_T$ identisch mit der vom Hammerwerk erzeugten Kraft (s. Gl. (IV, 112), jedoch mit Umrechnung auf Effektivwerte). Mit den genormten Werten $\tilde{p}_0 = 2 \cdot 10^{-4} \mu$ bar und $A_0 = 10$ m² wird somit aus (92)

$$L_N + R = \left[43 + 30 \lg \left(\frac{f}{\text{Hz}}\right)\right] \text{dB} , \tag{93}$$

wobei f die jeweilige Oktavmittenfrequenz in Hz ist.

---

[1] Siehe DIN 4109.

Ein Beispiel[1] für die Gültigkeit von Gl. (93) zeigt Abb. VI/27. Wie man sieht, stimmen bis 1600 Hz die gemessenen und gerechneten Werte im Rahmen der zu erwartenden Genauigkeit überein. Die Diskrepanz bei höheren Frequenzen ist sicher darauf zurückzuführen, daß die Deckenoberfläche eventuell wegen einer dünnen Staubschicht, eine kleine Nachgiebigkeit aufwies, die zu einer Verringerung der anregenden Kraft führte.

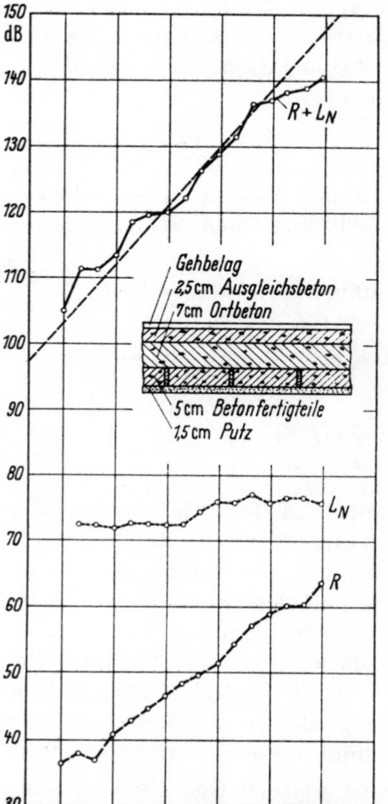

Abb. VI/27. Schalldämm-Maß und Normtrittschallpegel einer Decke

[1] Nach Meßergebnissen aus Parkin, P. H., H. J. Purkis and W. E. Scholes, Field Measurements of Sound Insulation between Dwellings, Her Majesty's Stationary Office, London, 1960.

Sachverzeichnis